SŁOWNIK
SYNONIMÓW

Andrzej Dąbrówka   Ewa Geller   Ryszard Turczyn

SŁOWNIK
SYNONIMÓW

Wydanie drugie, poprawione

WARSZAWA 1995

Projekt okładki
Magdalena Dudzińska-Skowrońska

Fotoskład
Jacek G. Grys SOFTdesign

Korekta
Ryszard Jankowski

ISBN 83-903504-0-8

MCR. Spółka cywilna
Warszawa 1995
Druk i oprawa:
Drukarnia Naukowo-Techniczna
Warszawa ul. Mińska 65

Spis treści

SŁOWO WSTĘPNE

Gdybym miał wskazać najczęściej powtarzane zalecenie poprawnościowe, z jakim się zwracam do użytkowników polszczyzny w środkach masowego przekazu bądź w czasie spotkań autorskich, bezwzględnie musiałbym zwrócić uwagę na uporczywe nawoływanie do korzystania z bogactwa form synonimicznych, wariantowych. Liczba równorzędnych form, które możemy zamiennie wykorzystywać w poszczególnych wypowiedziach, jest przecież miarą naszego stylistycznego bogactwa!

Nie ma więc słów niepotrzebnych, są tylko formy nieznośnie nadużywane, modne, których natarczywość powoduje, że inne określenia, precyzyjniej nieraz wyrażające daną myśl, zaczynają być zdecydowanie rzadziej wykorzystywane. I tak np. natrętem ostatnich lat stał się w Polsce czasownik *podejrzewać*. Już nikt u nas nie *myśli*, nie *domyśla się*, nie *sądzi*, nie *przypuszcza*, nie *czuje*, nie *przeczuwa*. Wszyscy dookoła *podejrzewają*! *„Podejrzewam, że Jurek kupi sobie auto", „podejrzewam, że stanie się tak, jak przewidywałem", „podejrzewam, co mi chciałaś wyznać"* – mówi dziś przeciętny Polak, choć mógłby przecież powiedzieć w każdej sytuacji inaczej: *„ M y ś l ę , że Jurek kupi sobie auto", „ s ą d z ę , że on ma jednak rację", „ c z u j ę , że stanie się tak, jak przewidywałem", „d o m y ś l a m s i ę , co mi chciałaś wyznać"*.

Ktoś, kto wszystko, co *miłe, ładne, przyjemne, wesołe, radosne, dobre* czy *wartościowe*, określa jako *fajne*, przestaje w końcu korzystać z wielości wyrazów służących pozytywnemu nazwaniu danych stanów i rzeczy – tak jak nadużywanie cząstki *mini* grozi zapomnieniem o takich słowach, jak *krótki, mały, drobny, niewielki, niedługi, mikroskopijny, niepozorny*.

Z biur i urzędów płyną w Polskę formuły typu *prosimy o zabezpieczenie dwóch etatów, gościom zabezpieczamy noclegi*, a i w gazetach nie należą do rzadkości zdania *nie zabezpieczono dla wszystkich biletów wstępu* czy *chodzi o zabezpieczenie ludności podstawowych artykułów żywnościowych*. To język rosyjski wykorzystuje we wszystkich tego rodzaju wypowiedziach czasownik *obezpeczit'*. W języku polskim mamy zróżnicowane formy, świadczące o bogactwie stylistycznym – takie jak *przyznać, przydzielić, zapewnić, zarezerwować, zagwarantować, zaopatrzyć*. Trzeba zatem *p r z y z n a w a ć , p r z y d z i e l a ć nowe etaty, z a p e w n i a ć gościom noclegi, r e z e r w o w a ć wszystkim bilety wstępu, g w a r a n t o w a ć ludziom podstawowe artykuły żywnościowe, z a o p a t r y w a ć zakłady pracy w maszyny*.

Podobne spustoszenie czyni w polszczyźnie imiesłów *wiodący* (ros. *weduszczyj*), wypierający z naszego języka takie zróżnicowane formy, jak *główny, wzorowy, prowadzący, najważniejszy* czy *podstawowy*.

W kontekście tak uprawianej pedagogiki językowej nie może dziwić mój aprobatywny stosunek do każdego przedsięwzięcia wydawniczego, które – uświadamiając czytelnikom bogactwo form synonimicznych – chce im pomóc w wyborze wariantów najlepszych w poszczególnych sytuacjach życiowych.

Z zaciekawieniem i radością witam *Słownik synonimów* A. Dąbrówki, E. Geller i R. Turczyna. Z zaciekawieniem – bo autorzy wychodzą z propozycją innego w stosunku do dotychczasowych opracowań przedstawienia zebranego w słowniku matariału (o czym piszą we wprowadzeniu); z radością – bo takie ujęcie powinno wywołać żywe zainteresowanie specjalistów-leksykografów.

Miarą funkcjonalności tego dzieła będzie jednak ostatecznie jego odbiór przez nieprofesjonalistów-użytkowników języka polskiego. Oby ich głosy wraz z uwagami przyszłych recenzentów służyły autorom w pracy nad ciągłym doskonaleniem leksykonu.

Jan Miodek

Wrocław, grudzień 1992

UWAGI WPROWADZAJĄCE

Co to za słownik

Słownik języka narodowego taki jak najnowszy *Słownik języka polskiego* PWN pod red. M. Szymczaka gromadzi słowa i spisuje ich znaczenia. Odpowiada więc na semazjologiczne pytanie: co znaczy dane słowo. Ten typ słownika ukształtował się historycznie ze średniowiecznej tradycji glosatorskiej, gdzie pytanie o znaczenie słowa było problemem tłumaczenia miejsc łacińskich, odszyfrowania myśli przekazanej w obcym języku.

Zupełnie innym zadaniem jest wyrażanie nowej myśli w języku ojczystym: robiąc to odpowiadamy na pytanie onomazjologiczne: jak nazwać to a to? Tu musimy sformułować przekaz, zaszyfrować treść przedtem nie istniejącą. Od sposobu udostępnienia tej treści zależy powodzenie lub fiasko komunikacji oraz taki a nie inny jej skutek. Każdą myśl można wcielić w różne postacie, tak jak ten sam projekt domu rozmaicie rozwiążą różni konstruktorzy i budowniczowie. Obmyślenie domu i jego zbudowanie to są odmienne sprawności.

Podług tej alegorii zwykły słownik semazjologiczny jest jak spis materiałów budowlanych oraz ich możliwych zastosowań, właściwych dla danego czasu. Belki drewnianej można użyć do budowy stropu, dachu czy schodów. Natomiast słownik onomazjologiczny gromadzący wyrazy bliskoznaczne jest poradnikiem, mówiącym z czego w danym czasie buduje się stropy, dachy czy schody. Słownik taki gromadzi <u>znaczenia</u> danego języka i wylicza <u>słowa</u>, jakimi te znaczenia można wyrazić.

W obu tych dziedzinach nie sposób przewidzieć wszystkich możliwych zastosowań budulca ani nie da się zaplanować wszystkich możliwych postaci dla danego pomysłu. Obok środków i chwytów powszechnie stosowanych pojawiają się wciąż nowe: przejaw i owoc twórczości. Do słownika słów (semazjologicznego) wchodzą z czasem – już utarte – użycia metaforyczne, odnotowywane jako kolejne znaczenie tego samego słowa. Natomiast słownik nazywania znaczeń (onomazjologiczny) grupujący nazwy bliskoznaczne ułatwia znalezienie najwłaściwszego (lub tylko innego) słowa, oprócz tego zaś – budząc skojarzenia i uruchamiając analogie – może pomóc nazwać rzecz obrazowo, gdy takiego najwłaściwszego słowa nie znajdujemy, lub gdy chcemy się wyrazić po nowemu.

Taki słownik jest więc bliższy płynnej sferze praktycznego działania języka, gdzie ciągle powstaje coś nowego. Nie może tym samym mieć tak normatywnego charakteru jak słownik semazjologiczny, opisujący zasób słów w aspekcie systemowym.

Od *Słownika wyrazów bliskoznacznych* powstałego pod redakcją profesora Skorupki na materiale językowym sprzed pół wieku nasz słownik różni się w paru punktach. Jest prawie dwa razy obszerniejszy, dzieli materiał dwustopniowo (na większe grupy złożone z mniejszych segmentów), wreszcie nie zawiera przykładów użyć. Tę istotną różnicę tłumaczymy tak: Słownik Skorupki słusznie podawał przykłady użyć, powstał bowiem wówczas, gdy nie było jeszcze powszechnie dostępnych opisowych i poprawnościowych PWN-owskich słowników języka polskiego (Doroszewski, Szymczak, Doroszewski/Kurkowska) i użytkownik nie miał gdzie się upewnić co do precyzyjnego znaczenia jakiegoś słowa. Dziś te przyczyny ustały i każdy, kto trudni się pisaniem – głównie wśród takich kompetentnych użytkowników języka polskiego widzimy naszych odbiorców – dysponuje wyspecjalizowanym aparatem i potrzebuje innego, wyspecjalizowanego słownika synonimów. Profesjonaliści sięgają dziś do Skorupki tylko w ostateczności, ponieważ do potrzebnej informacji (innego słowa) trzeba się za każdym razem przedzierać przez gąszcz informacji, których w tym miejscu się nie oczekuje. To że przykłady użyć bywają u Skorupki rażąco przestarzałe, nie jest tu najważniejsze. Słownik wyrazów bliskoznacznych winien trzymać się zasady tematycznej i jeżeli nie musi, nie powinien być jednocześnie słownikiem wyrazów wieloznacznych (a takie są zwykle słowa każdego języka). Zjawisko to jest nagminne w amatorskich słowniczkach synonimów dołączanych do edytorów komputerowych.

Cechę tę ma także **Słownik szkolny. Synonimy** W. Cienkowskiego (jednego ze współautorów „Skorupki"); zgodnie z tytułem są to właściwie dwa skrzyżowane słowniki, o czym decydują dwa rodzaje gniazd. Pierwszy to słowa wieloznaczne rozbite na podgniazda – kolejne znaczenia; zamiast opisu takiego kolejnego znaczenia jak w zwykłym słowniku językowym, następują po nim słowa tworzące dlań grupę synonimiczną. Drugi rodzaj gniazd to jednorodne grupy synonimiczne, udostępniające zawartość podgniazd pierwszego rodzaju w różnej kolejności, tak aby wyraz rozpoczynał gniazdo i dał się odszukać alfabetycznie (każde słowo może więc wystąpić w tym samym znaczeniu w kilku miejscach słownika).

Nasz słownik zasadę działania (dwuczęściowość: gniazda i indeks) a w niewielkim zakresie i układ haseł dzieli z thesaurusami jak **Dobór wyrazów** Zawilińskiego. Zbieżności są jednak przypadkowe i ograniczają się do miejsc, gdzie thesaurus określa hasło tematyczne na podstawie semantycznej, zamiast na rzeczowej – co jest jego istotą. Niewątpliwie użyteczność wymienionego słownika obniża skromna liczba znaczeń – ok. 17 tysięcy.

Słownik przypomnień Wł. Kopalińskiego jest firmową mieszanką odwróconego słownika wyrazów obcych, wycinków thesaurusa z elementami encyklopedycznymi oraz słownika wybranych par synonimów, kojarzącego ekwiwalenty dwójkami na zasadzie słownika wyrazów obcych.

Jak rozumiemy synonimy?

Rezygnujemy z określenia „wyrazy bliskoznaczne", ponieważ jest ono mylące, zaciera fakt notorycznej wieloznaczności słów, sugeruje, jakoby można było zestawiać całe słowa języka niosące podobne znaczenia. Tymczasem słownik tego rodzaju gromadzi w istocie nie słowa o podobnym znaczeniu, ale podobne znaczenia. Można je porównać do segmentów pomarańczy, które składają się na cały owoc: słowo wieloznaczne. W słowniku opisowym wystąpią one pod kolejnymi numerami jako poszczególne znaczenia danego słowa. Tylko te segmenty wyjęte z różnych owoców ze względu na podobieństwo, tylko poszczególne znaczenia, nie całe słowa, stanowią budulec **Słownika synonimów**.

Oczywistym warunkiem skuteczności całej informacji jest trafność przyporządkowania słowa do gniazda poprzedzona właściwym rozpoznaniem obecności hasłowego semu. Użyteczność praktyczną staraliśmy się osiągnąć poprzez cele cząstkowe. Najważniejsze z nich to: kompletność (przynajmniej minimum reprezentatywności), przejrzystość (brak zbędnych informacji), drożność (pewna przewidywalność ruchów poszukiwawczych, logika relacji między grupami synonimicznymi) i wreszcie spójność dwustopniowego podziału (nieprzecinanie się gniazd, brak luk i powtórzeń wewnątrz gniazd). O pierwszych dwóch decydują wielkość i charakter korpusu (zakres uwzględnionych informacji), pozostałe zależą od sposobu zredagowania materiału (budowa słownika).

Zawartość Słownika, zakres informacji

Słownik zawiera ponad 53 000 znaczeń leksykalnych języka polskiego ze słownictwa ogólnego i niewielką liczbę terminów specjalistycznych. Na tę liczbę leksemów (wyrazów i grup wyrazowych) o różnych znaczeniach składa się ponad 18 tysięcy znaczeń czasownikowych, 23 tysiące rzeczownikowych i 12 tysięcy z pozostałych części mowy.

Jeśli czynny słownik wykształconego człowieka obejmuje przeciętnie około dziesięciu tysięcy wyrazów, można śmiało powiedzieć, że *Słownik synonimów* ma pokaźny zasób słów i ktokolwiek weźmie go do ręki, nie odejdzie z niczym. Nie jest jednak w żadnej mierze kompletny, zwłaszcza w części frazeologicznej: nie licząc paru tysięcy utartych zwrotów i kollokacji jedynie z rzadka przytaczane są związki luźne, zwykle przy braku słów samodzielnych. Ta część będzie uzupełniana, choć ostrożnie, gdyż grozi tu rozrost gniazd, a więc zagęszczenie i zaciemnienie tekstu. Możliwe korzyści (kompletność) mogą nie zrównoważyć strat (wydłużenie czasu poszukiwania).

Informacji gramatycznych o wyrazach nie podajemy, gdyż nie jest to rolą takiego słownika. Nie ma więc wskazówek o kategoriach gramatycznych (rodzaj, fleksja), wyjątkowo zaznaczona bywa rekcja: konieczne dopełnienia zasygnalizowane zaimkami („odbiło mu"), nowością są podane niekiedy rekcje przyimkowe („uchodzić za"). Jedne i drugie mają podwójną funkcję: ułatwiają odróżnienie znaczenia już w indeksie („odbić = odrzucić" od „oszaleć", albo „być uważanym za" od „uciekać"); ponadto przypomniane tak przyimki czy formy osobowe z zaimkami zastępują dłuższe przykłady użycia, których zamieszczania poniechaliśmy.

Elementy fleksji (formy osobowe czasownika, liczba mnoga i przypadki zależne rzeczownika i przymiotnika) znajdują się obowiązkowo we frazach, które inaczej nie istnieją oraz nadobowiązkowo w związkach frazeologicznych, przytoczonych wówczas, jeśli postać bezokolicznikowa byłaby mniej czytelna; przykładowa forma osobowa reprezentuje wówczas całą grupę możliwych wariantów, jest więc prawie przykładem użycia.

Strona zwrotna jest zaznaczona prawie wszędzie, ale nie zawsze wyodrębniamy znaczenia refleksywne w osobne ciągi: gdyby tak zrobić, przybyłoby tysiące odrębnych haseł, które powtarzałyby układ znany z czasowników niezwrotnych.

Podobnie niekompletny jest inwentarz form aspektowych. Tu dokonano kompromisu między reprezentatywnością a czytelnością i wyeliminowano formy niedokonane lub dokonane jeżeli przedtem ich odpowiedniki przeciwne włączono do haseł z takich czy innych powodów (np. większa frekwencja); wyjątkami od tej zasady są przypadki, kiedy pary wskutek supletywności lub alternacji morfonologicznej bardzo różnią się od siebie budową i jedna forma nie zawsze natychmiast naprowadza na swą partnerkę: wziąć – brać, wetrzeć – wcierać. Decydującym był wzgląd na użytkownika, który widząc jedną formę przypomni sobie oczywiście drugą, ale jeśli zaczyna poszukiwanie w indeksie od jednej (której?), nie powinien być zmuszany do przypominania sobie drugiej, gdyby akurat tej pierwszej nie było. Nie uwzględniamy w zasadzie trywialnych przypadków typu przechować – przechowywać, zabawić – zabawiać, ponieważ w indeksie i tak najczęściej występowałyby obok siebie.

Mimo to co innego powoduje czasem pewne zagęszczenie w tekście gniazda, mowa o formach aspektowych osnutych wokół jednego rdzenia, obudowanego różnymi przedrostkami, także takimi, które minimalnie tylko zmieniają znaczenie. Ich uwzględnienie oddala od siebie słowa o odmiennych rdzeniach, przez to wydłuża się czas poszukiwania nowego rdzenia, nastąpiło więc pewne „zaśmiecenie", które z mniej merytorycznych powodów tak utrudnia korzystanie ze słownika Skorupki. Będziemy wdzięczni za opinie użytkowników: czy obfitość form przedrostkowych pomaga czy przeszkadza? Powodem umieszczenia ich było nie tylko to, że to są słowa języka polskiego i każde z nich może użytkownikowi przyjść do głowy jako pierwsze – od niego więc zacznie poszukiwanie. Myśleliśmy tu również o tłumaczach, zwłaszcza z języków niesłowiańskich.

Narażeni są oni na tak zwaną negatywną interferencję polegającą na nieużywaniu kategorii gramatycznych, jakich nie zna dany język obcy, mimo że istnieją one w polszczyźnie (tu: aspekt czy charakterystyczne słowotwórstwo). Uciążliwość tego zagęszczenia udało się zmniejszyć dzięki skróconemu zapisowi, stosowanemu w słownikach dwujęzycznych.

(Tabela poniżej i na wyklejce.)

Wyrazy zgromadzone w podgniazdach literowych A., B., C. itd. nie zawsze są równoważne składniowo z wyrazem nagłówkowym (nazwą gniazda). Jeśli wyraz nagłówkowy domaga się dopełnienia w bierniku (np. prezentować), to zdarza się, że jedno z podgniazd będzie gromadzić wyrazy o innej składni (np. wystąpić z). Wiadomo, że ten sam stan lub czynność można przedstawić z różnych punktów widzenia – już to od strony podmiotu: np. czuję, już to od strony dopełnienia: ogarnia mnie uczucie. Pierwszeństwo miały więc względy wymienności znaczeniowej, nie wymienność składniowa.

Kwalifikatory stylistyczne ↑ i ↓ należy rozumieć jedynie jako ostrzeżenie przed słowem, które nie jest neutralne. Nie wyznaczają one dwu jednolitych klas równoważności, ale zróżnicowane zbiory. Znak górnego rejestru ↑ stoi przed wyrazami książkowymi, specjalistycznymi, archaizmami itp. Znak dolnego rejestru ↓ poprzedza kolokwializmy ale i wulgaryzmy, które mogą być bardziej odległe od siebie nawzajem niż od poziomu neutralnego.

Budowa Słownika

Słownik ma dwie części: tekstową i indeksową. Część tekstowa to 1178 ponumerowanych gniazd grupujących po kilkadziesiąt wyrazów (leksemów, tj. słów i grup wyrazowych różnego charakteru), pogrupowanych zwykle zgodnie z zasadą dwustopniowego podziału w mniejsze segmenty (podgniazda) oznaczone literami A, B, C itd.

Indeks. Wszystkie bez wyjątku słowa i zwroty (leksemy) z części pierwszej, tekstowej, zawiera w porządku alfabetycznym część druga, indeksowa. Leksemy w indeksie są opatrzone numerem, który jest odsyłaczem liczbowo-literowym. Ten typ indeksu nazywa się konkordancją, odsyłacz liczbowy kieruje użytkownika do numeru gniazda, nie do numeru strony. Indeks nie jest zwykłym spisem wyrazów występujących w tekście książki. Informuje on oczywiście o wszystkich znaczeniach uwzględnionych w *Słowniku*, dla których zaproponowano otoczenie synonimiczne. Odsyłacz liczbowo-literowy przy każdej pozycji indeksu to klucz do oznaczania najbliższego sąsiedztwa danego znaczenia. Działa on jak drogowskaz, bez którego byłoby niemożliwe sensowne podróżowanie. Od niego należy zaczynać poszukiwanie.

Gniazda mają w nagłówku podane większym tłustym drukiem słowo najdobitniej i w miarę jednoznacznie wyrażające pewne znaczenie. Nie należy go czytać jako zapowiedzi wyliczenia znaczeń tego słowa – to byłby słownik opisowy, semazjologiczny. Tutaj słowo nagłówkowe jest jedynie umowną nazwą pewnego znaczenia, etykietą kryjącą pole bliskich sobie znaczeń, tytułem ciągnącym listę innych możliwości wyrażenia tego właśnie znaczenia. Jak powstała ta lista? Owo znaczenie można spotkać jako podstawowy lub istotny składnik (sem) określający jedno ze znaczeń innych słów. Takie wieloznaczne słowa z racji posiadania obok innych tego właśnie znaczenia trafiają do danego gniazda.

Od wyboru takich a nie innych znaczeń na nazwy gniazd zależy więc cały podział materiału słownika. Są więc możliwe inne wybory, choć zapewne nie każdy będzie jednakowo dobry.

Wśród wyrazów tak zgromadzonych w gniazda rzadkie są słowa równoznaczne, czyli całkowite synonimy. Zadaniem słownika jest ułożenie wyrazów w spektrum bliskich znaczeń i nadanie mu budowy ułatwiającej orientację w całości. Większość gniazd nie tworzy jednego ciągłego spektrum, ale składa się z kilku podgniazd, na podobieństwo szczebli wetkniętych w pionową drabinę (jest nią znaczenie wyrazu nagłówkowego organizujące całe gniazdo); w kolejnych podgniazdach, oznaczonych literami A., B. itd, znaczenie to jest modyfikowane przez semy-sygnały innych pól znaczeniowych, niekiedy dość odległych od siebie. Nazwy podgniazd stanowią jednak swoistą pionową grupę synonimiczną.

Dopiero w obrębie literowych podgniazd znajdują się właściwe grupy synonimiczne: nazwy znaczeniowo najbliższe, uporządkowane w poziome ciągi (rozgraniczone dużą kropą), w obrębie których panuje jak najpełniejsza synonimia. Te ciągi międzykropkowe stoją po sobie zgodnie z różnymi relacjami semantycznymi: intensyfikacja, abstrahowanie, generalizacja, niekiedy także antonimia. Obrazowo można te stosunki przedstawić porównując hasło do wachlarza, w którym podobne acz niekoniecznie jednakowe segmenty schodzą się w rączce.

Zdecydowaliśmy się na włączenie do **Słownika** także wyrazów, które nie mają synonimów i stoją pojedynczo między kropkami. Ich obecność jest jednak pożyteczna, ponieważ razem z innymi zapełniają białe plamy na mapie obszaru nazywania, na którym szukamy potrzebnego słowa. Odpowiada to relacyjnej naturze słownictwa: słowa mogą funkcjonować w komunikacji językowej nie dlatego głównie, że odzwierciedlają jakiś porządek przedmiotowy, ale dzięki temu, że tworzą system ustrukturowany relacjami wewnętrznymi i dość niezależny od rzeczywistości pozaznakowej (nie brak i twierdzeń, że język tę rzeczywistość i jej obraz konstruuje). W systemie wartość elementów wynika z ich wzajemnych relacji. Nasza wiedza o języku jest tym lepsza, im więcej o nich wiemy, im pełniejszy obraz tych relacji trafi do słownika językowego.

Szczególnym przypadkiem są ciągi wyrazów między sobą niewymiennych, które wspólnie wyczerpują treść pewnego słowa nadrzędnego: poprzedzone są one tą nazwą nadrzędną i dwukropkiem (miłośnik, :*filatelista*, *meloman* itd). Nie stanowią one grupy synonimicznej, ale realizują onomazjologiczny charakter słownika, pomagają bowiem nazwać coś inaczej – a to znaczy raz: dokładniej, kiedy indziej zaś: ogólniej. Takie grupy „encyklopedyczne" nie są zwykle kompletne, nie realizują wymogów systematyki naukowej, raczej zwyczajową, zatem do pewnego stopnia arbitralną. Ponieważ **Słownik** nie jest thesaurusem, gniazda rzeczowe, w których nie próbowano nawet zbliżyć się do kompletności, zawierają jedynie wyrywkowe pary lub ciągi synonimiczne, nie tworzące spójnego obrazu. Aby się do niego zbliżyć, potrzeba większej objętości: **Thesaurus** Rogeta obejmuje na przykład 200 tysięcy słów.

Budowa gniazd – szczegóły

Numery kolejne gniazd (obok nazwy na marginesie oraz w żywej paginie u góry strony) służą w indeksie jako odsyłacze. Każde słowo, które znajduje się w gnieździe o numerze 1000 otrzymuje ten numer jako etykietkę adresową. Jeśli znajdujemy je w indeksie, będzie zaopatrzone w numer gniazda, z którego pochodzi (1000), w tamtym gnieździe należy go szukać, aby poznać jego synonimy. Jeżeli słowo w indeksie jest opatrzone jedynie numerem, np. 1000, to znaczy, że jest ono nazwą całego gniazda. Większość słów ma etykietkę złożoną z numeru i litery, np.1000a, 1000b, 1000c itd. Oznacza to, że słowa należy szukać w gnieździe numer 1000 i podgnieździe A, B, C itd. Odsyłacz ma jeszcze inną postać w przypadku słów wieloznacznych, rozproszonych po kilku gniazdach w kolejnych swoich znaczeniach. Takie słowa indeks wówczas opatruje nazwą danego odcienia znaczeniowego, co pozwala już na etapie indeksu zidentyfikować właściwy obszar synonimii i precyzyjnie skierować poszukiwania.

Podgniazda literowe wyróżnione WERSALIKAMI zaczynają się od słów, które funkcjonują nieco podobnie jak nazwy gniazd: możliwie precyzyjnie nazywają pewne znaczenie, które jest wspólne dla następujących po nim ciągów słów – zwykle są to słowa z jednego obszaru zastosowań. Nazwy podgniazd pozwalają zorientować się w zawartości całego gniazda, ponadto służą jako identyfikatory znaczeń w przypadkach wielokrotnego wystąpienia słowa wieloznacznego.

Objaśnienie znaków:

↑ – wyższy rejestr stylistyczny (znaczenie książkowe, archaizm, termin specjalistyczny)
↓ – niższy rejestr (znaczenie potoczne, wulgarne, środowiskowe, regionalne)
( ) – całe słowo w nawiasie (okrągłym) można pominąć bez zmiany znaczenia; innym razem przypomina ono czytelnikowi grupę wyrazową o innym znaczeniu;
( ) – przedrostek w nawiasie można pominąć (odczytamy tak jedno znaczenie) lub przeczytać razem ze słowem z pominięciem nawiasu (jako drugie znaczenie)
\ – ukośnik wsteczny między wyrazami lub przedrostkami oznacza inne możliwości, np. „(z\wy)głodnieć" = „zgłodnieć" lub „wygłodnieć", lub „głodnieć"
I – oddziela przedrostek od rdzenia, który nie może wystąpić jako samodzielne słowo, np. „o\rozlpromienić" = „opromienić" lub „rozpromienić"
• – oddziela grupy synonimiczne
: – zapowiada ciąg wyrazów niewymiennych, wchodzących w zakres znaczeniowy słowa stojącego przed dwukropkiem; wyrazy te są wydrukowane kursywą
kursywa – po dwukropku: ciąg wyrazów niewymiennych;
        poza tym: wyrażenie zidiomatyzowane, fraza
WERSALIKI – pierwsze słowo podgniazda
, – przecinek oddziela jednostki hasłowe i nie występuje jako znak przestankowy wewnątrz fraz, gdzie byłby wskazany, np.: widzę jakby to było wczoraj – nie ma przecinka po widzę

Literatura

W. Cienkowski – Słownik szkolny. Synonimy. Warszawa 1989
Z. Cygal-Krupa – Słownictwo tematyczne języka polskiego. Kraków 1986
Witold Doroszewski (red.) – Wielki słownik języka polskiego. Warszawa 1970
Wł. Kopaliński – Słownik wyrazów obcych. Warszawa (różne wyd.)
Ida Kurcz, A. Lewicki, J. Sambor, K. Szafran, J. Woronczak i Wł. Masłowski – Słownictwo współczesnego języka polskiego. Listy frekwencyjne. T. 1–5, Warszawa 1974–1977, Kraków ^{2}1990
Andrzej Markowski – Leksyka wspólna różnym odmianom polszczyzny. Warszawa 1990
Jan Miodek – Syntetyczne konstrukcje leksykalne w języku polskim. Wrocław 1976
St. Skorupka (red.) – Słownik wyrazów bliskoznacznych. Warszawa (różne wyd.)
Słownik wyrazów obcych PWN. Warszawa (różne wyd.)
Mieczysław Szymczak (red.) – Słownik języka polskiego. Warszawa 1978–1981
Mieczysław Szymczak (red.) – Słownik ortograficzny języka polskiego. Warszawa 1986
Danuta Tekiel – Nowe słownictwo polskie. T. 1–2, Warszawa 1988
Halina Zgółkowa – Słownictwo współczesnej polszczyzny mówionej. Lista frekwencyjna i rangowa. Poznań 1983

JAK KORZYSTAĆ ZE SŁOWNIKA?

Kolejność kroków kiedy np. szukam synonimów słowa „awangarda"

1. zaglądam do indeksu, gdzie znajduję:
awangarda, 187e *(czołówka)*
awangarda, 255c *(patrol)*,

2. decyduję, które z tych dwu znaczeń słowa „awangarda" było mi potrzebne, powiedzmy: *(patrol)*,

3. zapamiętuję liczbę i literę – więc 255c (jest to numer gniazda i oznaczenie podgniazda, czyli adres słowa; określa on miejsce słowa w części tekstowej, będącej właściwym słownikiem),

4. szukam w części tekstowej gniazda o danym numerze – 255 – i podgniazda oznaczonego daną literą – C,

5. przebiegam wzrokiem treść podgniazda i odnajduję słowo „awangarda",

6. obok tego słowa znajdują się poszukiwane wyrazy najbliższe znaczeniowo.

Przypadki szczególne:

7. W indeksie słowo jest **wytłuszczone**, odsyłacz zaś jest tylko liczbą bez litery – oznacza to, że interesujące nas słowo jest nazwą całego gniazda o danym numerze; musimy odnaleźć ten numer w części tekstowej i przebiec wzrokiem najpierw pierwsze słowa podgniazd, wydrukowane WERSALIKAMI. To nas naprowadzi na obszar znaczeniowy, na którym szukamy synominu.

8. W indeksie słowo jest wydrukowane WERSALIKAMI – oznacza to, że interesujące nas słowo jest nazwą podgniazda; musimy odnaleźć gniazdo o podanym numerze i podaną literę, po której stoi nasze słowo, na początku całego podgniazda, które przebiegamy wzrokiem w poszukiwaniu synonimu.

Objaśnienie znaków:

↑ – wyższy rejestr stylistyczny (znaczenie książkowe, archaizm, termin specjalistyczny)

↓ – niższy rejestr (znaczenie potoczne, wulgarne, środowiskowe, regionalne)

( ) – całe słowo w nawiasie (okrągłym) można pominąć bez zmiany znaczenia; innym razem przypomina ono czytelnikowi grupę wyrazową o innym znaczeniu;

( ) – przedrostek w nawiasie można pominąć (odczytamy tak jedno znaczenie) lub przeczytać razem ze słowem z pominięciem nawiasu (jako drugie znaczenie)

\ – ukośnik wsteczny między wyrazami lub przedrostkami oznacza inne możliwości, np. „(z\wy)głodnieć" = „zgłodnieć" lub „wygłodnieć", lub „głodnieć"

I – oddziela przedrostek od rdzenia, który nie może wystąpić jako samodzielne słowo, np. „o\rozlpromienić" = „opromienić" lub „rozpromienić"

● – oddziela grupy synonimiczne

: – zapowiada ciąg wyrazów niewymiennych, wchodzących w zakres znaczeniowy słowa stojącego przed dwukropkiem; wyrazy te są wydrukowane *kursywą*

kursywa – po dwukropku: ciąg wyrazów niewymiennych;
       poza tym: wyrażenie zidiomatyzowane, fraza

WERSALIKI – pierwsze słowo podgniazda

, – przecinek oddziela jednostki hasłowe i nie występuje jako znak przestankowy wewnątrz fraz, gdzie byłby wskazany, np.: *widzę jakby to było wczoraj* – nie ma przecinka po *widzę*

LISTA GNIAZD

127 dokuczać	181 grać	235 kierowca
128 dokument	182 granica	236 kierownik
129 domagać się	183 gromadzić	237 kij
130 dostać	184 groźnie	238 klimatyczny
131 dotyczyć	185 grób	239 kluska
132 dotykać	186 gruby	240 kłaść
133 dowód	187 grupa	241 knuć
134 drewno	188 grzecznie	242 kobieta
135 drobnoustroje	189 grzeczny	243 kochać
136 droga	190 gwóźdź	244 kochanka
137 drżeć	191 hałas	245 kolor
138 duchowo	192 handel	246 koło
139 dumny	193 handlować	247 komplikować
140 dusza	194 hańba	248 kompromitować
141 dużo	195 harmonizować	249 komunikacyjny
142 duży	196 heretyk	250 konflikt
143 dym	197 hulaka	251 konieczność
144 dyskretnie	198 idealista	252 konkurować
145 działać	199 ignorant	253 konserwacja
146 dziecko	200 impreza	254 konserwatyzm
147 dzielić	201 inaczej	255 kontrola
148 dzieło	202 informacja	256 kontuzjować
149 dziennikarz	203 informacyjny	257 kontynuować
150 dzierżawa	204 informować	258 koń
151 dziękować	205 inny	259 końcowy
152 dziki	206 instrument	260 kończyć
153 dziura	207 instytucja	261 kończyć się
154 dziwić	208 interesować	262 kończyna
155 dziwnie	209 interesująco	263 kopia
156 dźwięk	210 intruz	264 kopiować
157 dźwig	211 intryga	265 korzystać
158 dźwigać	212 intrygant	266 korzystnie
159 edukować	213 irytująco	267 korzystny
160 egzamin	214 istnienie	268 korzyść
161 elektronika	215 iść	269 kosztować
162 energetyczny	216 jadłodajnia	270 kosztowny
163 energicznie	217 jasny	271 kość
164 energiczny	218 jawny	272 kradzież
165 fachowość	219 jedzenie	273 krosta
166 fatalny	220 jeść	274 krótki
167 ganić	221 język	275 krótko
168 gęstość	222 kamień	276 krwawienie
169 głośno	223 kandydat	277 krzak
170 głośny	224 kapłan	278 krzyczeć
171 głowa	225 kara	279 krzywda
172 głupi	226 karać	280 krzywdzić
173 głupio	227 karny	281 krzywizna
174 głupstwo	228 karykaturá	282 książka
175 gniewać się	229 kasa	283 księżyc
176 gniewnie	230 kasjer	284 kształcić się
177 goły	231 kaszleć	285 kształt
178 gospodarczy	232 każdy	286 kształtować
179 gospodarka	233 kiedyś	287 kształtowanie
180 góra	234 kierować	288 kukiełka

289 kultura	343 matematyczny	397 napadać
290 kulturalny	344 mądry	398 napinać
291 lanie	345 mądrze	399 napój
292 las	346 medyczny	400 naprawić
293 latać	347 mężczyzna	401 narodziny
294 lawirować	348 mieć	402 naruszać
295 leczenie	349 miejsce	403 następować
296 lecznictwo	350 miernik	404 nastrój
297 leczyć	351 mieszać	405 naśladować
298 lekarstwo	352 mieszany	406 naśladowca
299 lekarz	353 mieszczański	407 natręctwo
300 lekceważenie	354 mieszkać	408 naturalnie
301 lekkomyślny	355 mieszkanie	409 nauczanie
302 lekkość	356 między	410 nauczyciel
303 leniuchować	357 miękki	411 naukowy
304 leń	358 mięknąć	412 nawóz
305 lepki	359 mięso	413 nawrót
306 leżeć	360 milczeć	414 nazwa
307 lęk	361 miło	415 nazwać
308 linia	362 miłosny	416 nerwowy
309 list	363 miłość	417 nicość
310 lista	364 miły	418 nie
311 literatura	365 mistrz	419 niebezpieczeństwo
312 lokalizacja	366 młody	420 niebezpieczny
313 lokalny	367 młot	421 niebo
314 los	368 mniemać	422 nieboszczyk
315 lubować się	369 moczyć	423 niech
316 luneta	370 mokro	424 niechęć
317 ładnie	371 mokry	425 niechętnie
318 ładny	372 możliwość	426 nieciekawie
319 łagodny	373 możliwy	427 niecierpliwość
320 łagodzić	374 móc	428 nieczynny
321 łatwo	375 mówca	429 nieczystości
322 łatwy	376 mówić	430 niedbały
323 łazienka	377 mścić się	431 niedołęga
324 łączący	378 musieć	432 niedołęstwo
325 łączność	379 muzyka	433 niedoświadczony
326 łączyć	380 myjka	434 niefachowość
327 łączyć się	381 mylić	435 niegroźny
328 łąka	382 myśl	436 niegrzeczność
329 łopata	383 myśleć	437 niejasność
330 łotr	384 myślenie	438 niemożliwy
331 łódź	385 nabiał	439 nienaturalnie
332 łóżko	386 naczynie	440 niepełny
333 machać	387 nadmiar	441 niepogoda
334 magazyn	388 nadmierny	442 niepopularny
335 magia	389 nadzieja	443 nieporządek
336 majątek	390 naganny	444 nieporządnie
337 mały	391 nagle	445 nieposłuszeństwo
338 marnotrawstwo	392 nagły	446 niepotrzebnie
339 marny	393 nago	447 niepotrzebny
340 martwić	394 nagroda	448 niepowodzenie
341 martwy	395 naiwność	449 nieprawdziwie
342 marzyć	396 najemny	450 nieprawdziwy

451 nieprzyjaciel	505 obsługa	559 organizacja
452 nieprzyjazny	506 obuwie	560 osłabić
453 nieprzyzwoicie	507 ocena	561 osobistość
454 nieprzyzwoity	508 oceniać	562 osobisty
455 nierealność	509 ochrona	563 osobliwość
456 nieregularność	510 ochronnie	564 osobny
457 nierówno	511 ocieplać	565 ostatnio
458 nierówny	512 odbiór	566 ostrożnie
459 nieruchomy	513 odbywać się	567 ostrożność
460 nieskory	514 odchylić	568 ostrożny
461 niesłuszny	515 oddech	569 ostry
462 nieśmiałość	516 oddychać	570 oszczędność
463 nieuczciwie	517 oddział	571 oszczędzać
464 nieuprzejmie	518 odejść	572 oszołomiony
465 niewiadomy	519 odnoga	573 oszukiwać
466 niewiarygodny	520 odpoczywać	574 oszust
467 niewiele	521 odpowiadać	575 oszustwo
468 niewinność	522 odpowiedni	576 ośrodek
469 niewola	523 odpowiednio	577 otwarcie
470 niewolić	524 odpowiedź	578 otworzyć
471 niewychowany	525 odrobina	579 owoc
472 niewygodny	526 odurzać się	580 pachnieć
473 niewyraźnie	527 odurzenie	581 padać
474 niewyraźny	528 odwaga	582 paliwo
475 niezadowolenie	529 odważny	583 pamięć
476 niezadowolony	530 odważyć się	584 pamiętać
477 niezależny	531 odzież	585 państwo
478 niezawodny	532 ofiara	586 papieros
479 niezgrabny	533 oficjalnie	587 papka
480 niezwykły	534 oficjalny	588 parlament
481 nimfa	535 ogień	589 patrzeć
482 niszczeć	536 ograniczać	590 pesymista
483 niszczyć	537 ogrodzenie	591 peszyć
484 notatnik	538 ogrom	592 pewnie
485 nowy	539 ogród	593 pewność
486 nóż	540 ojczyzna	594 pewny
487 nudny	541 okno	595 pędzić
488 obcęgi	542 okolicznościowy	596 pękać
489 obcować	543 około	597 pić
490 obcy	544 okrągły	598 piec
491 obczyzna	545 określać	599 pieczywo
492 obejmować	546 opakować	600 pieniądze
493 obłęd	547 opakowanie	601 pies
494 obłudnik	548 opatrunek	602 piękno
495 obłudny	549 opieka	603 pijaństwo
496 obojętnie	550 opiekować się	604 pisać
497 obojętność	551 opiekun	605 pisak
498 obojętny	552 opiekuńczy	606 pisarz
499 obowiązek	553 opinia	607 plac
500 obrabiać	554 opisowy	608 plan
501 obraz	555 opłata	609 planowo
502 obrażenie	556 opowieść	610 plastyk
503 obronny	557 opóźniać	611 plon
504 obrzęd	558 opróżniać	612 płacić

613 płakać
614 płaszczyzna
615 płynąć
616 pływać
617 pobożnie
618 pochlebca
619 pochodzić
620 pochować
621 pochód
622 pociąg
623 początek
624 podejrzewać
625 podłoga
626 podnieść
627 podobny
628 podpis
629 podpisać
630 podróż
631 podstawa
632 podstępnie
633 podwładny
634 podział
635 poglądowy
636 pogoda
637 pogrzeb
638 pojazd
639 pojemnik
640 pokolenie
641 pokrewieństwo
642 pokrycie
643 polecenie
644 policja
645 polityczny
646 polityk
647 położenie
648 pomagać
649 pomieszany
650 pomieszczenie
651 pominąć
652 pomnik
653 pomoc
654 pomocny
655 pomówienie
656 ponieważ
657 poniżyć
658 poprawa
659 poprawiać
660 porozumienie
661 porozumiewać się
662 porównanie
663 poruszać się
664 porządek
665 porządkować
666 porządkujący

667 posłaniec
668 pospolitość
669 postępować
670 postój
671 poszukiwany
672 pościg
673 potrzebny
674 potwór
675 poważnie
676 poważny
677 powiedzenie
678 powieść się
679 powłoka
680 powodować
681 powoli
682 powstać
683 powstrzymać
684 powszechnie
685 poziom
686 poznawać
687 poznawczy
688 późno
689 późny
690 praca
691 pracować
692 pracowicie
693 pracowity
694 pracownia
695 pracownik
696 prasa
697 prawdopodobnie
698 prawidłowy
699 prawnik
700 prawny
701 prawo
702 prezentować
703 prędkość
704 problem
705 produkować
706 promieniowanie
707 propaganda
708 proponować
709 propozycja
710 prostactwo
711 prosto
712 prosty
713 prośba
714 przebaczenie
715 przeciwny
716 przedostać się
717 przedsiębiorca
718 przedsiębiorstwo
719 przedstawiciel
720 przełącznik

721 przemieszczać
722 przemieścić się
723 przemoc
724 przemowa
725 przenośnia
726 przesadnie
727 przesadzać
728 przesłaniać
729 przestępca
730 przestępstwo
731 przestraszony
732 przestrzenny
733 przestrzeń
734 przeszkoda
735 przeszłość
736 prześladować
737 prześmiewca
738 przetrwać
739 przewaga
740 przewód
741 przezroczysty
742 przodek
743 przodem
744 przybycie
745 przybyć
746 przybysz
747 przycisnąć
748 przyczyna
749 przygotowywać
750 przykry
751 przykrywać
752 przynęta
753 przypadkowo
754 przypadkowy
755 przyroda
756 przyrządzać
757 przystosowanie
758 przyszłość
759 przytwierdzić
760 przyzwyczaić
761 przyzwyczajony
762 psuć się
763 psychiczny
764 publiczność
765 pustka
766 pusty
767 pycha
768 rachunek
769 radzić
770 razem
771 rekreacyjny
772 religia
773 religijny
774 reszta

775 rewanż	829 siedzenie	883 stracić
776 rewolucja	830 silnie	884 straszny
777 rezygnować	831 silny	885 straszyć
778 robak	832 siła	886 strona
779 rodzaj	833 skarga	887 substancja
780 rodzić	834 skąpiec	888 substancjalny
781 rodzina	835 sklep	889 suchy
782 rolnik	836 skoligacić	890 sukces
783 rosnąć	837 skomplikowany	891 suszyć
784 rozczarować	838 skutecznie	892 swobodnie
785 rozebrać	839 skuteczny	893 swojski
786 rozłączać	840 słabo	894 sygnalizować
787 rozłąka	841 słaby	895 szacunek
788 rozmawiać	842 słowo	896 szczególny
789 rozmiar	843 słuchać	897 szczegół
790 rozmowa	844 służalczość	898 szczepienie
791 rozmowność	845 służbista	899 szczęście
792 rozpowszechniać	846 służyć	900 szczupły
793 rozpusta	847 słynąć	901 szeroki
794 roztargniony	848 smarować	902 szkodzić
795 rozum	849 smutno	903 szkoła
796 rozumieć	850 smutny	904 sznur
797 rozwinięty	851 spać	905 sztuczny
798 rozwojowy	852 spadek	906 szukać
799 również	853 spalać	907 szybki
800 równo	854 specjalnie	908 szybko
801 równoległy	855 spinka	909 szyć
802 równość	856 spocząć	910 ślub
803 równy	857 spodleć	911 śmierć
804 różnica	858 spokojnie	912 środek
805 różnić	859 spokojny	913 światło
806 różnie	860 spokój	914 świątynia
807 ruch	861 społeczeństwo	915 świecić
808 ruchomy	862 sport	916 świeżo
809 rysować	863 sposób	917 świeży
810 ryzykować	864 spotkać	918 taić
811 rzadko	865 spożycie	919 tajemnica
812 rząd	866 sprawa	920 tak
813 rzecz	867 sprawdzać	921 talent
814 rzeczywisty	868 sprawiedliwość	922 tandeta
815 rzemieślnik	869 sprawnie	923 taniec
816 rzucić	870 sprawność	924 tchórz
817 samodzielnie	871 sprawny	925 tendencja
818 samolot	872 sprawozdanie	926 teraz
819 samolubny	873 sprowadzić	927 teraźniejszość
820 samotnie	874 spryciarz	928 tkanina
821 samotnik	875 sprzeciw	929 tkwić
822 samotność	876 sprzeciwiać się	930 tłuszcz
823 samotny	877 sprzyjać	931 towar
824 sanitarny	878 stały	932 towarowy
825 schlebiać	879 starać się	933 towarzysz
826 schronienie	880 staro	934 transport
827 seks	881 stary	935 treść
828 sen	882 starzeć się	936 trudno

937 trudny	991 uwaga	1045 wybór
938 trwale	992 uważnie	1046 wybrzeże
939 trwały	993 uważny	1047 wydalać
940 trwanie	994 uwolnić	1048 wydostać
941 trybuna	995 uwzględniać	1049 wydzielać
942 twardnieć	996 użycie	1050 wygrywać
943 twardy	997 użyteczność	1051 wyjaśnienie
944 twarz	998 użytkownik	1052 wyjątkowy
945 tworzyć	999 walczyć	1053 wyjść
946 twórca	1000 walka	1054 wykonawczy
947 tyć	1001 wariat	1055 wynik
948 uatrakcyjnić	1002 wartość	1056 wyobcować się
949 ubrać	1003 warzywo	1057 wypoczynek
950 uchwyt	1004 ważniak	1058 wyposażenie
951 uciec	1005 ważny	1059 wyraz
952 ucieczka	1006 wątpliwość	1060 wyrazić
953 uciekinier	1007 wczesny	1061 wyrazistość
954 uczciwie	1008 wcześnie	1062 wyraźny
955 uczciwość	1009 wdzięczność	1063 wyrównać
956 uczciwy	1010 wejście	1064 wyrzucić
957 uczeń	1011 wejść	1065 wysłać
958 uczestniczyć	1012 wesoło	1066 wyspa
959 uczestnik	1013 wesoły	1067 wywyższać się
960 uczony	1014 wewnętrzny	1068 wzór
961 udawanie	1015 wędrowiec	1069 wzrost
962 uderzyć	1016 wiązanka	1070 wzruszyć
963 udowodnić	1017 widnieć	1071 zabawa
964 udział	1018 wiedza	1072 zabezpieczyć
965 ufać	1019 wiedzieć	1073 zabić
966 ugościć	1020 wiek	1074 zaborczy
967 ujarzmić	1021 więzień	1075 zabójstwo
968 ujawnić	1022 więź	1076 zaburzać
969 ukryty	1023 witać	1077 zachęcać
970 ulga	1024 władczo	1078 zachęcająco
971 ułomny	1025 władczy	1079 zachowanie
972 umierać	1026 władza	1080 zacząć
973 umieścić	1027 własny	1081 zadośćuczynić
974 umocnienie	1028 włochaty	1082 zadowalać
975 unieważnić	1029 włosy	1083 zadowolony
976 unieważnienie	1030 woda	1084 zadziorny
977 upaść	1031 wojsko	1085 zajmować się
978 uporządkowany	1032 wolność	1086 zakończenie
979 upór	1033 wpływ	1087 zależeć
980 uratować	1034 wrażenie	1088 zależny
981 uroczystość	1035 wrażliwość	1089 zamknąć
982 uruchomić	1036 wrócić	1090 zanik
983 urządzenie	1037 wspinać się	1091 zapach
984 usługowy	1038 wspólny	1092 zapełniać
985 uspokoić	1039 współczuć	1093 zapewniać
986 uspokoić się	1040 współpraca	1094 zapis
987 ustąpić	1041 wstępny	1095 zapominać
988 usunąć	1042 wstrzemięźliwość	1096 zaraz
989 utrwalić	1043 wybaczyć	1097 zarodek
990 utrzymanie	1044 wybierać	1098 zaskakiwać

1099 zaskoczenie	1126 ziarno	1153 znużyć
1100 zasłona	1127 ziemia	1154 zobojętnieć
1101 zasób	1128 ziębnąć	1155 zrozumienie
1102 zastapić	1129 zimny	1156 zubożyć
1103 zatrudnić	1130 zjednoczenie	1157 zupełnie
1104 zatwierdzenie	1131 zło	1158 zupełny
1105 zatwierdzić	1132 złość	1159 zużyć
1106 zawierać	1133 zły	1160 zwierzę
1107 zawodnik	1134 zmęczony	1161 zwiększyć
1108 zawodzić	1135 zmęczyć się	1162 zwiększyć się
1109 zbiór	1136 zmiana	1163 zwłoka
1110 zbliżać się	1137 zmieniać	1164 zwolennik
1111 zboczeniec	1138 zmieniać się	1165 zwój
1112 zdarzenie	1139 zmienność	1166 zwycięzca
1113 zdawać się	1140 zmienny	1167 zwyczajnie
1114 zdecydowanie	1141 zmierzch	1168 źle
1115 zdenerwowany	1142 zmniejszać	1169 żal
1116 zdobny	1143 zmniejszać się	1170 żarłok
1117 zdobyć	1144 zmysł	1171 żart
1118 zdrada	1145 znaczyć	1172 żądanie
1119 zebranie	1146 znak	1173 żeby
1120 zegar	1147 znaleźć	1174 żłobić
1121 zgięcie	1148 znany	1175 życiowy
1122 zgłupieć	1149 zniechęcać	1176 życzenia
1123 zgoda	1150 znieruchomieć	1177 życzliwy
1124 zgodność	1151 zniknąć	1178 żywy
1125 zgodzić się	1152 zniszczenie	

Słownik synonimów

1 agresywny – 1178 żywy

A

1 agresywny — **A.** NAPASTLIWY, zaczepny, • kłótliwy, swarliwy↑, jędzowaty↓, wiedźmowaty↓, gniewliwy↑, konfliktowy, niezgodny, • konfrontacyjny, siłowy↓, • wojowniczy, rezonerski↑, • pieniacki↑, **B.** ZŁOŚLIWY, cyniczny, drwiący, szyderczy, urągliwy↑, sarkastyczny, prześmiewczy, cierpki, gorzki, zgryźliwy, kąśliwy, jadowity, uszczypliwy, kostyczny↑, sardoniczny↑, kwaśny, • zjadliwy, niewyparzony↓, cięty↓, ostry, ezopowy↑, • deprymujący, onieśmielający, zbijający z tropu, • paraliżujący, • szkodliwy, krzywdzący, kompromitujący, obciążający, demaskujący, dekonspirujący, ośmieszający, • oskarżycielski, inkwizytorski↑, **C.** NATARCZYWY, natrętny, nachalny↓, namolny↓, naprzykrzony, naprzykrzający się, uprzykrzony, nieznośny, • roszczeniowy, życzeniowy, postulatywny↑, • ponaglający, przynaglający, • prześladowczy, • reklamiarski, **D.** GDERLIWY, zrzędliwy, zrzędny↑, nudny, marudny↓, jęczący↑, upierdliwy↓, • zrzędzący, gderający, • malkontencki↑,

2 alkohol — **A.** NAPÓJ WYSKOKOWY, napój alkoholowy, napój wysokoprocentowy, • kolejka, kieliszek, kieliszeczek, szklaneczka, **B.** WÓDKA, gorzałka, czysta, czyściocha↓, gorzała↓, wódzia↓, pół litra, połówka↓, butelczyna↓, • bimber, samogon, **C.** TRUNEK, wódka gatunkowa, :*brandy, dżin, gin, koniak, cognac, whisky, arak, rum, kirsz,* • likier, likwor, • nalewka, :*kordiał↑, absynt, calvados, jałowcówka, jarzębiak, orzechówka, wiśniówka, pestkówka, pieprzówka, porterówka, przepalanka,* **D.** DRINK, koktajl, coctail, aperitif, :*kruszon, wermut, grog, poncz,* • wino, :*malaga, porto, portwajn, sherry, bełt↓* • wino deserowe, wino półsłodkie, wino wytrawne, • wino musujące, szampan, • piwo, jasne, ciemne, porter, piwko↓,

3 ankieta — **A.** SONDA, sondaż, pytanie, **B.** WYWIAD, interwiew, rozmowa, • anamneza, historia choroby, **C.** KWESTIONARIUSZ, formularz, deklaracja, druk, druczek,

blankiet, kupon, • arkusz, karta (rejestracyjna), karta katalogowa, fiszka,

4 artysta — **A.** TWÓRCA, mistrz, • plastyk, • malarz, :*pejzażysta, plenerzysta, portrecista, impresjonista, ekspresjonista, modernista, kubista,* • plakacista, • grafik, ilustrator, rytownik, iluminator, rysownik, • kreślarz, • projektant, designer↑, • dekorator, scenograf, architekt wnętrz, • rzeźbiarz, **B.** AKTOR, artysta dramatyczny, :*komik, tragik, amant,* • deklamator, recytator, • komediant, histrion↑, • odtwórca, interpretator, • gwiazda, wedeta↑, gwiazdor, wschodząca gwiazda, debiutant, • statysta, dubler, **C.** artysta estradowy, estradowiec, kabarecista, kuplecista, • wykonawca, solista, wokalista, • piosenkarz, pieśniarz, balladzista, bard, trubadur, skald, truwer, minstrel↑, minezenger, rapsod, • śpiewak, artysta operowy, chórzysta, • kantor, • psalmista, diak, • głos, :*sopran, mezzosopran, alt, kontralt, tenor, kontratenor, baryton, bas,* • śpiewaczka, primadonna, diva↑, • pieśniarka, piosenkarka, szansonistka, • **D.** muzyk, kompozytor, kontrapunkcista, • wirtuoz, koncertant, koncertmistrz, akompaniator, instrumentalista, :*flecista, gitarzysta, organista, pianista, perkusista, saksofonista, skrzypek, wiolonczelista, trębacz, dobosz, dudziarz,* • kameralista, filharmonik, jazzman, • grajek, muzykant, klezmer, • kapelmistrz, dyrygent, **E.** CYRKOWIEC, artysta cyrkowy, klown, mim, pantomimista, mimik, • akrobata, linoskoczek, kaskader, **F.** TANCERZ, baletmistrz, choreograf, • danser, • baletnica, balerina, primabalerina, • tancerka, danserka, girlsa,

5 artystycznie — **A.** OBRAZOWO, barwnie, alegorycznie, przenośnie, w przenośni, metaforycznie, symbolicznie, • ekspresyjnie, ekspresywnie↑, sugestywnie, jędrnie↓, • poglądowo, **B.** PLASTYCZNIE, rysunkowo, graficznie,

6 artystyczny — **A.** KUNSZTOWNY, mistrzowski, efektowny, wypracowany, • wirtuozerski, wirtuozowski, • finezyjny, wysmakowany, • wyrafinowany, wysublimowany, • natchniony, głęboki, • malowniczy, barwny, • melodyjny, śpiewny, • filmowy, malarski, **B.** FABULARNY, • realistyczny, • historyczny, wojenny, batalistyczny, • kostiumowy, **C.** PLASTYCZNY, dekoracyjny, • zdobniczy, ornamentacyjny, ornamentalny↑, **D.** MUZYCZNY, • rockowy, bigbitowy,

7 **atak** — **A.** ZAMACH, skok, napad, • zaczepka, wypad, zagon↑, działania zaczepne, kroki nieprzyjacielskie, • uderzenie, natarcie, ofensywa, szturm, szarża, • obstrzał, ostrzał, • nalot, bombardowanie, **B.** NAPAŚĆ, agresja, inwazja, • wojna, konflikt zbrojny, konfrontacja zbrojna, interwencja zbrojna, wyprawa (krzyżowa), krucjata, • wojowanie, wojaczka, • oblężenie, otoczenie, osaczenie, okrążenie, kocioł, blokada, • najazd, najechanie, • wtargnięcie, najście, • nawała, nawałnica, pożoga, zawierucha (wojenna), **C.** NAGONKA, wystąpienie przeciw, (ostra) krytyka,

B

8 **bać się** — **A.** NIE ŚMIEĆ, nie odważyć się, chować głowę w piasek, nie czuć się na siłach, schodzić z drogi, **B.** OBAWIAĆ SIĘ, niepokoić się, lękać się, przelęknąć się, zlęknąć się, zląc się, mieć stracha (pietra), spietrać się, świrować, cykać się↓, • (s)truchleć, przerazić (przerażać) się, (s)trwożyć się, najeść (nałykać) się strachu, • panikować, dramatyzować, tragizować, rozhisteryzować się, umierać ze strachu, mieć duszę na ramieniu, **C.** WZDRYGNĄĆ SIĘ, przestraszyć się, (za)drżeć, zadrgać, drgnąć, dygotać, dzwonić zębami, nastraszyć się, otrząsnąć się, płoszyć się, *ciarki chodzą po, przechodzą ciarki, krew zastyga,* trząść portkami, robić w portki, **D.** STCHÓRZYĆ, rejterować, tchórzyć, cofać się, łamać się, załamywać się, tracić ducha, spanikować, poprzestraszać się, przepłoszyć (przepłaszać) się, *pada strach, ziemia pali się pod stopami,*

9 **badać** — **A.** SPRAWDZIĆ, prześledzić, rozpatrzyć, (prze)analizować, przemyśleć, rozważyć, • obserwować, przyjrzeć się, wejrzeć, wejść w szczegóły, wgłębić się, wgryźć się, wmyślać się, wniknąć, brać pod lupę, • trzymać rękę na pulsie, **B.** ZBADAĆ, oglądać, osłuchiwać, auskultować, opukać, ostukiwać, macać, wąchać, obwąchiwać, niuchać, powąchać (się), • przesłuchiwać, maglować, prześwietlać, inkwirować↑, **C.** STUDIOWAĆ, dochodzić, docierać, penetrować, zgłębiać, kwerendować,

10 **badanie** — **A.** DOCIEKANIE, rozpatrywanie, rozważanie, roztrząsanie, uwzględnienie, • sondowanie, eksploracja, penetracja, • poszukiwanie, wyszukiwanie, kwerenda, • heureza, heurystyka, • analiza, rozbiór, **B.** DOŚWIADCZENIE, empiria, autopsja, • eksperyment, test, • próba, przymiarka, • degustacja, smakowanie, kosztowanie, kiperstwo, • badania, studia, prace badawcze, pomiary, **C.** OGLĘDZINY, obdukcja, obmacywanie, opukiwanie, osłuchiwanie, przebadanie, przegląd, diagnostyka, • zbadanie, sprawdzenie, skontrolowanie, porównywanie, • ekshumacja, • sekcja zwłok, wiwisekcja, **D.** OBSERWACJA, introspekcja, samoobserwacja, • podpatrywanie, obserwowanie, • śledzenie, tropienie, szpiegowanie, przeszpiegi, • patrolowanie, czatowanie, czaty, • zwiad, zwiady, rekonesans, rozpoznanie, **E.** DOCHODZENIE, śledztwo, przesłuchanie, przesłuchiwanie, inwigilacja, interrogacja↑, wypytywanie, dopytywanie się, indagacja, indagowanie, zasięganie języka, podsłuchiwanie, • wykrywanie, wyznaczanie, detekcja, • podsłuch, nasłuch, pomiar, lokacja, echolokacja, radiolokacja, • daktyloskopia, • psychotechnika,

11 **bagaż** — **A.** WALIZA, walizka, neseser, • kufer, skrzynia, • sakwojaż, torba, wór, juk, tobół, • plecak, chlebak, tornister, • torebka, kosmetyczka, saszetka, pedałówka↓, pederastka↓, • worek, siatka, reklamówka↓, • koszyk, • teczka, aktówka, ambasadorka, dyplomatka, walizeczka, • bagaż podręczny, bagaż osobisty, **B.** PAKUNEK, pakiet, paczka, paka, • tobołek, węzełek, zawiniątko, • majdan, rzeczy, toboły, tłumoki, manele, bambetle, bety, • manatki, klamoty, rupiecie, graty, • drobiazgi, fidrygałki,

12 bardzo — **A.** WYSOCE↑, wielce↑, mocno, srodze↑, okrutnie↑, grubo, kardynalnie, ● znacznie, pokaźnie, poważnie, ● znacząco, istotnie, zasadniczo, wybitnie, kapitalnie, ● jakościowo, kwalitatywnie↑, ● strukturalnie, konstrukcyjnie, ● zdecydowanie, ● w dużym stopniu, w znacznym stopniu, ● żywo, żywotnie↑, ● decydująco, rozstrzygająco, walnie, ● (prze)ogromnie, kolosalnie, gigantycznie, horrendalnie↑, kosmicznie↓, piramidalnie↑, ● setnie↑, serdecznie, przednio↑, ● łudząco, do złudzenia, ● zadziwiająco, zdumiewająco, uderzająco, ● nieskazitelnie, nieskalanie, olśniewająco, sterylnie↓, **B.** NADZWYCZAJ, nader↑, nad podziw↑, nad wyraz↑, niewymownie↑, niewypowiedzianie↑, ● nadspodziewanie↑, ● wyjątkowo, niezwykle, niebywale, nieprawdopodobnie, niesłychanie, niewiarygodnie (niewiarogodnie), szalenie, fantastycznie, bajecznie, ● nieziemsko, niebiańsko, nieopisanie, bajkowo, ● fascynująco, fenomenalnie, imponująco, ● uderzająco, rażąco, **C.** NIESAMOWICIE, strasznie, straszliwie, potwornie, przeraźliwie, nielicho↓, niewąsko↓, nieźle, dobrze, ● cholernie↓, cholerycznie↑, ● koszmarnie↓, niemożliwie↓, niemożebnie↓, nieludzko↓, wściekle↓, morderczo↓, diabelnie↓, diabelsko↓, diablo↓, sakramencko↓, pierońsko↓, pioruńsko↑, po byku↓, ● nieprzyzwoicie, obrzydliwie, paskudnie, ● nienormalnie, nieprzytomnie, niemiłosiernie, bezlitośnie, nielitościwie↑, **D.** FATALNIE, beznadziejnie↓, tragicznie, opłakanie, katastrofalnie, ● haniebnie↑, sromotnie↑, niesławnie↑, niechlubnie↑, ● ciężko, obłożnie, **E.** BARDZIEJ, dalece↑, daleko, o wiele, nierównie↑, nieporównanie, bez porównania, nieporównywalnie, ● nadzwyczajnie, nieprzeciętnie, ponadprzeciętnie, niespotykanie, niepospolicie↑, ● wybitnie, bezprzykładnie↑, niezrównanie↑, niedościgle↑, bezkonkurencyjnie↓, ● lepiej, raczej, prędzej↓, **F.** NAJBARDZIEJ, nade wszystko, ponad wszystko, ● rekordowo, nieskończenie, niezmiernie, niepomiernie↑, ● bezmiernie, bezgranicznie, bez granic, bez miary↑,

13 barwić — **A.** MALOWAĆ, powlekać, gruntować, pomalować, pociągnąć, pokryć, powlec, werniksować, ● emaliować, (po)lakierować, polichromować, politurować, patynować, pozłacać, (po)złocić, bejcować, białkować, ● ochlapać, odmalować, (od)pacy-

kować, ● popstrzyć, na\ulpstrzyć, usiać, utkać, **B.** ZABARWIĆ, podbarwiać, (po)kolorować, (pod)kolorować, (po)bielić, ubielić, (po)czernić, podczernić, przyczernić, przydymić, pstrzyć, cętkować, przyciemnić, przyżółcić, czerwienić, ● ufarbować, (po)farbować, ● ufarbować się na, tlenić (się), utlenić włosy, uczernić, ● szminkować, uszminkować się, **C.** ZABARWIĆ SIĘ, jaskrawieć, zjaśnieć, poblednąć, (po)czernieć, przy\slczernieć, szarzeć, (po)różowieć, (za)różowić się, (po\za)sinieć, (po\za)śniedzieć, pozielenieć, zazielenić się, (po\z)żółknąć, przyżółknąć, rudzieć, siwieć, brunatnieć, błękitnieć, ciemnieć, (po\s)czerwienieć, purpurowieć, granatowieć, zielenieć, ● opalizować, mienić się barwami,

14 barwny — **A.** KOLOROWY, różnobarwny, różnokolorowy, wielobarwny, wielokolorowy, tęczowy, ● kalejdoskopowy↑, ● krasny↑, ● ilustrowany, obrazkowy, z obrazkami, z ilustracjami, ● polichromiczny↑, polichromowany↑, **B.** PSTRY, pstrokaty, nakrapiany, piegowaty, cętkowany, w cętki, ● łaciaty, w plamy, kropkowany, w kropki, ● pręgowany, pręgowaty, pasiasty, paskowany, w paski, **C.** ŻÓŁTY, kanarkowy, złoty, złocisty, pozłocisty↑, ● bursztynowy, miodowy, ● sraczkowaty↓, ● pszeniczny↑, **D.** CZERWONY, karminowy, wiśniowy, malinowy, koralowy, krwawy, krwisty, szkarłatny, rubinowy, pąsowy, ceglasty, ● rudy, rudawy, rudowłosy, ryży, ryżawy, ● strażacki↓, **E.** NIEBIESKI, błękitny, modry, lazurowy, bławatkowy, stalowy, ● atramentowy, szafirowy, granatowy, ● ultrafioletowy, nadfioletowy, nadfiołkowy, **F.** ZIELONY, butelkowy, piwny, ● szmaragdowy, morski, seledynowy, trawiasty, **G.** FIOLETOWY, siny, sinawy, ● liliowy, lila, wrzosowy, ● z\polsiniały, **H.** BRĄZOWY, kasztanowy, brunatny, rdzawy, ● rumiany, przyrumieniony, przypieczony, **I.** JEDNOBARWNY, jednokolorowy, monochromatyczny↑,

15 bawić — **A.** ZAJĄĆ, po\zalbawić, rozerwać, ubawić, rozweselać, rozśmieszać, uprzyjemniać czas, umilać życie, ● bujnąć, (po)kołysać, (po)huśtać, (po)bujać, **B.** ŻARTOWAĆ, dowcipkować, sadzić dowcipami, pośmiać się, śmiać się, chichotać, rechotać↓, rżeć↓, roześmiać się, uśmiać się, obśmiać się↓, rozchichotać się, pękać ze śmiechu, skręcać się ze śmiechu, tarzać się ze śmiechu, zarykiwać się ze śmiechu, zaśmiewać się, **C.** BAWIĆ SIĘ, weselić się, rozerwać się, ubawić się, • świętować, wyprawiać, obchodzić, uczcić, oblać, opić, • poigrać, (po)figlować, baraszkować, (po)dokazywać, swawolić, harcować, bisurmanić, brykać, • pobiegać, polatać, pobrykać, (po)fikać, poskakać, (po)buszować, pograć, (po)ślizgać się, pobujać się, pohuśtać się, • wybiegać się, **D.** ZBYTKOWAĆ, pajacować, wygłupiać się, błaznować, zgrywać się, (s)psocić, broić, płatać figle, spłatać psikusa, wyczyniać (wyprawiać) harce, (po)szaleć, (po)wariować, robić kawały (psikusy), • łobuzować, chodzić na rzęsach, rozdokazywać się, rozigrać się, rozbisurmanić się, rozbrykać się, rozhukać się, rozhulać się, rozswawolić się, **E.** ZABAWIĆ SIĘ, (za)balować, bomblować↓, (po)szumieć, poszaleć, (po)hulać, • bankietować, biesiadować, ucztować, knajpować, • tańczyć, tańcować, odtańczyć, podrygiwać, pląsać, hasać, roztańczyć się, obtańcowywać, • wyszaleć się, wyszumieć się, naużywać się, *hulaj dusza,* • łajdaczyć się, szlajać się, lumpować (się), **F.** GRAĆ, ciąg w karty, rżnąć w pokera, hazardować się, kłaść pasjansa,

16 **bezcelowość** — **A.** NICELOWOŚĆ, bezsensowność, bezsens, nonsensowność, nonsens, kwadratura koła, droga do nikąd, **B.** DAREMNOŚĆ, bezowocność, płonność, bezużyteczność, nieużyteczność, zbyteczność, zbędność, próżność, syzyfowa praca, • bezskuteczność, nieskuteczność, niewydajność, • nieprzydatność, bezwartościowość, niezdatność, nieodpowiedniość,

17 **bezczynność** — **A.** LENISTWO, wygodnictwo, próżniactwo, nieróbstwo, bumelanctwo, pasożytnictwo, pasożytowanie, zbijanie bąków, nygusostwo, wagary, • gnuśność, ociężałość, nieruchliwość, opieszałość, powolność, ospałość, flegmatyczność, rozwlekłość, • otępiałość, otępienie, **B.** OBOJĘTNOŚĆ, nieczułość, • zobojętnienie, inaktywacja, neutralizacja, • rezygnacja, zwątpienie, beznadziejność, beznadzieja, • demobilizacja, dezaktywizacja, • zniechęcenie, załamanie, przygnębienie, depresja, smutek, zasmucenie, melancholia, • niemoc, bezsilność, marazm, apatia, pasywizm, pasywność, bierność, • bezwolność, otępiałość, otępienie, odrętwiałość, odręt-

wienie, **C.** ZASTÓJ, impas, stagnacja, immobilizm, bezruch, martwota, • bezwład, bezwładność, inercja, rozprężenie, • instytucjonalizacja, skostnienie, stabilizacja, **D.** NUDA, znudzenie, uprzykrzenie, • nudność, drętwota, nudziarstwo, • monotonia, niezmienność, jednostajność, • autotematyczność, autotematyzm, dłużyzna, sztampa,

18 **bezkrytycznie** — **A.** BEZTROSKO, niefrasobliwie, nieodpowiedzialnie, • niepoważnie, lekkomyślnie, • ryzykownie, hazardowo, sportowo, **B.** NAIWNIE, ufnie, łatwowiernie, prostodusznie↑, • idealistycznie, utopijnie, • nieostrożnie, niebacznie↑, przez niedopatrzenie, pochopnie, nierozważnie↑, nieoględnie↑, nieopatrznie, na wyrost↓, **C.** DOGMATYCZNIE, doktrynersko, fanatycznie, bałwochwalczo, ślepo, nieobiektywnie,

19 **bezkrytyczny** — **A.** HAGIOGRAFICZNY↑, czołobitny↑, brązowniczy↑, bałwochwalczy↑, **B.** DOGMATYCZNY, scholastyczny↑, • doktrynerski, sekciarski, nieobiektywny, • idealistyczny, utopijny, **C.** FANATYCZNY, • zagorzały, zaciekły, zajadły, zacięty, żarliwy, zapamiętały↑, gorący, płomienny, gorliwy, ślepy, • maniacki, maniakalny, wariacki, szaleńczy, obłąkańczy, opętańczy, **D.** NACJONALISTYCZNY, szowinistyczny↑, rasistowski, • faszystowski, hitlerowski, nazistowski, • totalitarny, **E.** ZAŚLEPIONY, zapatrzony, • rozmodlony, uduchowiony,

20 **bezładny** — **A.** CHAOTYCZNY, pośpieszny, gorączkowy, nerwowy, bez ładu i składu, nie uporządkowany, • rozbiegany↓, **B.** ANARCHICZNY, bezrządny↑, nierządny↑, niezorganizowany, bałaganiarski↓, bezplanowy,

21 **bezpiecznie** — **A.** NIEZAWODNIE, pewnie, • bez obawy, **B.** CAŁO, bez szwanku, bez uszczerbku, bez szkody, • bezkarnie, płazem, na sucho,

22 **bezprawny** — **A.** PODEJRZANY, nieczysty, nieuczciwy, śliski↓, niepewny, szemrany↓, lewy↓, trefny↓, śmierdzący↓, mętny, brudny, • łapówkowy, korupcyjny, **B.** NIELEGALNY, nieprawy↑, nieprawny, nieprzepisowy, nieformalny, pokątny, • czarnorynkowy, • samowolny, dziki↓, • samozwańczy↑, •

nieprawowity↑, nieślubny, pozamałżeński, **C.** NIEDOZWOLONY, zabroniony, zakazany, na indeksie, wzbroniony, karalny, • kazirodczy, • ludożerczy, kanibalistyczny, kanibalski, antropofagiczny↑, • złodziejski, rabunkowy, łupieżczy↑, łupieski↑, grabieżczy↑, • piracki, korsarski↑, kaperski↑, • chuligański, wandalski↑, rozrabiacki↓, • lumpowski, próżniaczy, pasożytniczy, • stręczycielski, kuplerski↑, • przestępczy, gangsterski, mafijny, • zbrodniczy, kryminalny, bandycki,

23 **bezsenny** — **A.** NIE PRZESPANY, zarwany↓, przehulany↓,

24 **bezwzględny** — **A.** ZDECYDOWANY, przekonany, (za)przysięgły↑, zakamieniały↑, zdeklarowany, zapiekły↑, zajadły, zapamiętały, zaciekły, zacięty, zapalczywy, • z charakterem, charakterny↓, • stanowczy, kategoryczny, rozkazujący, ultymatywny↑, • radykalny, skrajny, krańcowy, ekstremalny, ekstremistyczny, nietolerancyjny, • ultrasowski, • anarchistyczny, • lewacki, **B.** NIEUBŁAGANY, nieprzejednany, nieprzebłagany↑, bezkompromisowy, nieugięty, katoński↑, • niewyrozumiały, niepobłażliwy, wymagający, **C.** BEZLITOSNY, bezpardonowy, nielitościwy, nieczuły, • srogi, surowy, bezduszny, okrutny, zimny, bez serca, nieludzki, niehumanitarny, odhumanizowany↑, barbarzyński, herodowy↑, • bestialski, sadystyczny, brutalny, zwyrodniały, wynaturzony, • krwawy, krwiożerczy,

25 **bęc** — **A.** BACH, buch, łup, łubudu, ryms, bum, trach, trzask, prask, • dryń, dzyń, brzdęk, • chlap, chlup, plask, plum, plums, • stuk, puk, • klap,

26 **bić** — **A.** UDERZYĆ, tknąć, prztyknąć, szturchnąć, poszturchiwać, kuksać, • ugodzić, zdzielić, wymierzyć (zadać) cios, przyłożyć, dołożyć, dolać, dowalić, przy\zalsunąć, dosunąć, przylać, przyłoić, przysolić, wychlastać, chlasnąć, chłosnąć, chlusnąć, (pod)ciąć, dociąć, palnąć, pieprznąć, rąbnąć, rypnąć, rżnąć, strzelić, kropnąć, macnąć, buchnąć, walnąć, przywalić, dopieprzyć↓, dopierdolić↓, łupnąć, lunąć, gwizdnąć, gruchnąć, grzmotnąć, huknąć, kopać, kopnąć, policzkować, dać w twarz, **B.** POBIĆ, poszturchać, nalać, wlać, nabić, wsolić,

wkropić, obić, (wy)grzmocić, okładać, skroić, (s)prać, zerżnąć, przetrzepać, łomotać, młócić, (z)łoić, zbić, (s)tłuc, (w)kropić, puścić w ruch pięści, policzyć kości, porachować kości, poprzetrącać gnaty, spuścić lanie, sprawić manto (łomot), wygarbować skórę, sprawić łaźnię (baty), skuć mordę, skopać, dać łupnia, **C.** MĘCZYĆ, (z)maltretować, (z)masakrować, znęcać się, pastwić się, (s)torturować, skatować, spałować, bijać, batożyć, (wy)smagać, biczować, odmierzać ciosy, (wy)chłostać, oćwiczyć, osmagać, schlastać, *pas był w robocie*, **D.** POBIĆ SIĘ, bić się, lać się, tłuc się, naparzać się, okładać się, boksować się, pokopać się, grzmocić się,

27 **biedak** — **A.** NĘDZARZ, ubogi, biedny, potrzebujący, • dziad, dziad kalwaryjski, żebrak, jałmużnik, • obszarpaniec, oberwaniec, obdartus, łazarz, łachmaniarz, łapserdak, łachmyta, • łajza, menda, **B.** WŁÓCZĘGA, powsinoga, drapichrust, włóczykij, clochard, kloszard, wagant, wagabunda, goliard, łazęga, łazik, przybłęda, bezdomny, **C.** PARIAS, plebejusz, chudopachołek↑, golec, hołysz, • bankrut, **D.** NIESZCZĘSNIK, nieszczęśliwiec, pechowiec, • biedaczysko, biedaczyna, biedactwo, • prostaczek, • nieboga, nieborak, nieboraczek, niebożę, niebożątko, • chuchro, chucherko, chudzina, chudzielec, chudziak, chuderlak, skóra i kości, chudeusz, cherlak, charłak, słabeusz, zdechlak↓, mizerak, mizerota, wymoczek, truchło, truchełko,

28 **biednie** — **A.** NIEZAMOŻNIE, niebogato, skromnie, ubogo, nędznie, ascetycznie, prymitywnie, po spartańsku, • mizernie, chudo, skąpo, • oszczędnie, oszczędnościowo, **B.** NIEEFEKTOWNIE, bez polotu, bez fantazji, nijako, bezbarwnie, blado, bezpłciowo↓, mdło, **C.** PUSTO, pustawo, • bezludnie,

29 **biedny** — **A.** UBOGI, ubożuchny, niezamożny, niebogaty, • obdarty, oberwany, obszarpany, zdziadziały↓, goły, • dziadowski, żebraczy, • poszkodowany, stratny, • dłużny, zadłużony, winien, winny, krewny↓, niewypłacalny, **B.** SKROMNY, ascetyczny, spartański, • oszczędny, oszczędnościowy, **C.** ZANIEDBANY, głodny, spragniony, złakniony, • zgłodniały, wygłodniały, wygłodzo-

ny, wyposzczony, **D.** ZBIEDNIAŁY, zubożały, zrujnowany, zbankrutowany,

30 biedować — **A.** CIENKO PRZĄŚĆ↓, nie przelewa się, cienko śpiewać, nie mieć, nie grzeszyć zasobnością, nie śmierdzieć groszem, nie mieć grosza przy duszy, klepać biedę, wiązać koniec z końcem, robić bokami, tonąć w długach, **B.** ZBIEDNIEĆ, (z)ubożeć, (s)pauperyzować się, wyprzedawać się, pójść z torbami, iść na bruk, znaleźć się na bruku, żebrać, chodzić po prośbie, iść po proszonym, zejść na psy, spsieć, zepsieć, zejść na dziady, ● proletaryzować się, deklasować (się), ● (s)chłopieć, kmiecieć, **C.** GŁODOWAĆ, pościć, wypościć się, morzyć się, głodzić się, nie dojadać, przymierać głodem, wegetować, gryźć kamienie, *żołądek przyrasta do krzyża*, żyć o chlebie i wodzie, nie tknąć jedzenia, **D.** MARNIEĆ, wątleć, biednieć, niknąć, (ze)szczupleć, (s)chudnąć, (po\z)mizernieć, (wy)nędznieć, ● oklapnąć, (u\z)więdnąć, (z)wiotczeć, podupadać, wyglądać jak trzy ćwierci do śmierci, ledwo trzymać się przy życiu, ● jałowieć, (u)schnąć, obumierać,

31 biżuteria — **A.** KLEJNOTY, kosztowności, drogocenności, precjoza, ● błyskotki, ● dewocjonalia, ● złoto, srebro, **B.** KLEJNOT, ● kamień, oczko, :*diament, korund, cyrkonia, rubin, szafir, bursztyn, jantar,* ● gemma, intaglio, kamea, ● pierścień, pierścionek, obrączka, ● naszyjnik, kolia, łańcuszek, ● wisiorek, medalion, breloczek, ● korale, perły, koraliki, paciorki, ● bransoletka, broszka, brosza, kolczyk, klips, ● diadem, korona,

32 blednąć — **A.** MATOWIEĆ, mętnieć, tracić połysk (przezroczystość), zachodzić mgłą, **B.** BLAKNĄĆ, po\przylblaknąć, (s\wy)płowieć, (po\z)bieleć, blednieć, po\przylblednąć, odbarwić się, jaśnieć, powypierać się, burzeć, rudzieć, pełznąć, (po)szarzeć, ● patynować się,

33 bliski — **A.** NIEDALEKI, nieodległy, pobliski, ● sąsiedni, ościenny, ● otaczający, okoliczny, dookolny↑, przyległy, ● przylegający, przytykający, styczny, ● przybrzeżny, pobrzeżny↑, nadbrzeżny ● nadgraniczny, pograniczny, przygraniczny, ● przyklasztorny, ● przykościelny, ● przydomowy, przydrożny, ●

przyfrontowy, **B.** ŻYJĄCY, obecny, przytomny↑, ● ten, następujący, poniższy, tenże, niniejszy, ● macierzysty, własny, miejscowy, tutejszy, **C.** NIEDAWNY, ostatni, aktualny, bieżący, uwspółcześniony, ● dotychczasowy, obecny, tegoroczny, teraźniejszy, dzisiejszy, nowożytny, współczesny, **D.** OSIĄGALNY, dostępny, ● niższy, dolny, spodni, **E.** ŚCISŁY, ● zażyły, familiarny, poufały, konfidencjonalny, ● zżyty, zaprzyjaźniony, **F.** BEZPOŚREDNI, frontalny, czołowy,

34 blisko — **A.** W POBLIŻU, niedaleko, opodal, nie opodal, ● o włos, ● tuż, tuż tuż, pod nosem, o miedzę, o krok, obok, koło, mimo, ● w sąsiedztwie, po sąsiedzku, ● na podoręździu↑, pod ręką, ● naprzeciw, naprzeciwko, vis a vis, ● wokół, w koło, wokoło, naokoło, naokół, około↑, kręgiem, w krąg, ● dokoła, dookoła, **B.** NISKO, niewysoko, ● niżej, poniżej, **C.** BLIŻEJ, do, ku, na, w stronę, w kierunku, ● z przodu, na przedzie (przodzie), na czele,

35 błąd — **A.** POMYŁKA, potknięcie, literówka, byk↓, chochlik, ● omyłka, lapsus, przejęzyczenie, przekłamanie, ● nieporozumienie, qui pro quo, ● fałszywy krok, **B.** WADA, usterka, defekt, feler, skaza, ● uszkodzenie, awaria, zwarcie, krótkie spięcie, zaburzenie, niesprawność, ● mankament, minus, słaba strona, strona ujemna, ● niepoprawność, wadliwość, **C.** NIEDOSKONAŁOŚĆ, ułomność, niewystarczalność, niedostateczność, ● niekompletność, niepełność, fragmentaryczność, ● nieprawidłowość, niesprawność, niedowład, ● niedokładność, nieścisłość, niekonsekwencja, ● przybliżenie, zaokrąglenie, ● niedociągnięcie, niedomoga, niedoróbka, ● niedomaganie, bolączka, słabość, pięta Achillesa, **D.** BRAK, luka, opuszczenie, opustka, ubytek, nieistnienie, absencja, nieobecność, ● niedostatek, niedosyt, głód, niedobór, niedomiar, posucha, ● manko, deficyt, strata, ● chybienie, kiks, ● szczerba, **E.** WINA, grzech, sprawka, ● uchybienie, gafa, niedopatrzenie, przeoczenie, ● przewina, przewinienie, wykroczenie, faul,

36 bogacz — **A.** MILIONER, miliarder, krezus, nabab, Rockefeller, ● kapitalista, burżuj, fabrykant, prywaciarz, kamienicznik, ● finansjera, plutokracja, **B.** ARYSTOKRATA, magnat, lord, ● plutokrata, patrycjusz, ● wysoko urodzony, wielmoża, możnowładca, :*król (nafty), szejk, królewicz, książę, margrabia, hrabia, graf, baron, hidalgo, grand, szlachcic, szlachciura↓, szlachetka,* ● potentat, feudał, obszarnik, ziemianin, dziedzic, pan, junkier, **C.** DOROBKIEWICZ, nowobogacki, nuworysz, parweniusz, arywista, ● kułak, badylarz↓,

37 bogato — A. ZAMOŻNIE, majętnie, zasobnie, dostatnio, ● wystawnie, strojnie, kosztownie, królewsko, po królewsku, po pańsku, **B.** NIESKĄPO, hojnie, szczodrze↑, szczodrobliwie↑, sowicie, suto, godziwie, **C.** OBFICIE, licznie, różnorodnie, ● bujnie, ● rzęsiście, ● kalorycznie, pożywnie, posilnie, treściwie, tłusto,

38 bogaty — A. ZAMOŻNY, majętny, możny, dobrze sytuowany, arcybogaty, nadziany↓, dziany↓, forsiasty↓, **B.** OBFITY, rubensowski, barokowy, bujny, przebogaty, ● ozdobny, kwiecisty, ● suty, strojny↑, bufiasty, falbaniasty, ● bujny, krzaczasty, gęsty, sumiasty, ● wystawny, lukullusowy, **C.** HOJNY, nieskąpy, sowity, szczodry, szczodrobliwy, ● bizantyjski, ● królewski, cesarski, imperatorski, **D.** ZASOBNY, dostatni, ropodajny, roponośny, ● złotodajny, złotonośny,

39 bohater — A. HEROS, dzielny mąż, **B.** ŚMIAŁEK, zuch, chwat↑, chojrak↓, gieroj↓, kowboj, zawadiaka, junak↑, kozak↓, odważniak↓, **C.** POSTAĆ TYTUŁOWA, postać, główna figura, ● mistrz ceremonii, ● jubilat, solenizant,

40 bojownik — A. KOMBATANT, weteran, wiarus, ● żołnierz, legionista, partyzant, ● wojak, żołdak, rębajło↑, najemnik, kondotier, ● wojskowy, oficer, :*podporucznik, porucznik, kapitan, major, podpułkownik, pułkownik, general, admirał, kontradmirał, komandor, komodor↑,* ● podoficer, :*kapral, plutonowy, sierżant, chorąży, mat, bosman,* ● marynarz, majtek, ● poborowy, rekrut, kot↓, ● szeregowy, szeregowiec; :*piechur, czołgista, strzelec, kanonier, komandos, kawalerzysta, dragon, huzar, husarz, grenadier, kirasjer, janczar, hajduk, jegier, hoplita, harcownik, halabardnik, halabardzista,* ● rycerz, paladyn, ● wojownik, wiking, jarl, **B.** POWSTANIEC, ● rewolucjonista, buntownik, rebe-

liant, rebelizant↑, rokoszanin, rokoszant, kontrrewolucjonista, ● spiskowiec, konfederat, karbonariusz, hajdamak↑, **C.** KONTESTATOR, ● wywrotowiec, :*anarchista, pacyfista, lewak,* ● terrorysta, ● separatysta, izolacjonista, ● feministka, sufrażystka, ● obrazoburca, ikonoklasta, ikonoburca, ● manifestant, demonstrant, protestujący, strajkujący, uczestnik protestu, **D.** OBRONCA, apologeta, protagonista, ● rzecznik, adwokat, orędownik, ambasador,

41 bóg — A. PAN, stwórca, demiurg, kreator, ● Najwyższy, Wszechmocny, Wszechmogący, :*Jehowa, Jahwe, Allah, Budda, Zeus,* ● Jezus Chrystus, Syn Boży, Zbawiciel, Odkupiciel, mesjasz, Pomazaniec Boży, ● niebiosa, nieba↑, opatrzność, **B.** BÓSTWO, (złoty) cielec, ibis, fetysz, bożek, idol, bałwan, ● bogini, **C.** ŚWIĘTOŚĆ, sacrum↑, ● tabu, zakaz,

42 ból — A. CIERPIENIE, męczeństwo, martyrologia, ● krzyż, droga krzyżowa, męka pańska, pasja, droga cierniowa, golgota, kalwaria, ● czyściec, piekło, gehenna, ● męczarnia, tortura, udręka, udręczenie, męka, katusze, mordęga, utrapienie, zmora, umęczenie, łoże boleści, ● algezja, ● cierpiętnictwo, masochizm, **B.** BOLESNOŚĆ, boleści, bóle, łupanie, rwanie, darcie, łamanie, ● kłucie, kolka, ● gniecenie, ucisk, ● pieczenie, palenie, zgaga, szczypanie, ● swędzenie, świąd, ● kurcz, skurcz, ● migrena,

43 brać — A. ZAWŁADNĄĆ, zagarnąć, objąć, przejąć, owładnąć, ● wziąć, zatrzymać sobie, nabrać, przybrać, ruszać, *nie rusz,* naruszyć, ● rozebrać, rozdrapać, rozgrabić, rozkraść, rozszabrować, rozwlec, uwieźć, uwozić, **B.** SIĘGAĆ, chwytać, ująć, wziąć, (po\pod)chwycić, s\ulchwycić, (z)łapać, capnąć, ucapić, chapnąć, (wy)rwać, porwać, ● skubać, poskubać się, uszczknąć, (po)ciągać, szarpać, targać, tarmosić, ● potrzymać, przytrzymać, **C.** ZDJĄĆ, ściągnąć, zabrać, pościągać, ● podjąć, podnieść, unieść, poznosić, **D.** ODJĄĆ, odejmować, ująć, ujmować, odsypać, usypać, ulać, ulewać, ● napocząć, ponapoczynać, ugryźć, (po)nadgryzać, ujeść, ● weźreć się, wgryźć się, **E.** PODJĄĆ, pobrać, (za)inkasować, (z)realizować, przyjąć, przyjmować, (do)pożyczyć, ściągać opłaty, **F.** ODBIERAĆ, windykować,

● odzyskać, rewindykować, odebrać, zabrać, pozabierać, odnaleźć, wycofać, ewinkować, odkupić, odkupywać,

44 bronić — **A.** OSŁANIAĆ, bronić się, osłonić się, jeżyć się, ● unikać, wystrzegać się, wzbraniać się, chronić się, nie móc się opędzić, ustrzec się, ● trzymać się, nie poddać się, nie ulegać, walczyć z, nie dać sobie w kaszę dmuchać, drogo sprzedać życie, **B.** OBSTAWAĆ, podtrzymywać, pozostawać przy, trwać przy, upierać się, *golono-strzyżono*, uprzeć się, usztywnić stanowisko, ● postawić na swoim, dokazać swego, dopiąć celu, **C.** APOLOGIZOWAĆ, (wy)tłumaczyć się, oczyścić się z zarzutów, rehabilitować się, **D.** SKONTROWAĆ, (s)parować, odparować cios, odrzucać oskarżenia, oddalić skargę, odmachnąć się, odmachiwać się, oganiać (się), opędzać się, odstrzeliwać się, przeganiać, przepędzać, ● bronić dostępu, stać na bramce, nie wpuszczać, **E.** KONTRATAKOWAĆ, kontrować, odgryźć się, odegnać, odgonić, odpędzić, przegonić, przegnać, odpychać, odepchnąć, odrzucić, odeprzeć atak, powypierać, odblokowywać, odpierać zakusy, **F.** ROZGONIĆ, odpędzić, porozganiać, (po)rozpędzać, (po)rozpraszać, (prze\s)płoszyć, przepłaszać, spędzić,

45 broń — **A.** ORĘŻ, uzbrojenie, rynsztunek, ● środki bojowe, broń chemiczna, gaz bojowy, ● broń konwencjonalna, ● broń biologiczna, ● broń atomowa, broń nuklearna, broń jądrowa, ● broń taktyczna, broń strategiczna, rakiety balistyczne, **B.** AMUNICJA, ładunek, kartusz, ● nabój, kula, śrut, spłonka, kapiszon, ● pocisk, kartacz, szrapnel, rakieta, ● granat, pancerfaust, ● mina, torpeda, bomba, ● proch, materiał wybuchowy, dynamit, trotyl, **C.** BROŃ PALNA, spluwa↓, pukawka↓, ● strzelba, :*dubeltówka, dwururka, flinta, fuzja, hakownica, wiatrówka,* ● *karabinek, rusznica, muszkiet,* ● pistolet, :*rewolwer, nagan, kolt, kapiszonowiec, kapiszonówka, korkowiec, giwera↓, gnat↓,* obrzynek↓, *obrzyn↓,* ● karabin, :*pepesza, automat, rozpylacz↓, browning, cekaem, erkaem, peem,* ● działko, moździerz, granatnik, haubica, katiusza, ● armata, działo, ● działo przeciwlotnicze, zenitówka↓, ● wyrzutnia, katapulta, miotacz, **D.** BROŃ BIAŁA, szabla, szpada, floret, rapier, bułat, karabela, miecz, kord, pałasz, ● włócznia, lanca, kopia, dzida,

pika, oszczep, spisa, harpun, ● topór, siekiera, siekierka, toporek, tomahawk, ciupaga, czekan, koncerz, berdysz, halabarda, ● kastet, ● kusza, łuk, proca, ● strzała,

46 brudas — **A.** MORUS, smoluch, kocmołuch, kominiarz, kopciuch, ● czupiradło, straszydło, strach na wróble, koczkodan, **B.** NIECHLUJ, niedbalec, niedbaluch, abnegat, ● bałaganiarz, śmieciuch, flejtuch, świntuch, flądra, ● śmierdziel↓, obrzydliwiec, parszywiec, wszarz, wstręciuch, przyjemniaczek↓,

47 brudny — **A.** NIE UMYTY, nieświeży, przetłuszczony, ● niedomyty, **B.** POBRUDZONY, ubrudzony, powalany, zabrudzony, utytłany↓, ubabrany↓, umorusany, wysmarowany, usmolony, ufajdany↓, zafajdany↓, zaświniony↓, uświniony↓, upaprany↓, ● poplamiony, wyplamiony, w plamach, ● tłusty, zatłuszczony, ● zabłocony, ubłocony, ● bury, obskurny, czarny, **C.** NIEHIGIENICZNY, antyhigieniczny, antysanitarny, **D.** ZANIECZYSZCZONY, skażony,

48 brudzić — **A.** POBRUDZIĆ, ubrudzić, o\zlbryzgać, okapać, schlastać, chlapać, paprać, paskudzić, kopcić, filować↑, kurzyć, zaprószyć, zadymić, smolić, ● plamić, popstrzyć, farbować, ● okrwawić, (po\za)krwawić, skrwawić, ● mazać, (o\u)packać, zapaprać, smarować, utytłać, zababrać, osmarować, otłuścić, zatłuścić, potłuścić, po\slchlapać, pokapać, posiusiać, (po\za)błocić, (po)walać, zafajdać, ● (po\za)deptać, zapiaszczyć, ● pogryzmolić, **B.** UBRUDZIĆ SIĘ, (po\za)brudzić się, przybrudzić (się), ● pylić się, okurzyć (się), ● okopcić się, osmolić (się), usmolić (się), ● maznąć, pomazać (się), umazać (się), (u)morusać się, upackać się, powalać (się), uwalać (się), ubabrać (się), tytłać (się), usmarować (się), obsmarowywać (się), ● pobielić się, ubielić (się), (po\s)plamić się, (po)tłuścić się, chlapnąć się, pokrwawić (się), usmarkać (się), ● błocić się, uszargać (się), ubłocić się, unurzać (się), (u)taplać się, babrać się, (u)paprać (się), paskudzić się, ugnoić (się), uświnić (się), ● wdepnąć, wstąpić, tonąć w brudzie, obrastać brudem, **C.** SKAZIĆ, skażać, zatruć, (na\za)smrodzić, (na\za)śmiecić, naświnić,

49 **bryła** — **A.** BLOK, masyw, masa, • gruda, pecyna, buła, • bryłka, grudka, gruzeł, • kawał, puc, pucek, cios, łom, • płacheć, spłacheć, szmat, połeć, piędź, połać, płat, • bela, • kula, sfera↑, • gomółka, piguła, bila, kulka, gałka, • śrucina, **B.** WIELOŚCIAN, :czworościan, prostopadłościan, sześcian, graniastosłup, walec, cylinder, stożek,

50 **brzmieć** — **A.** ROZLEGAĆ SIĘ, (po)płynąć, biec, nieść się, pobrzmiewać, rozbrzmiewać, rozlec się, wznieść się, dochodzić, dobiegać, dolatywać, dosięgać, przebijać (się), donosić, • słychać, echo przyniosło, • hałasować, hurkotać, rozterkotać się, trajkotać, roztrajkotać się, uszy pękają, to rozdziera uszy, **B.** DŹWIĘCZEĆ, wydać głos, wydobyć ton, • dzwonić, bić, rozdźwięczeć się, rozdzwonić się, • brzdąkać, pobrzękiwać, brzęczeć, brzęknąć, szczękać, • piszczeć, popiskiwać, fiukać (fiuczeć), (po)gwizdać, pogwizdywać, świstać, poświstywać, świszczeć, buczeć, beczeć, bzyczeć, bzykać, • syczeć, sykać, syknąć, szeleścić, szemrać, szumieć, rozszumieć się, • skrzypieć, piszczeć, zgrzytać, skrzeczeć, skwierczeć, • warczeć, warkotać, furczeć, furknąć, • perkotać, terkotać, turkotać, klekotać, • plaskać, pluskać, • klaskać, klapać, kłapać, klepnąć, • pykać, pyknąć, cykać, tykać, pyrkać, • szurać, szurnąć, szurgać, szurgotać, • chrobotać, grzechotać, gruchotać, turkotać, • trzeszczeć, chrupotać, chrząstnąć, chrzęstnąć, chrzęścić, • trzaskać, trzasnąć, strzelać, palnąć, • stukać, stukotać, łoskotać, strzelać, dudnić, huczeć, huknąć, • pohukiwać, gruchnąć, grzmieć, ryczeć, • tupać, tupnąć,

51 **brzmieniowy** — **A.** AKUSTYCZNY, dźwiękowy, foniczny, głosowy, słuchowy, **B.** ONOMATOPEICZNY, dźwiękonaśladowczy,

52 **brzydki** — **A.** NIEŁADNY, niepiękny, nieponętny, niepowabny, niepociągający, nieestetyczny, nieelegancki, niegustowny, nieszykowny, nieapetyczny, nieatrakcyjny, • mało urodziwy, nieurodziwy, szpetny↑, szkaradny↑, poczwarny↑, paskudny, monstrualny, potworkowaty, **B.** OKROPNY, przeokropny, koszmarny, odpychający, obrzydliwy, obrzydły, przebrzydły, ohydny, obmierzły, odrażający, odstręczający, budzący obrzy-

dzenie, wstrętny, plugawy↑, zakazany, **C.** ZNIEKSZTAŁCONY, zdeformowany, wykoślawiony, spaczony, zdefasonowany, • fałszywy, nieczysty, niemelodyjny, niedźwięczny, • rozstrojony, • przesterowany,

53 **brzydko** — **A.** NIEŁADNIE, niepięknie, nieponętnie, niepociągająco, nieestetycznie, • nieelegancko, nieszykownie, niegustownie, prowincjonalnie, ni przypiął ni przyłatał, niezgrabnie, **B.** NIEPRZYJEMNIE, niesympatycznie, niemiło, grubiańsko, gruboskórnie, obcesowo, **C.** OKROPNIE, ohydnie, obrzydliwie, odpychająco, wstrętnie, odrażająco,

54 **brzydota** — **A.** SZPETOTA, szkarada, • nieforemność, niezgrabność, niekształtność, niewydarzoność, nieudaczność, karłowatość, • karykatura, • okaleczenie, oszpecenie, **B.** OHYDA, paskudztwo, obrzydlistwo, • brzydactwo, obrzydliwość, ohydztwo, szkaradność, szkaradzieństwo, • plugastwo, świństwo, obmierzłość, **C.** KOSZMAR, makabra, okropność, makabryczność, okropieństwo, potworność, groza, horrendum, horror, przeraźliwość,

55 **budowa** — **A.** STRUKTURA, konstrukcja, kompozycja, • konstytucja, kompleksja, anatomia, • architektonika, architektura, budownictwo, • rozkład, rozplanowanie, konfiguracja, składnia, • ukształtowanie, morfologia, • konformacja, ułożenie, • konstelacja, gwiazdozbiór, galaktyka, **B.** UKŁAD, stan rzeczy, • system, machina, maszyneria, • sieć, siatka, pajęczyna, • ustrój, formacja, • kształt, forma, plan, **C.** MONTAŻ, montowanie, składanie, • budowanie, łączenie, instalacja, zakładanie, instalowanie, • konstruowanie, stawianie, wznoszenie, • zbudowanie, postawienie, wzniesienie, erekcja, ufundowanie,

56 **budować** — **A.** WZNOSIĆ, konstruować, zakładać, stawiać, wystawić, ustawiać, wydźwignąć, wznieść, podciągnąć, pobudować (się), tu stanie, • postawić, ustawić, rozbić (rozłożyć) namiot, **B.** SKŁADAĆ, zespalać, zestawić, (z)montować, (s)klecić, pasować, (po)układać, (po)murować, przybudować, dobudować, • ulepić, (u)wić, **C.** PRZEPROWADZAĆ, puścić, (prze)ciągnąć, (prze)rzucać, kłaść, położyć, (u)sypać, •

utwardzić, (wy)brukować, (wy)asfaltować, szutrować, (wy)żwirować, (o)darniować, **D.** OBUDOWAĆ, obwieść, obwodzić, opasać, flankować, obmurować, otynkować, glazurować, położyć glazurę, (o)cembrować, odeskować, (o)szalować, betonować, odmurować, ożebrować, palować, belkować, dylować, • fundamentować, podbudować, podmurować, podpiwniczyć, • oszklić, przeszklić,

57 budynek — **A.** DOM, gmach, kamienica, kamieniczka, blok, wieżowiec, drapacz chmur, biurowiec, galeriowiec, mrówkowiec, korytarzowiec, dworzec, • przybudówka, nadbudówka, podbudówka, dobudowa, dobudówka, • oficyna, • domek jednorodzinny, segment, • willa, rezydencja, • plomba, **B.** BUDOWLA, zamek, warownia, twierdza, bastion, barbakan, forteca, fort, • gród, zamczysko, kasztel, grodzisko, • cytadela, koszary, • pałac, pałacyk, zameczek, • dwór, dworek, • belweder, • rotunda, okrąglak, • wieża, baszta, • dzwonnica, kampanila, • obiekt, :*hala, muszla koncertowa,* • pawilon, altana, pergola, glorieta, ermitaż, **C.** ZABUDOWANIA, budynki (gospodarcze), • gospodarstwo, domostwo, obejście, zagroda, • stodoła, obora, • majątek, folwark, czworaki, **D.** RUDERA, • barak, buda, budka, • stróżówka, wartownia, strażnica, kordegarda↑, • kiosk, stoisko, stragan, • drewniak, szopa, kurnik, • chata, chałupa, kurna chata, szalet, bacówka, chatynka, • leśniczówka, gajów-

ka, • dacza, bungalow, altanka, • szałas, kuczka, namiot, • lepianka, ziemianka, • igloo, • jurta, • wigwam, • hogan, • fanza,

58 budzić — **A.** CUCIĆ, o\rozlbudzić, postawić na nogi, wyrwać ze snu, otrzeźwić, wybić ze snu, dobudzić się, ściągać z łóżka, **B.** OCKNĄĆ SIĘ, ocykać się, otworzyć oczy, otrzeźwić się, o\zlbudzić się, (prze\roz)budzić się, • zerwać się, skoczyć na równe nogi, wstać, • oprzytomnieć, otrzeźwieć,

59 butelka — **A.** FLASZKA, półlitrówka, flacha↓, • karafka, piersiówka, • manierka, bukłak, bidon, termos, • syfon, **B.** FLAKONIK, fiolka, ampułka, • probówka, menzurka, kolba, cylinder, • kałamarz, **C.** BALON, butla, gąsior, • flakon, wazon, ikebana, kenzan,

60 być — **A.** ISTNIEĆ, żyć, bytować, egzystować, • tkwić, drzemać, kryć się, • trzymać się, pozostawać, pożyć, prowadzić jakieś życie, pędzić żywot, wieść jakiś tryb życia, **B.** PRZEBYWAĆ, znajdować się, urzędować, gościć, bywać, chadzać, bawić, popasać, przewinąć się, **C.** FIGUROWAĆ, znaleźć się na liście, **D.** STANOWIĆ, tworzyć, przedstawiać, • podpadać pod, iść na karb, uchodzić za, **E.** WYSTĘPOWAĆ, trafiać się, znaleźć się, znajdywać się, pojawiać się, • obfitować, zbywać, obrodzić, sypnąć się, dopisać, starczać, wystarczyć, *jest ile dusza zapragnie, roi się od,*

C

61 całość — **A.** WSZYSTKO, komplet, wszyscy, ogół, • całokształt, kompleks, • kompletność, zupełność, całkowitość, pełnia, globalność, totalność, **B.** JEDNOŚĆ, monolit, spójnia, jednia, • spójność, spoistość, łączność, koherencja, koherentność, • nierozdzielność, nierozłączność, nierozerwalność, całościowość, kompleksowość, **C.** ZBIÓR, agregat, zespół, konglomerat, konglomeracja,

62 cap — **A.** CABAS, łap, łaps, chap, chaps,

63 cecha — **A.** WŁASNOŚĆ, właściwość, •

genotyp, • rys, koloryt, znamię, piętno, • wyróżnik, parametr, identyfikator, atrybut, wizytówka, • szczególność, charakterystyczność, swoistość, • dominanta, charyzma(t), chryzmat, iskra boża, **B.** ZALETA, cnota, przymiot, • wartość, walor, plus, pozytyw, dobra strona, **C.** WADA, przywara, słabostka, ułomność, minus, zła strona,

64 charakter — **A.** NATURA, istota, • osobowość, usposobienie, umysłowość, mentalność, temperament, krew, • morale, kręgosłup, **B.** CHARAKTEREK, silny charakter, indywidualność, odrębność, jednostkowość, swoistość, oryginalność, różność, odmienność, inność, ● podmiotowość, subiektywność, C. OBLICZE, wygląd, postać, ● styl, maniera, poetyka, ● wyraz, rys, odcień, zabarwienie, ton, posmak, domieszka, ● rodzaj, pokrój, autorament, wydanie,

65 chcieć — A. WOLEĆ, wybierać, preferować, optować za, ciążyć ku, ciężyć, grawitować, inklinować, przekładać nad, przedkładać nad, skłaniać się, pisać się, *to mi robi różnicę*, ● obstawiać, iść (pójść) o zakład, grać o, postawić na, typować, dać sobie rękę (głowę) uciąć, B. ŁAKNĄĆ, (za)pragnąć, zamarzyć o, pożądać, mieć chęć, mieć ochotę, mieć apetyt, (z\wy)głodnieć, przełykać ślinkę, *ślinka cieknie, oczy śmieją się do, chce mi się*, ● rozochocić się, podniecać się, napalić się↓, *ja na to jak na lato*, oblizywać się, ostrzyć pazury, oglądać się za, połykać (pożerać) wzrokiem, lecieć na, rwać się, palić się do, piszczeć do, chorować na, musieć mieć, ● skusić się, (po\z)łakomić się, (po)łaszczyć się, być chciwym na, być żądnym, (po)zazdrościć, żółknąć z zazdrości, ● ręka świerzbi, *korci mnie*, C. ŻYCZYĆ SOBIE, zawinszować sobie, wymagać, potrzebować, *spadasz mi z nieba*, stęsknić się, ● zamawiać, stalować, obstalowywać, złożyć zamówienie, zapotrzebować, ● ubiegać się, startować, D. ZAMIERZAĆ, (za)planować, nosić się z zamiarem, zamiarować↓, mieć zamiar (plan\projekt), projektować, generować, ekstrapolować, stawiać sobie za cel, myśleć, zakładać, przewidywać, antycypować, snuć (kreślić) plany, programować, nosić się z myślą, skłaniać (nakłaniać) się, zechcieć, raczyć, *spodobało się*, nabić sobie głowę, nosić się z czym jak kura z jajem, E. USIŁOWAĆ, dążyć, przeć, rwać się, kroczyć ku, gonić za, sięgać, iść przebojem, rozpychać się łokciami, iść po trupach, (po)kwapić się, połknąć bakcyla, walczyć o, mieć pociąg do, ciągnąć do, *śpieszy mu się do*, zawziąć się,

66 chciwość — A. ŁAKOMSTWO, obżarstwo, przejadanie się, objadanie się, obżeranie się, ● łapczywość, pożądliwość, żarłoczność, drapieżność, ● zaborczość, ekspansjonizm, B. SKĄPSTWO, sknerstwo, chytrość, groszoróbstwo, ● pazerność, zachłanność, ● interesowność, wyrachowanie, kondotierstwo, koniunkturalizm, ● materializm, komer-

cjalizm, C. EGOIZM, samolubstwo, sobkostwo, ● egocentryzm, egotyzm, subiektywizm, partykularyzm, prywata, ● autofilia, narcyzm, idiolatria, ● etnocentryzm, ● władczość,

67 chęć — A. PRAGNIENIE, żądza, pogoń za, pożądanie, męki Tantala↑, B. POCIĄG, inklinacja, ciążenie ku, sympatia, skłonność, upodobanie, zamiłowanie, sentyment, ● głód, apetyt, spust↓, oskoma↑, łaknienie, ● tęsknota, niedosyt, C. OCHOTA, zapał, poryw, ochoczość, skwapliwość, zachwyt, zachwycenie, euforia, entuzjazm, wzlot, ferwor, żarliwość, przejęcie, pasja, D. ZAMIAR, intencja, zamysł, pomysł, myśl, koncept, plan, projekt, przedsięwzięcie, ● gotowość, zdecydowanie, E. ŻYCZENIE, wymaganie, wola, ● cel, dążenie, ● ambicje, aspiracje, dążenia, marzenia, zakusy, zapędy, ● chętka, chrapka, zachcianka, kaprys, ● marzenie, mrzonka, fantazjowanie, rojenie, F. CHCIEJSTWO, pobożne życzenie, dobre chęci, myślenie życzeniowe, dobrożyczeniowość↑,

68 chętnie — A. SKWAPLIWIE, ochoczo, gorliwie, usłużnie, B. Z CHĘCIĄ, z przyjemnością, z rozkoszą, z lubością, z miłą chęcią, C. ŁAKOMIE, pożądliwie, pazernie, ● chciwie, łapczywie, zachłannie, żarłocznie,

69 chętny — A. SKORY, łasy, gotowy, gotów, skłonny, łatwy, ● skwapliwy, ochoczy, B. PODNIECONY, roznamiętniony, rozochocony, rozogniony, rozpłomieniony, napalony↓,

70 choroba — A. SCHORZENIE, zaburzenie, przypadek, ● przypadłość, dolegliwość, niedomaganie, niedomoga, ● zwyrodnienie, zmiana chorobowa, ● powikłanie, ● patologia, przypadek kliniczny, ● hipochondria, B. NIEDYSPOZYCJA, ● osłabienie, anemia, niedokrwistość, bladość, ● wycieńczenie, wyniszczenie, wyczerpanie, ● niemoc, słabość, połóg, ● słabowitość, wątłość, chorowitość, chuderlawość, mizerność, ● cherlactwo, mizeractwo, charłactwo, ● przepuklina, ruptura↑, C. ZASŁABNIĘCIE, mdłości, nudności, wymioty, torsje, ● omdlenie, omdlałość, nieprzytomność, utrata przytomności, ● zapaść, kollaps, zawał, ● atak, napad, paroksyzm, wybuch, apopleksja, ● padaczka, epilepsja, konwulsje, drgawki, ●

śpiączka, koma, **D.** GORĄCZKA, maligna, febra, malaria, • temperatura, ciepłota, **E.** NOWOTWÓR, rak, guz, tumor, przerzuty, mięśniak, włókniak, • polip, narośl, bulwa↓, gula↓, kalus↑, **F.** KALECTWO, ułomność, niepełnosprawność, inwalidztwo, niedorozwój, upośledzenie, wada (wrodzona), • niedowład, paraliż, katalepsja, porażenie, przykurcz, • ślepota, katarakta, zaćma, • głuchota, niemota, głuchoniemota, **G.** STAN ZAPALNY, zakażenie, infekcja, zapalenie, podrażnienie, nieżyt, • niestrawność, rozstrój (żołądka), gazy, wiatry, bąki↓, pierdzenie↓, smrody↓, • biegunka, rozwolnienie, wypróżnienie, sraczka↓, • zatrucie, intoksykacja, • przeziębienie, wirus↓, grypa, influenca↑, • reumatyzm, gościec, ischias (isjasz↓), lumbago, korzonki↓, • zgorzel, gangrena, • próchnica, ubytek, dziura↓, **H.** ZARAZA, choróbsko, cholera, trąd, dżuma, pomór, mór, morowe powietrze, czarna śmierć, • epidemia, pandemia, endemia, panzootia, • zarażenie, infekcja, zarażanie, prątkowanie, rozsiewanie, wydzielanie,

71 chorować — **A.** CHERLAĆ, niedomagać, słabować, stracić zdrowie, podupaść (szwankować) na zdrowiu, musieć się oszczędzać, niknąć w oczach, • być na rencie, • gorączkować, *co ci jest, rozbiera mnie,* (po)leżeć, przechodzić (nie kłaść się), odleżeć, **B.** OMDLEWAĆ, (za)słabnąć, (o\ze)mdleć, słaniać się, chwiać się na nogach, ledwo trzymać się na nogach, lecieć przez ręce, dostać zawrotów głowy, stracić przytomność, **C.** ZACHOROWAĆ, rozchorować się, pochorować się, zapaść na, złapać↓, nabawić się choroby, zarazić się, dostać, mieć coś z, mieć kłopoty z, (za)chorzeć↑, przechorować się, nie opuszczać łóżka, być przykutym do łóżka, • mieć, przechodzić (odrę), cierpieć na, narzekać na, skarżyć się na, • prątkować, przeziębić się, pozaziębiać (się), (o)chrypnąć, schrypnąć, • ochwacić się, • podtruć się, pozatruwać się, oczadzieć, • uczulić się, **D.** OBRZMIEĆ, guzowacieć, napęcznieć, nabrzmiewać, na\olbrzękać, (na\o)brzęknąć, (s\o)puchnąć, na\podlpuchnąć, popuchnąć, • pierzchnąć, odparzyć (się), • jątrzyć się, ognić się, ropieć, ślimaczyć się, kaprawieć, paprać się, paskudzić się, obierać się,

72 chory (człowiek) — **A.** PACJENT,

cierpiący, badany, • zarażony, trędowaty, nosiciel, przenosiciel, • biorca, uzależniony, narkoman, ćpun↓, • cukrzyk, diabetyk, • epileptyk, • gastryk, • hipochondryk, chory z urojenia, śledziennik↑, symulant, **B.** KALEKA, ułomny, inwalida, niepełnosprawny, upośledzony, inny, • paralityk, połamaniec, kulawy, kulawiec, kulas, chromy, kuternoga, • garbaty, garbus, • ociemniały, niewidomy, ślepy, ślepiec, :*krótkowidz, dalekowidz, astygmatyk,* • głuchy, głuchoniemy, niemowa,

73 chory — **A.** NIEDYSPONOWANY, niezdrowy, niezdrów, • blady, bladawy, biały, bezkrwisty, bladolicy, kredowy, kredowobiały, marmurowy, woskowy, papierowy, popielaty, ziemisty, • schorowany, schorzały↑, wycieńczony, mizerny, wymizerowany, zmizerowany, zmizerniały, wynędzniały, zabiedzony, • wybladły, pobladły, zbladły, • umierający, rozbity, obolały, zbolały, • zarażony, zakażony, zainfekowany, • zaziębiony, przeziębiony, podziębiony, zakatarzony, zagrypiony, • przepity, skacowany, **B.** SPUCHNIĘTY, opuchnięty, opuchły, powiększony, napuchnięty, podpuchnięty, nabrzmiały, obrzmiały, wezbrany, obrzęknięty, obrzękły, • wzdęty, odęty, **C.** CHOROBLIWY, • gorączkowy, rozgorączkowany, gorący, rozpalony, rozogniony, rozprażony↑, • malaryczny, febryczny, • gruźliczy, suchotniczy, • rakowaty, zrakowaciały, • ropiejący, ropny, • nienormalny, psychopatyczny, paranoiczny, • zwyrodniały, zdegenerowany, • deliryczny, **D.** ZEPSUTY, popsuty, zgniły, • nadpsuty nadgniły, podgniły, • robaczywy,

74 chwilowy — **A.** DORAŹNY, czasowy, prowizoryczny, tymczasowy, polowy, • improwizowany, w organizacji, **B.** NIETRWAŁY, • ulotny, przelotny, przemijający, przemijalny↑, • ustny, mówiony, słowny, werbalny, • palny, łatwopalny, **C.** KRÓTKOTRWAŁY, niedługi, • tranzytowy, przejściowy, • konsygnacyjny, • dorywczy, nieetatowy, kontraktowy, sezonowy, • gościnny, wyjazdowy,

75 ciało — **A.** ORGANIZM, ustrój, organy wewnętrzne, wnętrzności, trzewia, bebechy↓, wątpia↑, narząd, organ, :*mózg, serce, płuca, wątroba, żołądek, śledziona, nerki, jelita, woreczek żółciowy, gruczoł,* • błona śluzowa, śluzówka, dziąsło, • mięsień, muskuł, biceps, B. TUŁÓW, korpus, kadłub, ● kibić, stan, talia, pas, biodra, ● klatka piersiowa, gors, biust, ● pierś, sutek, cycek↓, ● piersi, cyc↓, cyce↓, cycki↓, ● brzuch, brzuszysko, brzucho↑, kałdun↓, bebech↓, ● cielsko, góra mięsa, D. ODBYT, odbytnica, jelito grube, kloaka, ● pośladek, półdupek↓, ● pośladki, siedzenie, tyłek↓, zadek, kuper, rzyć↓, ● cztery litery, pupa, pupsko, pupka, pupina, ● dupa↓, dupsko↓, sraka↓, dupina↓, ● odwłok, ogon, kita, E. GENITALIA, narządy rodne, narządy płciowe, ● podbrzusze, łono, ● krocze, krok, ● srom, wargi sromowe, ● łechtaczka, clitoris↑, ● pochwa, wagina↑, ● cipa↓, cipka↓, piczka↓, pizda↓, ● jądra, jaja↓, jajca↓, nabiał↓, męderały↑, ● członek, penis, prącie, fallus↑, przyrodzenie, interes↓, ptak↓, ptaszek↓, siusiak↓, kutas↓, kuśka↑, faja↓, fiut↓, ogon↓, mały↓, naganiacz↓, pyta↓, chuj↓,

76 ciągły — A. STABILNY, stały, trwały, ● cykliczny, regularny, rytmiczny, systematyczny, wahadłowy, ● rejsowy, rozkładowy, ● codzienny, coroczny, doroczny, rokroczny, ● coniedzielny, B. BEZUSTANNY, nieustanny, nieustający, nieskończony, nieprzerwany, ustawiczny, niepowstrzymany, nawykowy, ● przewlekły, chroniczny, ● robaczkowy, perystaltyczny,

77 ciekawy — A. INTERESUJĄCY, intrygujący, atrakcyjny, zajmujący, arcyciekawy, ● efektowny, spektakularny, widowiskowy, ● przygodowy, awanturniczy, westernowy, kowbojski, ● podniecający, niepokojący, pasjonujący, emocjonujący, ekscytujący, fascynujący, frapujący, ● porywający, płomienny, ● hipnotyczny, zniewalający, obezwładniający, B. ORYGINALNY, nietypowy, niekonwencjonalny, inny, świeży, niebanalny, nietuzinkowy, nieszablonowy, nieszampowy, niestereotypowy, wystrzałowy↓,

78 ciemny — A. MROCZNY, nie oświetlony, ● zadymiony, kurny, ● bezgwiezdny, bezksiężycowy, ● burzowy, ołowiany, B. CZARNY, kruczy, kruczoczarny, smolisty, hebanowy, atramentowy, ● przyciemniony, przydymiony, C. CIEMNOSKÓRY, śniady, smagły, południowy, oliwkowy,

79 ciepło — A. GORĄCO, upalnie, skwar-

nie, skwarno, tropikalnie, parno, duszno, B. POGODNIE, słonecznie,

80 ciepły — A. LETNI, ● pogodny, bezchmurny, słoneczny, ● skwarny, upalny, tropikalny, B. GORĄCY, rozżarzony, rozprażony, ● gorejący↑, płomienisty, ognisty, ● wrzący, kipiący, C. OCIEPLANY, watowany, gruby, zimowy,

81 cierpieć — A. MĘCZYĆ SIĘ, znosić męki, dźwigać krzyż, jęczeć, *życie nie głaszcze go po głowie*, B. WPAŚĆ W POTRZASK, tkwić po uszy w, znaleźć się w ślepym zaułku, być w kropce, mieć się z pyszna, popaść w tarapaty, (s)frustrować się, unieszczęśliwiać się, usychać z, (u)dręczyć się, C. ODCIERPIEĆ, (od)pokutować, ponosić konsekwencje (karę), przypłacić, doigrać się, dowojować się, od\przelchorować, mieć za swoje, kręcić bat na siebie, urządzić się, pić piwo (którego się nawarzyło), dostać nauczkę, płacić frycowe, złamać kark, ● wyrzucać sobie, pluć sobie w brodę, przeklinać, pożałować, ● wziąć baty, dostać w skórę, dostać lanie, *skrupiło się na mnie, poszło mu w pięty*, ● nabawić się, napytać (się), oberwać, ściągnąć na siebie, skazywać się, dostać się na języki, ● pójść do więzienia, odsiedzieć, odsiadywać, mieć odsiadkę↓, (po)siedzieć, dostać wyrok, gnić w więzieniu, kiblować↓, siedzieć w kiciu↓, D. ŻAŁOWAĆ, ubolewać, (prze)boleć, odżałować, *robi się żal*, rozdzierać szaty, ● kwękać, marudzić, biadać, biadolić, skwierczeć, jojczyć↓, wyrzekać, (po)jęczeć, płakać na, użalać się, E. ROZPACZAĆ, lamentować, desperować, żalić się, płakać, zawodzić, kwilić, piszczeć, skarżyć się, uskarżać się, poskarżyć się, odchodzić od zmysłów, *serce pęka*, załamywać ręce, spazmować,

82 ciężar — A. WAGA, gramatura, ciężkość, tonaż, ● ciążenie, grawitacja, ● punkt ciężkości, szala, języczek u wagi, decydujący głos, rozstrzygnięcie, B. BRZEMIĘ, ucisk, ● krzyż, garb, kula u nogi, kamień u szyi, obciążenie, balast, ładunek, bagaż, ● ciężarek, przycisk, odważnik, ● ołów, ● ciężarki, hantle,

83 ciężarna — A. BRZEMIENNA, w ciąży, w odmiennym stanie, w błogosławionym stanie, przy nadziei, ● szczenna, cielna, kotna,

84 czapka — A. NAKRYCIE GŁOWY, • kapelusz, :*cylinder, szapoklak, melonik, panama, sombrero, fez,* • beret, biret, • jarmułka, :*mycka, kipa, krymka, piuska,* • infuła, kłobuk, • furażerka, pieróg, rogatywka, • pilotka, kominiarka, • kepi, czako, kaszkiet, oprychówka, leninówka↑, • kołpak, papacha, • czepek, czepiec, kornet, • kaptur, kapuza, • turban, zawój, • toczek, B. CHUSTA, arafatka, apaszka, gawroszka, bandana, • szal, szalik• halsztuk, krawatka, krawat, śledź↓, • mucha,

85 czarodziej — A. SZTUKMISTRZ, iluzjonista, prestidigitator, kuglarz, magik, szarlatan, • brzuchomówca, • zaklinacz wężów, fakir, połykacz ognia, • alchemik, okultysta, mistrz czarnej magii, B. CZAROWNIK, czarnoksiężnik, mag, szaman, kapłan, egzorcysta, • cudotwórca, C. WRÓŻBITA, wróżbiarz, wróż↑, kabalista, chiromanta, astrolog, • prorok, jasnowidz, profeta, wieszczek, wajdelota, • prognosta, futurolog, wizjoner, • wróżka, cyganka, kabalarka, • czarownica, wiedźma, baba-jaga, • czarodziejka, kapłanka, pytia, westalka, sybilla, kasandra, wieszczka, D. RADIESTETA, różdżkarz,

86 czas — A. TERMIN, data, oznaczony dzień, prekluzja↑, • przeciąg, przedział, trwanie, • czasokres, okres, period, sesja, kadencja, cykl, • etap, runda, • czasy, lata, B. PORA, sezon, pora roku, :*lato, kanikuła, wakacje, babie lato, jesień, zima, przednówek, przedwiośnie, wiosna,* C. EPOKA, era, tysiąclecie, milenium, • wiek, stulecie, półwiecze, ćwierćwiecze, dwudziestopięciolecie, dwudziestolecie, • dziesięciolecie, dekada, • oktawa, pięciolecie, • rok, półrocze, semestr, trymestr, kwartał, miesiąc, • tydzień, siedem dni, D. DZIEŃ, dzionek, pora dnia, • świt, jasność, jutrznia, brzask, zorza (poranna), wschód słońca, świtanie, • ranek, poranek, rano, jasno, • przedpołudnie, południe, środek dnia, dwunasta w południe, popołudnie, • wieczór, noc, północ, dwunasta w nocy, • wigilia, wilia, przeddzień, • dzisiaj, dziś, • jutro, pojutrze, • wczoraj, przedwczoraj, • doba, dzień i noc, dwadzieścia cztery godziny, • godzina, pół godziny, kwadrans, minuta, sekunda, E. CHWILA, moment, przebłysk, mgnienie, okamgnienie, minutka, sekundka, ułamek sekundy, chwileczka, momencik,

87 czekać — A. POCZEKAĆ, kukać↓, antyszambrować↑, • wystać się, wyczekać się, wysiedzieć się, B. WYGLĄDAĆ, patrzeć, wypatrywać oczy, stęsknić się, • spodziewać się, oczekiwać, tuszyć↑, wyczekiwać, liczyć na (że), rachować, • łudzić się, okłamywać się, wmawiać sobie, oszukiwać się, żyć nadzieją (iluzjami), mieć (wiązać) nadzieję, C. NIECIERPLIWIĆ SIĘ, gorączkować się, nie móc się doczekać, przestępować z nogi na nogę, siedzieć (stać) jak na szpilkach,

88 część — A. ELEMENT, detal, • segment, podzespół, • człon, ogniwo, odcinek, • składnik, ingredient, ingrediencja, komponent, budulec, • półprodukt, półfabrykat, półwyrób, prefabrykat, B. CZĄSTECZKA, :*makrocząsteczka, mikrocząsteczka, molekuła, makromolekuła, pierwiastek, makroelement, mikroelement, kwant,* • atom, :*kwark, izotop, proton, elektron, neutron,* • drobina, • ciałka, krwinki, C. PORCJA, dawka, doza, • działka, urobek, racja, dola↓, • kromka, pajda, zuchelek↑, skiba, skibka, • przyłepka, piętka, • plaster, plasterek, krążek, talarek, płat, D. CZĄSTKA, procent, odsetek, ułamek, promil, • wkład, udział, • pół, połowa, połówka, • półkula, • ćwierć, ćwiartka, • większość, mniejszość, E. FRAGMENT, urywek, wyjątek, cytat, cytata, wyimek, passus, miejsce, • wycinek, ekscerpt, wyciąg, • partia, kwestia, • artykuł, paragraf, punkt, podpunkt, ustęp, akapit, • rozdział, podrozdział, odcinek, tom, księga, • akt, scena, odsłona, obraz, • pieśń, sura, zwrotka, strofa, strofka, • werset, wiersz, linijka, F. OKRĘG (wyborczy), obwód, region, podregion, • rejon, strefa, interior, • prowincja, kanton, gubernia, • województwo, powiat, • dystrykt, rewir, dzielnica, kwartał, sektor, • gmina, kahał, • parafia, dekanat, diecezja, eparchia, • parcela, działka, plac, • centrum, środek, śródmieście, • peryferia, okolica, teren,

89 człowiek — A. CZŁEK↑, śmiertelnik, zjadacz chleba, szary obywatel, szarak↓, szaraczek, bliźni, • pan stworzenia↑, • biały, aryjczyk, europejczyk, • murzyn, czarny, czarnuch↓, afrykańczyk, • czerwonoskóry, indianin, • azjata, skośnooki, żółty, żółtek↓, • mieszaniec, metys, kreol, mulat, śniadoskóry, ciemnoskóry, południowiec, mieszkaniec południa, kolorowy↓, kolored↓, • bastard, hybryda, **B.** LUDZIE, ludzki ród, rasa ludzka, :*rasa biała, rasa czerwona, rasa czarna, rasa żółta*, ● istota człekokształtna, australopitek, pitekantropus, neandertalczyk, jaskiniowiec, homo sapiens, **C.** OSOBA, postać, ● osobnik, indywiduum, ● jednostka, głowa, ● podmiot, **D.** STWORZENIE, istota (ludzka), organizm (żywy), byt, twór,

90 czuć — **A.** ODCZUWAĆ, doznać, uczuć, doświadczać, ● poczuć, odnieść wrażenie, wyczuć, przyłapać się, chwytać się na czym, **B.** PRZEŻYĆ, s\zalkosztować, doświadczyć, przeżywać, od\przelbywać, miewać, przechodzić (chorobę), **C.** PAŁAĆ, dyszeć, wrzeć, popaść w, popadać w, wpaść w, wprawić się w, wprowadzić się w, nie posiadać się z, żywić, ulegać, **D.** CZUĆ SIĘ, mieć się, miewać się, być w nastroju,

91 czułość — **A.** TKLIWOŚĆ, serdeczność, ● uczuciowość, wrażliwość, emocjonalność, afektacja, kochliwość, ● rozczulanie się, roztkliwianie się, ● czułostkowość, sentymentalność, sentymentalizm, rzewność, liryzm, liryczność, ● pieszczotliwość, egzaltacja, ckliwość, słodycz, cukierkowość, ● wzruszenie, rozrzewnienie, rozczulenie, roztkliwienie, **B.** PIESZCZOTA, pieszczenie, dotyk, ● czułości, czułostki, dusery, komplementy, czułe słówka, ● pieszczoty, karesy, pocałunki, ● tulenie się, gruchanie, migdalenie się↓, przymilania się, uściski, objęcia, ● pocałunek, dotknięcie, muśnięcie warg, całus, buziak, cmoknięcie, buźka, ● gra miłosna,

92 czuwać — **A.** BACZYĆ, dyżurować, pilnować się, mieć się na baczności (ostrożności), uważać, być czujnym, zachowywać czujność (ostrożność), ● strzec się, wystrzegać się, dmuchać na zimne, *licho nie śpi*, ● nie zmrużyć oka, być cały czas na nogach, siedzieć (do rana), warować, **B.** MIEĆ OCZY OTWARTE, postawić w stan pogotowia, skupić uwagę, uczulić się,

93 czysto — **A.** SCHLUDNIE, chędogo↑, porządnie, ● higienicznie, sterylnie, ● dziewiczo, nieskalanie, ● bezwonnie, bezzapachowo,

94 czystość — **A.** PORZĄDEK, ład,

schludność, zadbanie, ● higiena, **B.** PRZEJRZYSTOŚĆ, przezroczystość, transparencja↑, ● krystaliczność, kryształowość, ● biel, **C.** CZYSZCZENIE, pranie, przepierka, ● oczyszczanie, pasteryzacja, pasteryzowanie, filtracja, destylacja, ● wyjaławianie, odkażanie, antyseptyka, dezynfekcja, :*dezynsekcja, deratyzacja, odszczurzanie, fumigacja*, ● pielenie, karczowanie, ● detoksykacja, odtrucie, **D.** SPRZĄTANIE, porządki, uprzątnięcie, posprzątanie, mycie, szorowanie, przecieranie, wycieranie, ścieranie, trzepanie, wietrzenie, odkurzanie, zamiatanie, **E.** KĄPIEL, mycie się, pluskanie się, ablucje, toaleta,

95 czysty — **A.** BEZBARWNY, biały, ● krystaliczny, kryształowy, ● lśniący, ● źródlany, kryniczny, **B.** SCHLUDNY, chędogi, ● higieniczny, sterylny, ● bezwonny, bezzapachowy, ● porządny, zadbany, wypielęgnowany, wychuchany, **C.** NIETKNIĘTY, niewinny, niepokalany, nieskalany, przeczysty, dziewiczy, nieposzlakowany, bez skazy, bez zmazy, nie zbrukany, nieskażony, ● rasowy, szlachetny, rodowodowy,

96 czyścić — **A.** PRZEMYĆ, wymyć, myć (się), umyć (się), pucować (się), podmyć się, podmywać (się), omyć, obmyć (się), opłukać (się), spłukiwać (się), ● kąpać się, brać prysznic, (o\po)pluskać się, chlapać się, pławić się, (po)kąpać, pomoczyć (się), ● zmywać, (po)płukać, potoknąć, wypłukać, (prze\s)płukać, **B.** ODCZYŚCIĆ, oczyścić (się), oczyszczać (się), ● otrzeć, obetrzeć (się), (po)obcierać, wytrzeć (się), przetrzeć, przecierać, (po)wycierać, podetrzeć (się), podcierać (się), ● zetrzeć, sczyścić, usunąć brud, (po)ścierać, (po)szorować, ob\odlskrobywać, wiórkować, ● odmoczyć, odmyć, ● uprać, (po)prać, spierać, przeprać, przepierać, opierać (się), ● wyczyścić, doczyścić, domyć (się), domywać, doszorować, doprać, pospierać, powypierać, ● odrdzewić, **C.** SPRZĄTNĄĆ, (po\wy)sprzątać, ochajtnąć↓, ● odkurzyć, odkurzać się, odpylić, ● strzepnąć, (po\prze)trzepać, otrząsnąć, otrząść, otrząsać (się), otrzepać (się), wytrzepać (się), ● obtupać, otupać, ● szczotkować, zamieść, od\podlmieść, od\podlmiatać, (po)wymiatać, omieść, poo(b)miatać, pozamiatać, poodmiatać, ob\wylmieść, ● odwiać, ● gręplować, **D.** ASENIZOWAĆ, dezodoryzować, wentylować, wietrzyć (się), prze\wylwietrzyć, **E.** ODKAZIĆ, odkażać, (wy)dezynfekować, wyjaławiać, pasteryzować, (wy)sterylizować, • jodynować, • opryskiwać, opylać, odgrzybiać, chlorować, bejcować, • odszczurzać, deratyzować, • odpluskwić, • odrobaczyć, przeprowadzić dezynsekcję, iskać (się),

97 czytać — **A.** CZYTYWAĆ, podczytywać, do\przelczytać, wertować, • rozczytywać się, pożerać książki, zaczytywać się, • wetknąć nos w, rozczytać się, zaczytać się, **B.** ODCYFROWAĆ, odczytać, de\rozlkodować, od\rozlszyfrować, deszyfrować, złamać szyfr, rozpracować, • sylabizować, przesylabizować, składać litery, dukać, • przeliterować, • dyktować,

D

98 dać — **A.** DOSTARCZYĆ, doręczyć, dostawić, • roznieść, (po)roznosić, pozanosić, zanieść, ponieść, oddać, • podać, dawać, wetknąć, podsunąć, wręczyć, złożyć na ręce, podać dalej, • nadesłać, nadsyłać, przysłać, przysyłać, • dotransportować, (od)transportować, rozwieźć, porozwozić, pozawozić, dowieźć, (do)wozić, odstawić, frachtować, **B.** OBDAROWAĆ, (po)darować, obdarzyć (się), sprezentować, obsypać prezentami, • ofiarować, dopomóc, • kopnąć↓, kopsnąć↓, • przeznaczyć, obrócić na, poświęcić, składać (nieść) w ofierze, dać, odżałować, • zadedykować, • ustąpić, (s)cedować, • oddać, odpisać, dać ciepłą ręką, kapnąć, rozpisać, zapisać (zostawić) w spadku, przepisać na, alienować, • użyczyć, porozpożyczać, (roz)pożyczyć, dać na procent, borgować↓, dać w zastaw, pozastawiać, • kredytować, udzielić kredytu, refinansować, **C.** ROZDAĆ, porozdawać, wydać, powydawać, kluczować, przekazać, • dysponować, przelać, indosować, • porozdzielać, (po\roz)dzielić, (po)dzielić się, obdzielić (się), (po)częstować, łamać się, rozczęstować, • rozprowadzić, porozprowadzać, dystrybuować, rozdysponować, (po)rozpisywać, rozlosować, **D.** PRZEWŁASZCZYĆ, denacjonalizować, (s)prywatyzować, uwłaszczyć, • nadać, przy\uldzielić, przyznać, przysądzić, **E.** ASYGNOWAĆ, przeznaczyć, preliminować, odjąć, *tyle odchodzi na*, zadeklarować, ofiarować, dać na, zaopatrzyć, zapewnić, odpalić, odstąpić, • zaopatrzyć w, ekwipować, fasować, wyposażyć, wywianować, **F.** ZWRACAĆ, zwrócić, oddać, pooddawać, zdać, złożyć, • odnieść, poodnosić, odesłać, • odkupić, odpracować, spłacić, pospłacać,

99 daleki — **A.** ODDALONY, odległy, • dalszy, tamten, ów, ówże, • nieobecny, zamyślony, zadumany, pochłonięty, zaaferowany, zaabsorbowany, • wyalienowany, wyobcowany, • usunięty, wykluczony, wyłączony, wyeliminowany, **B.** ZAMORSKI, dalekomorski, zaoceaniczny, transoceaniczny, transatlantycki, • egzotyczny, **C.** ZDALNY, pośredni, niebezpośredni, • zaoczny, eksternistyczny, wieczorowy, • telepatyczny, myślowy, mentalny, • bezprzewodowy, **D.** ZEWNĘTRZNY, wierzchni, powierzchniowy, • egzogenny, egzogeniczny, pozaustrojowy, **E.** PERYFERYJNY, peryferyczny, • uboczny, • tylny, zadni, • rufowy, • prowincjonalny, partykularny, zaściankowy, małomiasteczkowy, • głęboki, głuchy,

100 daleko — **A.** HEN, het, w dali, w oddali, w oddaleniu, • gdzieś, gdzieś tam, byle gdzie, gdzie bądź, gdziekolwiek, gdzikolwiek bądź, **B.** tam, • wszędzie, wszędy↑, • zewsząd, ze wszystkich stron, z oddali, z dala, z daleka, **C.** WYSOKO, u góry, na górze, daleko w górze, pod niebem, • wyżej, powyżej, ponad, **D.** W GÓRĘ, wzwyż, pod niebo, pod niebiosa, pod chmury, pod chmurami,

101 dar — **A.** PODARUNEK, podarek, prezent, upominek, pamiątka, gościniec, souvenir, • drobiazg, niespodzianka, **B.** DAROWIZNA, donacja, zapis, nadanie, • przydział, przyznanie, przydzielenie, **C.** DOTACJA, subwencja, subsydium, dofinansowanie, wsparcie, wspomożenie (finansowe), pożyczka, kredyt, pieniądze, • kredytowanie, opłacanie, wspomaganie, łożenie, **D.** OFIARA, taca, • datek, jałmużna, • składka, zbiórka, kwesta, kolekta, • napiwek, bakszysz, • poświęcenie, ofiarowanie, dedykacja,

102 dawkować — **A.** DOZOWAĆ, miarkować, fasować, konfekcjonować, odmierzyć, namierzyć, odliczać, • stopniować, **B.** PRZYDZIELAĆ, porcjować, określać dawkę, • porozlewać, porozsypywać, rozłożyć, rozkładać, **C.** REGLAMENTOWAĆ, wydzielać, wyliczać, racjonować, ustalać rację, wyznaczać normę, normować, cykać, cyknąć, kapnąć,

103 decydować — **A.** ROZPATRZYĆ, rozpoznać sprawę, sądzić, sprawa wchodzi na wokandę, • rozsądzić, rozstrzygnąć, arbitrażować, (za)wyrokować, orzec, orzekać, skazać, wydać wyrok (orzeczenie), *zapada wyrok,* • sędziować, **B.** POSTANOWIĆ, postanawiać, zadecydować, zdecydować się, namyślić się, uwzględnić wszystkie za i przeciw, nie wahać się, zdeklarować się, pójść na, uradzić, uzgadniać, uzgodnić, • rozstrzygać, przesądzić, • rozporządzić, dekretować, uchwalić, ustanowić, powziąć, przyjąć, wydać, zaprowadzić, pouchwalać, powprowadzać, powydawać, **C.** USTALIĆ, oznaczyć, wyznaczyć, umówić (się), namawiać się, wymyślić↓, obgadać, nagrać↓, *umowa stoi, stanęło na,* zawrzeć umowę, podpisać kontrakt,

104 deformować — **A.** ZNIEKSZTAŁCAĆ, odkształcać, kazić↑, • odkształcić się, zniekształcić się, (z)deformować się, skazać (się), pomiąć się, (po\z)gnieść się, wgnieść się, roz\slpłaszczyć się, **B.** MIĄĆ, międlić, miętosić, zgniatać, powygniatać, (roz\u)gnieść, wgnieść, wgiąć (się), wginać (się), wgniatać (się), • (przy)płaszczyć, roz\slpłaszczać, rozdeptać, przy\rozlklapać, rozczłapać, • sklepać, sprasować, (roz)miażdżyć, • pozaginać, pogiąć (się), powyginać (się), pozginać (się), podgiąć, popodginać (się), pozałamywać (się), **C.** KRZYWIĆ, wichrować się, (wy\po)krzywić się, prze\slkrzywić się, powykrzywiać (się), • odwinąć, rozpleść (się), roztrzepać się, (po)rozplatać, • pozwijać się, skręcić się, poskręcać (się), pokręcić, poprzekręcać, • scentrować, (po)koślawić, (po)koślawić, wykoślawiać, zwichnąć, • porozchodzić się, porozsychać się, po\slfalować się, (po)mar-

szczyć się, (s)fałdować, pofałdować się, (s\wy)paczyć, popaczyć (się), chropowacieć, • garbacieć, (po)garbić się, wybrzuszyć się, zawęźlić się, • wyciągnąć się, porozciągać (się), powyciągać się, powypychać, **D.** OBTRĄCIĆ, ob\odltłuc, (po)obtłukiwać się, obić, poobijać, odłamać (się), łamać, poobłamywać (się), • rozbijać, skruszyć (się), **E.** STARGAĆ, potargać (się), stargać się, supłać, (po\s)plątać się, (po\z)mierzwić się, kołtunić (się), (po\roz)czochrać się, kudłacić, kudłąć, skudłacić (się), skudlić, (s)kłębić się, skotłować (się), (roz\z)wichrzyć, rozwiać się, pomotać (się), gmatwać, pogmatwać się, powikłać (się), (po)kićkać (się),

105 dekoracja — **A.** ORNAMENT, ozdobnik, element zdobniczy, motyw zdobniczy, *:rozeta, palmeta, arabeska, kanefora, kanelura, kanele, sztukateria, stiuk, gipsatura, kaseton, fryz, szlak, szlaczek, kimation,* • fiala, pinakiel, • inkrustacja, intarsja, • pozłota, • okucie, **B.** OZDOBA, ozdóbka, okrasa, przybranie, • ozdobienie, przystrojenie, okraszenie, upiększenie, ubranie↑, upstrzenie, • patka, naramienniki, epolety, szlify, • klapka, wyłóg, • pompon, bombka, • falbana, koronka, • frędzle, kutas, • kokarda, wstążka, wstęga, • aplikacja, cekiny, naszywka, naszycie, • wyszycie, haft, ażur, mereżka, łańcuszek, • girlanda, • konfetti, **C.** OPRAWA, oprawka, • okładka, obwoluta, półpłótno, półskórek, introligatorka, • rama, blejtram, • ramka, *:passepartout, kartusz,* • obramienie, obramowanie, oprofilowanie, • otok, obwódka, brzeżek, obrzeżenie, oblamowanie, • obrębek, obrąb, bordiura, otoczka, **D.** WYSTRÓJ, • dekoracyjność, ozdobność, zdobność, strojność, kostiumowość, • dekoratorstwo, ornamentacja, • kameryzacja, scenografia, • ornamentowanie, ornamentyka, zdobienia, zdobnictwo,

106 delikatny — **A.** SUBTELNY, aluzyjny, • porozumiewawczy, znaczący, • powłóczysty, przeciągły, **B.** CZUŁY, wrażliwy, • nieobojętny, wyczulony, uczulony, • erogeniczny↑, erogenny↑, • płaczliwy, mazgajowaty, zamazany↓, **C.** STONOWANY, pastelowy, **D.** LEKKI, arcydelikatny, kruchy, łamliwy, • chrupiący, chrupki,

107 demoralizować — **A.** ROZPASKU-

19

DZIĆ, rozpuścić, rozwydrzyć, rozbestwić, • rozłajdaczyć, rozpić, • odczłowieczyć, de\odlhumanizować, **B.** GORSZYĆ, siać zgorszenie, deprawować, znieprawić, skorumpować, wywieść na manowce, sprowadzić na złą drogę, • prostytuować, skurwić↓,

108 **denerwować** — **A.** IRYTOWAĆ, działać na nerwy, stresować, skwasić, zniecierpliwić, grać na nerwach, wetknąć (wsadzić) kij w mrowisko, skandalizować, **B.** URAZIĆ, po\zldenerwować, trafić w czuły punkt, nadepnąć na odcisk, dotknąć, (po\roz)drażnić, być solą w oku, obrazić, obrażać, (z)ranić, jątrzyć, dotknąć (poruszyć) do żywego, ubóść, doprowadzać do ostateczności, wzburzyć, oburzyć, (z)bulwersować, • pod\zlirytować, rozeźlić, (roz\ze)złościć, zgniewać, (roz)gniewać, rozsierdzić, rozjuszyć, rozsrożyć, rozwścieczyć, rozwścieklić, wściekać, szarpać nerwy, wkurzyć↓, wkurwić↓, **C.** ZRAZIĆ, pozrażać sobie, odpychać, narazić sobie (się), podpaść, podpadać, mieć krechę↓, antagonizować, stać się kamieniem obrazy, znieważyć, *iks przewróciłby się w grobie*, • kłuć w oczy,

109 **destrukcyjny** — **A.** DESTRUKTYWNY, demobilizujący, rozprzęgający, zniechęcający, • rozbijacki, rozłamowy, **B.** GORSZĄCY, niewychowawczy, niepedagogiczny, demoralizujący, deprawujący, **C.** SZKODLIWY, niezdrowy, chorobotwórczy, • rakotwórczy, kancerogenny, • promieniotwórczy, radioaktywny, • alergiczny, uczuleniowy, • sienny,

110 **destruktywnie** — **A.** HAMUJĄCO, spowalniająco, zwalniająco, • utrudniająco, powściągająco, **B.** DESTRUKCYJNIE, rozprzęgająco, destabilizująco, niszcząco, demobilizująco, zniechęcająco, • demoralizująco, deprawująco, gorsząco, **C.** OSZAŁAMIAJĄCO, dusząco, odurzająco,

111 **diabeł** — **A.** SZATAN, demon, bies, czart, czort, kusy↓, licho, złe, kaduk, • zły duch, siła nieczysta, moce piekielne, syn ciemności, antychryst, • kusiciel, :*lucyfer, lucyper, belzebub, mefisto, mefistofeles, dybuk*, • moloch, **B.** CHOCHLIK, diablik, • gnom, troll, kobold, • skrzat, krasnal, karzeł(ek), krasnoludek, • duszek, elf, wodnik,

112 **dlaczego** — **A.** CZEMU, po co, po kiego↓, po kiego diabła↓, po jaką cholerę↓, po jakie licho↓, po cholerę↓,

113 **długi** — **A.** PODŁUŻNY, podługowaty↑, wydłużony, lancetowaty, wrzecionowaty, • pociągły, • bociani, • łabędzi, **B.** DŁUGOTRWAŁY, czasochłonny, pracochłonny, • długodystansowy, długofalowy, długookresowy, długoletni, wieloletni, wielowiekowy, • nieskończony, bezterminowy, dożywotni, • wielogodzinny, wielodniowy, **C.** ROZWLEKŁY, przewlekły↑, kilometrowy, tasiemcowy↓, sążnisty↑, **D.** DŁUGOMETRAŻOWY, pełnometrażowy, kinowy, fabularny, **E.** DALEKONOŚNY, nośny, dalekiego zasięgu, międzykontynentalny, interkontynentalny, transkontynentalny, • balistyczny,

114 **długo** — **A.** LATAMI, • bezterminowo, dożywotnio, • na wieki, długotrwale, • chronicznie, przewlekle, **B.** DO PÓŹNA, późno w noc, • do ostatka, do końca, do ostatniej chwili, **C.** DOTĄD, dopóty↑, póty↑, tak długo jak, • dotychczas, jak na razie, jak dotąd, póki co, **D.** DOPÓKI, póki, dopokąd↑, tak długo jak, **E.** PRZECIĄGLE, powłóczyście,

115 **dobroczynnie** — **A.** ŻYCZLIWIE, • szlachetnie, po ludzku, po chrześcijańsku, humanitarnie, miłosiernie, litościwie, współczująco, zacnie↑, poczciwie↑, • dobrodusznie, dobrotliwie, wspaniałomyślnie, łaskawie, miłościwie, • liberalnie, tolerancyjnie, permisywnie↑, humanistycznie, • elastycznie, giętko, • pokojowo, bezkrwawo, • polubownie, kompromisowo, • po dobremu↓, po dobroci↓, • wyrozumiale, pobłażliwie, łagodnie, ulgowo↓, **B.** BEZINTERESOWNIE, honorowo, charytatywnie, filantropijnie, społecznie, idealistycznie, **C.** ŁAGODZĄCO, kojąco, uśmierzająco, • uspokajająco, **D.** WZMACNIAJĄCO, krzepiąco, pokrzepiająco, pocieszająco, dla kurażu, • mobilizująco, • sprawnościowo, ruchowo, fizycznie,

116 **dobroczyńca** — **A.** ŁASKAWCA, dobrodziej, wspomożyciel, • oswobodziciel, wyzwoliciel, zbawca, wybawiciel, wybawca, • żywiciel, karmiciel, głowa rodziny, • chlebodawca, pracodawca, **B.** FILANTROP, • mecenas, fundator, ofiarodawca, darczyńca, • donator, • dawca, krwiodawca, • jałmużnik, • samarytanin, altruista, anioł↑, • ochotnik,

wolontariusz, woluntariusz, ideowiec, ● społecznik, aktywista, oświatowiec,

117 dobroć — **A.** DOBRO, zacność, szlachetność, ● poczciwość, dobroduszność, jowialność, ● dobrotliwość, anielskość, łagodność, ● subtelność, delikatność, oględność, takt, ● wyczucie, dyskrecja, **B.** ŻYCZLIWOŚĆ, serdeczność, kordialność, wylewność, ciepło, ● przychylność, fawor↑, benewolencja↑, ● łaska, łaskawość, względy, ● przyjaźń, braterstwo, koleżeńskość, koleżeństwo, przywiązanie, sympatia, wzajemność, **C.** WSPANIAŁOMYŚLNOŚĆ, wyrozumiałość, litość, ● człowieczeństwo, ludzkość, humanitaryzm, humanitarność, ● bezinteresowność, ideowość, altruizm, ● hojność, szczodrość, szczodrobliwość, gest, szeroki gest, gościnność,

118 dobry — **A.** NIEZŁY, nie najgorszy, niezgorszy, niczego, niczego sobie, całkiem całkiem, względny, znośny, strawny, taki sobie, jaki taki, w miarę, jak cię mogę↓, **B.** INTERESUJĄCY, atrakcyjny, fascynujący, zachwycający, olśniewający, rewelacyjny, oszałamiający, porywający, ● wartki, barwny, żywy, krwisty, ● pyszny, szampański, upojny, **C.** UDANY, udatny↑, udały↑, lepszy, ● celny, bez pudła, bezbłędny, ● na medal, na piątkę, super↓, ekstra↓, fajny↓, fajowski↓, fajowy↓, bombowy↓, byczy↓, morowy↓, obłędny↓, odjazdowy↓, odlotowy↓, zakręcony↓, w dechę↓, wdechowy↓, tip top↑, ● doskonały, wspaniały, wyśmienity, świetny, znakomity, (prze)wyborny↑, setny↑, przedni↑, wyborowy↑, pierwszorzędny↓, kapitalny, ● popisowy, koncertowy, ● fantastyczny, fenomenalny, niesłychany, genialny↓, nieziemski↓, cudowny, boski, **D.** PROFESJONALNY, fachowy, klasowy, wysokiej klasy, koneserski, ● gatunkowy, wysokogatunkowy, w dobrym gatunku, ● markowy, firmowy,

119 dobrze — **A.** NIE NAJGORZEJ, niezgorzej, nieźle, znośnie, niczego, niczego sobie, wcale wcale, **B.** WSPANIALE, pierwszorzędnie↓, fajnie↓, fajowo↓, fajowsko↓, wdechowo↓, cudownie, cudnie, kapitalnie, bomba↓, byczo↓, bombowo↓, morowo↓, rewelacyjnie, fenomenalnie, fantastycznie, genialnie↓, bezbłędnie↓, obłędnie↓, odjazdowo↓, odlotowo↓, pysznie↓, bosko↓, ekstra↓, super↓, super hiper↓, prima↓, jak ta

lala↓, tip top↑, tipes topes↑, ● doskonale, perfekcyjnie, idealnie, skończenie, anielsko, ● (prze)wybornie, wyśmienicie, znakomicie, (prze)świetnie, śpiewająco↓, ekspedite↑, perfekt↓, ● smacznie, smakowicie, apetycznie, **C.** KORZYSTNIE, pozytywnie, dodatnio, obiecująco, różowo↓, ● bardzo dobrze, celująco, ● pomyślnie, szczęśliwie, ● zwycięsko, **D.** ŻYCZLIWIE, przychylnie, łaskawie, łaskawym okiem, z sympatią, ● przyzwalająco, aprobująco, twierdząco, przytakująco, potakująco, ● pochlebnie, z uznaniem, **E.** WYCHOWAWCZO, pedagogicznie,

120 dodatek — **A.** UZUPEŁNIENIE, przyczynek, ● suplement, nowela, ● załącznik, aneks, apendyks, addenda, ● wstawka, ● proteza, ● przedrostek, prefiks, przyrostek, sufiks, końcówka, formant, ● dopełnienie, ● dodatki, akcesoria, rekwizyty, ● uzupełnianie się, komplementarność, **B.** DOKŁADKA, dolewka, repeta, druga porcja, ● dokrętka, ● domieszka, przymieszka, **C.** DODANIE, włączenie, kooptacja, inkluzja, wstawienie, interpolacja, ● wcielenie, przyłączenie, inkorporacja, ● interioryzacja,

121 dodatkowo — **A.** NADOBOWIĄZKOWO, ponadobowiązkowo, nadprogramowo, ponadplanowo, nieobowiązkowo, fakultatywnie↑, **B.** REZERWOWO, na zapas, ● ponadto, (o)prócz tego, osobno, ekstra, ● więcej, jeszcze, znowu, znów, znowuż, ponownie, powtórnie, na nowo, od nowa, od początku, z powrotem, na powrót, ● przeszło, ponad, powyżej, z górą, z okładem↑, z ogonem↓, z hakiem↓, ● podwójnie, dubeltowo, **C.** MIMOCHODEM, na marginesie, nawiasowo, nawiasem, przy okazji, przy sposobności, en passant, na boku, ● niedbale, od niechcenia, luźno,

122 dodatkowy — **A.** POMOCNICZY, służebny, wspomagający, posiłkowy, instrumentalny, ● przyboczny, ● usługowy, doradczy, konsultacyjny, konsultatywny, ● odwoławczy, apelacyjny, kasacyjny, ● rewizyjny, poprawkowy, ● autowy, liniowy, **B.** UZUPEŁNIAJĄCY, dopełniający, komplementarny, ● uboczny, poboczny↑, wtrącony, marginalny, marginesowy, na marginesie, nawiasowy, incydentalny, ● towarzyszący, ● pomaturalny, policealny, ● podyplomowy, **C.** NADPROGRAMOWY, nadliczbowy, (po)nadobowiązkowy, nieobowiązkowy, fakultatywny, (po)nadplanowy, pozaplanowy, **D.** BOCZNY, odgałęziony, • flankowy,

123 dokładnie — **A.** DROBIAZGOWO, szczegółowo, skrupulatnie, pedantycznie, gruntownie, dogłębnie, wnikliwie, starannie, akuratnie, • obszernie, wyczerpująco, ze szczegółami, z detalami, detalicznie↓, • rozwlekle, długo, • misternie, finezyjnie, koronkowo, wyrafinowanie, dobrze, **B.** ŚCIŚLE, precyzyjnie, • szczelnie, hermetycznie, • matematycznie, analitycznie, • dosłownie, wiernie, niewolniczo, słowo w słowo, rygorystycznie, • co do joty, kubek w kubek, • formalnie, wręcz, dosłownie, literalnie, wprost, żywcem, **C.** WYRAŹNIE, klarownie, wyraziście, przejrzyście, • zrozumiale, komunikatywnie, • czytelnie, kaligraficznie, • słownie, słowami, werbalnie, • listownie, korespondencyjnie, drukiem, **D.** WPROST, bezpośrednio, szczerze, • od razu, • jednoznacznie, niedwuznacznie, jasno, dobitnie, wymownie, • konkretnie, • imiennie, personalnie, po nazwisku, **E.** NAUKOWO, • eksperymentalnie, doświadczalnie, empirycznie, laboratoryjnie, • organoleptycznie, zmysłowo, • dźwiękowo, akustycznie, fonicznie, • brzmieniowo, • słuchowo, • ilościowo, liczbowo, kwantytatywnie, • arytmetycznie, liczebnie, rachunkowo,

124 dokładność — **A.** PRECYZJA, precyzyjność, czułość, • ścisłość, dosłowność, wierność, • finezja, finezyjność, wyrafinowanie, przerafinowanie, • punktualność, terminowość, **B.** DROBIAZGOWOŚĆ, skrupulatność, • pedantyczność, pedanteria, małostkowość, drobnostkowość, akuratność, • wnikliwość, przenikliwość, gruntowność, dogłębność, całościowość, **C.** STARANNOŚĆ, pracowitość, pilność, wytrwałość, gorliwość, obowiązkowość, sumienność,

125 dokładny — **A.** PRECYZYJNY, aptekarski, • ścisły, matematyczny, komputerowy, • atomowy, kwarcowy, • misterny, koronkowy, **B.** DROBIAZGOWY, szczegółowy, obszerny, gruntowny, wyczerpujący, staranny, wnikliwy, skrupulatny, pedantyczny, rygorystyczny, **C.** DOSŁOWNY, wierny, literalny, ścisły, niewolniczy, • realistyczny, naturalistyczny, werystyczny, **D.** PUNKTUALNY, planowy, terminowy,

126 dokonać — **A.** WYKONAĆ, zrobić, (z)realizować, odbyć, stoczyć, poczynić, porobić, odrobić, odrabiać, przygotować, doprowadzić, dociągnąć, dojść do, • dokazać, zdziałać, odnieść sukces, sięgnąć po laury, osiągać szczyt, osiągnąć cel, dosięgnąć celu, ukoronować, (u)wieńczyć, ugrać, • dodzwonić się, dotelefonować się, dostukać się, dopukać się, dowołać się, • wynegocjować, wyprawować, wyprocesować, wywalczyć, wywojować, doprosić się, • zaliczyć, zdać (złożyć) egzamin, obronić projekt (pracę), bronić się, • wyegzekwować, stanąć na wysokości zadania, • trafić w dziesiątkę, utrafić, wcelować, • zdołać, zdobyć się, pozdobywać się, • cyzelować, wychuchać, odrobić, odstawić, **B.** ZDĄŻYĆ, uwinąć się, być na czas, nadążać, wyrobić się↓, podołać w terminie, obrobić się, **C.** WYTRZYMAĆ, zmusić się, uciągnąć, udźwignąć, • ujechać, ubiec, ujść, uleźć, **D.** DOSIĘGNĄĆ, dorzucić, (z)gruntować, • wspinać się na palce,

127 dokuczać — **A.** DOLEGAĆ, doskwierać, dać się we znaki, (u)dręczyć, spędzać sen z powiek, stanąć kością w gardle, niepokoić, nie dawać spokoju, niweczyć spokój, prześladować, chodzić za, **B.** PRZESZKADZAĆ, wadzić, stać na przeszkodzie, wchodzić w drogę, krępować, • ciążyć, ciężyć, być kamieniem u szyi, zwalić się komu na głowę, • uprzykrzać, rozpraszać, zakłócać spokój, • zawracać głowę, brzęczeć za uszami, trzeszczeć nad głową, podokuczać, • dokuczyć, dogryźć, dojąć do żywego, dojeść (do żywego), dopiec (przypiec) do żywego, zaleźć (zajść) za skórę, wchodzić na głowę, ciosać kołki na głowie, dać popalić↓, **C.** POBOLEWAĆ, (po\roz)boleć, ćmić, szczypać, piec, palić, drapać, kręcić w nosie, drażnić, gryźć, swędzieć, świerzbić, • parzyć, łupać, drzeć, rwać, strzykać, szarpać, • mdlić, wywoływać wymioty, wzbudzać mdłości, *robi mi się niedobrze, rżnie w brzuchu,* • uwierać, ściskać, uciskać, obciskać, ugniatać, pić, gnieść, rżnąć, **D.** PORAZIĆ, porażać, paraliżować, • ogłuszyć, • oślepić, olśnić, • ciąć, smagać, siekać, zacinać,

128 dokument — **A.** ŚWIADECTWO, :*dyplom, matura, świadectwo dojrzałości,* • cenzur(k)a, metryka, akt (urodzenia), • zaświadczenie, certyfikat, certyfikacja, atest, atestacja, licencja, pozwolenie, • poświadczenie, potwierdzenie, pokwitowanie, rewers, • kupon, talon, bon, kartka (żywnościowa), **B.** BILET, karta wstępu, wejściówka, miejscówka, powrotny, • abonament, karnet, • numerek, • los, bilet loteryjny, **C.** DOKUMENTY, papiery, legitymacja, dowód tożsamości, dowód osobisty, paszport, matrykuła↑, • pismo urzędowe, upoważnienie, zezwolenie, • wiza, • papier (urzędowy), zaświadczenie, listy uwierzytelniające, • przepustka, glejt↑, list żelazny↑, • świstek↓, zapewnienie, • faktura, list przewozowy, **D.** UCHWAŁA, postanowienie, ustanowienie, powołanie, rezolucja, dekretacja, • orzeczenie, wyrok, decyzja, rozstrzygnięcie, werdykt, arbitraż, • manifest, dokument programowy, akt urzędowy, gramota↑, **E.** UKŁAD, przymierze, pakt, traktat, kontrakt, transakcja, intercyza, • porozumienie, ugoda, ustalenie, umowa, konwencja, konkordat, • zobowiązanie, cyrograf↑, • gwarancja, karta gwarancyjna, • polisa, • konosament, **F.** DOKUMENTACJA, materiały źródłowe, źródła, • notatki, pisma, archiwalia, • akta, dossier, kartoteka, teczka↓,

129 domagać się — **A.** PROSIĆ, poprosić, mieć prośbę, zwracać się z prośbą, upraszać, uciekać się, pukać do, uderzyć do, nudzić, • uśmiechnąć się do, chcieć coś od, przymawiać się, domawiać się, domówić się, • uśmiechać się, wdzięczyć się, kokietować, mizdrzyć się, krygować się, przymilać się, przewracać oczami, szczerzyć zęby do, • błagać, prosić się, napraszać się, molestować, naprzykrzać się, skamleć, skamłać (skamlać), skomlić (skomleć), zamęczać prośbami, suszyć głowę, bombardować, żebrać, monitować, • modlić się, pomodlić się, **B.** NAPOMINAĆ, upominać (się), trzymać za słowo, nalegać, monitować, cisnąć, naciskać, nawoływać, wezwać, popędzać, (po)ganiać, użerać się, • naglić, przynaglać, ponaglać, pilić, przypilać, gwałtować, pędzić, zmuszać do pośpiechu, brać do galopu, dać w kość, przynaglić, przypilić, (po)gonić, gnać, **C.** ZALECIĆ, przepisać, zapisać, • zlecić, polecić, (z)obligować, zobowiązywać, wiązać, • zadać, obciążyć, nałożyć, • kazać, rozkazać, na\przykazywać, przykazać, nakazać, zarządzić, narzucić, (po)dyktować, napędzić, **D.** ZMUSZAĆ, wymagać, nastawać, przymuszać, czynić (zadać) gwałt, przyprzeć (przypierać) do muru,

wziąć w obroty, wziąć za głowę, wymusić, egzekwować, stawiać sprawę na ostrzu noża, niewolić, nakłaniać, napędzać, naprzeć się, napierać (się), pchać, przeć, • rościć, uzurpować, przywłaszczać, • obstawać, upierać się przy żądaniu, dopominać się, **E.** ŻĄDAĆ, wymuszać, (s)tyranizować, przymusić, zmusić, (przy)dusić, przycisnąć, docisnąć (dokręcać) śrubę, • walczyć, wykłócać się, pieklić się o, • sterroryzować, zastraszyć, przyłożyć nóż do gardła, szantażować, trzymać na muszce,

130 dostać — **A.** OTRZYMAĆ, mieć należne, dostawać, odebrać (list), podostawać, *list przyszedł, pieniądze wpłynęły,* **B.** BRAĆ, wziąć, • poodbierać, odebrać (pożyczone), • dopożyczyć, (po)pożyczać, wypożyczyć, złapać↓, zadłużyć się, zarżnąć się↓, **C.** WYPAŚĆ NA, przypaść, *los przeznaczył,* dosięgnąć, wylosować, **D.** UZYSKIWAĆ, (po\u)zyskać, obdarowywać się, dostać się, przejść na, przypaść, okroić się, skapnąć, *spadło mi z nieba,* zawdzięczać, • dziedziczyć, mieć po kim, dostać w spadku, objąć,

131 dotyczyć — **A.** WIĄZAĆ SIĘ Z, tyczyć (się), dotykać, odnosić się do, stosować się do, *idzie o,* **B.** TRAKTOWAĆ O, obejmować, **C.** KOJARZYĆ SIĘ, łączyć się, asocjować się, mieć związek, chodzić w parze z, mieć co do czego, mieć coś wspólnego, nasunąć skojarzenie, nasuwać (się), przychodzić na myśl, przypominać się, *to mi przypomina, to mi przywodzi na myśl,*

132 dotykać — **A.** TKNĄĆ, tykać (się), przyłożyć, przykładać, przytknąć, przytykać (się), (po)ruszyć, pomacać (się), (ob\o)macać, • trzeć, (o)trzeć się, ocierać (się), potrzeć (się), pocierać (się), • wodzić, jeździć, po\przelciągnąć, (po)wieść, pogładzić, • dotknąć, (s)chwycić się, porwać się, ująć się, złapać się, szczypać (się), **B.** GŁASKAĆ, pogłaskać (się), gładzić, pogładzić (się), pieścić (się), czulić się, migdalić się, połasić się, • musnąć, muskać, połaskotać, połechtać, • łaskotać, łechtać, (po)drapać, muskać, przyjemnie drażnić, czochrać się, skrobać się, **C.** MASOWAĆ, nacierać, robić masaż, rozetrzeć, (po)rozcierać, **D.** POCAŁOWAĆ, całować (się), ucałować (się), przylgnąć wargami↑, złożyć pocałunek, obcałowywać się, smoktać się, cmokać (cmoknąć), posłać pocałunek, dostać całusa, dostać buzi↑, dać buziaka (buźki)↓, ● lizać (się), po\wyllizać,

133 dowód — **A.** DANE, fakty, alibi, udowodnienie, materiał dowodowy, dokumentacja, **B.** DOWODZENIE, potwierdzenie, uzasadnienie, stwierdzenie (winy), znalezienie (dowodu), ● dokument, świadectwo,

134 drewno — **A.** DRWA, chrust, ● igliwie, listowie, liście, ● klocek, kołek, polano, szczapa, bierwiono, ● draska, zapałka, ● kloc, kłoda, bal, dyl, ● drzazga, zadra, cierń, kolec, **B.** DRZEWO, drapak, ● pień, konar, gałąź, ● pieniek, pniak, karpa, karcza, **C.** DESKA, deszczułka, klepka, tarcica, gont, ● listwa, listewka, belka, krokiew, poprzeczka, kantówka, płoza, ● sklejka, dykta,

135 drobnoustroje — **A.** MIKROORGANIZMY, mikroby, żyjątka, :*glony, pierwotniaki,* ● grzyby, **B.** BAKTERIE, zarazki, bakcyle, :*prątki, dwoinki, krętki, pałeczki,* ● wirusy,

136 droga — **A.** TRASA, szlak, kurs, marszruta, ● linia, prosta, przekątna, skrót, ● odcinek, etap, ● orbita, okrążenie, ● tor, hipodrom, welodrom, ● kanał, pasmo, ● trajektoria, krzywa balistyczna, ● szyny, tory, **B.** MAGISTRALA, linia komunikacyjna (kolejowa), ● arteria, autostrada, obwodnica, szosa, ● pas, nitka, **C.** ULICA, aleja, bulwar, promenada, ● trakt, gościniec, ● korso, esplanada, ● deptak, pasaż, ciąg, planty, ● trotuar, chodnik, pobocze, ● jezdnia, nawierzchnia, :*asfalt, bruk, kocie łby*↓, *żużel, szuter,* **D.** PRZECZNICA, bocznica, ● uliczka, zaułek, ● labirynt, meandry, bezdroża, wertepy, manowce, ● przydroże, ● objazd, obejście, ● dojazd, dojście, podejście, podjazd, ● skrzyżowanie, rozdroże, rozstaje, rozstajne drogi, rozwidlenie, rozjazd, krzyżówka, **E.** ŚCIEŻKA, dróżka, drożyna, perć, steczka, dukt, przecinka, miedza, ● przejście, korytarz, tunel, rękaw, przełaz, przesmyk, przełęcz, ● pasy, zebra, **F.** WIADUKT, estakada, przejazd, przeprawa↑, ● kładka, pomost, mostek, most, ● akwedukt, wodociąg,

137 drżeć — **A.** WIBROWAĆ, drgać, dygotać, oscylować, wahać się, pulsować, falować, rozfalować się, **B.** BEŁTAĆ SIĘ, chlupotać, ciamkać, chlastać, **C.** TRZĄŚĆ SIĘ,

wzdrygnąć się, rzucać (się), szarpać (się), szamotać się, ciągać się, miotać (się), gotować się, *rzuca nim,* **D.** BALANSOWAĆ, ważyć się, (roz)chwiać się, (roz)kołysać (się), latać, chodzić, rozdygotać się, bujać, huśtać, chwierutać, chybnąć (się), rozchybotać (się), kolebać (się), telepać (się), tańczyć, **E.** POWIEWAĆ, (za)dąć, (po\za)wiać, wionąć, (po)dmuchać, dmuchnąć, zawiać, ciągnąć,

138 duchowo — **A.** PSYCHICZNIE, ● uczuciowo, emocjonalnie, ● platonicznie, wysublimowanie, **B.** UMYSŁOWO, rozumowo, intelektualnie,

139 dumny — **A.** GODNY, honorowy, szlachetny, ● pański, arystokratyczny, magnacki, wielkopański, jaśniapański↑, ● królewski, monarszy, książęcy, rycerski, **B.** WYNIOSŁY, monumentalny, majestatyczny, olimpijski, posągowy, imponujący, hieratyczny↑, pomnikowy↑, ● tri\trylumfujący, tri\trylumfalny, **C.** NIEDOSTĘPNY, nieprzystępny, ● zarozumiały, pyszałkowaty, przemądrzały, nadęty↓, chełpliwy, pyszny↑, dufny↑, próżny↑, zadufany, ważny, hardy, ● ambitny, ● ambicjonalny, ambicyjny, nieskromny, ● gwiazdorski, megalomański, mitomański, **D.** NIEWZRUSZONY, nieporuszony, kamienny, ● odporny, nieczuły, niepodatny, niewrażliwy, twardy, zahartowany,

140 dusza — **A.** PSYCHE, psychika, duch, ● podświadomość, superego, ego, ja, ● wnętrze, natura, jestestwo, **B.** ŚWIADOMOŚĆ, jaźń, sumienie, ● poczytalność, przytomność, czucie, zmysły,

141 dużo — **A.** SPORO, niemało, niejedno, ● wiele, masę, multum, mnóstwo, całe mnóstwo, bez liku, mrowie, co niemiara, do licha i trochę, od metra↓, od groma↓, od pyty↓, ● fala, morze, ocean, rzeka, las, ● niejeden, ● dziesiątki, setki, tysiące, miliony, ● szmat, kawał, kupę↓, **B.** DROGO, słono↓, ni mniej ni więcej, **C.** NAJWIĘCEJ, maksimum, maksymalnie, najwyżej, co najwyżej, nie więcej, ● do syta, do woli, ile dusza zapragnie, ● docelowo,

142 duży — **A.** SPORY, niemały, pokaźny, nielichy, niebagatelny, znaczny, solidny, uczciwy, przyzwoity, godziwy, niewąski↓, słuszny↑, ● niesamowity, niemiłosierny, niemożli-

wy, niemożebny↑, nieopisany, niewypowie-
dziany, bezlitosny, okrutny↑, koszmarny, **B.**
WYSOKI, niebotyczny↑, niebosieżny↑, pod-
niebny↑, wysmukły, strzelisty, śmigły↑, gon-
ny↑, • rosły, wybujały↑, słusznego wzrostu,
wyrośnięty, postawny, • rozrosły, rozrośnię-
ty, **C.** OGROMNY, ogromniasty↑, przeogromny, olbrzymi, potężny, gigantyczny, imponujący, monumentalny, kolosalny, monstrualny, cyklopowy, mamuci, • wielki, nadludzki, nieludzki, tytaniczny, • kosmiczny, pi-
ramidalny↑, horrendalny↑, • oszałamiający,
zawrotny, **D.** ROZLEGŁY, nieogarniony,
nieprzejrzany, niezmierzony, bezbrzeżny,
bezgraniczny, bez granic, bezmierny, nieskończony, bezdenny, bezkresny, niezmierny, niepomierny, **E.** LICZEBNY, liczny, wieloosobowy, wielotysięczny, mnogi, masowy, •
gremialny, gromadny, tłumny, stadny, • niezliczony, nieprzeliczony, nieprzebrany, niewyczerpany, • seryjny, długoseryjny, wielkoseryjny, taśmowy, • hurtowy, • astronomiczny,
krociowy, nieobliczalny, bajeczny, bajoński,
F. OBSZERNY, luźny, rozwojowy↓, na wy-
rost, szeroki, przyduży, obwisły, • rozepcha-
ny, porozciągany, workowaty, • pojemny,
pakowny, ładowny, przepastny, przepaścis-
ty↑, otchłanny↑, bez dna, • przestronny, •
podwójny, dubeltowy, **G.** OKAZAŁY, wydatny, rozwinięty, dorodny, • mięsisty, soczysty,
pełny, gruby, • piersiasty, cycaty↓, **H.** WIĘK-
SZY, zwiększony, podwyższony, • przewa-
żający, dominujący, **I.** NAJWIĘKSZY, mak-
symalny, krytyczny, • kulminacyjny, szczytowy, • górny, **J.** CIĘŻKI, nielekki, za ciężki,
przyciężki, ciężkawy, • ołowiany,

143 dym — **A.** OPAR, opary, mgła, mgławica, mleko↓, • para, rosa, **B.** TUMAN, kłąb,
kłębowisko, • obłok, obłoczek, chmura, •
wyziewy, miazmaty,

144 dyskretnie — **A.** W ZAUFANIU, poufnie, konfidencjonalnie, • półoficjalnie, pół-
prywatnie, półurzędowo, nieoficjalnie, •
szeptem, półgłosem, **B.** TAJNIE, cicho, bez
rozgłosu, konspiracyjnie, • bez wiedzy, za
plecami, • potajemnie, niejawnie, ukrad-
kiem, na osobności, na stronie, na boku, •
milcząco, niemo, w milczeniu, w cichości
ducha, **C.** NIEZAUWAŻENIE, cicho, po cichu, chyłkiem, milczkiem, po kryjomu, cicha-
czem, cichcem, ciszkiem, nie(s)postrzeże-
nie, po angielsku↑, **D.** NIEUCHWYTNIE,

skrycie, bezobjawowo, niewidocznie, niewi-
dzialnie, niedostrzegalnie, niezauważalnie, •
pośrednio, zdalnie, • zaocznie, pod nieobecność, eksternistycznie, **E.** INCOGNITO,
anonimowo, bezimiennie,

145 działać — **A.** ROBIĆ, czynić, począć,
przedsięwziąć, przedsiębrać, poczynać sobie, sprawiać się, sprawować się, **B.** ZA-
DZIAŁAĆ, ruszyć, zaskoczyć, zapalić, odpalić, • funkcjonować, pracować, operować,
chodzić, odbierać, grać, *wkład pisze*, • brać,
chwytać, trzymać, być w obiegu, sprawiać
się, sprawować się, • aktywizować się, uaktywnić się, uczynnić się, pulsować życiem, •
grasować, (roz)panoszyć się, (po)rządzić
się, szarogęsić się, **C.** SKUTKOWAĆ, odnosić skutek, poskutkować, *to daje wyniki, to
robi swoje*, pomóc, pomagać, pójść na zdrowie, czynić cuda, stymulować, zdynamizo-
wać, tonizować, zrobić dobrze, *wyszło mi na
dobre*, posłużyć, regulować, przydać się,
nadać się, zdać się, posłużyć, być pod ręką,
przyjąć się, chwycić, **D.** POPŁACAĆ, opłacić
się, dawać dochód, przynosić zysk, kalkulować się, być rentownym, zwracać się, amortyzować (się), procentować, profitować,
warto,

146 dziecko — **A.** NOWORODEK, wcześ-
niak, niemowlę, niemowlak, osesek, maleń-
stwo, • dzidziuś↓, bobas↓, bobo↓, dzi-
dzia↓, • maluch, mikrus, malec, przedszko-
lak, bąk↓, brzdąc↓, berbeć↓, kajtek↓, fą-
fel↓, knot↓, smyk↓, szkrab↓, skrzat↓, pisk-
lę, • bachor↓, pędrak↓, chmyz↓, pętak↓,
szczeniak↓, smark↓, smarkacz↓, smar-
kul↓, sraluch↓, gówniarz↓, wypierdek↓,
gnój↓, gnojek↓, • podrostek, małolat↓, •
smarkula↓, smarkata↓, małolata↓, gównia-
ra↓, gnojówa↓, • chłopczyca, chłopaciara↓,
B. DZIECIĘ, dziecina, dzieciątko, amorek,
cherubin(ek), kupidyn(ek), kupido, putto, **C.**
INFANT, delfin, królewiątko, • potomek, lato-
rośl, • dziedzic, spadkobierca, sukcesor, następca (tronu), • wnuk, wnuczka, prawnuk,
D. POCIECHA, pieszczoch, pieszczoszek,
przylepka↓, • ulubieniec, wybraniec, fawo-
ryt, pupilek, oczko w głowie, beniaminek,
pupil, • jedynak, maminsynek, **E.** PODRZU-
TEK, nieślubne dziecko, dziecko z niepra-
wego łoża, bękart↓, bastard↓, znajda, • pogrobowiec, • półsierota, sierota, **F.** DZIECI,
potomstwo, konsolacja↑, progenitura↑, •

przychówek, małe, młode, pisklęta, drobiazg↓, • pociechy, milusińscy, dziatki, dziatwa, dzieciarnia,

147 dzielić — **A.** KAWAŁKOWAĆ, pokawałkować, (roz)parcelować, człon(k)ować, rozczłonkować, rozdzielić (się), przepoławiać, przepołowić (się), rozdwoić (się), rozpołowić (się), rozszczepić (się), (po)ćwiartować, • rozciąć, (roz)płatać, pociąć, pociachać, (prze\roz)ciąć, (po)rozcinać, (po)przecinać, pochlastać, chlasnąć, (roz\po)rąbać, • rozerżnąć, (prze\roz)piłować, (po)rozrzynać, przerzynać, przerznąć, przerżnąć, (prze\roz)kroić, (prze)krajać, poprzekrawać, • przełupać, (po\roz)łupać, rozbić, roztrzaskać, (po)rozbijać, rozkruszyć (się), rozkuć, • przełamać, złamać (się), rozłamać (się), • rozgryźć, (po\prze)gryźć, rozdziobać, **B.** ODDZIELIĆ, odseparować, odjąć, • oberżnąć, ob\odlciąć, ob\odlcinać, obrzynać, oderżnąć, odrzynać, (po)okrawać, odkroić, odkrajać, odkrawać, (po)odrąbywać, poucinać, (po)odcinać, ciachnąć, (od)piłować, urżnąć, ukroić, ukrajać, • odklejać, odkleić (się), poodklejać (się), rozkleić (się), odlepić (się), • odmoczyć, odmoknąć, odmakać, • oderwać, (po)odrywać się, odedrzeć, oddzierać, odczepić (się), rozczepić (się), rozczesać (się), • odkuć, odkuwać, poobłupywać, uskubać, ułamać, urąbać, odstrzelić, ustrzelić, udrzeć (się), udzierać, urwać (się), zerwać (się), zrywać (się), szarpać, poukręcać (się), odrapać, odprysnąć, (po)odpryskiwać, • odkręcić, poodkręcać, porozkręcać się, odśrubować, rozśrubować, porozczepiać, • odgryźć, poodgryzać, **C.** DEKOMPONOWAĆ, roz\delmontować, rozbierać, rozebrać, rozkręcić, dezintegrować, rozpraszać, rozrzucać, rozsypać, roztrząsać, rozwlec, • spruć, • odwirować, centryfugować, ekstrahować, **D.** ODGAŁĘZIAĆ SIĘ, rozgałęziać się, rozwidlać się, rozdwajać się, rozchodzić się, rozsunąć się, rozpaść się, rozprysnąć się, rozstąpić się,

148 dzieło — **A.** WYTWÓR, rezultat, wynik (pracy), efekt, produkt, twór, robota, **B.** PRACA, studium, szkic, etiuda, przyczynek, opracowanie, omówienie, • elaborat, elukubracja, • esej, rozprawa, dysertacja, monografia, • streszczenie, abstrakt, • tekst, • wypociny, **C.** UTWÓR, opus, • libretto, słowa, **D.** TWÓRCZOŚĆ, dorobek, juwenilia, • od-

twórczość, tłumaczenie, przekład, **E.** SZTUKA, • produkcja, realizacja, przedstawienie, inscenizacja, realizowanie, nakręcenie (filmu), • wykonanie, prawykonanie, • rola, obsada, kreacja, • gra, zagranie, odtworzenie, interpretacja, odegranie, • wykonawstwo, aktorstwo, • plastyka, malarstwo, grafika, graffiti, rzeźba, rzeźbiarstwo, korzenioplastyka, tkactwo, kilimiarstwo, gobeliniarstwo,

149 dziennikarz — **A.** REPORTER, korespondent, obserwator, sprawozdawca, komentator, **B.** REDAKTOR, publicysta, felietonista, reportażysta, • recenzent, krytyk, • pismak↓, dziennikarzyna↓, żurnalista↑,

150 dzierżawa — **A.** WYNAJĘCIE, wydzierżawienie, wynajmowanie, najem, wynajem, podnajem, najemnictwo, • użytkowanie, ajencja, • arenda↑, pacht, **B.** POŻYCZKA, wypożyczenie, użyczenie, • leasing, • charter, czarter, wyczarterowanie,

151 dziękować — **A.** PODZIĘKOWAĆ, złożyć podziękowanie, *jestem wdzięczny*, błogosławić, **B.** ODWDZIĘCZYĆ SIĘ, wywdzięczyć się, nagrodzić, odpłacić się, (z)rewanżować się, spłacać dług wdzięczności, ozłocić, odwzajemnić (się), oddać, **C.** ODZNACZYĆ, wyróżnić, • nobilitować, uszlachcić,

152 dziki — **A.** BOJAŹLIWY, lękliwy, płochliwy, nieśmiały, nieufny, zahukany, potulny, niewyrobiony, • nieoswojony, nieobłaskawiony, **B.** NIEOKIEŁZNANY, nieujarzmiony, nieposkromiony, • gwałtowny, niepohamowany, szalony, furiacki, wariacki, **C.** NATURALNY, nietknięty, pierwotny, dziewiczy, niedostępny, nie uczęszczany, **D.** ROZSZALAŁY, wzburzony,

153 dziura — **A.** RÓW, wykop, podkop, przekop, przykop, rozkopy, • kanał, przetoka, przesmyk, cieśnina, gardziel, • koryto, łożysko, pradolina, roztoka, • fosa, rynsztok, ściek, • kloaka, szambo, **B.** DÓŁ, wyrwa, lej, krater, kaldera, wykrot, • dołek, wgłębienie, wklęsłość, wydrążenie, wrąb, koleina, zagłębienie, • tunel, korytarz, sztolnia, **C.** WĄWÓZ, parów, jar, wądół, żleb, kanion, • niecka, dolina, kotlina, kocioł, • przełęcz, siodło, • przepaść, otchłań, głębia, czeluść, urwisko, krzesanica, obryw, osuwisko, • rynna,

komin, • szczelina, rozpadlina, rowek, bruzda, **D.** DZIUPLA, jama, nora, leże, • jaskinia,
wnęka, blenda, • pieczara, grota, koleba,
koliba, nisza, nyża. **E.** OTWÓR, kluza, wylot,
dysza, • wyjście, ujście, upust, • odpływ,
spust, przelot, przepust, • wyłom, przerębel,
przerębla, • prześwit, światło, średnica,
przekrój, • przetarcie, dziurka, oczko, • luka,
F. NIESZCZELNOŚĆ, szpara, przerwa,
przeciek, • szczelina, nacięcie, przecięcie, •
pęknięcie, rysa, szrama, • karb, wyżłobienie, żłobek,

154 dziwić — **A.** ZADZIWIAĆ, zdumiewać,
(za)szokować, **B.** ONIEMIEĆ, (z\za)dziwić
się, dziwować się, zdumieć się, nie kryć za-
skoczenia, postawić oczy (w słup), *stał jak
piorunem rażony, zamurowało go*, osłupieć,
(z)dębieć, *oko ci zbieleje*, zrobić wielkie
oczy, rozdziawiać gębę, *prędzej bym się
śmierci spodziewał*, nie wierzyć własnym
oczom (uszom), nie poznawać, nie móc
wyjść z podziwu,

155 dziwnie — **A.** DZIWACZNIE, ekscentrycznie, fantazyjnie, frymuśnie, fikuśnie↓,
ekstrawagancko, cudacznie, groteskowo,
karykaturalnie, nienormalnie, **B.** EGZO-
TYCZNIE, niezwykle, kuriozalnie↑, • wyjątkowo, niezwyczajnie, fantastycznie, prze-
dziwnie, **C.** NIESWOJO, niewyraźnie, obco,
• niesamowicie, upiornie, widmowo, demonicznie, diabolicznie, szatańsko,

156 dźwięk — **A.** BRZMIENIE, dźwięcz-

ność, • barwa, ton, półton, • odcień, zabarwienie, nuta, • melodia, kurant, gong, klang,
klangor, gwizdek, dzwonek, dzwonienie,
dzwony, • akord, alikwota, • flażolet, tryl, •
staccato, legato, • fonia, • dysonans, **B.**
GŁOS, szept, półgłos, półszept, chrypa,
chrypka, falset, dyszkant, • sopran, alt, tenor, bas, baryton, • dźwięk mowy, głoska, **C.**
ODGŁOS, szelest, pomruk, poszept, poszum, pogwar, poświst, poświstywanie, po-
gwizdywanie, pohukiwanie, • pojękiwanie,
pomurukiwanie, popiskiwanie, pochlipywa-
nie, postękiwanie, szczebiotanie, wzdychanie, • echo, pogłos, rezonans, akustyka, a-
kustyczność, słyszalność, • pobrzęk, podźwięk, **D.** NAGŁOŚNIENIE, głośnik, megafon, kolumny (głośnikowe), tuba, szczekacz-
ka↓,

157 dźwig — **A.** DŹWIGNIA, wysięgnik, ramię, lewar, podnośnik, dźwignik, • kabes-
tan, przekładnia, • przenośnik, transporter,
żuraw, • biegi, przerzutka, **B.** WINDA, eska-
lator, paternoster↑, elewator, wyciągarka, •
wyciąg, orczyk, wyrwirączka↓, kolejka lino-
wa, • schody ruchome,

158 dźwigać — **A.** NOSIĆ, targać, (po)tasz-
czyć, tachać↓, taskać, • brać na swoje bar-
ki, dźwignąć, unieść, utrzymać, podtrzymać,
podsadzić (się), • szuflować, przerzucać, **B.**
OBARCZYĆ, (ob)ciążyć, obarczyć (się), objuczyć (się), obładować (się), juczyć, przygnieść, przygniatać, balastować,

E

159 edukować — **A.**   KSZTAŁCIĆ,
pod\wylkształcić, (na)uczyć, wdrażać w,
wprawiać, pod\przyluczyć, (pod\wy)szkolić,
do\przelszkalać, douczać, przysposabiać,
specjalizować, przygotować, obznaj(o)mić,
obznaj(a)miać, (po)instruować, zapoznać,
zaznajomić, pouczać, • nauczać, wykładać,
udzielać lekcji, przygotowywać, • wytrenować, wytresować, **B.** POPULARYZOWAĆ,
(roz)krzewić, umasowić, • indoktrynować,
wpoić, wpajać, wbijać (kłaść) do głowy, przerabiać na swoje kopyto, • przekabacić, przerobić, urobić, (po)przeciągać, • uduchowić,
(z)humanizować, (u)cywilizować, uczłowie-

czyć, ukulturalnić↑, • unaukowić, politechni-
zować, • pedagogizować, • chrystianizować, • laicyzować, sekularyzować, zeświec-
czyć, **C.** POUCZAĆ, moralizować, prostować ścieżki, prawić morały, umoralniać, •
dyscyplinować, przywoływać do porządku,
brać w karby, • strzępić język, rzucać groch
o ścianę, gadać do lampy,

160 egzamin — **A.** SPRAWDZIAN, próba,
kontrola (wiadomości), • repetytorium, repe-
tycja, powtórzenie, powtórka, • sprawdzenie, przeegzaminowanie, skontrolowanie, •
egzaminy, sesja (egzaminacyjna), przesłu-

chania, przesłuchanie, **B.** PRACA KONT-
ROLNA, praca klasowa, test, klasówka, kartkówka, dyktando, ● ćwiczenie, etiuda, ●
kolokwium, zaliczenie, ● egzamin poprawkowy, poprawka↓, ● egzamin dojrzałości,
matura,

161 **elektronika** — **A.** TECHNIKA, cuda
techniki, ● sprzęt, aparatura, stereo, zestaw
(stereo)↓, wieża, ● hi–fi, hitech, **B.** ODTWA-
RZACZ, ● odtwarzacz laserowy, cd player, ●
gramofon, adapter, ● magnetofon, kaseto-
wiec↓, kaseciak↓, walkman, ● magneto-
wid, odtwarzacz video, wideo↓, **C.** OD-
BIORNIK, telewizor, monitor, ekran, ● telewizja satelitarna, tv sat, satelita↓, antena
(satelitarna), ● radioodbiornik, tranzystor,
radiomagnetofon, ● radio, stacja, rozgłośnia, fala, częstotliwość, zakres, ● dekoder,
konwerter, przekształtnik, konwertor, **D.**
KOPIARKA, kserokopiarka, fotokopiarka,
kserograf, ksero, xero, offset, ● powielacz,
E. KOMPUTER, mózg elektronowy, maszyna licząca, minikomputer, pc, pecet↓, ● mik-
roprocesor, chip, ciekły kryształ, ● oprogra-
mowanie, software, **F.** TELEFON, aparat
telefoniczny, słuchawka, ● intercom, domofon, dyktafon, **G.** DYSK, dyskietka, ●
płyta gramofonowa, płyta długogrająca,
longplay, long↓, album, krążek↓, singel, płyta kompaktowa, kompakt, cd, kaseta (mag-
netowidowa), taśma (magnetofonowa),

165 **fachowość** — **A.** PROFESJONA-
LIZM, zawodowstwo, ● przygotowanie,
kompetencja, kompetentność, ● znawst-
wo, koneserstwo, **B.** DOŚWIADCZENIE,
praktyka, wprawa, rutyna, ● dojrzałość, wyrobienie, ● gust, dobry smak, moda, styl,
klasa, wysoki poziom, **C.** BIEGŁOŚĆ, zręcz-
ność, sprawność, umiejętność, wyszkolenie, wytrenowanie, wytresowanie, ● znajomość (rzeczy), pewność, ● maestria, mistrzostwo, warsztat, sztuka, talent, kunszt,
kunsztowność,

166 **fatalny** — **A.** NIEPOKOJĄCY, alarmis-
tyczny, ● zatrważający, zastraszający, **B.**

162 **energetyczny** — **A.** ELEKTRYCZNY,
na prąd, akumulatorowy, **B.** ATOMOWY,
nuklearny, jądrowy, **C.** TERMICZNY, ciepl-
ny,

163 **energicznie** — **A.** AKTYWNIE, czyn-
nie, dynamicznie, ● żwawo, żywo, rześko,
rzeźwo, skocznie, gracko, z ikrą, fertycznie,
● zamaszyście, z rozmachem, z impetem, ●
intensywnie, prężnie, operatywnie, dziars-
ko, chwacko, ● jurnie, ● zuchwale, brawu-
rowo, z brawurą, z fantazją, karkołomnie,
B. MĘŻNIE, śmiało, ofensywnie, dzielnie,
walecznie, bitnie, odważnie, bohatersko,
heroicznie, ● nieustraszenie, nieulękle, ●
zbrojnie, z bronią w ręku,

164 **energiczny** — **A.** DYNAMICZNY,
prężny, operatywny, intensywny, ● ekspansywny, ofensywny, rozwojowy, **B.** WI-
TALNY, żywotny, żwawy, jary↑, dziarski,
rześki, rzeźwy, fertyczny, ● jurny, ● ruchliwy, żywy, temperamentny↓, niespokojny,
● zamaszysty, ● burzliwy, rozwichrzony,
nieposkromiony, ożywiony, **C.** CZYNNY,
aktywny, obrotny, rzutki, samodzielny, zaradny, sprytny, pomysłowy, pełen inwencji, przedsiębiorczy, przemyślny, sprężysty, ● z ikrą↓, z jajem↓, ● zrywny, **D.** GADAT-
LIWY, rozmowny, rozgadany, wielomów-
ny, elokwentny, wymowny, **E.** ZAŻARTY,
zajadły, zaciekły,

F

NIEPOMYŚLNY, niesprzyjający, nieszczęśliwy, niefartowny↓, niekorzystny, nieprzyjazny, niepochlebny, **C.** ZŁOWIESZCZY,
złowrogi, katastroficzny, złowróżbny, kasandryczny, pesymistyczny, czarny, ponury, posępny, ● ostrzegawczy, ostrzegający,
D. ZGUBNY, feralny, pechowy, nieunikniо-
ny, nieuchronny, nieodwracalny, ● tragiczny, opłakany, katastrofalny, ● niewybaczal-
ny, **E.** ROZPACZLIWY, beznadziejny, bez
wyjścia, bezwyjściowy, patowy, ● desperacki, straceńczy, ● zdeterminowany, gotowy na wszystko, ● dramatyczny, wstrząsa-
jący, szokujący,

G

167 ganić — **A.** DEZAPROBOWAĆ, patrzeć złym okiem, wzruszyć ramionami, (s)krytykować, • przyczepiać się, szukać dziury w całym, wyzłośliwiać się, • przypieprzać się↓, przypierdalać się↓, • pomniejszać, nisko notować, odmawiać zdolności, odsądzić od rozumu, oceniać niepochlebnie, odmawiać wartości, (z)dyskwalifikować, odrzucić, wzgardzić, • odwalić↓, od\przelsiać, (po)ścinać, (po)oblewać, (po)obcinać, nie dopuścić, **B.** POTĘPIAĆ, (na)piętnować, oskarżać, ciskać gromy, rzucić kamieniem, ekskomunikować, stawiać poza nawias, rzucać klątwę, postawić pod pręgierz, • opisać, osmarować, zganić, schlastać↓, zjechać↓, wygwizdać, odsądzać od czci i wiary, **C.** STROFOWAĆ, przyganiać, zarzucać, wyrzucać, wytykać, mieć coś za złe, robić wyrzuty, czynić wymówki, przemycić aluzję, robić przytyki, do\przylgadywać, do\przylmawiać, do\przylmówić, pić do, do\przylciąg, do\przylcinać, przygryźć, przygryzać, napomnieć, na\ulpominać, wypomnieć, rąbać, ciąć, walić prosto z mostu, wygarnąć prawdę w oczy, mówić bez ogródek, powiedzieć bez osłonek, nie owijać w bawełnę, nie przebierać w słowach, • ofuknąć, fukać, ofukiwać, (ob\z)rugać, rugnąć, natrzeć uszu, zmyć głowę, udzielić reprymendy, podkręcić, (s)karcić, (wy\z)łajać, obtańcować, (na\s)krzyczeć, pokrzyczeć, (ob)sztorcować, (z)gromić, huknąć, piorunować, musztrować, objechać, przejechać się po, ochrzanić↓, opieprzyć↓, opierdolić↓,

168 gęstość — **A.** KONSYSTENCJA, spoistość, zawiesistość, ścisłość, zwartość, • lepkość, kleistość, • zagęszczenie, stężenie, nasycenie, kondensacja, zgęszczenie, **B.** GĘSTNIENIE, tężenie, zestalanie się, krzepnięcie, krzepliwość, krzepnienie, zamarzanie, twardnienie, kostnienie, korkowacenie,

169 głośno — **A.** GROMKO, donośnie, rozgłośnie↑, serdecznie, perliście, do rozpuku, z całego serca, na cały głos, na głos, w głos, grzmiąco, tubalnie, ogłuszająco, • rozdzierająco, przenikliwie, przeraźliwie, przejmują-

co, przeszywająco, rozpaczliwie, wniebogłosy, **B.** GWARNO, hucznie, szumnie, hałaśliwie, krzykliwie, jazgotliwie, wrzaskliwie, zgiełkliwie,

170 głośny — **A.** HAŁAŚLIWY, krzykliwy, wrzaskliwy, jazgotliwy, • zgiełkliwy, • brzęczący, brzękliwy, • klekoczący, klekotliwy, grzechoczący, drewniany, **B.** GROMKI, grzmiący, gromowy, donośny, stentorowy, tubalny, armatni, ogłuszający, • dźwięczny, rozgłośny↑, • serdeczny, homeryczny (śmiech), perlisty, • rozdzierający, przenikliwy, przeraźliwy, świdrujący, przejmujący, przeszywający, **C.** GWARNY, huczny, szumny, • rozgadany, rozdyskutowany, rozszczebiotany, roztrajkotany, rozkrzyczany,

171 głowa — **A.** ŁEB, czerep, czaszka, ciemię, potylica, kalota, • łepetyna↓, globus↓, makówka↓, mózgownica↓, • dynia↓, bańka↓, czacha↓, pała↓, • łysina, glaca↓, **B.** SZYJA, kark, • gardło, gardziołko, • przełyk, krtań, grdyka, jabłko Adama, tchawica,

172 głupi — **A.** NIEDORZECZNY, absurdalny, nonsensowny, bezsensowny, nielogiczny, alogiczny, bzdurny, nierealny, nieziszczalny, szalony, zwariowany, • surrealistyczny, groteskowy, paradoksalny, • z księżyca wzięty, **B.** NIEMĄDRY, niezdolny, nieinteligentny, prymitywny, przygłupi, przygłupiasty↓, nierozgarnięty, niepojętny, ograniczony, nierozumny, bezrozumny, bezmózgi, beznadziejny, tępy, barani, zakuty, • bezmyślny, głupawy, gapiowaty, gapowaty, gamoniowaty, głupkowaty, durnowaty, durny, imbecylny, imbecylowaty, kretynowaty, debilowaty, matołkowaty, matołowaty, tumanowaty, głąbowaty↓, **C.** NIEOŚWIECONY, niepiśmienny, niewykształcony, nieuczony, • ciemny, niedouczony, niewykwalifikowany, • jednostronny, jednokierunkowy, • ciasny, wąski, ignorancki, barbarzyński, jaskiniowy, • zacofany, obskurancki, **D.** PRZESĄDNY, zabobonny,

173 głupio — **A.** NIEMĄDRZE, nieinteligentnie, nierozsądnie, nieroztropnie, • nieracjonalnie, nieekonomicznie, niegospodarnie, rozrzutnie, nieoszczędnie, rabunkowo, **B.** NIEDORZECZNIE, absurdalnie, nonsensownie, bez sensu, bezsensownie, bezrozumnie, nielogicznie, alogicznie, bzdurnie, paradoksalnie, • przesądnie, zabobonnie, **C.** BEZMYŚLNIE, tępo, głupkowato, głupawo, gapiowato, gapowato, • głupiutko, naiwnie, dziecinnie, infantylnie, • błazeńsko, idiotycznie, kretyńsko, debilnie,

174 **głupstwo** — **A.** BANAŁ, truizm, slogan, frazes, komunał, ogólnik, stara śpiewka↓, • pustosłowie, deklaratywność, gołosłowność, **B.** GŁUPSTWA, bzdury, dyrdymały, brednie, androny, głodne kawałki, duby smalone, banialuki, trzy po trzy, pierdoły↓ duperele↓, fidrygałki, koszałki-opałki, klituś-bajduś, austriackie gadanie, babskie gadanie, • dywagacje, paplanina, gadanina, ględzenie, bajdurzenie, bredzenie, gadulstwo, mowatrawa, woda↓, • bełkot, jąkanina, **C.** WYGŁUPY, błazenada, arlekinada, błazeństwo, małpiarstwo, • małpowanie, przedrzeźnianie, błaznowanie, pajacowanie, **D.** NONSENS, bzdura, absurd, bezsens, • nonsensowność, niedorzeczność, bezsensowność, i-diotyczność, • absurdalność, nielogiczność, • niespójność, niezborność, rozlazłość, niespoistość, inkoherencja, • bzdurność, **E.** GŁUPOTA, głupawość, głupkowatość, głupowatość, gapiowatość, bałwaństwo, tępota, niedomyślność, niepojętność, ograniczenie, ograniczoność, bezmózgowie↓, • bezmyślność, krótkowzroczność, brak wyobraźni, • idiotyzm, zidiocenie, skretynienie, debilizm, • imbecylizm, głuptactwo, otępienie, demencja, • kretynizm, kretyństwo, • szajba↓, palma↓,

175 **gniewać się** — **A.** DĄSAĆ SIĘ, na\poldąsać się, boczyć się, (roz)indyczyć się, żołądkować się, być nie w sosie, wstać lewą nogą, stroić fochy, odąć się, odymać się, naindyczyć się, naburmuszyć się, nabzdyczyć się, najeżyć się, (po\z)denerwować się, (po\z)irytować się, nastroszyć się, (na)chmurzyć się, • obrazić się, nie rozmawiać, mieć żal (urazę), żywić niechęć (pretensję), cierpieć coś od kogo, pamiętać, wypominać, gorszyć się, żachnąć się, obrażać się, **B.** SARKAĆ, (po)narzekać, krzywdować sobie, (po)gderać, (po)psioczyć, utyskiwać, zrzędzić, (po)burczeć, trzeszczeć, szeptać,

szemrać, margać↓, **C.** UNIEŚĆ SIĘ, zżymać się, rozeźlić się, zezłościć się, (roz)złościć się, wpaść w złość, zaperzać się, zacietrzewiać się, rozgniewać się, wzburzyć się, oburzyć się, rozjuszyć się, rozsierdzić się, wybuchnąć gniewem, pienić się, nasrożyć się, pękać z, rozsrożyć się, wściekać się, rozwścieczyć się, kipieć, wyjść z siebie, *diabli biorą, szlag go trafił, krew mnie zalewa*, wkurzyć się↓, • stracić panowanie nad sobą, dać się ponieść, nie zdzierżyć, *poniosło go*, nie wytrzymać, tracić głowę,

176 **gniewnie** — **A.** Z GNIEWEM, z rozdrażnieniem, ze złością, • porywczo, popędliwie, impulsywnie, gwałtownie, krewko, **B.** KŁÓTLIWIE, swarliwie↑, niezgodnie, • zrzędliwie,

177 **goły** — **A.** NAGI, nie ubrany, nie osłonięty, obnażony, na golasa, **B.** ŁYSAWY, łysiejący, • łysy, wyłysiały, bezwłosy, wyliniały, **C.** BOSY, nieobuty, bez butów,

178 **gospodarczy** — **A.** EKONOMICZNY, rynkowy, **B.** PRODUKCYJNY, wytwórczy, • przemysłowy, industrialny, • chałupniczy, nakładczy, • fabryczny, • maszynowy, mechaniczny, zmechanizowany, • górniczy, kopalniany, **C.** FINANSOWY, kapitałowy, pieniężny, monetarny, płatniczy, • pekuniarny↑, • bankowy, giełdowy, kursowy, • walutowy, dewizowy, • gotówkowy, • transferowy, rozliczeniowy, • fiskalny, skarbowy, podatkowy, • płacowy, uposażeniowy, • kredytowy, pożyczkowy, • bezgotówkowy, czekowy, przelewowy, • lichwiarski, paskarski, **D.** HANDLOWY, towarowy, eksportowy, • komercyjny, komercjalny, • kupiecki, targowy, • straganiarski, kramarski, sklepikarski, geszefciarski, • przemytniczy, kontrabandowy, szmuglerski, • akwizycyjny, komiwojażerski, domokrążny, obnośny, obwoźny, • aukcyjny, licytacyjny, **E.** ROLNICZY, agrarny, rolny, • hodowlany, szklarniowy, inspektowy, • polowy, uprawowy,

179 **gospodarka** — **A.** GOSPODAROWANIE, dysponowanie, zarządzanie, • etatyzm, • ekonomia, ekonomika, **B.** WYTWÓRCZOŚĆ, produkcja, • wytwarzanie, generowanie, • fabrykowanie, fabrykacja, przerób, przetwarzanie, przetwórstwo, • przemysł, :*przemysł ciężki, przemysł maszy-*

nowy, przemysł wydobywczy, górnictwo, kopalnictwo, hutnictwo, przemysł lekki, ● energetyka, elektrownia, ● gazownictwo, gazownia, ● budownictwo, **C.** ROLNICTWO, rola, agraryzm, ● hodowla, chów, wychów, wypas, ● pszczelarstwo, bartnictwo, ● uprawa, kultura (rolna), : *szkółkarstwo, sadownictwo, warzywnictwo, leśnictwo, hydroponika, płodozmian,* ● zasiew, siew, siejba↑, sadzenie, ● żniwa, sprzęt, kośba↑, wykopki,

180 góra — **A.** WZGÓRZE, pagórek, wzniesienie, ● turnia, wierch, grzbiet, ● szczyt, wierzchołek, czubek, pik↓, maksimum, ● góry, masyw górski, pasmo, ● podgórze, przedgórze, ● pogórze, płaskowyż, plateau, ● wyżyna, **B.** NIERÓWNOŚĆ, garb, mulda, ● krągłość, obłość, ● wypukłość, wybrzuszenie, wypuczenie, wydęcie, występ, wykusz, ● falistość, chropowacizna, chropowatość, szorstkość, grudkowatość, gruzełkowatość, guzowatość, kanciastość, ● górzystość, pagórkowatość, ● pochyłość, przechył, przewieszka, ● spadzistość, spadek, stromizna, zbocze, zjazd, stok, skarpa, **C.** NASYP, wzgórek, kem, ● usypisko, piarg, osypisko, zwał, hałda, stos, stóg, kopa, kopka, kopiec, kopczyk, zaspa, pryzma, sterta, piramida,

181 grać — **A.** MUZYKOWAĆ, (pod\po)grywać, po\zalgrać, koncertować, dać (koncert), ● rżnąć, rzępolić, pitolić, ● trąbić, brzdąkać, ● puścić, przegrać, odtwarzać, ● dżezować, jazzować, **B.** ODŚPIEWAĆ, prześpiewać, rozśpiewać się, ● kolędować,

182 granica — **A.** BRZEG, obręb, obwód, obwódka, wykończenie, obrębek, ● margines, rant, ● krawędź, kant, wrąb, wrąbek, załamanie, :*gzyms, kalenica, grań, krawężnik,* ● róg, kąt, narożnik, węgieł, **B.** KONIEC, kraniec, kraj, skraj, obrzeże, ● ogon, tren, ● miedza, rogatka, ● pogranicze, strefa nadgraniczna, rubież, kresy, obrzeża, ● horyzont, widnokrąg, nieboskłon, linia horyzontu, ● linia demarkacyjna, odgraniczenie, cezura, ● linia podziału, ● pas graniczny, ● kordon, **C.** LIMIT, próg, pułap, maksimum, ekstremum, biegun, punkt szczytowy, optimum, apogeum, zenit, ● umiar, miara, umiarkowanie, pohamowanie,

183 gromadzić — **A.** AKUMULOWAĆ, namnożyć, kwestować, kumulować, odłożyć,

odkładać, uskładać, ● nasprowadzać, skupić, poskupywać, ● nagromadzić, skupiać, ściągać, (po)zgarniać, zebrać, (u)zbierać, zakosić, ● ułupać, nazrywać, uskubać, ● znieść, na\polznosić, poprzynosić, przydźwigać, przytachać↓, przytaszczyć, przytaskać, przytargać↓, ● nawieźć, nawozić, poprzywozić, pozwozić, ● spakować się, **B.** GROMADZIĆ SIĘ, nawarstwiać się, spiętrzyć się, odkładać się, akumulować się, ● skumulować się, uzbierać się, zebrać się, **C.** KOLEKCJONOWAĆ, ● herboryzować, **D.** MAGAZYNOWAĆ, złożyć, składać, składować, przechowywać, oddać na przechowanie, przetrzymać, dotrzymać, potrzymać, ● melinować↓, dołować, kopcować, pryzmować, ● nakłaść, nawalić, pozrzucać, piętrzyć, nawarstwić, ● garażować, ● archiwizować, **E.** ZORGANIZOWAĆ, (z)mobilizować, sformować (się), skoszarować, ● dobierać, (s)kompletować, ● zgromadzić, sprosić, naspraszać, pospraszać, pościągać, ● spędzić, pozganiać, naganiać, napędzać, nagnać, nagonić, pędzić, koszarzyć, stłoczyć, **F.** CENTRALIZOWAĆ, skupiać (się), koncentrować (się), (z)ogniskować się, ześrodkowywać (się), dośrodkować, skoncentrować, zestrzelić,

184 groźnie — **A.** KRZYWDZĄCO, niewinnie, niezasłużenie, niesłusznie, niesprawiedliwie, bezpodstawnie, bezprawnie, nieprawnie, bezzasadnie, **B.** NIEPOKOJĄCO, zastraszająco, zatrważająco, onieśmielająco, pesząco, deprymująco, zawstydzająco, żenująco, niebezpiecznie, alarmująco, ● gorąco↓, **C.** STRASZNIE, przerażająco, (prze)okropnie, makabrycznie, koszmarnie, piekielnie↓, upiornie, ● drapieżnie, krwiożerczo, **D.** WOJOWNICZO, bojowo, ostro, agresywnie, zaczepnie, napastliwie, zadziornie, czupurnie, zawadiacko, junacko, ● buńczucznie, chełpliwie, ● rozkazująco,

185 grób — **A.** TRUMNA, sarkofag, urna, kanopa, kolumbarium, ● katafalk, **B.** MOGIŁA, kopiec, kurhan, dolmen, grobowiec, mauzoleum, cenotaf, kwatera, ● nagrobek, kamień nagrobny, płyta, pomnik, ● cmentarz, miejsce wiecznego spoczynku, :*kirkut, katakumby, nekropola, miasto umarłych,* ● cmentarzysko, ● groby,

186 gruby — **A.** OTYŁY, tęgi, zażywny, ●

tłusty, opasły, spasiony↓, spasły↓, przyty-
ty↓, utyty↓, utuczony, zapasiony↓, nalany,
nabity↓, rozlany, brzuchaty, korpulentny,
pulchny, puszysty↓, • pucołowaty, pyzaty,
B. PĘKATY, wydęty, • nabrzmiały, spęczniały, napęczniały, nabiegnięty,

187 grupa — **A.** ZESPÓŁ, ensemble, an-
sambl, trupa, • komisja, podkomisja, komitet, • egzekutywa, prezydium, • ciało (do-
radcze), **B.** ZAŁOGA, personel, zespół, obsada, • pracownicy, ludzie, obsługa (tech-
niczna), zmiana, szychta, • kolektyw, klasa,
• kolegium, redakcja, • sztab, brygada, • e-
kipa, ekspedycja, wyprawa, • kadra, korpus,
drużyna, osada↑, ekstraklasa, • delegacja,
reprezentacja, deputacja, **C.** ZBIORO-
WOŚĆ, grono, krąg, gremium, • kworum,
liczba, • mniejszość, większość, • środowisko, otoczenie, entourage, • koła, kręgi, grupy, środowiska, sfery, światek, • wianuszek,
kółko różańcowe↑, **D.** KOMPANIA, bractwo,
konfraternia, brać, gromada, ferajna, zgraja,
hałastra, granda, paczka↓, brygada↓, mło-
dzieżówka, • banda, bojówka, gang, szajka,
mafia, kamorra, • klika, klan, koteria, kamary-
la, lobby, **E.** TOWARZYSTWO, elita, notable, socjeta, high life, kasta, • inteligencja,
profesura, adwokatura, areopag↑, • awangarda, czołówka, śmietanka, kwiat, • bohe-
ma, cyganeria,

188 grzecznie — **A.** POSŁUSZNIE, potul-
nie, pokornie, karnie, uniżenie, czołobitnie,
służalczo, bałwochwalczo, niewolniczo, •
przepraszająco, pojednawczo, **B.** PROSZĄ-
CO, błagalnie, błagająco, miłosiernie, **C.**
UPRZEJMIE, dwornie, układnie, • po rycersku, z galanterią, szarmancko, z kurtuazją, •
taktownie, delikatnie, subtelnie,

189 grzeczny — **A.** UPRZEJMY, kulturalny,
• taktowny, subtelny, delikatny, • układny,
polityczny↑, • dworny, dobrze wychowany,
dżentelmeński, szarmancki, w lansadach,
uprzedzający, uprzedzająco grzeczny, ug-
rzeczniony, • czołobitny, hołdowniczy, wiernopoddańczy, • przepraszający, skruszony,
potulny, • pojednawczy, • proszący, błagal-
ny, błagający, żebrzący, proszalny↑, miłosierny, modlitewny, • pokorny, uniżony, •
wdzięczny, zobowiązany, obowiązany, **B.**
POSŁUSZNY, powolny↑, karny, zdyscypli-
nowany, idealny↓, • oswojony, udomowio-
ny, tresowany, wytresowany, wyszkolony, u-
łożony, przyuczony, • uległy, bezwolny, pasywny, bierny, pantoflarski↑,

190 gwóźdź — **A.** ĆWIEK, bretnal, hufnal, •
gwoździk, pinezka, pluskiewka, szpilka, •
hak, hacel, haczyk, kruczek, • kotwica, •
wieszak, kołek, **B.** ŚRUBA, • nit, • sztyft, bo-
lec, sworzeń,

H

191 hałas — **A.** WRZASK, krzyk, krzyki,
wrzawa, gwar, rozgwar, głosy, zgiełk, larum,
• jazgot, kociokwik, kocia muzyka, kakofo-
nia, • hałaśliwość, krzykliwość, • okrzyk, eksklamacja, zawołanie, • wołanie, wzywanie,
pokrzykiwanie, **B.** RYK, ryczenie, • wycie,
zawodzenie, skowyt, • rżenie, • bek, becze-
nie, • muczenie, • szczekanie, ujadanie,
warczenie, • kwiknięcie, kwik, kwikanie, kwiczenie, • ćwierkot, ćwierkanie, świergot,
świergotanie, szczebiot, szczebiotanie, kląskanie, gruchanie, gwizd, gwizdanie, świst,
świstanie, fiuczenie, • kukanie, kwakanie,
gdakanie, kukuryku, • kumkanie, • kwilenie,
miauczenie, • bzyknięcie, bzyk, bzyczenie,
• syk, syczenie, **C.** JĘK, jęczenie, jęknięcie,
stęknięcie, stękanie, • chichot, chichotanie,

parsknięcie, parskanie, • pisknięcie, pisk,
piszczenie, • chlip, chlipnięcie, chlipanie, •
westchnięcie, wzdychanie, westchnienie, •
kaszlnięcie, kaszel, odkasływanie, • chrząknięcie, chrząkanie, • charkot, charknięcie,
charczenie, • psyk, psyknięcie, • chrapanie,
• kichnięcie, kichanie, • pierdnięcie↓, pier-
dzenie↓, pruknięcie↓, prukanie↓, • czknięcie, czkanie, czkawka, beknięcie↓, beka-
nie↓, • kłapanie, chłapanie, chłeptanie,
ciamkanie, cmokanie, mlaskanie, siorbanie,
D. HUK, huknięcie, grzmot, grzmotnięcie,
grom, piorun, trzask, trzaśnięcie, prask, • łomot, łomotanie, łoskot, łoskotanie, rumor,
dudnienie, stukot, stukotanie, stukanie, koła-
tanie, hurgot, hurgotanie, hurkot, hurkotanie,
warkot, warkotanie, turkot, turkotanie, terkot,

terkotanie, grzechot, grzechotanie, gruchot, gruchotanie, klekot, klekotanie, chrobot, chrobotanie, chrupot, chrupotanie, ● łopot, łopotanie, trzepot, trzepotanie, furkot, furkotanie, ● zgrzytnięcie, zgrzyt, zgrzytanie, skrzyp, skrzypnięcie, skrzypienie, chrzęst, szczęk, szczęknięcie, ● tupot, tupotanie, tętent, **E.** BRZDĘK, brzdąknięcie, brzdęknięcie, brzęk, brzęknięcie, ● puk, puknięcie, pukanie, pukanina, ● klapnięcie, klask, klaśnięcie, chlast, chlaśnięcie, pac, pacnięcie, prztyk, prztyknięcie, pstryk, pstryknięcie, ● pyk, pykanie, tykanie, cykanie, piknięcie, pikanie, **F.** CHLUST, chluśnięcie, plusk, pluśnięcie, plask, plasknięcie, ● chlupnięcie, chlupot, chlupotanie, bulgot, bulgotanie, gulgot, gulgotanie, pyrkanie, pyrkotanie, ● kapanie, ciurkanie, plaskanie, **G.** SZMER, szmerek, szum, ● szust, szuranie, szurgotanie,

192 handel — **A.** KOMERCJA, obrót, wymiana (towarowa), targ, transakcja, ● hurt, detal, targi, ● rynek, rynki zbytu, **B.** KUPNO, ● zakup, nabytek, ● zakupy, sprawunki, ● skup, odkup, wykupienie, ● nabycie, nabywanie, sprowadzanie, import, ● komis, konsygnacja, **C.** SPRZEDAŻ, licytacja, aukcja, przetarg, odprzedaż, odsprzedaż, rozprzedaż, rozprzedawanie, kolportaż ● odstąpienie, zbyt, eksport, wywóz, ● przedsprzedaż, przedpłata, subskrypcja, prenumerata, ● akwizycja, komiwojażerstwo, domokrąstwo, ● sklepikarstwo, kupczenie, kramarstwo, handelek, czarny rynek,

193 handlować — **A.** KRAMARZYĆ, targować, sprzedawać, ● pośredniczyć, spekulować, (po)targować się, dobić targu, przybić kupno, przyklepać, ubić interes, **B.** KUPIĆ, nabyć, ● sprawiać, posprawiać, nabrać, nakupić, skupić, obkupić się, ● rozkupić, wykupić, ● rozchwytywać, rozrywać, ● zdobyć, wykombinować, dostać, przychodować, ● kupować, zaopatrywać się, (za)importować, ● odkupić, wziąć, **C.** SPRZEDAĆ, zbyć, spieniężać, od(s)przedać, odstąpić, konsygnować, upłynnić, (s)kredytować, dać na kredyt (raty), ● dostawiać, (wy)eksportować, ● licytować, *poszło pod młotek*, ● opchnąć↓, opylić↓, opędzlować↓, przehandlować, spuścić, wcisnąć, wtrynić, (po\za)kombinować, ● *idzie jak woda*, **D.** DZIERŻAWIĆ, użyczać, puszczać (puścić) w dzierżawę,

arendować↑, ● brać w dzierżawę, (pod\od)najmować, czarterować,

194 hańba — **A.** UJMA, niesława, infamia↑, sromota, ● skaza, zmaza, plama, ● niecność, nikczemność, haniebność, **B.** WSTYD, upokorzenie, poniżenie, dyshonor, ● kompromitacja, obciach↓,

195 harmonizować — **A.** POTWIERDZAĆ SIĘ, pokrywać się, okazać się prawdą, ● zgadzać się, zbilansować się, odpowiadać sobie (rzeczywistości\prawdzie), ● korespondować, współbrzmieć, współgrać, rymować się, **B.** KORELOWAĆ, skalować, skolacjonować, skoordynować, synchronizować, zestrajać (się), zgrać, zgrywać (się), zharmonizować (się), dokomponować się, tonować, ujednolicać, ujednostajniać, uniformizować, znormalizować, ● godzić, jednoczyć, konsolidować, unifikować, zblokować, (z)integrować, wkomponować, wpasować, (z)łączyć, ● przysposabiać, uzgadniać, przystosowywać (się), dostosować, dostrajać, dostroić (się), adaptować, kaszetować (film), ● dopasować, dociąć, docierać (się), dotrzeć (się), doszlifować, **C.** WSPÓŁDZIAŁAĆ, kooperować, współpracować, współtworzyć, iść ręka w rękę, sprzymierzyć się, zjednoczyć się, trzymać się razem, współistnieć, ● zazębiać się, sumować się, wiązać się, ● wtórować, iść w parze, towarzyszyć, ● przygrywać, akompaniować, przyśpiewywać, ● basować, przyklaskiwać, **D.** PASOWAĆ, przystawać, przylegać, przytykać, przywierać, opinać, leżeć, ● współgrać, trzymać się kupy, ● licować, *należy*, *wypada*, *godzi się*, *przystoi*, *nie uchodzi*, **E.** NORMOWAĆ, ustalać, (s)kodyfikować, standaryzować, ujednolicić, unifikować, koordynować, kalibrować, konwencjonalizować,

196 heretyk — **A.** BEZBOŻNIK, bezwyznaniowiec, ateista, poganin, niewierny, bałwochwalca, politeista, ● bluźnierca, profanator, **B.** INNOWIERCA, różnowierca, ● muzułmanin, mahometanin, wyznawca islamu, arab, ● żyd, izraelita, obrzezaniec, starozakonny↑, wyznawca Mojżesza, ● karaim, karaita, ● goj, giaur, ● staroobrzędowiec, raskolnik, **C.** ODSTĘPCA, kacerz, herezjarcha, sekciarz, ● schizmatyk, dysydent, frakcjonista, ● odszczepieniec, zaprzaniec, apostata, renegat, ● zdrajca, kolaboracjonista, kolaborant, judasz, **D.** PRZECHRZTA, wychrzta↑, konwertyta, katechumen, neofita, maran, ● prozelita↑,

197 hulaka — **A.** LEKKODUCH, latawiec, trzpiot, ● swawolnik, pędziwiatr, szaławiła, świszczypała, hulajdusza, ● wiercipięta, fry-

ga, **B.** UTRACJUSZ, birbant, sybaryta, korybant↑, epikurejczyk, hedonista, ● marnotrawca, rozrzutnik, **C.** PIJAK, alkoholik, pijany, podpity, opój, pijaczyna, pijanica, pijus, moczymorda↓, ochlapus↓, oliwa↓, bibosz, ● piwosz,

I

198 idealista — **A.** ROMANTYK, marzyciel, utopista, fantasta, donkiszot, błędny rycerz, ● naiwniak, głupiec, jeleń↓, **B.** HARCERZ, skaut, pionier, komsomolec↑,

199 ignorant — **A.** DYLETANT, nieuk, niedouk, ● osioł, noga↓, antytalent, ● półanalfabeta, analfabeta, niepiśmienny, ● ciemniak, wsteczniak, obskurant, ● abnegat, nihilista, ● pseudouczony, ćwierćinteligent, półinteligent, **B.** AMATOR, laik, profan, nieprofesjonalista, niefachowiec, niespecjalista, ● nowicjusz, debiutant, początkujący, żółtodziób, fuks↓, fryc↓, **C.** FUSZER, partacz, brakorób, chałturnik, ● malarzyna, pacykarz, ● grafoman, pisarzyna, gryzipiórek, gryzmoła, poecina, rymopis, wierszokleta, wierszorób,

200 imprez — **A.** POKAZ, wystawa, ekspozycja, biennale, triennale, ● prezentacja, pokazanie, zademonstrowanie, zobrazowanie, ● rewia, parada, defilada, przemarsz, capstrzyk, ● przegląd, festiwal, retrospektywa, ● dożynki, igrzyska, **B.** WIDOWISKO, feeria, ● przedstawienie, wystawienie, prapremiera, premiera, ● teatr, pantomima, ● spektakl, jasełka, herody, szopka, ● cyrk, ● happening, performance↑, improwizacja, ● benefis, homage↑, **C.** FILM, :*dreszczowiec, horror, kreskówka, film rysunkowy, film animowany, western, serial,* ● kino, kinematograf, kinobus, kinowóz, ● iluzjon, cinerama, ● projekcja, seans filmowy, poranek, **D.** WYSTĘPY, koncert, recital, ● występ, popis, debiut, **E.** ZABAWA, fajerwerki, sztuczne ognie, festyn, ● loteria, tombola, ● jubel, bachanalia, karnawał, maskarada, juwenalia, otrzęsiny, ostatki, ● bal, zabawa taneczna, tańce, potańcówka, wieczorek taneczny, dancing, dyskoteka, ubaw↓, ●prywatka, balanga↓,

a

201 inaczej — **A.** ORYGINALNIE, niekonwencjonalnie, nietypowo, nieszablonowo, niesztampowo, niebanalnie, nietrywialnie, niestereotypowo, po nowemu, ● nowocześnie, nowomodnie, ● szczególnie, na szczególnych prawach, priorytetowo, **B.** ODMIENNIE, ● z cudzoziemska, cudzoziemsko, ● obco, **C.** W PORÓWNANIU, wobec, ● niż, aniżeli, niżeli, niźli, **D.** W ODRÓŻNIENIU, w przeciwieństwie, kontrastowo, inaczej niż, ● postępowo, rewolucyjnie, ● jakoś, nie wiadomo jak, tak czy owak, ● albo, lub, bądź, ewentualnie, czy też, ● zastępczo, zamiast, miast↑, w miejsce, ● natomiast, a, zaś, co się tyczy, ● przeciwnie, wprost przeciwnie, odwrotnie, opacznie, ● od tyłu, a tergo, wspak, ● na odwrót, na odwyrtkę↓, vice versa, na opak, na wspak, ● na wywrót↑, na lewą stronę, na nice↑, **E.** WSTECZ, do tyłu, **F.** ALE, lecz, ● jednak, jednakże, jednakowoż↑, wszelako↑, aliści↑, atoli↑, niemniej jednak, ● tymczasem, pomimo to,

202 informacja — **A.** WIADOMOŚĆ, notatka, notka, wzmianka, ● zapowiedź, jaskółka, zwiastun, herold, ● wieść, nowina, aktualności, ● nowość, sensacja, rewelacja, bomba↓, ● ciekawostka, nowinka, ● fama, pogłoska, plotka, gadka, bajda, kaczka (dziennikarska), słuchy, poczta pantoflowa, ● tajemnica poliszynela, ● przekaz, gryps, **B.** KOMUNIKAT, zawiadomienie, notyfikacja, oznajmienie, obwieszczenie, promulgacja, ● enuncjacja, oświadczenie, ● poinformowanie, wici↑, **C.** OGŁOSZENIE, zamieszczenie, podanie do wiadomości, ● anons, inserat, ● reklama, plakat, afisz, plansza, gazetka, wywieszka, tablica, poster, klepsydra, ● prospekt, folder, ● ulotka, agitka, bibuła↓, **D.** DANE, personalia, namiary↓, kolofon, stopka (redakcyjna), **E.** BIURO, punkt, okienko informacyjne, **F.** ŚRODKI MASOWEGO

PRZEKAZU, masmedia, publikatory↓, media,: *prasa, radio, telewizja*, ● medium, środek, nośnik, ● przekaz, transmisja, retransmisja, telerecording, emisja,

203 informacyjny — **A.** PRASOWY, gazetowy, dziennikarski, publicystyczny, żurnalistyczny, ● agencyjny, **B.** RADIOWY, ● antenowy, **C.** JĘZYKOWY, pisemny, mówiony, ● wyrazowy, leksykalny, słownikowy, ● korespondencyjny, listowy, epistolarny, ● oznajmujący, monologowy, ● dialogowy, konwersacyjny, ● dialogowany, **D.** ZNAKOWY, semiotyczny, ● znaczeniowy, semantyczny, ● obrazowy, symboliczny, emblematyczny, ● metaforyczny, alegoryczny, paraboliczny, przenośny, ● kreskowy, paskowy, cyfrowy, **E.** GRANICZNY, rozdzielający, oddzielający, odgraniczający, demarkacyjny, działowy, przedzielający, ● odróżniający, dystynktywny, diakrytyczny, ● jakościowy, kwalitatywny,

204 informować — **A.** ZAWIADAMIAĆ, powiadomić, ogłaszać, oznajmiać, uwiadomić↑, (za)komunikować, poinformować, przekazać informację, powtórzyć (komu), dać znać, obwieścić, podać do wiadomości, zapodać↓, ● zapowiadać, (za)anonsować, (za)deklarować, ● awizować, ● wieścić, głosić, nagłaśniać, proklamować, propagować, donosić, serwować doniesienia, podać wiadomości, przynieść informację, ● bąkać, przebąkiwać, oświecić, (po)dzielić się, wtajemniczać, otworzyć komu oczy na, ● przetelefonować, telegrafować, **B.** OPOWIEDZIEĆ, (z)relacjonować, (z)referować, ● zgłosić, pozgłaszać, (za)meldować, donieść, zawiadomić o, ● zapisać, wpisać, ● zdać sprawę, raportować, złożyć raport, napisać sprawozdanie, zeznawać, ● meldować się, opowiedzieć się, **C.** PRZYPISYWAĆ, orientować, doinformować, faszerować wiadomościami, **D.** OMÓWIĆ, streścić, skomentować, peryfrazować, rozwinąć myśl, ekscerpować, sypać przykładami, ● adnotować, dekretować,

205 inny — **A.** ODMIENNY, odrębny, rozróżnialny, odróżnialny, ● niepodobny, ● pozostały, drugi, wtóry↑, przeciwny, odwrotny, kontrastowy, ● lustrzany, zwierciadlany, odbity, ● różnorodny, różnoraki, heterogeniczny, niejednolity, niejednorodny, różny, różnolity↑, **B.** NIEJEDNOZNACZNY, wieloznaczny, ● roz-

liczny↑, wieloraki, rozmaity, przeróżny, zróżnicowany, urozmaicony, ● wariantowy, opcjonalny, ● dwojaki, ambiwalentny, dwoisty, dualistyczny, ● biseksualny, ● obojnaczy, obojnacki, obupłciowy, dwupłciowy, hermafrodytyczny, ● zniewieściały, niemęski, **C.** NIETYPOWY, ● homoseksualny, lesbijski, ● nudystyczny, naturystyczny, ● skośnooki, kosooki, ● jarski, bezmięsny, wegetariański, **D.** DZIWNY, przedziwny, dziwaczny, kuriozalny↑, niespotykany, osobliwy, egzotyczny, ekscentryczny, fantazyjny, frymuśny, fikuśny↓, ekstrawagancki, wymyślny, wyrafinowany, ● groteskowy, karykaturalny, wyolbrzymiony, przejaskrawiony, udziwniony, przerafinowany, ● cudacki, cudaczny, ● fantastyczny, futurystyczny, ● zaskakujący, szokujący, zastanawiający, dający do myślenia, ● paranoiczny, **E.** NIENORMALNY, anormalny, zwichnięty, skrzywiony, zaburzony, pomylony, obłąkany, niepoczytalny, zbzikowany, psychiczny↓, świrowaty, świrnięty, ześwirowany↓, uśmiechnięty↓, szajbnięty↓, szumięty↓, puknięty↓, stuknięty↓, kopnięty↓, walnięty↓, trzaśnięty↓, rąbnięty↓, jebnięty↓, pierdolnięty↓, porypany↓, pokićkany↓, popaprany↓, porąbany↓, pojebany↓, popieprzony↓, popierdolony↓, przygłupiasty, postrzelony, narwany↓, bzikowaty, ● nienaturalny, zboczony, perwersyjny, przerafinowany, ● nawiedzony,

206 instrument — **A.** SKRZYPCE, altówka, wiolonczela, viola, cello, kontrabas, ● gitara, mandolina, lutnia, cytra, kitara, ● harfa, **B.** FLET, piccolo, flażolet, fujarka, fletnia, ● obój, rożek angielski, klarnet, fagot, kontrfagot, saksofon, ● harmonika, organki, ● trąbka, kornet, waltornia, rożek francuski, puzon, fanfara, tuba, helikon, ● drumla, ● róg, szofar, ● kobza, dudy, gajdy, piszczałki, **C.** BĘBEN, kocioł, perkusja, ● talerze, czynele, ● tamburin, ● dzwonki, janczary, ● gong, ● trójkąt, ● cymbały, ● ksylofon, wibrafon, ● kastaniety, kołatka, grzechotki, ● tam-tam, **D.** FORTEPIAN, pianino, klawesyn, klawikord, ● organy, fisharmonia, syntetyzator, keyboard, klawiatura, ● akordeon, harmonia,

207 instytucja — **A.** INSTYTUT, organ, ● urząd, agencja, ● biuro, kancelaria, sekretariat, dziekanat, rektorat, ● agenda, filia, oddział, centrala, ● wydział, referat, departament, jednostka, komórka, sekcja, dział, ●

instancja, **B.** PRZEDSTAWICIELSTWO, delegatura, agentura, ekspozytura, • placówka, stacja, misja, • ambasada, poselstwo, konsulat, ataszat,

208 interesować — **A.** ZACIEKAWIAĆ, zainteresować, zwracać uwagę, (przy\z)wabić, bawić oko, przyciągać (oko), *oczy się śmieją do*, skupiać na sobie uwagę, przykuwać wzrok, bić w oczy, zająć, wciągnąć, (za)bawić, **B.** ZACHWYCIĆ, (za)imponować, podobać się, czarować, oczarowywać, wzbudzić podziw, (za)fascynować, olśnić, urzec, oszałamiać, oszołomić, uderzać, rozentuzjazmować, robić furorę, wpaść w oko, • być oczkiem w głowie, **C.** POCHŁANIAĆ, zaprzątać, obchodzić, zajmować, wciągać, pasjonować, porywać, frapować, (roz)emocjonować, ekscytować, hipnotyzować, trzymać w napięciu, rozpalić, rozognić, roznamiętniać, **D.** ZASTANOWIĆ, ciekawić, (za)intrygować, dać do myślenia, zabić klina (w głowę), uderzyć w czułą strunę,

209 interesująco — **A.** ATRAKCYJNIE, efektownie, ciekawie, zajmująco, pasjonująco, podniecająco, emocjonująco, ekscytująco, fascynująco, frapująco, porywająco, • intrygująco, niepokojąco, **B.** BARWNIE, kolorowo, pstrokato, pstro, kalejdoskopowo, malowniczo, sugestywnie, żywo, **C.** RUCHLIWIE, rojno,

210 intruz — **A.** NIEPROSZONY GOŚĆ, persona non grata, natręt, **B.** SZPIEG, tajny agent, as wywiadu, kontrwywiadowca, • szpicel, agent, konfident, cichociemny, tajniak↓, ubek↓, esbek↓, • detektyw, **C.** ZWIADOWCA, wywiadowca, • wysłaniec, emisariusz, konspirator, **D.** DONOSICIEL, informator, denuncjator, współpracownik tajnej policji, • kapuś↓, kabel↓, kablownik↓, • skarżypyta, papla, • demaskator,

211 intryga — **A.** MACHINACJE, kombinacje, gierki, konszachty, knowania, komeraże↑, machlojki↓, • knucie, matactwo, intry-

ganctwo, • manipulacja, manipulowanie, • uknucie, ukartowanie, **B.** SPISEK, zmowa, sprzysiężenie, • konspiracja, konspiratorstwo, podziemie, **C.** PROWOKACJA, • podszept, namowa, • buntowanie, podburzanie, poduszczenie, podżeganie, podsycanie, podjudzanie, jątrzenie, podbechtywanie, judzenie, szczucie, • wyzwanie, zaczepka,

212 intrygant — **A.** PROWOKATOR, prowodyr, podżegacz, kusiciel, judziciel, podjudzacz, zły duch, **B.** MĄCIWODA, mąciciel, wichrzyciel, warchoł, • demagog, politykier, • szara eminencja,

213 irytująco — **A.** DENERWUJĄCO, drażniąco, ostro, • zgrzytliwie, metalicznie, • cienko, piskliwie, wysoko, • jękliwie, jęcząco, zawodząco, **B.** WYZYWAJĄCO, krzycząco, jaskrawo, krzykliwie, rażąco, • prowokacyjnie, prowokująco, **C.** DOKUCZLIWIE, nieznośnie, nie do zniesienia, • męcząco, dolegliwie↑,

214 istnienie — **A.** EGZYSTENCJA, wegetacja, trwanie, • współistnienie, koegzystencja, współżycie, • przeżycie, przetrwanie, **B.** ŻYCIE, istnienie ludzkie, byt, żywot, • obecność, występowanie, • życiorys, biografia, curriculum vitae, biogram, autobiografia, • żywoty, hagiografia,

215 iść — **A.** STĄPAĆ, maszerować, kroczyć, śpieszyć, • postępować, po\zIdążać, przebierać nogami, • stąpnąć, dać krok, postąpić, • pełzać, (po)czołgać się, wlec się, powlec się, (po)człapać, ciągnąć się, iść noga za nogą, powłóczyć nogami, taszczyć się, telepać się, toczyć się, (po)kuśtykać, *nogi się plączą*, (za)taczać się, • brnąć, brodzić, ciapać, szastać się, • dyrdać, (po)dreptać, pedałować, drałować, tupać, tuptać, tupotać, **B.** CHODZIĆ, włóczyć się, ciągać się, deptać, pętać się, pałętać się, plątać się, (po)snuć się, (po)kręcić się, (po)wałęsać się, (po)szwendać się, *nosi go*, • wędrować, przemierzać, (z)łazić, przewijać się,

J

216 jadłodajnia — **A.** STOŁÓWKA, garkuchnia, ● kantyna, bufet, bar, bistro, ● restauracja, lokal, knajpka↓, lokalik↓, ● piwnica, piwiarnia, winiarnia, ● knajpa, spelunka, speluna, mordownia↓, ● zajazd, oberża, gospoda, karczma, wyszynk, austeria↑, karawanseraj↑, ● garmażeria, **B.** KAWIARNIA, cafeteria, kafeteria, cafe, kafejka, coctail bar, koktajlbar, herbaciarnia, cukiernia, ciastkarnia, lodziarnia, ● pijalnia (wód), ● klubokawiarnia↑, klub, resursa↑ ● kasyno, salon gry, **C.** KARMIDŁO, karmnik, koryto, żłób,

217 jasny — **A.** DZIENNY, widny, ● nasłoneczniony, **B.** BIAŁY, białawy, śnieżny, śnieżnobiały, śnieżysty↑, ● zaśnieżony, ośnieżony, zasypany śniegiem, **C.** ŚWIECĄCY, jaśniejący, ● gwiaździsty, roz\wylgwieżdżony, ● roziskrzony, promienny, rozjarzony, ● migotliwy↑, trzepotliwy↑, mieniący się, skrzący się, lśniący, ● oślepiający, jaskrawy, rażący, odblaskowy, ● świetlisty↑, prześwietlony↑, rozświetlony, świetlny, świetlany↑, **D.** JASNOWŁOSY, blond, płowy, pszeniczny, konopny, ● rozjaśniony, utleniony, **E.** SZARY, siwy, siwawy, siwowłosy, szpakowaty, ● popielaty, mysi, myszaty, srebrny, srebrzysty, ● stalowy, ● bury,

218 jawny — **A.** PUBLICZNY, ● nieskrywany, nieukrywany, ● demonstracyjny, ostentacyjny, manifestacyjny, **B.** DOSTRZEGALNY, zauważalny, rozpoznawalny, odczuwalny, ● słyszalny, dosłyszalny, ● odkryty, widoczny, widzialny, **C.** EKSPONOWANY, wyeksponowany, zagrożony, ● przedni, czołowy, frontowy,

219 jedzenie — **A.** ŻYWNOŚĆ, prowiant, wałówka↓, ● pożywienie, dary boże↑, ● jadło, strawa, wyżerka, ● pokarm, mleko, ● pasza, karma, żer, żarcie, ● obrok, kiszonka, ● produkty spożywcze, artykuły spożywcze, ● coś na ząb↓, papu↓, **B.** WYŻYWIENIE, wikt, ● żywienie, aprowizacja, ● gastronomia, kuchnia, ● odżywianie się, dietetyka, ● dieta, głodówka, głodzenie (się), post, **C.** POSIŁEK, popas, ● śniadanie, drugie śniadanie, kanapka, chleb, ● obiad, ciepłe danie,

ciepłe↓, gorące↓, danie na ciepło, coś ciepłego, ● podwieczorek, herbata, herbatka, kawa, kawka, ● kolacja, wieczerza, diner, **D.** POTRAWA, danie, przekąska, zakąska, zagrycha↓, ● pierwsze danie, zupa, :*bulion, rosół, barszcz, chłodnik, cebulowa, fasolówka, grochówka, jarzynowa, kapuśniak, kartoflanka, krupnik, ogórkowa, owocowa, pomidorowa, szczawiowa, żurek, żur,* ● drugie danie, drugie↓, danie główne, ● przystawka, dodatek, :*surówka, sałatka, jarzynka, ćwikła, buraczki,* ● nadzienie, masa, farsz, ● deser, wety↑, :*kompot, krem, legumina, pianka, kogel mogel, pudding, budyń, kisiel, galaretka, lody,* **E.** PRZYSMAK, specjał, smakołyk, rarytas, ambrozja, pokarm bogów, nektar, napój bogów, ● ptasie mleko, niebo w gębie↓, ● pycha↓, pychota↓, pyszota↓, pyszności↓, ● delikatesy, wiktuały, frykasy, delicje, mecyje, łakocie, ● słodycze, :*cukierek, karmelek, drops, pastylka, drażetka, pomadka, pralinka, czekoladka, czekolada, chałwa,* ● bakalie, :*rodzynki, orzechy, migdały, daktyle, figi, cykata,* ● słodycz, :*miód, dżem, konfitura, marmolada, powidła,*

220 jeść — **A.** CHAPNĄĆ, przegryźć, przetrącić, przełknąć, pojadać, pogryzać, polizać, podziobać, dziobnąć, skubnąć, papusiać↑, ● przegryzać, zagryźć, zakąszać, przekąsić, ● żuć, przeżuwać, obgryźć, (po)obgryzać, ogryzać, ● chrupać, mamlać, ciamkać, ciapać, mlaskać, cmoktać, smoktać, ● zajadać, (u)raczyć się, łasować, schrupać, młócić, wcinać, rąbać, (s)pałaszować, opychać się, ćpać, żreć, wtranżalać↓, pożerać, pochłaniać, objadać się, obżerać się, fetować się, zażerać się, jeść za dwóch, **B.** ZJEŚĆ, (s)konsumować, spożyć, opchnąć↓, opędzlować↓, pochłonąć, połknąć, (po)łykać, (po)wyjadać, (po)zjadać, sprzątnąć, (po)zmiatać, pożreć, schrupać, **C.** NAJEŚĆ SIĘ, podjeść, pojeść, podeżreć, sycić (się), nasycić (odpędzić\oszukać) głód, pożywiać się, krzepić się, pokrzepiać się, wzmocnić się, posilić się, dokarmiać się, odkarmić się, nawtrajać się↓, opchać się, ponapychać się, objeść się, obeżreć się, nasycić się, **D.** STOŁOWAĆ SIĘ, jadać, żywić się, odżywiać się, przyjąć posiłek, przyjmować pokarm, **E.** ZREC, chłapać, chłapnąć, szczypać, poszczypywać, uszczypać, skubać, poskubywać, smykać, (po)pasać, ● zeżreć, ● nażreć się,

221 język — **A.** MOWA, styl, ● słownictwo, leksyka, zasób słów, słownik, ● elokwencja, swada, płynność, potoczystość, krasomówstwo, oratorstwo, dar wymowy, wymowność, dar słowa, łatwość wysławiania się, ●

222 kamień — **A.** GŁAZ, skała, opoka, ● rafa, **B.** MINERAŁ, :*krzemień, granit, marmur, kryształ, kwarc,* ● kruszywo, kruszeń, tłuczeń, brukowiec, grys, żwir, ● kruszec, kopalina, ruda, sól, ● kopalnia soli, żupa↑, **C.** CEGŁA, :*pustak, kadziówka, klinkier,* ● płyta chodnikowa, trylinka,

223 kandydat — **A.** CHĘTNY, aspirant, reflektant, pretendent, starający się, ubiegający się, aplikant, ● konkurent,

224 kapłan — **A.** DUCHOWNY, osoba duchowna, duszpasterz, pasterz, sługa boży, ojciec duchowny, ● spowiednik, kaznodzieja, ● celebrans, koncelebrant, ● misjonarz, **B.** PASTOR, farosz↓, ● pop, diak, paroch, eparch, egzarcha, ● lewita, rabin, cadyk, ● mufti, mułła, muezzin, ● dalajlama, lama, ● jog, jogin, ● bonza, ● szaman, ● hierofant, **C.** KSIĄDZ, prezbiter, diakon, kleryk, ● kanonik, proboszcz, pleban, wikariusz, wikary, kapelan, prefekt, katecheta, ● dziekan, biskup, ordynariusz, sufragan, arcybiskup, prymas, kardynał, metropolita, ● hierarcha, prałat, purpurat, patriarcha, ● arcykapłan, ● księżulek↓, klecha↓, **D.** PAPIEŻ, ojciec święty, jego świątobliwość, głowa kościoła, zwierzchnik kościoła, biskup rzymski, namiestnik Chrystusowy, następca świętego Piotra, **E.** ZAKONNIK, braciszek, mnich, :*dominikanin, franciszkanin, jezuita,* ● przeor, opat, gwardian, igumen, imam, prowincjał, ● eremita, anachoreta, ● cenobita, ● derwisz, ● zakonnica, siostra zakonna, mniszka, przeorysza, ● szarytka, siostra miłosierdzia, **F.** DUCHOWIEŃSTWO, duchow-

wysławianie się, sposób wysławiania się, **B.** DIALEKT, idiolekt, socjolekt, ● narzecze, gwara, żargon, slang, szwargot↓, argot, wolapik, pidgin, lingua franca, koine, ● dwujęzyczność, bilingwizm, **C.** WYMOWA, dykcja, :*szept, bełkot, jąkanina,* ● fonacja, artykulacja, **D.** AKCENT, nacisk, przycisk, ikt, iktus, ● przydech, aspiracja, ● emfaza, uwypuklenie, uwydatnienie, wyróżnienie, ● zaakcentowanie, kadencja, ● zaznaczenie, podkreślenie, ● intonacja, modulacja,

K

ni, księża, kler, ● episkopat, kapituła, hierarchia kościelna, kuria (biskupia), konsystorz, ● druidzi,

225 kara — **A.** NAGANA, napomnienie, reprymenda, admonicja↑, ● upomnienie, przygana, skarcenie, bura↓, ruga↓, ochrzan↓, opieprz↓, opeer↓, opierdol↓, ● łajanie, strofowanie, kazanie, wymówki, wyrzuty, morały, ● klątwa, potępienie, przeklęcie, wyklęcie, ekskomunika, anatema, ● zakaz, odsunięcie, interdykt, ● szlaban na↓, ● przekleństwa, wiązanka↓, wiącha↓, bluzgi↓, **B.** WYROK, sankcja, ● konsekwencje, ● grzywna, mandat, kolegium, ● konfiskata, sekwestracja, rekwizycja, zajęcie (mienia), przepadek, ● sankcje (gospodarcze), embargo, ● deportacja, ekspatriacja, zsyłka, banicja, ● ekstradycja, wydalenie, wydanie, ● pręgierz, kuna, chłosta, dyby, ● kara pozbawienia wolności, areszt, koszarniak↓, więzienie, dożywocie, ● roboty (przymusowe), galery, katorga, kaźń, **C.** POKUTA, odpokutowanie, zadośćuczynienie, ekspiacja, od\olkupienie winy, przebłaganie,

226 karać — **A.** POKARAĆ, skarać↑, ukarać, karcić, wymierzyć grzywnę, zastosować karę, posłać na śmierć, łupnąć karę, wlepić, wrzepić, nauczyć rozumu, dać nauczkę (szkołę), dać po nosie, spiorunować wzrokiem, ● iść pod sąd, ● umartwiać się,

227 karny — **A.** PENITENCJARNY, poprawczy, represyjny, ● odwetowy, retorsyjny, ● dyscyplinarny,

228 **karykatura** — **A.** PARODIA, autoparodia, pastisz, satyra, pamflet, paszkwil, persyflaż, ● groteska, krzywe zwierciadło, **B.** DRWINA, kpina, kpiarstwo, szyderstwo, ironia, autoironia, ● drwiny, kpiny, prześmiechy, chichy-śmichy↓, ● parodiowanie, naśladowanie, ● ośmieszanie, wyszydzanie, szydzenie, wyśmiewanie (się), ● kabaret, komedia, farsa, wodewil, **C.** ŚMIESZNOŚĆ, zabawność, figlarność, żartobliwość, ● komizm, komiczność, komika, ● pośmiewisko, widowisko, ● cudaczność, dziwaczność, wymyślność, fikuśność, wyrafinowanie, przerafinowanie, ● groteskowość, farsowość, kabaretowość, ● karykaturalność, przerysowanie, przejaskrawienie, wyolbrzymienie, zniekształcenie,

229 **kasa** — **A.** SKARBONKA, kasetka, ● skrytka, sejf, safes↑, skarbiec, ● okienko, stanowisko, ● bank, kantor, wymiana walut, ● kolektura, ● skarb państwa, kasa państwowa, ● fiskus, urząd podatkowy, izba skarbowa, ● kwestura, **B.** SAKIEWKA, woreczek, mieszek, kaletka, ● kabza, kiesa, trzos, sakwa, kaleta, ● portmonetka, portfel, pugilares↑, pulares,

230 **kasjer** — **A.** SKARBNIK, inkasent, poborca, komornik, egzekutor, **B.** BANKIER, finansista, kwestor, ● księgowy, buchalter, kontysta↑, rachmistrz, ● krupier, ● cinkciarz↓,

231 **kaszleć** — **A.** KASŁAĆ, pokasływać, pokaszliwać, rozkasłać się, rozkaszleć się, ● krztusić się, dusić się, ● chrapać, charkotać, parskać, prychać, ● odkaszlnąć, chrząkać, (od)chrząknąć, charczeć, charkać, (od)charknąć, odksztuszać, **B.** SIĄKAC, kichać, smarkać, wysmarkać (się), wytrzeć nos, **C.** ODPLUWAĆ, pluć, odplunąć, spluwać, strzyknąć przez zęby,

232 **każdy** — **A.** WSZELKI, wszelaki↑, wszystek, ● poszczególny, **B.** JAKIŚ, jakikolwiek, dowolny, ● pewien, jeden, niejaki↑, ● któryś, którykolwiek, ● niektóry,

233 **kiedyś** — **A.** DAWNO, raz, kiedykolwiek, ● dawniej, niegdyś, drzewiej↑, ongi↑, ongiś↑, swego czasu, poprzednio, uprzednio, **B.** ODKĄD, od kiedy, od chwili gdy, od momentu gdy, zaraz gdy, jak tylko, **C.** JEŚLI,

gdyby, kiedy, skoro, ● o ile, ● jeżeli, w razie gdyby, jeśliby, ● gdy, ● zależnie, w zależności od, **D.** JUTRO, nazajutrz, następnego dnia, **E.** WTEDY, wówczas, naówczas↑, podówczas↑, wtenczas, natenczas↑, ● gdy, kiedy, ● podczas, w trakcie, wśród↑, **F.** W DZIECIŃSTWIE, za młodu, za młodych lat,

234 **kierować** — **A.** STEROWAĆ, manewrować, ● manipulować, operować, ● prowadzić, jeździć, kierować (pojazdem), ● pilotować, latać, kapitanować, ● powodować, powozić, furmanić, ● dyrygować, kapelmistrzować, reżyserować, **B.** SZEFOWAĆ, rządzić (się), zarządzać, zawiadywać, administrować, dowodzić, komenderować, (po)prowadzić, przewodzić, ● przewodniczyć, prezesować, prezydować, ● czynić honory domu, ● burmistrzować, bacować, **C.** PANOWAĆ, mieć władzę, sprawować kontrolę, gospodarować, nadzorować, być u steru, dzierżyć (trzymać) ster, stać na czele, władać, włodarzyć↑, królować, tronować, być panem we własnym domu, być prowodyrem (hersztem), ● wziąć sprawy we własne ręce, trzymać kurs, **D.** TRZĄSĆ, zdominować, wieść (dzierżyć) prym, kręcić kim, siedzieć mocno w siodle, manipulować, pociągać za sznurki, ● kontrolować sytuację,

235 **kierowca** — **A.** SZOFER, automobilista, użytkownik drogi, ● taksówkarz, taryfiarz↓, taksiarz↓, ● traktorzysta, kombajnista, ● motocyklista, cyklista, rowerzysta, ● woźnica, furman, ● dorożkarz, fiakier, stangret, ● jeździec, dżokej, amazonka, woltyżerka, dżygit, kowboj, **B.** LOTNIK, pilot, oblatywacz, awiator↑, aeronauta, astronauta, kosmonauta, ● kapitan, sternik, nawigator, **C.** FLISAK, gondolier, **D.** PRZEWOŹNIK, spedytor, transportowiec,

236 **kierownik** — **A.** NACZELNIK, dyrektor, zwierzchnik, przełożony, szef, boss, pracodawca, pryncypał↑, ● ordynator, ● administrator, namiestnik, gubernator, wojewoda, burmistrz, starosta, ● zarządca, menedżer, zarządzający, ordynat↑, rządca↑, ekonom↑, koniuszy↑, kasztelan↑, ● intendent, zaopatrzeniowiec, kwatermistrz, ● komisarz, koordynator, ● majster, brygadzista, dyspozytor, ● rektor, dziekan, ● dyrygent, kapelmistrz, ● wodzirej, organizator, aranżer, ● właściciel,

dysponent, mocodawca, decydent, **B.** PRZYWÓDCA, lider, ojciec duchowy, • prezes, przewodniczący, starszy, głowa (państwa), prezydent, • premier, szef rządu, prezes rady ministrów, **C.** WÓDZ, dowodzący, głównodowodzący, wódz naczelny, szef sztabu, marszałek, generalissimus↑, • kanclerz, hetman, wezyr, centurion, setnik, komtur, ataman, herszt, • dowódca, komendant, rozkazodawca, kapitan, drużynowy, zastępowy, grupowy, **D.** WŁADCA, panujący, rządzący, władający, możnowładca, oligarcha, suweren, • król, monarcha, (ko)regent, interreks, • car, cesarz, kajzer, • cezar, imperator, • książę, kniaź, diuk, dynasta, władyka, • basza, pasza, • doża, emir, maharadża, radża, • kalif, szach, • kacyk, bonza, aparatczyk, • samowładca, jedynowładca, autokrata, dyktator, despota, satrapa, autarcha, tyran, dzierżyciel, dzierżymorda, • pan, hegemon, mocarz, włodarz↑, • królowa, królowa matka, monarchini, cesarzowa, caryca, władczyni, jej wysokość, księżna, księżniczka, infantka,

237 kij — **A.** DRĄG, kłonica, • kołek, belka, dyszel, • żerdź, grzęda, • pręt, • drążek, karnisz, • sztaba, sztabka, ingot, • sztacheta, **B.** SŁUP, tyka, żerdka, pal, dyl, kół, obelisk, • tyczka, drzewce, palik, **C.** PATYK, gałązka, badyl, • wędka, wędzisko, • kijek, kijaszek, witka, rózga, laseczka, pałeczka, różdżka, • strzałka, wskazówka, wskaźnik, • przetyczka, wykałaczka, • obłąk, pałąk, kabłąk, • pręcik, szypułka, • fiszbin, **D.** PAŁKA, pała, drągal, maczuga, • łom, podbijak, pogrzebacz, ożóg, kociuba, bosak, osęka, **E.** LASKA, laga↓, buława, buzdygan, • pastorał, berło, • ciupaga, czekan, kostur, kula, szczudło, szwedka, • kaduceusz, **F.** BAT, batog, nahaj, dyscyplina, • bicz, kańczug, pejcz, szpicruta, bykowiec, knut, harap,

238 klimatyczny — **A.** ATMOSFERYCZNY, pogodowy, meteorologiczny, synoptyczny, • gorący, upalny, kanikułowy, kanikularny, • parny, duszny, • mokry, deszczowy, dżdżysty, słotny, mżysty, • wilgotny, malaryczny, • śnieżny, śnieżysty, **B.** ŚRODOWISKOWY, • wodny, morski, oceaniczny, słonowodny, • górski, wysokogórski, **C.** NADZIEMNY, napowietrzny, • podniebny,

239 kluska — **A.** KLUSEK, pyza, pierożek, pieróg, • kluski, knedle, leniwe, krokiety, kopytka, śląskie, uszka, kołduny, ravioli, • kluski lane, kładzione, kartoflane, zacierki, łazanki, **B.** MAKARON, :*muszelki, świderki, kolanka, wstążki, krajanka, wermiszel, nitki, spaghetti,*

240 kłaść — **A.** POŁOŻYĆ, porozkładać, poskładać, porozmieszczać, • rozrzucić, porozwlekać, porozwłóczyć, porozrzucać, rozproszyć, porozsypywać, poroztrząsać, siać, rozsiewać, (po)odkładać, rozłożyć, rozkładać, wyłożyć, rozciągnąć, rozpostrzeć, roztasować, • słać, uścielać, • przyłożyć, poprzykładać, • złożyć, układać, składać, (s)krzyżować, **B.** WŁOŻYĆ, powkładać, pozakładać, powrzucać, wetknąć, poupychać, powpychać, pobić, powkopywać, nawtykać, naszpikować, (pod\w)sadzić, powsadzać, klinować, szpikować, poprzekładać, • podkładać, podłożyć, podesłać, podścielić, podściełać, podsunąć, podrzucić, podrzucać, podstawić, **D.** RZUCIĆ NA ZIEMIĘ, powalić, położyć, powywracać, zwalić z nóg, ściąć z nóg, obalić, przewracać, przewalać, poobalać, kłaść pokotem,

241 knuć — **A.** CHYTRZYĆ, manipulować, kombinować, kręcić, mataczyć↑, mącić, namieszać, siać zamęt, namotać, (na)rozrabiać, łowić ryby w mętnej wodzie, • skołować, zdezorientować, pozawracać w głowach, **B.** INTRYGOWAĆ, podgryzać (się), ryć pod, szyć buty, judzić, szczuć, **C.** SPISKOWAĆ, zawiązać spisek, konspirować, konszachtować, sprzysiąc się, wąchać się, ukartować, uknuć,

242 kobieta — **A.** NIEWIASTA, pani, dama, • babka, facetka, gościówa↓, • jejmość, paniusia, pańcia↓, damulka, hrabina, królewna, księżniczka, • królowa (balu), • płeć piękna, białogłowa, gołąbeczka, • anielica, hurysa, piękność, ślicznotka, krasawica↓, miss, madonna, • kobiecina, babina, • kumoszka, przyjaciółka, • staruszka, starowina, starucha↓, • klacz↓, klaczka↓, kobyła↓, **B.** BABA, stare pudło↓, prukwa↓, • babsko↓, babsztyl↓, ciota, pipa↓, cipa↓, • złośnica, kapryśnica, grymaśnica, sekutnica, kłótnica, diablica, piekielnica, herod baba, hetera, megiera, małpa↓, jędza, wiedźma, żmija↓, zaraza↓, gangrena↓, zołza↓, zgaga↓, ksantypa, klępa↓, szantrapa, wydra↓, raszpla↓, larwa↓, suka↓, C. ŻONA, małżonka, połowica, druga połowa, lepsza połowa, pani domu, gospodyni, kapłanka domowego ogniska, • moja↓, ślubna↓, • mężatka, kobieta zamężna, ex małżonka, ex żona, • wolna, niezamężna, wdowa, rozwódka, samotna, stara panna, D. MATKA, matrona, rodzicielka, • mama, mamusia, mamuśka↓, maminka↓, mamunia↓, mateńka↓, mateczka↓, matuchna↓, matula↓, • stara↓, jarecka↓, wapniaczka↓, zgredka↓, zgredówa↓, macocha, • mamka, niania, niańka, piastunka, kwoka↓, • opiekunka, guwernantka, bona, przyzwoitka, wychowawczyni, przedszkolanka, świetliczanka, • matka chrzestna, kuma, • położnica, E. DZIEWCZYNA, dziewczynka, panienka, panieneczka, dziewczę, • panna, dziewica, prawiczka, cnotka↓, • pannica, dzierlatka, młódka, pensjonarka, podlotek, bakfisz↑, podfruwajka, turkawka↑, • dziewoja, pannisko, dziewczynisko, dziewucha, • koza, gęś, głupia gęś, • laska↓, dupa↓, dziwa↓, dupeńka↓, towar↓, F. NARZECZONA, sympatia, ukochana, umiłowana, luba, miła, pani serca, bogdanka, dulcynea, donna, miłość, • wybranka, oblubienica, panna młoda, G. BABECZKA, lala, lalka, laleczka, kociak↓, cizia↓, kicia↓, :*blondynka, brunetka, szatynka, ruda,* • brzydula, brzydkie kaczątko, szara myszka, gąska, • modelka, modnisia, strojnisia, elegantka, • kokietka, szczebiotka, słodka idiotka↓, • szelma, szelmutka, słomiana wdówka,

243 **kochać** — A. LUBIĆ, (po)lubić się, garnąć się, czuć miętę, czuć (mieć) sympatię, lgnąć, • zakochać się, podkochiwać się, wzdychać do, mieć się ku sobie, zawrócić sobie głowę, stracić głowę dla, przepadać, wariować, oszaleć na punkcie iksa, uwielbiać, rozkochać się, rozmiłować się, ukochać, umiłować, pokochać (się), ofiarować miłość, oddać serce, żywić (odczuwać) miłość, miłować (się), B. PODERWAĆ, przygadać, podłapać, przygruchać, • podrywać, przystawiać się, przywalać się, dowalać się, startować, robić piękne oczy, (po)flirtować, gruchać, pod\polszczypywać, migdalić się, (po)romansować, rozkochać, uwodzić, C. ZALECAĆ SIĘ, chodzić z, konkurować, starać się, smalić cholewki, umizgać się, oświadczyć się, poprosić o rękę, przyjąć oświadczyny, przyrzec rękę, od-

dać rękę, D. POŻĄDAĆ, czuć wolę Bożą, • inicjować, rozprawiczyć↓, rozdziewiczyć, deflorować, • obcować, współżyć, uprawiać seks, oddać się, dać↓, • cudzołożyć, puszczać się, gzić się, • kopulować↓, spółkować, (po)kochać się, sypiać, spać z, przespać się z, pójść do łóżka, pieprzyć (się)↓, pochędożyć, walić się↓, • posiąść↑, wziąć, dmuchać↓, (wy)dymać↓, rypać↓, (wy)jebać↓, (ze)rznąć↓, (wy)pierdolić↓, (wy)ruchać↓, • parzyć się, gonić się, pokryć, bukować, deptać, gzić się, ikrzyć się, trzeć się, sparzyć, dopuścić, E. ONANIZOWAĆ (SIĘ), masturbować (się), walić konia↓, brandzlować (się)↓, grzać gruchę↓ F. SZCZYTOWAĆ, mieć orgazm, • ejakulować, mieć wytrysk, spuścić się, chlapać się↓, zlać się↓,

244 **kochanka** — A. PRZYJACIÓŁKA, flama↓, dziewczyna, kobieta, baba↓, • konkubina, faworyta, metresa, nałożnica, utrzymanka, kochanica, • dama do towarzystwa, fordanserka, gejsza, B. KURTYZANA, kokota, hetera, • kobieta lekkich obyczajów, córa Koryntu, prostytutka, • panienka↓, rusałka↓, arabeska↓, mewka↓, • ladacznica, dziewka uliczna, ulicznica, dziwka, kurwa↓, bladź↓, rura↓, C. CUDZOŁOŻNICA, jawnogrzesznica, nierządnica, rozpustnica, bezwstydnica, wszetecznica, grzesznica, łajdaczka, latawica, lafirynda, zdzira, puszczalska, pinda↓,

245 **kolor** — A. BARWA, zabarwienie, kolorystyka, koloryt, odcień, maść, tonacja, B. BARWNIK, farba, pigment, atrament, inkaust, tusz, henna, • chlorofil, C. CZERWIEŃ, krwistość, kolory, kolorki, rumieńce, wypieki, róż, pąs, • karmin, purpura, fiolet, szkarłat, karmazyn, cynober, bordo, śliwka, mahoń, orzech, • błękit, lazur, indygo, szafir, granat, • zieleń, szmaragd, seledyn, • brąz, kasztan, beż, kawa z mlekiem, kość słoniowa, • żółtość, szafran, złoto, żółcień, • szarość, siność, popielatość, popiół, srebro, siwizna, biel, • czerń, ziemistość, heban, dąb, • mat, półmat, • pstrokacizna, D. TREFL, żołądź, • pik, wino, • karo, dzwonek, • kier, czerwień, serce, • atu,

246 **koło** — A. OKRĄG, krąg, pierścień, wianuszek, otok, aureola, nimb, gloria, • obwódka, halo, • krążek, dysk,

247 **komplikować** — **A.** GMATWAĆ, pogmatwać (się), pokomplikować (się), powikłać (się), wikłać (się), (po)plątać się, zawęźlić się, (po)kiełbasić się, pokręcić (się), zakałapućkać (się), pokrzyżować się, (roz)jątrzyć się, • wprowadzić zamęt, mącić, (po\za)chachmęcić↓, poszachrować, dolewać oliwy do ognia, **B.** PRZESZKADZAĆ, zawadzać, być kulą u nogi, (po)psuć szyki, **C.** UTRUDNIAĆ, problematyzować, piętrzyć przeszkody, czynić trudności, robić problemy, rzucać kłody pod nogi, bruździć, robić wstręty, uprzykrzać, • dociążyć, • zbiurokratyzować,

248 **kompromitować** — **A.** ZAWSTYDZAĆ, wstydzić, robić wstyd, czynić ujmę, robić pośmiewisko z, • odbrązowić, odheroizować, odmitologizować, demitologizować, odromantycznić, **B.** DYSKREDYTOWAĆ, psuć (zababrać) opinię, zniesławiać, narażać dobre imię, szkodzić reputacji, przynosić ujmę, (s)plamić honor, **C.** SKOMPROMITOWAĆ SIĘ, ośmieszać się, (z)błaźnić się, wyjść na durnia, (z)blamować się, zdyskredytować się, spaść z piedestału, dać dupy↓, • zhańbić się, splamić się, zbrukać się, okryć się hańbą, pokalać się, skalać nazwisko, *pada cień*, stracić w czyichś oczach,

249 **komunikacyjny** — **A.** DROGOWY, • samochodowy, kołowy, • autobusowy, autokarowy, • lotniczy, samolotowy, powietrzny, • kolejowy, **B.** TRANSPORTOWY, przewozowy, spedycyjny, ciężarowy, **C.** MOTORYZACYJNY, motorowy, zmotoryzowany, silnikowy, napędowy, • parowy, • spalinowy, • dieslowski, wysokoprężny, na ropę, **D.** POJAZDOWY, jednośladowy, dwuśladowy,

250 **konflikt** — **A.** SPÓR, kontrowersja, polemika, • niezgoda, waśń, antagonizm, sprzeczność interesów, nieporozumienia, tarcia, niesnaski, swary, waśnie, kwasy, ferment, • napięcie, napięte stosunki, zimna wojna, żelazna kurtyna, • proces, sprawa, rozprawa (sądowa), postępowanie, przewód (sądowy), **B.** SPRZECZKA, zwada, zatarg, scysja, spięcie, zgrzyt, kłótnia, kłócenie się, ostra wymiana zdań, utarczka (słowna), pyskówka↓, widowisko, scena, teatr, komedia, • awantura, piekło, granda, burda, draka↓, chryja↓, skandal, **C.** NIEZGODNOŚĆ, niedopasowanie, dysjunkcja, incompatibi-

lia↑, niekompatybilność↑, • sprzeczność, antynomia, kontradykcja, • kolizja, kolizyjność, • dysharmonia, dysonans, rozdźwięk, rozbieżność, kontrast, dywergencja, • kontrowersyjność, przeciwstawność, ambiwalencja, • paradoks, paradoksalność, nielogiczność, niekonsekwencja, inkongruencja, • przeczenie, negacja, odrzucenie, negowanie, zanegowanie, zaprzeczenie,

251 **konieczność** — **A.** PRZYMUS, potrzeba, przymusowość, mus, • siła wyższa, wyższa konieczność, nakaz chwili, • nieodzowność, niezbędność, • ostateczność, krańcowość, skrajność, ekstremizm, drastyczność, **B.** NIEUCHRONNOŚĆ, bezwzględność, bezapelacyjność, nieodwołalność, • stanowczość, imperatywność, kategoryczność, zdecydowanie, determinacja, • apodyktyczność, arbitralność, dyrektywność, obowiązkowość, **C.** WYMÓG, wymaganie, ultimatum, • obwarowanie, zastrzeżenie, klauzula, • warunek, przesłanka, założenie, kryterium,

252 **konkurować** — **A.** RYWALIZOWAĆ, pretendować, kandydować, • przyrównywać się, utożsamiać się, równać się, stawać do konkurencji, s\polpróbować się, iść w zawody, (z)mierzyć się, • prześcigać się w, sadzić się, silić się, • współzawodniczyć, walczyć, ścigać się, biec na wyścigi, rozegrać mecz, przeprowadzić zawody, • przekrzykiwać się, przegadywać, • interferować, nakładać się, *coś walczy o lepsze z innym*, **B.** DORÓWNYWAĆ, nadążać, dotrzymywać kroku, sprostać, uczynić zadość wymogom, emulować, ścigać, doganiać, dościgać, deptać po piętach, dosięgać, dostawać, • dorównać, dorosnąć, dognać, dogonić, dopędzić, doścignąć, stanąć w jednym szeregu z, dosięgnąć, urastać do rangi czegoś, dostać, • przeciwważyć, równoważyć (się), znosić się,

253 **konserwacja** — **A.** ZACHOWANIE, utrzymanie, utrwalenie, zakonserwowanie, • mumifikacja, balsamowanie, zabalsamowanie, • pasteryzacja, • petryfikacja, (s)kamienienie,

254 **konserwatyzm** — **A.** ZACHOWAWCZOŚĆ, konserwatywność, ortodoksja, ortodoksyjność, pryncypializm, pryncypial-

ność, fundamentalizm, dogmatyzm, fanatyzm, fideizm, doktrynerstwo, sekciarstwo, • rygoryzm, nieustępliwość, surowość, purytanizm, **B.** FORMALIZM, formalistyka, biurokracja, biurokratyzm, • pedanteria, pedantyzm, pedantyczność, małostkowość, talmudyzm, skrupulatność, drobiazgowość, perfekcjonizm, • puryzm, **C.** TRADYCJONALIZM, tradycjonalność, tradycyjność, zwyczajowość, • klasyczność, klasyka, klasycyzm, antyczność, • staroświeckość, przestarzałość, anachroniczność, • anachronizm, archaizm, archaiczność, przeżytek, staroć, staroświecczyzna, relikt (przeszłości), rudyment, • nienowoczesność, zacofanie,

255 kontrola — **A.** PRZEGLĄD, obchód, inspekcja, wizytacja, hospitacja, oględziny, wizja lokalna, • sprawdzian, lustracja, weryfikacja, • adiustacja, korekta, sprawdzenie, kolaudacja, cenzura, wgląd, • rewizja, rewizja osobista, przeszukanie, kipisz↓, **B.** KONTROLER, :*kwalifikator, brakarz, konduktor, bileter, kanar*↓, • celnik, cenzor, korektor, • inspektor, inspektorat, wizytator, lustrator, • rewident, rewizor↑, • nadzorca, inspicjent, • konwojent, strażnik, • wartownik, klawisz↓, stróż, bramkarz↓, goryl↓, **C.** PATROL, warta, straż, • straż przednia, szpica, awangarda, • straż tylna, ariergarda, • czaty, czujka, pikieta,

256 kontuzjować — **A.** POTURBOWAĆ, pokiereszować, skręcić kark, (po)druzgotać, po\rozltrzaskać, (po\z)gruchotać, roz\zlmiażdżyć, przetrącić, rozbić, tratować (się), potratować, • postrzelać się, postrzelić, • okaleczyć, (s)kaleczyć, razić, (roz)haratać, (po)ranić, rozkrwawić, rozkwasić, rozwalić, rozpłatać, rozpruć, • poszczypać, uszczypać, uszczypnąć (się), • poobcierać, drasnąć (się), (u)drapnąć, zadrapać (się), • piknąć, udziobać, (po)dziobać, kujnąć, bodnąć, bóść, trykać, przebóść, • gryźć, pogryźć (się), ugryźć, (po)kąsać, • ukąsić, użądlić, • uciąć, (po)ciąć, kłuć (się), skłuć (się), po\ulkłuć, (po)dżgać, żgać, żgnąć, przebić, porżnąć (się), porznąć się, • posiniaczyć, • podbić oko, podsiniaczyć oko, • oślepić, • ogłuszyć, • sparaliżować, **B.** ODNIEŚĆ RANY, doznać obrażeń, urazić się, poranić się, zrobić sobie krzywdę, okaleczyć się, (po\s)kaleczyć się, zaciąć się, ciachnąć się, ukłuć się, pokłuć się, poharatać się, po-

strzelić się, • broczyć, krwawić, • naderwać się, przerwać się, podźwignąć się, • chromać, utykać, (o)kuleć, (o)kulawieć, okulawić (się), • doznać paraliżu, stracić czucie, tracić władzę w, • ogłuchnąć, (przy)głuchnąć, • ociemnieć, (o)ślepnąć, poślepnąć, zaniewidzieć, stracić (postradać) wzrok, • odmrozić, (po)odmrażać, przemrozić, • oparzyć, sparzyć (się), poparzyć się,

257 kontynuować — **A.** PRZEDŁUŻAĆ TRWANIE, ciągnąć, pod\ultrzymywać, trzymać, pielęgnować, kultywować, • toczyć, **B.** PONOWIĆ, wznowić, podjąć na nowo, wrócić do, przypominać, wskrzesić, reaktywować, przywrócić, przywracać, • powtórzyć, poprawić, reasumować, restytuować, ponawiać, repetować, bisować, dograć, domalować, dopisać, dołączyć, • zdublować, **C.** ODNOWIĆ SIĘ, (po)odnawiać się, wznowić się, ponowić się, ożyć, odżyć, odezwać się, przypomnieć się, uaktualnić się, • odrastać,

258 koń — **A.** WIERZCHOWIEC, rumak, mustang, ogier, • arab, tarpan, bucefał, perszeron, wałach, • klacz, kobyła, • źrebak, źrebię, • szkapa, chabeta, • kuc, kucyk, pony, • bułanek, kasztan(ek), gniady, siwek, kary, srokaty, **B.** KONIK SZACHOWY, skoczek,

259 końcowy — **A.** DOCELOWY, finalny, • brzegowy, krańcowy, szczytowy, ostatni, pożegnalny, • finiszowy, końcówkowy, epilogowy, • nieprzekraczalny, ostateczny, prekluzyjny↑, • progowy, • przedśmiertny, agonalny, przedzgonny↑, **B.** SCHYŁKOWY, dekadencki, • szczątkowy, reliktowy, rudymentarny↑, zanikowy, atroficzny↑, **C.** LIKWIDACYJNY, kasacyjny, • egzekucyjny, konkursowy, upadłościowy, licytacyjny,

260 kończyć — **A.** FINALIZOWAĆ, finiszować, • przerywać, przecinać, przestawać, poprzestawać, • urwać, zostawić, (po\za)rzucić, po\zalniechać, **B.** SKOŃCZYĆ, zakończyć, ukończyć, oddać, przypieczętować, sfinalizować, zamknąć, • wstać od, **C.** DOGASZAĆ, (po\z)gasić, wy\ulgasić, • zdmuchnąć, stłumić, zaciemnić, • wyłączyć, zatrzymać, **D.** LIKWIDOWAĆ, zamknąć, pozamykać, pozwijać, pozawieszać, • rozformować, demobilizować, rozpuścić, spieszyć, **E.** POWYKAŃCZAĆ, dopracować, wykończyć, ● dogładzić, dopiąć↓, zapiąć na ostatni guzik, **F.** DOKOŃCZYĆ, ● dociąć, ● dogotować, dodusić, dopiec, ● dofermentować, ● dojeść, dojadać, dopalić, dopić, dopijać, ● domówić, dopowiadać, dograć,

261 **kończyć się** — **A.** UPŁYWAĆ, zlatywać, mijać, lecieć, płynąć, ubiegnąć, mknąć, uciekać, przechodzić, przemijać, ustępować, przesilać się, przebrzmiewać, przekwitać, obumierać, mieć się ku końcowi, dobiegać końca, odchodzić, ustawać, opadać, ● gasnąć, dogasać, zmierzchać się, **B.** PRZESILIĆ SIĘ, przekwitnąć, przywiędnąć, ● mierzchnąć, zmierzchać, (po)ciemnieć, przygasnąć, tracić blask (jasność), mroczyć się, ściemniać się, **C.** SKOŃCZYĆ SIĘ, przerwać się, urwać się, ustać, utknąć, upłynąć, przelecieć, przejść, zejść, schodzić, przeminąć, ustąpić, przebrzmieć, obumrzeć, ● pozachodzić, ● dotlić się, spalić się, dogasnąć, pogasnąć, **D.** BRAKOWAĆ, (za\z)braknąć, nie wystarczać, nie dostawać↑, *nie ma, nie staje, wyszło, brak,*

262 **kończyna** — **A.** KOŃCZYNY, narządy ruchu, ● kikut, ● macki, czułki, anteny, **B.** RĘKA, rączka, rąsia↓, łapa, macka, graba↓, ramię, przedramię, ● dłoń, garść, pięść, kułak, ● palec, paluch, kciuk, palec wskazujący, mały palec, palec u nogi, ● paznokieć, pazur, szpon, krogulec, **C.** NOGA, nóżka, nózia↓, nożyna, gira↓, kulas↓, giczoł↓, ● kopyto, racica, ● stopa, podbicie, pięta, podeszwa, ● podudzie, łydka, goleń, ● kolano, staw, zgięcie, ● udo, gicz, ● biodro, lędźwie,

263 **kopia** — **A.** ZDJĘCIE, kadr, klatka, powiększenie, zbliżenie, ● negatyw, klisza, błona, pozytyw, diapozytyw, przezrocze, slajd, ● prześwietlenie, rentgen, **B.** ODBITKA, fotokopia, kserokopia, ● przebitka, ● przedbitka, nadbitka, naddruk, dodruk, **C.** ODPIS, odwzorowanie, wzór, obraz, ● przedruk, replika, kalka, ● reprodukcja, oleodruk, faksymile, ● grawiura, **D.** DUPLIKAT, dublet, powtórka, wtórnik,

264 **kopiować** — **A.** POWIELAĆ, odbić, przekopiować, kserować, (po)odbijać, przegrać, przenieść, (prze)kalkować, przeprószyć, konturować, zrobić odbitkę, repro-

dukować, ● zostawić ślad, odcisnąć (się), odgnieść (się), **B.** ODPISAĆ, odrysować, przerysować, odwzorowywać, rzutować, ● przedrukowywać, przepisywać, rozpisać, **C.** POWTÓRZYĆ ZA, reprodukować, ● przytoczyć, (za)cytować, przywołać, powtarzać (się), **D.** ODBUDOWYWAĆ, odtworzyć, odtwarzać, (z)rekonstruować, ● wykonać replikę,

265 **korzystać** — **A.** UŻYWAĆ, użytkować, (za)stosować, rozporządzić się, ● brać, wziąć, konsumować, zażyć, ● utylizować, ● posługiwać się, wykorzystywać, wyręczyć się, posiłkować się, opierać się na, uciekać się do, bazować na, powoływać się, ● operować, władać, puścić w ruch, umieć się obchodzić, wdrażać, wprowadzić w czyn, ● mieć zastosowanie, być w robocie, ● dosiąść, dosiadać (wierzchowca), ● czerpać, nabierać, przyswajać, przyswoić, pobierać, ciągnąć, asymilować, strawić, ● absorbować, adsorbować, (w)chłonąć, pochłaniać, wessać, wsysać, **B.** OSZCZĘDZAĆ, szanować, obchodzić się tak a tak, **C.** SKORZYSTAĆ, profitować, zdyskontować, utargować, umieć sprzedać, ● zbierać, (po\s)kosić, (z)żąć, ● wykorzystać, wyzyskać, pozyskiwać, (wy)eksploatować, ● uwzględnić, s\wylkorzystać, przetrawić, spożytkować, ● dyktować ceny, (z)monopolizować, zdobyć wyłączność (monopol), scentralizować, ● żyłować, wyzyskiwać, orać kim, przeciążać, piłować, ● pasożytować, żyć kosztem, ciągnąć soki, doić, objadać, podjadać, wyjadać, być na garnuszku, wyżerać, żerować, ● opalać, opijać, ● kuplerować, **D.** ZAŻYWAĆ, pławić się, nadużywać, szafować, szastać, marnotrawić, frymarczyć, kupczyć, tracić miarę, trwonić, niszczyć,

266 **korzystnie** — **A.** MAJĄTKOWO, finansowo, pieniężnie, materialnie, ekonomicznie, gospodarczo, ● hipotecznie, **B.** TANIO, niedrogo, za bezcen, pół darmo (za pół darmo), za psi grosz, ● darmo, bezpłatnie, nieodpłatnie, za darmo, darmowo, gratis, gratisowo, **C.** DIETETYCZNIE, zdrowo,

267 **korzystny** — **A.** ZADOWALAJĄCY, dostateczny, wystarczający, **B.** KOMPROMISOWY, pośredni, wypadkowy, wypośrodkowany, nieskrajny, **C.** ZYSKOWNY, opłacalny, rentowny, intratny, lukratywny, docho-

dowy, popłatny, kasowy, kokosowy↓, ● dostępny, tani, niedrogi, niekosztowny, osiągalny, ● zniżkowy, ulgowy, promocyjny, preferencyjny, ● okazyjny, przeceniony, ● darmowy, bezpłatny, niepłatny, nieodpłatny, gratisowy, D. POŻYTECZNY, sprzyjający, dogodny, ● przyjemny, ● cieplarniany, ● poprawiający, ulepszający, korekcyjny, korektywny, upiększający, kosmetyczny, pielęgnacyjny, E. NIESZKODLIWY, ● bezalkoholowy, bezprocentowy, ● dietetyczny, lekkostrawny, przyswajalny, ● ekologiczny, naturalny, biodynamiczny, zdrowy, F. POMYŚLNY, szczęśliwy, fartowny↓, ● zwycięski, ● owocny, udany, ● obiecujący, różowy, świetlany,

268 korzyść — A. POŻYTEK, użytek, dobro, dobrodziejstwo, zbawienny wpływ, B. ZYSK, dochód, interes, profit, prowizja, dywidenda, tantiemy, zarobek, utarg, pula, stawka, działka↓, ● przychód, intrata, wpływy, oszczędności, ● złoty interes, złota żyła, ● okazja, darmocha↓, gratis, gratka, C. DOCHODOWOŚĆ, przychodowość, rentowność, opłacalność, intratność, zyskowność,

269 kosztować — A. POCHŁANIAĆ, uderzyć (skrobnąć\stuknąć) po kieszeni, chłonąć, obciążyć konto, ● drożeć, po\zldrożeć, ● tanieć, po\sltanieć, tracić na wartości, zdewaluować się, zdeprecjonować się, B. LICZYĆ ZA, żądać, brać ileś za, ● oczynszować, ● drożyć się, zdzierać, cenić się, ● bonifikować, udzielić rabatu, odciążyć, C. WYCENIAĆ, cenić, oszacować, skalkulować, (o)taksować, ewaluować, oprocentować, ● opuszczać, opuścić, zrobić upust, odstąpić od ceny, obniżać cenę, ustąpić, przecenić, ● deprecjonować, (z)dewaluować, równać w dół, degradować, ● podrożyć, podrażać, podbijać cenę, śrubować ceny,

270 kosztowny — A. DROGI, cenny, wartościowy, ● drogocenny, bezcenny, ● odpłatny, płatny, ● luksusowy, komfortowy, zbytkowny, ● pamiątkowy,

271 kość — A. PISZCZEL, gnat↓, ● kosteczka, chrząstka, kłykieć, knykieć, B. SZKIELET, kości, żebra, krzyż, kręgosłup, kręgi,

272 kradzież — A. ZŁODZIEJSTWO, kradzenie, kradnięcie, gwizdnięcie↓, buchnię-

cie↓, zwędzenie↓, ● grabież, rabunek, szaber, plądrowanie, korsarstwo↑, ● przywłaszczenie, zagarnięcie, zabór mienia, zawładnięcie, ● defraudacja, sprzeniewierzenie, B. LICHWA, paskarstwo, zdzierstwo, okradanie, obłupianie, obdzieranie ze skóry, ● pasterstwo, C. PLAGIAT, plagiatorstwo, ● piractwo, pajęczarstwo, kłusownictwo, ● koniokradztwo,

273 krosta — A. WYKWIT, wyrzut, wyprysk, wrzód, owrzodzenie, czyrak, ropień, absces, jęczmień, ● pryszcz, wągier, zaskórnik, ● brodawka, kurzajka, pypeć, syf↓, ● strup, B. WYSYPKA, pokrzywka, uczulenie, alergia, skaza, ● opryszczka, zimno↓, zajady↓, ● trądzik, wykwity skórne, wypryski, zachciewajki↓, syfy↓, plamki, ● egzema, liszaj, parch, zmiany skórne,

274 krótki — A. NIEDŁUGI, przykrótki, ● skąpy, kusy, przykusy, mini, ● podkasany, podwinięty, zawinięty, B. ZWIĘZŁY, lapidarny, oszczędny, lakoniczny, węzłowaty, ● gazetowy, suchy, skrótowy, ● zwarty, esencjonalny, aforystyczny, sentencjonalny, hasłowy, kronikarski, ● sumaryczny, przeglądowy, synoptyczny, ● skrócony, okrojony, C. KRÓTKOFALOWY, krótkodystansowy, krótkiego zasięgu,

275 krótko — A. LAPIDARNIE, lakonicznie, zwięźle, węzłowato, oszczędnie, skrótowo, pokrótce, w skrócie, w krótkich słowach, hasłowo, ● esencjonalnie, B. KUSO, skąpo, C. NIEDŁUGO, trochę, chwilę, od niedawna,

276 krwawienie — A. KRWOTOK, wylew, B. MENSTRUACJA, miesiączka, okres, period↑, krwawienie miesięczne, ciota↓, ● cieczka, ruja, ● cykl, owulacja, jajeczkowanie, C. KREW, posoka, jucha↓, farba↓,

277 krzak — A. KRZEW, kierz, krzewina, ● zarośla, chaszcze, gąszcz, gęstwa, gęstwina, ● kępa, komysz, ● kosodrzewina, kosówka,

278 krzyczeć — A. DRZEĆ SIĘ, wołać, wrzeszczeć, ryczeć, wyć, podnosić głos, trąbić, B. ZAWOŁAĆ, krzyknąć, wrzasnąć, ryknąć, pohukiwać, rozedrzeć się, rozkrzyczeć się, rozwrzeszczeć się, wznieść okrzyk, huknąć, beknąć, wydrzeć się, grzmieć,

279 **krzywda** — **A.**   NIESPRAWIEDLIWOŚĆ, niesłuszność, bezpodstawność, bezzasadność, irracjonalność, ● nierówność, niesymetryczność, niewspółmierność, **B.** WYZYSK, eksploatacja, kapitalizm, drożyzna, wykorzystywanie, ● wykorzystanie, skrzywdzenie, unieszczęśliwienie, **C.** SZKODA, niedźwiedzia przysługa, ● zguba, utrata, pozbawienie, uszczerbek, strata, deficyt, ● deficytowość, nieopłacalność, nierentowność, niedochodowość, niezyskowność, niepopłatność, niewydajność, kapitałochłonność, **D.** DYWERSJA, sabotaż, szkodnictwo,

280 **krzywdzić** — **A.**   UNIESZCZĘŚLIWIAĆ, po\s\krzywdzić, poszkodować, złamać życie, upośledzić, traktować po macoszemu, urządzić↓, uderzyć w słabą stronę, zranić, **B.** CIEMIĘŻYĆ, ujarzmiać, dostać w swoje ręce, prowadzić na pasku, (po)gnębić, niewolić, (przy)tłamsić, przytłaczać, uciskać, ● poszturchiwać, tępić, (za)męczyć, zadawać męki, pastwić się, (za)dręczyć, znęcać się, (z)nękać, gnieść, (z)ranić, trapić, morzyć, (za)głodzić, (z)gnoić, **C.** ZNIEWOLIĆ↑, (z)gwałcić, wziąć siłą, ● spodlić, upodlić, upadlać, (z)gubić, ● zbydlęcić,

281 **krzywizna** — **A.** KRZYWOŚĆ, zakrzywienie, koślawość, pałąkowatość, kabłąkowatość, esowatość, zygzakowatość, krętość, ● krąglizna, kulistość, wypukłość, wklęsłość, **B.** ŁUK, arkada, podcienie, ● zakręt, wiraż, skręt, serpentyna, ślimak, spirala, ● półkole, półokrąg, ● sierp, półksiężyc, ● zygzak, zakrętas, zakos, zygzaki, esy-floresy, ● tęcza,

282 **książka** — **A.** KSIĘGA, tom, tomiszcze↓, wolumin, wolumen, foliał, folio, starodruk, inkunabuł, kodeks, ksylograf, ● rękopis, manuskrypt, papirus, ● księgi, annały, roczniki, ● cymelia, inedita, ● biały kruk, ● książeczka, broszura, druk, ● tekst, maszynopis, czystopis, **B.** PODRĘCZNIK, samouczek, skrypt, bryk, ● poradnik, abc, kompendium, elementarz, vademecum, informator, przewodnik, bedeker, ● gramatyka, ● słownik, glosariusz, leksykon, encyklopedia, zielnik, herbarium, herbarz, ● rocznik, almanach, **C.**

ANTOLOGIA, wybór, ekscerpcja, zbiór, chrestomatia↑, ● zbiorek, tomik, składanka, ● wypisy, czytanki, ● rozmówki, **D.** MODLITEWNIK, książeczka do nabożeństwa, katechizm, mszał, kantyczka, kancjonał, psałterz, brewiarz, ewangeliarz, ● ewangelia, Nowy Testament, ● biblia, Stary Testament, pięcioksiąg, ● rodał, zwój, tora↑, biblia hebrajska, **E.** LEKTURA, bestseller, kryminał, ● czytadło↓, ● cegła↓, kobyła↓, ● komiks, **F.** WYDANIE, edycja, koedycja, ● nakład, ● publikacja, wydawnictwo, ● dodruk, wznowienie, reprint, faksymile,

283 **księżyc** — **A.** MIESIĄC↑, luna↑, ● pełnia, nów, kwadra, faza, ● satelita, trabant,

284 **kształcić się** — **A.** WYCHOWYWAĆ SIĘ, odebrać wychowanie, wyrosnąć na, wyjść na ludzi, okazać się człowiekiem, wykierować się na człowieka, **B.** UCZYĆ SIĘ, studiować, edukować się, pobierać nauki, iść do szkoły (na studia), intelektualizować się, ● przygotowywać się, przyswajać, powtarzać, powtórzyć, przepowiedzieć, przerabiać, kuć, obkuwać, wkuwać, (ob\wy)ryć↓, ● pouczyć się, liznąć, poduczyć się, podkształcić się, przeszkolić się, podszkolić się, przysposobić się, przyuczyć się, (po\prze)ćwiczyć, (po)wprawiać się, (po)trenować, ● dokształcać się, instruować się, nabywać doświadczenia (wprawy), ● praktykować, terminować, profesjonalizować się, (wy)specjalizować się, ● doktoryzować się, ● habilitować się, **C.** ROZWIJAĆ SIĘ, cywilizować się, doskonalić się, (wy)szlachetnieć, (wy)subtelnieć, uduchowić się, (s\wy)porządnieć, otrzeć się, wyrobić się, nabrać ogłady, przetrzeć się, ukulturalnić się, *jadał chleb z niejednego pieca,* ● emancypować się, chodzić własnymi ścieżkami, wyrobić się, wyrosnąć z,

285 **kształt** — **A.** FORMA, postać, stan, ● wygląd, szata zewnętrzna, strona zewnętrzna, powierzchowność, aparycja, prezencja, **B.** SYLWETKA, postawa, postura, pozycja, poza, układ, ułożenie (ciała), **C.** PROFIL, zarys, kontur, obrys, sylweta, linia, rysunek, **D.** FIGURA, ● trójkąt, klin, ● czworokąt, prostokąt, kwadrat, pięciokąt, sześciokąt, heksagon, rąb, trapez, ● koło, owal,

286 **kształtować** — **A.**   MODELOWAĆ,

(u)formować, nadawać kształt, ulepić, urobić, wyrabiać, urabiać, (wy)rzeźbić, (wy)toczyć, (wy\za)strugać, ● fasonować, profilować, fakturować, frezować, ● odbijać, odwzorowywać, wycisnąć, wytłoczyć, odcisnąć, ● prasować, przy\rozlprasować, ● walcować, (roz)wałkować, **B.** UKŁADAĆ, fałdować, karbować, marszczyć, krepować, plisować, ● kędzierzawić, kosmacić, kutnerować↑, teksturować↑, ● przymarszczyć, (u)drapować, upiąć, ● czesać, poczesywać (się), przeczesać się, porozczesywać, uczesać (się), ● ondulować, tapirować (się), ● ufryzować się, (po)fryzować, (u)trefić, ● przylizać, przyczesać (się), ulizać (się), ● prostować, roz\wylprostować się, odwijać, odkręcić, rozwinąć (się), porozwijać (się), rozgiąć (się), rozkręcić (się), porozkręcać (się), rozkurczyć się, ● giąć, za\zlginać, (za)krzywić, załamać, kantować, skręcać, ● krążkować, rolować, **C.** PRZYSTRZYC, przyciąć, (s)kroić,

287 **kształtowanie** — **A.** FORMOWANIE, profilowanie, modelowanie, układanie, upinanie, drapowanie, marszczenie, ● niwelowanie, ● obróbka, przeróbka, przerobienie, **B.** PREPAROWANIE, preparacja, przygotowanie, przyrządzenie, sporządzenie,

288 **kukiełka** — **A.** MARIONETKA, lalka,

291 **lanie** — **A.** BÓJKA, bijatyka, bitka, ● rękoczyny, szarpanina, szamotanie, szamotanina, mocowanie się, ● nawalanka↓, zadyma↓, rozróba↓, ● bitwa, rzeź, jatki, **B.** UDERZENIE, raz, policzek, klaps, cios, dźgnięcie, pchnięcie, sztych, prztyczek, pstryczek, szturchaniec, kuksaniec, kuks↓, sójka↓, szczutek↓, fanga↓, ● kopniak, kopnięcie, kop↓, ● chłosta, cięgi, razy, baty, rózgi, ● bicie, wciry↓, manto, wycisk↓, łomot↓,

292 **las** — **A.** GAJ, bór, puszcza, knieja, matecznik, ostęp, ● dżungla, las tropikalny, namorzyn, ● tajga, ● zagajnik, gaik, lasek, młodnik, :olszynka, brzezina, buczyna, sośnina, choina, chojniak, jedlina, dąbrowa, dębina, ● drzewostan, zadrzewienie,

pacynka, ● pajac, pierrot, joker, dżoker, arlekin, guignol, ● clown, klown, klaun, błazen, trefniś↑, przebieraniec, ● figurka, ludek, ludzik, ● kukła, manekin, ● bałwan,

289 **kultura** — **A.** CYWILIZACJA, oświata, dziedzictwo kulturowe, normy zachowania, ● europejskość↓, zachód↓, ● dobrobyt, jakość życia, **B.** OBYCZAJOWOŚĆ, tradycja, obrzędy, obyczaje, zwyczaje, **C.** PODKULTURA, subkultura, patologia społeczna, ● półświatek, margines, element, świat przestępczy, ● kultura alternatywna,

290 **kulturalny** — **A.** PIŚMIENNICZY, literacki, pisarski, powieściopisarski, prozatorski, ● eseistyczny, krytyczny, ● powieściowy, beletrystyczny, narracyjny, fabularny, fikcjonalny, ● poetycki, wierszowy, ● dramatopisarski, dramaturgiczny, ● przekładowy, tłumaczeniowy, translatorski↑, ● tłumaczony, obcy, **B.** TEATRALNY, sceniczny, ● lalkowy, kukiełkowy, ● taneczny, baletowy, ● estradowy, rewiowy, rozrywkowy, **C.** WYDAWNICZY, książkowy, edytorski, ● poligraficzny, drukarski, **D.** KINOWY, kinematograficzny, filmowy, ekranowy, ● zdjęciowy, kamerowy, **E.** MUZYCZNY, nagraniowy, fonograficzny, płytowy, kasetowy, **F.** MUZEALNY, wystawienniczy,

L

293 **latać** — **A.** PODFRUNĄĆ, polatywać, wzbijać się, unosić się, wisieć, ● frunąć, lecieć, fruwać, furknąć, pofruwać, ● zataczać kręgi, kołować, krążyć, ● pikować, szyć, przeszywać, szybować,

294 **lawirować** — **A.** KLUCZYĆ, manewrować, wekslować, (o)mijać, ominąć, unikać, ● uciekać się do wykrętów, robić uniki, wić się jak piskorz, balansować, ● objeżdżać, kołować, obejść, obchodzić, (o)krążyć, ● przemknąć, przemykać się, ● dryblować, halsować, holendrować, ● dyplomatyzować, ● przejść na stronę iksa, zmienić front,

295 **leczenie** — **A.** KURACJA, terapia, uzdrawianie, kurowanie, hospitalizacja, zdrowienie, gojenie (się), uzdrowienie, ozdrowie-

nie, rekonwalescencja, • farmakoterapia, chemoterapia, • kuracja odwykowa, odwykówka↓, odwyk↓, **B.** ZABIEG, operacja, • usunięcie, amputacja, • aborcja, sztuczne poronienie, interrupcja↑, przerwanie ciąży, skrobanka↓, abort, poronienie, • trepanacja, tracheotomia, • biopsja, punkcja, • przeszczep, transplantacja, implantacja, • przetaczanie (krwi), transfuzja, **C.** PRZYRODOLECZNICTWO, fizjoterapia, fitoterapia, ziołolecznictwo, zielarstwo, klimatoterapia, hydroterapia, balneoterapia, bioenergoterapia, • homeopatia, • fizykoterapia, akupunktura, akupresura, kręgarstwo, • medycyna niekonwencjonalna, medycyna naturalna, znachorstwo, • autoterapia, • psychoterapia, psychodrama,

296 **lecznictwo** — **A.** SŁUŻBA ZDROWIA, medycyna, opieka medyczna, **B.** LECZNICA, szpital, klinika, poliklinika, lazaret, • zakład leczniczy, sanatorium, półsanatorium, prewentorium, izolatorium, • oddział, :*chirurgia, gastrologia, ginekologia, położnictwo, porodówka↓, sala porodowa, intensywna terapia, reanimacja, interna, kardiologia, laryngologia, neurochirurgia, neurologia, okulistyka, onkologia, ortopedia, patologia, pediatria, urologia, sala operacyjna, sala pooperacyjna,* **C.** PRZYCHODNIA, ubezpieczalnia, kasa chorych, poradnia, ośrodek zdrowia, ambulatorium, izba chorych, punkt sanitarny, punkt szczepień, izolatka, separatka, **D.** PIERWSZA POMOC, pogotowie (ratunkowe), karetka (pogotowia), ambulans, ostry dyżur, karetka reanimacyjna, erka↓, sanitarka,

297 **leczyć** — **A.** UDZIELIĆ PORADY, wykonać zabieg, przeprowadzić kurację, operować, • kurować, poddać leczeniu, hospitalizować, rehabilitować, • podleczyć, u\wyllleczyć, uzdrowić, przywrócić zdrowie, (pod\wy)goić, • ordynować, (po)dać, (za)aplikować, wprowadzić, (za)szczepić, • uzdrawiać, odczyniać, **B.** LECZYĆ SIĘ, kurować się, poddać się leczeniu, mieć operację, odbywać kurację, leżeć w szpitalu, podleczyć się, podreperować się, lizać się, • brać proszki, zażyć (przyjąć) lek, wziąć coś na, • przegłodzić się, być na diecie, **C.** ZDROWIEĆ, o\wylzdrowieć, odzyskać zdrowie, nabywać zdrowia, *wraca zdrowie,* przyjść do zdrowia, *polepszyło się, jak ręką odjął,* od-

zyskiwać siły, wstać, wylizać się, odgryźć się↑, wyleczyć się, wykurować się, • zabliźnić się, bliznowacieć, goić się,

298 **lekarstwo** — **A.** LEK, medykament, specyfik, preparat, środek (leczniczy), : *antybiotyk, sulfonamid, aspiryna, witamina, odżywka,* • proszek, tabletka, pigułka, pastylka, drażetka, kapsułka, globulka, vaginetka, czopek, • lekarstwa, leki, prochy↓, **B.** MAŚĆ, smarowidło, gencjana, jodyna, • wyciąg, ekstrakt, esencja, napar, wywar, odwar, ziółka↓, herbata ziołowa, herbatka, • mikstura, syrop, zawiesina, nalewka, eliksir, **C.** PANACEUM, remedium, maść na szczury↓, repelent, • odtrutka, antidotum, przeciwjad, antytoksyna, antydot, antyseptyk, • środek zaradczy, :*odplamiacz, odrdzewiacz, odżelaziacz, odtłuszczacz, odsiwiacz, wywabiacz, wybielacz, odwaniacz, zmywacz, dezodoryzator, dezodorant, odświeżacz (powietrza),* • środek czyszczący, proszek (do prania), detergent, mydło, pasta (do zębów), płyn do (szyb), szampon, • konserwant, środek konserwujący,

299 **lekarz** — **A.** DOKTOR, :*alergolog, anestezjolog, bariatra, chirurg, dermatolog, endokrynolog, fizykoterapeuta, gastrolog, geriatra, ginekolog, immunolog, internista, kardiolog, laryngolog, neurolog, okulista, onkolog, ortopeda, patolog, pediatra, położnik, psychiatra, radiolog, seksuolog, urolog, wenerolog,* • stomatolog, dentysta, wyrwizząb↓, ortodonta, protetyk, • weterynarz, **B.** TERAPEUTA, rehabilitant, • medyk, konsyliarz↑, eskulap↑, łapiduch↓, konował↓, • znachor, zielarz, homeopata, energoterapeuta, bioenergoterapeuta, kręgarz, • felczer, sanitariusz, • cyrulik↑, golibroda, fryzjer, • farmaceuta, aptekarz, magister,

300 **lekceważenie** — **A.** BAGATELIZOWANIE, ignorancja, • nieposzanowanie, pogarda, pogardzanie, wzgarda, pomiatanie, bezkarność, **B.** NIESUMIENNOŚĆ, niedbałość, niestaranność, nierzetelność, niesłowność, nieterminowość, niepunktualność, spóźnianie się, • niesolidność, nieobowiązkowość, nieodpowiedzialność, **C.** NONSZALANCJA, dezynwoltura↑, nieoględność, • protekcjonalność, bezceremonialność, poufałość, spoufalenie, **D.** LEKKOMYŚLNOŚĆ, pochopność, beztroska, brak odpowiedzial-

ności, niefrasobliwość, płochość, pustota, • nierozwaga, nieroztropność, nierozsądek, • nieobliczalność, ryzykanctwo, fason, brawura, chojractwo, bohaterszczyzna, brak wyobraźni, • nieostrożność, nieopatrzność, niebaczność, niebaczenie (się), • nieuwaga, roztargnienie, zapomnienie, roztrzepanie, dekoncentracja, gapiostwo,

301 lekkomyślny — **A.** BEZTROSKI, płochy↑, niefrasobliwy, trzpiotopwaty↑, • krótkowzroczny, nieprzezorny, **B.** NIEROZSĄDNY, nieroztropny, nieracjonalny, • nieopatrzny, nierozważny, niebaczny, nieuważny, nieoględny, nieprzemyślany, pochopny, nieostrożny,

302 lekkość — **A.** ZWIEWNOŚĆ, powiewność, eteryczność, subtelność, delikatność, kruchość, łamliwość, filigranowość, finezyjność, • puszystość, aksamitność, jedwabistość, • miękkość, galeretowatość, gąbczastość, **B.** ŁATWOŚĆ, potoczystość, płynność, gładkość, • bezproblemowość, prostota,

303 leniuchować — **A.** PRÓŻNOWAĆ, siedzieć z założonymi rękami, próżniaczyć się, pogrążać się w bezczynności (zgnuśnieniu), oddawać się lenistwu (próżniactwu), żyć z dnia na dzień, • gnuśnieć, lenić się, nic nie robić, • nudzić się, pluć i łapać, *przykrzy mi się*, • byczyć się, leżeć do góry brzuchem, gnić w łóżku, • łazikować, włóczyć się, wałęsać się, błąkać się, chodzić z kąta w kąt, **B.** BUMELOWAĆ, bimbać, wałkonić się, obijać się, zbijać bąki, opieprzać się↓, bać się pracy, mieć dwie lewe ręce, stronić od roboty, nie palić się do roboty, nie tknąć roboty, oszczędzać się, leserować, pracować na pół gwizdka, pracować na niepełnych obrotach, pieścić się, iść po linii najmniejszego oporu,

304 leń — **A.** PRÓŻNIAK, nierób, darmozjad, wałkoń, leniuch, bumelant, markierant, niedbaluch, brakorób, miglanc↓, leser↓, obibok, truteń↑, arcyleń, nygus, nicpoń, • pasożyt, pieczeniarz, wyżeracz, **B.** WYGODNICKI, wygodniś, piecuch, • chimeryk, kapryśnik,

305 lepki — **A.** KLEJĄCY, kleisty, klejowaty, mazisty, **B.** CZEPLIWY, czepny, przyczepny,

C. GĘSTY, zawiesisty, • brejowaty, papkowaty, maziowaty, ciągnący,

306 leżeć — **A.** ZALEGAĆ, osiąść, nawarstwić się, pokrywać, • walać się, **B.** ZNAJDOWAĆ SIĘ, mieścić się, kryć (się), zajmować miejsce, spoczywać, opierać się, wspierać się, **C.** ROZPOŚCIERAĆ SIĘ, być położonym, słać się, ciągnąć się, rozciągać się, • prowadzić, doprowadzać, wieść, iść, biec, przebiegać, • przecinać, krzyżować się, przechodzić przez, • skręcać, zbaczać, wić się, • ucinać się, • wznosić się, • otaczać, przepasywać,

307 lęk — **A.** STRACH, przestrach, trwoga, groza, zgroza, • przerażenie, histeria, panika, popłoch, psychoza, tumult, • alarm, larum, syreny, **B.** OBAWA, fobia, uraz, obsesja, • niepokój, zaniepokojenie, bezsenność, • bojaźń, lękliwość, strachliwość, bojaźliwość, panikarstwo, trwożliwość, pierzchliwość, płochliwość, • zatrwożenie, zastraszenie, onieśmielenie, trema, **C.** CIARKI, dreszcze, drżączka, drżenie, dygot, dygotanie, trzęsienie się, • mrowie, mrowienie, mrówki, gęsia skóra,

308 linia — **A.** PROSTA, oś, sieczna, cięciwa, styczna, przekątna, równoległa, • kreska, krecha, kreseczka, • prążek, linijka, smużka, paseczek, • pręga, smuga, pas, • rysa, zarysowanie, bruzda, • strużka, strumyczek, **B.** KRZYWA, łuk, elipsa, parabola, sinusoida, owal, • zygzak, wężyk, podkreślenie,

309 list — **A.** BILET, bilecik, liścik, • kartka (pocztowa), pocztówka, widokówka, • ekspres, lotniczy, polecony, poste restante, • zaproszenie, inwitacja↑, • zawiadomienie, awizo, • przekaz, depesza, telegram, kablogram, • przesyłka, pakiet, pakiecik, paczka, balot, **B.** KORESPONDENCJA, poczta, wiadomość, odpowiedź, • anonim, • epistoła, • pismo (urzędowe), pisemko, okólnik, kurenda, • nota, memorandum, memoriał,

310 lista — **A.** WYKAZ, spis, rejestr, repertorium, inwentarz, katalog, zestawienie, tabela, • ewidencja, rejestracja, inwentaryzacja, inwentura, remanent, **B.** CENNIK, taryfa, taryfikator, ceduła, specyfikacja, kosztorys, • jadłospis, karta, menu, **C.** SPIS TREŚCI, skorowidz, indeks, konkordancja, ● program, porządek dzienny, porządek obrad, wokanda, ● bibliografia, literatura przedmiotu, piśmiennictwo, ● farmakopea, ● litania↑, ● czarna lista,

311 literatura — **A.** PISARSTWO, piśmiennictwo, twórczość literacka, **B.** POEZJA, liryka, ● parnas, ● twórczość poetycka, wiersze, utwory poetyckie, mowa wiązana, ● dwuwiersz, dystych, fraszka, epigram, ● heksametr, stych, ● poemat, epos, liryk, :*kancona, sonet, erotyk, ballada, pieśń, psalm, psalmodia, elegia, rapsod, tren, epitafium, dytyramb,* **C.** PROZA, epika, beletrystyka, powieściopisarstwo, :*narracja, epistolografia, eseistyka, przyczynkarstwo,* ● powieść, romans, epopeja, epos, dylogia, trylogia, powieścidło, ● nowela, opowiadanie, ● esej, szkic literacki, **D.** DRAMAT, jednoaktówka, dwuaktówka, monodram, ● dramatopisarstwo, dramaturgia,

312 lokalizacja — **A.** UMIESZCZENIE, zlokalizowanie, umiejscowienie, ● rozmieszczenie, rozłożenie, rozlokowanie, dyslokacja, rejonizacja, ● rozrzucenie, rozstrzelenie, ● zakwaterowanie,

313 lokalny — **A.** EUROPEJSKI, kontynentalny, ● nordycki, nordyczny, północnoeuropejski, skandynawski, **B.** POŁUDNIOWY, latynoski, latynoamerykański, południowoamerykański, ● tropikalny, równikowy, zwrotnikowy, podzwrotnikowy, **C.** WSCHODNI, orientalny, ● bizantyjski, ● kresowy, **D.** KRAJOWY, rodzimy, ojczysty, ● autochtoniczny, tubylczy, ● rdzenny, rodowity, urodzony, **E.** SAMORZĄDOWY, radziecki↑, ● miejski, komunalny, municypalny, ● terytorialny, tere-

nowy, rejonowy, okręgowy, obwodowy, powiatowy, gminny, gromadzki, wojewódzki, ● regionalny, prowincjonalny, ● dzielnicowy, osiedlowy,

314 los — **A.** LINIA ŻYCIA, dola, położenie, stan, ● koleje życia, bieg wydarzeń, ● opatrzność, przeznaczenie, predestynacja, fatum, gwiazda, łaska boża, **B.** FORTUNA, przypadek, zrządzenie (losu), traf, zbieg okoliczności, splot wydarzeń, koincydencja, zbieżność,

315 lubować się — **A.** CIESZYĆ SIĘ, na\ulcieszyć się, (u\roz)radować się, być w siódmym niebie, *dusza się raduje, serce rośnie, mało nie wyskoczy ze skóry,* promienieć, rozanielać się, rozpromienić się, **B.** DELEKTOWAĆ SIĘ, wyżywać się, znajdować przyjemność, napawać się, sycić zmysły, rozkoszować się, znajdować upodobanie, doznawać zadowolenia, odczuwać rozkosz, upajać się, upodobać sobie, paść oczy, ● dogadzać sobie, rozpieszczać się, folgować sobie, dać folgę, pozwolić sobie, dać upust, **C.** PODZIWIAĆ, admirować, gustować, rozsmakowywać się, kochać się w, zachwycać się, wpadać w zachwyt, unosić się nad, cmokać, rozpływać się, unosić się, upajać się, piać, nie móc oderwać oczu, *oczy się śmieją,* ● oklaskiwać, klaskać, bić brawo,

316 luneta — **A.** LORNETA, lornetka, lornion, okular, ● lupa, szkło powiększające, mikroskop, ● teleskop, peryskop, celownik, ● pryzmat, obiektyw, soczewka, ● lustro, lusterko, zwierciadło, tremo↑, **B.** OKULARY, szkła, rowery↓, cyngle↓, patrzałki↓, ● szkła kontaktowe, kontakty↓, ● denka↓, ● binokle↑, ● monokl↑, cwikier, ● gogle,

Ł

317 ładnie — **A.** KORZYSTNIE, atrakcyjnie, ● kształtnie, foremnie, harmonijnie, zgrabnie, proporcjonalnie, klasycznie, ● urodziwie, dorodnie, hożo, zdrowo, czerstwo, kwitnąco, krzepko, hożo, ● pociągająco, ponętnie, seksownie↓, apetycznie, miło, kobieco, **B.** PIĘKNIE, przepięknie, doskonale, ● ozdobnie, kwieciście, ● dekoracyjnie, **C.** KUN-

SZTOWNIE, artystycznie, estetycznie, ● mistrzowsko, po mistrzowsku, wirtuozowsko, z maestrią, z wirtuozerią, ● popisowo, koncertowo, efektownie, oszałamiająco, ● czarownie, czarodziejsko, czarująco, (prze)cudownie, (prze)cudnie, rozkosznie, (prze)uroczo, urzekająco, zachwycająco, urokliwie↑, wdzięcznie, (prze)ślicznie,

318 **ładny** — **A.** NIEBRZYDKI, niezły, • fajny↓, kapitalny↓, • podobny do ludzi↓, • (prze)piękny, harmonijny, estetyczny, powabny↑, nadobny↑, krasny↑, czarowny, • (prze)śliczny, (prze)cudny, (prze)cudowny, zachwycający, zjawiskowy↑, cacy↓, cud↓, • anielski, seraficzny, **B.** ATRAKCYJNY, przystojny, interesujący, korzystnie wyglądający, • dorodny, urodziwy↑, urodny↑, hoży↑, rasowy, • seksowny↓, sexy↓, • męski, • kobiecy, • apetyczny, pociągający, przyciągający, ponętny, **C.** ZGRABNY, kształtny, foremny, harmonijny, proporcjonalny, dobrze zbudowany, długonogi, • gładki↑, krągły↑, toczony↑, **D.** ZDROWY, czerstwy, krzepki, silny, kwitnący, hoży, rumiany, • opalony, ogorzały, **E.** ELEGANCKI, wytworny, szykowny, gustowny, twarzowy, • komisowy, butikowy,

319 **łagodny** — **A.** LUDZKI, humanitarny, humanistyczny, • dobroduszny, dobrotliwy, poczciwy, gołębiego serca, jowialny, łaskawy, anielski, • liberalny, tolerancyjny, permisywny↑, pobłażliwy, wyrozumiały, wielkoduszny, • obłaskawiony, poskromiony, **B.** UGODOWY, kompromisowy, polubowny, arbitrażowy, mediacyjny, mediatorski, rozjemczy, koncyliacyjny↑, pojednawczy, • bezkonfliktowy, pokojowy, antywojenny, pacyfistyczny, • bezkrwawy, **C.** ŁAGODZĄCY, hamujący, spowalniający, zwalniający, powstrzymujący, inhibicyjny↑, • utrudniający, powściągający, prohibicyjny↑, • temperujący,

320 **łagodzić** — **A.** KOIĆ, uśmierzać, uspokajać, miarkować, osłabiać, nieść ulgę, dawać ukojenie, ulżyć, ułagodzić, miękczyć, • stonować, wyciszać, ugrzecznić, • skanalizować, znaleźć ujście, • zobojętniać, inaktywować, (z)neutralizować, unieszkodliwiać, • amortyzować, (s\wy)tłumić, wygłuszyć, • uziemić, • rozbroić, rozładować, od\rozlminować, • demilitaryzować, dezatomizować, rozbrajać (się), pacyfikować, **B.** POCIESZAĆ, dodawać otuchy, pokrzepiać, podtrzymać na duchu, podnieść na duchu, rozpogodzić, utulić, **C.** LIBERALIZOWAĆ, luzować, ob\polluzować się, po\rozliluźniać, u-elastyczniać, popuszczać, (po)folgować, obluźnić, odprężać, rozprężyć się,

321 **łatwo** — **A.** NIETRUDNO, lekko, prosto, przystępnie, dostępnie, popularnie, łopatolo-

gicznie↓, **B.** GŁADKO, z łatwością, z górki, jak po maśle, jak z płatka, bez trudu, bez wysiłku, snadnie↑, swobodnie↓, z palcem w nosie↓, śpiewająco↓, • bezproblemowo, bezboleśnie,

322 **łatwy** — **A.** ZROZUMIAŁY, jasny, prosty, komunikatywny, przystępny, dostępny, łopatologiczny↓, • felietonowy, gawędziarski, lekki, **B.** NIETRUDNY, nieskomplikowany, niezłożony, niewymyślny, • bezproblemowy, **C.** TRYWIALNY, prymitywny, banalny, • uproszczony, schematyczny, • sensacyjny, kryminalny, • przyziemny, płaski, niskiego lotu, bulwarowy, uliczny, brukowy, rewolwerowy↑, szmatławy↓, **D.** POPULARYZUJĄCY, upowszechniający, popularyzacyjny, popularyzatorski, • popularnonaukowy, • reklamowy, promocyjny,

323 **łazienka** — **A.** UMYWALNIA, łaźnia, sauna, parówka, mykwa, • termy↑, • prysznic, natrysk, tusz, • wanna, umywalka, **B.** TOALETA, ubikacja, sanitariat, WC, wucet↓, :*tam gdzie król piechotą chadza*, • ustęp, szalet, pisuar, • wychodek, wygódka↑, przybytek, latryna, kibel↓, klozet↓, kloaka↓, klop↓, sracz↓, • nocnik, basen, kaczka,

324 **łączący** — **A.** JEDNOCZĄCY, konsolidujący, spajający, integracyjny, integrujący, konsolidacyjny, • scalający, **B.** ŁĄCZNOŚCIOWY, telefoniczny, telegraficzny, przewodowy,

325 **łączność** — **A.** KOMUNIKACJA, połączenie, telekomunikacja, :*telegraf, dalekopis, teleks, fax, telefax*, • telefon, aparat (telefoniczny), automat (telefoniczny), budka (telefoniczna), interfon, domofon, bramofon, • interkomunikacja, interkom, babyfon↑, • bitnet, poczta komputerowa, e-mail↑,

326 **łączyć** — **A.** WIĄZAĆ, scalać, stanowić łącze, cementować, **B.** SKOMUNIKOWAĆ, stwarzać połączenie, • kursować, obsługiwać linię, jeździć na trasie, (do)chodzić, dojeżdżać, **C.** SKUPIAĆ, • splatać, skręcać, pozwijać, • spinać, sprząc, sprzęgać, • zetknąć, stykać, zewrzeć, zwierać, podłączać, sczepiać, • przewiązać, przepasać, opasać, ściągnąć, ścisnąć, dopiąć, zawiązać, poprzewiązywać, pozwiązywać, • podwiązać,

(po)doczepiać, uczepić, pouczepiać, (po)przyczepiać, do\ulwiązać, (przy)troczyć, (przy)sznurować, (po)przywiązywać, • doszyć, przyszyć, • sztukować, po\zelsztukować, do\przylsztukować, • skuwać, (po)zbijać, (po)skręcać, ześrubować, dyblować, kołkować, nitować, • spiąć, sfastrygować, **D.** SPAJAĆ, zespalać, aglomerować, skomasować, • powiązać, przyłączyć, afiliować, • kleić, (po)sklejać, klajstrować, (po)lepić, dokleić, dolepiać, • lutować, do\przyllutować, spoić, pospawać, pospajać, stopić, stapiać, **E.** DODAWAĆ, przemieszać, • przełożyć, wpleść, wrobić, przepleść, • przetykać, przeplatać, przerabiać, przesypywać, • zlać, (po)zlewać, • kontaminować↑,

327 łączyć się — **A.** UZYSKIWAĆ POŁĄCZENIE, kontaktować, skomunikować, • wpływać, wpadać do, uchodzić, zlać się, stopić się, przeniknąć się, przeplatać się, **B.** ZESPALAĆ SIĘ, jednoczyć się, sprzęgać się, wiązać się, cementować się, • sczepiać się, uczepić się, pouczepiać się, • trzymać się, wczepić się, wpić się, wieszać się, **C.** GRUZŁOWACIEĆ, pozbijać się, zlepić się, pozlepiać się, krupić się, scementować się, skawalić się, zbrylić się, przykleić się, skleić się, spoić się, zewrzeć się, zwierać się, • sfilcować się, skołtunić się, **D.** PRZYWIERAĆ, lepić się, kleić się, lgnąć, mazać się, oblepić się, polepić się, • przylgnąć, przywrzeć, (po)przywierać, (po)przyklejać się, przylepić się, poprzylepiać się, • przyschnąć, przysychać, • przyrosnąć, • wsysać się, przyssać się, przysysać się, • przymarzać,

328 łąka — **A.** PASTWISKO, wygon, grąd, połonina, hala, polana, palenica, poręba, karczowisko, • zagroda, okólnik, korral, koszara, • błonie, łęg, **B.** TRAWNIK, murawa, gazon, trawa, darnina, darń, • planty, zieleń↓, zieleńce, **C.** BAGNO, trzęsawisko, grzęzawisko, oparzelisko, mokradło, moczary, • błoto, błocko, muł, szlam, torfowisko, • sitowie, szuwary, trzciny, tatarak, **D.** STEP, preria, pampas, pampa, sawanna, puszta, tundra, hamada, trawy,

329 łopata — **A.** SZPADEL, szufla, rydel, • łopatka, szufelka, szpadelek, • graca, grabie, gable, • kilof, **B.** POGŁĘBIARKA, koparka, czerpaczka, czerparka, **C.** ŁYŻKA, ły-

żeczka, chochla, warząchew, nabierak, czerpak, łycha,

330 łotr — **A.** ŁAJDAK, nikczemnik, niegodziwiec, drań, kawał drania, kanalia, szuja, nędznik, podlec, kreatura, bydlak↓, bydlę↓, świnia↓, ścierwo↓, gadzina↓, gnida↓, skurwysyn↓, skurwiel↓, • szelma, szubrawiec, psubrat, arcyłotr, obwieś, łachudra↓, szmaciarz↓, łajza↓, menel↓, gałgan↓, lump↓, szmata↓, **B.** ŁOBUZ, chuligan, opryszek, drab, oprych, zwyrodnialec, wandal, wykolejeniec • hultaj, huncwot, urwis, bisurman, wisus, jucha↓, • utrapieniec, psotnik, urwipołeć, łapserdak, nicpoń, andrus, gawrosz, grandziarz, nic dobrego, ladaco, niecnota, • łobuziak, diablę, półdiablę, diabelskie nasienie, diabeł wcielony, antychryst, • wyrostek, ulicznik, dziecko ulicy, rozrabiaka, zabijaka, • wyrzutek, wyrodek, infamis, zakała, czarna owca, **C.** GRUBIANIN, zuchwalec, gbur, gburzysko, • prostak, prowincjusz, ordynus, prymityw, burak↓, wieśniak↓, kmiot↓, żłób↓, • cham↓, chamidło↓, chamisko↓, • arogant, impertynent, pyskacz, krzykacz, • awanturnik, pieniacz, sekutnik, zawadiaka, hałaburda, • brutal, dzikus, nieokrzesaniec, jaskiniowiec, troglodyta,

331 łódź — **A.** ŁÓDKA, łajba↓, • łódź motorowa, motorówka, • czółno, krypa, korab↑, galar, bat, gondola, kanoe, kajak, • łódź podwodna, batyskaf, • ponton, tratwa, szalupa, **B.** ŻAGLOWIEC, fregata, korweta, karawela, galeon, galera, kliper, koga, dżonka, • kuter, ket, slup, jol, kecz, szkuner, bryg, brygantyna, bark, barkentyna, barka, barkas, • żaglówka, łódź żaglowa, jacht, **C.** STATEK, motorowiec, drobnicowiec, kontenerowiec, • zbiornikowiec, tankowiec, transatlantyk, • parostatek, parowiec, poduszkowiec, hydrobus, prom, **D.** OKRĘT, okręt liniowy, liniowiec, okręt wojenny, pancernik, kontrtorpedowiec, • desantowiec, krążownik, kanonierka, kabotażowiec, patrolowiec, trałowiec, lodołamacz, holownik,

332 łóżko — **A.** TAPCZAN, kanapa, narożnik, sofa, szezlong↑, kozetka, amerykanka, otomana, leżanka, • łoże, łoże małżeńskie, wyrko↓, wyro↓, łóżko polowe, polówka, dostawka, prycza, łoże madejowe • kołyska, kolebka, **B.** LEGOWISKO, leże, barłóg, • materac, mata, • hamak, • koja, kuszetka, •

lektyka, nosze, mary, **C.** SPANIE, posłanie, pościel, bielizna pościelowa, prześcieradło, poszewka, powłoczka, powłoka, poszwa,

koperta, podpinka, wsypa, inlet, poduszka, jasiek, podgłówek, ● kołdra, pierzyna, piernat, becik, śpiwór,

M

333 machać — A. KOŁYSAĆ, zakołysać (się), wahnąć się, (po)kiwać, majtać (się), majtnąć, majdać, fajtać, fikać, dyndać, machnąć, szastać, szastnąć, **B.** ŚMIGAĆ, świsnąć, pomachać, wymachiwać, wachlować, wiosłować, wywijać, powiewać, strzepywać, **C.** ŁOPOTAĆ, furkotać, trzepotać, **D.** MERDAĆ, kręcić, ● mleć, trzepać,

334 magazyn — A. SKŁAD, składnica, zbiornica, przechowalnia, bagażownia, depozyt, ● elewator, spichrz (zbożowy), spichlerz, stodoła, gumno, ● arsenał, zbrojownia, prochownia, ● pamięć (komputerowa), **B.** ZAPLECZE, pakamera, kantorek, składzik, szopa, drewutnia, ● schowek, pawlacz, antresola, ● lamus, graciarnia, rupieciarnia, kanciapa↓, ● piwnica, spiżarnia, komórka,

335 magia — A. PRESTIDIGITATORSTWO, brzuchomówstwo, kontorsjonistyka, ● sztuczka, trick, trik, hokuspokus, abrakadabra, **B.** CZARY, sztuczki, wróżby, gusła, zabobony, wierzenia, egzorcyzmy, ● zaklęcie, odczynianie, ● przesąd, zabobon, przesądność, ● alchemia, czarnoksięstwo, cudotwórstwo, **C.** OKULTYZM, spirytyzm, parapsychologia, wróżbiarstwo, kabalistyka, wróżenie, wróżba, kabała, pasjans, kartomancja, ● astrologia, chiromancja, krystalomancja, facemancja, hieromancja, ● telepatia, **D.** PRZEPOWIEDNIA, proroctwo, wyrocznia, wyrok, prognostyk, ● zapowiedź, omen, znak, palec boży, ● przepowiadanie, prorokowanie, wieszczenie, jasnowidzenie, wizjonerstwo, prekognicja↑, profetyzm, ● przewidywanie, prognozowanie, prognostyka,

336 majątek — A. BOGACTWO, fortuna, zamożność, majętność, dobrobyt, dostatniość, dostatek, **B.** MIENIE, dorobek, dobytek, ruchomość, inwentarz, stan posiadania, habenda, ● własność prywatna, posiadanie, aktywa, ● majątek narodowy, skarb państwa, skarb, **C.** SPADEK, spuścizna, puścizna↑, scheda, posag, wyprawa, wiano, ● dziedzictwo, dziedziczenie, sukcesja, następstwo tronu, ● dziedziczność, geny, **D.** POSIADŁOŚĆ, dobra, własność ziemska, włości, latyfundia, ziemia, ojcowizna, ordynacja, dominium, kolonia, ● nieruchomości, immobilia, jurydyka,

337 mały — A. NIEDUŻY, niepokaźny, drobny, filigranowy, mikroskopijny, mikry↓, tyci↓, niewielki, ● kieszonkowy, miniaturowy, mini, **B.** NISKI, niziutki, mały, niewysoki, przysadzisty, krępy, krótkonogi, ● karli, karzełkowaty, karłowaty, skarłały, lilipuci, ● parterowy, jednokondygnacyjny, **C.** NIEZNACZNY, nieliczny, nikły, niewielki, znikomy, symboliczny, minimalny, śladowy, ● niewyczuwalny, nieodczuwalny, niezauważalny, **D.** OGRANICZONY, limitowany, ● endemiczny, ● policzalny, przeliczalny, ● niewygórowany, przystępny, do przyjęcia, ● mniejszy, niższy, **E.** NIEWYSTARCZAJĄCY, ● skromny, ● głodowy, ● ptasi, kurzy, ● przymały, (przy)wąski, (przy)ciasny, ● niepojemny, niepakowny, ● obcisły, dopasowany, opięty,

338 marnotrawstwo — A. NIEGOSPODARNOŚĆ, rozrzutność, szafowanie, szastanie, nieoszczędność, niewykorzystanie, niewydajność, nieproduktywność, ● marnowanie, marnotrawienie, trwonienie, niszczenie, ● zmarnowanie, zaprzepaszczenie, zniszczenie, zapuszczenie, przepuszczenie, **B.** STRATA, frycowe, gapowe, ● mitręga, syzyfowa praca, próżny trud,

339 marny — A. NIEDOBRY, niedoskonały, kiepski, ● niskogatunkowy, pozaklasowy, tani, ● zgrzebny, parciany, ● pakowy, pakunkowy, do pakowania, szary↓, ● skromny, niepozorny, nieokazały, niepoczesny, przeciętny, nieszczególny, ● niespecjalny, nienadzwyczajny, nietęgi, niezbyt↓, niewiele wart, nie za dobry, niezbyt dobry, mało wart,

małowartościowy, • słaby, mierny, lichy↑, lichawy, podły↑, dwójkowy, • mizerny, niewydarzony, biedny, nędzny, dziadowski↓,
szmatławy, smętny↓, • podupadły, spsia-
ły↓, wypsiały↓, • pieski↑, zakichany↓, zas-
markany↓, zafajdany↓, zasrany↓, • chudy,
cienki, **B.** POŚLEDNI, • komercyjny, komercjalny, groszowy, wagonowy, szmirowaty,
pospolity, • kiczowaty, jarmarczny, odpusto-
wy, komiksowy, • grafomański, ramotowaty,
• częstochowski, kalwaryjski, kulawy, **C.**
NIEUMIEJĘTNY, niewprawny, niewyrobiony, • nijaki, bezbarwny, bez wyrazu, bez-
płciowy, letni, beztreściowy, • niedostateczny, niezadowalający, niewystarczający, •
nieudany, chybiony, poroniony, • niecelny,
nietrafny, • płytki, niegłęboki, powierzchowny, naskórkowy↑, miałki↑, **D.** NIERZE-
TELNY, pozorny, kosmetyczny, fasadowy,
nieuczciwy, lipny↓, **E.** BEZWARTOŚCIO-
WY, nic nie wart, bez wartości, ogłupiający,
bałamutny, otumaniający, • byle jaki, lada jaki, beznadziejny, denny, do niczego, chało-
wy, chałowaty, bublowaty, tandetny, do ki-
tu↓, do chrzanu↓, do luftu↓, gówniany↓, do
dupy↓, syfiasty↓,

340 **martwić** — **A.** NIEPOKOIĆ, nurtować,
smucić, trapić, (z)gnębić, przygnębiać, podłamać, dręczyć, przybić, sprawiać przykrość,
powodować zatroskanie, kłopotać, alarmować, nie dawać spokoju, odejmować spokój,
spędzać sen z powiek, *to mi nie daje spać*,
gryźć, toczyć, pogrążyć w smutku, przysparzać zgryzot (zmartwień), rozżalić, ambara-
sować, turbować, przysporzyć trosk (kłopo-
tów), dobić, załamać, okryć żałobą, **B.** KŁO-
POTAĆ SIĘ, martwić się, frasować się, niepokoić się, przejąć się, brać sobie do serca,
troskać się, troszczyć się, (s)trapić się, smucić się, (po)wzdychać, (po)dręczyć się, nę-
kać (się), gnębić się, boleć, zamartwiać się,
turbować się, mieć zmartwienie (kłopot),
mieć krzyż Pański, gryźć się, truć się, *chodzi
jak struty*, mieć coś na wątrobie, • *głowa
boli, głowa puchnie, wszystko mi leci z rąk,*
C. MARKOTNIEĆ, apatycznieć, osowieć,
(po)smutnieć, (s)posępnieć, (po)chmurnieć,
nachmurzyć się, chmurzyć czoło, spoch-
murnieć, gorzknąć (gorzknieć), rozgoryczać
się, (s)tetryczeć, rozżalić się, (s)kwaśnieć,
spuścić nos na kwintę, podłamać się, popaść w przygnębienie, mieć depresję, *nic
się nie chce*,

341 **martwy** — **A.** NIEŻYWY, umarły, nieżyjący, zmarły, • zabity, poległy, • zamordowa-
ny, zakatrupiony↓, • zwiędły, zwiędnięty, uschnięty, uschły, **B.** JAŁOWY, bezpłodny,
niepłodny, • nieurodzajny, nieuprawny, **C.**
NIEOŻYWIONY, nieorganiczny,

342 **marzyć** — **A.** ROIĆ, (po)fantazjować,
śnić, puszczać wodze fantazji, rozmarzyć
się, rozpoetyzować się, • tęsknić, przebywać gdzieś duchem (duszą), **B.** IMAGINO-
WAĆ, wyobrażać sobie, wyobrazić sobie,
wyimaginować, widzieć oczami duszy, dzielić skórę na niedźwiedziu,

343 **matematyczny** — **A.** ELEKTRONO-
WY, cybernetyczny, cyfrowy, digitalny↑, • in-
formatyczny, komputerowy, • obliczeniowy,
rachunkowy, **B.** LICZBOWY, ilościowy,
kwantytatywny, kwotowy, • arytmetyczny,
numeryczny, • binarny, dwójkowy, • dzie-
siętny, decymalny,

344 **mądry** — **A.** NIEGŁUPI, myślący, rozumny, bystry, lotny, rozgarnięty, inteligent-
ny, błyskotliwy, • pomysłowy, łebski, zmyśl-
ny↑, • zdolny, pojętny, chłonny, uzdolniony,
utalentowany, • twórczy, genialny, wynalaz-
czy, **B.** WYKSZTAŁCONY, piśmienny↑,
światły↑, oświecony↑, na poziomie, • zorien-
towany, poinformowany, na bieżąco, • świadom, • pomny, **C.** DOŚWIADCZONY, obyty,
wyrobiony, bywały, światowy, • obeznany,
otrzaskany↓, oblatany↓, obcykany↓, obku-
ty↓, obryty↓, oczytany, osłuchany, • roz-
tropny, rozważny, dojrzały, • domyślny, przenikliwy, • przebiegły, przemyślny, chytry,
szczwany, sprytny, cwany, wycwaniony↓,
kuty na cztery nogi, wytrawny, zręczny, **D.**
RACJONALNY, sensowny, rozsądny, do-
rzeczny, • logiczny, konsekwentny, • rozważny, przemyślany, dojrzały, **E.** GŁĘBOKI,
niepowierzchowny, uczony, dogłębny, filozoficzny, intelektualny, dyskursywny, teoretyczny, • bezdenny, • koncepcyjny, konstruktywny, kreacyjny, kreatywny,

345 **mądrze** — **A.** POMYSŁOWO, chytrze,
sprytnie, łebsko↓, zmyślnie↑, przemyślnie↑,
zręcznie, • inteligentnie, błyskotliwie, bystro,
przenikliwie, • twórczo, konstruktywnie, kon-
cepcyjnie, **B.** ROZUMNIE, rozważnie, roz-
sądnie, • rezolutnie, roztropnie, dojrzale,
głęboko, • dorzecznie, do rzeczy, sensow-

nie, z sensem, **C.** RACJONALNIE, rzeczowo, merytorycznie, przedmiotowo,

346 medyczny — **A.** LEKARSKI, • dentystyczny, stomatologiczny, **B.** FARMACEUTYCZNY, apteczny, aptekarski, **C.** LECZNICZY, terapeutyczny, • kuracyjny, zdrowotny, • korekcyjny, ortopedyczny, • psychoterapeutyczny, • uzdrawiający, leczący, • operacyjny, chirurgiczny, • zabiegowy, **D.** SZPITALNY, stacjonarny, • ambulatoryjny, **E.** ZAPOBIEGAWCZY, • antykoncepcyjny, • sanitarny, higieniczny,

347 mężczyzna — **A.** JEGOMOŚĆ, pan, gentleman, dżentelmen, gość, • indywiduum, osobnik, • ktoś, iks, iksiński↓, igrek, i-grekowski↓, • facet, typ, koleś, wał↓, kutas↓, chuj↓, **B.** STARZEC, matuzalem, nestor, emeryt, rencista, • dziadek, staruszek, • dziad↓, staruch↓, ramol, piernik, próchno, pryk, grzyb, stary grzyb, pierdoła↓, sklerotyk, zgred↓, pierdziel↓, **C.** MĄŻ, małżonek, głowa rodziny, mężulek↓, mężuś↓, mój↓, • ex małżonek, ex↓, • nowożeniec, żonkoś, • wolny, nieżonaty, wdowiec, rozwodnik, rozwiedziony, stary kawaler, singiel↓, **D.** OJCIEC, rodzic, rodziciel, patriarcha, protoplasta, • ojczulek, tata, tatuś, • papa, papcio, • stary↓, jarecki↓, wapniak↓, zgred↓, • ojczym, opiekun, wychowawca, **E.** CHŁOPAK, chłopiec, młodzieniaszek, młokos, małolat, wyrostek, chłopaczysko, niedorostek, gołowąs, • młodzieniec, młodzian, panicz↑, paniczyk↑, młodzik, efeb↑, • chłop, stary koń, **F.** NARZECZONY, kandydat na męża, kawaler, konkurent, starający, amant, wielbiciel, adorator, zalotnik, absztyfikant↑, fatygant↑, galopant↑, • zakochany, zadurzony, zabujany↓, • sympatia, bliski sercu, luby, miły, najdroższy, miłość, ukochany, umiłowany, • wybranek, oblubieniec, pan młody, • kochanek, przyjaciel, gach↓, **G.** ELEGANT, przystojniak, men↓, :brunet, brunecik, blondyn, blondas, szatyn, rudy, ryży, rudzielec, • model↓, brodacz, kudłacz, luzak↓, cywil, • bubek, facio↓, facecik, elegancik, picuś↓, picuś-glancuś↓, galant, modniś, strojniś, wytworniś, bikiniarz↑, • pięknis, adonis, delikatniś, goguś, laluś, dandys↑, fircyk, czaruś, kochaś, **H.** KOBIECIARZ, babiarz↓, dziwkarz↓, flirciarz, bałamut↑, • podrywacz, uwodziciel, playboy, lowelas↑, donżuan, bigamista, • bawidamek, fordanser, gigolo, ży-

golak↓, • kochanek, gach↓, **I.** CUDZOŁOŻNIK, demoralizator, deprawator, gorszyciel, świntuch, jawnogrzesznik↑, grzesznik, bezwstydnik, wszetecznik↑, • zbereźnik, rozpustnik, lubieżnik, erotoman, kazirodca, kurwiarz↓, cap↓, wieprz↓, stary satyr,

348 mieć — **A.** TRZYMAĆ, dzierżyć, ściskać, miętosić, wozić się, nosić, **B.** POSIADAĆ, nabyć prawo, wejść w posiadanie, być w posiadaniu, być właścicielem, dysponować, mieć do dyspozycji, władać, rozporządzać, skupiać w ręku, dzierżyć, być przy forsie↓, siedzieć na, to należy do mnie, to jest moje, to moje, **C.** OKUPOWAĆ, zajmować, blokować, przetrzymywać, **D.** BYĆ WYPOSAŻONYM, zaopatrzyć się,

349 miejsce — **A.** PUNKT, pozycja, posterunek, stanowisko, przyczółek, forpoczta, • gdzieś, plac, pole, **B.** MIEJSCOWOŚĆ, zakątek, ustronie, zacisze, cichy kąt, kąt, okolica, krajobraz, • miasto, gród, • stolica, metropolia, ośrodek, centrum, • miasteczko, mieścina, wieś, wioska, sioło, osiedle, kolonia, osada, przysiółek, chutor, stanica, kurzeń, • wiocha, dziura, zadupie↓, pipidówka↓, grajdołek, zakamarek, • letnisko, uzdrowisko, kurort, wczasowisko, wody↑, • przedmieście, peryferie, skraj miasta,

350 miernik — **A.** CZUJNIK, sonda, echosonda, • barometr, licznik, :prędkościomierz, gęstościomierz, długościomierz, promieniomierz, próżniomierz, ciśnieniomierz, dalmierz, dalekomierz, dynamometr, gazomierz, • waga, **B.** WSKAŹNIK, indykator, kryterium, probierz, sprawdzian, papierek lakmusowy, kamień probierczy, • miara, norma, normatyw, • metrum, **C.** MIARKA, linia, liniał, przykładnica, linijka, • ekierka, kątomierz, krzywik, • centymetr, centymetrówka, metr, calówka, taśma, **D.** PEWNA ILOŚĆ, • kropla, • łyk, haust, • szczypta, garść, • łyżeczka, łyżka, • szklanka,

351 mieszać — **A.** WZBURZYĆ, mącić, (roz)bełtać, roz\wylmieszać, kłócić, kotłować, spieniać, • musować, (s)pienić się, burzyć się, perlić się, szumieć, **B.** ROZPUŚCIĆ, rozrobić, dać domieszkę, domieszać, rozpuszczać, kadziować, zmydlać, **C.** ROZCIEŃCZAĆ, rozrzedzać, rozgęszczać, rozprowadzać, rozwodnić się, **D.** ROZTRZEPY-

WAĆ, (roz\wy)miesić, ubijać, rozrabiać, rozczynić, (z)miksować, porozcierać, emulgować, rozpaćkać, **E.** PRZEŁOŻYĆ, (roz)tasować, po\przeltasować,

352 **mieszany** — **A.** EKLEKTYCZNY, niestylowy, bezstylowy, • hybrydowy, hybrydyczny, pośredni, łączony, synkretyczny, kompilacyjny, • nierasowy, półkrwi, kundlowaty↓, • przerośnięty, poprzerastany, **B.** WIELOFUNKCYJNY, interdyscyplinarny, **C.** WIELONARODOWY, wielonarodowościowy, • wielojęzyczny, różnojęzyczny, • wielokształtny, różnokształtny, wielopostaciowy,

353 **mieszczański** — **A.** BURŻUAZYJNY, burżujski, • drobnomieszczański, kołtuński, filisterski, zakłamany, załgany, ograniczony, ciasny, parafiański, **B.** KONSUMPCYJNY, materialistyczny, merkantylny, • sklepikarski, kramarski,

354 **mieszkać** — **A.** ZATRZYMAĆ SIĘ, (po)siedzieć, • zamieszkać, wprowadzić się, powprowadzać się, rozlokować się, urządzać się, • osiąść, (po)osiadać, osiedlać się, podziewać się, wiekować, • imigrować, **B.** REZYDOWAĆ, przebywać, zajmować (najmować) mieszkanie, prze\zalmieszkiwać, • mieszkać kątem, gnieździć się, mieszkać na kupie, poniewierać się, koczować, przytulić się, wycierać cudze kąty, waletować, tułać się, • bazować, stacjonować, stać, • obozować, biwakować, kempingować, porozkładać się, **C.** GNIAZDOWAĆ, gnieździć się, trzymać się (jakiegoś środowiska), **D.** KWATEROWAĆ, (po\roz)lokować, instalować (się), urządzać (się), umieścić, poumieszczać, rozmieścić, porozmieszczać, rozkwaterować, przydzielać lokale, zasiedlać, dokwaterować, do\wlmeldować, ulokować, osiedlać, osadzić, • rozgęszczać, • koszarować, okrętować, • trzymać u siebie,

355 **mieszkanie** — **A.** APARTAMENT, lokal, kwatera, zakwaterowanie, • kawalerka, garsoniera, chata, • kącik, klitka, • jama, jaskinia, nora, • gniazdko, dziupla, gołębnik, ul, barć, • suterena, piwniczna izba↑, **B.** DOM, dach nad głową, własny kąt, cztery kąty, • nocleg, • siedziba, miejsce, • przybytek, rezydencja, • siedlisko, **C.** HOTEL, motel, schronisko, pensjonat, dom wczasowy, probostwo, plebania, • internat, bursa, pen-

sja↑, akademik, dom studencki, stancja↑, • koszary, • dom publiczny, dom schadzek, burdel↓, lupanar, zamtuz, **D.** ADRES, miejsce zamieszkania, domicyl, **E.** ZAMIESZKIWANIE, osadnictwo, osiedlanie się, osiedlenie się, • kolonizacja, zasiedlanie,

356 **między** — **A.** POMIĘDZY, wśród, pośród, wpośród↑, w gronie, w otoczeniu,

357 **miękki** — **A.** PUSZYSTY, puchaty, wyrośnięty, • puchowy, • tapicerski, kanapowy, wyścielany, • aksamitny, atłasowy, jedwabisty, brzoskwiniowy, • koci, **B.** WIOTKI, zwiotczały, obwisły, oklapnięty↓, sflaczały↓, flakowaty↓, kłapciasty↓, kłapciaty↓, zwisający,

358 **mięknąć** — **A.** DELIKATNIEĆ, subtelnieć, rozczulać się, (roz)tajać, (s)topnieć, rozkleić się, słabnąć w postanowieniu (uporze), wyzbywać się surowości, tracić pazury, (z)łagodnieć, (z)mitygować się, • przemóc się, przymusić się, przekonać się do, • stulić uszy, (s)pokornieć, (s)potulnieć, kłaść uszy po sobie, spuścić z tonu, inaczej zaśpiewać, • zniewieścieć, zbabieć, **B.** FLACZEĆ, tracić sztywność (twardość\sprężystość), gubić szorstkość (ostrość), stępiać się (ostrze), • pulchnieć, od\rozlmięknąć, rozmiękczyć się, rozmoknąć, rozmakać, rzednąć, rzednieć, rozpaćkać się,

359 **mięso** — **A.** PÓŁTUSZA, mięsiwo, pieczeń, pieczyste, udziec, udko, golonka, gicz, comber, pierś, **B.** KOTLET, kotlet schabowy, schabosszczak↓, sznycel, antrykot, befsztyk, bryzol, rumsztyk, stek, zraz, • mielony, hamburger, klops, pulpet, • filet, ryba, **C.** PODROBY, podróbki, dróbki, wnętrzności, :*jelita, kiszki, flaki, cynaderki, płucka, głowizna, móżdżek,* • kaszanka, podgardlana, **D.** WIEPRZOWINA, karkówka, schab, • wołowina, szponder, rostbef, • cielęcina, • baranina, jagnię, • dziczyzna, jelenina, • konina, **E.** DRÓB, kurczak, kurczę, broiler, kurak, • kura, kwoka, nioska, kokoszka, pularda, • kogut, kur, kapłon, • indyk, indor, indyczka, • perliczka, • kaczka, kaczor, • gęś, gąsior, • bażant, kuropatwa, kwiczoł, przepiórka, **F.** WĘDLINA, wyroby wędliniarskie, :*kiełbasa, kiełbaska, parówka, hot dog, kabanos, salami, mortadela,* • bekon, boczek, szynka, baleron, polędwica, • pasztet, pasztetowa,

360 milczeć — **A.** BYĆ CICHO, nie odzywać się, nic nie mówić, nie otwierać ust, ani piknąć, nabrać wody w usta, nie puścić pary z ust, trzymać język za zębami, sznurować usta, ● zamilknąć, wyłączyć się, przymknąć się↓, ugryźć się w język, **B.** ODEBRAĆ GŁOS, *przestań, stul pysk↓, zamknij się↓*,

361 miło — **A.** PRZYJEMNIE, (prze)sympatycznie, rozkosznie, błogo, niebiańsko, słodko, ● nastrojowo, lirycznie, poetycko, poetycznie↑, romantycznie, rzewnie, tęsknie, marzycielsko, z rozmarzeniem, marząco, ● przytulnie, swojsko, ● sielsko, sielankowo, i-dyllicznie, bukolicznie, ● dźwięcznie, ● raźno, **B.** SERDECZNIE, ciepło, ujmująco, po przyjacielsku, przyjacielsko, po bratersku, po koleżeńsku, koleżeńsko, przyjaźnie, życzliwie, po matczynemu, po ojcowsku, ● przymilająco, przymilnie, przypochlebnie, nadskakująco, ● wylewnie, z wylaniem, kordialnie, ● rozbrajająco, rozczulająco, niewinnie, ● gościnnie, ● zdrobniale, pieszczotliwie, **C.** MIŁOŚNIE, czule, z czułością, z miłością, tkliwie, pieszczotliwie, ● erotycznie, intymnie, seksualnie, fizycznie, płciowo, zmysłowo, cieleśnie,

362 miłosny — **A.** EROTYCZNY, sercowy, uczuciowy, intymny, **B.** SEKSUALNY, zmysłowy, płciowy, fizjologiczny, popędowy, ● cielesny, fizyczny, damsko męski, łóżkowy, ● rozrodczy, rodny, ● prokreacyjny,

363 miłość — **A.** KOCHANIE, zakochanie, ukochanie, rozmiłowanie, lubość, lubowanie się, eros, ● uczucie, afekt, **B.** NAMIĘTNOŚĆ, żarliwość, pasja, żar, ogień, płomień, zapał, poryw, **C.** ROMANS, flirt, miłostka, przygoda miłosna, ● amory, konkury, staranie się, ● zaloty, umizgi, zalecanki, ksiuty↓, podryw↓, **D.** ZAMIŁOWANIE, mania, nałóg, ● skłonność, dyspozycja, predylekcja, ● upodobanie, feblik, ciągoty↓, **E.** HOBBY, konik, zainteresowania, amatorstwo, ● kolekcjonerstwo, zbieractwo, kolekcjonowanie, zbieranie, gromadzenie, :*bibliofilstwo, filatelistyka, filumenistyka, numizmatyka,*

364 miły — **A.** UROCZY, przeuroczy, przemiły, urokliwy↑, czarujący, słodki, ujmujący, urzekający, zniewalający, rozbrajający, rozczulający, przyjemny, pełen wdzięku, wdzięczny, dziewczęcy, **B.** SYMPATYCZNY,

przesympatyczny, fajny↓, równy↓, morowy↓, rozrywkowy↓, ● przymilny, przylepny↓, przypochlebny, nadskakujący, komplemenciarski, ● przyjacielski, kumplowski, koleżeński, partnerski, ● serdeczny, braterski, ● czuły, tkliwy, kochający, rozkochany, rozmiłowany, ● zdrobniały, spieszczony, pieszczotliwy, ● zakochany, zadurzony↑, **C.** NASTROJOWY, liryczny, poetycki, poetyczny↑, romantyczny, ● nostalgiczny, melancholijny, tęskny↑, ● marzycielski, marzący, rozmarzony, **D.** WZRUSZAJĄCY, rozczulający, rozrzewniający, rzewny, błogi, rozkoszny, niebiański, ● ciepły, przytulny, **E.** ODURZAJĄCY, pachnący, aromatyczny, balsamiczny, wonny↑, woniejący, ● upajający, oszałamiający,

365 mistrz — **A.** WZÓR, wzorzec, ideał, o-kaz, uosobienie, wcielenie (cnót), marzenie, cud, ● idol, bożyszcze, bóstwo, półbóg, **B.** REKORDZISTA, zwycięzca, przodownik, arcymistrz, champion, orzeł, as, król, **C.** FACHOWIEC, profesjonalista, zawodowiec, specjalista, spec↓, praktyk, ekspert, konsultant, znawca, koneser, bywalec, światowiec, ● doradca, biegły (sądowy), rzeczoznawca, grafolog, ● degustator, kiper, smakosz, ● majster, rzemieślnik, fachura↓, fachman↓, złota rączka↓, majsterkowicz, majster-klepka, ● maestro, artysta, **D.** AUTORYTET, klasyk, arbiter, augur, dyktator mody, wyrocznia, alfa i omega, omnibus, chodząca encyklopedia, erudyta, poliglota,

366 młody — **A.** NIELETNI, niepełnoletni, małoletni, młodociany, **B.** NIEDOJRZAŁY, smarkaty↓, ● młodzieńczy, chłopięcy, chłopczykowaty, ● dziewczęcy, panieński, dziewiczy↑,

367 młot — **A.** MŁOTEK, punca, bijak, ubijak, ubijacz, stępor, kafar, ● taran, ● tłuczek, ● klepak, ● knypel, ● przebijak,

368 mniemać — **A.** UTRZYMYWAĆ, sądzić, uważać, myśleć, przypuszczać, być zdania, stać na stanowisku, reprezentować pogląd, wyskazywać, mieć swoje zdanie, dojść do przekonania (wniosku), interpretować, rozumieć tak a tak, *co przez to rozumiesz*, zapatrywać się, *na mój rozum*, **B.** UZNAĆ, (wy)wnioskować, wywieść wniosek, dojść do wniosku, dojść do przekonania, wierzyć, twierdzić, snuć przypuszczenia, *dajmy na to*, ubrdać (ubzdurać) sobie, uroić, **C.** WYZNAWAĆ WIARĘ, wierzyć, praktykować, **D.** MIENIĆ SIĘ, uważać (się) za, uznać (się) za, (po)czuć się kim, zaliczać (się) do, poczytywać (się) za, urosnąć we własnych oczach,

369 moczyć — A. NAWILŻAĆ, zwilżyć, napawać, nasycać, przesycać, nasączać, polewać (się), oblać (się), zlać (się), pozlewać się, spryskiwać, szprycować, natryskiwać, ochlapać, (po)pryskać, opryskać (się), prysnąć, spryskać (się), (z)rosić, (po)kropić, skrapiać (się), bryzgać, bryz(g)nąć, po\olbryzgać, • poślinić, popluć, • zapocić, • opluskać, opłukiwać, przepoić, przepajać, napuścić, napuszczać, • nawadniać, nawodnić, irygować, podlać, podlewać, • pozalewać, • maczać, umoczyć, pogrążać (się), zatapiać, (za)nurzać, chlupnąć, skąpać (się), wpaść do wody, **B.** ZAMAKAĆ, (z\za)moknąć, wilgotnieć, wilżyć (się), przemoknąć, przemakać, przemoczyć (się), pozaciekać, • nasiąknąć, przemiękać, przesiąknąć, podbiegnąć, podejść, podmoknąć, podmakać, **C.** OCIEKAĆ, spływać, ociec, lepić się od, spływać czym, ślinić się, o(b)ślinić się, opluć się, • przepocić się, zgrzać się, (s)pocić się, (s)potnieć, zlać się potem, • łzawić,

370 mokro — A. WILGOTNO, • lepko, ślisko, • grząsko, podmokle, **B.** DESZCZOWO, słotnie, słotno, dżdżysto, dżdżyście,

371 mokry — A. SPOCONY, spotniały↑, zgrzany, zziajany, • spieniony, **B.** WILGOTNY, namokły, namoknięty, zawilgły, zawilgocony, • zaparowany, zapocony, zapotniały↑, • załzawiony, zapłakany, **C.** PODMOKŁY, bagnisty, grząski, błotnisty, rozmokły, • mulisty, szlamowaty, **D.** ZMOKNIĘTY, przemoknięty, przemoczony,

372 możliwość — A. EWENTUALNOŚĆ, potencjalność, przypuszczalność, • perspektywa, widoki, rokowania, **B.** OKAZJA, sposobność, możność, sprzyjająca okoliczność, • warunki, sytuacja, • dopuszczalność, **C.** PRAWDOPODOBIEŃSTWO, szansa, atut, • ryzyko, loteria, hazard, poker, ruletka, • niebezpieczeństwo, szaleństwo, wariactwo,

373 możliwy — A. POTENCJALNY, ewentualny, niewykluczony, prawdopodobny, wirtualny, • teoretyczny, przypuszczalny, przewidywalny, hipotetyczny, • prognostyczny, futurologiczny, • domyślny, domniemany, • spodziewany, oczekiwany, przewidywany, przyszłościowy, z przyszłością, • zastrzeżony, zawarowany↑, • zapewniony, zagwarantowany, • zarezerwowany, zajęty, **B.** DOPUSZCZALNY, dozwolony, **C.** OSIĄGALNY, realny, wykonalny,

374 móc — A. POTRAFIĆ, zdołać, podołać, wydołać, sprostać, dać radę, być w stanie, uporać się, dokazać, poczuć się na siłach, umieć, **B.** *można, wolno, da się*, brać się na sposób,

375 mówca — A. RETOR, orator, krasomówca, • wykładowca, prelegent, referent, sprawozdawca, koreferent, dyskutant, przedmówca, **B.** ROZMÓWCA, interlokutor, adwersarz, oponent, polemista, interpelant, interpelator, **C.** LEKTOR, prezenter, spiker, prowadzący program, zapowiadacz, konferansjer, discjockey, **D.** GAWĘDZIARZ, bajarz, narrator, • gaduła, pleciuga, pleciuch, plotkarz, plociuch, nowinkarz, papla, papuga, • jąkała,

376 mówić — A. ARTYKUŁOWAĆ, wysławiać się, wydobyć głos, wymawiać, wypowiadać, umieć (potrafić) mówić, powiadać, mawiać, • wymówić, sformułować, wypowiedzieć, rzucić, *padły słowa, padło*, **B.** ODEZWAĆ SIĘ, ozwać się↑, zwrócić się, przemówić, zagadnąć, zacząć, zabrać głos, **C.** POWIEDZIEĆ, oświadczyć, oznajmić, orzec, wyrażać przekonanie, wygłosić zdanie, wyrazić opinię, (wy)artykułować, • wypowiedzieć się, rzec, stwierdzać, konstatować, dać do zrozumienia, wyrazić się, **D.** PRZEMAWIAĆ, wystąpić, wypowiadać się, wygłosić mowę, rozprawiać, gardłować, tokować, gębować, • rozwodzić się, prawić↓, produkować się, perorować, snuć wątek, ciągnąć, kontynuować, podchwycić, nawiązać, • zauważyć, nadmienić, wspomnieć, napomknąć, wzmiankować, potrącić o, zaznaczyć, odnotować, • przypomnieć, powtarzać, (po)wrócić, poprawić (się), podjąć, podtrzymywać, • dodać, dorzucić, • przerwać, urwać, • uciąć, skończyć, zamknąć, (s)pointować, (s)puentować, konkludować, reasumo-

wać, podsumować, E. GADAĆ, truć, dywa-
gować, żonglować frazesami, ględzić, lać
wodę, nudzić, rozwałkowywać, marudzić,
• paplać, mówić co ślina na język przynie-
sie, strzępić sobie język, klepać trzy po trzy,
wygadywać, wyplatać, • trajlować, trajkotać, klekotać, pytlować, szczebiotać, mleć
językiem, nadawać, chlapać ozorem, trzepać językiem, rozszczebiotać się, roztrajkotać się, terkotać, gdakać, gęgać, rozpuścić
ozór, młócić słomę, • palnąć, strzelić, wypalić, *wyrwało mu się, wyrwał się jak Filip
z konopi, wypsnęło się,* chlapnąć, wyskoczyć z, wyrwać się, wyjeżdżać z, *język
świerzbi,* • bzdurzyć, pleść, bajać, bajdurzyć, bajtlować, bredzić, chrzanić↓, piep-
rzyć↓, pierniczyć↓, pierdolić↓, • przeklinać,
(za)kląć, bluznąć, rzucać mięsem, świntuszyć, kląć w żywy kamień, kląć na czym
świat stoi, rąbnąć, F. JĄKAĆ SIĘ, zacinać
się, łamać sobie język, gulgotać, *język się
plącze,* szwargotać, mamlać, mamłać,
pieścić się, spieszczać, seplenić, • grypsować, • zaciągać, mówić z (obcym) akcen-
tem, • pomrukiwać, (wy)mamrotać,
(po)mruczeć, (wy)bąkać, (wy)cedzić, wykrztusić, • wydukać, wycharczeć, (wy)ją-
kać, (wy)gęgać, (wy)bełkotać, wyskamłać,
wyszeptać, wydusić, wyrzucić z siebie,
jęknąć, stęknąć, • pisnąć, piać, chrypieć,

377 mścić się — A. ODEGRAĆ SIĘ, odgrywać się, (z)rewanżować się, porachować się, oddać wet za wet, brać odwet,
wziąć rewanż, odpłacić tą samą monetą,
zwalczać kogoś jego własną bronią, pomścić (się), zemścić się, oddać (odpłacić) pięk-
nym za nadobne, robić użytek z,

378 musieć — A. BYĆ ZMUSZONYM, być
zobowiązanym, mieć obowiązek, czuć się
w obowiązku, nie mieć alternatywy, nie
mieć innego wyjścia, mieć nóż na gardle,
B. POWINIEN, *powinna, powinno (się),
trzeba, przyjdzie, należy, pozostaje, warto,
zdałoby się,*

379 muzyka — A. MELODIA, nuta, mu-
zyczka, • akompaniament, wtórowanie,
chórek↓, • podkład muzyczny, • przygrywka, tusz, capstrzyk, fanfary, • granie, śpie-
wanie, • muzyka klasyczna, klasyka, • jazz,
• muzyka rozrywkowa, muzyka młodzieżo-
wa, :*mocne uderzenie, big beat, pop, dis-*

*co, rock, rock and roll, folk, country, reggae,
hard rock, heavy metal,* B. KOMPOZYCJA,
utwór, :*opera, operetka, dramat muzyczny,
oratorium, chorał, kantata, recytatyw, sym-
fonia, koncert, fuga, miniatura, impromptu,
capriccio, scherzo, fantazja,* • komponowa-
nie, kontrapunkt, • kawałek↓, nagranie,
standard (muzyczny), C. WOKALISTYKA,
śpiew, pienie↑, trele↓, koloratura, canto,
wokal, • aria, duet, dwugłos, dialog, •
pieśń, hymn, kancona, kantyk, kantylena, •
song, • piosenka, przyśpiewka, dumka, kołysanka, kolęda, pastorałka, piosnka, przyś-
piew, refren, suplikacje↑, • chór, D. KAME-
RALISTYKA, muzyka kameralna, :*duet,
duo, trio, kwartet, kwintet, sekstet, septet,
oktet,* • orkiestra, kapela, zespół, grupa, ka-
pela↓, big band, jazz band, band,

380 myjka — A. ZMYWAK, gąbka, ścierka,
szmata, gałgan, ściereczka, szmatka, gał-
ganek, ircha, skurzawka, B. SZCZOTKA,
szczoteczka, druciak, kardacz, drapak, •
miotła, miotełka, zmiotka, • odkurzacz, ele-
ktroluks, • froterka,

381 mylić — A. POMYLIĆ, mieszać, plątać,
nie rozróżniać, utożsamić, brać a za b, uważać a za b, wziąć za, identyfikować, stawiać
między a i b znak równości, • troi mu się
w oczach, źle ocenić (obliczyć), przesłyszeć się, B. MYLIĆ SIĘ, nie mieć racji, roz-
mijać się z prawdą, błądzić, gonić w piętkę,
zakałapućkać się, być w błędzie, • chybić,
trafić jak kulą w płot, (s)pudłować, • odstawać, kłócić się, kolidować, nie pasować, •
strzelić gafę, stawiać na głowie, • uślicz-
nić, przypiąć kwiatek do kożucha, C. POTK-
NĄĆ SIĘ, o\polmylić się, popełniać omyłkę,
zrobić błąd, rypnąć się↓, *noga się powinęła,*
potykać się, • przejęzyczyć się, kaleczyć język, seplenić, szadzić, • fałszować, (s)kik-
sować, skusić, spalić, sypnąć się, plątać
się, gubić myśl, tracić wątek, (po\z)gubić
się, tracić rachubę, D. OSZUKAĆ SIĘ, nabrać się, złapać się, dać się nabrać (złapać)
na, naciąć się, ponacinać się, okpić się,
pójść (chwycić się) na lep, kupować kota
w worku, • połknąć haczyk, kupić, wziąć za
dobrą monetę, E. PRZELICZYĆ SIĘ, przerachować się, rąbnąć się↓, przejechać się
na↓, przepłacić, F. PÓŹNIĆ SIĘ, spóźniać
się, śpieszyć się, • przekłamać, dać błędny
wynik,

382 **myśl** — **A.** IDEA, pojęcie, wyobrażenie, kategoria, ideał, absolut, abstrakcja, ● pomysł, koncept, plan, koncepcja, ● natchnienie, inspiracja, muza, wena, ● olśnienie, iluminacja, ● objawienie, ukazanie się, epifania, ● refleksja, **B.** POGLĄD, ideologia, przekonania, poglądy, zapatrywania, światopogląd, nadbudowa↑, ● postawa, stanowisko, nastawienie, ustosunkowanie się do, podejście, ● uproszczenie, skrót myślowy, ● stereotyp, przesąd, szablon, klisza↑, **C.** MYŚLI, rozważania, przemyślenia, refleksje, ● wniosek, konkluzja, przesłanie,

383 **myśleć** — **A.** POMYŚLEĆ, zastanawiać się, zachodzić w głowę, namyślać się, skupić myśli, skupić się, skoncentrować się, pozbierać myśli, ● rozmyślać, (po)dumać, kontemplować, (po)medytować, zadumać się, zamyślić się, przemyśliwać, **B.** ROZUMOWAĆ, intelektualizować, (po)filozofować, generalizować, spekulować, teoretyzować, postawić hipotezę, przyjąć założenie, (wy)dedukować, syntetyzować, uogólniać,

385 **nabiał** — **A.** BIAŁKO, proteiny, ● ser, :*biały ser, twaróg, twarożek, serek, bryndza, oscypek, buncol,* ● żółty ser, ser szwajcarski, **B.** MLEKO, zsiadłe mleko, kwaśne mleko, kefir, jogurt, żętyca, kumys, maślanka, serwatka, ● śmietanka, kremówka, śmietana, **C.** JAJKO, jajko na miękko, jajko na twardo, jajko sadzone, jajecznica, ● pisanka, kraszanka↑,

386 **naczynie** — **A.** NACZYNIA, statki↑, serwis, porcelana, porcelit, fajans, kamionka, ceramika, szkło, ● zastawa (stołowa), srebra, ● nakrycie, **B.** KUBEK, garnuszek, filiżanka, czarka, kokilka, ● szklanka, kieliszek, kufel, ● kielich, puchar, czara, czasza, roztruchan↑, **C.** TALERZ, menażka, ● spodek, talerzyk, podstawka, podkładka, ● półmisek, salaterka, kompotiera, patera, ● cukiernica, miseczka, **D.** MISA, makutra, dzieża, donica, doniczka, ● muszla, koncha, **E.** DZBAN, amfora, kruża, waza, ● gliniak, siwak, garniec, gar, **F.** GARNEK, gar, kocioł, kociołek, sagan, rondel, rondelek, patelnia,

zgłębiać, rozważać, ważyć, roztrząsać, rozpatrywać, asocjować, kojarzyć, wiązać, korelować, **C.** OBMYŚLAĆ, (wy)koncypować, obmyśliwać, domyśleć, ruszyć głową (rozumem), wpaść na pomysł, *głowa pracuje,* (po)głowić się, główkować, kalkulować, brać na rozum, łamać sobie głowę, *przyszło mi do głowy,* (po\wy)kombinować,

384 **myślenie** — **A.** ROZUMOWANIE, sposób myślenia, wysiłek intelektualny, praca myślowa, ● koncentracja, skupienie, uwaga, ● koncypowanie, wnioskowanie, inferencja, indukcja, dedukcja, analiza, synteza, ● konceptualizacja, ● generalizacja, uogólnienie, rozszerzenie, indukcjonizm, **B.** ROZWAŻANIE, rozmyślanie, zastanawianie, przemyśliwanie, deliberowanie, deliberacja, spekulacja, spekulacje, przeanalizowanie, analizowanie, ● rozpamiętywanie, kontemplacja, zamyślenie, zaduma, zadumanie, medytacja, ● namysł, rozwaga, rozmysł, refleksja, zastanowienie, ● opamiętanie, zastanowienie się, namyślenie się, autorefleksja,

N

brytfanna, ● czajnik, imbryk, imbryczek, **G.** SITO, cedzak, przetak, rzeszoto, durszlak, ● filtr, cedzidło, sączek, osadnik,

387 **nadmiar** — **A.** NADWYŻKA, nadpłata, superata, ● nadpodaż, nadprodukcja, ● przeciążenie, przeładowanie, ● przeludnienie, ● naddatek, zakładka, **B.** NADWAGA, otyłość, tęgość, klocowatość, grubość, tusza, korpulencja, pulchność, okrągłość, krągłość, pełność (kształtów), kalorie (zbędne), **C.** ZBYTEK, luksus, ● przesyt, przesycenie, przerost, wybujałość, ● przepych, obfitość, bujność, feeria, bogactwo, dostatek, okazałość, reprezentacyjność, świetność, wystawność, zbytkowność, barokowość, ● wspaniałość, nadzwyczajność, niezwykłość, ● bajeczność, fantastyczność, **D.** PRZESADA, przesadność, przesadzanie, przerysowanie, przejaskrawienie, wyolbrzymianie, egzageracja, przebranie miary, przeholowanie, szarżowanie, przegięcie,

388 **nadmierny** — **A.** ZBYTNI, nieumiarko-

wany, przesadny, rozbuchany↓, ● wygórowany, przesadzony, zawyżony, wyśrubowany, paskarski↓, maksymalistyczny, ● słony↓, B. NIEWSPÓŁMIERNY, nieproporcjonalny, nieporównywalny, C. CHOROBLIWY, niezdrowy, patologiczny, ● paniczny, ● nadwrażliwy, nadczuły, przeczulony, przewrażliwiony, drażliwy, mimozowaty↑, ● nadgorliwy, D. RAŻĄCY, wyzywający, jaskrawy, papuzi↑, krzyczący, krzykliwy, ● drastyczny, prowokacyjny, E. PRZECIĄŻONY, przeładowany, przepełniony, ● przeludniony,

389 nadzieja — A. UFNOŚĆ, wiara, ● przeświadczenie, ● przypuszczenie, oczekiwania, ● zaufanie, zawierzenie, dyskrecja, B. OTUCHA, pociecha, pocieszenie, pokrzepienie, osłoda, balsam, ● ulga, ukojenie, uśmierzenie, ● optymizm, pogoda ducha, dobra myśl,

390 naganny — A. NIEDOPUSZCZALNY, karygodny, skandaliczny, ● sławetny, niezaszczytny, niechwalebny, B. NIESTOSOWNY, niewczesny↑, niezręczny, niedyplomatyczny, niedyskretny, ● zawstydzający, żenujący, żałosny, kompromitujący, obciachowy↓, ● niski, nieszlachetny, nieprawy↑, ● niemoralny, nieetyczny, ● grzeszny, ● upadły, C. NIEGODZIWY, amoralny, podły, nikczemny, występny↑, wyrodny, niegodny, haniebny, niecny↑, drańki↓, jaszczurczy↑, ● szujowaty↓, świniowaty↓, gadzinowaty↓, zołzowaty↓, ● wstrętny, szkaradny, obrzydliwy, D. OBRAŹLIWY, uwłaczający, ubliżający, obelżywy, bluźnierczy, oszczerczy, szkalujący, paszkwilancki, paszkwilowy,

391 nagle — A. RAPTOWNIE, gwałtownie, ● raptem, znienacka, bez uprzedzenia, niespodziewanie, niespodzianie, nieoczekiwanie, nieprzewidzianie, zaskakująco, ● naraz, wtem, z nagła, jak grom z jasnego nieba, ni stąd ni zowąd, b.dyscyplinarnie, karnie, za karę,

392 nagły — A. RAPTOWNY, gwałtowny, alarmowy, B. NIESPODZIEWANY, niespodziany, nieprzewidziany, nieoczekiwany, zaskakujący, sensacyjny↓, ● nadspodziewany, pilny, napięty, terminowy, gardłowy↓, nie cierpiący zwłoki, naglący, palący, nabrzmiały, ● natychmiastowy, bezzwłocz

ny, niezwłoczny, momentalny, piorunujący, doraźny,

393 nago — A. BEZ UBRANIA, goło, na golasa, na waleta↓, sauté↓, B. BOSO, na bosaka, bez butów,

394 nagroda — A. WYGRANA, główna wygrana, grand prix, pierwsze miejsce, złoty medal, złoto, srebrny medal, brązowy medal, ● nagroda pocieszenia, B. ODZNACZENIE, order, medal, krzyż, gwiazda, odznaka, laur, laury, ● wyróżnienie, pochwała, dyplom, puchar, premia, C. ODSZKODOWANIE, rekompensata, zadośćuczynienie, ● wyrównanie, kompensata, kompensacja, zrównoważenie, rewaloryzacja, indeksacja, refundacja, zwrot kosztów, indemnizacja↑, ● satysfakcja, ● wynagrodzenie, nawiązka, gratyfikacja, bonus, ● reparacje (wojenne),

395 naiwność — A. ŁATWOWIERNOŚĆ, prostoduszność, bezkrytycyzm, bezkrytyczność, zaślepienie, infantylizm, infantylność, zdziecinnienie, zdziecinniałość, dziecinność, dziecięcość, dziecinada, B. NAIWNIACTWO, hurraoptymizm, donkiszoteria, frajerstwo, ● idealizm, harcerstwo,

396 najemny — A. PŁATNY, ● kondotierski, B. MIANOWANY, nadany, komisaryczny, C. BEZROBOTNY, bez pracy, ● nie zatrudniony,

397 napadać — A. ZACZEPIAĆ, nie przepuścić, chuliganić, czupurzyć się, ● prowokować, szurać↓, fikać↓, zadzierać, szykować się na, podskoczyć, podskakiwać, ● sfaulować, ● napaść, (za)atakować, najść, nachodzić, ● targnąć się, rzucić się, porwać się, skoczyć, godzić na czyjeś życie, podnieść rękę na, ● *bierz go*, B. UDERZAĆ, naprzeć, napierać, runąć, nacisnąć, natrzeć, nacierać, ruszać do natarcia, przypuszczać (przypuścić) atak, szarżować, szturmować, ostrzelać, ostrzeliwać (się), przestrzeliwać się, bombardować, częstować↓, potraktować, ● rozegnać, rozpędzić, rozproszyć, C. OTOCZYĆ, opaść, okrążyć, oskrzydlać, flankować, osaczyć, przeciąć odwrót, oblec, oblegać, brać we dwa ognie, ● wtargnąć, najechać, najeżdżać, desantować,

398 napinać — A. NACIĄGAĆ, odciągać,

naprężać, rozciągnąć, rozrywać, prężyć (się), sprężyć (się), rozprężyć, nagiąć, naginać, wytężać, usztywniać, prostować, ● zebrać się w sobie,

399 napój — **A.** NAPÓJ BEZALKOHOLOWY, zimny napój, napój orzeźwiający, :*oranżada, lemoniada, podpiwek, kwas chlebowy, cola, tonik, woda mineralna, woda sodowa, bąbelki↓*, ● napitek, napitka, poidło, **B.** PICIE, sok, nektar, syrop, ● herbata, bawarka, ● kawa, mała czarna, pół czarnej, ● kakao, czekolada (płynna), ● lura, cienkusz, rzadzizna,

400 naprawić — **A.** NAREPEROWAĆ, (po)naprawiać, (pod\po)reperować, wy\zlreperować, ● uruchomić, odblokowywać, przywrócić sprawność, pousuwać wady, odszykować, ● odmagnesować, ● prostować, **B.** KONSERWOWAĆ, (od)restaurować, (od\wy)remontować, (re)waloryzować, ● odnowić, odświeżyć, ● odmalować, ● bieżnikować, **C.** ŁATAĆ, połatać, (po)cerować, zaszyć, zacerować, pozaszywać, pozeszywać, ● podzelować, ● pokleić, pozalepiać, pozlepiać, drutować, ● pozalewać, pozatapiać, (po)lutować, ● pozasypywać, powyrównywać, ● plombować, powypełniać, **D.** OBETKAĆ, obtykać, zatkać, utkać, opatrzyć, ofutrować, uszczelniać, hermetyzować,

401 narodziny — **A.** POCZĘCIE, zapłodnienie, inseminacja, ● zajście w ciążę, ciąża, brzemienność↑, błogosławiony stan↑, **B.** POWICIE, poród, rozwiązanie, cesarskie cięcie, ● urodzenie (się), rodzenie się, lęg, wylęg, wylęganie (się), ● zrodzenie, spłodzenie, prokreacja, ● rozmnażanie się, rozród,

402 naruszać — **A.** IGNOROWAĆ, ominąć, omijać, obejść, lekceważyć, bimbać, gwizdać na, kichać na, ● podeptać, (z)deptać, (z)łamać, przekroczyć, przekraczać, zerwać, (po)gwałcić, **B.** POPEŁNIĆ, dopuścić się, splamić się, wykroczyć, wyrządzić, zbrukać się, urągać prawu, przewinić, uchybić, (z)grzeszyć, godzić w, ● zbroić, zmajstrować, zmalować, nawarzyć piwa, przeskrobać, spsocić, obrazić (obrażać) moralność, ● oszukiwać, filować, ● faulować,

403 następować — **A.** WYNIKNĄĆ, wszcząć się, (wz\z)budzić się, zawiązać się, wdać się, zacząć się, rozpocząć się, ● nastawać, zaznaczyć się, zapadać, zaczynać się, wschodzić, *bierze (chwyta) mróz*, (z)łapać, **B.** NASTAĆ, zajść, zachodzić, wystąpić, dać o sobie znać, odezwać się, przypadać, nadejść, przyjść, *dobiegła północ, dochodzi południe*, nastąpić, pojawić się, począć się, zapaść, ● podnieść się, wybuchnąć, zerwać się, **C.** ZDARZYĆ SIĘ, wydarzyć się, stać się, trafiać się, wypaść, dojść do skutku, ● dokonać się, *stało się, tak się składa, tak się złożyło*, dopełnić się, spełnić się, *stało się zadość czemuś*, sprawdzić się, *los sprawił, spotkało go szczęście*, **D.** NADARZYĆ SIĘ, przytrafić się, spaść na, dziać się, nawinąć się, nastręczyć się, nasunąć się, nawiedzić, dotknąć,

404 nastrój — **A.** ATMOSFERA, klimat, ● humor, samopoczucie, usposobienie, ● nuta, nastrojowość, poetyczność, romantyczność, romantyka, romantyzm, ● przytulność, kameralność, intymność, urokliwość, **B.** POWAGA, odświętność, uroczysty charakter, ● patos, patetyczność, górność, podniosłość, wzniosłość, ● sublimacja, uwznioślenie, uszlachetnienie,

405 naśladować — **A.** WZOROWAĆ SIĘ, brać za wzór, brać wzór z, brać przykład, papugować, pójść za przykładem, przejmować, iść w ślady, kroczyć utartą drogą, zapożyczyć, ● upodobnić się, przebrać (się), ucharakteryzować (się), **B.** UPODABNIAĆ, imitować, skopiować, symulować, (pod\wy)stylizować, ustylizować (się), wzorować na, ● formalizować, geometryzować, ● kontrapunktować, ● historyzować, archaizować, antykizować, klasycyzować, mitologizować, mityzować, ● udramatyzować, ● epizować, hieratyzować, ● fabularyzować, beletryzować, ● psychologizować, ● ideologizować, upolityczniać (się), radykalizować (się), rewolucjonizować się, socjalizować, komunizować, skomunizować się, ● faszyzować, ● feminizować, ● klerykalizować, ● skomercjalizować się, **C.** PODPATRZYĆ, ściągnąć, pościągać, popełnić plagiat, przepisać, przenieść, od\slpisać, pospisywać, odwalić, ● skompilować, **D.** MAŁPOWAĆ, przedrzeźniać, (s)parodiować, (s)trawestować, karykaturować, ● uderzyć w jakiś ton, zagrać na jakąś nutę, wejść w (jakąś) rolę, **E.** PRZYPOMINAĆ, wykazywać podobieństwo, być podobnym, wrodzić się, dziedziczyć, wdać się, być w czyimś duchu (stylu), skojarzyć się, • graniczyć, ocierać się o, dosięgać, osiągać zbieżność, zbliżać się do, wpadać w, sąsiadować, • zatrącać, trącić, zalatywać, • jechać na tym samym wózku, być w tym samym wieku,

406 naśladowca — **A.** EPIGON, pogrobowiec, plagiator, **B.** IMITATOR, • papuga↓, małpa↓,

407 natręctwo — **A.** NATARCZYWOŚĆ, obsesyjność, nieustępliwość, dokuczliwość, **B.** NACHALNOŚĆ, namolność, narzucanie (się), napraszanie się, wpraszanie się, naprzykrzanie się, • dokuczanie, nudzenie, marudzenie, nudziarstwo,

408 naturalnie — **A.** BIOLOGICZNIE, dziedzicznie, genetycznie, • z natury, w sposób naturalny, z przyrodzenia, • siłami natury, drogą naturalną, • w warunkach naturalnych, in vivo↑,

409 nauczanie — **A.** EDUKACJA, koedukacja, • wykształcenie, studia, • nauka, wkuwanie↓, kucie↓, **B.** KSZTAŁCENIE, oświata, szkolnictwo, kaganek oświaty, • alfabetyzacja, • krzewienie, popularyzacja, rozpowszechnianie, propagowanie, głoszenie, nagłośnienie, uprzystępnianie, popularyzowanie, • misjonarstwo, nawracanie, **C.** DYDAKTYKA, wychowanie, pedagogika, kształtowanie, • dydaktyzm, moralizowanie, kaznodziejstwo, • pouczanie, instruowanie, • poradnictwo, porady, **D.** SZKOLENIE, przeszkolenie, dokształcenie, kursokonferencja, kurs, wszechnica↑, • lekcja, godzina (lekcyjna), • ćwiczenia, lektorat, zajęcia, proseminarium, seminarium, konwersatorium, wykład, • praktyka, aplikacja, • przysposobienie, instruktaż, • korepetytorstwo, dokształt↓, • korepetycje, lekcje, komplety, konwersacje, korki↓,

410 nauczyciel — **A.** DYDAKTYK, pedagog, wychowawca, opiekun, pan↓, • profesor, doktor, wykładowca, prowadzący, adiunkt, asystent, lektor, egzaminator, nauczyciel akademicki, • instruktor, demonstrator, trener, katecheta, • mentor, belfer↓, ba-

kałarz↑, korepetytor, • profesura, grono (profesorskie), rada pedagogiczna, **B.** MISTRZ, przewodnik, cicerone, przywódca duchowy, ideolog, popularyzator, cywilizator, krzewiciel, głosiciel, szerzyciel, propagator, apostoł, misjonarz, • rebe, guru,

411 naukowy — **A.** AKADEMICKI, uniwersytecki, • uczelniany, teoretyczny, • doktorski, **B.** ŚCISŁY, analityczny, logiczny, • scjentystyczny, **C.** KSZTAŁCĄCY, pouczający, rozwijający, • instruktywny, kompendialny, encyklopedyczny, podręcznikowy, • przekrojowy, retrospektywny, przeglądowy, • uogólniający, syntetyczny, podsumowujący, zbiorczy, • całościowy, systemowy, kompleksowy, holistyczny, wszechobejmujący, **D.** PORÓWNAWCZY, konfrontatywny↑, komparatystyczny↑, komparatywny↑, **E.** FILOLOGICZNY, językowy, • lingwistyczny, językoznawczy, • literaturoznawczy, historycznoliteracki,

412 nawóz — **A.** POŻYWKA, agar, • drożdże, • obornik, gnój, łajno, guano, kompost, **B.** PESTYCYDY, herbicydy, środki ochrony roślin, środki owadobójcze,

413 nawrót — **A.** POWRÓT, ponowienie (się), recydywa, nawrócenie, bumerang, • powtarzalność, iteracja, • częstotliwość, częstość, frekwencja, • powtórzenie (się), dziedziczność, dziedziczenie, atawizm, • wznowienie, podjęcie, **B.** CYKLICZNOŚĆ, periodyczność, okresowość, • regularność, systematyczność, rytmiczność, • rytm, puls, tętno, **C.** POWTÓRKA, geminacja, bis, • bliźniak, sobowtór, klon, imiennik, **D.** NAWYK, przyzwyczajenie, nałóg, rutyna, sztampa, automatyzm, • zwyczaj, obyczaj, moda, styl,

414 nazwa — **A.** MIANO, nazwanie, określenie, epitet, • definicja, termin, pojęcie, • nazewnictwo, oznakowanie, znakowanie, terminologia, nomenklatura, • imię, nazwisko, godność, nazwisko panieńskie, nazwisko rodowe, • przezwisko, przydomek, pseudonim, pseudo, ksywka↓, **B.** DEFINIOWANIE, nazywanie, oznaczanie, desygnowanie, wyznaczanie, zdefiniowanie, **C.** TYTUŁ, zatytułowanie, intytulacja, • podtytuł, przedtytuł, • nagłówek, napis, szyld,

415 nazwać — **A.** NAZYWAĆ, zwać, wołać, podać tytuł, wymienić nazwę, ● nadać imię, ochrzcić, dać miano, mienić, określić słowem, opatrzyć mianem, znaleźć termin, ukuć nazwę, zdefiniować pojęcie, (za)tytułować, **B.** IDENTYFIKOWAĆ, ● etykietować, kolczykować, metkować, **C.** NAZYWAĆ SIĘ, zwać się, mieć na imię (nazwisko), nosić imię (nazwę), przyjąć miano, przybrać nazwisko, ● wabić się, **D.** OBWOŁYWAĆ SIĘ, mianować się, ogłaszać się, proklamować się, podawać się za, ● tytułować się, **E.** PRZEZWAĆ, przezywać, dać przezwisko, przypiąć łatkę, opatrzyć epitetem (etykietą), ● obwołać, okrzyczeć, okrzyknąć,

416 nerwowy — **A.** POBUDLIWY, impulsywny, zapalczywy, **B.** NIESPOKOJNY, niecierpliwy, znerwicowany, nadpobudliwy, ● defetystyczny, minorowy, fatalistyczny, **C.** NIEOPANOWANY, spazmatyczny, ● kurczowy, paroksyzmowy, konwulsyjny, drgawkowy, epileptyczny, ● rozbiegany, rozlatany, ● rozhisteryzowany, panikarski, **D.** NERWICOWY, neurotyczny,

417 nicość — **A.** NIEBYT, nieistnienie, ● próżnia, pustka, pustota, ● dno, czeluść, otchłań, **B.** NIC, nikt, figa (z makiem), zero, nul, pudło, **C.** MARNOŚĆ, bezwartościowość, bezużyteczność, nieprzydatność, martwa litera, ● jałowość, czczość,

418 nie — **A.** NIEKONIECZNIE, nie bardzo, nie całkiem, ● czyżby, azali↑, zali↑, **B.** BYNAJMNIEJ, ale skąd, skąd, skądże znowu, gdzie tam, gdzież tam, ajuści↑, dobrze by było↓, akurat↓, jeszcze czego↓, myślałby kto↓, dobre sobie↓, **C.** WYKLUCZONE, nie ma mowy, nic z tego, absolutnie nie, pod żadnym pozorem, za żadne skarby, za nic w świecie, wcale, ● ani, ni↑, nawet, ani nawet, ● nie sposób, nie ma jak, niepodobna, **D.** WOLNEGO↓, bez przesady, zaraz zaraz, hola↑, pomalutku↓, chwila moment↓, powolutku, momencik, cierpliwości, spokojnie, spoko↓, **E.** NIESTETY, cóż, trudno, żal, szkoda, **F.** PRECZ, a kysz, kysz, won↓, wynocha, fora ze dwora↑, **G.** PRÓCZ, oprócz, poza, z pominięciem, pomijając, z wyjątkiem, za wyjątkiem, z wyłączeniem, nie licząc, **H.** PRZECIW, kontra,

419 niebezpieczeństwo — **A.** ZAGRO-

ŻENIE, szkodliwość, ● groza, groźba, miecz Damoklesa, ● pogróżka, grożenie, zastraszanie, **B.** RYZYKO, ryzykowność, karkołomność, brawurowość, ● katastroficzność, złowieszczość,

420 niebezpieczny — **A.** SZKODLIWY, groźny, zagrażający, ● śmiercionośny, zabójczy, śmiertelny, ● trujący, toksyczny, zatruty, ● zaraźliwy, zakaźny, infekcyjny, ● epidemiczny, ● gnilny, rozkładowy, **B.** NISZCZYCIELSKI, burzycielski, ● niszczący, **C.** KRYZYSOWY, impasowy, stagnacyjny, ● krytyczny, ciężki, poważny, trudny, podbramkowy↓, **D.** RYZYKOWNY, szalony, brawurowy, zuchwały, karkołomny, szaleńczy, samobójczy, pokerowy↓, ● awanturniczy, ryzykancki, ● niepewny, zdradliwy,

421 niebo — **A.** NIEBIOSA, raj, królestwo niebieskie, życie wieczne, ● wysokości, **B.** NIEBOSKŁON, sklepienie niebieskie, firmament, kosmos, ● kosmogonia, kosmonautyka, astronautyka, ● wszechświat, czasoprzestrzeń, ● przestworza, ● gwiazdy, zodiak, **C.** SKLEPIENIE, kopuła, czasza, ● zwieńczenie, korona, ● sufit, strop, pułap, powała, plafon,

422 nieboszczyk — **A.** ZMARŁY, umarły, poległy, zabity, ofiara zabójstwa, ● denat, :*samobójca, wisielec, topielec,* ● trup, truposz↓, umarlak↓, umrzyk↓, **B.** ZWŁOKI, ciało, ● prochy, szczątki, ● kościotrup, szkielet, mumia, ● padlina, ścierwo,

423 niech — **A.** NIECHAJ↑, niechajże↑, niechże, gdybyż, oby, obyż, **B.** TYLKO, wystarczy że, dość że,

424 niechęć — **A.** NIEŻYCZLIWOŚĆ, nieprzychylność, niełaska, ● antypatia, idiosynkrazja↑, ● niepopularność, niechodliwość, **B.** ODRAZA, wstręt, pogarda, wzgarda, awersja, abominacja, repulsja, obrzydzenie, jadłowstręt, ● odium, niesmak, obmierzłość, **C.** UPRZEDZENIE, nietolerancja, nietolerancyjność, niewyrozumiałość, niezrozumienie, ● europocentryzm, nacjonalizm, szowinizm, ● ksenofobia, rasizm, antysemityzm, ● faszyzm, hitleryzm, nazizm, **D.** SPRZECIW, oburzenie, zgorszenie, wzburzenie, ● agresja, nienawiść, zazdrość, zawiść,

425 **niechętnie** — A. OPORNIE, z ociąganiem, opieszale, ● z konieczności, nierad, rad nie rad, chcąc nie chcąc, B. LENIWIE, leniwo↑, ospale, sennie, apatycznie, niemrawo, gnuśnie, zgnuśniale, C. LEKCEWAŻĄCO, z lekceważeniem, bez szacunku, nonszalancko, niedbale, od niechcenia, półgębkiem, pobłażliwie, protekcjonalnie, pogardliwie, z pogardą, wzgardliwie, ze wzgardą, D. NIEPRZYCHYLNIE, negatywnie, z dezaprobatą, wrogo, ● z wyrzutem, potępiająco, ● odmownie, przecząco, ● krytycznie, polemicznie, E. ZACHOWAWCZO, konserwatywnie, tradycjonalistycznie, ortodoksyjnie, prawowiernie,

426 **nieciekawie** — A. NIEINTERESUJĄCO, niezajmująco, ● nudno, nudnie, nudnawo, nużąco, męcząco, przydługo, rozwlekle,

427 **niecierpliwość** — A. ZNIECIERPLIWIENIE, rozdrażnienie, ● gorączkowość, pośpiech, falstart, B. PORYWCZOŚĆ, krewkość, impulsywność, popędliwość, zapalczywość, wybuchowość, gwałtowność, burzliwość, ekspansywność, ● nerwowość, podenerwowanie, poirytowanie, nieopanowanie, wzburzenie, wrzenie, ferment, C. PODNIECENIE, napięcie, naprężenie, ● podekscytowanie, ekscytacja, emocja, emocje, uczucia, ● poruszenie, ożywienie, aktywizacja, D. CZEKANIE, wyczekiwanie, wypatrywanie, wyglądanie, przestępowanie z nogi na nogę,

428 **nieczynny** — A. ZAMKNIĘTY, zablokowany, ● zatkany, niedrożny, ślepy, ● nieprzejezdny, zatarasowany, B. ZGASZONY, wyłączony,

429 **nieczystości** — A. ŚMIECI, ● papierzyska, makulatura, ● gruz, ● śmieć, lump, gałgan, łata, szmata, łachman, ● staroć, szpargał, rupieć, grat, ruina, złom, rzęch↓, fajans↓, demobil, ● śmietniczka, kubeł, kosz na śmieci, śmietnik, popielniczka, ● śmietnisko, wysypisko, złomowisko, B. BRUDY, zanieczyszczenia, ● pomyje, zlewki, popłuczyny, ● zanieczyszczenie, brud, plama, kleks, plamka, kropka, punkt, zaciemnienie, ● błoto, błocko, ● kurz, pył, paproch, paprochy, ● zanieczyszczenie/zatrucie (środowiska), zapylenie, zadymienie, C. ODPADY, odpad, odpadki, odrzuty, ● obierki, obierzyny,

łupiny, skórki, ● skrawek, okrawek, wykrawek, ścinek, zrzynek, obrzynek, obcinek, ● wióry, trociny, opiłki, strużyny, ostrużyny, otręby, plewy, ● pakuły, ● resztka, resztki, ● kawałek, ochłap, ogarek, ogryzek, odpadek, D. ODCHODY, fekalia, ekskrementy, ● flegma, plwocina, śluz, smarki, gil↓, glut↓, koza↓, ● wydzielina, wypływ, upławy, ● wymiociny, rzygi↓, paw↓, ● łajno, gnój, mierzwa, bobki, ● stolec, kał, kupa↓, gówno↓, sraczka↓, ● mocz, uryna, siki↓, siśki↓, siuśki↓, szczochy↓, szczyny↓,

430 **niedbały** — A. NIEPORZĄDNY, niechlujny, niestaranny, ● partacki, fuszerski, B. ZANIEDBANY, flejtuchowaty, szmatławy, zapuszczony, zapyziały↓, zapluty↓, ● zarośnięty, nie ogolony, ● rozmamłany↓, porozpinany, rozchełstany,

431 **niedołęga** — A. NIEZDARA, niezguła, niedorajda, ślamazara, fajtłapa, gapa, gamoń, niedojda, safanduła, ciamajda, ciemięga, noga↓, oferma, fujara↓, trąba↓, fafuła↓, faja↓, ciapa, cielę, ciepłe kluchy, lelum polelum, ● ofiara losu, kaleka życiowy, cztery litery, dupek↓, dupa↓, pierdoła↓, kapcan, B. ŁAMAGA, patałach, ● maruder, maruda, guzdralski, guzdrała, ● niemrawiec, flegmatyk, lunatyk, somnambulik, ● mimoza, niemota, mumia, ● mazgaj, płaksa, beksa, beksa lala↓, mazepa, płaczka, C. POPYCHADŁO, marionetka, pionek, manekin, kukła, ● frajer, neptek, płotka, figurant, hetka-pętelka, pętak, chłoptyś, ● kutafon↓, patafian↓, palant↓, ● mięczak, pantoflarz, ● eunuch, kastrat, kapłon, trzebieniec↑, rzezaniec↑, wałach↓, impotent, ● naiwniak, prawiczek, ● poczciwiec, poczciwina,

432 **niedołęstwo** — A. NIEZDARNOŚĆ, nieudolność, ociężałość, indolencja, ● niezgulstwo, ślamazarność, gapowatość, ofermowatość, ciapowatość↓, ciamajdowatość↓, B. GUZDRALSTWO, maruderstwo, niemrawość, flegmatyczność, powolność, ● lunatyzm, somnambulizm, ● mimozowatość, mazgajstwo, płaczliwość, łzawość, żałosność, C. NIEZARADNOŚĆ, niezapobiegliwość, ● bezradność, bezsilność, niezdolność do, ● bezsiła, niemoc, impotencja, ● nieporadność, bezbronność, ● kalectwo życiowe↓,

433 niedoświadczony — A. POCZĄT-KUJĄCY, niedowarzony↑, • nowicjuszowski, debiutancki, • niewprawny, niewyrobiony, niefachowy, nieprofesjonalny, amatorski, niedzielny↓, domorosły↑, samorodny, • dyletancki, nienaukowy, laicki, • chałupniczy, hobbistyczny, • prowizoryczny, partyzancki↓, • niedojrzały, surowy↓, świeży↓, zielony↓, • nieukształtowany, nieudolny, B. NAIWNY, łatwowierny, bezkrytyczny, prostoduszny, ufny, niemądry, dziecinny, infantylny, głupiutki, • frajerski↓, sztubacki, uczniacki, szczeniacki↓, gówniarski↓, • cielęcy, • niezaradny, nieżyciowy, niezapobiegliwy, C. NIEPRZYWYKŁY, nienawykły, nie przyzwyczajony, niezwyczajny↑,

434 niefachowość — A. DYLETANCTWO, dyletantyzm, amatorstwo, amatorszczyzna, • niedouczenie, nieopanowanie, nieobeznanie, niedoświadczenie, nowicjuszostwo, • niewiedza, niekompetencja, inkompetencja, • nieznajomość, nieumiejętność, niewprawność, niewyrobienie, B. NIEUDOLNOŚĆ, fuszerka, partactwo, fuszerstwo, sknocenie, • improwizacja, prowizorka↓, półśrodki, partyzantka,

435 niegroźny — A. NIEWINNY, nieszkodliwy, • bezbolesny, niebolesny, B. ULECZALNY, wyleczalny, • niezłośliwy, łagodny, C. NIETRUJĄCY, atoksyczny, • niejadowity,

436 niegrzeczność — A. NIEUPRZEJMOŚĆ, afront, despekt, policzek, • znieważenie, zniewaga, • niewdzięczność, B. NIETAKT, niedelikatność, niesubtelność, niedyskrecja, • nieprzyzwoitość, niestosowność, niewłaściwość, zdrożność, • gafa, niezręczność, C. BEZCZELNOŚĆ, tupet, czelność, chucpa, chucpiarstwo, • zuchwałość, zuchwalstwo, buta, • nieoględność, bezceremonialność, poufałość, szorstkość, obcesowość, opryskliwość, burkliwość, • niegościnność, D. IMPERTYNENCJA, obelga, obraza, ubliżenie, wyzwisko, przekleństwo, inwektywa, • arogancja, grubiaństwo, grubiańskość, wulgarność, ordynarność, chamstwo↓, E. OBELŻYWOŚĆ, obraźliwość, • profanacja, desakralizacja, bluźnierstwo, bezczeszczenie, świętokradztwo, • zhańbienie, pohańbienie, sprofanowanie, zbezczeszczenie,

437 niejasność — A. NIEZROZUMIAŁOŚĆ, niewyrazistość, nieprecyzyjność, • niejednoznaczność, wieloznaczność, polisemia, • zawikłanie, trudność, B. OGÓLNIKOWOŚĆ, przybliżenie, aproksymacja, • nieokreśloność, nieuchwytność, • nijakość, bladość, bezpłciowość, • mglistość, ciemność, bezkształtność, pokrętność, zawiłość, C. NIEDOMÓWIENIE, niedopowiedzenie, dwuznacznik, domyślnik, • aluzja, wzmianka, napomknienie, napomknięcie, podtekst, półsłówko, • przymówka, przytyk, docinki, przycinki, złośliwości, uszczypliwe uwagi, szpilki, D. DOMYSŁ, domniemanie, presumpcja, • przypuszczenie, supozycja, założenie, koniektura↑, • podejrzenie, hipoteza,

438 niemożliwy — A. NIEWYKONALNY, nierealny, nieprawdopodobny, wykluczony, • nie do pomyślenia, nie do uwierzenia, niewiarygodny, niesłychany, niebywały, zadziwiający, zdumiewający, B. NIEOBECNY, • żaden, nikt, ani jeden,

439 nienaturalnie — A. SZTUCZNIE, afektowanie, kabotyńsko, teatralnie, manierycznie, pretensjonalnie, • patetycznie, z patosem, bombastycznie↑, pompatycznie, szumnie, emfatycznie, koturnowo, • górnolotnie, górnie↑, książkowo, kwieciście, • nienormalnie, • histerycznie, • dla efektu, dla pozoru, na pokaz, B. SENTYMENTALNIE, melodramatycznie, rzewnie, rzewliwie↑, ckliwie, czułostkowo, łzawo,

440 niepełny — A. NIEZUPEŁNY, niecały, połowiczny, • niecałkowity, miejscowy (znieczulenie), B. CZĘŚCIOWY, cząstkowy, parcjalny↑, ułamkowy, wycinkowy, wyrywkowy, migawkowy, urywkowy, fragmentaryczny, przyczynkowy, • niekompletny, kadłubowy, • odłamowy, rozłamowy, frakcyjny, • niepełnoprawny, C. PRZERYWANY, urywany, przestępny, nieciągły, dyskretny↑, • odcinkowy, seryjny, D. NIEGOTOWY, nie skończony, nie wykończony, nie wykonany, nie dokończony, niedorobiony↓, • rozdłubany, rozbabrany, rozpaprany, • zaległy, D. NIESPEŁNIONY, niedoszły, nie urzeczywistniony, nie zrealizowany, E. NIEDOROSŁY, niedojrzały, infantylny, smarkaty↓, • niedorozwinięty, nierozwinięty, F. NIEUDANY, niewydarzony, kaleki, • nieskładny, nieudolny, niezgrabny, niezdarny, • nieskoordynowany, • niespójny, niezborny, nielogiczny,

441 niepogoda — A. ZACHMURZENIE, pochmurność, szaruga, • słota, plucha, chlapa, ciapa, chlapanina, chlapawica, • odwilż, roztopy • deszcz, opad, mżawka, siąpanina, kapanina, kapuśniaczek, • wilgoć, wilgotność, parność, duszność, duchota, zaduch, B. CHŁÓD, zimno, ochłodzenie, oziębienie, przymrozek, • lodownia↓, zimnica↓, ziąb↓, mróz, zmarzlina, • lód, kra, firn, szron, gołoledź, ślizgawica, • śnieg, puch, • lodówka, chłodnia, chłodziarka, zamrażarka, • klimatyzacja, chłodzenie, C. BURZA, sztorm, piorun, grom, • zamieć, zadymka, zawieja, śnieżyca, kurniawa, kurzawa, • grad, gradobicie, • ulewa, oberwanie chmury, potop, powódź, • nawałnica, zawierucha, D. WICHURA, wicher, wietrzysko, huragan, tornado, orkan, tajfun, cyklon, halny, fen, monsun, mistral, samum, pasat, • wiatr, podmuch, zefir, zefirek, wietrzyk, wiaterek, bryza, powiew, • dmuch, pęd (powietrza), wir, • przeciąg, przewiew, ciąg, cug↓,

442 niepopularny — A. ZNIENAWIDZONY, nienawistny, nie lubiany, nie cierpiany, B. UNIKANY, źle widziany, • omijany, mało uczęszczany, świecący pustkami, • niepokupny, niepoczytny, • niechodliwy, nie do sprzedania, niesprzedawalny↓,

443 nieporządek — A. BAŁAGAN, pobojowisko, stajnia Augiasza, kram, bajzel↓, burdel↓, chlew↓, • bałaganiarstwo, niechlujstwo, abnegacja, zaniedbanie, niedbalstwo, niestaranność, B. ZAMĘT, chaos, • labirynt, dżungla, błędne koło, • plątanina, krętanina, gmatwanina, kotłowanina, galimatias, kołomyja, kołowacizna, oczopląs, • mętlik, groch z kapustą, pomieszanie z poplątaniem, wieża Babel, C. NIEŁAD, bezhołowie, bezkrólewie, interregnum, dwuwładza, anarchia, rozprzężenie, nierząd, bezprawie, bezrząd, • pandemonium, Sodoma i Gomora, koniec świata, • bezład, amorfizm, amorficzność, bezpostaciowość, D. ZAMIESZANIE, dezorganizacja, rozstrój, dezorientacja, • chaotyczność, bezplanowość, • ruch, poruszenie, panika, bieganina, krzątanina, latanina, harmider, rozgardiasz, rejwach, • młyn, wirówka, centryfuga,

• urwanie głowy, sądny dzień, • gwałt, tumult, rwetes, kweres,

444 nieporządnie — A. NIESTARANNIE, niechlujnie, flejtuchowato, • niedbale, niedokładnie, B. CHAOTYCZNIE, bez ładu i składu, bezładnie, bezplanowo, bez głowy↓,

445 nieposłuszeństwo — A. SAMOWOLA, niezdyscyplinowanie, niekarność, niesubordynacja, niepodporządkowanie się, • krnąbrność, niesforność, przekora, przekorność, buntowniczość, buńczuczność, warcholstwo, swawola,

446 niepotrzebnie — A. BEZPŁODNIE, bezużytecznie, bezcelowo, na darmo, • bezsensownie, bezprzedmiotowo, niezdrowo↓, B. DAREMNIE, nadaremnie, na próżno, próżno, darmo, bezowocnie, bezskutecznie, nieskutecznie, bez skutku, bez powodzenia, bezproduktywnie, nieproduktywnie, zbytecznie, C. NIEKONIECZNIE, bez konieczności, bez potrzeby, • niewyłącznie, nie tylko, D. PRZEPADŁO, kaput↓, po herbacie↓, do widzenia↓, no to cześć↓,

447 niepotrzebny — A. NIEKONIECZNY, • nieprzydatny, bezużyteczny, zbędny, zbyteczny, • redundantny↑, nadmiarowy, B. DAREMNY, nadaremny↑, bezowocny, próżny↑, bezskuteczny, nieskuteczny, C. BEZCELOWY, niecelowy, bezpłodny, jałowy, akademicki, nijaki, pusty, tromtadracki↑, czczy↑, bezprzedmiotowy, bezproduktywny, nieprodukcyjny, nierzeczowy, bezsensowny, nonsensowny, bez sensu, D. NIEISTOTNY, błahy, niewinny, bzdurny, nieważki↑, irrewalentny↑, (arcy)banalny, trywialny, bagatelny↑, • idiotyczny, kretyński, debilny, • nieważny, mało ważny, mało znaczący, drobny, mały, wybaczalny, do wybaczenia, E. NIEWAŻNY, anulowany, unieważniony, • przeterminowany, • przedawniony, wygasły, niewiążący, nieprawomocny, nieobowiązujący, F. NIEŻYCIOWY, papierowy, martwy, G. NIEPRAKTYCZNY, niefunkcjonalny, niewygodny, nieporęczny, nieużyteczny, H. DEFICYTOWY, niedochodowy, nieekonomiczny, kosztowny, • nisko płatny, niepopłatny, • kapitałochłonny,

448 niepowodzenie — A. NIEPOMYŚL-

NOŚĆ, pech, zła passa, złe fatum, fatalność, niefart↓, ● plaga, dopust (boży), zrządzenie, wyrok (opatrzności), kara (niebios), apokalipsa, **B**. NIESZCZĘŚCIE, tragedia, dramat, ● rozpacz, desperacja, ● rozpaczliwość, dramatyczność, dramatyzm, tragiczność, tragizm, ● katastrofa, kataklizm, powódź, potop, trzęsienie ziemi, susza, ● wypadek, kraksa, zderzenie, kolizja, karambol, ● wybuch, eksplozja, detonacja, erupcja, implozja, kapotaż, **C**. KLĘSKA, przegrana, pyrrusowe zwycięstwo, ● chybienie, niewypał, fiasko, klapa↓, klops↓, wpadka↓, wsypa↓, ● kompromitacja, blamaż, zawód, ● porażka, bankructwo, plajta↓, krach, załamanie (się), ● upadek, upadłość, konkurs, niewypłacalność, **D**. BIEDA, niedostatek, ubóstwo, mizeria↑, zubożenie, niezamożność, brak środków (do życia), chudoba↑, golizna↓, ● nędza, żebranina, żebry, żebranie, żebractwo, ● niedola, padół, zły los, licho, **E**. NIEURODZAJ, chude lata, ● nieurodzajność, pustynność, bezowocność, ● bezpłodność, impotencja, bezdzietność, ● jałowość, sterylność,

449 **nieprawdziwie** — **A**. FIKCYJNIE, pozornie, na niby, z pozoru, na pozór, na zewnątrz, ● zwodniczo, złudnie, iluzorycznie, ● pretekstowo, ● pseudo, quasi, ● optycznie, wizualnie, wzrokowo, **B**. BAŁAMUTNIE, niesłusznie, ● ogłupiająco, **C**. KŁAMLIWIE, fałszywie, oszukańczo, wymuszenie, wykrętnie, **D**. NIESZCZERZE, fałszywie, obłudnie, ● gołosłownie, bez pokrycia, deklaratywnie, ● demagogicznie, efekciarsko, dla efektu, pod publiczkę, ● propagandowo, sloganowo, ● pruderyjnie,

450 **nieprawdziwy** — **A**. FIKCYJNY, umowny, zmyślony, ● legendarny, apokryficzny↑, mityczny, mitologiczny, baśniowy, klechdowy, ● zastępczy, dyżurny↓, **B**. RZEKOMY, domniemany, wątpliwy, ● gołosłowny, bez pokrycia, deklaratywny, werbalistyczny, werbalny, ● pretekstowy, **C**. FAŁSZYWY, podrobiony, sfingowany↑, pozorowany, symulowany, nieautentyczny, imitowany, stylizowany, lipny↓, ● udawany, pozorny, na niby, mylący, zdradliwy, **D**. NIERZECZYWISTY, nierealistyczny, nierealny, niestworzony, irrealny, urojony, fantastyczny, fantasmagoryczny↑, fantasmagoryjny↑, imaginacyjny↑, imaginatywny↑, wyimagino-

wany, wyobrażony, wizyjny↑, odrealniony↑, oniryczny↑, ● wymyślony, wydumany, naciągany, ● złudny, zwodniczy, iluzoryczny, iluzyjny, ułudny↑,

451 **nieprzyjaciel** — **A**. PRZECIWNIK, rywal, kontrpartner, kontrkandydat, konkurent, konkurencja, współzawodnik, ● zazdrośnik, zawistnik, ● antagonista, opozycjonista, dysydent, ● opozycja, fronda↑, **B**. WRÓG, niszczyciel, destruktor, burzyciel, ● dywersant, sabotażysta, ● szkodnik, pasożyt, ● pogromca, poskramiacz, poskromiciel, treser, **C**. NAJEŹDŹCA, agresor, napastnik, imperialista, kolonialista, konkwistador, kolonizator, pacyfikator, ● okupant, zaborca, ekspansjonista, **D**. PRZEŚLADOWCA, ciemięzca, ciemiężyciel, wyzyskiwacz, krwiopijca, ● krzywdziciel, gnębiciel, ● myśliwy, myśliwiec↑, łowca, łowczy, ● mściciel, rewanżysta, odwetowiec, ● oprawca, kat, dręczyciel, barbarzyńca, okrutnik, krwiożerca, zwyrodnialec, degenerat, potwór, sadysta, ● terrorysta, porywacz, kidnaper, ● stręczyciel, sutener, rajfur, alfons↓, kupler, **E**. RASISTA, :antysemita, germanofob, polakożerca, ksenofob, ● szowinista, nacjonalista, neonazista,

452 **nieprzyjazny** — **A**. NIECHĘTNY, nieprzychylny, nieżyczliwy, uprzedzony, nienawistny, wrogi, jadowity, ● mściwy, pamiętliwy, ● zazdrosny, zawistny, ● obrażony, urażony, dotknięty, **B**. NIEDOBRY, nieużyty, niekoleżeński, **C**. KRYTYCZNY, polemiczny, polemizujący, ganiący, naganny, potępiający, krytykujący, krytykancki, ● demaskatorski, demistyfikatorski, pamfletowy, ● protestacyjny, **D**. LEKCEWAŻĄCY, nonszalancki, nie dbający, pobłażliwy, protekcjonalny, pogardliwy, wzgardliwy, **E**. SKŁÓCONY, zwaśniony↑, poróżniony↑, pogniewany,

453 **nieprzyzwoicie** — **A**. NIESKROMNIE, nieobyczajnie↑, nieprzystojnie↑, brzydko, grzesznie, bezecnie↑, wszetecznie↑, **B**. BEZWSTYDNIE, obscenicznie, sprośnie, obleśnie, lubieżnie, rozpustnie, pożądliwie,

454 **nieprzyzwoity** — **A**. SPROŚNY, zbereźny↑, niecenzuralny, nieobyczajny↑, nieprzystojny↑, pikantny, obsceniczny, pornograficzny, nieparlamentarny, brzydki, plugawy↑, rynsztokowy, brudny, klozetowy, klo-

aczny, świński↓, obrzydliwy, • zdrożny↓, kosmaty↓, nieskromny, bezwstydny, • pożądliwy, **B.** WULGARNY, niewybredny, ordynarny, trywialny, gruby↑, pieprzny↓, gminny↑, plebejski↑, uliczny, kuchenny, karczemny↑, koszarowy, kapralski, • jędrny, rubaszny, dosadny, soczysty, gargantuiczny↑, **C.** ROZWIĄZŁY, wyuzdany, rozpasany, rozpustny, sprośny, obleśny, bezecny↑, wszeteczny↑, chutliwy, lubieżny, • bachiczny↑, dionizyjski, orgiastyczny, nierządny, • grzeszny, libertyński, donżuański, lowelasowski,

455 nierealność — A. NIEPRAWDOPODOBIEŃSTWO, irrealizm, fikcja, fabularność, fantastyczność, fantastyka, • papierowość, książkowość, bajkowość, nieżyciowość, **B.** NIERZECZYWISTOŚĆ, pozorność, iluzyjność, fikcyjność, złudność, iluzoryczność, • utopia, utopijność, **C.** NIEMOŻLIWOŚĆ, niepodobieństwo, • niemożność, niewykonalność, nieziszczalność,

456 nieregularność — A. NIESYSTEMATYCZNOŚĆ, nierytmiczność, arytmia, arytmiczność, • dowolność, arbitralność, **B.** ZNIEKSZTAŁCENIE, odkształcenie, deformacja, wykoślawienie, wykrzywienie, wypaczenie, • defiguracja, • dystorsja, • nieforemność, niesymetryczność, asymetria, asymetryczność, **C.** NIEPRAWIDŁOWOŚĆ, zaburzenie, aberracja, • odchylenie, odchyłka, anomalia, inwersja, • dewiacja, zboczenie, skrzywienie, • błądzenie, kluczenie, • asynchronia, niesynchroniczność, **D.** WYJĄTEK, odstępstwo, wyłom, licentia poetica, • nietypowość, • atypowość, anormatywność, anormalność,

457 nierówno — A. NIEFOREMNIE, niekształtnie, krzywo, koślawo, **B.** NIEJEDNAKOWO, niesprawiedliwie, po macoszemu↓, **C.** NIERÓWNOMIERNIE, • niemiarowo, nierytmicznie, • niesymetrycznie, asymetrycznie, • esowato, zygzakowato, • kabłąkowato, pałąkowato, łukowato, • szorstko, chropowato, kostropato, **D.** POCHYŁO, stromo, ukośnie, skosem, ukosem, na skos, w skos, • zygzakiem, zakosami, • na przełaj, na skróty,

458 nierówny — A. KRZYWY, asymetryczny, niesymetryczny, zwichrowany, scentro-

wany↓, skrzywiony, • zakrzywiony, zagięty, • haczykowaty, hakowaty, krogulczy, jastrzębi, orli, garbaty, perkaty, kartoflany, zadarty, • nieprosty, wygięty, kabłąkowaty, pałąkowaty, łukowaty, • skrzyżowany, • skośny, ukośny, • iksowaty, • kręty, zygzakowaty, wężowaty, wężykowaty, esowaty, meandryczny↑, labiryntowy, wijący się, serpentynowy, spiralny, • kręcony, kędzierzawy, wełnisty, **B.** NIERÓWNOMIERNY, asynchroniczny↑, arytmiczny, niemiarowy, nieregularny, • skokowy, **C.** NIEJEDNAKOWY, niejednaki↑, • niesprawiedliwy, nieproporcjonalny, • niezgodny, sprzeczny, antynomiczny↑, • kolizyjny, niejednomyślny, rozbieżny, przeciwstawny, • konkurencyjny, • schizofreniczny↓, **D.** POCHYŁY, pochylony, przechylony, nachylony, kosy↑, • przygarbiony, przygięty do ziemi, • stromy, spadzisty, • schodkowaty, tarasowaty, tarasowy, **E.** NIEGŁADKI, szorstki, chropawy, chropowaty, kostropaty, • ospowaty, • krostowaty, pryszczaty, • parchaty↑, parszywy, sparszywiały, • pagórkowaty, pagórzysty, górzysty, kopcowaty, • falisty, sfalowany, pofalowany, pofałdowany, karbowany, • kamienisty, wyboisty, • węzłowaty, węźlasty, • wgłębiony, wklęsły, nieckowaty, • zapadnięty, zapadły, **F.** POSTRZĘPIONY, wystrzępiony, strzępiasty, • porwany, porozrywany,

459 nieruchomy — A. STATYCZNY, • stojący, • siedzący, **B.** PRZYMOCOWANY, przyrośnięty, wrośnięty, **C.** ZASTYGŁY, stężały, znieruchomiały, niezmienny, rybi, szklany, szklisty,

460 nieskory — A. NIESKŁONNY, nierychliwy↑, niechętny, nieskwapliwy, **B.** LENIWY, ospały, niemrawy, opieszały, gnuśny, zgnuśniały, leniuchowaty, rozlazły↓, **C.** POWOLNY, wolny, ślamazarny, ociężały, niemrawy, nieruchliwy, nieruchawy, flegmatyczny, żółwi, leniwy, senny, ślimaczy, • nieprędki, nieszybki, niepośpieszny, niespieszny, majestatyczny, spacerowy, • stopniowy, ewolucyjny, • ratalny, sukcesywny, • etapowy, wieloetapowy, wielostopniowy, wielofazowy, **D.** NIEZDECYDOWANY, niepewny, chwiejny, • hamletowski, hamletyczny, rozdarty, • zagubiony, zdezorientowany, • zahamowany, zakompleksiony,

461 niesłuszny — A. BEZZASADNY, niezasadny, bezpodstawny, nieuzasadniony, ● płonny, ● bezprzyczynowy, **B.** BŁĘDNY, mylny, opaczny, fałszywy, omyłkowy, pomyłkowy, ● bałamutny, nieprzekonujący, nieprzekonywający, ● wypaczony, przeinaczony, przekręcony, zafałszowany, **C.** NIESPRAWIEDLIWY, nie zawiniony, niezasłużony, nie usprawiedliwiony,

462 **nieśmiałość** — **A.** WSTYDLIWOŚĆ, zażenowanie, onieśmielenie, ● zakłopotanie, zmieszanie, zawstydzenie, wstyd, skonfundowanie, skrępowanie, ● pąs, rumieniec, ● dzikość, **B.** SKROMNOŚĆ, umiarkowanie, umiar, prostota, ● potulność, uległość, posłuszeństwo, ustępliwość, zgodność, uniżoność, uniżenie, pokora,

463 **nieuczciwie** — **A.** NIEMORALNIE, nieetycznie, ● nierzetelnie, niesumiennie, ● niesolidarnie, nielojalnie, nieprawomyślnie, ● egoistycznie, samolubnie, konsumpcyjnie, materialistycznie, merkantylnie, **B.** NIELEGALNIE, bezprawnie, ● pokątnie, na lewo↓, **C.** SIŁĄ, przemocą, gwałtem, ● na siłę↓, na duś↓, **D.** STRONNICZO, tendencyjnie, nieobiektywnie, subiektywnie, jednostronnie, ● protekcyjnie, po kumotersku, po znajomości,

464 **nieuprzejmie** — **A.** AROGANCKO, impertynencko, niegrzecznie, niemiło, burkliwie, mrukliwie, opryskliwie, szorstko, gburowato, po chamsku↓, ● monosylabami, półsłówkami, ● obraźliwie, obrażająco, bluźnierczo, uwłaczająco, obelżywie, oszczerczo, szkalująco, ● niecenzuralnie, nieparlamentarnie, brzydko, wulgarnie, ordynarnie, paskudnie↑, szpetnie↑, plugawo↑, **B.** ZŁOŚLIWIE, cierpko, zgryźliwie, kąśliwie, uszczypliwie, zjadliwie, jadowicie, kostycznie↑, sardonicznie↑, ● drwiąco, cynicznie, sarkastycznie, z przekąsem, szyderczo, urągliwie↑, ● zrzędliwie, zrzędząco, gderliwie, **C.** HARDO, nieposłusznie, krnąbrnie, niesfornie, przekornie, ● zarozumiale, nieskromnie, ● butnie, bezczelnie, wyzywająco, niepokornie, buntowniczo, ● tryumfalnie, triumfalnie, tryumfująco, triumfująco, **D.** WYNIOŚLE, ex cathedra↑, pogardliwie, z góry, z wysoka, z wyższością, ● nieprzychylnie, niezyczliwie, nieprzyjaźnie, niełaskawie, niepochlebnie, ● zimno, chłodno, z rezerwą, z dystansem, lodowato, oziębie, nieprzyjemnie, **E.** SUROWO, karcąco, strofująco, piorunująco↑,

z naganą, z przyganą↑, z wymówką, ● niewyrozumiale, nietolerancyjnie, niepobłażliwie, bez zrozumienia, srogo, ● złowrogo, nienawistnie, krzywo, koso↑, kwaśno, ● wybuchowo, awanturniczo,

465 **niewiadomy** — **A.** NIEZNANY, obcy, anonimowy, bezimienny, bezosobowy, nieosobowy, impersonalny↑, ● zapomniany, zapoznany↑, **B.** SPORNY, dyskusyjny, niepewny, wątpliwy, kontrowersyjny, problematyczny, przetargowy, ● nieokreślony, niekonkretny, ogólnikowy, ogólny, niezdecydowany, płynny, ● przybliżony, szacunkowy, orientacyjny, zaokrąglony, ● niewymierny, **C.** NIEROZSTRZYGNIĘTY, remisowy, bezbramkowy, ● nierozwiązany, nierozwikłany, ● względny, warunkowy, kondycjonalny↑, ● relatywny, stosunkowy, ● uwarunkowany, **D.** TAJEMNICZY, tajemny↑, zagadkowy, enigmatyczny, ezoteryczny↑, hermetyczny↑, kabalistyczny, ● bajroniczny↑, osjaniczny↑, niepojęty, niezrozumiały, niedocieczony↑, niezbadany, nieodgadniony↑, niezgłębiony, nieprzenikniony, nieogarniony↑, niepoznawalny, niewyrażalny, nienazwany↑, mistyczny, ● niewymowny, niewysłowiony, nieopisany, ● nieprzetłumaczalny, nieprzekładalny, ● pokerowy↓, sfinksowy↑,

466 **niewiarygodny** — **A.** NIEKOMPETENTNY, inkompetentny↑, niemiarodajny, niepewny, ● indolentny↑, nieudolny, **B.** NIEOBLICZALNY, nieprzewidywalny, ● nieodpowiedzialny, niepoważny, niesolidny, niesumienny, nieobowiązkowy, nierzetelny, niesłowny, ● niepunktualny, nieterminowy, spóźniający się, spóźnialski, **C.** NIEUCZCIWY, kombinatorski, nieszlachetny, niehonorowy, ● podstępny, fałszywy, lisi, ● przewrotny, perfidny, makiaweliczny (machiaweliczny)↑, podchwytliwy, ● cwaniacki↓, ● protekcyjny, kumoterski,

467 **niewiele** — **A.** MAŁO, przymało↑, niedużo, umiarkowanie, jak na lekarstwo, ociupinę, odrobinę, symbolicznie, ● minimalnie, znikomo, **B.** TROCHĘ, tycio↓, ciut, ● kilka, parę, ● kilkanaście, parędziesiąt, kilkadziesiąt, parędziesiąt, ● kilkaset, parę-set, ● coś, nieco, co nieco, cokolwiek, ● niezbyt, nieszczególnie, nietęgo↑, nienadzwyczajnie, nie bardzo, nie za bardzo, **C.** MINIMUM, co najmniej, przynajmniej, ●

choć, tylko, bodaj↑, **D.** TYLKO, jedynie, wyłącznie, • dopiero, zaledwie, ledwie, ledwie co, ledwo, • ściśle, czysto, rdzennie, **E.** ILEKOLWIEK, ileś, obojętne ile, nieważne ile, dowolnie wiele, ileś tam,

468 niewinność — **A.** CNOTLIWOŚĆ, pruderia, pruderyjność, • czystość, niepokalaność, dziewiczość, • brak winy, bezgrzeszność, • cnota, dziewictwo, panieństwo, błona dziewicza, hymen, **B.** NIEŚWIADOMOŚĆ, niedojrzałość, niedoświadczenie, • naiwność, dziecięcość, dziewczęcość,

469 niewola — **A.** JASYR, jeniectwo, obóz (jeniecki), kacet, oflag, • kolonia karna, obóz internowania, internat↓, • miejsce odosobnienia, zakład karny, poprawczak, **B.** WIĘZIENIE, areszt, kryminał, • odsiadka, pudło↓, paka↓, puszka↓, mamer↓, ciupa↓, koza↓, ul↓, pierdel↓, kić↓, • cela, ciemnica, loch, karcer, kazamaty, **C.** PĘTA, okowy, kajdany, kajdanki, bransoletki↓, łańcuchy, żelaza↑, więzy, • jarzmo, kaganiec, knebel, • uzda, kiełzno, • sidła, wnyki, kleszcze, potrzask, samotrzask, samołówka, • klincz, **D.** ZNIEWOLENIE, usidlenie, • porwanie, uprowadzenie, kidnaperstwo, kidnaping, terroryzm, • ubezwłasnowolnienie, zatrzymanie, ujęcie, schwytanie, aresztowanie, zwinięcie↓, internowanie, pozbawienie wolności, uwięzienie,

470 niewolić — **A.** OBEZWŁADNIĆ, (po)wiązać, pozwiązywać, skrępować, związać, odrutować, kółkować, opasać, uwiązać, (s)pętać, okuć, skuć, zakuć, **B.** ARESZTOWAĆ, zatrzymać, osaczyć, schwytać, pochwycić, ująć, złapać, capnąć, wziąć, porwać, uprowadzić, • oddać w ręce, (u)więzić, osadzić w areszcie, wtrącić do więzienia, posadzić, wsadzić do ciupy↓, zamknąć↓, przymknąć↓, (w)pakować do, wsadzić↓, przyskrzynić↓, posłać za kratki, przetrzymywać, internować, • trzymać pod kluczem, **C.** UZALEŻNIAĆ, zmuszać, • podbić, zdobyć, zniewolić, uciemiężyć, ujarzmić, zgnębić, opanować, anektować, podporządkować, hołdować, położyć łapę↓, okupować, (s)kolonizować,

471 niewychowany — **A.** NIEKULTURALNY, nietaktowny, niedelikatny, niegrzeczny, bez kultury, **B.** AROGANCKI,

zuchwały, nieznośny, niemożliwy, impertynencki↑, bezczelny, czelny↑, gruboskórny, chamski, ordynarny, grubiański, obcesowy, butny, chamowaty↓, • bezwstydny, bez wstydu, łajdacki,

472 niewygodny — **A.** KŁOPOTLIWY, uciążliwy, niedogodny, utrudniony, • okrężny, okólny, okrążający, objazdowy, **B.** NIEPOŻĄDANY, nie chciany, nieproszony, • krępujący, • nieporęczny, uwierający, cisnący, • gładki, wywrotny, śliski, obślizgły, ośliz(g)ły, **C.** NIEMIŁY, nieprzyjemny, obcy, przykry, • niewdzięczny, oporny, trudny,

473 niewyraźnie — **A.** NIEZROZUMIALE, bełkotliwie, • nieprzystępnie, • nieprzejrzyście, zawile, pokrętnie, uczenie, abstrakcyjnie, • niedokładnie, niestarannie, nieczytelnie, drobno, maczkiem, **B.** NIEZUPEŁNIE, połowicznie, częściowo, po części, w części, cząstkowo, • na pól, na poły, na wpół, • fragmentarycznie, urywkowo, wyrywkowo, wycinkowo, kawałkami, po kawałku, • miejscami, gdzieniegdzie, tu i ówdzie, z rzadka, • stosunkowo, względnie, relatywnie↑, **C.** NIEPRECYZYJNIE, nieściśle, niekonkretnie, ogólnikowo, ogólnie, • nieokreślenie, • bezosobowo, w przestrzeń, • zmiennie, kapryśnie, grymaśnie, chimerycznie↑, **D.** NIEJASNO, mętnie, • wątpliwie, podejrzanie, nieprzekonująco, nieprzekonywająco, • niepewnie, niezdecydowanie, z wahaniem, bez pewności, chwiejnie, labilnie↑, • nieśmiało, lękliwie, wstydliwie, z zażenowaniem, • kontrowersyjnie, • zagadkowo, tajemniczo, enigmatycznie↑, tajemnie↑, **E.** NIEOSTRO, mglisto, mgliście, jak przez mgłę, • mrocznie, ciemno, cieniście, • chmurnie, chmurno, • ponuro, grobowo, • matowo, głucho, bezdźwięcznie, **F.** TCHÓRZLIWIE, bojaźliwie, lękliwie, z lękiem, strachliwie, płochliwie, pierzchliwie↑, trwożliwie↑, trwożnie↑, małodusznie↑, • nieswojo, nieprzyjemnie, niemile, głupio↓, łyso↓, • przykro, nieszczęśliwie, • niedobrze, niewesoło↓, nieciekawie↓, **G.** PÓŁPRZYTOMNIE, w oszołomieniu,

474 niewyraźny — **A.** NIEWYRAZISTY, nieostry, mglisty, zamglony, przymglony, rozmyty, rozlany, rozmazany, zamazany, • mętny, zmętniały↑, zbełtany, zmącony, nieprzejrzysty, nieprzezroczysty, • matowy, mleczny,

● głuchy, bezdźwięczny, przytłumiony, stłumiony, zduszony, zdławiony, drewniany, matowy, **B.** NIECZYTELNY, niezrozumiały, nieklarowny↑, mgławicowy↑, ● nieartykułowany, bełkotliwy, **C.** NIEPRECYZYJNY, nie sprecyzowany, nieścisły, niedokładny, ● nieuchwytny, niejasny, nieokreślony, ● abstrakcyjny, oderwany, spekulatywny↑, teoretyczny, ● niesprawdzalny, nie do sprawdzenia, nieweryfikowalny, ● dwuznaczny, dziwny, ● luźny, dowolny, **D.** BEZKSZTAŁTNY, a-morficzny↑, bezpostaciowy, ● rozproszony, rozsiany, rozrzucony, ● stopniowy, płynny, łagodny, ● posuwisty,

475 niezadowolenie — A. ROZCZAROWANIE, rozgoryczenie, rozżalenie, frustracja, zawód, ● przykrość, smutek, żal, nieukontentowanie, ● zniecierpliwienie, zniechęcenie, rozdrażnienie, zdenerwowanie, podenerwowanie, **B.** MALKONTENCTWO, ponuractwo, ponurość, chmurność, posępność, zasępienie, zgorzkniałość, zgorzknienie, gorycz, piołun↑, żółć, ● cyniczność, cynizm, sarkazm, ● pesymizm, czarnowidztwo, defetyzm, katastrofizm, ● zrzędliwość, utyskiwanie, narzekanie, ● wybrzydzanie, grymaszenie, kapryszenie, wybredzanie, marudzenie, **C.** PRETENSJE, kaprysy, humory, grymasy, dąsy, fochy, fumy, fanaberie, wymysły, wymagania, zachciewanki, chimery, dziwactwa, fantazje, ● kapryśność, chimeryczność, jaśniepańskość, rozpaskudzenie, rozbestwienie, ● rozpieszczanie, rozpuszczanie,

476 niezadowolony — A. NIERAD↑, niekontent↑, nieukontentowany↑, ● rozczarowany, zawiedziony, ● zdegustowany↑, zniesmaczony, zrażony, skrzywiony, ● zwarzony↑, naburmuszony, nadąsany, nadęty, odęty, nabzdyczony↓, naindyczony↓, nastroszony, **B.** SAMOKRYTYCZNY, autokrytyczny,

477 niezależny — A. SAMODZIELNY, autonomiczny, samorządny, udzielny↑, ● swobodny, nieskrępowany, nieograniczony, ● wolnomyślicielski, wolnomyślny, ● niezawisły, bezstronny, obiektywny, ● oryginalny, samorodny, ● samoistny, ● spontaniczny, samorzutny, zaimprowizowany, żywiołowy, oddolny, ● pamięciowy, **B.** WOLNY, niepodległy, suwerenny, ● kawalerski, bezżenny, ●

nieżonaty, stanu wolnego, ● wyemancypowany, wyzwolony, **C.** BEZPARTYJNY, ● bezwyznaniowy, ● niewierzący, niereligijny, areligijny↑, ateistyczny, bezbożny, ● świecki, nieduchowny, cywilny, ● niekościelny, laicki, **D.** IZOLACJONISTYCZNY, izolacyjny, separatystyczny, **E.** SAMOBIEŻNY, samojezdny, ● bateryjny, na baterię, **F.** DOBROWOLNY, nieprzymuszony, własnowolny↑, ● ochotniczy,

478 niezawodny — A. WYTRZYMAŁY, odporny, ● kuloodporny, ● bezpieczny, pewny, ● niemnący, nie gniotący się, **B.** BEZAWARYJNY, nieprzerwany, bezusterkowy, **C.** SZCZELNY, nieprzepuszczalny, nieprzepuszczający, nieprzenikliwy, ● impregnowany, nieprzemakalny, nieprzesiąkalny, wodoodporny, ● hermetyczny, wodoszczelny,

479 niezgrabny — A. NIEKSZTAŁTNY, nieforemny, nieharmonijny, pokraczny, ● toporny, grubo ciosany, ciężki, ● kobylasty↓, kulfoniasty↓, **B.** NIEZRĘCZNY, nieporadny, niezdarny, słoniowaty, ofermowaty, niedojdowaty, niezgułowaty, fajtłapowaty, ciamajdowaty, ciapowaty, gamoniowaty, safandułowaty, dupowaty↓, ● niesprawny, niedołężny, zniedołężniały, ● ociężały, klocowaty, ciężki, nieruchawy,

480 niezwykły — A. NADPRZYRODZONY, boski, ● pański, niebiański, rajski, ● nadziemski, nieziemski, ● nierzeczywisty, niematerialny, ● pozagrobowy, zaświatowy, **B.** MAGNETYCZNY, hipnotyczny, pozazmysłowy, parapsychologiczny, paranormalny, nadzmysłowy, okultystyczny, ● medialny, mediumiczny, ● jasnowidzący, proroczy, profetyczny↑, wróżebny, wieszczy↑, pytyjski, delficki, sybiliński↑, **C.** MAGICZNY, czarodziejski, czarnoksięski, ● zaczarowany, zaklęty, ● bajkowy, baśniowy, feeryczny↑, cudowny, ● niesamowity, widmowy, ● upiorny, demoniczny, diaboliczny↑, mefistofeliczny↑, sataniczny↑, szatański,

481 nimfa — A. BOGINKA, muza, kamena, syrena, rusałka, świtezianka, driada, hamadriada, dziwożona, **B.** ERYNIE, furie, eumenidy, gorgony, harpie, **C.** FAUN, satyr, pan,

482 niszczeć — A. PODUPAŚĆ, ulec

zniszczeniu, paść ofiarą, obracać się wniwecz, ● przepadać, iść na rozkurz, ● poniewierać się, marnować się, pójść na marne, ● dziczeć, ulec zaniedbaniu, ● dekapitalizować się, podupadać, ubożeć, B. ZNISZCZEĆ, upaść, przepaść, ● ucierpieć, uszkodzić się, ● porysować się, poszczerbić się, powyszczerbiać się, ● potargać się, ● odstawać, odkleić się, odkręcić się, odśrubować się, obluzować się, rozeschnąć się, ● pozłazić, odlecieć, odpaść, poodpadać, odleźć, odłazić, ● odpruć się, poodpruwać się, pozrywać się, ● rozedrzeć się, rozpruć się, podrzeć się, podziurawić się, przetrzeć się, poprzecierać się, ● rozleźć się, (po)rozklejać się, (po)rozlatywać się, (po)rozłazić się, porozpruwać się, porozrywać się, (po)rozpadać się, ● walić się, pozawalać się, sypać się, C. ERODOWAĆ, wietrzeć, skruszyć się, kruszeć, krasowieć, krasowacieć, ● stepowieć, ● przerdzewieć, (s)korodować, (po)rdzewieć, ● zetleć, (prze\z)gnić, (s)próchnieć, ● sczeznąć, pościerać się, zatrzeć się, pozacierać się, pozamazywać się, D. SPŁONĄĆ, spalić się, gore↑, pójść z dymem, spopieleć, ● upalić się,

483 niszczyć — A. ZEPSUĆ, (po)psuć, uszkadzać, ● niweczyć, zniweczyć, unicestwić, obracać wniwecz, dematerializować, (po\z)marnować, (po\z)niszczyć, B. POGORSZYĆ, nadwerężyć, ● zeszpecić, (o)szpecić, ● bałaganić, bartożyć, ● podmyć, rozmyć, pozmywać, ● pode\przelżreć, stoczyć, (s)trawić, ● zmarnować, przepalić, przypalić, ● gnoić, C. RUJNOWAĆ, po\zlrujnować, (z)burzyć, rozwalić, porozwalać, (z)demolować, (s)pustoszyć, (z)dewastować, obrócić w perzynę, *nie pozostał kamień na kamieniu*, rozpieprzyć↓, ● spalić, podłożyć ogień, podpalić, puścić z dymem, sfajczyć↓, D. STRATOWAĆ, przejechać, wjechać, najechać, najeżdżać na, staranować, ● zdeptać, ● wytłuc, E. KRUSZYĆ, miażdżyć, rozbić, (po\z)druzgotać, (po\roz)trzaskać, strzaskać, ● porozbijać, (po\z)gruchotać, rozsadzić, porozsadzać, roznieść, znieść, rozeprzeć, rozpierać, ● powysadzać, wysadzić w powietrze, ● stłuc, (po\wy)tłuc, roztłuc, ponadtłukiwać, ● ponadłamywać, (po)łamać, (u\wy)łamać, ● urwać, przekręcić, F. SKALECZYĆ, kancerować, podciąć, poprzegryzać, podeżreć, ● przedziurawić, po-

przebijać, poprzekłuwać, przestrzelić, (po)dziurawić, powypalać, porżnąć, G. DRZEĆ, rozbebeszyć, rozkręcić, ● rozebrać, rozedrzeć, podrzeć, złachać, porozrywać, (ob\z)szarpać, (po\wy)strzępić, obsiepać, złachmanić, (po)targać, potarmosić, (po)rwać, pozadzierać, ● odbić, oderwać, odedrzeć, oddzierać, obskubać, pozrywać, H. UNIESZKODLIWIĆ, wyeliminować, ● zestrzelić, strącić, trafić, ● storpedować, zatopić, pozatapiać, posłać na dno,

484 notatnik — A. NOTES, notesik, dzienniczek, ● bloczek, kontrolka, kopiał, kwitariusz, ● kalendarz, kalendarzyk, terminarz, B. ZESZYT, brulion, brudnopis, kołonotatnik, kołobrulion, kajet↑, kajecik↑, ● skoroszyt, segregator, ● album, klaser, ● pamiętnik, sztambuch↑, księga pamiątkowa, ● szkicownik, blok, C. PAPIER, arkusz (papieru), :*bibuła, krepina, pergamin, karton, brystol, tektura*, ● kartka, strona, pagina↑, ● karteczka, fiszka, arkusik, listek, bibułka, ● świstek↓, ● papier listowy, papeteria, koperta,

485 nowy — A. NOWIUTKI, prosto spod igły↓, B. NOWATORSKI, nietradycyjny, ● prekursorski, pionierski, ● ożywczy, odkrywczy, ● inspirujący, pobudzający, zapładniający, ● innowacyjny, racjonalizacyjny, racjonalizatorski, ● postępowy, rewolucyjny, światoburczy↑, ● reformatorski, ● prometejski, prometeuszowy, C. NOWOCZESNY, supernowoczesny, ultranowoczesny, najnowszej generacji, D. ŚWIEŻY, niedawny, aktualny, modny, dzisiejszy, gorący↓, ● nowomodny, nowofalowy,

486 nóż — A. NOŻYK, scyzoryk, kozik, finka, majcher↓, kosa↓, ● lancet, skalpel, ● sztylet, puginał, kordelas, kindżał, handżar, bagnet, maczeta, ● ostrze, brzeszczot, klinga, głownia, grot, szpic, B. PRZECINAK, mesel↑, przycinacz, krzesak, ● dłuto, C. KOSA, koser, kosiarka, ● sierp, ● tasak, D. KRAJAK, krajacz, krajarka, krajalnica, ● piła, laubzega, rozpłatnica, ● hebel, strug, heblarka, strugarka, cyklina, cykliniarka, ● golarka, maszynka do golenia, brzytwa, żyletka, ● gilotynka, gilotyna, E. CĄŻKI, obcinacz (do paznokci), ● życzki, nożyce, sekator,

487 nudny — A. NUŻĄCY, nudnawy, męczący, nieinteresujący, niezajmujący, nudziarski, niezabawny, przydługi, za długi, rozwlekły, przegadany, **B.** BEZBARWNY, niepozorny, nieefektowny, nieciekawy, nieat-

rakcyjny, nijaki, letni, mdławy, mdły, drętwy↓, • usypiający, obojętny, • ogórkowy, kanikułowy,

O

488 obcęgi — **A.** CĘGI, kombinerki, obcążki, • szczypce, pęseta, pinceta, • kleszcze, imadło, chwytnik,

489 obcować — **A.** SPOTKAĆ, (za)poznać, zaznajomić, przy\zlbliżyć się, • przedstawić się, prezentować się, przełamać pierwsze lody, nawiązać kontakt, zawrzeć znajomość, (za)kolegować się, • zaprzyjaźnić się, zbratać się, przypaść sobie do serca, zaskarbić sobie sympatię, mieć względy, • szukać się, ofiarować przyjaźń, jednać, zyskiwać, zdobyć, pozyskać, zjednać sobie, skaptować, skokietować, przejednać, podbić, ująć, przywiązać, • spiknąć się, ugadać się, (s)poufalić się, (po\s)kumać się, pobratać się, być za pan brat z, fraternizować się, pospolitować się, • tykać się, przejść na ty, być na ty, wypić bruderszaft, mówić sobie po imieniu, **B.** MIEĆ DO CZYNIENIA, przestawać, kontaktować się, zetknąć się, stykać się, mieć styczność, utrzymywać stosunki, żyć, otaczać się, otoczyć się, obracać się w pewnych kołach, bywać w kręgach, przebywać razem, wdać się, zadawać się, integrować się, łączyć się, przyjaźnić się, bratać się, • zżyć się, współżyć, koegzystować, kolaborować, • sąsiadować, mieszkać pod jednym dachem, mieszkać przez ścianę, **C.** PARTNEROWAĆ, (współ)towarzyszyć, asystować, dotrzymać towarzystwa, drużbować, sekundować, • przywiązać się, przyczepić się, przykleić się, przylgnąć, przykrochmalić się↓, • nie odstępować na krok, nie spuszczać z oka, • brać ze sobą, ciągać, ciągnąć, włóczyć, wlec, wyciągnąć,

490 obcy — **A.** CUDZY, • napływowy, alochtoniczny↑, nietutejszy, przyjezdny, przejezdny, zamiejscowy, • przesiedleńczy, repatriacyjny, emigracyjny, • nieznajomy, przygodny, • postronny, **B.** ZAGRANICZNY, cudzoziemski,

491 obczyzna — **A.** ZAGRANICA, świat,

obcy kraj, nieznana kraina↑, dal↑, zamorskie kraje↑, **B.** ZESŁANIE, zsyłka, • wygnanie, banicja, • emigracja, uchodźstwo, wychodźstwo, exodus, diaspora, rozproszenie,

492 obejmować — **A.** PRZYGARNĄĆ, objąć, (przy)tulić, garnąć, przyciskać do serca, (u)ściskać, dusić, otoczyć ramieniem, ująć w dłonie, uścisnąć, ogarnąć ramieniem, opasać rękami, • przylgnąć, tulić się, objąć się, (przy)garnąć się, przytulić się, przypiąć się, złapać się, przypinać się, przycisnąć się, wtulać się, • opleść się, ściskać się, obściskiwać się, uścisnąć się, obłapiać (się)↑, padać w ramiona, rzucać się w objęcia, rzucić się na szyję, • okraczyć, **B.** WZIĄĆ NA RĘCE, utulić,

493 obłęd — **A.** OBŁĄKANIE, psychopatia, maniactwo, • paranoja, psychoza, mania, obsesja, opętanie, idee fixe, fiksacja, • kretynizm, idiotyzm, debilizm, • schizofrenia, katatonia, • rozdwojenie jaźni, • szał, szaleństwo, dzikość, nieokiełznanie, • pomieszanie zmysłów, niepoczytalność, urojenia, delirium, biała gorączka, **B.** BZIK, kręciek, fioł, kuku na muniu, źle w głowie, hyś, zajob↓, **C.** NIENORMALNOŚĆ, dziwactwo, cudactwo, dziwaczność, nieprzystosowanie, • odchylenie, odchyłka, aberracja, degeneracja, zwyrodnienie, wynaturzenie, • zboczenie, homoseksualizm, lesbijstwo, pederastia, pedalstwo↓, pedofilia, • erotomania, ekshibicjonizm, obnażanie się, • perwersja, perwersyjność, sadyzm, sadomasochizm,

494 obłudnik — **A.** HIPOKRYTA, dwulicowiec, • fałszywiec, przechera, oszust, wiarołomca, krzywoprzysięzca, • zdrajca, sprzedawczyk, judasz, **B.** POZER, komediant, kabotyn, zgrywus, bajerant, **C.** POBOŻNIŚ, faryzeusz, dewot(ka), świętoszek, świętoszka, bigot(ka), cnotka, niewiniątko, aniołek, baranek, trusia, skromnisia,

495 **obłudny** — **A.** DWULICOWY, fałszywy, wredny, żmijowaty↓, • nieszczery, udawany, wymuszony, komediancki, kuglarski, przewrotny, • faryzejski↑, faryzeuszowski↑, • demagogiczny, populistyczny, fasadowy, efekciarski, pokazowy, pod publiczkę, szpanerski↓↓, • propagandowy, sloganowy, • pruderyjny, **B.** OSZUKAŃCZY, blagierski, łgarski, krętacki, jezuicki↑, szarlatański↑, szalbierczy↑, matacki, mistyfikacyjny, krzywoprzysięski (krzywoprzysiężny), kłamliwy, wykrętny, hochsztaplerski, intrygancki, • szachrajski, szulerski, **C.** ZDRADZIECKI, podstępny, judaszowski↑, judaszowy↑, kreci↓, • kolaborancki, gadzinowy↓, • donosicielski, denuncjatorski, • przekupny, sprzedajny↑, skorumpowany, • skrytobójczy, **D.** NIEWIERNY, wiarołomny↑,

496 **obojętnie** — **A.** BEZDUSZNIE, beznamiętnie, bez emocji, chłodno, rzeczowo, • oschle, sucho, oziębie, • formalistycznie, biurokratycznie, • bez zaangażowania, bez serca, **B.** BIERNIE, pasywnie, apatycznie, tępo, bezczynnie, inercyjnie↑, • bezwolnie, ulegle, pokornie, posłusznie, • bezradnie, • bezsilnie, bezwładnie, bez czucia, **C.** NIEUWAŻNIE, pobieżnie, powierzchownie, po łebkach↓, z roztargnieniem, **D.** WSZYSTKO JEDNO, pal licho↓, licho wie↓, co tam,

497 **obojętność** — **A.** NEUTRALNOŚĆ, bezstronność, • obiektywizm, obiektywność, rzeczowość, konkretność, przedmiotowość, • intersubiektywność, **B.** NIEZAANGAŻOWANIE, nieinterwencja, indyferencja, indyferentność, indyferentyzm, bezideowość, aspołeczność, apolityczność, • kosmopolityzm, bezpaństwowość, **C.** NIECZUŁOŚĆ, bezduszność, niewrażliwość, znieczulica, gruboskórność, • chłód, oschłość, beznamiętność, oziębłość, dystans, • obcość, alienacja, wyobcowanie, oderwanie, **D.** BIERNOŚC, pasywność, kwietyzm, • zobojętnienie, marazm, apatia, odrętwienie, odrętwiałość, zmęczenie, znużenie, przemęczenie, wyczerpanie, prostracja,

498 **obojętny** — **A.** BIERNY, pasywny, apatyczny, otępiały, tępy, zobojętniały, zrezygnowany, bezczynny, głuchy na, indolentny↑, kwietystyczny↑, • ascetyczny, surowy, **B.** CHŁODNY, nieczuły, oziębły, • wyrachowany, kalkulatorski, zimny, **C.** NIEZAANGAŻO-

WANY, indyferentny↑, bezprogramowy, apolityczny, • bezstronny, neutralny, **D.** NIEUWAZNY, pobieżny, powierzchowny, **E.** ZNUDZONY, zblazowany, zmanierowany,

499 **obowiązek** — **A.** OBCIĄŻENIE, pensum, dyżur, służba, • obowiązki, kompetencje, zakres obowiązków, partia, działka, podwórko↓, poletko↓, **B.** POWINNOŚĆ, posłannictwo, apostolstwo, misja, rola, **C.** ZADANIE, praca domowa, lekcje, zadanie domowe, wypracowanie, ćwiczenie, próbka, palcówka, • ćwiczenia, manewry, operacja, musztra,

500 **obrabiać** — **A.** OBROBIĆ, • obtłuc, obkuć, poobkuwać, obtrącić, obić, obłupywać, dłutować, • odkruszyć, odłupać, odbić, poodbijać, • okroić, okrajać, okrawać, wiórować, obciąć, ociosywać, poobciosywać, (przy)ciosać, okrzesać, strugać, • opiłowywać, (pod\s)piłować, wytoczyć, oprofilować, fazować, (o)szlifować, (o)heblować, • froterować, glansować, • perforować, przekłuć, (po\prze)dziurkować, (po)nawiercać, (prze)borować, **B.** UPRAWIAĆ, kultywować, gracować, spulchniać, roz\slpulchnić, skopać, sprężynować, gruberować, kretować, (po)orać, podorać, poradlić, poredlić, przekopać, **C.** ROZDRABNIAĆ, (po\roz)drobić, porozdrabniać (się), utłuc, potrzeć, • zerżnąć, (po)siekać, (po)szatkować, (po\s)kroić, (s)proszkować, przemleć, przemielać, instantyzować, przepuścić przez, (u)trzeć, przetrzeć, przecierać, rozetrzeć, rozcierać, kręcić, ubić, atomizować, homogenizować, • rozpylać, rozpylić (się), aerozolować, dyspergować, • skraplać, **D.** PRZEROBIĆ, przerabiać, wyrabiać, ugniatać, walcować, wałkować, międlić, **E.** PREPAROWAĆ, krochmalić, apreturować, apretować, filcować, folować, spilśniać, foluszować, garbować, wyprawiać, dekapować, dotrawiać, przetrawiać, oksydować, • wypalić, powypalać, kalcynować, biskwitować, koksować, blichować, hartować, karmelizować, • przetopić, • impregnować, przesycać (się), woskować, • kompostować,

501 **obraz** — **A.** WIZERUNEK, odbicie, zdjęcie, fotografia, fotos, fotka↓, podobizna, • portret, autoportret, konterfekt, • akt, golizna↓, • widok, scena, pejzaż, krajobraz, landszaft, panorama, diorama, • perspekty-

wa, **B.** MALOWIDŁO, fresk, polichromia, akwarela, płótno, ● ikona, madonna, ● miniatura, iluminacja, ksylografia, drzeworyt, miedzioryt, kopersztych↑, kupersztych↑, kwasoryt, akwaforta, akwatinta, ● winieta, inicjał, **C.** OBRAZEK, malowanka, malunek, widoczek, ● mozaika, ● rysunek, rzut, przekrój, ● rycina, ilustracja, reprodukcja, ● sztych, **D.** FILM, ekranizacja, ● kino, kinematografia, sztuka filmowa,

502 obrażenie — **A.** USZKODZENIE CIAŁA, uraz, kuku↓, ● rana, zranienie, postrzał, przestrzał, **B.** OBRZĘK, opuchlizna, opuchlina, opuchnięcie, napuchnięcie, obrzmiałość, obrzmienie, ● nabrzęknięcie, nabrzmiałość, nabrzmienie, **C.** POPARZENIE, oparzenie, oparzelina, oparzelizna, ● odleżyna, odparzenie, odparzelina, ● odmrożenie, naciek, potłuczenie, obtłuczenie, **D.** SKALECZENIE, draśnięcie, zadrapanie, starcie (naskórka), ● obtarcie, odcisk, nagniotek, pęcherz, bąbel, ● przecięcie, cięcie, ● blizna, szrama, zrost, zrosty, ● okaleczenie (się), **E.** KONTUZJA, stłuczenie, guz, śliwka↓, siniak, siniec, przekrwienie, krwiak, zakrzep, skrzep, zmiażdżenie, ● zwichnięcie, złamanie, okulawienie,

503 obronny — **A.** WAROWNY, umocniony, **B.** DEFENSYWNY, ● asekuracyjny, zabezpieczający, asekurujący, ● maskujący, kamuflujący, **C.** PROFILAKTYCZNY, zaradczy, prewencyjny, zapobiegawczy, **D.** OCHRONNY, izolacyjny, ● konserwacyjny, konserwatorski, renowacyjny, ● utrwalający, konserwujący, ● interwencyjny, ● osłonowy, **E.** POŻARNY, ogniowy, strażacki, ● przeciwpożarowy, pożarniczy,

504 obrzęd — **A.** OBRZĄDEK, ceremonia, uroczystość, akt, celebra, rytuał, ceremoniał, ● obrzędowość, zwyczaj, obyczaj, ryt, **B.** LITURGIA, kult, ● sakrament, komunia, eucharystia, hostia, opłatek, ● modlitwa, pacierz, jutrznia, oracja, modły, wypominki, antyfona, litania, różaniec, ● nabożeństwo, msza, suma, prefacja, konsekracja, przeistoczenie, poświęcenie, ofiara chleba i wina, misterium, całopalenie, egzekwie, ● nieszpory, godzinki, różańcowe, majowe, czerwcowe (nabożeństwo), gorzkie żale, requiem, rekwiem, zaduszki,

505 obsługa — **A.** SŁUŻBA, czeladź, ● pokojówka, pokojowa, garderobiana, służąca, posługaczka, dziewka, dziewczyna, ● gosposia, gospodyni, pomoc domowa, ● sługa, służący, chłopiec na posyłki, kamerdyner, garderobiany, kostiumer, ● lokaj, posługacz, konwers, ● chłopiec okrętowy, jung, ● boy hotelowy, ordynans, adiutant, giermek↑, ● pucybut, czyścibut, ● pachołek, ciura, parobek, fornal, **B.** KELNER, garson, barman, ● kelnerka, bufetowa, kantyniarz, karczmarz, oberżysta, knajpiarz, ● kucharz, kuchmistrz, szef kuchni, ● kucharka, kuchta, podkuchenna, pomoc kuchenna, kuchcik, pomywacz, garkotłuk↓, **C.** OPIEKUN, przewodnik, pilot, hostessa, stewardessa, **D.** SUFLER, podpowiadacz,

506 obuwie — **A.** BUTY, pantofle, szpilki, czółenka, ● półbuty, trzewiki, mokasyny, kamasze, ● botki, kozaczki, ● ciżmy, ciżemki, kierpce, ● zelówka, podeszwa, flek, obcas, koturn, cholewka, **B.** KAPCIE, bambosze, łapcie, krypcie, papucie, laczki, ● klapki, sandały, japonki, ● chodaki, drewniaki, trepy, espadryle, ● baletki, **C.** TENISÓWKI, pepegi, trampki, adidasy, ● śniegowce, kalosze, gumowce, gumiaki,

507 ocena — **A.** ZAOPINIOWANIE, krytyka, recenzja, ● krytycyzm, krytyka, autokrytycyzm, autokrytyka, samokrytycyzm, samokrytyka, rachunek sumienia, **B.** WYCENA, szacunek, oszacowanie, ● marketing, ● taksacja, otaksowanie, ● ewaluacja, ● kwalifikacja, zaliczenie do, diagnoza, rozpoznanie, **C.** MIEJSCE, lokata, klasyfikacja, punktacja, bonitacja, ● pozycja, status, cenzus, ● nota, stopień, cenzura, cenzurka, laurka,

508 oceniać — **A.** WARTOŚCIOWAĆ, (za)opiniować, (z)recenzować, orzekać, (o)sądzić, wydać sąd (opinię), ferować wyrok, ● punktować, (prze)klasyfikować, wystawić ocenę, postawić (dać) stopień, ● (wy)liczyć, wypunktować, **B.** ZNAJDOWAĆ, poznać się na, mieć za, uważać za, postawić w pewnym świetle, stawiać na równi z, docenić, **C.** PORÓWNYWAĆ, konfrontować, zestawić, ● na jedno wychodzi,

509 ochrona — **A.** ZABEZPIECZENIE, ● asekuracja, asekurowanie, ● ubezpieczanie, ubezpieczenie, autocasco, ● prohibicjonizm, protekcjonizm, • immunitet, nietykalność, • eksterytorialność, wyłączenie, **B.** OSŁONA, osłanianie, przeciwciało, • straż, obrona, samoobrona, • przedmurze, przedpole, bufor, • zapobieganie, profilaktyka, prewencja, przeciwdziałanie, • antykoncepcja, :*prezerwatywa, kondom, spirala, krążek, globulka,* **C.** UZIEMIENIE, odgromnik, piorunochron, bezpiecznik, korek↓, korki↓,

510 ochronnie — A. ZABEZPIECZAJĄCO, izolacyjnie, • konserwująco, utrwalająco, **B.** PREWENCYJNIE, zapobiegawczo, profilaktycznie, kontrolnie, na wszelki wypadek, **C.** TROSKLIWIE, pieczołowicie, starannie, **D.** LECZNICZO, objawowo, • operacyjnie, chirurgicznie,

511 ocieplać — A. ODCHŁADZAĆ, od\rozlmrażać, rozpuścić, (roz)topić, roztapiać, stopić, **B.** ODMARZNĄĆ, rozmarznąć, rozmrozić się, odmakać, topić się, stopić się, roztopić się, (od\roz)tajać, stajać, (s)topnieć, • rozpłynąć się, rozpuścić się, rozkisnąć, rozmdlić się, **C.** OCIEPLIĆ, (o)gacić, watować, otulić, opatrzyć, poutykać, kitować, **D.** CHUCHAĆ, nagrzewać, o\rozlgrzewać, opalać, przepalać, • nagrzać, dogrzać, (o\roz)grzać, **E.** PRAŻYĆ, grzać, do\przylgrzewać, palić, piec, przypiekać, dopiekać, operować, parzyć, • rozprażyć, rozognić (się), rozpalić (się), • pociepleć, **F.** (O\PO)GRZAĆ SIĘ, roz\dolgrzać się, (o)parzyć się, piec się, smażyć się,

512 odbiór — A. PRZYJĘCIE, odebranie, przyjmowanie, akceptacja, • wzięcie, otrzymanie, **B.** PERCEPCJA, odbieranie, postrzeganie, postrzeżenie,

513 odbywać się — A. DZIAĆ SIĘ, toczyć się, przebiegać, rozegrać się, rozgrywać się, iść swoim trybem, układać się, • rozwijać się, posypać się, rosnąć jak na drożdżach, • rozkręcić się, odchodzić, wyprawiać się, wyrabiać się, kipieć, wrzeć, tętnić, rozpętać się, szaleć, rozszaleć się, srożyć się, • dokonywać się, *doszło do, skończyło się na,* mieć miejsce, iść, *jak idzie,* pójść, *poszło tak a tak,* odegrać się, odprawiać się, **B.** TRWAĆ, ciągnąć się, utrzymywać się, potrwać, nie kończyć się, nie mieć końca, przeciągać się, przedłużyć się, wlec się, dłużyć się, przewlekać się,

514 odchylić — A. GIĄĆ, (od\przy)giąć się, uchylić się, odchylić się, przechylić, (po)odchylać się, przekręcić (się), przekrzywić (się), • zniżać, przychylić (się), ugiąć (się), uginać (się), nachylić (się), skłonić (się), skłaniać (się), przyginać (się), opuścić, opuszczać, spuścić, spuszczać, nagiąć (się), ponaginać (się), rozgiąć (się), poodginać (się), przegiąć (się), poprzeginać (się), kłonić (się), przygarbić (się), (po)garbić się, obwisnąć, poobwisać, przewiesić (się), położyć się, wyłożyć się, **B.** SKRĘCIĆ, zjechać, zjeżdżać, zboczyć, wypaść z kursu, zataczać się, • sprowadzić, unieść, porwać, znieść, znosić, **C.** STERCZEĆ, stanąć sztorcem, wznosić się, nastroszyć się, **D.** WYSTAWIĆ, wytknąć, wysunąć, wyściubić,

515 oddech — A. DECH, tchnienie, duch, • chuch, chuchnięcie, • powietrze, tlen, świeże powietrze, • klimatyzacja, wentylacja, wentylator, nawiew, wiatrak, wiatraczek, dmuchawa, **B.** ODDYCHANIE, respiracja, • wydech, ekspiracja, wydychanie, • wdech, inhalacja, wdychanie, wziewanie, • ziewnięcie, ziewanie,

516 oddychać — A. WDYCHAĆ, chwytać (łapać) oddech, łykać (wciągać) powietrze, wziewać, inhalować, posapywać, sapać, dyszeć, ziać, ziajać, ziewać, zionąć, tchnąć, zipać↓,

517 oddział — A. PODODDZIAŁ, drużyna, chorągiew, hufiec, zastęp, legion, formacja, korpus, • pluton, kompania, komando, batalion, baon, pułk, brygada, dywizja, kolumna, eskadra, dywizjon, • centuria, kohorta, • garnizon, • hufce↑, zastępy↑, legiony↑, armia,

518 odejść — A. ODSTĄPIĆ, odpełznąć, odczołgać się, od\polsunąć się, • odtoczyć się, poturlać się, • odbić się, (od)skoczyć, (po)odskakiwać, • odbiec, odbiegać, **B.** ODCHODZIĆ, poodchodzić, powychodzić, rozchodzić się, odmaszerować, wybyć, oddalać się, zejść ze sceny, • odłączyć się, odbić od grupy, • iść precz, *fruwaj, spływaj, zjeżdżaj, spadaj↓,* spieprzaj↓, *spierdalaj↓,* • ulotnić się, zniknąć, wynieść się, • wyprowadzać się, opuścić dom (kraj), przeprowadzić się, emigrować, iść na wygnanie, powynosić się, zmienić miejsce pobytu (zamieszkania), migrować, (wy)wędrować, przenieść się, poprzenosić (się), • przekwaterować, przesiedlać (się), przemeldować (się), zniknąć z oczu, • żegnać się, odmeldować się, pożegnać (się), **C.** OSIEROCIĆ, opuścić, pozostawić, odumrzeć↑, owdowieć, osamotnić,

519 odnoga — **A.** RAMIĘ, odgałęzienie, gałąź, bocznica, **B.** ODNÓŻEK, odrost, odrośl, kłącze, konar, • pęd, kiełek, wypustka, kosmek, • rozsada, sadzonka, flanca,

520 odpoczywać — **A.** ODETCHNĄĆ, ochłonąć, wytchnąć, złapać oddech, nabrać tchu, odzipnąć, odsapnąć, • odpocząć, wypocząć, (z)relaksować się, (wy)wczasować się, odzyskać siły, *zmęczenie opadło z*, **B.** DOTLENIĆ SIĘ, odświeżyć (się), (o)rzeźwić, orzeźwiać (się), powachlować (się), chłodzić (się), ochładzać (się), przewietrzyć się, • dotleniać, wachlować, wentylować, **C.** LEŻAKOWAĆ, spoczywać, (po)leżeć, wyciągnąć się, polegiwać, posiadywać, pobyczyć się, **D.** WYPOCZYWAĆ, robić odpoczynki, • przespać się, wyspać się, • wysypiać się, • ćwiczyć, gimnastykować się, • przespacerować się, (po)spacerować, pobłąkać się, pochodzić, przechadzać się, połazić, przejechać się, przelecieć się, przewieźć (się), • plażować, opalać się, poopalać (się), ogorzeć, osmalić, przypiec się, • jechać na urlop, być na wakacjach, udać się na wypoczynek, jechać do wód↑,

521 odpowiadać — **A.** REAGOWAĆ, nawiązywać, komentować, • odrzec, *odparł*, odzywać się, • prychnąć, mruknąć, warknąć, syknąć, żachnąć się, • ripostować, odciąć się, odpalić, odparować, odpalantować↓, replikować, odgryźć się, • odkrzyknąć, odmruknąć, odburknąć, odburczeć, odbąknąć, odszepnąć, odwarknąć, odwrzaskiwać, margnąć, odpyskować (odpysknąć), odszczeknąć, odszczekiwać (się), **B.** ODPISAĆ, odpowiedzieć, zareagować, skwitować, oddepeszować, odtelegrafować, • odtelefonować, oddzwonić, • odgwizdać, odkrzyknąć, odpukać, odstukać, o(d)trąbić, • odmrugnąć,

522 odpowiedni — **A.** WŁAŚCIWY, stosowny, przysługujący, zasłużony, należący się, należyty, należny, godziwy, porządny,

uczciwy, regularny↓, **B.** PRZEPISOWY, regulaminowy, ustawowy, • słuszny, sprawiedliwy, • rytualnie czysty, koszerny↑, • poświęcony, • wymiarowy, **C.** ZDATNY, jadalny, zjadliwy↓, spożywczy, konsumpcyjny, • pitny, pijalny↑, • rolny, uprawny, orny, rolniczy, **D.** DOBRY, smaczny, smakowity↑, pyszny, wyśmienity↑, wyborny↑, pycha↓, mniam mniam↓, **E.** NAJLEPSZY, optymalny, idealny, wymarzony, • szkolony, radiowy, mikrofonowy, spikerski, • fotogeniczny,

523 odpowiednio — **A.** ADEKWATNIE, stosownie, według, podług↑, zgodnie z, stosownie do, jak należy, wedle↑, **B.** PRAWIDŁOWO, właściwie, należycie, umiejętnie, fachowo, profesjonalnie, kompetentnie, • realnie, realistycznie, trzeźwo, pragmatycznie, • logicznie, sensownie, • słusznie, trafnie, celnie, • poprawnie, gramatycznie, ortograficznie, **C.** PORZĄDNIE, przyzwoicie, kulturalnie, po ludzku↓, po bożemu↓, • czysto, fair, • regularnie, przepisowo, ustawowo, • cenzuralnie, parlamentarnie, **D.** NALEŻNIE, dogodnie, jak się należy, godnie, godziwie, **E.** WYSTARCZAJĄCO, dostatecznie, • dość, dosyć, pod dostatkiem, w bród, **F.** NAJLEPIEJ, optymalnie, • wzorowo, przykładnie, budująco, kształcąco, pouczająco, • zaszczytnie, chwalebnie, chlubnie, • nienagannie, nieposzlakowanie, nieskazitelnie, idealnie, • przestrzennie, trójwymiarowo, plastycznie, • stereofonicznie, ambiofonicznie, kwadrofonicznie, **G.** TERMINOWO, w terminie, na bieżąco, • punktualnie, planowo, o czasie, w porę, *punkt ósma*,

524 odpowiedź — **A.** REPLIKA, duplika↑, respons↑, • odmowa, odpowiedź odmowna, rekuza, odprawa, kosz, **B.** REAKCJA, odzew, oddźwięk, reperkusje, rezonans, • odruch, refleks, interakcja, • kontrakcja, przeciwdziałanie,

525 odrobina — **A.** OKRUCH, źdźbło, ździebełko, ździebko, krzyna, krztyna, krzta, ociupina, • kropelka, kapka, kapeczka, kapeńka, • drobina, pyłek, paproch, paproszek, • okruszek, okruszyna, okruszynka, kruszyna, • cień, **B.** KAWAŁEK, odłamek, odprysk, ułamek, • kawałeczek, kawalątek, kąsek, kęs, gryz, • szczypta, garstka, • skrawek, karteluszek, ścinek,

526 odurzać się — **A.** OGŁUSZAĆ, otumaniać, hipnotyzować, oszałamiać, **B.** ZAŻYWAĆ, narkotyzować się, brać↓, ćpać↓, grzać↓, morfinizować się, kokainizować się, szprycować się, **C.** PIĆ, (pod)gazować↓, golić↓, tankować↓, trąbić↓, lubić się napić, lubić wypić, lubić sobie łyknąć, lubić pociągnąć, chlać↓, żłopać↓, ● upajać (się), upijać (się), ubzdryngolić się↓, ● topić smutki w, zalewać robaka, **D.** POPIJAĆ, sączyć, pociągać, cmoktać, ciągnąć, przepłukać gardło, *pękło (pół litra)*, strzelić po jednym, obciągnąć, osuszyć, chlusnąć, golnąć, łyknąć, chlapnąć↓, ● wypić, napić się, podpić, podochocić, podchmielić sobie, **E.** UPIĆ SIĘ, popić się, doprawić się, mieć w czubie, upoić (się), spić (się), spoić (się), nabuzować się↓, ululać się↓, schlać się↓, uchlać się↓, urżnąć się↓, **F.** PALIĆ, (za)kurzyć, ćmić, kopcić, ciągnąć, cmoktać, ● zapalić, odpalić, przypalać, ● zaciągnąć się, sztachnąć się↓,

527 odurzenie — **A.** ZAMROCZENIE, oszołomienie, rausz, ● utrata świadomości, amnezja, niepamięć, zapomnienie, ● naćpanie się↓, zaćpanie się↓, **B.** UPOJENIE, uniesienie, ekstaza, trans, wizja, widzenie, objawienie, ● błogość, rozkosz, zaspokojenie,

528 odwaga — **A.** MĘSTWO, waleczność, bojowość, bitność, chwackość, zaczepność, zawadiackość, czupurność, junactwo, przebojowość, ● śmiałość, rezolutność, kontenans↑, **B.** DZIELNOŚĆ, nieustraszoność, heroiczność, heroizm, bohaterstwo, hart (ducha), odporność, wytrzymałość, twardość, zahartowanie, ● duch, animusz, kuraż↑,

529 odważny — **A.** ŚMIAŁY, niepłochliwy, chrobry↑, przebojowy, ● bojowy, mężny, bitny, waleczny, **B.** HEROICZNY, dzielny, bohaterski, ● nieustraszony, nieulękły, ● niezwyciężony, niepokonany, ● rezolutny, **C.** NIEUGIĘTY, twardy, nieustępliwy, niezłomny, niezachwiany, **D.** WIZJONERSKI,

530 odważyć się — **A.** ŚMIEĆ, zebrać się na odwagę, mieć odwagę, ośmielić się, zdobyć się, poważyć się, pokusić się, pozwolić sobie, rozgrzeszyć się, ● porywać się, ważyć się, potrafić, wziąć się na odwagę, postawić wszystko na jedną kartę, narażać,

(za)ryzykować, **B.** ROZZUCHWALIĆ SIĘ, mieć czelność, nie cofnąć się przed, posuwać (posunąć) się do, *spróbuj no*, rozbuchać się↓,

531 odzież — **A.** UBRANIA, garderoba, ● konfekcja, tekstylia, ● odzienie, przyodziewek, szaty, ● ciuchy, łachy, łachmany, szmaty, ● ubiór, strój, kreacja, toaleta, ● łaszek, fatałaszek, ciuszek, szmatka, ● ciuch, łach, łachman, **B.** PŁASZCZ, okrycie (wierzchnie), prochowiec, trencz, ● peleryna, deszczowiec, ● pelerynka, burka, etola, hawelok, narzutka, poncho, burnus, ● palto, jesionka, paltocik, paltot, pelisa, bekiesza, ● futro, błam, króliki, lisy, norki, karakuły, gronostaj, szynszyle, ● kożuch, półkożuszek, ● kurtka, parka, panterka, budrysówka, ● waciak, fufajka, ● kapota, katana↓, katanka↓, **C.** UBRANIE, garnitur, smoking, frak, surdut, ● mundurek, mundur, uniform, liberia, umundurowanie, ● garsonka, ● kostium, przebranie, ● marynarka, żakiet, ● kamizelka, bolerko, bezrękawnik, serdak, kubrak, kabat, kaftan, kacabaja, kasak, ● blezer, pulower, sweter, półgolf, ● bluza, bluzka, koszula, giezło↑, **D.** SUKMANA, kontusz, żupan, karazja, delia, kiereja, opończa, gunia, cucha, ● sutanna, habit, ornat, komża, ● toga, rewerenda↑, ● czador, chlamida, czamara, ● fartuch, kitel, chałat, drelich, pasiak, ● szata, kimono, ● suknia, krynolina, sukienka, kiecka, ● spódnica, spódniczka, mini, maksi, ● szlafrok, bonżurka, porannik, podomka, peniuar, ● piżama, koszula nocna, ● śpioszek, śpioch, pajacyk, kombinezon, overal↓, **E.** BIELIZNA, halka, podkoszulek, komplet, ● negliż, dezabil, desu, dessous, ● biustonosz, stanik, gorset, ● majtki, majteczki, figi, slipy, slipki, majtasy, gatki, reformy, gacie, ● kalesony, ineksprymable, ● rajtuzy, rajstopy, leginsy↓, narciarki, pończochy, ● skarpety, skarpetki, podkolanówki, getry, **F.** SPODNIE, portki↓, porcięta↓, portasy↓, pantalony, ● szorty, krótkie spodnie, pumpy, bermudy, bryczesy, hajdawery↑, szarawary, ● dżinsy, farmerki, ● dres, dresy, ● spodenki, kąpielówki, plażówki, ● opalacz, bikini, kostium, strój plażowy, strój pływacki,

532 ofiara — **A.** MĘCZENNIK, cierpiętnik, bohater, ● pokrzywdzony, kozioł ofiarny, chłopiec do bicia, **B.** POSZKODOWANY, powód, • ofiara wypadku, ranny, pogorzelec, powodzianin,

533 oficjalnie — **A.** URZĘDOWO, legalnie, • prawnie, prawomocnie, zgodnie z prawem, na mocy prawa, • na piśmie, pisemnie, piśmiennie↑, • notarialnie, rejentalnie, **B.** KONWENCJONALNIE, grzecznościowo, kurtuazyjnie, uprzejmościowo, zdawkowo, formalnie, • nominalnie, tytularnie, honorowo, **C.** SŁUŻBOWO, • etatowo, na stałe,

534 oficjalny — **A.** URZĘDOWY, rządowy, • administracyjny, • notarialny, rejentalny, • biurowy, kancelaryjny, • podaniowy, • pisemny, piśmienny, na piśmie, **B.** BEZDUSZNY, formalistyczny, biurokratyczny, urzędniczy, służbowy, sztywny, **C.** FORMALNY, grzecznościowy, uprzejmościowy, konwencjonalny, kurtuazyjny, zdawkowy, • nominalny, tytularny, honorowy,

535 ogień — **A.** PŁOMIEŃ, płomyk, • ognik, znicz, • iskra, skra, ogieniek, żar, **B.** OGNISKO, watra↑, stos, • pożar, pożoga, czerwony kur, • spalenizna, przypalenizna,

536 ograniczać — **A.** OTOCZYĆ, (po)otaczać, opasać, okrążyć, obramować, obrzeżyć, okalać, okolić, obwałować, otamować, ocembrować, obwieść, obwodzić, ogradzać, ogrodzić, olinować, osznurować, opalisadować, • odgrodzić, odgradzać (się), (od)izolować, (od)separować, **B.** OGRANICZYĆ DO, zamknąć w granicach, • zlokalizować, • przewężać, ścieśniać, • skadrować, **C.** DELIMITOWAĆ, przegrodzić, (po)przegradzać, (po)grodzić, odgraniczyć (się), przedzielić, poprzedzielać, przepierzyć, • rozgrodzić, (po)rozgraniczać, • tyczyć, (po)wytyczać, wyodrębniać, odkreślić,

537 ogrodzenie — **A.** PŁOT, parkan, żywopłot, • murek, mur, ściana, • siatka, drut (kolczasty), krata, kratownica, okratowanie, • balustrada, galeryjka, barierka, poręcz, • banda, burta, • ostrokół, palisada, częstokół, • opłotek, przyzba,

538 ogrom — **A.** MNÓSTWO, masa, • mnogość, wielość, gąszcz, nieograniczoność, nieskończoność, bezmiar, bezkres, niezliczoność, • pełnia, pełność, • moc, multum, huk, **B.** STOS, kupa, sterta, góra, fura,

• ławina, potok, strumień, natłok, nawał, nawarstwienie, spiętrzenie • morze, ocean, rzeka, potop, powódź, grad, • mrowie, rój, gromada, chmara, hurma, ćma, krocie, • miriady, • zalew, • zwały, kilogramy, tony, **C.** TŁUM, masa, fala, falanga, kohorta, legiony, ławica, horda, sfora, tabun, • stado, kierdel, owce, owczy pęd, bydło, trzoda, **D.** LUDZIE, ludziska, kupa luda↓, • rzesza, naród, grupa, grupka, trzódka, garstka, zgraja, wataha, czereda, ciżba, tłuszcza, zbiegowisko, • pospólstwo, gawiedź, gapie, • motłoch, hałastra, hołota, tałatajstwo, dzicz, dostatek↑, siła↑, **E.** TŁOK, przepełnienie, ścisk, stłoczenie, zatłoczenie, zagęszczenie, ciasnota, magiel↓, • zbiorowisko, zgromadzenie, nagromadzenie, akumulacja, kumulacja, skumulowanie, skupienie, komasacja,

539 ogród — **A.** SAD, warzywnik, działka, • grządka, kwietnik, klomb, rabata, rabatka, • inspekt, szklarnia, cieplarnia, inkubator, • oranżeria, pomarańczarnia, palmiarnia, • alpinarium, arboretum, dendrarium, • szkółka, **B.** PARK, lunapark, wesołe miasteczko, • zwierzyniec, zoo, ogród zoologiczny, rezerwat, • ogródek jordanowski, • skwer, zieleniec, skwerek,

540 ojczyzna — **A.** MACIERZ, kraj ojczysty, własny kraj, ziemia rodzinna, ziemia ojczysta, strony rodzinne, ziemia ojców, kraj macierzysty, **B.** KOLEBKA, prakolebka, praojczyzna, miejsce narodzin,

541 okno — **A.** LUFCIK, dymnik, iluminator, bulaj, świetlik, • wizjer, przeziernik, judasz, • szyba, framuga, rama, futryna, ościeżnica, parapet, • wywietrznik, komin, luft, **B.** WITRYNA, wystawa, okno wystawowe, gablota,

542 okolicznościowy — **A.** UROCZYSTY, podniosły, • odświętny, ceremonialny, celebracyjny, • hymniczny, strzelisty↑, • wzniosły, seraficzny↑, **B.** OKAZJONALNY, jubileuszowy, rocznicowy, świąteczny, • bożonarodzeniowy, choinkowy, gwiazdkowy, • wielkanocny, • gratulacyjny, z życzeniami, dziękczynny, z wyrazami podziękowania, • współczujący, kondolencyjny, **C.** WSPANIAŁY, okazały, reprezentacyjny, • elegancki, wyjściowy, galowy, paradny, wizytowy, wieczorowy, koktajlowy, • wykwintny, wytworny, wyszukany, • nobliwy, dystyngowany, salonowy, wielkoświatowy,

543 **około** — **A.** MNIEJ WIĘCEJ, orientacyjnie, w przybliżeniu, szacunkowo, koło, circa↑, circa about↓, pi razy oko↓, pi razy drzwi↓, z grubsza, • szkicowo, w zarysie, ramowo, **B.** PRAWIE, niemal, niemalże, omal↑, nieomal↑, nieomalże↑, nieledwie↑, bez mała, prawie że, • niedokładnie, niespełna↑, niezupełnie, nie w pełni, nie całkiem, nie do końca,

544 **okrągły** — **A.** KULISTY, sferyczny, • zaokrąglony, obły, bochenkowaty, owalny, jajowaty, opływowy, aerodynamiczny, • krągły↑, toczony↑, **B.** WALCOWATY, cylindryczny, **C.** WYPUKŁY, wybrzuszony, wypuczony, • pękaty, baniasty, bombiasty↓, • baryłkowaty, brzuchaty, półokrągły, • półkolisty, paraboliczny, • soczewkowaty, • kopulasty, bulwiasty, • kartoflany↓, kulfoniasty↓, • wyłupiasty, wybałuszony, wytrzeszczony, wywalony↓,

545 **określać** — **A.** UŚCIŚLAĆ, (z)definiować, (s)precyzować, • sformalizować, strukturalizować, (s)formułować, (za)programować, • dookreślić, implikować, warunkować, uwarunkowywać, (z)determinować, **B.** USTALAĆ, scharakteryzować, (po)oznaczać, (po)wyznaczać, (z)identyfikować, • wskazać, (po)wymieniać, (po)wyliczać, wyszczególniać, • rozpoznać, wykazać, wyodrębniać, wyosobnić, wydzielać, • ustanawiać, (s)konkretyzować, uszczegółowić, skrystalizować (się), naznaczać, • umiejscowić, lokalizować, określać położenie, wyznaczać miejsce, namierzać, pelengować, • datować, szacować wiek, • ukierunkowywać, pionować, wytyczać, wytrasować, • potraktować, spojrzeć, ująć, ujmować, widzieć, rozważyć pod kątem, • kojarzyć, wiązać, łączyć, **C.** INDYKOWAĆ, wskazywać, pokazywać, sondować, (z)mierzyć, *licznik bije,* • składać się z, dzielić się na, liczyć, liczyć sobie, przedstawiać sobą, • ważyć, mieć ileś kilogramów, spaść na wadze, zyskać na wadze, • mieć jakąś długość, mieć ileś metrów głębokości, osiągać ileś metrów, mierzyć ileś metrów wysokości, sięgać iluś metrów, zajmować jakąś szerokość, • liczyć sobie ileś wiosen↑, skończyć któryś rok, osiągnąć jakiś wiek, ukończyć ileś lat, mieć ileś lat, *stuk-*

nęła pięćdziesiątka, wejść w jakiś wiek, odejmować sobie lat, ująć lat, dodać lat, dawać komu tyle a tyle lat, szacować na, **D.** OBMIERZAĆ, (po\wy)mierzyć, brać miarę, odmierzyć, domierzyć, klupować, • poważyć, ważyć się, **E.** KWANTYFIKOWAĆ, obliczać, rachować, przetwarzać dane, liczyć, zliczać, (pod)sumować, przemnożyć, podliczyć, (po)dodawać, doliczyć, pierwiastkować, (po)dzielić, pomnożyć, potęgować, całkować, • szacować, kalkulować, kosztorysować, przekalkulować, zapreliminować, • stanowić, wynosić, wynieść, równać się, opiewać, czynić,

546 **opakować** — **A.** ZAPAKOWAĆ, spakować, owiązać, okręcić, (po)owijać, owinąć, zawinąć, omotać, banderolować, • paczkować, kopertować, butelkować, kapsułkować, puszkować, beczkować, • belować, brykietować, balotować, granulować,

547 **opakowanie** — **A.** KARTON, pudło, skrzynia, skrzynka, klatka, • pudełko, kartonik, pudełeczko, • kostka, paczka, • puszka, konserwa, • worek, wór, • pojemnik, butelka, słoik, słój, twist↓, wek↓, • kilogram, kilo, litr, **B.** PAPIER, papierek, folia, celofan, cynfolia, • torebka, torebeczka, koperta, tutka↑,

548 **opatrunek** — **A.** BANDAŻ, gaza, opaska, • plaster, przylepiec, kapsiplast, • tampon, gazik, wacik, • wata, lignina, podpaska (higieniczna), • okład, kompres, termofor, • temblak, gips, **B.** PLOMBA, wypełnienie, fleczer, • koronka,

549 **opieka** — **A.** NADZÓR, nadzorowanie, dozór, patronat, mecenat, protektorat, kuratela, • pilnowanie, kontrolowanie, strzeżenie, doglądanie, • pilotowanie, oprowadzanie, **B.** PIECZA, dbałość, pieczołowitość, staranie, staranność, troska, troskliwość, troszczenie się, • dbanie, pielęgnacja, pielęgnowanie, • kosmetyka, upiększanie, depilacja,

550 **opiekować się** — **A.** UTRZYMYWAĆ, zarabiać na, (wy)żywić, alimentować, płacić za, mieć na głowie, wziąć sobie na głowę, wziąć pod swoje skrzydła, **B.** WYCHOWYWAĆ, (pod\od)chować, przyhołubić, zajmować się, odchuchać, pracować nad, rozwijać, (po)kształcić, posłać do szko-

ły, wyprowadzić na ludzi, emancypować, resocjalizować, • spowiadać, słuchać (spowiedzi), **C.** DBAĆ, pielęgnować, (po)niańczyć, piastować, matkować, ojcować, nosić na rękach, chodzić koło, kłopotać się o, • troszczyć się, otaczać troską, doglądać, dopatrzyć, dogadzać, dopieszczać, hołubić, chuchać, skakać koło, chodzić na palcach, trząść się nad, tańczyć koło, prowadzić za rączkę, • pamiętać o, myśleć, czuwać, • obsługiwać, oprać, **D.** POPILNOWAĆ, (do\przy)pilnować, dojrzeć, posiedzieć przy, roztoczyć opiekę, mieć pieczę, mieć baczenie, sprawować opiekę (nadzór), **E.** STRZEC, wartować, dozorować, nadzorować, stróżować, odpowiadać za, pełnić dozór, strzec jak oka w głowie, upilnować, stać na straży, trzymać straż, pikietować, śledzić, mieć na oku, mieć oko na, nie spuszczać z oka, stać nad kim jak kat nad dobrą duszą, postawić na straży,

551 opiekun — **A.** PATRON, mecenas, protektor, promotor, • obrońca, anioł stróż, • kuratorium, kurator, kustosz, konserwator, **B.** STRAŻNIK, dróżnik, • dyżurny, porządkowy, • leśniczy, gajowy, • dozorca, kapo, • gospodarz domu, konsjerż, odźwierny, portier, szwajcar↑, recepcjonista, • stróż, cerber↓, woźny, pedel↑, kalefaktor↑, profos↑, **C.** PASTERZ, pastuch, koniuch, owczarz, baca, juhas, góral, świniopas, świniarek, gęsiarka, **D.** PIELĘGNIARZ, sanitariusz, • pielęgniarka, higienistka, sanitariuszka, siostra, salowa, położna, akuszerka,

552 opiekuńczy — **A.** TROSKLIWY, pieczołowity, dbały, pietystyczny↑, • macierzyński, matczyny, • ojcowski, • rodzicielski, **B.** WYCHOWAWCZY, dydaktyczny, moralizatorski, pouczający, umoralniający, • pedagogiczny, edukacyjny, kształceniowy, oświatowy, **C.** MENTORSKI, belferski, kaznodziejski, • moralizujący, rezonerski,

553 opinia — **A.** ZDANIE, pogląd, sąd, • stanowisko, platforma, zapatrywanie, przeświadczenie, przekonanie, pewność, • mniemanie, pojęcie, • wizja, widzenie, wyobrażenie, postrzeganie, punkt widzenia, optyka, spojrzenie, ogląd, teoria, • ocena, osąd, werdykt, orzeczenie, predykacja, ekspertyza, **B.** STWIERDZENIE, uwaga, spostrzeżenie, konstatacja, obserwacja, • wypo-

wiedź, głos, **C.** REPUTACJA, sława, imię, pamięć, • renoma, dobre imię, twarz,

554 opisowy — **A.** DESKRYPCYJNY↑, deskryptywny↑, **B.** EPICKI, opowiadający, homerycki↑, **C.** UMOWNY, aluzyjny, nie wprost, • omowny, peryfrastyczny↑,

555 opłata — **A.** NALEŻNOŚĆ, świadczenia, czynsz, komorne, taksa, ryczałt, • koszt, odpłatność, czesne, wpisowe, • cło, myto, mostowe, portowe, przewoźne, postojowe, placowe, • opłata pocztowa, porto, • alimenty, • opłata manipulacyjna, znaczek skarbowy, • rozchód, wydatki, **B.** SKŁADKA, zbiórka (pieniężna), datek, kwesta, • prenumerata, abonament, przedpłata, subskrypcja, • rata, spłata, amortyzacja, zapłata, • zadatek, zaliczka, akonto, • wpłata, uiszczenie (należności), **C.** PODATEK, opodatkowanie, akcyza, potrącenie, domiar, • danina, pogłówne, dziesięcina, haracz, trybut, kontrybucja, **D.** MANDAT, kara (pieniężna), kolegium, grzywna, **E.** OKUP, kaucja, • narzut, marża, odstępne, łapówka,

556 opowieść — **A.** OPOWIADANIE, nowela, narracja, • gawęda, pogadanka, słuchowisko, • tradycja ustna, **B.** BAŚŃ, klechda, saga, ballada, • opowiastka, powiastka, • bajka, bajeczka, dobranocka, wieczorynka, • historyjka, dykteryjka, facecja, anegdota, • legenda, podanie, przekaz, mit, apokryf,

557 opóźniać — **A.** SPÓŹNIĆ SIĘ, opóźnić się, od\przeciągnąć się, przeciągać się, odwlec się, *idzie jak z kamienia, idzie jak krew z nosa*, ślimaczyć się, wałkować się, leżeć (być odłożonym), odleżeć się, **B.** NIE MÓC SIĘ ZDECYDOWAĆ, czekać, od\polczekać, wahać się, zastanawiać się, namyślać się, **C.** MITRĘŻYĆ, wykazywać opieszałość, marudzić, guzdrać się, grzebać się, babrać się, zalegać, • ociągać się, nie śpieszyć się, nie kwapić się, nie palić się, iść jak na ścięcie, **D.** ZWLEKAĆ, wstrzymywać (się), odkładać na później, przeciągać, trzymać w niepewności, grać na zwłokę, od\przelwekać, spowalniać, zwolnić bieg, hamować, tamować, • odroczyć, poodraczać, (s)prolongować, przełożyć, przesunąć, odłożyć, palcem nie kiwnąć, *nie rozer-*

wę się, • pominąć, zaniedbać, przeterminować, przetrzymać, • przenosić,

558 opróżniać — A. POMPOWAĆ, od\wylpompować, odessać, odprowadzić, (o)sączyć, od\wylsączyć, s\wylpuścić, upuszczać, ściągać, obciągnąć, sondować, drenować, kanalizować, • doić, (u\wy)toczyć, • wylać, od\ullać, zlać, (po)zlewać, odlać, odlewać, (po)odciągać, **B.** OGAŁACAĆ, ogołocić, opustoszyć, • oskalpować, • wydrążyć, **C.** ZABRAĆ, pozabierać, powynosić, wyprzątnąć, wyrzucić, • wypić, wytrąbić, wyżłopać, • wyżreć, (po)wyjadać, • rozładować, wyładować, • wysypać, wytrząsnąć, **D.** ZWOLNIĆ MIEJSCE, opróżnić pokój, • wyludnić się, (o)pustoszeć, • to stoi pustkami, *świeci pustkami, to zieje pustką, zionie pustką*, • wakować,

559 organizacja — A. STOWARZYSZENIE, fundacja, • federacja, konfederacja, związek, sojusz, przymierze, alians, unia, koalicja, porozumienie, • zgromadzenie, kongres, forum, akcja, ruch, • klub, koło, kółko, liga, towarzystwo, • bractwo, konfraternia, kongregacja, • masoneria, wolnomularstwo, • lobby, grupa nacisku, • konspiracja, sprzysiężenie, **B.** ZRZESZENIE, spółdzielnia, kooperatywa, • zjednoczenie, cech, gildia, **C.** PARTIA, ugrupowanie, stronnictwo, frakcja, orientacja, obóz, odłam, • prawica, konserwatyści, konserwa↓, reakcja↓, liberałowie, chadecja, narodowcy, • lewica, socjaldemokracja, socjaliści, komuniści, komuna↓, beton partyjny↓,

560 osłabić — A. NADSZARPNĄĆ, nadwątlić, nadwerężyć, zachwiać, uszczuplić, podkopać, naruszyć, poderwać, zerwać, stargać, sterać, spustoszyć, • wycieńczyć, ściąć z nóg, **B.** ZŁAGODZIĆ, miarkować, mitygować, wytracać, przyhamować, **C.** PRZYTŁUMIĆ, (przy\za)głuszyć, u\wylciszyć, (o)studzić, (przy\wy)gasić, (s)tłumić, (przy\za)ćmić, omroczyć, przy\wylciemnić, **D.** ZMIĘKCZYĆ, rozhartować, • rozmoczyć, ponadżerać, • naderwać, • obluzować, • podcinać, poderżnąć, podrzynać, podpiłować, podgryźć, popodgryzać, **E.** OSŁABNĄĆ, zmizernieć, opaść z sił, sflaczeć, skapcanieć, (z)niedołężnieć, wycieńczyć się, wykrwawiać się, wykończyć się, wysia-

dać, wyniszczać się, • obojętnieć, oklapnąć, upaść na duchu, otępieć,

561 osobistość — A. ZNAKOMITOŚĆ, sława, postać, • prominent, dostojnik, dygnitarz, polityk, mąż stanu, dyplomata, • ekscelencja, eminencja, • pomazaniec, elekt, • persona, figura, gruba ryba, vip, tuz, szycha↓, możni tego świata, **B.** GENIUSZ, fenomen, indywidualność, cudowne dziecko, • wielki człowiek, luminarz, koryfeusz, • plejada, poczet,

562 osobisty — A. WŁASNY, indywidualny, swój, wewnętrzny, intymny, kameralny, prywatny, buduarowy↑, • autobiograficzny, autotematyczny, • personalny, cywilny, • nieurzędowy, nieoficjalny, **B.** RODOWY, rodzinny, • plemienny, **C.** RĘCZNY, manualny, odręczny, **D.** JEDNOSTRONNY, unilateralny,

563 osobliwość — A. ZJAWISKO, objawienie, cud, cudo, • fenomen, kuriozum, unikat, • cuda niewidy, dziwy, czary, deus ex machina, **B.** DZIWO, dziwowisko, dziwoląg, wybryk natury, • dziwactwo, dziwność, ekstrawagancja, udziwnienie, ekscentryczność, ekscentryzm, • egzotyczność, egzotyka, egzotyzm, obcość, odrębność, **C.** WYJĄTEK, rzadkość, wyjątkowość, • nadzwyczajność, niepowtarzalność, jednorazowość, • oryginalność, niepospolitość, nieszablonowość, niepowszedniość, niecodzienność, nieprzeciętność, • nowatorstwo, pionierstwo, pionierskość,

564 osobny — A. AUTARKICZNY, samowystarczalny, izolowany, odizolowany, oddzielony, odseparowany, • autystyczny, zaskorupiony, • elitarny, ekskluzywny, wydzielony, hermetyczny, zamknięty, klanowy, kastowy, snobistyczny, **B.** ODDZIELNY, solowy, indywidualny, rapsodyczny↑, • odrębny, wyodrębniony, samodzielny, • niekrępujący, niekłopotliwy, • oderwany, bez związku, **C.** ROZGRANICZONY, przedzielony, podzielony, przecięty, • ogrodzony, zagrodzony, odgrodzony, odgraniczony, otoczony, okolony↓, • rozłączny, rozdzielny, • rozłączalny, • wybiórczy, selektywny↑,

565 ostatnio — A. NIEDAWNO, dopiero co, ledwie co, ledwo, przed chwilą, chwilę temu, wczoraj, przedwczoraj, onegdaj↑, parę dni (minut\godzin) temu, świeżo, ostatnimi czasy, ● do niedawna, ● od niedawna,

566 ostrożnie — **A.** Z OSTROŻNA, ● dyplomatycznie, oględnie, powściągliwie, wymijająco, eufemicznie, eufemistycznie, **B.** PRZEWIDUJĄCO, przezornie, ● asekurancko, defensywnie, kunktatorsko,

567 ostrożność — **A.** PRZEZORNOŚĆ, zapobiegliwość, dalekowzroczność, ● spostrzegawczość, zmysł obserwacji, **B.** ROZWAGA, roztropność, oględność, powściągliwość, **C.** TCHÓRZLIWOŚĆ, tchórzostwo, lękliwość, bojaźliwość, strachliwość, trwożliwość, nadopiekuńczość, ● słabość, zniewieściałość, ● defensywność, ● asekuranctwo, kunktatorstwo, ● małoduszność,

568 ostrożny — **A.** DYPLOMATYCZNY, oględny, powściągliwy, wymijający, eufemistyczny, **B.** PRZEZORNY, przewidujący, dalekowzroczny, ● asekurancki, kunktatorski,

569 ostry — **A.** WYOSTRZONY, naostrzony, **B.** SPICZASTY, szpiczasty, zaostrzony, klinowaty, klinowy, **C.** KŁUJĄCY, kolczasty, ciernisty,

570 oszczędność — **A.** GOSPODARNOŚĆ, umiarkowanie, ● ciułactwo↓, ciułanie, **B.** EKONOMIA, ekonomiczność, niekosztowność, ● racjonalność, racjonalne gospodarowanie, recykling, (wtórne) wykorzystanie,

571 oszczędzać — **A.** ODKŁADAĆ, (u)składać, (u)ciułać, chomikować, ● skąpić, żałować, obliczać (się), odejmować sobie od ust, ograniczać się, docisnąć pasa, żyć z ołówkiem w ręku, **B.** INWESTOWAĆ, lokować, ładować, (w)pakować, pchać, operować, kapitalizować, ● wpłacać, ulokować, (z)deponować, trzymać w rezerwie, **C.** PRZYOSZCZĘDZIĆ, przytanić, wygospodarować, **D.** CHYTRZYĆ, szczędzić, (po)skąpić, pożałować, sknerzyć, *nie ubędzie ci,*

572 oszołomiony — **A.** NIEPRZYTOMNY, zemdlony, bez przytomności, ● ogłupiały, odurzony, półprzytomny, kołowaty↓, błędny↑, ocipiały↓, otumaniały, skołowany↓,

śnięty↓, zamroczony, przymulony↓, ● maślany, ● lunatyczny, somnambuliczny, **B.** PIJANY, upity, nietrzeźwy, podpity, wstawiony, podchmielony, podochocony, napity↓, pod gazem↓, pod muchą↓, pod dobrą datą↓, zawiany↓, przytruty↓, spity↓, zapity↓, schlany↓, uchlany↓, zalany↓, zaprawiony↓, ululany↓, ubzdryngolony↓, zabalsamowany↓, zezowaty↓, na gazie↓, na cyku↓, nabuzowany↓, naprany↓, nabombowany↓, nawalony↓, na bani↓, podcięty↓, wlany↓, przyprawiony↓, skaleczony↓, urżnięty↓, zachlany↓, zapijaczony↓, zwarzony↓, **C.** NAĆPANY, nagrzany↓, na haju↓, zaćpany↓,

573 oszukiwać — **A.** DEZINFORMOWAĆ, zmylić, wprowadzić w błąd, mącić w głowie, motać, mydlić oczy, kręcić, omylić, kuglować, krzywoprzysiąc, wykręcać kota ogonem, ● łudzić, brać na lep, obiecywać złote góry, lakierować, (o)mamić, zwieść, zwodzić, (z)bałamucić, (o)tumanić, nadużyć zaufania, ● przeinaczać, zniekształcać prawdę, przekłamać, zakłamywać, zafałszować, ● spłycać, prymitywizować, banalizować, (s)trywializować, wulgaryzować, upraszczać, ● odindywidualizować, odpodmiotować, odpersonalizować, urzeczowić, ● naginać, naciągać, ciągnąć za włosy, (pod)koloryzować, opowiadać bajki, **B.** OSZUKAĆ, (na\s)kłamać, okłamywać (się), (na\ze)łgać, o(be)łgać, (po)przekręcać fakty, mijać się z prawdą, mówić nieprawdę, zmyślać, komponować, wyssać z palca, konfabulować, opowiadać koszałki-opałki, mistyfikować, ● dołożyć, dośpiewać, dopowiedzieć, (na\z)bujać, trajlować, blagować, bajcować↓, bajerować↓, nabierać, picować↓, ● blefować, impasować, **C.** SFINGOWAĆ, (pod\s)fałszować, podrobić, popodrabiać, dopuścić się fałszerstwa, (s)fabrykować, falsyfikować, spreparować, **D.** SYMULOWAĆ, udać coś, (za)markować, pozorować, robić coś dla oka, ratować pozory, ● fingować, inscenizować, upozorowywać, ● upodabniać, ukrywać, maskować, ● podmieniać, zafałszować, podrobić, **E.** UDAWAĆ KOGOŚ, maskować się, przywdziać maskę, odgrywać rolę, urządzać maskaradę, podszywać (się), stroić się w cudze pióra, stylizować się, zgrywać się, ● odstawiać, pozować, upozorować się, snobować się, ● nadrabiać miną, strugać wariata, udawać Greka, odwalać chojraka↓, śmiać się przez łzy,

574 oszust — A. KŁAMCA, kłamczuch, łgarz, arcyłgarz, blagier, krętacz, matacz, cygan↓, • mistyfikator, deklamator, fantasta, kolorysta, koloryzator, mitoman, • oszczerca, insynuator, • oszukaniec, krzywoprzysięzca, B. AFERZYSTA, kombinator, spekulant, malwersant, • kanciarz, hochsztapler, geszefciarz, macher, szachraj, szuler, C. NACIĄGACZ, nabieracz, wydrwigrosz, • wyzyskiwacz, zdzierca, zdzierus, lichwiarz, szalbierz, paser, paskarz, • pijawka, krwiopijca, hiena, sęp, odrzyskóra, harpia, hycel, rakarz, • bigamista, D. ZŁODZIEJ, kieszonkowiec, doliniarz↓, szabrownik, koniokrad, • rabuś, rzezimieszek, łupieżca, grabieżca, rozbójnik, zbójnik, • pirat, korsarz, kaper, • defraudant, przywłaszczyciel, • kłusownik, pajęczarz, • plagiator, fałszerz, • przemytnik, szmugler, kontrabandzista, • gapowicz, pasażer na gapę,

575 oszustwo — A. KŁAMSTWO, kłamstewko, kłamanie, • nieprawda, półprawda, przemilczenie, zatajenie, zafałszowanie (prawdy), • zmyślenie, wymysł, zmyślanie, fantazja, koloryzacja, koloryzowanie, bajka, bajeczka, historyjka, fabulacja, konfabulacja, fantazjowanie, mitomania, improwizacja, mistyfikacja, fikcja, • łgarstwo, blaga, blagierstwo, obiecanki-cacanki, bujda, bajer↓, lipa↓, kit↓, puc↓, B. OBŁUDA, zakłamanie, załganie, hipokryzja, dwulicowość, nieszczerość, fałszywość, kłamliwość, • zdrada, krzywoprzysięstwo, • pozerstwo, pozowanie, kabotyństwo, kabotynizm, komedianctwo, bajeranctwo↓, zgrywanie się na, • bigoteria, dewocja, • faryzeizm, faryzeuszostwo, świętoszkowatość, świętoszkostwo, C. NABIERANIE, ogłupianie, otumanianie, • kręcenie, krętactwo, matactwo, dezorientacja, dezorientowanie, manipulacja, manipulowanie, • oszukaństwo, kuglarstwo, • kanciarstwo, cygaństwo, oszwabianie, granda↓, rozbój w biały dzień, • bigamia, bałamuctwo, uwodzicielstwo, donżuaneria, D. AFERA, ciemne interesy, hochsztaplerka, hochsztaplerstwo, kombinatorstwo, macherstwo↓, • kant↓, geszeft, machlojka, szwindel↓, szachrajstwo, cwaniactwo, E. NIEUCZCIWOŚĆ, malwersacja, nadużycie, • przekupność, sprzedaj-

ność, przekupstwo, łapownictwo, łapówkarstwo, korupcja, F. PODSTĘP, fortel, pułapka, • wybieg, manewr, chwyt, kruczek, haczyk, zmylenie, zmyłka↓, sztuczka, trick, trik, blef, bluff, gambit, prowokacja, • zasadzka, sieć, sak, łapka, • sidła, kleszcze, potrzask, matnia, zapadnia, • podejście, podchody, okrążenie, osaczenie, oblężenie, G. FAŁSZ, przewrotność, przebiegłość, chytrość, podstępność, judzenie, podpuszczanie, • diaboliczność, szatańskość, diabelstwo, • perfidia, premedytacja, przekora, złośliwość, • cynizm, makiawelizm, brak skrupułów, H. FAŁSZERSTWO, sfałszowanie, falsyfikacja, • podróbka, falsyfikat, • imitacja, atrapa, • substytut, surogat, erzac↓, namiastka,

576 ośrodek — A. CENTRUM, centrala, baza, sztab, • centralka, • węzeł komunikacyjny, B. SKUPIENIE, skupisko, zgrupowanie, aglomeracja, konurbacja, • siedlisko, wylęgarnia, gniazdo, lęgowisko, mrowisko, C. EPICENTRUM, oko, ognisko, • zogniskowanie, skoncentrowanie, ześrodkowanie,

577 otwarcie — A. JAWNIE, publicznie, szczerze, • demonstracyjnie, ostentacyjnie, manifestacyjnie, B. WPROST, wręcz, bezceremonialnie, bez ceremonii, bez żenady, prosto z mostu, bez ogródek, bez osłonek (obsłonek), bez owijania w bawełnę, explicite↑,

578 otworzyć — A. ROZWIERAĆ, rozewrzeć (się), uchylić (się), (po)otwierać się, odemknąć (się), roztworzyć (się), rozejść się, rozchylić (się), rozdziawiać (się), rozwalić, • rozczapierzać, rozkraczać, rozkrzyżować, rozkładać, rozłożyć, • rozerwać, rozkroić, rozszarpać, rozdłubać, rozdrapać, rozranić, rozjątrzyć, • rozwinąć, odwinąć, • odkleić, rozciąć, złamać pieczęć, zdjąć plombę, odpakować, odwijać, rozwijać, odˇrozlpieczętować, B. UDROŻNIĆ, przeczyścić, odblokować (się), odetkać (się), odtykać, odkorkować, odszpuntować, • rozhermetyzować (się), • przepchać, przetkać, przetykać, przedmuchać, odryglować, odsunąć, odsuwać, C. WYBIĆ OTWÓR, powybijać, wykuć, przebić, poprzebijać, odmurować, • rozpruć, przerąbać, • przekopać, odˇrozlgarnąć, poodwalać, D. PRZEDEPTAĆ, (u)torować drogę, przetrzeć szlak, przygotować grunt, **E.** UDOSTĘPNIĆ, (w)puścić, umiędzynarodowić,

579 owoc — **A.** STRĄK, kaczan, kolba, • bulwa, główka, **B.** JAGODA, borówka, brusznica, poziomka, malina, jeżyna, porzeczka, agrest, • winogrona, **C.** CYTRUS, cytryna, limon, pomarańcza, mandarynka,

klementynka, grejpfrut, • owoce południowe, :*banan, granat, papaja, melon, arbuz,* **D.** JABŁKO, :*reneta, antonówka, lobo,* • gruszka, klapsa, • śliwka, węgierka, renkloda, mirabelka, morela, brzoskwinia, • wiśnia, czereśnia, **E.** OWOCE, witaminy, witaminki, dary natury,

P

580 pachnieć — **A.** WONIEĆ, wydawać woń, roztaczać woń, • przejść zapachem, przesiąknąć, dyszeć, tchnąć, trącić, zatrącać, *unosi się woń,* **B.** CUCHNĄĆ, śmierdzieć, wydzielać odór, *śmierdzi,* zalatywać, czuć, *jedzie od niego,* prześmierdnąć,

581 padać — **A.** MŻYĆ, siąpić, rosić, kapać, popadywać, • popadać, (po)kropić, przelecieć, • lać, lunąć, chlusnąć, zacinać, • rozpadać się, chlapać, rozchlapać się,

582 paliwo — **A.** BENZYNA, etylina, olej napędowy, ropa, nafta, • gaz, propan, butan, **B.** PODPAŁKA, opał, drewno, torf, koks, węgiel, brykiet, • materiał opałowy,

583 pamięć — **A.** PAMIĘTANIE, upamiętnienie, pamiątka, monument, świadectwo, podzwonne, • relikwia, świętość, **B.** WSPOMNIENIE, reminiscencja, echo, • dejavu, paramnezja↑, **C.** PRZYPOMNIENIE, przywołanie, ewokacja, wskrzeszenie, ożywienie, przywrócenie do życia, • odtworzenie, retrospekcja, retrospektywa,

584 pamiętać — **A.** PRZYPOMINAĆ SOBIE, *uprzytomniło mi się,* • nosić w pamięci, spamiętać, (od)notować w pamięci, zakarbować, pomnieć, **B.** POPAMIĘTAĆ, *wryło mi się w serce,* • nie zapomnieć, nie zaniedbać, nie omieszkać, mieć na uwadze, **C.** U-PAMIĘTNIĆ SIĘ, tkwić w pamięci, wrazić (wryć) się w pamięć, utrwalić się w pamięci, zakarbować się, **D.** WSPOMINAĆ, przypominać (sobie), wspomnieć, wracać pamięcią, cofać się myślą, przywołać na pamięć, odgrzewać, rozpamiętywać, przeżuwać, odgrzebywać, szukać w pamięci, *mam na końcu języka,* przebiec myślą, odtworzyć (odtwarzać), *widzę jakby to było wczoraj, mam*

to wciąż przed oczami, to stoi mi przed oczami, pamiętasz, chodzi mi po głowie,

585 państwo — **A.** KRAJ, ziemia, • republika, rzeczpospolita, • federacja, unia, • dominium, kondominium, kolonia, • aparat państwowy, **B.** IMPERIUM, mocarstwo, potęga, • cesarstwo, carstwo, • marchia, rzesza, • królestwo, monarchia, • księstwo, hrabstwo,

586 papieros — **A.** PAPIEROSEK, papieroch↓, skręt, dymek↓, • cygaretka, cygaro, hawana, • niedopałek, pet, **B.** FAJKA, fajka pokoju, kalumet, • tytoń, machorka,

587 papka — **A.** KLEIK, breja, paćka, mamałyga, • przecier, mus, pulpa, kremogen, homogenat, koncentrat, piure, puree, **B.** PASTA, pasta do butów, czernidło, • maść, mazidło, maź, dziegieć, smoła, • smarowidło, smar, olej, towot, • pomada, brylantyna, wazelina,

588 parlament — **A.** SEJM, wysoka izba, izba, • posłowie, parlamentarzyści, deputowani, • senat, konwent (seniorów), izba wyższa, izba lordów, • izba niższa, zgromadzenie ludowe, • sejmik, **B.** LEGISLATYWA, legislatura, prawodawca, ustawodawca, • konstytuanta,

589 patrzeć — **A.** POPATRZEĆ, (z)lustrować, (po)obserwować, lornetować, śledzić, ślepić, wytrzeszczać oczy, **B.** SPOGLĄDAĆ, spozierać, spojrzeć, rzucić okiem, popatrywać, zerkać, strzyc oczami, strzelać okiem, zezować, łypać, rozejrzeć się, porozglądać się, potoczyć wzrokiem, obrzucić wzrokiem, ogarnąć wzrokiem, objąć spojrzeniem, **C.** PRZYJRZEĆ SIĘ, oglądać, poprzyglądać się, przyglądnąć się, poprzypatrywać się, przypatrzyć się, otaksować spojrzeniem, (po)gapić się, (po)kibicować, nie spuszczać z oka, ścigać oczami, (z)mierzyć wzrokiem, zawisnąć oczami, ● wbijać wzrok, *wzrok spoczął na, wzrok padł na,* świdrować oczami, sondować wzrokiem, jeść oczami, pożerać wzrokiem, patrzeć jak sroka w gnat, wlepiać oczy, wybałuszać ślepia, wpatrzyć (wpatrywać) się, zapatrzyć się, ● przeglądać się, przejrzeć się, ● oglądać się, obejrzeć się, **D.** WYPATRYWAĆ, kierować wzrok, szukać wzrokiem, ● wyglądać, wyciągać szyję, ● zajrzeć, zaglądać, **E.** WIDZIEĆ, dostrzegać, zobaczyć, ujrzeć, ● spostrzec, zaobserwować, zauważyć, zoczyć↑, mieć oko, po\wylchwycić, wypatrzyć, (od)notować, poznać, skonstatować, zarejestrować, (s)postrzegać, przyuważyć, dojrzeć, odnaleźć wzrokiem, roz\odlróżnić, *rzuciło mi się w oczy,*

590 pesymista — **A.** CZARNOWIDZ, defetysta, ● dekadent, schyłkowiec, ● katastrofista, fatalista, kasandra, ● ponurak, melancholik, smutas↓, ● frustrat, desperat, straceniec, samobójca, kamikadze, **B.** MALKONTENT, grymaśnik, dąsalski, ● maruda, mantyka, męczydusza, nudziarz, ● gadulski, gaduła, gderacz, gęda, tetryk, zrzęda, ● mentor, krytykant, moralizator, moralista, naprawiacz świata, weredyk↑,

591 peszyć — **A.** STROPIĆ, (z)mieszać, tremować, konsternować, zawstydzać, onieśmielać, (z)deprymować, (s)konfundować, (z)detonować, zbijać z tropu, zbić z pantałyku, ● krępować, żenować, wprawiać w zakłopotanie, przyprawić o zażenowanie, **B.** ZMIESZAĆ SIĘ, skonsternować się, speszyć się, stremować się, stropić się, krępować się, zdeprymować się, zdetonować się, popaść w zakłopotanie, zacukać się, **C.** WSTYDZIĆ SIĘ, żenować się, najeść (nałykać) się wstydu, (za)rumienić się, nie wiedzieć gdzie podziać oczy, musieć świecić oczami,

592 pewnie — **A.** NIEWĄTPLIWIE, na pewno, oczywiście, z (całą) pewnością, bez wątpienia, ● nieuchronnie, bez odwołania, nieodwołalnie, bezdyskusyjnie, **B.** NIEZBICIE, niezaprzeczalnie, nieodparcie, niepodważalnie, dowodnie↑, przekonująco (przekony-

wająco), ● bezspornie, bezsprzecznie, ● ewidentnie, wyraźnie, niezaprzeczenie, ● prawdziwie, iście↑, czysto, ● nieomylnie, bezbłędnie, ● ponad wszelką wątpliwość, niechybnie↑, niezawodnie, bezapelacyjnie, najwyraźniej, **C.** APRIORYCZNIE, absolutnie, aksjomatycznie, ● immanentnie, z natury (istoty) rzeczy, **D.** NAMACALNIE, naprawdę, rzeczywiście, w rzeczywistości, fizycznie, realnie, faktycznie, de facto, istotnie, ● netto, na czysto↓, na rękę↓, **E.** PO TRZEŹWEMU, na trzeźwo,

593 pewność — **A.** GWARANCJA, zabezpieczenie, pokrycie, zaplecze, ● wadium, zastaw, fant, zapewnienie, poręczenie, rękojmia, poręczycielstwo, poręka, pokrycie, awal, podżyrowanie, ● zagwarantowanie, zastrzeżenie, zawarowanie, obwarowanie, ● gwarant, poręczyciel, żyrant, awalista, **B.** NIEZAWODNOŚĆ, sprawność, ● odpowiedzialność, wiarogodność, wiarygodność, prawdziwość, nieomylność, **C.** STAŁOŚĆ, trwałość, nieodwracalność, niezmienność, constans, nieodmienność, niezbywalność, niepodważalność, **D.** ZDECYDOWANIE, niewzruszoność, nieugiętość, niezłomność, ● śmiałość, swoboda,

594 pewny — **A.** NIEZBITY, niewątpliwy, oczywisty, ewidentny, bezdyskusyjny, bezsporny, niezaprzeczalny, niezaprzeczony↑, bezsprzeczny, niepodważalny, niewzruszony, niekwestionowany, ● miarodajny, kompetentny, rzetelny, niezawodny, ● wypróbowany, sprawdzony, ● przekonujący (przekonywający), sugestywny, nieodparty, ● przekonany, przeświadczony, pewien, **B.** NIEPRZYPADKOWY, zamierzony, umyślny, rozmyślny, celowy, świadomy, intencjonalny, programowy, planowy, planowany, ukartowany, ● przyczynowy, kauzalny↑, konieczny, ● wolicjonalny↑, woluntarny↑, **C.** NIEUCHRONNY, nieunikniony, niechybny↑, gwarantowany, murowany↓, ● nieomylny, widomy, ● uzasadniony, niepłonny, **D.** USTALONY, określony, uzgodniony, umówiony, zatwierdzony, zdecydowany, ● kontraktowy, **E.** UMOWNY, konwencjonalny, przyjęty, normatywny, utrwalony, stały, sztywny, ● rutynowy, utarty, ● poprawnościowy, **F.** BEZPIECZNY, zabezpieczony, nie zagrożony, ubezpieczony, ● nietykalny, nienaruszalny, **G.** USTOSUNKOWANY, ustawiony↓, wpływowy, wszechwładny, • wszechmocny↑, wszechmogący↑, wszechpotężny,

595 pędzić — A. GNAĆ, mknąć, lecieć, pomykać, pruć, wyrwać, wyrywać, smarować, ciągnąć, gazować, po\zalsuwać↓, sadzić, sunąć, walić, szurnąć, śmigać, • rozwijać jakąś prędkość, osiągać jakąś szybkość, • przyspieszyć, zwiększyć prędkość, rozpędzić się, dodać gazu, • truchtać, (po)galopować, (po\prze)kłusować, (po)cwałować, (po)mknąć, popędzić, pognać, pobiegnąć, polecieć, • przemknąć, przemykać, przeciąć powietrze, przelecieć, przelatywać, B. SPIESZYĆ SIĘ, przyśpieszać, dodać kroku, pędzić na łeb na szyję, pośpieszać, wyciągać nogi, wydłużyć krok, latać z wywieszonym językiem, • biegać, biec, bieżeć↑, • uganiać się, ganiać, gonić, latać, naganiać się, miotać się, ciskać się,

596 pękać — A. ZRYWAĆ SIĘ, rozerwać (się), (po)rwać się, naderwać się, urwać się, ukręcić (się), ułamać się, przerwać się, puścić, odczepić się, oberwać się, (po)obrywać się, obszarpać się, B. PĘKNĄĆ, trzasnąć, (po\u)kruszyć się, popękać, • połamać się, (roz\z)łamać się, • pryskać, rozprysnąć się, potłuc się, (ro)zbić się, rozbryznąć się, C. SPĘKAĆ, spierzchnąć, rozstąpić się, D. WYBUCHNĄĆ, pęknąć, detonować, rozpęknąć się, rozerwać się, wylecieć w powietrze, eksplodować, E. IMPLODOWAĆ, załamać się pod, trzaskać, • zapaść się, tąpnąć,

597 pić — A. SPIJAĆ, (wy)pijać, spić, wypić, • napić się, ugasić pragnienie, opić się, ochlać się↓, na\ol\żłopać się, • popić, przepić, B. POPIJAĆ, ssać, cedzić, chłeptać, chłapać, siorbać, (wy)sączyć, pociągać, (po)łykać, doić, (wy)trąbić, (wy)żłopać, C. MIEĆ PRAGNIENIE, *chce się pić, język przysycha (do podniebienia), schnie w gardle, suszy mnie,* • odwodnić się,

598 piec — A. PIECYK, kuchnia, koza, • kuchenka, kuchnia mikrofalowa, mikrofalówka↓, • blacha, fajerka, palnik, • piekarnik, duchówka, • opiekacz, toster, prodiż, • podgrzewacz, grzałka, • kocher, B. GRZEJNIK, konwektor, kaloryfer, ogrzewanie, instalacja grzewcza, centralne (ogrzewanie), • bojler, kocioł, kotłownia, • komin, komi-

nek, palenisko, popielnik, C. KREMATORIUM, spalarnia,

599 pieczywo — A. CHLEB, bochen, bochenek, :*razowiec, graham, pumpernikiel, pełnoziarnisty, miodowy, na miodzie, sitek,* • bułka, kołacz, chałka, chała, • bagietka, rogal, bułeczka, kajzerka, paluszek, B. WYPIEK, wypieki, ciasto, :*baba, babeczka, babka, beza, biszkopt, keks, makowiec, strucel, strucla, sernik, tort, sękacz,* • ciastko, :*drożdżówka, jagodzianka, jabłecznik, ekler, kremówka, napoleonka,* • herbatnik, sucharek, krakers, biskwit, grzanka, tost, diablotka, pasztecik, • chrupki, chipsy, • wafel, rożek, opłatek, andrut, gofr, • chrust, chruścik, faworki, • zakalec, gniot↓, kluch↓, pagaj↓, C. PLACEK, blin, racuch, naleśnik, • kulebiak, • zapiekanka, pizza,

600 pieniądze — A. FUNDUSZE, finanse, zasoby finansowe, środki pieniężne, środki płatnicze, gotówka, mamona, forsa↓, szmal↓, • waluta, twarda waluta, dewizy, dolary, zielone↓ • budżet, fundusz, kwota, suma, kasa, szkatuła↑, kieszeń↓, B. KAPITAŁ, kapitalik, majątek, mająteczek, akcje, obligacje, papiery wartościowe, • fortuna, kokosy, krocie, • zyski, procenty, odsetki, • oszczędności, zaskórniaki↓, • wkład, depozyt, • lokata, inwestycja, C. PIENIĄDZ, moneta, pieniążek, grosz, miedziak, cent, • dukat, talar, gulden, srebrnik, klipa, • żeton, szton, • bilon, grosiwo, drobne, drobniaki, reszta, • banknot, bilet, D. PŁACA, zarobek, dniówka, tygodniówka, pensja, wypłata, pobory, dochody, uposażenie, wynagrodzenie, gaża, stawka, honorarium, tantiemy, • zapomoga, zasiłek, stypendium, • emerytura, renta, odprawa, • apanaże, diety, deputat, żołd, jurgielt↑, • łapówka, boki↓, • przekaz (pieniężny), E. POŻYCZKA, kredyt, chwilówka↓, • dług, zadłużenie, pasywa, debet, saldo ujemne, • dyskonto, • zobowiązania płatnicze, świadczenia, należność, płatność, wierzytelność, weksel,

601 pies — A. PSINA, psisko, psiak, czworonogi przyjaciel człowieka, czworonóg, • kundel, mieszaniec, kundys, sobaka↓, suka, B. PIES RASOWY, :*brytan, buldog, chart, dingo, dog, jamnik, nowofunlandczyk, ogar, pudel, ratlerek, wilczur, wilk, wodołaz,*

602 **piękno** — **A.** URODA, krasa, ● piękność, cudowność, efektowność, ● estetyka, artyzm, estetyczność, ● dorodność, postawność, przystojność, ● prawidłowość, kształtność, foremność, zgrabność, regularność, proporcjonalność, **B.** WDZIĘK, gracja, lekkość, nadobność, ● urok, czar, powab, seksapil, coś, ● kobiecość, feminizm, ● zalotność, kokieteria, kokieteryjność, filuteria, filuterność, przymilność, **C.** DOSKONAŁOŚĆ, wzorowość, nieskazitelność, ● bezbłędność, poprawność, gramatyczność, ● perfekcja, zupełność, pełnia, pełność, ● szczyt, optimum, ● ideał, boskość, ● geniusz, genialność, kongenialność, ● wszechstronność, uniwersalność, encyklopedyczność, ● wielostronność, interdyscyplinarność,

603 **pijaństwo** — **A.** ALKOHOLIZM, opilstwo, nadużywanie alkoholu, upijanie się, nałóg (pijaństwa), ● choroba alkoholowa, dypsomania, delirium, **B.** NIETRZEŹWOŚĆ, u-picie się, upojenie alkoholowe, rausz, zamroczenie alkoholem, spicie się, zalanie się (w trupa↓), schlanie się↓, ● przepicie, kac↓, kacenjamer↓,

604 **pisać** — **A.** NAPISAĆ, spisać, zapisać, od\zalnotować, (po\wy)notować, wypisać, zestawić, protokołować, ● kaligrafować, napisać wołami, ● mazać, bazgrać, bazgrolić, pisać jak kura pazurem, gryzmolić, (na\wy)smarować, **B.** PISAĆ SIĘ, mieć taką a taką pisownię,

605 **pisak** — **A.** MAZAK, flamaster, ● kredka, świecówka↓, grafit, kreda, węgiel, ● ołówek, ołówek automatyczny, ● coś do pisania, **B.** PIÓRO, wieczne pióro, długopis, cienkopis, piórko, ● grafion, rapidograf, stalówka, **C.** SZMINKA, pomadka, ● kredka do oczu, konturówka, ● róż, cień do powiek, make up↑,

606 **pisarz** — **A.** LITERAT, autor, twórca, mistrz pióra, stylista, powieściopisarz, prozaik, eseista, nowelista, bajkopisarz, ● scenarzysta, ● dramaturg, dramatopisarz, tragediopisarz, tragik, ● poeta, liryk, wieszcz, bard, pieśniarz, ● tłumacz, translator, **B.** KRONIKARZ, pamiętnikarz, dziejopis, dziejopisarz, historyk, faktograf, ● biograf, hagiograf, ● annalista, rocznikarz↑, archiwariusz, archi-

wista, dokumentalista, ● kopista, przepisywacz,

607 **plac** — **A.** PODWÓRZE, podwórko, plac zabaw, skwerek, ● dziedziniec, podwórzec, **B.** POSIADŁOŚĆ, posesja, działka, parcela, miejsce, ● nieruchomość, **C.** RYNEK, ● agora, ● skwer, **D.** BOISKO, :*kort, bieżnia, lodowisko, ślizgawka, ring, mata, plansza*, ● stadion, arena, wybieg,

608 **plan** — **A.** ZAMIAR, zamierzenie, koncepcja, pomysł, projekt, inicjatywa, ● plany, przemyśliwania, kalkulacje, rachuby, ● planowanie, projektowanie, programowanie, opracowanie, marketing, **B.** PROGRAM, kredo, manifest, ● założenie, wytyczne, preliminarz, prowizorium, ● rozkład, porządek, harmonogram, algorytm, **C.** SZKIC, zarys, konspekt, ● skrót, wyciąg, streszczenie, résumé, rekapitulacja, ● rysunek, rycina, wykres, schemat, układ, grafik, diagram, graf, siatka, ● mapa, atlas, ● scenariusz, scenopis,

609 **planowo** — **A.** SYSTEMATYCZNIE, metodycznie, regularnie, cyklicznie, ● codziennie, co dzień, co dnia, każdego dnia, dzień w dzień, co rok, co roku, każdego roku, rocznie, dorocznie, corocznie, rokrocznie, **B.** KOLEJNO, po kolei, jeden po drugim, ● alfabetycznie, ● chronologicznie, ● na zmianę, na przemian, przemiennie↑, w kratkę, ● po kawałku, na raty, **C.** HIERARCHICZNIE, ● warstwowo, warstwami, piętrowo,

610 **plastyk** — **A.** PLASTIK, masa plastyczna, tworzywo sztuczne, tworzywo syntetyczne, :*celuloid, folia, winyl, pcw, poliester, poliuretan, akryl*, ● pleksiglas, igelit, bakelit, ebonit, ● derma, skaj, polkorfam, fibra,

611 **plon** — **A.** ŻNIWO, zbiór, sprzęt↑, ● zbiory, :*sianokosy, grzybobranie, jagodobranie*, **B.** URODZAJ, wysyp, urodzajność, żyzność, plenność, płodność, **C.** ZIEMIOPŁODY, produkty rolne, płody ziemi,

612 **płacić** — **A.** WPŁACIĆ, przekazać, odprowadzić na konto, przelać, dokonać przelewu (wpłaty), włożyć, **B.** FINANSOWAĆ, opłacać, (o)frankować, spłacić, pospłacać, likwidować, uiścić, uiszczać, popłacić, (u)re-

gulować, rozliczać, wnieść opłatę, pokryć, wyrównać, łożyć, ponosić koszty, • uposażyć, zapłacić, dać na rękę, powypłacać pensje, popłacić robotników, dać zaliczkę, wypłacić wyrównanie, • wynagradzać, dawać tyle a tyle, honorować, premiować, **C.** UFUNDOWAĆ, wydać, wydatkować, wyasygnować, wykosztować się, wyżyłować się, nie pożałować grosza, trzymać się za kieszeń, potrząsnąć kiesą, szarpnąć się, sięgnąć do kieszeni, dołożyć, dokładać, dopłacać, topić pieniądze, pękło (poszło) tyle a tyle, pieniądze idą (rozchodzą się), • fundnąć↓, (za)fundować, sfinansować, stawiać, postawić, zapraszać, • partycypować, składać się, zrzucać się, opodatkować się, dołożyć się, dokładać się, **D.** ROZLICZYĆ SIĘ, obliczać się, policzyć się, rachować się, obrachować (się), skwitować, • potrącić, odjąć, strącić, odliczyć, pobrać, debetować, dyskontować, fakturować, • zaokrąglić, dopisać do rachunku, urwać, • odpracować, odsłużyć, odsługiwać (się), • dopłacić, doliczyć, wyrównać, • refundować, zwrócić koszty,

613 płakać — **A.** PRZEŁKNĄĆ ŁZY, *łzy stanęły w oczach*, mieć łzy (świeczki) w oczach, *zbiera mu się na płacz, będzie płacz*, **B.** ZAPŁAKAĆ, chlipnąć, (za)łkać, (za)chlipać, (za)kwilić, (za)szlochać, • popłakiwać, pochlipywać, mazać się, mazgaić się, buczeć, (po)beczeć, pokwilić, ryczeć, lać (wylewać) łzy, ronić łzy, • rozkwilić się, rozszlochać się, po\rozlpłakać się, po\rozlbeczeć się, po\rozlryczeć się, zalać się łzami, **C.** OPŁAKIWAĆ, na\slpłakać się, wypłakać wszystkie łzy, wypłakiwać oczy, *było płaczu*,

614 płaszczyzna — **A.** GŁADŹ, równia, równina, nizina, • powierzchnia, dwuwymiarowość, • płyta, tafla, • plansza, tablica, szachownica, • lada, kontuar, bufet, szynkwas, **B.** PLATFORMA, pomost, rampa, paleta, • pokład, dek, planka, • forum, scena, proscenium, przedscenie,

615 płynąć — **A.** CIEKNĄĆ, skapywać, kapać, skraplać się, ulec skropleniu, sączyć się, broczyć, (po)lać się, (po)lecieć, popłynąć, (po)ciec, • tętnić, sikać, bryzgać, rozpryskiwać się, • odciec, poodciekać, ściec, ś\wylcieknąć, pościekać, spłynąć, pospływać, wypłynąć, odpłynąć, prze\wylsączyć

się, • rozlać się, rozpłynąć się, porozlewać się, rozchlapać się, wychlapać się, ulać się, rozbryzgać się, porozbryzgiwać się, **B.** PLUSKAĆ, ciurkać, toczyć (się), przelewać się, przepływać, wylewać się,

616 pływać — **A.** PŁAWIĆ SIĘ, pluskać się, chlapać się, popływać, (prze)płynąć, (za\po)nurkować, dać nura, (po\wy)kąpać się, nurzać (się), **B.** ŻEGLOWAĆ, kajakować, wiosłować, płynąć,

617 pobożnie — **A.** RELIGIJNIE, bogobojnie, świątobliwie, nabożnie, **B.** CNOTLIWIE, skromnie, przyzwoicie, wstydliwie, niewinnie, obyczajnie↑, • dziewiczo↑, czysto, bezgrzesznie↑,

618 pochlebca — **A.** LIZUS, podlizuch, klakier, cmokier, wazeliniarz↓, glista↓, serwilista, służalec, • dworak, sługus, lokaj, lokajczyk, fagas, pachołek, podnóżek, płaz, padalec↓, kameleon, chorągiewka na dachu, • chwalca, piewca, panegirysta, gloryfikator, • komplemencista, komplemenciarz, **B.** OPORTUNISTA, konformista, ugodowiec, kapitulant, przegrany, • karierowicz, partyjniak↓,

619 pochodzić — **A.** WYWODZIĆ SIĘ, rekrutować się, sięgać korzeniami, szczycić się pochodzeniem, być z urodzenia tym a tym, mieć w żyłach czyjąś krew, **B.** WYNIKAĆ, płynąć z, brać swój początek, rodzić się, mieć źródło, brać się z, wziąć się, datować się od, sięgać początkami,

620 pochować — **A.** ZŁOŻYĆ DO GROBU, (po)grzebać, pogrześć↑, oddać ostatnią posługę, • spocząć w grobie,

621 pochód — **A.** PRZEMARSZ, procesja, karawana, kondukt, kolumna, kawalkada, korowód, kulig, **B.** ORSZAK, poczet, • świta, dwór, dworzanie, • asysta, eskorta, straż, obstawa, konwój,

622 pociąg — **A.** KOLEJ, transport kolejowy, kolejnictwo, • kolejka, ciuchcia↓, • osobowy, przyspieszony, • pośpieszny, ekspres, intercity, eurocity, • towarowy, eszelon, **B.** WAGON, pulman, kuszetka, sypialny, sleeping, brankard, • lokomotywa, :*paro-*

wóz, elektrowóz, spalinowóz, • węglarka, cysterna, platforma, • drezyna,

623 **początek** — A. GENEZA, praprzyczyna, praźródło, źródło, • rodowód, genealogia, korzenie, • pochodzenie, proweniencja, autorstwo, wywodzenie się, • etymologia, źródłosłów, prajęzyk, B. NARODZINY, powstawanie, powstanie, narodzenie się, • krystalizacja, odrodzenie się, renesans, zmartwychstanie, • poczęcie, powicie, • kolebka, zawiązek, pączek, • początki, zaczątki, zalążki, zawiązki, pierwociny, powijaki, C. ZACZĄTEK, zalążek, zarodek, zarzewie, • rudyment, podstawa, • start, rozpoczęcie, wejście↓, napoczęcie, • powołanie, utworzenie, zapoczątkowanie, kamień węgielny, • uruchomienie, rozruch, • otwarcie, inauguracja, • objęcie, debiut, • prowadzenie, • przód, czoło, czołówka, D. ZARANIE, wschód, świt, zapowiedź, przedświt, przedsmak, przedwiośnie, wiosna, E. WSTĘP, introdukcja, zagajenie, prolog, słowo wstępne, przedmowa, • czołówka, przygrywka, przedtakt, anakruza, • preludium, • inwokacja, • rozbieg, rozpęd, • wprowadzenie, propedeutyka, prolegomena, • preambuła, arenga,

624 **podejrzewać** — A. PRZYPUSZCZAĆ, domyślać się, domniemywać (się), suponować, sądzić, dopuszczać, przewidzieć, mieć nosa, wiedzieć co w trawie piszczy, • wyczuwać, miarkować, odczytywać, odgadywać, zgadywać, dorozumiewać się, dokomponować, odnosić wrażenie, wnosić, wnioskować, poznać, czytać w oczach, czytać między wierszami, czuć przez skórę, mieć przeczucie, (prze)czuć, przeczuwać, *coś mnie tknęło,* powziąć podejrzenie, kojarzyć sobie, *zdaje się, wydaje się, nasuwa się przypuszczenie, powstaje wrażenie,* • przewąchiwać, węszyć, wietrzyć, B. POSĄDZIĆ, podejrzewać się, chwytać za słówka, czepiać się, uprzedzić się, okazywać podejrzliwość, • pomówić, imputować, wpierać, pomawiać (się), rzucić podejrzenie, *podejrzenie pada,* mówić na, poskarżyć się, naskarżyć, C. OSKARŻYĆ, inkryminować, (ob)winić, obarczać winą, zarzucić, przypisać winę, składać winę, zarzucać, obciążać, *ciąży wina (zarzut),* podać do sądu, oddać pod sąd, postawić w stan oskarżenia, stawiać zarzut, skarżyć, złożyć skargę,

625 **podłoga** — A. PARKIET, klepka, mozaika, deski, • posadzka, terrakota, klinkier, płytki, fliza, kafle, kafelki, glazura, • kafel, kafelek, płytka, • klepisko, polepa, gumno, ziemia, B. DYWAN, kobierzec, makata, kilim, • gobelin, tkanina, arras, makatka, • mata, chodnik, dywanik, futrzak, • wykładzina, gumoleum, linoleum, pcv, • wycieraczka, słomianka, rogóżka,

626 **podnieść** — A. UNIEŚĆ, wznieść (się), unosić, wznosić, (po)podnosić, (po)dźwigać, (wy)dźwignąć, podważyć, (w\wy)windować, po\wciągać, pozaciągać, • podgarnąć, • podtoczyć, B. ZADRZEĆ, zadzierać, zbierać, podwiewać, • podpiąć, podwiązać, pod\zalwinąć, pozawijać, podwijać, podkręcić, unieść, unosić, • podciągać, pod\zalkasać, • postawić, (na)stawiać, (na)stroszyć, (na\z)jeżyć, C. WSTAĆ, (po\popo)wstawać, podnosić się, dźwignąć się, unieść się, powstać, zerwać się, stanąć na równe nogi, porwać się, • lewitować, D. WEZBRAĆ, wzbierać, wzrosnąć, podnieść się, przybrać,

627 **podobny** — A. ANALOGICZNY, zbliżony, porównywalny, zbieżny, • pokrewny, bratni, siostrzany, pobratymczy, B. JEDNAKOWY, jednaki↑, identyczny, tożsamy↑, taki sam, nieodrodny↑, ten, bliźniaczy, • zgrany, dobrany, zharmonizowany, • niesprzeczny, zgodny, • spójny, spoisty, koherentny, zborny, • jednorodny, homogeniczny, • monogeniczny, • jednolity, C. RÓWNOZNACZNY, jednoznaczny, • synonimiczny, bliskoznaczny, • przystający, pokrywający się, kongruentny, • równoważny, ekwiwalentny, jednobrzmiący, współrzędny, • równorzędny, równy, równoprawny, wyrównany, • jednogłośny, jednomyślny, D. MONOTONNY, jednostajny, nie urozmaicony, nieróżnorodny, ubogi, • monotematyczny,

628 **podpis** — A. NAZWISKO, imię, nazwisko i imię, • parafa, parafka, sygnatura↑, inicjały, indos, indosament, • autograf, dedykacja, • pieczątka, stempel, datownik, pieczęć, plomba, B. NAPIS, objaśnienie, legenda, opis, • inskrypcja, grawerunek, nadruk,

629 **podpisać** — A. PARAFOWAĆ, ratyfikować, (pod)cyfrować, (pod)sygnować, położyć podpis, złożyć podpis, opatrzyć podpi-

sem, kontrasygnować, kryptonimować, **B.** POŚWIADCZYĆ, potwierdzać, • *za zgodność*, (po)kwitować, • sporządzać, wystawić, wydać, • uwierzytelniać, uprawomocniać, uznawać, certyfikować, • przypieczętować, (o)stemplować, po\pod\stemplować, (o)pieczętować, polakować, parafować, przybić stempel, przyłożyć pieczęć, • prolongować, protestować weksel, **C.** ZAZNACZYĆ, o\polznakować, o\polznaczyć, (po)naznaczać, (o\na)cechować, skalować, filigranować, puncować, firmować, • wypalić, wyryć, **D.** ADRESOWAĆ, poadresować, • datować, kłaść datę, postdatować, antydatować,

630 podróż — **A.** DROGA, jazda, autostop, • lot, lecenie, latanie, przelot, • rejs, • delegacja, wyjazd służbowy, • rozjazdy, wojaże, **B.** WYCIECZKA, biwak, rajd, wypad, eskapada, ekskursja↑, • piknik, majówka, • wyprawa, ekspedycja, • objazd, • wędrówka, włóczęga, peregrynacja, pielgrzymka, • spacer, przechadzka, przejażdżka, **C.** PODRÓŻOWANIE, zwiedzanie, traperstwo, globtroterstwo, turystyka, karawaning, robinsonada, • koczownictwo, tułaczka, poniewierka, **D.** WYJAZD, odjazd, odlot, • odejście, wymarsz, odmarsz, odmaszerowanie, wyruszenie w drogę,

631 podstawa — **A.** FUNDAMENT, cokół, postument, piedestał, wspornik, konsola, trzon, kadłub, • kolumna, filar, pilaster, kariatyda, herma, • podłoże, umocnienie, • podnóże, podbudowa, podpiwniczenie, • korzeń, • rdzeń, szkielet, **B.** PODWALINA, uzasadnienie, • argumentacja, dowodzenie, wywód, motywowanie, umotywowanie, podkładka, • założenie, przesłanka, zasada, • warunek (niezbędny), conditio sine qua non, • elementarz, abecadło, katechizm, trivium↑, **C.** OSTOJA, oparcie, podpora, podparcie, przypora, wzmocnienie, • filar, opoka, skała, grunt, **D.** PODSTAWKA, płytka, • pulpit, podtrzymywacz, • podpórka, nóżka, dwójnóg, trójnóg, krzyżak, statyw, sztaluga,

632 podstępnie — **A.** PODSTĘPEM, sposobem, fortelem, chytrze, przebiegle, przewrotnie, makiawelicznie↑, psychologicznie, • podchwytliwie, • pod pozorem, pod pretekstem, pod płaszczykiem, **B.** PODLE, nikczemnie, niecnie↑, perfidnie, ha-

niebnie, niegodnie, niegodziwie, • niehonorowo, nieszlachetnie, • niesławnie, **C.** ZBRODNICZO, skrytobójczo,

633 podwładny — **A.** PODDANY, lennik, hołdownik, wasal, • przypisaniec, chłop pańszczyźniany, dusza↑, • niewolnik, murzyn, **B.** PODKOMENDNY, podległy,

634 podział — **A.** DZIELENIE, porcjowanie, parcelacja, rozparcelowanie, fragmentacja, rozczłonkowanie, rozbicie, rozbiór, • podzielenie, posortowanie, sortowanie, segregacja, klasyfikacja, systematyzacja, periodyzacja, • rejonizacja, **B.** ROZDZIAŁ, dystrybucja, rozdzielnictwo, rozdzielanie, kolportaż, rozpowszechnianie, rozdawnictwo, **C.** ROZDZIELNOŚĆ, polaryzacja, dwukierunkowość, dwutorowość, dwupłaszczyznowość, biegunowość, dwubiegunowość, bipolarność, dwuczłonowość, • dychotomia, dwudzielność, • dymorfizm, dwupostaciowość, **D.** ROZSZCZEPIENIE, rozwarstwienie, rozłam, rozbrat, • rozdwojenie, rozgałęzienie, bifurkacja, • decentralizacja, deglomeracja, dekoncentracja, rozproszenie, rozsiew, dyspersja, **E.** ROZGRANICZENIE, delimitacja, demarkacja, • odgraniczenie, oddzielenie, wyodrębnienie, • segregacja rasowa, apartheid, dyskryminacja rasowa,

635 poglądowy — **A.** POKAZOWY, deiktyczny↑, • egzemplifikacyjny↑, ilustrujący, ilustracyjny, ilustratywny↑, • informacyjny, informujący, objaśniający, instruktażowy,

636 pogoda — **A.** AURA, klimat, mikroklimat, ekoklimat, bioklimat, • atmosfera, eter, nastrój, fluid, prąd, • warunki meteorologiczne, warunki atmosferyczne, warunki klimatyczne, • powietrze, • wyż, niż, front atmosferyczny, **B.** CIEPŁO, rozpogodzenie, słoneczna pogoda, piękna pogoda, kanikuła, • upały, upał, żar, skwar, spiekota, gorąc↓, tropik,

637 pogrzeb — **A.** OSTATNIA POSŁUGA, pochowek, pochówek, grzebanie, inhumacja, złożenie do grobu, • kremacja, spalenie zwłok, ciałopalenie, • wystawienie zwłok, eksportacja, wyprowadzenie zwłok, **B.** KONDUKT ŻAŁOBNY, żałobnicy, **C.** DOM POGRZEBOWY, kostnica, prosektorium, trupiarnia,

638 **pojazd** — A. SAMOCHÓD, auto, wóz, automobil↑, wehikuł, cztery kółka↓, samochód osobowy, : *diesel, benzyniak↓, dwusuw, dwutakt, czterosuw, czterotakt, dwuślad,* • kombi, kabriolet, limuzyna, • gokart, kart, wyścigówka↓, • autobus, autokar, mikrobus, • gazik, jeep, łazik, • taksówka, taxi↓, taryfa↓, • karetka, karawan, • przyczepa, przyczepa campingowa, • jaszcz, • gablota↓, bryka↓, bryczka↓, gruchot↓, grat↓, dezel↓, B. SAMOCHÓD CIĘŻAROWY, :*ciężarówka, tir↓, lora, półciężarówka, furgon, furgonetka, pickup, wywrotka, kamionetka↑,* C. MOTOR, motocykl, skuter, motorynka, jednoślad, pyrkawka↓, • rower, :*bicykl↑, tandem, składak↓,* D. POWÓZ, kareta, karoca, dyliżans, bryczka, bryka, kolasa, kolaska, kałamaszka↑, brek↑, lando↑, kibitka, • dorożka, fiakier↑, drynda↓, • wóz, zaprzęg, cug↑, furmanka, fura, • kwadryga, rydwan, dwukółka, E. CIĄGNIK, traktor, • koparka, spycharka, spychacz, buldożer, walec (drogowy), czołg, amfibia,

639 **pojemnik** — A. ZBIORNIK, rezerwuar, cysterna, bak, • kanister, baniak, bidon, bańka, blaszanka, puszka, • beczka, beczułka, baryłka, antałek, faska, • kadź, balia, wanna, B. WIADRO, kubeł, ceber, cebrzyk, szaflik, • kwarta, kwaterka, • konew, konewka, stągiew↑, • skopek, • miednica, miska, • korytko, koryto, korzec, • kuweta, C. KONTENER, zasobnik, • kosz, koszyk, koszyczek, łubianka, kobiałka, • chlebak, D. PUDEŁKO, puzderko, :*cygarnica, papierośnica, puderniczka,* • bombonierka, • skrzyneczka, szkatułka, kasetka, E. DĘTKA, guma↓, • balonik,

640 **pokolenie** — A. POTOMSTWO, ród, plemię, • młode pokolenie, młodzież, nastolatki, młodzi, młódź, narybek, • miot, pomiot, rzut, lęg, B. POTOMNI, potomność, przyszłe pokolenia, (nasze) wnuki, • generacja, rocznik,

641 **pokrewieństwo** — A. POCHODZENIE, ród, rasa, krew, • spokrewnienie, powinowactwo, pobratymstwo, kuzynostwo, kognacja↑, B. KOLIGACJE, parantele, koneksje, stosunki, układy, znajomości, plecy↓, chody↓, dojścia↓, wejścia↓, związki, powiązania, zależności, filiacje, • związek, znajomość,

642 **pokrycie** — A. POSZYCIE, obicie, tapicerka, kurdyban, • nakrycie, narzuta, kapa, płachta, plandeka, czaprak, • okrycie, obrus, serweta, serwetka, bieżnik, • przykrycie, koc, pled, derka, deka, • poszycie (leśne), podszycie, runo, ściółka, B. PRZYKRYWA, pokrywa, wieko, klapa, klapka, dekiel, denko, okrywa, • przykrywka, pokrywka, • karoseria, nadwozie, • maska, C. NAKŁADKA, nasadka, dokrętka, nakrętka, skuwka, • czop, szpunt, zatyczka, kapsel, • korek, pływak, spławik, pławik, D. DACH, gont, dachówka, strzecha, • baldachim,

643 **polecenie** — A. PORUCZENIE, zadanie, misja, B. ROZKAZ, komenda, nakaz, zarządzenie, rozporządzenie, przykazanie, zobowiązanie, • dyrektywa, dyspozycja, • wskazówka, wskazanie, indykacja, C. ZLECENIE, zamówienie, obstalunek, zapotrzebowanie,

644 **policja** — A. POLICJANT, milicjant, funkcjonariusz, mundurowy, posterunkowy, dzielnicowy, rewirowy↓, stójkowy↑, • żandarm, karabinier, konstabl↑, porządkowy, stróż porządku publicznego, • pan władza↓, gliniarz↓, glina↓, • detektyw, B. SIŁY PORZĄDKOWE, milicja, • drogówka, obyczajówka, policja kryminalna, służby specjalne, brygada antyterrorystyczna, • komisariat, poste.unek, komenda, • straż, konwój, • obstawa, ochrona, • ochroniarz↓, goryl,

645 **polityczny** — A. IDEOLOGICZNY, światopoglądowy, • partyjny, parlamentarny, • patriotyczny, B. CENTROWY, centrolewicowy, centroprawicowy, C. LEWICOWY, robotniczy, socjalistyczny, • komunizujący, komunistyczny, czerwony↓, • radziecki, sowiecki, D. PRAWICOWY, konserwatywny, • kapitalistyczny, wolnorynkowy,

646 **polityk** — A. DZIAŁACZ SCENY POLITYCZNEJ, działacz polityczny, gracz polityczny, • opozycjonista, dysydent, • demokrata, pluralista, B. PRAWICOWIEC, konserwatysta, liberał, chadek, klerykał, • monarchista, rojalista, regalista, • narodowiec, ekstremista, radykał, reakcjonista, • centrowiec, centroprawicowiec, • republikanin, C. LEWICOWIEC, lewak, • komunista, marksista, bolszewik, leninowiec, stalinowiec, internacjonalista, • partyjny, partyjniak, apa-

ratczyk, pezetpeerowiec, twardogłowy, czerwony↓, komuch↓, • konserwa↓, reakcja↓, ekstrema↓, (partyjny) beton↓, • socjaldemokrata, socjalista, antyklerykał,

647 położenie — **A.** USYTUOWANIE, lokalizacja, • ulokowanie, umieszczenie, złożenie, impostacja, • pozycja, ustawienie, miejsce, **B.** SYTUACJA, koniunktura, warunki, okoliczności, uwarunkowania, geopolityka, • kontekst, **C.** TŁO, pole, • podkład, osnowa,

648 pomagać — **A.** POMÓC, nie dać się prosić, okazać pomoc, przynieść wsparcie, dać oparcie, przyjść z pomocą, pośpieszyć na pomoc, podążyć z odsieczą, ratować sytuację, • poratować, zrobić coś dla, wyświadczyć przysługę, oddać usługę, • dopomagać, popierać (się), wspierać (się), stanąć przy boku, iść na odsiecz, • asystować, przysłużyć się, przyczynić się, przyłożyć rękę, współorganizować, • odprowadzić, służyć ramieniem, przeprowadzić przez, • odholować, (po)kierować, wyprawić, • trzymać, wspierać, podtrzymywać, **B.** USŁUŻYĆ, odciążyć, ulżyć, wyręczyć, posiłkować, zadać (ciężar), podać (worek), • adiutantować, posługiwać, usługiwać, • podpowiedzieć, podszepnąć, suflerować, suflować, **C.** CHWYTAĆ SIĘ, podpierać (się), podeprzeć (się), wesprzeć (się), podtrzymać (się), czepiać się, przytrzymywać (się), zaprzeć się, **D.** DOFINANSOWAĆ, doinwestować, dotować, subsydiować, sponsorować, subwencjonować, ufundować, wesprzeć, wspomóc, podratować, zasilić,

649 pomieszany — **A.** SKRZYŻOWANY, zmieszany, • poprzeczny, prostopadły, • na krzyż, poprzecznie, prostopadle, w poprzek, na poprzek, wszerz, • krzyżowy, • rozstajny, rozwidlający się, rozchodzący się, **B.** SKŁĘBIONY, zmierzwiony, zwichrzony, rozwichrzony, nastroszony, rozczochrany, potargany, rozkudłany↓, skudlony, skołtuniony, kołtunowaty, kołtuniasty,

650 pomieszczenie — **A.** LOKUM, miejsce, • wnętrze, interieur, **B.** POKÓJ, komnata, gabinet, • facjata, izba, izdebka, • garderoba, przebieralnia, przymierzalnia, gotowalnia↑, • szatnia, rozbieralnia, ubieralnia, • sypialnia, alkierz, alkowa, dormitorium, • jadal-

nia, pokój stołowy, refektarz, • salon, bawialnia, buduar, duży pokój, **C.** KOMORA, cela, kamera↑, komórka, klatka, boks, kojec, • kabina, kajuta, kokpit, • budka telefoniczna, rozmównica, przedział, **D.** PRZEDPOKÓJ, westybul, korytarz, hall, kuluary, przedsionek, sień, poczekalnia, portiernia, dyżurka, **E.** SALA, klasa, aula, audytorium, trybuny, • amfiteatr, widownia, • babiniec, harem, • czytelnia, biblioteka, wypożyczalnia, • sterownia, sterówka,

651 pominąć — **A.** POMIJAĆ, nie dbać, (z)lekceważyć, (z)bagatelizować, umniejszać, nie brać pod uwagę, nie uwzględnić, abstrahować, postawić poza nawias, nie zważać, nie pytać, nic sobie nie robić z, puszczać mimo uszu, mieć bielmo na oczach, (z)ignorować, robić dobrą minę do złej gry, *spływa po nim jak woda po kaczce, niech cię o to głowa nie boli, nie przejmuj się, spokojna głowa,* **B.** OPUŚCIĆ, przeoczyć, poopuszczać, połknąć, słuchać piąte przez dziesiąte, • zgapić się, przepuścić, przeskakiwać, przeskoczyć, prześlepić, *uszło mojej uwadze, umknęło mojej uwadze,* • pokpić, pogłuchnąć, poślepnąć, prześliznąć się, *przez myśl mi nie przeszło, nie przyszło ci do głowy, w głowie mu nie postało↑,* **C.** ZAGAPIĆ SIĘ, przegapić, przespać, ominąć, minąć, przejechać, • rozminąć się, • *uciekł mi tramwaj,* **D.** OMIJAĆ, objechać, objeżdżać,

652 pomnik — **A.** POSĄG, popiersie, monolit, statua, figura, obelisk, rzeźba, kore, • monument, mauzoleum, • tablica pamiątkowa, **B.** PAMIĄTKA, zabytek, antyk, • skansen, góralszczyzna, cepelia, • folklor, ludowość, obrzędowość,

653 pomoc — **A.** OPARCIE, podpora, wsparcie, zachęta, • pomaganie, wspieranie, • porada, rada, • doradztwo, konsultacja, poradnictwo, **B.** RATUNEK, odsiecz, posiłki, sukurs↑, • ocalenie, uratowanie, wybawienie, odbicie, • pogotowie, gotowość, alert, • straż pożarna, strażak, • ratownik, goprowiec, **C.** WSTAWIENNICTWO, orędownictwo, orędowanie, • rekomendacja, list polecający, referencje, poręczenie, • poparcie, fory, względy, łaski, znajomości, układy, plecy↓, dojścia↓, chody↓, • protekcja, poplecznictwo, kumoterstwo, klikowość, koteryjność, klanowość, nepotyzm, nomenklatura, **D.** PRZYSŁUGA, uprzejmość, uczynność, usłużność, grzeczność, dobrodziejstwo, ● posługa, usługa, obsługa, usługiwanie, ● ułatwienie, ulga, odciążenie, ● dopomożenie, cegiełka, wkład, ● filantropia, dobroczynność, filantropijność, charytatywność, miłosierdzie, ofiarność, ● zapomoga, dożywianie, **E.** USŁUGI, naprawy, serwis, service↑, zaplecze (usługowe), infrastruktura,

654 **pomocny** — **A.** USPOKAJAJĄCY, łagodzący, uśmierzający↑, kojący↑, ● usypiający, nasenny, ● neutralizujący, buforowy, ● wzmacniający, krzepiący, pokrzepiający, pocieszający, podnoszący na duchu, dodający otuchy, dodający sił, dopingujący, mobilizujący, **B.** USPRAWIEDLIWIAJĄCY, apologetyczny, obrończy, **C.** AWARYJNY, ratunkowy, ● ratowniczy, ● zapasowy, rezerwowy, odwodowy, **D.** ZBAWIENNY, zbawczy, dobroczynny, błogosławiony, ● opatrznościowy,

655 **pomówienie** — **A.** OSZCZERSTWO, obmowa, plotka, oplotkowanie, naplotkowanie na, ● zniesławienie, potwarz, kalumnia, ● insynuacja, imputacja, ● posądzenie, podejrzenie,

656 **ponieważ** — **A.** BO, boć↑, bowiem↑, albowiem↑, gdyż, że, iż, jako że, ● dlatego, toteż, ● przecie↑, przecież, wszak↑, wszakże↑, **B.** PRZEZ, wskutek, na skutek, z powodu, za przyczyną, z racji, wobec, ze względu, przez wzgląd, w wyniku, w następstwie, w konsekwencji, ● dzięki, ● z winy, **C.** WIĘC, czyli, zatem, przeto↑, wobec tego, w takim razie, skoro tak, tedy↑, toteż, ● mianowicie, otóż, to znaczy, między innymi,

657 **poniżyć** — **A.** LEKCEWAŻYĆ, (s)postponować, (z)ignorować, patrzeć (traktować) z góry, mieć gdzieś, olewać↓, mieć w nosie, traktować przez nogę, traktować per nogam↓, wypiąć się↓, chromolić↓, pierdolić↓, *pies z nim tańcował↓*, *pies cię trącał↓*, mieć za nic, mieć za psi pazur, ● gardzić, pogardzać, uchybiać, traktować jak popychadło, chodzić po głowie, (po)rozstawiać po kątach, nie oszczędzać, ● pomiatać, uprzedmiotowić, brutalizować, (s)poniewierać, **B.** KPIĆ, po(d)kpiwać, kpinkować, ironizować, podżartowywać, podśmiewać się, podrwiwać, (po)nabijać się, ● ob\wylśmiewać,

śmiać się z, naśmiewać się, wyszydzać, szydzić, naigrawać się, natrząsać się, prześmiewać się, (za\wy)drwić, śmiać się w kułak, ● ośmieszać, robić z kogoś durnia, upupić, pokazywać palcami, śmiać się w nos, ● bluźnić, wyśmiewać, **C.** UWŁACZAĆ, szargać, szarpać, przynosić ujmę, pogrążyć, ● znieważać, (z)bezcześcić, (s)profanować, (po\z)deptać, (po)kalać, (po\z)hańbić, (s)plugawić, obrzucić błotem, (z)mieszać z błotem, kazać się pocałować gdzieś↓,

658 **poprawa** — **A.** POLEPSZANIE, ulepszanie, zmiana na lepsze, postęp, ● postępowość, progresywność, awangardowość, nowoczesność, ● nowatorstwo, prekursorstwo, odkrywczość, wynalazczość, **B.** ULEPSZENIE, wynalazek, odkrycie, patent, ● innowacja, nowość, novum, nowe, ● poprawka, retusz, ● przeróbka, rewizja, ● usprawnienie, udoskonalenie, uproszczenie, ułatwienie, **C.** MODERNIZACJA, unowocześnienie, komputeryzacja, uwspółcześnienie, aktualizacja, ● optymalizacja, maksymalizacja, produktywizacja, ● industrializacja, uprzemysłowienie, mechanizacja, automatyzacja, ● minimalizacja, zmniejszenie, kompresja, redukcja, ● funkcjonalizacja, racjonalizacja, **D.** UŻYŹNIANIE, irygacja, nawadnianie, melioracja, osuszanie, odwadnianie, kolmatacja, namulanie, nawożenie, **E.** NAPRAWA, reperacja, serwis, ● regeneracja, odnowa, odtwarzanie się, odnowienie, ● renowacja, remont, odbudowa, restaurowanie, odrestaurowanie, restauracja, konserwatorstwo, ● odtworzenie, rekonstrukcja, restytucja, przywrócenie, ● rekonstrukcja, odbudowanie, ● naprawienie, usunięcie, poprawienie, korekcja, korekta, korektura, ● korektywa, gimnastyka korekcyjna, **F.** DEMOKRATYZACJA, odwilż↑, ● uczłowieczenie, humanizacja,

659 **poprawiać** — **A.** REFORMOWAĆ, naprawiać, ● przebudowywać, przekształcać, przeistaczać, przegrupować, (z)reorganizować, przeorganizować się, przestawić, ● deglomerować, (z)decentralizować, (de)koncentrować, (z)demokratyzować, **B.** UNOWOCZEŚNIAĆ, (z)modernizować, uwspółcześniać, iść z duchem czasu, ● aktualizować, uaktualniać, (z)nowelizować, ● odnawiać, (z)regenerować, ● komputeryzować, (z)automatyzować, (z)mechanizować,

skomputeryzować się, motoryzować (się), ● uprzemysławiać, (z)industrializować, stechnicyzować, (s)komercjalizować, urentownić, ● uprawić, użyźnić, nawieźć, nawozić, gnoić, ● skanalizować, zmeliorować, ● klimatyzować, **C.** ULEPSZAĆ, usprawnić, (u)regulować, (z)modyfikować, polepszać (się), (u\wy)doskonalić, (z)optymalizować, (z)racjonalizować, uprościć, ułatwić, udogodnić, ● odbiurokratyzować, odformalizować, ● podciągnąć, dźwigać, wydźwignąć, postawić na nogi, podnieść poziom, ● uzdatniać, pogłębić (się), uszlachetniać (się), wysublimować (się), (wy)szlifować, ● wymuskać, wypielęgnować, ● cieniować, wymodelować, (pod)retuszować, **D.** REDAGOWAĆ, (z)adiustować, nanieść poprawki, nanosić uwagi, wnieść uzupełnienia, usuwać omyłki, prostować błędy, wyłapać literówki, robić korektę, poprawić się, (s)korygować, ● sczytywać, (s)kolacjonować, (po)sprawdzać, (z)weryfikować, ● wystylizować, przeredagować, przeformułowywać, ingerować, wprowadzić zmiany, ● sprecyzować, uściślić, sprostować, uczytelnić, upraszczać, ● uprzystępniać, uzwyczajniać, upotocznić,

660 **porozumienie** — **A.** UMOWA, ugoda, kompromis, ustępstwo, ● jedność, jednomyślność, konsens, konsensus, **B.** POJEDNANIE, zgoda, rekoncyliacja↑ ● przeprosiny, przeproszenie, fajka pokoju, ● puszczenie w niepamięć, przywrócenie do łask,

661 **porozumiewać się** — **A.** KOMUNIKOWAĆ SIĘ, ● migać, ● gestykulować, mówić na migi, stukać się w czoło, ● robić miny, uśmiechać się, unieść brwi, kręcić głową, nasrożyć minę, ● mrugnąć, pomrugać, pomrugiwać, puścić oko, rozmawiać oczami, spojrzeć po sobie, sztyletować wzrokiem, ● hukać, wołać hop-hop, **B.** SKONTAKTOWAĆ SIĘ, być w kontakcie, porozumieć się, dogadać się, znaleźć wspólny język, rozmówić się, zrozumieć się, **C.** TELEFONOWAĆ, (za)dzwonić, ob\przeldzwaniać, przekręcić, stelefonować się, ● zamówić rozmowę, połączyć (się), dostać połączenie, odebrać telefon, *mówi się*, odkładać słuchawkę, *telefon nie odpowiada*, ● telegrafować, kluczować, **D.** KORESPONDOWAĆ, napisać, (po)pisać, zwrócić się listownie, wystosować pismo, skierować list, skreślić parę słów, wysłać

kartkę, ● grypsować, wypukać, ● teleksować, faksować,

662 **porównanie** — **A.** PRZECIWSTAWIENIE, komparacja, przyrównanie, konfrontacja, ● zestawienie, paralela, ● zderzenie, przyłożenie,

663 **poruszać się** — **A.** RUSZAĆ SIĘ, (po)ruszyć się, drgnąć, wstrząsnąć się, ● przeciągać się, (roz)prostować kości, zmienić pozycję, ● przy\ulkucnąć, (przy)kucać, ● przyklękiwać, padać na kolana, (przy\u)klęknąć, ● kręcić się, wiercić się, roić się, wirować, mrowić się, kokosić się, wić się, jeździć, poobracać się, katulać się, obrócić się, przekręcić się, ● koziołkować, (po)przewracać się, przekoziołkować się, (s)kapotować, przewrócić (wywrócić) kozła, wywinąć kozła, fajtnąć, fiknąć, ● kłębić się, gotować się, kotłować się, tarzać się, tłuc się, trzep(ot)ać się, ● skakać, hycać, kicać, dać susa, (ze)skoczyć, zeskakiwać, obskakiwać, odskoczyć, podskoczyć, ● tupać, przytupywać, ● odskakiwać, podskakiwać, odbijać się, sprężynować, kozłować, **B.** PORUSZAĆ, obracać, (prze)kręcić, mleć, od\przelwrócić, ● trząść, trząchać,

664 **porządek** — **A.** ŁAD, dyscyplina, zdyscyplinowanie, posłuszeństwo, ● karność, rygor, reżim, karby, ryzy, dryl, musztra, tresura, ● podporządkowanie się, subordynacja, mores, posłuch, **B.** UPORZĄDKOWANIE, kodyfikacja, kategoryzacja, posegregowanie, posortowanie, ● organizacja, zorganizowanie, urządzenie, ● porządkowanie, segregowanie, sortowanie, **C.** UNORMOWANIE, normalizacja, uregulowanie, regulacja, autoregulacja, ● ujednolicenie, unifikacja, standaryzacja, homologacja, typizacja, **D.** KOLEJNOŚĆ, hierarchia, hierarchiczność, ● klasyfikacja, ranking, ● stopniowanie, gradacja, schody, stopnie, drabina, ● drzewo genealogiczne, ● chronologia, chronologiczność, kalendarium, kalendarz, terminarz, ● etapowość, stopniowość, konsekutywność, następowanie, ● ewolucyjność, bezkrwawość,

665 **porządkować** — **A.** UŁADZIĆ, ułożyć, (po)układać, (po)ustawiać, (z)organizować, urządzić, uporządkować, doprowadzić do ładu, ● normalizować, unormować (się), uregulować, przywracać ład, • pokierować, regulować, • numerować, odliczać, paginować, foliować↑, • urządzić się, pourządzać (się), zagospodarować (się), umeblować się, meblować, **B.** UPRZĄTNĄĆ, ogarnąć, pozabierać, (wy)sprzątać, powyprzątać, pozbierać, pouprzątać, • zagrabić, (po\o)grabić, • odmulić, dragować, • odśnieżać, • odgruzować, **C.** POUSTAWIAĆ SIĘ, (s)formować, (po)grupować się, (u)grupować, (po\u)formować, • dokompletować, uzupełniać, pouzupełniać (się), • stawać, ustawić (się), rozstawić (się), rozwijać (się), stanąć, zająć miejsce, uplasować się na którymś miejscu, **D.** ZASZEREGOWAĆ, zaliczyć do, (po)szufladkować, typizować, kategoryzować, • gniazdować, pogrupować, (u)systematyzować, (u)schematyzować, (po\u)szeregować, • periodyzować, chronologizować, • hierarchizować, rankingować, • bonitować, (po)sortować, (po\s)klasyfikować, (po)segregować, (za)kwalifikować, podciągnąć pod,

666 porządkujący — A. SYSTEMATYZUJĄCY, kodyfikacyjny, **B.** KOORDYNACYJNY, koordynujący, **C.** ORGANIZACYJNY, porządkowy, **D.** INTERPUNKCYJNY, przestankowy,

667 posłaniec — A. LISTONOSZ, doręczyciel, oddawca, pocztowiec, pocztylion↑, **B.** GONIEC, łącznik, kurier, umyślny↑, • poseł, poselstwo, • herold,

668 pospolitość — A. PRZECIĘTNOŚĆ, szablonowość, • banalność, trywialność, • podrzędność, marnota, • zdawkowość, **B.** POZORNOŚĆ, pozór, fikcja, złudzenie, ułuda, blichtr, fasada, parawan, szyld, • powierzchowność, efekciarstwo, fasadowość, **C.** PŁYCIZNA, płytkość, płaskość, • pobieżność, niegruntowność, niedokładność, • jednostronność, ograniczoność, jednokierunkowość, • politykierstwo, demagogia, kazuistyka, naginanie, naciąganie (argumentów), **D.** POWSZEDNIOŚĆ, normalność, zwyczajność, standard, norma, • powszechność, ogólność, nagminność, • udostępnianie, upowszechnienie, umasowienie, rozpropagowanie, • dostępność, osiągalność, • ponadklasowość, • potoczność, kolokwialność, • zwykłość, codzienność, typowość, klasyczność, tradycyjność, konwenc-

jonalność, konwencjonalizm, należytość, **E.** PRZYZIEMNOŚĆ, prozaiczność, proza, • szarzyzna, szarość, burość, • gminność,

669 postępować — A. SKWITOWAĆ, (za)reagować, odwzajemniać (się), (po)kwitować, zbyć, przyjąć, przyjmować, witać, **B.** SPRAWOWAĆ SIĘ, prowadzić się, wejść na (jakąś) drogę, • zachować się, postąpić, znaleźć się, • (na)wyczyniać, (na)wyprawiać, (na\po)wyrabiać, • hołdować, **C.** CEREMONIOWAĆ SIĘ, ceregielić (ceregielować) się, robić ceregiele, certować się, certolić się↓, **D.** TRAKTOWAĆ, odnieść (odnosić) się, ustosunkować się, podejść, obejść się, patrzeć jak na, uważać za, widzieć, brać za, postawić w jakiejś sytuacji,

670 postój — A. PRZYSTANEK, stacja, dworzec, peron, • lotnisko, lądowisko, port lotniczy, kosmodrom, • przystań, port, reda, dok, zakotwiczenie, **B.** PARKING, zaparkowanie, • garaż, hangar, baza, zajezdnia, parowozownia, wozownia, powozownia, remiza,

671 poszukiwany — A. POKUPNY, chodliwy, poczytny, • przebojowy, szlagierowy, chwytliwy, **B.** WYBRANY, • powołany, predestynowany, • wyznaczony, uprzywilejowany, • wyselekcjonowany, elitarny, doborowy, wyborowy, • charyzmatyczny, **C.** WYBIERALNY, obieralny, elekcyjny, **D.** CHCIANY, upatrzony, wyczekany, upragniony, wymarzony, wytęskniony, mile widziany, • wyczekiwany, • pożądany, łakomy, **E.** ZGUBIONY, zagubiony, zaginiony, przepadły, • zbłąkany, zabłąkany,

672 pościg — A. POGOŃ, gonitwa, bieganie, gonienie, ściganie, uganianie się za, **B.** OBŁAWA, łapanka, • poszukiwania, tropienie, poszukiwanie, list gończy, • polowanie, łowy,

673 potrzebny — A. KONIECZNY, niezbędny, nieodzowny, niezastąpiony, przydatny, wskazany, celowy, • przymusowy, • obowiązkowy, obligatoryjny, dyrektywny, zalecany, **B.** ZNACZĄCY, relewantny, nieobojętny, • prestiżowy, • użytkowy, konsumpcyjny, utylitarny, **C.** WART, godny, godzien↑, • chwalebny↑, zaszczytny, szczytny↑, wzniosły, chlubny↑, **D.** ULUBIONY, nieoceniony, drogi, nieoszacowany↑, • nieodżałowany, niezapomniany, • kochany, ukochany, umiłowany, luby↑, jedyny, • kochający, przywiązany, **E.** SZANOWANY, szanowny, szacowny↑, honorowy, wybitny, eminentny↑, znaczny↑, prominentny↑, znakomity, znamienity↑, zasłużony, • dostojny, czcigodny,

674 potwór — **A.** STWÓR, pokraka, pokurcz, niewydarzeniec, krzywulec, brzydal, • małpolud, king kong, • monstrum, poczwara, maszkara, maszkaron, gargulec, • straszydło, upiór, postrach, frankenstein, • wampir, strzyga, • golem, homunkulus, • kosmita, android, cyborg, • obojnak, hermafrodyta, **B.** BESTIA, chimera, bazyliszek, gryf, feniks, lewiatan, hydra, centaur, • ludożerca, kanibal, antropofag, ludojad, **C.** OLBRZYM, wielkolud, gigant, kolos, tytan, moloch, goliat, cyklop, • mocarz, siłacz, wyrwidąb, waligóra, herkules, tarzan, • nieułomek, byczek, osiłek, kawał chłopa, drab, dryblas, drągal, tyka chmielowa, • atleta, ciężarowiec, kulturysta, zapaśnik, gladiator, • kolubryna, landara, krowa, krówsko, kobyła, grzmot↓, **D.** KARZEŁ, liliput, niziołek, pigmejczyk, pigmej, kurdupel↓, grzdyl↓, knypek↓, karypel↓,

675 poważnie — **A.** SERIO, na serio, nie na żarty, naprawdę, • prestiżowo, **B.** UROCZYŚCIE, solennie, **C.** GODNIE, czcigodnie, patriarchalnie, dostojnie, dystyngowanie, nobliwie,

676 poważny — **A.** SUROWY, pryncypialny, zasadniczy, serio, patriarchalny, • służbisty, • stateczny, • rzetelny, **B.** SOLENNY↑, uroczysty,

677 powiedzenie — **A.** ZWROT, wyrażenie, fraza, idiom, frazeologizm, kolokacja, • wypowiedź, zdanie, • dictum, odzywka↓, **B.** PRZYSŁOWIE, porzekadło, powiedzonko, sentencja, aforyzm, złota myśl, maksyma, myśl, mądrość, dewiza, hasło, motto, cytat,

678 powieść się — **A.** UDAĆ SIĘ, wieść się, poszczęścić się, dopisać, pójść po myśli, być na dobrej drodze, • mieć szczęśliwą rękę, wyjść dobrze na, trafić w sedno, uchwycić moment, • mieć głowę na karku, mieć głowę do, robić co z głową, **B.** PROSPEROWAĆ, cieszyć się powodzeniem, *dopisuje*

szczęście, trzymać się, • wygrzebać się, wykaraskać się, • dawać sobie radę, radzić sobie, lądować, mieć pod dostatkiem, nastarczać, mieć na potrzeby, *stać mnie na*, • wypłynąć, odnieść sukces, iść po różach, *życie ściele się różami, żyć jak u Pana Boga za piecem*, **C.** POWODZI MI SIĘ, *układa się, leci, idzie jak po maśle, akcje idą w górę, dobrze się dzieje (żyje), szczęści się, los szczęści, los się uśmiechnął*,

679 powłoka — **A.** SKÓRA, cera, płeć, karnacja, opalenizna, ogorzałość, • naskórek, epiderma, • błona, nabłonek, **B.** SKÓRKA, łupina, łuska, skorupka, **C.** POLEWA, apretura, • lakier, werniks, politura, emalia, szkliwo, glazura, **D.** PANIER, panierka, kruszonka, • lukier, kuwertura, masa, kajmak, **E.** OKŁADZINA, okleina, fornir, boazeria, **F.** WARSTWA, osad, nalot, skorupa, czerep, patyna, kamień, pleśń, kożuch, • pokład, złoże, żyła, nawarstwienie, • oksydacja, utlenianie,

680 powodować — **A.** SPRAWIĆ, zdarzyć, spowodować, sprowokować, (o\wz)budzić, wzniecić, rozniecić, rozpalić, rozpętać, (s)krzesać, ściągać na siebie, **B.** RODZIĆ, stwarzać, wytwarzać, wywoływać, pociągnąć za sobą, nieść ze sobą, sprowadzać, prowadzić do, do\przylprowadzać do, przywieść do, przywodzić do, wpędzić (się) w, • wyrządzić, zadać (ból), sprawiać (przykrość), zgotować, przyprawiać o, wykrakać, **C.** ODDZIAŁAĆ, pobudzić do, przyświecać, wywierać wpływ, podziałać, służyć za wzór, wywrzeć skutek, rzutować, wpłynąć, promieniować, czynić kim (czym\jakim), • (po)działać czymś na, poddać działaniu, • narazić, wystawić, zostawić na pastwę czegoś, • zaważyć, przesądzać, stanowić, decydować,

681 powoli — **A.** POMAŁU, powolnie, wolno, z wolna, bez pośpiechu, krok po kroku, jak krew z nosa, noga za nogą, **B.** MAJESTATYCZNIE, dostojnie, niespiesznie↑, leniwie, • niemrawo, ociężale, ciężko, ciężkawo, ospale, ślamazarnie, marudnie, flegmatycznie, jak mucha w smole, • sennie, • lunatycznie, somnambulicznie, • niezgrabnie, niezdarnie, niezręcznie, nieporadnie, nieskładnie, niedołężnie, **C.** STOPNIOWO, ewolucyjnie, etapami, etapowo, z czasem, •

sukcesywnie, po trochę, po trochu, po troszeczku, po troszku, po kawałku, ● z godziny na godzinę,

682 powstać — **A.** POWSTAWAĆ, budzić się, tworzyć się, stawać się, ucierać się, **B.** ZAISTNIEĆ, stać się, u\wyltworzyć się, po\sltworzyć się, po\zlrobić się, zawiązać się, (u)konstytuować się, zalęgnąć się, urosnąć, obudzić się, ● ziścić się, (u)formować się, (z)materializować się, (s)konkretyzować się, urzeczywistnić się, ● urobić się, ukształtować się, wykształcić się, utrzeć się, wykrystalizować się, uosobić się, **C.** DECYDOWAĆ SIĘ, rozstrzygać się, ważyć się, ● zadecydować się, wyklarować się, ● zapaść, przejść, wejść w życie, ● obowiązywać, wiązać, uprawomocniać się,

683 powstrzymać — **A.** UDAREMNIAĆ, uniemożliwić, sabotować, niweczyć plany, *wszystko się sprzysięgło,* zatrajlować, zatrajkotać, ● mieć związane ręce, **B.** ZAPOBIEC, wyperswadować, odmówić od, odradzić, wybić z głowy, odciągnąć, odwieść, odwodzić, odstraszyć, uratować sytuację, zawrócić kogoś ze złej drogi, ● zabraniać, wzbronić, bronić, zakazywać, *nie waż się,* **C.** PRZECIWDZIAŁAĆ, utrudniać, pokrzyżować, zakłócać, (s)paraliżować, ● przeszkadzać, podstawić nogę, podciąć, przeszkodzić komu, (s)torpedować, pomieszać szyki, tarasować, zastawiać, zawadzać, zagradzać, zastąpić, zamknąć drogę, przeciąć drogę, zagwoździć, minować, ● zahamować, włączyć hamulec, zwiększać tarcie, oporować (narty), **D.** WSTRZYMAĆ, interweniować, wkroczyć, zatrzymać, pohamować, (za)tamować, (przy\za)stopować, położyć koniec, postawić tamę, kłaść kres, wytrącić broń z ręki, usadzić↓, ujaić↓, **E.** ZŁAPAĆ, przetrzymać, (s)krępować, szachować, trzymać w szachu, stłamsić, (przy\za)blokować,

684 powszechnie — **A.** POSPOLICIE, popularnie, ● nagminnie, masowo, ● potocznie, kolokwialnie, **B.** SERYJNIE, taśmowo, ● przemysłowo, fabrycznie, masami, **C.** OGÓLNIE, generalnie, globalnie, kompleksowo, systemowo, ● szeroko, całościowo, ● przekrojowo, retrospektywnie, ● z góry, z lotu ptaka, z wysoka, z wysokości, ● rozlegle,

● rozłożyście, **D.** OBFICIE, ● tłumnie, licznie, gęsto,

685 poziom — **A.** PIĘTRO, kondygnacja, góra, ● strych, poddasze, podstrysze, mansarda, facjata, górka, ● półpiętro, podest, klatka schodowa, parter, dół, **B.** STOPIEŃ, szczebel, stadium, faza, etap, ● stopa, stopa życiowa, standard (życiowy), ● wysokość, stan, położenie, natężenie, głębia (ostrości), wychylenie, ● zawartość, procent, ilość, ● szarża, ranga,

686 poznawać — **A.** SPYTAĆ, pytać (się), zapytać (się), dopytywać się, ● indagować, (po)ciągnąć za język, wypytywać (się), podpytywać (się), maglować, wyciągać z gardła, nagabywać, molestować, wziąć na spytki, **B.** DOWIEDZIEĆ SIĘ, zasięgnąć języka (informacji), poradzić się, konsultować się, wysłuchać zdania (opinii), ankietować, ankietyzować, (wy)sondować, ● interpelować, zadać pytanie, postawić kwestię, żądać wyjaśnień, monitować, ● zbierać informacje, (po)informować się, (po)dowiadywać się, rozpytywać (się), prze\wyliwiadywać się, przepytywać (się), popytać (się), prze\wyliwiedzieć się, ● słychać o, (u\za)słyszeć, doczytać się, wyczytać, *pierwsze słyszę,* dostać cynk↓, ● zajrzeć do, opierać się na, czerpać wiadomości, **C.** OBEZNAĆ SIĘ, rozejrzeć się, rozpatrzyć się, obadać, zbadać (sytuację), wybadać grunt, wtajemniczyć się, ● zapoznać się, (po)przeglądać, przeczytać, (prze)kartkować, przerzucić, pooglądać, obejrzeć, przejrzeć, zerknąć, rzucić okiem, przebiec oczami, ● wczytać się, (prze)studiować, ● znać z widzenia, znać ze słyszenia, **D.** PERCYPOWAĆ, postrzegać, apercypować, rozeznawać, spróbować, **E.** ODKRYĆ, podpatrzyć, zaobserwować, stwierdzić, dokonać odkrycia, ● rozpoznać, ustalić, diagnozować, ● wybadać, eksplorować, zgłębić, dociec, przeniknąć, dojść po nitce do kłębka, **F.** POŁAPAĆ SIĘ, zorientować się, spostrzec się, dopatrzyć się, doliczyć się, ● dojść do ładu, zwąchać (czuć) pismo nosem, czuć przez skórę, pomiarkować↑, po\slkapować się↓, ● zmądrzyć się, wycwanić się, ● poznać się na, przejrzeć na wylot, znać jak pięć szeląg, ● demistyfikować, przejrzeć (na oczy), *łuski spadły z oczu,* **G.** OTRZASKAĆ SIĘ, (po)znać, przesiąknąć, zjeść zęby na, ● zwiedzać, odwiedzać, zo-

baczyć kawał świata, bywać w świecie, o-
bejrzeć, zapoznać się, • nawiedzać, pielgrzymować,

687 poznawczy — **A.** BADAWCZY, doświadczalny, eksperymentalny, • obserwacyjny, widokowy, • laboratoryjny, • poznawalny, empiryczny, eksploracyjny, eksplora-
torski, odkrywczy, **B.** POSZUKIWAWCZY,
rozpoznawczy, wywiadowczy, • archiwalny,
dokumentalny (dokumentarny), • reportażo-
wy, reporterski, • historiograficzny, kronikarski, dziejopisarski, pamiętnikarski, pamiętnikowy, **C.** SPRAWDZAJĄCY, kontrolujący,
nadzorczy, nadzorujący, kontrolny, inspek-
cyjny, rewizyjny, weryfikacyjny, przeglądowy,
• egzaminacyjny, rekrutacyjny, **D.** WYJAŚ-
NIAJĄCY, objaśniający, interpretujący, inter-
pretacyjny, egzegetyczny, **E.** DIAGNOS-
TYCZNY, • zmysłowy, dotykowy, organolep-
tyczny, • daktyloskopijny, daktyloskopowy, •
słuchowy, audytywny, • wizualny, optyczny,
wzrokowy, **F.** PERCEPCYJNY↑, kognityw-
ny↑,

688 późno — **A.** PÓŹNIEJ, potem, następ-
nie, dalej, po drugie, po wtóre↑, • jeśli idzie
o, wobec, względem, odnośnie do, co do,
w związku z, • w przyszłości, na przyszłość,
perpektywicznie, przyszłościowo, • na potem, na później, • niepunktualnie, z opóźnieniem, nieterminowo, **B.** NIERYCHŁO↑,
nieprędko, nieszybko, nie zaraz, **C.** WIE-
CZOREM, wieczorową porą↑, • za dnia, za
widna, • nocą, w nocy, nocną porą↑,

689 późny — **A.** PÓŹNIEJSZY, następny,
kolejny, porządkowy, konsekutywny↑, dalszy, dalszoplanowy, • przyszły, jutrzejszy,
potomny↑, • przyszłoroczny, • pourazowy,
traumatyczny, **B.** SPÓŹNIONY, nieaktualny,
• zapóźniony, opóźniony, poniewczasie, **C.**
NIEPRĘDKI, nierychły↑, **D.** POPOŁUDNIO-
WY, poobiedni, • wieczorny, wieczorowy↑,
nocny,

690 praca — **A.** ZAWÓD, specjalność, emp-
loi, • specjalizacja, profesja, fach, rzemiosło,
kunszt, • proceder, • kwalifikacje, wykształcenie, umiejętności, przygotowanie zawodowe, **B.** POSADA, urząd, stanowisko, godność, pozycja, kariera, funkcja, fotel, stołek,
ciepła posadka, synekura, • miejsce (pracy),
• zatrudnienie, engagement, etat, półetat,

nadgodziny, godziny zlecone, zlecone, godziny nadliczbowe, nadliczbówki↓, • akord,
C. ZAJĘCIE, urzędowanie, służba, robota,
chałtura↓, fucha↓, • papranina, babranina,
grzebanina, cyzelowanie, dłubanina, parta-
nina, • usługa, zlecenie, obstalunek, zadanie, • chałupnictwo, wytwórczość (drobna),
• zarobkowanie, dorabianie, dorobek, **D.**
CZYNNOŚĆ, operacja, manipulacja, • działanie, funkcjonowanie, • dzieło, akt, • działalność, aktywność, uaktywnienie, mobiliza-
cja, stymulacja, stymulowanie, animacja,
animowanie, ożywianie, pobudzanie, • akcja, kampania, zorganizowane działanie, •
obowiązki, czynności, praktyki, procedura,
tok postępowania, **E.** WYKONANIE, realizacja, urzeczywistnienie, spełnienie, wypełnienie, • egzekucja, egzekutywa, ściągnięcie,
rewindykacja, • zrobienie, przeprowadzenie, dokonanie, stworzenie, wykreowanie, •
robienie, uprawianie, kreowanie, kreacja,
tworzenie, **F.** WYSIŁEK, nakład, natężenie,
• trud, znój, mozół, krwawica, ciężki kawałek
chleba, pot, siódme poty, pańszczyzna,
mordęga, męczarnia, katorga, • kierat, ha-
rówka, orka, zasuw↓, zachrzan↓, za-
pieprz↓, **G.** ZMĘCZENIE, zadyszka, brak
tchu, • utrudzenie, senność, śpiączka↓, •
fatyga, starania, usiłowania, przygotowania,
zabiegi, zachody,

691 pracować — **A.** TRUDNIĆ SIĘ, parać
się, zajmować się, imać się, jąć się, pora-
biać, **B.** POPRACOWAĆ, (po)siedzieć nad,
(po)ślęczeć, ślepić nad, porać się, • haro-
wać, tyrać, orać, zasuwać↓, rypać↓, za-
pieprzać↓, zapierniczać↓, zapierdalać↓, *robota odchodzi, praca wre, robota pali się
w rękach,* • załatwić, popchnąć robotę, posunąć się do przodu, odwalić kawał roboty,
praca się posuwa, czynić postępy, pchnąć
sprawę, zrealizować, uzyskać wynik, mieć
rezultaty, **C.** ROBIĆ, zatrudniać się, najmować się, (wy)najać się, pójść (iść) do pracy,
angażować się, podjąć (pracę), dostać posadę, wziąć (etat), brać nadgodziny, przyjąć
zlecenie, brać prace zlecone, pracować za-
wodowo, uprawiać wolny zawód, próbować
różnych zawodów, • praktykować, aplko-
wać, **D.** WYKONYWAĆ, spełniać, pełnić,
wypełniać, sprawować, piastować, odbywać, • obsługiwać, obsłużyć, obskakiwać↓,
obskoczyć↓, • podawać, serwować, ekspediować, • dyżurować, mieć dyżur, przyjmo-

wać (interesantów), urzędować, urzędolić, **E.** ODMACHNĄĆ, odfajkować, zrobić na odtrąbiono, odwalić, odbębnić, odpędzlować, odpieprzyć↓, odpierdolić↓, wypchnąć, paprać (się), (z)męczyć, majstrować, ● rozdrabniać się, rozpraszać się, rozmieniać się na drobne, ● piłować,

692 pracowicie — A. SKRZĘTNIE, oszczędnie, gospodarnie, zapobiegliwie, pilnie, ● ofiarnie, z oddaniem, ideowo, ● ascetycznie, **B.** UPARCIE, niestrudzenie, nieznużenie, niezmordowanie, nieustępliwie, zawzięcie, zajadle, wytrwale, cierpliwie, ● konsekwentnie, uporczywie, z uporem, usilnie, ● mozolnie, z trudem, z ledwością, ● do upadłego, do ostatka, **C.** NATRĘTNIE, natarczywie, nachalnie↓, namolnie↓, ● ponaglająco, przynaglająco,

693 pracowity — A. ROBOTNY, ● gorliwy, ofiarny, ● obowiązkowy, skrzętny, dokładny, pilny, skrupulatny, akuratny↑, **B.** ZARADNY, zapobiegliwy, gospodarny, rządny↑, gospodarski, skrzętny, mrówczy, chomikarski, **C.** CIERPLIWY, benedyktyński, wytrwały, ● konsekwentny, uparty, ● zatwardziały, niepoprawny, nieuleczalny, zawzięty, zaciekły, zaparty, nieustępliwy, twardogłowy, tępy↓, ● ambitny, ● niestrudzony, nieznużony, niezmordowany, ● usilny, **D.** PEDANTYCZNY, drobiazgowy, drobnostkowy, małostkowy, dociekliwy, wnikliwy, ● czepialski↓, ● purystyczny, **E.** ZAJĘTY, zapracowany, zatyrany↓, zarobiony↓, zarżnięty↓, zabiegany, zapędzony, zaganiany↓, zagoniony↓, zalatany↓,

694 pracownia — A. WARSZTAT, zakład, modelarnia, kuźnia, ● gabinet, atelier, studio, salon, ● laboratorium, placówka naukowa,

695 pracownik — A. ZATRUDNIONY, człowiek pracy, siła robocza, ręce do pracy, ● pracobiorca, chałupnik, ● współpracownik, pomocnik, pomagier↓, ● asystent, laborant, techniczny↓, **B.** ROBOTNIK, robociarz↓, proletariusz↑, fizyczny↓, robol↓, wyrobnik, najemnik, ● górnik, gwarek, ● monter, instalator, mechanik, elektryk, ● hydraulik, ślusarz, tokarz, blacharz, ● murarz, malarz, posadzkarz, ● bagażowy, tragarz, **C.** URZĘDNIK, biuralista, kancelista, sekretarz, protokolant, koncypient↑, gryzipiórek↓, ● sekre-

tarka, maszynistka, stenotypistka, ● personalny, kadrowy, referent, ● biurokracja, aparat państwowy, ● urzędnik państwowy, minister, członek rządu, wiceminister, podsekretarz, prefekt,

696 prasa — A. DZIENNIK, periodyk, tygodnik, dwutygodnik, miesięcznik, dwumiesięcznik, kwartalnik, rocznik, almanach, ● czasopismo, pismo, magazyn, magazyn mody, żurnal, biuletyn, informator, ● gazeta, popołudniówka, organ, ● egzemplarz, numer, ● łamy (prasy), ● piśmidło, brukowiec↓, szmatławiec↓, gadzinówka↓, **B.** DZIENNIKARSTWO, informacja prasowa, publicystyka, ● reportaż, felieton, artykuł, korespondencja, ● migawki, fotodokumentacja, ● program, nagranie, audycja, słuchowisko, ramówka↓,● program informacyjny, dziennik, wiadomości, serwis,

697 prawdopodobnie — A. PEWNIE, pewno, ● widać, widocznie, snadź↑, zapewne, chyba, chyba tak, przypuszczalnie, ● podobno, pono↑, ponoć↑, bodaj↑, bodajże↑, być może, rzekomo, jakoby, jak mówią, jak powiadają, jak słychać, ● może, ● teoretycznie, hipotetycznie, zakładając,

698 prawidłowy — A. SŁUSZNY, właściwy, uzasadniony, usprawiedliwiony, ● trafny, celny, udany, trafiony↓, ● poprawny, literacki, ● ortograficzny, gramatyczny, **B.** NORMALNY, nieułomny, ● poczytalny↑, ● nie zepsuty, zdrowy, ● nietknięty, cały i zdrowy, **C.** MODELOWY, typowy, wzorcowy, klasyczny, ● wzorowy, przykładny, budujący, ● przykładowy, nieposzlakowany, nienaganny, perfekcyjny, nieskazitelny, idealny, bez zarzutu, najlepszy, niedościgły, doskonały, celujący, ● kongenialny,

699 prawnik — A. ADWOKAT, radca (prawny), mecenas, obrońca, rzecznik, kauzyperda↑, **B.** SĘDZIA, inkwizytor, ● referendarz, asesor, ● prokurator, oskarżyciel, instygator↑, ● przysięgły, ławnik, ● notariusz, rejent, ● jurysta↑,

700 prawny — A. JURYSTYCZNY, prawniczy, ● sądowy, sądowniczy, ● procesowy, procesualny, **B.** LEGISLACYJNY, ustawodawczy, **C.** LEGALNY, prawowity↑, ● ślubny, ● praworządny, **D.** UPOWAŻNIONY, koncesjonowany, licencjonowany, dopuszczony, konsensowy↑, ● pełnomocny,

701 prawo — **A.** PRAWODAWSTWO, ustawodawstwo, normy prawne, jurysdykcja, legislacja, ● sądownictwo, sąd, trybunał, sprawiedliwość, prokuratura, ● jurysprudencja, prawoznawstwo, ● moc prawna, prawomocność, obowiązywanie prawa, ważność prawa, nieodwołalność prawa, ● prawowitość, legalność, **B.** AKT PRAWNY, rozporządzenie, ustawa, dekret, edykt, zarządzenie, przepis, regulamin, statut, instrukcja, ordynacja, ● testament, ostatnia wola, zapis, legat, legityma, zachowek, kodycyl, ● zakaz, prohibicja, ● konstytucja, ustawa zasadnicza, ● uprawnienie, prerogatywa, przywilej, immunitet, nadanie, **C.** NORMA, zasada, reguła, wzór, kanon, artykuł, prawidło, zwyczaj, ● nakaz, dyktat, norma moralna, imperatyw, ● przepisy, zasady, pryncypia, normy, prawidła, prawa, kodeks, ● dekalog, dziesięcioro przykazań, **D.** DOGMAT, prawda, pewnik, aksjomat,

702 prezentować — **A.** ZAPOWIEDZIEĆ, (za)anonsować, opowiedzieć się, ● przedstawić, (za)poznać, *poznajcie się,* **B.** WYSTAWIĆ, zaprezentować, przedstawić, ● wyświetlać, *film wchodzi na ekrany, grają film,* **C.** WYSTĘPOWAĆ, wystąpić, wykonać, (od)grywać, odegrać, zaśpiewać, (za)produkować się, ● przedstawiać, kreować, statystować, ● wcielić się, zagrać, ● odczytać, (za)deklamować, (wy)recytować, interpretować, (wy)skandować, powiedzieć wiersz, mówić z pamięci, odmawiać (formułkę), zmówić, (od)klepać, ● śpiewać, nucić, zawodzić, pod\wylśpiewywać, ● falsetować, jodłować, ● wybijać takt (rytm), wystukać, wyklaskać, wytupać, wypukać, **D.** POKAZAĆ, ukazać, zademonstrować, okazać, mignąć czym, obnieść, obnosić, ● wystąpić, (prze)paradować, (prze)defilować, przemaszerować, ● manifestować, głosić, okazywać, demonstrować, ● flagować, ● upozować się, afiszować (się), obnosić się, szpanować↓, ● odsłaniać się, (wy)dekoltować się, obnażać się, **E.** UWIDOCZNIĆ, przybliżać, zbliżać, powiększać,

703 prędkość — **A.** SZYBKOŚĆ, bystrość, wartkość, żwawość, zwinność, gibkość, chyżość, dziarskość, ochoczość, ● tempo, gaz,

● pośpiech, wyścig, **B.** PRZYSPIESZENIE, akceleracja, ● katalizator, czynnik przyspieszający,

704 problem — **A.** ZAGADNIENIE, kwestia, punkt (sporny), pytanie, zapytanie, interpelacja, ● dylemat, trudny wybór, alternatywa, **B.** KŁOPOT, ambaras, troska, zmartwienie, udręka, zgryzota, strapienie, frasunek↑, mól↓, ● trudność, ● kryzys, niż, impas, pat, ● bigos↓, pasztet↓, klops↓, kwiatek↓, **C.** TRUDNOŚCI, perturbacje, ● perypetie, przygody, przejścia, zgrzyty↓, ● opresja, kabała, tarapaty, opały, **D.** PRZYKROŚĆ, nieprzyjemność, przeprawa, ● dotkliwość, bolączka, kłopotliwość, dokuczliwość, dolegliwość, gorzka pigułka, ● kara boska, skaranie boskie, **E.** PROBLEMATYCZNOŚĆ, konfliktowość, komplikacja, powikłanie, pogmatwanie, złożoność, ● zawiłość, kruczek, haczyk, zagwozdka↓, ● węzeł gordyjski, aporia, twardy orzech do zgryzienia, ● łamigłówka, czarna magia, chińszczyzna, hieroglify, ekwilibrystyka, schody↓, szkopuł, sęk, ● filozofia, sztuka,

705 produkować — **A.** WYTWARZAĆ, wyrabiać, fabrykować, ● montować, konstruować, ● konfekcjonować, szyć, ● ukręcić, (u)pleść, wyplatać, ● snuć, (u)prząść, (u)tkać, wiązać, ● zbić, złożyć, zmajstrować, ● wytapiać, odlewać, ulać, ● tłoczyć, wybić, bić (pieniądz), trzaskać, wykuć, ● przetwarzać, destylować, syntetyzować, **B.** WYHODOWAĆ, (pod\od)hodować, chować, trzymać, dochować się, dohodować się, ● oporządzać, paść, obrządzać, oprzątać, podoić, ● juhasić, juhasować, gospodarować, gospodarzyć, gazdować, ● uprawiać,

706 promieniowanie — **A.** EMISJA, nadawanie, wysyłanie, przenoszenie, ● emanacja, ● świecenie, fluorescencja, luminescencja, ● podczerwień, ultrafiolet, nadfiolet, ● alfa, beta, gamma, **B.** RADIACJA, promieniotwórczość, skażenie (promieniotwórcze), napromieniowanie, irradiacja,

707 propaganda — **A.** AGITACJA, indoktrynacja, upolitycznienie, ● kontragitacja, kontrpropaganda, **B.** REKLAMA, neon, plakat, ● promocja, propagowanie, upowszechnianie, szerzenie, umasowienie, ● pozyskiwanie, zjednywanie, werbunek, kaperownictwo, kaperowanie, kaptowanie,

708 proponować — **A.** ZGŁOSIĆ, przedstawić, wysunąć, stawiać, wystawić, wytypować, **B.** WYRAZIĆ GOTOWOŚĆ, zgłaszać chęć, (za)deklarować, (za)oferować, ofiarować (się), ● ogłaszać się, **C.** WNIOSKOWAĆ, zaproponować, postulować, (za)sugerować, dać do zrozumienia, rzucić pomysł, poddać myśl, podsunąć, postawić, szepnąć, natchnąć, podpowiedzieć, ● przedłożyć, przedkładać, wystąpić z wnioskiem, wyjść z propozycją, ● wyjeżdżać z, myśleć głośno,

709 propozycja — **A.** OFERTA, kontroferta, kontrpropozycja, ● zgłoszenie, wniosek, kandydatura, projekt, ● oświadczyny, **B.** PODAŻ, asortyment, oferowanie,

710 prostactwo — **A.** NIEOBYCIE, nieokrzesanie, kanciastość, gburowatość, chamskość, chamstwo, ● prymitywizm, prymitywność, niewybredność, **B.** IGNORANCJA, analfabetyzm, półanalfabetyzm, nieuctwo, ciemnota, tępota, głupota, **C.** WSTECZNICTWO, ciemnogród, obskurantyzm, nietolerancja, ● prowincjonalizm, prowincjonalność, prowincja, zaścianek, zaściankowość, partykularz, ● zacofanie, parafiańszczyzna, drobnomieszczaństwo, kołtuństwo, kołtuneria, filisterstwo, dulszczyzna, ● dorobkiewiczostwo, parweniuszostwo,

711 prosto — **A.** BEZPOŚREDNIO, w prostej linii, na wprost, ● na żywo, live↓, **B.** PIONOWO, wertykalnie↑, w górę, do góry, na sztorc, **C.** PRZED SIEBIE, gdzie oczy poniosą,

712 prosty — **A.** ZWYCZAJNY, codzienny, zwykły, powszedni, popularny, egzoteryczny↑, ● przeciętny, statystyczny, średni, ● szary, szeregowy, ● prozaiczny, niepoetyczny, ● niewymyślny, niewystawny, niewyszukany, ● chłopski, siermiężny↑, zgrzebny↑, pospolity, gminny, ● rubaszny, bezceremonialny, prymitywny, ordynarny, prostacki, niesmaczny, niewybredny, ● parweniuszowski, **B.** NIEWYROBIONY, nieobyty, niesubtelny, bez ogłady, kanciasty, surowy↓, **C.** POTOCZNY, mówiony, kolokwialny, nieliteracki, konwersacyjny, **D.** PRAKTYCZNY, u-

żyteczny, wygodny, łatwy w obsłudze, ● lekki, poręczny, ● podróżny, podręczny, ● turystyczny, kempingowy, składany, rozkładany, ● przenośny, walizkowy, ● rozbieralny,

713 prośba — **A.** PETYCJA, podanie, wniosek, odwołanie, apelacja, **B.** APEL, odezwa, manifest, proklamacja, uniwersał, orędzie, posłanie, ● list pasterski, ● oświadczenie, deklaracja, nota, ● list otwarty, **C.** ŻYCZENIE, ● błaganie, wołanie, modły, modlitwa, zaklęcie, **D.** WEZWANIE, pozwanie, pozew, monit, ponaglenie, awizacja, awizo,

714 przebaczenie — **A.** DAROWANIE, ułaskawienie, złagodzenie kary, abolicja, amnestia, depenalizacja, ● absolucja, uwolnienie, umorzenie, **B.** WYBACZENIE, wielkoduszność, ● zapomnienie, puszczenie w niepamięć, ● odpuszczenie, rozgrzeszenie, łaska, zbawienie,

715 przeciwny — **A.** NIEPRZYCHYLNY, niełaskawy, nieprzyjazny, niechętny, wrogi, nieprzyjacielski, wraży↑, ● antyklerykalny, antykościelny, ● antysemicki, antyżydowski, antysyjonistyczny, **B.** OPOZYCYJNY, dysydencki, ● nonkonformistyczny, kontestacyjny, nieprawomyślny, nielojalny, ● szpiegowski, agenturalny, ● dywersyjny, **C.** BUNTOWNICZY, nonkonformistyczny, ● wywrotowy, przewrotowy, rebeliancki, antypaństwowy, antyrządowy, anarchistyczny, ● antydemokratyczny, nihilistyczny, ● wichrzycielski, mącicielski, jątrzący, warcholski, woluntarystyczny↑, ● burzycielski, obrazoburczy, ● prowokatorski, podżegający, **D.** ODWROTNY, wsteczny, tylny, ● przeciwstawny, antytetyczny↑, diametralny, biegunowy, krańcowo różny, rozbieżny, antagonistyczny, sprzeciwiający się, ● reakcyjny, kontrrewolucyjny,

716 przedostać się — **A.**   PRZEJŚĆ, przekroczyć, przebyć, przemierzyć, przewędrować, przeciąć, przestąpić, przestępować, poprzechodzić, ● przeprawić się, przebrnąć, przegryźć się, przedzierać się, przedrzeć się, przebić się, przerwać się, przecisnąć się, przekopać się, przerąbać się, przerzynać się, przerżnąć się, przeorać się, przeleźć, przełazić, przeczołgać się, przepełzać, ● przepchnąć się, przepychać się, rozpychać się, przetłoczyć się, ● do-

pchać się, docisnąć się, dotłoczyć się, B.
PRZENIKAĆ, infiltrować, na\polwchodzić,
penetrować, • przerzucić, (prze)szmuglo-
wać, szwarcować, przeszwarcować (się),
przemycić (się), • przekraść się, prze-
śliz(g)nąć się, przesmyknąć się, przekradać
się, przemknąć się, • przeciec, przeciek-
nąć, (w)sączyć się, wsiąknąć, wlać się, wle-
wać się, nakapać, napadać, • wciec, wcie-
kać, wpłynąć, wessać się, • wniknąć, wetrzeć się, • wsypać się, nasypać się, nawpa-
dać, • weżreć się, wżerać się, wgryźć się,
wkłuwać się, wbijać się, • przeszyć, przebić, przewiercić (się), wkuwać się,

717 przedsiębiorca — A. INWESTOR,
przemysłowiec, fabrykant, kupiec, handlowiec, importer, eksporter, armator, B.
CZŁOWIEK INTERESU, biznesmen, mana-
ger, menadżer, kapitalista,

718 przedsiębiorstwo — A. PRZED-
SIĘWZIĘCIE, interes, business, biznes,
działalność gospodarcza, • rzemiosło,
drobna wytwórczość, small business↑, B.
FIRMA, spółka, holding, konsorcjum, syn-
dykat, koncern, korporacja, • monopol, kartel, trust, C. ZAKŁAD, zakłady, fabryka, wytwórnia, montownia, kombinat, :cegielnia,
cukrownia, gorzelnia, browar, przetwórnia,
tartak, kopalnia, kamieniołom, huta, koksownia, D. WYDAWNICTWO, oficyna, dom wydawniczy, • drukarnia, drukarstwo, poligra-
fia, • księgarnia nakładowa, książnica,

719 przedstawiciel — A. REPREZEN-
TANT, delegat, poseł, deputowany, parla-
mentariusz, mandatariusz, • senator, kongresman, radny, • wysłannik, nuncjusz, pa-
latyn, namiestnik, legat, • ambasador, konsul, attaché, chargé d'affaires, dyplomata,
B. RZECZNIK, wyraziciel, • negocjator,
mediator, interwenient, interwent, rozjemca, arbiter, juror, sędzia, • jury, komisja sędziowska, C. ZASTĘPCA, wice, p. o., pełniący obowiązki, • prorektor, prodziekan,
D. PEŁNOMOCNIK, plenipotent, prokurent, zarządca, dysponent, gestor, faktor, •
menażer, agent, impresario, E. POŚRED-
NIK, akwizytor, dystrybutor, • kolporter,
roznosiciel, • hurtownik, dostawca, zaopatrzeniowiec, • dealer, makler, broker,
bukmacher, • handlowiec, kupiec, detalista, komisant, komisjoner, konsygnatariusz,

• sprzedawca, ekspedient, subiekt, hand-
larz, sklepikarz, kramarz, kupczyk, przekupień, straganiarz, kioskarz, gazeciarz, komiwojażer, domokrążca, :księgarz, bukinista,
antykwariusz, drogista, • sprzedawczyni,
ekspedientka, handlarka, handlara↓, przekupka, straganiarka, baba↓, kwiaciarka, •
wystawca, eksponent, F. POŚREDNICT-
WO, mediacja, pośredniczenie, załatwianie, zastępstwo,

720 przełącznik — A. REGULATOR, pokrętło, gałka, • wyłącznik, pstryczek, •
dźwignia, korba, • cyngiel, spust, • zawór,
wentyl, kurek, kran, B. GUZIK, przycisk,
klawisz, sensor, zdalne sterowanie, pilot,

721 przemieszczać — A. PRZENIEŚĆ,
przełożyć, przestawiać, poprzekładać,
(po)przenosić, przerzucić, przesadzić przez,
• przeładowywać, przewalać, przerzucać, •
przesypać, • przelać, przepompować, przetłoczyć, rozlać, • przeflancować, (po)przesa-
dzać, przepikować, • przetransportować,
translokować, (prze\od)wieźć, prze\odlwo-
zić, u\wylwieźć, (u\wy)wozić, obwieźć, obwozić, • spławić, B. PRZEMIEŚCIĆ, przeprowadzać, przepędzać, • pod\przelholować,
(prze)ciągnąć, • cofać, cofnąć, • posunąć,
(po\prze)wlec, (po)ciągać, (po\włóczyć, (prze)-
suwać, porozsuwać, (prze)sunąć, poprzesu-
wać, ślizgać się, • popchnąć, podepchnąć, popychać, dopchać, dopychać, • przewiać; przewiewać, • przeturlać, (prze)toczyć, • przewekslować, (prze)taczać, C. POROZRZU-
CAĆ, (po)roznosić, (po)rozpraszać, rozwiać,
rozdmuchać, rozsnuć, roznieść, rozsiać, •
rozprzestrzeniać, szerzyć, rozwłóczyć, D.
ZBLIŻYĆ, przybliżyć, • dosuwać, do\przylsu-
nąć, • dociągnąć, przyciągać, dołączyć,
do\przylholować, do\przylwlec, do\przyltasz-
czyć, do\przyltoczyć, do\przyltaczać,
do\przyłturlać, • przywiać, • przywieźć,
przy\zlwozić, wwieźć, wwozić, E. ODSU-
NĄĆ, od\polturlać, posunąć, odstawić,
od\rozltrącić, odwlec, poodciągać, odciągnąć, odwalić, • poodwozić, pod\odlwozić,
pod\odlwieźć, powieźć, podrzucić, (od)holo-
wać, • odwieszać, • oderwać, odbić, • odwiać, F. OBNIŻAĆ, zniżać, przyziemić, • zapuścić, (po)spuszczać, (po)opuszczać, • zdjąć,
(po)zdejmować, zestawić, pozestawiać,
znieść, (po)znosić, stoczyć, (po)ściągać,

722 **przemieścić się** — **A.** PRZENOSIĆ SIĘ, przejść, przechodzić, przeciągać, ciągnąć, przetaczać się, przewalać się, (prze)suwać się, ● obiec, obiegać, opisać łuk, orbitować, krążyć, okrążać, kołować, ● przebiegać, zakreślić tor, (po\prze)toczyć się, ● kulać się, turlać się, ● przebiec, przegalopować, ● przeskoczyć, przeskakiwać, przesadzić, ● przefrunąć, przelecieć, przelatywać, ● przesiąść się, przesiadać się, mieć przesiadkę, **B.** PODRÓŻOWAĆ, wędrować, wojażować, migrować, zjeździć, objechać, ● jechać, (po)jeździć, pedałować, ● oblecieć, latać, ● o\przelpłynąć, pływać, **C.** ROZPRZESTRZENIAĆ SIĘ, rozchodzić się, przerzucać się, rozszerzyć się, ekspandować, krążyć, grasować, udzielić się, ogarniać, objąć, otoczyć, spowić, osłonić, okrążać, obejmować, (prze\roz)nieść się, rozpraszać się, rozsiać się, roztaczać się, ● chodzić, pełzać, ● wyciec, zalać, oblać, zalewać, powylewać, oblewać, opływać, pod\zaltopić, ● kłaść się, przedostać się, przejść, przechodzić, przelatywać, (roz)snuć się, włec się, rozwłóczyć się, hulać, **D.** ODSUNĄĆ SIĘ, posunąć się, odtoczyć się, poturlać się, odbić się, (od)skoczyć, (po)odskakiwać, odbiec, odbiegać, **E.** SCHODZIĆ, zstępować, zejść, pozłazić, pozsiadać, obniżać się, zniżać się, opaść, spadać, spuścić się, opuścić się, (po)opuszczać się, sfrunąć, zlecieć, zlatywać, ● osunąć się, oklapnąć, ● zjechać, (po)zjeżdżać, szusować, trawersować, stoczyć się,

723 **przemoc** — **A.** BEZPRAWIE, nieprzestrzeganie (praw obywatelskich), pogwałcenie (prawa), ● rozbój, rabunek, prawo pięści, dziki zachód, ● gwałt, samosąd, lincz, pogrom, terror, **B.** PACYFIKACJA, tłumienie, stłumienie, zdławienie, spacyfikowanie, unieszkodliwienie, obezwładnienie, unieruchomienie, ● poskromienie, ukrócenie, ● ujarzmianie, ujeżdżanie, **C.** PODBÓJ, okupacja, wojna, okupowanie, ● zabór, zagarnięcie, zajęcie, zawładnięcie, opanowanie, aneksja, anektowanie, konkwista, ● imperializm, militaryzm, aneksjonizm, ● niewolnictwo, **D.** PRZEŚLADOWANIE, szykanowanie, szykany, nękanie, dyskryminacja, upośledzenie, ● inkwizycja, polowanie na czarownice, ● ucisk, tyrania, ciemięstwo, ciemiężenie, gnębienie, ● wynarodowienie, :*germanizacja, rusyfikacja*, ● wywłaszczenie, eksprop-

riacja, konfiskata, zawłaszczenie, **E.** PRZYMUS, zmuszanie, ● nacisk, presja, ciśnienie, napór, parcie, ● groźba, szantaż,

724 **przemowa** — **A.** PRZEMÓWIENIE, exposé, mowa, ● głos, wypowiedź, wystąpienie, protest, **B.** ORACJA, alokucja, perora, tyrada, diatryba, monolog, wywód, ● deklamacja, recytacja, **C.** WYKŁAD, referat, koreferat, ● odczyt, wieczór autorski, czytanie, ● prelekcja, pogadanka, ● kazanie, egzorta, homilia, list pasterski, encyklika,

725 **przenośnia** — **A.** METAFORA, symbol, personifikacja, ● alegoria, przypowieść, parabola, bajka, ● porównanie, hiperbola, **B.** PERYFRAZA, pronominacja, metonimia, pars pro toto, synekdocha, ● oksymoron, ● eufemizm,

726 **przesadnie** — **A.** WYGÓROWANIE, niewspółmiernie, nieproporcjonalnie, **B.** ZBYTNIO, zbyt, nazbyt, nadmiernie, zanadto, nadto, za bardzo, do przesady, **C.** BEZ OPAMIĘTANIA, chorobliwie, patologicznie, ● nieumiarkowanie, bez umiaru, **D.** ZA DUŻO, nadto, aż nadto, ● pełno, czubato, czubiasto, kopia(s)to, z czubem, ● tłoczno, ciasno, gęsto, ludnie↑, ludno↑, **E.** DOSYĆ, koniec, kropka, basta, kwita, już, dość, *starczy, wystarczy*,

727 **przesadzać** — **A.** WYOLBRZYMIAĆ, egzagerować, absolutyzować, fetyszyzować, hipostazować, dogmatyzować, atomizować, ● przecenić, przeszacować, przechwalać, przereklamować, zawyżać, ● rozdmuchać, rozdąć, rozbuchać, ● przejaskrawić, przerysować, przeidealizować, (prze)estetyzować, odrealnić, brązować, brązowić, lukrować, przesładzać, przesłodzić, ● przerafinować, przestylizować, przeintelektualizować, ● przedobrzyć, przefajnować↓, zagłaskać, ● celebrować, dzielić włos na czworo, komplikować sprawę, wdać się w szczegóły, ● rozpisać się, rozwodzić się, mówić rozwlekle, rozwlekać (się), rozwodnić, **B.** PRZEHOLOWAĆ, szarżować, przeszarżować, wpaść w przesadę, zagalopować się, ● zaszaleć, ● zapędzić się, zapuścić się, ● zasiedzieć się, zabałaganić, zabarłożyć, zabradziażyć↓, ● przebrać miarę, posuwać do, posunąć się za daleko, przeciągać strunę, przegiąć pałę↓, zapomnieć się,

nadużyć cierpliwości, przekraczać granice, *przepełniła się miara, tego tylko brakowało*, **C.** PRZECIĄŻYĆ, wyżyłować, żyłować się, prze\zalpracowywać się, przerobić się, (prze)forsować się, przetrenować się, przemęczyć (się), przeuczyć się, ● spalać się, mieć pełne ręce roboty, zabijać się, zarzynać się, ● przeładować, przepełnić, ● pękać w szwach, **D.** PRZEDAWKOWAĆ, przedozować, ● prześwietlić, ● przeważyć, dać dobrą wagę, ● przezbroić, ● przekrwić się, ● przetłuszczać się, ● przegrzać, przesuszyć (się), spiec (się), prze\rozlgotować, przesmażyć, przepiec, ● przesycać, przepieprzyć, przesłodzić, przesolić, ● przejeść się, przejadać się, przekarmić, przepaść, przepasać, przepić się,

728 przesłaniać — **A.** ZASŁANIAĆ, przysłonić, (po)zawieszać, zastawić widok, ● pozaciągać story, zapuścić zasłonę, spuścić kurtynę, pozapuszczać, pozasuwać, zamknąć, ● zabić, pozabijać, zasklepiać, ● zakryć, zaciemniać, mroczyć, zaćmiewać, ćmić, ● odymić, (o)kadzić, omglić, owiać, owiewać, przymglić się, ● cienić, cieniować, ocieniać, ● zarosnąć, pozarastać, omszeć, poobrastać, obrosnąć, ● przygłuszyć, opleść (się), (po)oplatać, oplątać (się), ● osadzać się, **B.** POZAKRYWAĆ, chować (się) pod, (u\po)kryć, skryć (się), (po)osłaniać, nakryć (się), ponakrywać (się), pookrywać (się), przykryć (się), poprzykrywać (się), przyrzucić się, (s)chronić się, po\slchować się, pozachodzić,

729 przestępca — **A.** SPRAWCA, podejrzany, poszukiwany, zatrzymany, aresztowany, oskarżony, pozwany, podsądny, obwiniony, skazany, skazaniec, ● złoczyńca, winowajca, delikwent, ● kryminalista, recydywista, **B.** BANDYTA, oprych, zbir, bandzior, nożownik, gangster, mafiozo, ● napastnik, gwałciciel, ● zamachowiec, królobójca, ● siepacz, **C.** MORDERCA, zabójca, skrytobójca, rezun↑, dusiciel, ● zbrodniarz, zbrodzień↓, oprawca, ludobójca, hitlerowiec, faszysta, nazista, esesman, gestapo, gestapowiec, ● matkobójca, dzieciobójca, ojcobójca, **D.** ZBÓJ, zbójca↑, ● zbójnik, harnaś, ● rzezimieszek, łotrzyk, rabuś,

730 przestępstwo — **A.** WYKROCZENIE, przewinienie, naruszenie prawa, prze-

kroczenie, występek, nieformalność, uchybienie, ● czyn karalny, delikt, zakłócenie porządku/spokoju, ● sprawka, **B.** PRZESTĘPCZOŚĆ, karalność, ● chuligaństwo, bandytyzm, gangsterstwo, ● gwałcicielstwo, gwałt, ● napad, kradzież, włamanie, obrabowanie,

731 przestraszony — **A.** WYSTRASZONY, z(a)lękniony↑, przelękły, przelękniony↑, wylękniony↑, wylękły↑, zastrachany, spanikowany↓, przerażony, zatrwożony, struchlały, strwożony↑, trwożny↑, ● zaszczuty, ● zaszokowany, zszokowany, zdruzgotany, ● zmartwiały↑, skamieniały, **B.** ZAWSTYDZONY, zmieszany, spłoszony, zaambarasowany, zakłopotany, skrępowany, skonsternowany, zdetonowany↑, speszony, onieśmielony, zażenowany, zdeprymowany, skonfundowany, stropiony↑, zbity z pantałyku, zbity z tropu, ● zarumieniony, zaczerwieniony, zapłoniony↑, spłoniony↑, pąsowy↑, spąsowiały↑, purpurowy, ● niepewny, nietęgi↑, rzadki↓, ● jak niepyszny↑, jak zmyty↓, **C.** ZASKOCZONY, zdumiony, zdziwiony, zdębiały↓, zbaraniały↓,

732 przestrzenny — **A.** TRÓJWYMIAROWY, plastyczny, ● sześcienny, kubiczny, **B.** AMBIOFONICZNY, stereofoniczny, kwadrofoniczny,

733 przestrzeń — **A.** TERYTORIUM, powierzchnia, areał, ● obszar, teren, plac, poligon, pole, strefa, pas, domena, ● okolica, otoczenie, środowisko, ● wolna przestrzeń, przestworze, przestwór, miejsce, luz, przestronność, **B.** ODLEGŁOŚĆ, długość, odcinek, dystans, ● odstęp, spacja, światło, interlineacja, interlinia, ● przerwa, interwał, ● amplituda, wychylenie, ● oddalenie, dal, dalekość, ● rozrzut, rozchył, rozkrok, rozstaw, rozstawienie, ● rozstęp, luka, przedział,

734 przeszkoda — **A.** OGRANICZENIE, obostrzenie, utrudnienie, ● limitacja, reglamentacja, zakaz, ● przeszkadzanie, utrudnianie, hamowanie, uniemożliwianie, krępowanie, zawadzanie, brużdżenie, ● uniemożliwienie, udaremnienie, **B.** ZAWADA, balast, kula u nogi, kłoda, zawalidroga, ● próg, bariera, szlaban, rogatka, rampa, ● tama, zapora, śluza, ● wał, grobla, ● barykada, blokada, zator, korek, stop, ● wąskie gardło, przewężenie, ● opór, hamulec, ● handicap, paraliż, • inhibitor, katalizator ujemny, • obstrukcja, zaparcie, zatwardzenie, • sparaliżowanie, unieruchomienie, zahamowanie, opóźnienie, zwolnienie, spowolnienie, inhibicja, C. TRUDNOŚĆ, szkopuł, niedogodność, nieporęczność, niewygoda, przeciwieństwo, przeciwność (losu), problem, • przeciwwskazanie, impedimenta↑, D. ZAKŁÓCENIA, awarie, odbicia, śnieg↓,

735 przeszłość — A. DZIEJE, zdarzenia, wydarzenia, wypadki, fakty, koleje, losy, • początki, genealogia, • karta historii, karta dziejów, • dawne dzieje, B. HISTORIA, kronika, dziejopisarstwo, kronikarstwo, historiografia, • wspomnienia, pamiętnik, dziennik, diariusz, wspominki, C. PREHISTORIA, praczasy, pradzieje, prawieki, • zaranie dziejów, kiedyś, dawne czasy, zamierzchłe czasy, starożytność, czasy antyczne,

736 prześladować — A. NAGABYWAĆ, naprzykrzać się, napastować, nastawać, wydzwaniać, nachodzić, przyleźć, przyłazić, wpraszać się, narzucać się, wepchnąć się, włazić w oczy, • uczepić się, *rośnie gdzie go nie wsiali*, wmeldować się, wtranżolić się↓, *diabli przynieśli (nadali), przyniosło go, licho przyniosło*, • ingerować, wtrącać się, mieszać się, wtykać nos, wścibiać nos, B. SZPIEGOWAĆ, szpiclować, śledzić, tropić, inwigilować, • chodzić na przeszpiegi, infiltrować, • podejrzeć, podpatrzyć, podpatrywać, podglądać, filować, • podsłuchiwać, założyć podsłuch, • ścigać, gonić, ganiać, poszukiwać, C. SZKODZIĆ, naświnić, psuć krew, napsuć krwi, narobić złej krwi, • skarżyć, donosić, (za)denuncjować, nadawać na, kapować↓, kablować↓, • obmówić, (o)plotkować, poszeptywać, (po)obmawiać, (na)wygadywać, nagadać, naopowiadać, obgadywać, brać na języki, obnosić na językach, wycierać sobie kimś gębę, obrobić↓, • zniesławiać, oczerniać (się), (o)szkalować, spotwarzyć, obsmarowywać (się), obsrywać (się)↓, uwłaczać, szczekać, ujadać, obszczekiwać, oszczekać, obrzucić błotem, opluwać (się), D. NASKAKIWAĆ, nalatywać, napaść, napadać, • dogadywać, pod\przylgadywać, dogryzać, pohukiwać, pokrzykiwać, wytrząsać się, wrzeszczeć na, nagadać, • złorzeczyć, pomstować, ciskać klątwy, (na)ubliżać, (ze)lżyć, (wy\z)łajać, (z)besztać, ostrzyć sobie zęby na kim, ob-

rzucać wyzwiskami (zniewagami\obelgami), oplwać↑, pluć (plwać↑) na, (z\na)wymyślać, (na)urągać, na\olbluzgać↓, (na)pyskować, nawrzucać↓, (na\ob)sobaczyć, skląć, przezywać się, (na)wyzywać, E. TERRORYZOWAĆ, szantażować, • omotać, opanować, opętać, usidlić, owinąć wokół palca, bawić się cudzym kosztem, upokorzyć, wodzić za nos, • dyskryminować, szykanować, represjonować, • uprzedzić się, uwziąć się, • wypędzić, powypędzać, odepchnąć, odtrącić, pod\wylkurzyć, pogonić, (po)wyganiać, pozganiać,

737 prześmiewca — A. SATYRYK, humorysta, kpiarz, kpinkarz, facecjonista, kalamburzysta, • karykaturzysta, paszkwilant, pamflecista, szyderca, cynik, B. DOWCIPNIŚ, kawalarz, figlarz, żartowniś, wesołek, zbytnik↓, jajarz↓, • parodysta, komik, clown,

738 przetrwać — A. ZAZNAĆ, przejść, przebyć, przeżyć, doświadczyć, podzielić, doznać, poznać, napatrzyć się, ponieść, popaść, popadać, mieć za sobą, przyszło na, B. PRZEMIESZKAĆ, spędzić, pobyć, przeżyć, (prze)zimować, • prześnić, przespać, przekimać, (prze\za)nocować, • przesiedzieć, prześlęczeć, • przestać, • przetańczyć, • przebiegać, C. WYTRWAĆ, prze\wylżyć, utrzymać się przy życiu, dociągnąć, przebiedować, przeżywić (się), przemęczyć się, przemordować się, doczekać (się), dobyć, dochodzić, dostać, u\wylstać, dopracować, dosłużyć, dosiedzieć, u\wylsiedzieć, dosłuchać, • przetrzymać, przetrwać coś, przeczekać, trzymać się, D. ZDZIERŻYĆ, wytrzymać, ścierpieć, znieść, przełknąć, przecierpieć, • uodpornić się, nie bać się, zahartować się, *nie ima się go*, E. OSTAĆ SIĘ, (po)zostać, zachować się, przeleżeć, przechować (się), dochować (się), przetrwać próbę czasu, dożyć, • utrzymać się, pozostawać, uleżeć, ustać, uchować się, F. UTRWALIĆ SIĘ, wyryć się, pozostać w pamięci, uwiecznić się, upamiętnić się, żyć we wspomnieniu, • dotrwać, przeżyć się, pokutować, *wszystko idzie starym trybem,*

739 przewaga — A. GÓROWANIE, wyższość, lepszość, przewyższanie, • panowanie, królowanie, hegemonia, dominacja, supremacja, ● większość, gros, **B. PRY-MAT**, prym, pierwszeństwo, ● preferencja, priorytet, pierwszoplanowość, ● przodowanie, celowanie w, ● przodownictwo, ● awantaż↑,

740 przewód — **A.** KABEL, przedłużacz, łącze, kanał, kolektor, drut, przewodnik, drucik, ● lont, **B.** RURA, wąż, szlauch, hydrant, ● przewody, rury, wodociąg, kanalizacja, hydraulika, gazociąg, **C.** RURKA, sączek, dren, kapilara, ● kanalik, żyła, ● cewka, cewnik, kateter, ● cybuch, cygarniczka, fifka, ● gilza, tutka, zwijka,

741 przezroczysty — **A.** AŻUROWY, koronkowy, filigranowy, ● prześwitujący, przejrzysty, przeświecający, **B.** SZKLANY, szklisty,

742 przodek — **A.** PRAPRZODEK, protoplasta, ascendent↑, antenat↑, ● praszczur, dinozaur, mastodont, **B.** PRACZŁOWIEK, praojciec, pramatka, pierwsza kobieta, rodzicielka, ● ojcowie, dziadowie, pradziadowie, praludzie,

743 przodem — **A.** FRONTALNIE, czołowo, ● od przodu,

744 przybycie — **A.** PRZYJAZD, przyjechanie, nadjechanie, ● przylot, ● przypłynięcie, napłynięcie, nadejście, przyjście, ● napływ, przypływ, imigracja, fala, ● najście, nalot↓, **B.** WIZYTA, pobyt, bytność, przebywanie, obecność, ● widzenie, audiencja, posłuchanie, ● odwiedziny, gościna, ugoszczenie, podjęcie, przyjęcie, ● kolęda, ● nawiedzenie↑, **C.** POWRÓT, dotarcie, ● powitanie, ceremonia powitania, przywitanie, pozdrowienie, salut, salut armatni, **D.** ZJAZD, zjechanie się, zejście się, spotkanie, zobaczenie (się), ● schadzka, randka, rendez vous,

745 przybyć — **A.** PRZYBYWAĆ, przychodzić, ● przywędrować, napłynąć, przybłąkać się, przypętać się, przyplątać się, przypałętać się, przyleźć, złazić się, schodzić się, niesie kogoś, **B.** PRZYJŚĆ, przymaszerować, przybiec, przydrałować, ● przyjechać, poďzaljechać, ● przycwałować, przygalopować, przykłusować, ● przywlec się, przydreptać, przyczłapać (się), przykuśtykać, przytaszczyć się, przytelepać się, przy-

toczyć się, przytłuc się, ● przyczołgać się, przypełznąć, ● przylecieć, przyfrunąć, ● przypłynąć, przyżeglować, przybić do brzegu, dobić, wpłynąć, zawinąć, **C.** ZNALEŹĆ SIĘ, trafić, trafić na miejsce, dostać się, stawić się, przyjechać, zjechać (się), zjeżdżać (się), poprzychodzić, poprzyjeżdżać, pozjeżdżać się, ● dobrnąć, docierać, dotrzeć, dojść, osiągać, dojeżdżać, ● (do)szlusować, dociągnąć, dołączyć, ● przystąpić, do\przylstępować, dostąpić, ● dobiec, dopędzić, ● dowlec się, dotłuc się, dopełznąć, doczłapać, doczołgać się, doleźć, ● dopłynąć, ● dolecieć, **D.** ZAWITAĆ, wpaść, zajść, zajrzeć, pokazać się, zjawić się, pojawić się, napatoczyć się, nawinąć się, *przyniosło go, sprowadza mnie tu*, ● stawać, stanąć, (po)przyjeżdżać, zgłosić się, (po)zgłaszać się, (za)meldować się, stawić się, ● ukazać się, mignąć, przemknąć, przewinąć się, ● przysiąść się, do\przylsiadać się, dosiąść się,

746 przybysz — **A.** NIEZNAJOMY, obcy, obcokrajowiec, cudzoziemiec, alochton, bezpaństwowiec, kosmopolita, **B.** OSADNIK, kolonista, osiedleniec, ● pionier, przesiedleniec, ● repatriant, ● imigrant, **C.** GOŚĆ, letnik, kuracjusz, pensjonariusz, urlopowicz, wczasowicz, obozowicz, plażowicz, kąpielowicz, kajakowicz, ● turysta, zwiedzający, **D.** PODRÓŻNY, pasażer, autostopowicz, ● przejezdny, przyjezdny, ● przychodzień, przechodzień, pieszy,

747 przycisnąć — **A.** PRZYŁOŻYĆ, przytłoczyć, przywalić, przysiąść, przysiadać, ● przygniatać, przyduszać, (przy)gnieść, (przy)dusić, tłamsić (się), ● dociskać, na\przylciskać, (do)cisnąć, ściskać, ● przypierać, wywierać nacisk, przytłaczać, wywrzeć presję, przyprzeć, ● przydeptać, nadepnąć, roztratować, ● przytłuc, przytrzasnąć, przybić, ● przyciąć, przygryźć, **B.** UTRZĄSAĆ, upchać, ubić, stłamsić, **C.** WEPRZEĆ, wpierać, wciskać, wdeptać, ● wciąć się, wrzynać się, wpić się, wżerać się, wkręcić się, ● uwierać, uciskać, ugniatać, **D.** STŁOCZYĆ SIĘ, ścieśnić się, ściskać się, zwierać się, wtulić (się), kitwasić się↓,

748 przyczyna — **A.** POBUDKA, czynnik, bodziec, antybodziec, przeciwbodziec, ● podnieta, impuls, asumpt, ● zachęta, doping,

B. POWÓD, źródło, motyw, argument, pro i kontra, za i przeciw, • wady i zalety, blaski i cienie, złe i dobre strony, plusy i minusy, • racja, okazja, tytuł do, prawo do, • motywacja, kierowanie się, argumentacja, • podłoże, etiologia, okoliczności, warunki, • faktor, modyfikator, • motor, spiritus movens, dusza, siła sprawcza, sprężyna, inicjatywa, drożdże, • pretekst, pozór, wykręt, wymówka, • kamień obrazy, kość niezgody, jabłko niezgody, **C.** WZGLĄD, aspekt, postać, przejaw, • ujęcie, strona, • punkt widzenia, perspektywa, widok,

749 przygotowywać — A. URZĄDZAĆ, wyprawiać, (z)organizować, (za)aranżować, (z)mobilizować, • naszkicować, (s)prokurować, (roz\u)planować, zrobić miejsce, stworzyć podstawy, kłaść podwaliny, położyć fundament, zgromadzić materiały, **B.** SZYKOWAĆ, (przy)sposobić, u\wylszykować, na\przylszykować, • instalować, przyłączyć, doprowadzać, rozprowadzić, podstawić (wagon), uruchomić, rozgrzać, postawić w stan gotowości, • odbezpieczyć, repetować, • załadować, zatankować, • prefabrykować, skroić, (za)temperować, (na\wy)ostrzyć, po\zalostrzyć, • narżnąć, naciąć, nakrajać, **C.** USTAWIAĆ, (po)nastawiać, (pod)regulować, nakręcać, (na\pod)stroić, dostrajać, akomodować, oprogramować, • formatować, justować, • składać, sfalcować, złamać, • poziomować, centrować, środkować, • tarować, • przystrzeliwać, **D.** NAKIEROWAĆ, ustawić, nastawić, cyrklować, (wy)celować, (wy)mierzyć, brać na cel, wziąć na muszkę, składać się do strzału, zamierzać się, zamachnąć się, godzić w, skierować, plasować, zwrócić, obracać, obrócić, odwrócić, • nadstawiać, podstawić, nadstawić (się), wystawić, wysunąć, przysadzić się, wyciągnąć, podać, **E.** PRZYGOTOWYWAĆ SIĘ, sposobić się, (pod\wy)szykować się, gotować się, klarować, przymierzyć się, zebrać się, nastawić się, • podjąć się, porwać się, porywać się, podejmować się,

750 przykry — A. CIĘŻKI, ostry, mocny, drastyczny, • bolesny, dotkliwy, • niepowetowany, bezpowrotny, nie do naprawienia, nie do odzyskania, • sromotny, niesławny, niechlubny, haniebny, **B.** NIEPRZYJEMNY, antypatyczny, niemiły, odpychający, niesympatyczny, • opryskliwy, burkliwy, warkliwy,

mrukliwy, szorstki, gburowaty, nieuprzejmy, • suchy, oschły, **C.** DRAŻNIĄCY, denerwujący, jątrzący↑, irytujący, • dokuczliwy, uciążliwy, uporczywy, dojmujący, męczący, dolegliwy↑, nieznośny, utrapiony, nie do wytrzymania, nie do zniesienia, zapiekły, **D.** ZGRZYTLIWY, przenikliwy, przejmujący, jazgotliwy, • chrobotliwy, metaliczny, • chrypliwy, chrapliwy, charkotliwy, gardłowy, charczący, rzężący, • schrypnięty, schrypły, ochrypły, ochrypnięty, zachrypły, zachrypnięty, przepity, • rechotliwy, skrzeczący, skrekliwy, • cienki, piskliwy, wysoki, piszczący, dyszkantowy, • jękliwy, jęczący, zawodzący, płaczliwy, **E.** GRYZĄCY, piekący, żrący, parzący, • palący, pikantny, ostry, • cierpki, gorzkawy, ziołowy, • kwaśny, kwaśnawy, kwaskowaty, kwaskowy, winny, • kiszony, kwaszony, • marynowany, • zsiadły, • śmierdzący, smrodliwy, cuchnący, zgniły, nieświeży, • zastały, stęchły, zatęchły, • duszący, duszny, • słodkawy, mdlący, mdły,

751 przykrywać — A. PRZYRZUCIĆ, narzucić, (po)narzucać, obrzucić, (po)obrzucać, (po)obkładać, • obstawiać, obłożyć, pozakładać, nasunąć, (po)nasuwać, • zasłać, zaścielić, pozaścielać, rozesłać, rozścielać, **B.** PRZYSYPYWAĆ, nasypać na, posypywać, ob\zalsypać, pozasypywać, wysypać czymś, powysypywać, (o)prószyć, na\przylprószyć, zawiać, pozawiewać, oszronić (się), • okopać, kopczykować, przyorać, **C.** ZALEWAĆ, oblewać, zatapiać, **D.** OTULIĆ, (po)otulać, obcisnąć, opiąć, opinać, o(b)winąć, owijać, poobwijać (się), poowijać (się), zawinąć (się), pozawijać (się), okręcić (się), pookręcać, okutać (się), omotać, oprząść, oprzędzać, osnuć, spowić (się), o(b)wiązać, poobwiązywać (się), opasać (się), **E.** POKRYĆ, o(b)kleić, poobklejać, (po)oblepiać, (po)wyklejać, foliować, kaszerować, • obtoczyć, (ob)taczać, (wy)tarzać, (u)pudrować, • powlekać, kaloryzować, brązować, :platerować, amalgamować, cynkować, cynować, srebrzyć, posrebrzać, glazurować, gipsować, kredować, asfaltować, bitumować, grafitować, (po)gumować, • obszyć, (po)obijać, (po)wyścielać, wykładać, (u\wy)mościć, wykładać, wybić, obciągnąć, powybijać, • olicować, potynkować, obudować, poszyć, klepkować, fornirować,

752 przynęta — A. LEP, wabik, pokusa,

magnes, • narkotyk, • kofeina, teina, • kokaina, koka↓, opium, morfina, heroina, hera↓, kompot↓, • hasz↓, haszysz, trawka↓, marihuana, halucynogen, • doping, środki dopingujące, anaboliki, **B.** ATRAKCJA, clou, gwóźdź programu, • urozmaicenie, rozrywka, • nowość, ponętność, • przyciąganie, kuszenie, wabienie, nęcenie,

753 przypadkowo — A. PRZYPADKIEM, przygodnie, incydentalnie, okazjonalnie, • cudem, fuksem↓, • okazyjnie, • okazją, autostopem, na łebka↓, **B.** LOSOWO, stochastycznie↑, na oślep, na chybił trafił, na ślepo, na pamięć↓, na pewniaka↓, • omackiem, po omacku, • asocjacyjnie, skojarzeniowo, przez skojarzenie, podświadomie, irracjonalnie, • intuicyjnie, z założenia, z góry, a priori, apriorycznie, **C.** OMYŁKOWO, pomyłkowo, mylnie, przez pomyłkę (omyłkę), **D.** AUTOMATYCZNIE, samoczynnie, samorzutnie, niechcący, mimowolnie, **E.** ODRUCHOWO, instynktownie, automatycznie, bezwiednie, machinalnie, mimowolnie, mimowiednie↑, mimo woli, impulsywnie, bezmyślnie, mechanicznie, z rozpędu↓,

754 przypadkowy — A. PRZYGODNY, zabłąkany, • nieplanowy, nieplanowany, stochastyczny↑, losowy, • incydentalny↑, okazjonalny, okazyjny, luźny, • mimowolny, mimowiedny↑, nierozmyślny, nieumyślny, **B.** MACHINALNY, rutynowy, mechaniczny, automatyczny, bezwiedny, • odruchowy, instynktowny, impulsywny, samorzutny, • bezmyślny, stadny, owczy, inercyjny↑, **C.** SAMOCZYNNY, automatyczny, mechaniczny, **D.** INTUICYJNY, nieświadomy, podświadomy, irracjonalny, • aprioryczny↑, **E.** SKOJARZENIOWY, asocjacyjny, • wrażeniowy, impresyjny,

755 przyroda — A. NATURA, środowisko naturalne, • matka natura↑, pierwotność, łono natury, łono przyrody, • otwarta przestrzeń, plener, • zielona trawka, • ochrona środowiska, ekologia, **B.** ZIEMIA, biosfera, :*powietrze, klimat, wody, lasy,* • fizjografia, • ekosfera, **C.** ROŚLINNOŚĆ, flora, świat roślinny, • roślina, ziele, zioło, kwiat, kwiecie, • plankton, glony, algi, bentos, **D.** ŚWIAT ZWIERZĘCY, fauna, zwierzęta, zwierzyna, ptactwo,

756 przyrządzać — A. OPORZĄDZAĆ, (po)oprawiać, • o\ob\skrobać, (pod\o)skubać, oskubywać, oparzać, (s)parzyć, • opalić, smalić, • patroszyć, sprawiać, filetować, wytrybować, • obrać, obierać, okroić, skroić, skrajać, skrawać, poobrzynać, oddzielić, (od)szypułkować, • odrapać, (po)obdrapywać, (po)skrobać, (o)strugać, łuskać, łuszczyć, obłupywać, • nakroić, nadrobić, na\u\siekać, na\u\skrobać, **B.** PRZYRZĄDZIĆ, nastawić, wstawić, • gotować, (u)warzyć↑, (u)pitrasić, (u)pichcić, • kuchcić, kucharzyć (kucharzować), • wypiekać, piec, **C.** PRZYPRAWIĆ, do\pod\prawić, zaprawić, (po)pieprzyć, (o\po)solić, dosalać, (o)krasić, omaścić, (o\po)słodzić, (po\o)cukrzyć, dosładzać, ocukrować, polukrować, • gazować, kupażować, • chmielić, **D.** PODGRZEWAĆ, od\pod\grzać, przy\za\grzać, przygrzewać (się), • blanszować, podgotować (się), przegotować (się), u\za\gotować, • odsmażyć, (pod\u)smażyć, przysmażyć (się), • dusić, pod\u\ldusić, • opiekać, opiec się, prużyć, (po)piec, upiec się, pod\przy\piekać, (pod\przy)piec się, (u)prażyć, panierować, • rumienić, podrumienić (się), przyrumienić (się), (pod)palić, wypalać, wędzić (się), pod\u\lwędzić, • obwarzyć, (u)parować, parzyć, **E.** GOTOWAĆ SIĘ, wrzeć, kipieć, perkotać, parkotać, pyrkotać, bulgotać, gulgotać, dochodzić, **F.** ZAKONSERWOWAĆ, • ususzyć, • kisić, robić przetwory (konserwy), marynować, peklować, • kandyzować, • ukisić się, pokwasić (się), nakwasić, • zsiadać się, • dogęszczać, kondensować, skoncentrować,

757 przystosowanie — A. PRZYSTOSOWANIE SIĘ, dostosowanie (się), dopasowanie (się), dostrojenie, akomodacja, adaptacja, aklimatyzacja, przyzwyczajenie się, przywyknięcie, oswojenie się, • rehabilitacja, rewalidacja, **B.** UPODOBNIENIE SIĘ, asymilacja, • identyfikacja, utożsamianie się, uwewnętrznienie, internalizacja, introjekcja, **C.** PRZYSPOSOBIENIE, usynowienie, adopcja, przyjęcie, • udomowienie, domestykacja,

758 przyszłość — A. JUTRO, dzień jutrzejszy, perspektywa, • nieznane, wielka niewiadoma, • przyszłe losy, potomność, potomni, następne pokolenia, • następne lata, następne stulecia,

759 przytwierdzić — **A.** NAKLEIĆ, poprzylepiać, na\przyllepić, ponalepiać, (po)przyklejać, ponaklejać, • wlepić, wkleić, powklejać, **B.** NASZYĆ, ponaszywać, przyfastrygować, poprzyszywać, wszyć, • przypiąć, poprzypinać, wpiąć, (po)wpinać, • obwiązać, nawiązać, przypasać, nawijać, **C.** NADZIAĆ, nabić, obsadzić, wsadzić, wciskać, wbić, powbijać, • wciąć, powcinać, werżnąć, wgłębić, wkopać, wpuścić, wkuć, wgniatać, nasadzić, **D.** PRZYMOCOWYWAĆ, umocować, przyprawić, pozaczepiać, • przybić, poprzybijać, przyszpilać, przykuć, przynitować, przyspawać, • dokręcać, (po)przykręcać, do\przylśrubować, • podbić, (po)oprawiać, • wbudować, wmurować, (po)wprawiać, doszczelniać, • ankrować, (za)kotwić, (po)wkręcać, • wtopić, pozatapiać,

760 przyzwyczaić — **A.** OSWAJAĆ SIĘ, otrzaskać się, osłuchać się, obyć się, uczyć się, wdrażać się, • przyzwyczajać się, na\przylwykać, na\przylwyknąć, • posmakować, rozsmakować się, wciągnąć się, *weszło mu w krew*, **B.** DOPASOWAĆ SIĘ, dostosować się, aklimatyzować (się), puścić korzenie, przystosować (się), zaadaptować się, asymilować (się), • rozgościć się, czuć się jak u siebie w domu, **C.** OBŁASKAWIĆ, udomowić, oswajać, • wdrożyć, przyuczyć, zaprawić, • poskromić, ujeździć, układać, (wy)tresować,

761 przyzwyczajony — **A.** PRZYSTOSOWANY, nawykły, przywykły, zwyczajny↑, **B.** WIERNY, oddany, konsekwentny, przywiązany, • ideowy, pryncypialny, **C.** PRAWOWIERNY, ortodoksyjny, talmudyczny↑, **D.** ZAPALONY, zagorzały, namiętny, • zwariowany, zbzikowany↓, sfiksowany↓,

762 psuć się — **A.** PRZEJRZEWAĆ, przejrzeć, przerosnąć, przeterminować się, zleżeć się, starzeć się, (z)wietrzeć, (s)czerstwieć, sparcieć, • przestać się, (o)dębieć, **B.** ZEPSUĆ SIĘ, (pod\z)gnić, ponadgniwać, (z)butwieć, (s)tęchnąć, (z)murszeć, (po)próchnieć, (s)parszywieć, parszeć, (po\s)pleśnieć, (po)kwaśnieć, (s)kisnąć, skwasić się, skwaśnieć, przekwasić się, (z)warzyć się, gorzknąć, (z)gorzknieć, (z)jełczeć, (s)fermentować, • śmierdnąć,

763 psychiczny — **A.** DUCHOWY, wewnętrzny, • spirytualny↑, **B.** UMYSŁOWY, mentalny↑, rozumowy, intelektualny, myślowy, konceptualny↑, • pamięciowy, mnemoniczny, • platoniczny, **C.** UCZUCIOWY, emocjonalny, • wrażliwy, sentymentalny, • kochliwy,

764 publiczność — **A.** SALA, widownia, widzowie, telewidzowie, • audytorium, słuchacze, czytelnicy, • uczestnicy, odbiorcy, • ludzie, publika, publiczka, **B.** WIDZ, telewidz, słuchacz, odbiorca, • świadek, obserwator, kibic, gap,

765 pustka — **A.** PUSTKOWIE, ustronie, uroczysko, • bezludzie, bezrybie, • pustynia, piaski, • odludzie, szczere pole, wygwizdów↓, głusza, dzicz, busz, • próżnia, nicość, • puchy↓,

766 pusty — **A.** BEZLUDNY, opustoszały, wyludniony, wymarły, nie zamieszkały, • pustynny, bezwodny, księżycowy, • bezdrzewny, bezleśny, **B.** PRÓŻNY, pustawy, • niezajęty, wolny, • opuszczony, opróżniony, • bezzałogowy, • wydrążony, • porowaty, komórkowy, • pienisty, pieniący się, **C.** OTWARTY, odkryty, nie osłonięty, szczery,

767 pycha — **A.** DUMA, honor, godność, ambicja, • próżność, chełpliwość, samochwalstwo, przechwałki, megalomania, mania wielkości, • snobizm, afiszowanie się, • chimeryczność, kapryśność, **B.** ZAROZUMIAŁOŚĆ, hardość, zuchwałość, buta, • pewność siebie, rezon, • zarozumialstwo, przemądrzałość, ważniactwo, pyszałkowatość, dufność, nieskromność, **C.** NADĘTOŚĆ, napuszoność, górnolotność, koturnowość, posągowość, nienaturalność, stuczność, • pretensjonalność, krygowanie się, • afektacja, emfaza, • poza, aktorstwo, maska, • gwiazdorstwo, fanfaronada, bufonada, efekciarstwo, szpanerstwo↓, szpan↓, • bombastyczność, pompatyczność, pompa, **D.** WYNIOSŁOŚĆ, nieprzystępność, • ekskluzywność, elitarność, • majestatyczność, majestat, królewskość, dostojność, dostojeństwo, hieratyzm, hieratyczność, • podniosłość, wzniosłość, patos, powaga, ceremonialność, **E.** OKAZAŁOŚĆ, reprezentacyjność, gala, • elegancja, szyk, szykowność, gustowność, wytworność, galanteria, dystynkcja, wykwint, wykwintność,

R

768 rachunek — **A.** WYLICZENIE, kalkulacja, • rozliczenie, kliring, clearing, inkaso, przeliczenie, • rozrachunek, obrachunek, • obliczanie, naliczanie, rachowanie, liczenie, kwantyfikacja, • rachuba, prognoza, przewidywania, **B.** STATYSTYKA, rachunek prawdopodobieństwa, prawdopodobieństwo, • rachunki, matematyka, arytmetyka, algebra, • równanie, funkcja, działanie, :*mnożenie, dzielenie, odejmowanie, dodawanie,* **C.** POKWITOWANIE, paragon, czek, kwit, kwitek, bon kasowy, odcinek, dowód (wpłaty), asygnata, weksel, **D.** KONTO, saldo, bilans, • kredyt, • hipoteka,

769 radzić — **A.** DORADZAĆ, konsultować, poradzić, służyć radą, dać (dobrą) radę, • zaopiniować, naprowadzić na ślad, uczulić, wyczulić, • uwypuklić, uwydatnić, udobitnić, podkreślić, (za)akcentować, uwyraźnić, wyjaskrawiać, **B.** PRZEPOWIEDZIEĆ, rokować, krakać, (po)wróżyć, stawiać horoskop (karty), kłaść kabałę, prorokować, prognozować, *wspomnisz moje słowa,* **C.** ALARMOWAĆ, bić na alarm, uderzyć na trwogę, ostrzec, poostrzegać, przestrzec, • uprzedzić, przygotować, nastawić, usposobić, oswoić, podać w odpowiednim sosie,

770 razem — **A.** ŁĄCZNIE, hurtem, hurtowo, • ogółem, w sumie, w całości, **B.** WSPÓLNIE, wespół↑, społem↑, pospołu↑, wraz↑, chórem, chóralnie, • grupowo, zbiorowo, zespołowo, kolektywnie, kolegialnie, komisyjnie, • solidarnie, zgodnie, jednolicie, jednogłośnie, jednomyślnie, • jednocześnie, gromadnie, gremialnie, tłumnie, hurmem↓, grupą, w grupie, kupą↓, na kupę↓, do kupy↓, ławą↑, • ręka w rękę, ramię w ramię, • krok w krok, **C.** NAWZAJEM, wzajemnie, wzajem↑, obopólnie, obustronnie, • wraz, **D.** HARMONIJNIE, • współśrodkowo, koncentrycznie,

771 rekreacyjny — **A.** WYPOCZYNKOWY, letniskowy, kąpieliskowy, kolonijny, •

wczasowy, uzdrowiskowy, • turystyczny, wędrowny, pieszy, • wakacyjny, urlopowy, **B.** SPORTOWY, • olimpijski, amatorski, • wyczynowy, zawodowy, profesjonalny, • treningowy, ćwiczebny, • wytrzymałościowy, kondycyjny, szkoleniowy, • ruchowy, sprawnościowy, • motoryczny, **C.** WODNY, wodniacki, wioślarski, kajakowy, kajakarski, • żeglarski, **D.** ALPINISTYCZNY, wspinaczkowy, **E.** KONNY, kawaleryjski, jeździecki, • jezdny↑, **F.** MYŚLIWSKI, łowiecki, **G.** KOLARSKI, rowerowy,

772 religia — **A.** WYZNANIE, wiara, konfesja, nauka kościoła, katecheza, katechizm, dekalog, przykazania, • katechetyka, katechizacja, **B.** RELIGIJNOŚĆ, pobożność, bogobojność, dewocja, **C.** MONOTEIZM, jedynobóstwo, :*chrześcijaństwo, katolicyzm, prawosławie, protestantyzm, luteranizm, kalwinizm, anglikanizm, judaizm, mozaizm, islam, mahometanizm, buddyzm,* • politeizm, pogaństwo, bałwochwalstwo, idolatria, **D.** KOŚCIÓŁ, wierni, • wierny, parafianin, wierzący, praktykujący, • pielgrzym, pątnik, • wyznawca kościoła, :*chrześcijanin, katolik, protestant, kalwin, kalwinista, kwakier, mormon, baptysta, anabaptysta, świadek Jehowy, żyd, chasyd, ortodoks, mahometanin, buddysta,*

773 religijny — **A.** KLERYKALNY, kościelny, • kapłański, duszpasterski, księży, księżowski, • klerycki, • kleszy↓, **B.** ZAKONNY, klasztorny, mnisi, mniszy, • parafialny, farny, **C.** POBOŻNY, wierzący, nabożny↑, bogobojny↑, świątobliwy↑, • bigoteryjny↑, dewocyjny↑, religiancki↑, • faryzejski↑, faryzeuszowski↑, świętoszkowaty, purytański, **D.** WYZNANIOWY, • obrzędowy, kultowy, liturgiczny, rytualny, • sakralny, **E.** PROTESTANCKI, ewangelicki, • prawosławny, cerkiewny, **F.** NIEWIERNY, heretycki, odstępczy↑, odszczepieńczy↑, kacerski↑, innowierczy, różnowierczy↑, • nieprawowierny, • pogański,

774 reszta — **A.** INNI, pozostali, niedobitki, mniejszość, • pozostałość, **B.** RESZTKI, ostatki, pozostałości, • szczątki, relikty, rudymenty, skamieniałości, skamieliny, fosylia,

775 rewanż — **A.** ODPŁATA, odwzajemnienie, zapłata, odszkodowanie, wynagrodzenie, • rewizyta, **B.** ZEMSTA, porachunki, rozprawienie się, krwawa rozprawa, odwet, represja, represje, wendetta, dintojra↓, • zawziętość, pamiętliwość, mściwość, rewanżyzm, • oko za oko, ząb za ząb, wet za wet, miarka za miarkę,

776 rewolucja — **A.** POWSTANIE, zryw, insurekcja, przewrót, obalenie, pucz, zamach stanu, kontrrewolucja, **B.** REWOLTA, rebelia, rokosz, • bunt, strajk, przerwa w pracy, przestój, **C.** ROZRUCHY, zamieszki, zaburzenia, niepokoje, ruchawka↑, zajścia, walki (uliczne),

777 rezygnować — **A.** PONIECHAĆ, odmówić sobie, darować sobie, obejść się, poradzić sobie bez, poprzestać, obyć się, wyrzec się, nie skorzystać, • nie potrzebować, nie musieć, nie przyłożyć ręki, wyłączyć się, • nie przyjść, nie dopisać, opuścić, mieć nieobecność, być gościem w domu, świecić nieobecnością, **B.** ZNIECHĘCIĆ SIĘ, zrezygnować, osłabnąć w zapędach, poniechać wysiłków, przerwać zabiegi, spocząć na laurach, dreptać w miejscu, • załamać się, pozrażać się, upadać na duchu, opuścić ręce, ręce opadają, odstąpić, odstępować, odrzekać się, **C.** ZANIECHAĆ, poddać się, (s)pasować, dać sobie spokój, dać za wygraną, odstępować od, zatrzymać się w pół drogi, rozstać się z (myślą), położyć (postawić) krzyżyk, machnąć ręką, kłaść lachę (laskę)↓, **D.** ZAPRZESTAĆ, zarzucić, przerwać, spauzować, urwać, • podziękować, oddać władzę, wycofać się, złożyć rezygnację, ustąpić, kapitulować, wystąpić, wypisać (się), ubyć, usunąć się, wykruszać się, powypisywać się, • zwalniać się, odchodzić, odejść, (z)dezerterować, • iść na emeryturę, **E.** ZANIEDBAĆ, zapuścić, nie dopatrzyć, zabagnić,

778 robak — **A.** OWAD, insekt, :*chrabąszcz, chrząszcz, żuk, żuczek, cykada, mucha, giez, komar,* **B.** PASOŻYT, szkodnik, niszczyciel, • robactwo, pasożyty, • karaluch,

karakon, prusak, karaczan, • larwa, gąsienica, dżdżownica, glista, • kornik, termit, szarańcza, • tasiemiec, soliter, • owsik,

779 rodzaj — **A.** GATUNEK, genre, • wybór, sortyment, asortyment, klasa, kategoria, • odmiana, koniugacja, • typ, fason, krój, model, • wersja, wariant, odmianka, wariacja, mutacja, wydanie, • podgatunek, podklasa, podrodzina, podtyp, podzbiór,

780 rodzić — **A.** ROZMNAŻAĆ, rozplenić, klonować, • siać, podsiać, (po)obsiewać, po\zalsiać, pozasiewać, • pikować, roz\wylsadzać, za\polsadzić, • obsadzić, pozasadzać, • przeszczepić, transplantować, wszczepiać, oczkować, okulizować, kożuchować, szczepić, **B.** POCZĄĆ, płodzić, spłodzić, • zapłodnić, inseminować, • spodziewać się dziecka, zajść w ciążę, być w ciąży, **C.** URODZIĆ, wydać na świat, powić, mieć, • lęgnąć: *(o)cielić się, (o)kocić się, oprosić się, (o)szczenić się, oźrebić się, jagnić się,* • poronić, **D.** URODZIĆ SIĘ, przyjść na świat, narodzić się, porodzić się, ląc się, ulęgnąć (się), wykluwać się, kluć się, • wypoczwarzyć się, **E.** OBRADZAĆ, owocować, wydać, plonować, rodzić się, udawać się, kiełkować, pączkować, wiązać, kłosić się, rozmnażać się, (roz)plenić się,

781 rodzina — **A.** DOMOWNICY, ognisko domowe, pielesze domowe, dom, **B.** RÓD, dynastia, familia, klan, **C.** KREWNI, bliscy, kuzynostwo, wujostwo, • krewny, krewniak, powinowaty, descendent↑, kuzyn, pociotek, koligat, • ciotka, ciocia, wuj, wujek, wujenka, wujna↑, stryj, stryjek, stryjenka, • bratanek, siostrzeniec, bratanica, siostrzenica, kuzynka, • teść, teściowa, synowa, zięć, • szwagier, szwagierka, **D.** MAŁŻEŃSTWO, para małżeńska, stadło małżeńskie, państwo (Kowalscy), • związek małżeński, mariaż, • konkubinat, kocia łapa↓, • monogamia, jednożeństwo, • poligamia, poliginia, wielożeństwo, poliandria, wielomęstwo, • mezalians, egzogamia, • inbred, incest, kazirodztwo, **E.** RODZICE, ojciec i matka, staruszkowie↓, starzy↓, jareccy↓, wapniaki↓, zgredy↓, • rodzice przybrani, • babka, babcia, babunia, prababka, dziadek, pradziadek, • rodzicielstwo, macierzyństwo, ojcostwo, **F.** DZIECI, pociechy↓, • syn, junior, pasierb, córka, pasierbica, wnuk, wnuczek, praprawnuk, wnuczka, prawnuczka, • rodzeństwo, brat, braciszek, bracia, siostra, siostrzyczka, siostrunia, siostry, • bliźnięta, bliźniaki, dwojaczki, • trojaczki, czworaczki, pięcioraczki, sześcioraczki,

782 rolnik — **A.** CHŁOP, gospodarz, plantator, farmer, ranczer, kułak↓, agronom, • hodowca, pszczelarz, bartnik, • gazda, • rolnicy, chłopi, wieś, **B.** WIEŚNIAK, kmieć, kmiotek, włościanin, hreczkosiej↓, • parobek, fornal, kolon, fellach, kołchoźnik, kibucnik, • kosiarz, żniwiarz,

783 rosnąć — **A.** PODRASTAĆ, podróść, pod\przylrosnąć, odrosnąć, odróść, przyrastać, wzrastać, (po)rozwijać się, (po)rozrastać się, wybujać, **B.** DOROSNĄĆ, pokwitać, opierzyć się, osiągać jakiś wiek, dojrzewać, urosnąć, podorastać, wyrosnąć, • (roz)kwiecić się, (roz)kwitnąć, roz\zalkwitać, • dojrzeć, (z)mężnieć, (s)poważnieć, pójść na swój chleb, uniezależnić się, usamodzielniać się, układać sobie życie, ustawić się, mieć swoje lata, być w sile wieku, być w latach, **C.** WEGETOWAĆ, powyrzynać się, (po)wschodzić, przyjąć się, poprzyjmować się, strzelać, porosnąć, poróść, porastać, puszczać, pozielenieć, obrosnąć, pozarastać, • płozić się, (roz\za)korzenić się, (roz)krzewiać się, piąć się, plenić się, (po)rozrastać się, **D.** POTĘŻNIEĆ, ogromnieć, olbrzymieć, rozróść się, rozrosnąć się, (o)krzepnąć, (s)konsolidować się, rozwijać się, przybierać na znaczeniu, przybrać na sile, przybrać jakieś rozmiary, mnożyć się, rosnąć jak grzyby po deszczu, pomnożyć się, rozmnożyć się, (wy)piętrzyć się,

784 rozczarować — **A.** ZAWIEŚĆ, (s)krewić, sprawić zawód, wystawić tyłem do wiatru, • zdradzić, sprzeniewierzać się, wbić nóż w plecy, • wydać, sprzedać, zaprzedać (się), • sypnąć, śpiewać, wkopać, wsypać, skompromitować, **B.** ROZGORYCZAĆ, rozwiać nadzieje, *to mnie nie urządza,* obedrzeć ze złudzeń, wylać na głowę kubeł zimnej wody, **C.** ROZCZAROWAĆ SIĘ, zawieść się, obejść się smakiem, pocałować klamkę, spotkać się z odmową, stracić nadzieję, • sparzyć się, przeliczyć się, • minąć się, rozminąć się, • spóźniać się, nie nadążać, nie dopisać, **D.** NIE WYPALIĆ, rozejść się po kościach, skończyć się na niczym, *to*

spaliło na panewce, to spełzło na niczym, to wzięło w łeb, • przejść bez echa, • nic nie wskazuje na,

785 rozebrać — **A.** ROZCHEŁSTAĆ, odpasać, odpiąć, rozpiąć (się), porozpinać (się), rozchylić, **B.** ZDJĄĆ, zdejmować, zedrzeć, obedrzeć, odrzeć z, odzierać, • rozebrać się, rozbierać (się), rozdziać (się)↑, roznegliżować się, obnażyć (się), porozbierać (się), • rozkopać się, rozkryć się,

786 rozłączać — **A.** ODSEPAROWAĆ, rozstrzelić, przedzielić odstępem, • interfoliować, interliniować, **B.** SEPAROWAĆ, rozbić (związek), rozwieść (parę), oderwać (kogoś od kogoś), od\przelsadzić, (po)rozsadzać, **C.** ODTRĄCIĆ, odmówić ręki, dać kosza, puścić kantem, zatrzasnąć drzwi przed nosem, • zerwać, zrywać, rozstać się, odchodzić, odejść, rozejść się, rozchodzić się, • rozwieść się, brać rozwód, rozwodzić się, • porzucać, opuścić, zostawić, zdradzać, (po)rzucić, puścić kantem↓, uciec z kimś, **D.** ODERWAĆ SIĘ, rozłączyć (się), odłączyć (się), rozdzielić (się), porozdzielać (się), odpaść od, izolować się, odizolować (się), separować się, (z)dziczeć, odosobnić (się), zaskorupić się, • odczepić się, *niech cię licho porwie, caluj psa w nos, daj mi spokój, odejdź, idź sobie, zostaw mnie, puść mnie, odsuń się, odwal się↓, odchrzań się↓, odpieprz się↓, odpierdol się↓,* **E.** ROZPIERZCHNĄĆ SIĘ, rozsypać się, oddalić się, rozproszyć się, porozpraszać się, odsunąć się, rozsuwać się, • rozejść się, rozstąpić się, porozchodzić się, • rozjechać się, porozjeżdżać się, • rozleźć się, (po)rozłazić się, rozpełznąć się, rozbiec się, porozbiegać się, rozlecieć się, porozlatywać się,

787 rozłąka — **A.** POŻEGNANIE, rozstanie, **B.** SEPARACJA, oddzielenie, rozłączenie, odseparowanie, oddalenie, • rozejście się, rozwód, rozpad pożycia (małżeńskiego), • secesja, schizma,

788 rozmawiać — **A.** POGADAĆ, pogadywać, pomówić, (po)gawędzić, porozmawiać, dialogować, (po)gwarzyć, rajcować, konwersować, poplotkować, rozplotkować się, podyskutować, poszeptać, poszwargotać, (po)droczyć się, przekomarzać się, drażnić się, uciąć sobie pogawędkę, *my tu gadu-ga-*

du, gaworzyć, rozgadać się, rozpaplać się, ● przerwać komu, wtrącić, wpaść w słowo, włączyć się, **B.** SKOMENTOWAĆ, omówić, przedstawić, streścić, ● poruszyć, dotknąć, potrącić o, zahaczyć o↓, *zgadało się o*, zająć się (sprawą), przystąpić do rzeczy, wyczerpać temat, ● podsumować, zestawić, zbilansować, (z)rekapitulować, **C.** OBRADOWAĆ, radzić, naradzać się, konferować, (prze)konsultować, skonsultować (się), ● debatować, dysputować, spierać się, obgadywać, omawiać, politykować, rozważać, (prze)dyskutować, roztrząsać, deliberować, ● międlić, wałkować, męczyć, przelewać z pustego w próżne, rozpolitykować się, rozdyskutować się, **D.** NEGOCJOWAĆ, rokować, umawiać się, paktować, pertraktować, prowadzić rozmowy (rokowania), układać się, ● rozmówić się, wyjaśnić sobie,

789 rozmiar — **A.** ZASIĘG, obręb, krąg, orbita, ● zakres, gama, promień, ● obszar, teren, płaszczyzna, sfera, dziedzina, ● stopień, wymiar, skala, rejestr, regestr, rozpiętość, podziałka, ● donośność, słyszalność, głośność, ● widzialność, dostrzegalność, **B.** WIELKOŚĆ, format, kaliber, gabaryty, wymiary, wymiar, ● szerokość, rozległość, przestronność, obszerność, ● długość, wysokość, wzrost, głębokość, ● objętość, kubatura, pojemność, pakowność, chłonność, ● metraż, powierzchnia, **C.** ILOŚĆ, pula, procentowość, liczebność, stan liczbowy, ● kwota, suma, kwantum, ● nakład, **D.** NUMER, cyfra, ● liczba, indeks, współczynnik, moduł, parametr, zmienna, zmiennik, modyfikator, ● stała, wiadoma, inwariant, niezmiennik, konstanta, ● wartość, jednostka, ● dwójka, dwoje, duet, para, debel, tandem,

790 rozmowa — **A.** KONWERSACJA, dialog, ● dyskusja, dysputa, polemika, erystyka, ● debata, rozprawa, dyskurs, panel, ● wymiana myśli, ● konferansjerstwo, konferansjerka, ● telefon, rozmowa telefoniczna, **B.** GAWĘDA, pogawędka, pogaduszka, pogwarka, ● pogaduszki, plotki, gawędzenie, **C.** ROZMOWY, obrady, negocjacje, renegocjacja, rokowania, pertraktacje, przetargi, ● mediacje, pośredniczenie,

791 rozmowność — **A.** GADATLIWOŚĆ, gadulstwo, wielomówność, plotkarstwo, po-

czta pantoflowa, ● gawędziarstwo, bajdurzenie, bajanie,

792 rozpowszechniać — **A.** PUBLIKOWAĆ, drukować, wydawać, redagować, ● emitować, nadawać, przekazać, transmitować, ● obwieścić, obwieszczać, ● udostępnić, rozprowadzić, (roz)kolportować, (roz)plakatować, rozkleić, porozklejać, rozlepić, porozlepiać, ● depeszować, kablować, **B.** UPOWSZECHNIAĆ, podać do publicznej wiadomości, rozpisać, puścić w obieg, umiędzynarodowić, rozpropagować, szerzyć, ● opublikować, u\zalmieścić, drukować kogoś, podać do druku, ogłosić (drukiem), **C.** ROZGADAĆ, (po)rozgłaszać, rozkrzyczeć, (po)rozpowiadać, ogłaszać wszem wobec, rozdąć, rozniesić, rozsiewać, rozpaplać, rozplotkować, roztrajkotać, rozszczekać, roztrąbić, rozpuścić, trąbić, bębnić o, *gruchnęła wieść, trzęsie się od plotek*, **D.** ROZNIEŚĆ SIĘ, przechodzić z ust do ust, kursować, rozejść się, rozchodzić się, rozpowszechnić się, szerzyć się, ● upowszechnić się, przyjąć się, spopularyzować się, rozprzestrzenić się, ● wyjść, pojawić się na rynku, ukazać się (w druku), **E.** PRZEWODZIĆ, rozprowadzać, przenosić,

793 rozpusta — **A.** ROZPASANIE, niepowściągliwość, nieumiarkowanie, ● lubieżność, wyuzdanie, orgiazm, orgiastyczność, ● rozwiązłość, wszeteczeństwo, niemoralność, immoralizm, amoralność, ● cudzołóstwo, nierząd, prostytucja, **B.** NIEPRZYZWOITOŚĆ, nieskromność, nieczystość, plugawość, bezwstydność, bezwstyd, ● demoralizacja, znieprawienie↑, zgorszenie, obraza, deprawacja, deprawowanie, ● porno↓, pornografia, golizna↓, ● nagość, gołe ciało, **C.** UPADEK, zepsucie, zgnilizna (moralna), gangrena, błoto↓, bagno↓, szambo↓, ● rozkład, rozkład moralny, degrengolada, upodlenie, dehumanizacja, zeszmacenie się, zejście na psy, zbydlęcenie, ● schyłek, dekadencja, dekadentyzm, fin de siecle,

794 roztargniony — **A.**   NIEUWAŻNY, rozproszony, rozkojarzony↓, roztrzepany↓,

795 rozum — **A.** UMYSŁ, umysłowość, ● głowa, pomyślunek↓, mózg, mózgownica↓, **B.** MĄDROŚĆ, rozsądek, sens, logika, zdrowy rozsądek, ● logiczność, sensow-

ność, konsekwencja, konsekwentność, •
prawidłowość, słuszność, właściwość, celowość, kierunkowość, **C.** INTELIGENCJA,
iloraz inteligencji, • dyplomacja, spryt, bystrość, esprit, przytomność, • przenikliwość,
czujność, wyczulenie, czułość, ostrość, •
błyskotliwość, pojętność, iotność, przemyślność, • przedsiębiorczość, zaradność, obrotność, rzutkość, inicjatywa, **D.** POMYSŁO-
WOŚĆ, inwencja, wynalazczość, • wyob-
raźnia, fantazja, pomysły, imaginacja, • rozmach, polot, dalekosiężność,

796 rozumieć — **A.** POJMOWAĆ, chwytać, po\ulchwycić, pojąć, objąć, odebrać, widzieć, pomieścić w głowie, ogarnąć, uświadomić sobie, uprzytomnić sobie, zdawać sobie sprawę, nadążać, *przemawia do mnie,
trafia mi do przekonania, świta mu, przebłyskuje mu,* dociera do niego, kojarzyć↓, kon-
taktować↓, (s)kapować↓, załapać,
wy\zlmiarkować, wyznawać się, **B.** ZROZU-
MIEĆ, rozgryźć, wyjaśnić, wyświetlić, znaleźć rozwiązanie, pójść po rozum do głowy,
rozwiązać, odkryć, rozplątać, od\rozlwikłać,
rozstrzygnąć, przesądzić, odmotać, postawić kropkę nad i, • zinterpretować, orzec,
składać na karb, **C.** WYJAŚNIĆ SIĘ,
(wy)klarować się, rozstrzygnąć się, rozwik-
łać się, wyświetlić się, iść na karb,

797 rozwinięty — **A.** ZAAWANSOWANY, •
zachodni, okcydentalny, **B.** ROZKWITŁY,
rozkwitnięty, rozwinięty, • dojrzały, dorosły,
duży, pełnoletni, osiemnastoletni,

798 rozwojowy — **A.** INWESTYCYJNY, •
przyszłościowy, perspektywiczny, **B.** WOL-
NOŚCIOWY, niepodległościowy, wyzwoleńczy, • narodowowyzwoleńczy, antykolonial-
ny,

799 również — **A.** JEDNOCZEŚNIE, równocześnie, wraz↑, • oraz, tudzież↑, a także,
i, • także, podobnie, **B.** PONADTO, nadto,
oprócz tego, przy tym, poza tym, co więcej,
co gorsza, co ważniejsze, na dodatek, na
domiar, w dodatku, dodatkowo, • też, • zarazem, zarówno,

800 równo — **A.** JEDNAKOWO, jednako↑,
tak samo, analogicznie, identycznie, jednolicie, • równie, na równi, po równo, po tyle samo, • proporcjonalnie, współmiernie, **B.**

JEDNOCZEŚNIE, równocześnie, naraz, •
ex aequo, • równolegle, paralelnie↑, współrzędnie, **C.** REGULARNIE, geometrycznie,
prawidłowo, • symetrycznie, osiowo, • rzędem, szeregiem, pokotem, **D.** RYTMICZ-
NIE, miarowo, równomiernie, • jednostajnie,
monotonnie, **E.** PŁASKO, • poziomo, horyzontalnie, • na płask, plackiem, • na ple-
cach, na wznak, • wzdłuż, podłużnie,
wzdłużnie, równolegle do, **F.** NIEOSTRO,
tępo, **G.** GŁADKO, atłasowo, aksamitnie,
jedwabiście, • błyszcząco, połyskująco,
lśniąco, połyskliwie, blikując↓, **H.** PODOB-
NIE, porównywalnie, jakby, jak gdyby, • niby,
niczym, à la, na kształt, na podobieństwo,
na modłę, na wzór, w rodzaju, • niejako, poniekąd,

801 równoległy — **A.** PARALELNY,
współrzędny, **B.** RÓWNOCZESNY, jednoczesny, synchroniczny, wielotorowy, • sy-
multaniczny, kabinowy,

802 równość — **A.** JEDNAKOWOŚĆ, bliźniaczość, • identyczność, tożsamość, •
równorzędność, równowartość, **B.** JEDNO-
LITOŚĆ, jednorodność, homogamia, homogeniczność, • równokształtność, równopostaciowość, izomorfizm, **C.** ODPOWIEDNIK,
równoważnik, ekwiwalent, pendant, korelat,
• kwantyfikator,

803 równy — **A.** GŁADKI, płaski, poziomy,
horyzontalny, • równinny, • ścięty, **B.** WY-
POLEROWANY, wyszlifowany, wyglanso-
wany, • błyszczący, lśniący, połyskujący, lustrzany, szklisty, połyskliwy, blikujący↓, **C.**
REGULARNY, geometryczny, • prosty, wy-
prostowany, wyprężony, sztywny, • liniowy,
linearny, • prawidłowy, foremny, kwadrato-
wy, • symetryczny, osiowy, **D.** PIONOWY,
wertykalny, sterczący, • stojący, • na sztorc,
E. RYTMICZNY, regularny, miarowy, jednostajny, niezmienny, • rymowany, wiersz-
wany, wierszowy,

804 różnica — **A.** ODMIENNOŚĆ, odrębność, differentia specifica, • niezgodność,
rozbieżność, rozziew, • kontrast, odwróce-
nie, • nierówność, dysproporcja, • dyskrepancja, dualizm, dwoistość, • zróżnicowa-
nie, rozróżnienie, **B.** PRZECIWIEŃSTWO,
antonimia, • przeciwwaga, przeciwstawień-
stwo, odwrotność, • antyteza, dialektyka, **C.**

SKRAJNOŚĆ, biegunowość, ekstremalność, • bieguny, antypody,

805 różnić — A. ODRÓŻNIAĆ, od\rozlgraniczać, przeprowadzić rozróżnienie, • rozróżniać, przeciwstawić, skontrastować, polaryzować, indywidualizować, różnicować, rozwarstwić, • urozmaicać, udziwniać, uniezwyklić, **B.** RÓŻNIĆ SIĘ, odbiegać od, odstawać, *to nas dzieli, to odróżnia a od b,* • wyrodzić się, nie przypominać, (z)dziwaczeć, • odrodzić się, nie wdać się, • wynarodowić się, • różnicować się, polaryzować się, rozwarstwić się, urozmaicać się, **C.** KONTRASTOWAĆ, odcinać się, odbijać (się) od, odrzynać się, odróżniać (się), odznaczać się, rzucać się w oczy, • bieleć, bielić się, pstrzyć się, jaskrawić się,

806 różnie — A. ROZMAICIE, przeróżnie, niejednakowo, niejednolicie, • gatunkowo, rodzajowo, asortymentowo, sortymentowo, **B.** NIEJEDNOCZEŚNIE, nierównocześnie, asynchronicznie↑, rozbieżnie, **C.** ZAMIENNIE, wymiennie,

807 ruch — A. DRGNIENIE, drgnięcie, wstrząs, wibracja, drganie, wahanie, falowanie, oscylacja, fluktuacja, • wirowanie, rotacja, turbulencja, • dryf, dryft, dryfowanie, **B.** POSUNIĘCIE, przestawienie, poruszenie, • zwrot, manewr, uskok, unik, wolta, • skok, podskok, sus, kicnięcie, fikołek, • przerzutowy, przeskok, • lansady, hołubce, • zamach, wymach, • upadek, wywrotka, potknięcie (się), pad, zając↓, przewrotka, koziołek, przewrót, **C.** UKŁON, dygnięcie, rewerans↑, skłon, • przyklęk, klęk, klęknięcie, klęczki, • przysiad, kucki, kucnięcie, **D.** CHÓD, marsz, kroki, • krok, stąpnięcie, • poruszanie się, chodzenie, kroczenie, stąpanie, paradowanie, • bieg, galop, galopada, kłus, step, karier, cwał, trucht, • jazda, **E.** LOT, unoszenie, lewitacja, • pęd, poryw, prąd (powietrza), **F.** PRZENIESIENIE, przesunięcie, przemieszczenie, przesiedlenie, repatriacja, • przekwaterowanie, przeprowadzka, przenosiny, przemeblowanie, • przemieszczanie się, przesiedlanie, przenoszenie (się), konwekcja↑, • migracja, wędrówka, **G.** OBRÓT, półobrót, piruet, • obieg, przepływ, wymiana, krążenie, cyrkulacja, • rozprowadzanie, rozpowszechnianie, dystrybucja, kolportaż, • wypuszczenie, emisja, **H.** GEST, skinienie,

znak, gestykulacja, migi, • mina, mrugnięcie, oko↓, oczko↓,

808 ruchomy — A. ZMIENNY, niejednostajny, niemonotonny, **B.** WYMIENNY, zamienny, barterowy↑, • transferowalny, • przechodni, **C.** MOBILNY↑, przewoźny, wędrowny, objazdowy, • koczowniczy, nomadyczny↑, pasterski, tułaczy↑, cygański, • podróżniczy, globtroterski, • pielgrzymi, pątniczy↑, **D.** ROZKOŁYSANY, wahadłowy, • kołyszący, marynarski↓, kaczy↓, • niestabilny, chybotliwy, wywrotny, **E.** OBROTOWY, wirowy, rotacyjny, **F.** PRZESTAWNY, • przesuwny, przesuwalny, • zwodzony, podnoszony, **G.** ANIMOWANY, rysunkowy, trickowy, **H.** PŁYNNY, ciekły, • perlisty, kroplisty, • galeretowaty, • rzadki, rozwodniony, rozcieńczony, wodnisty, chudy, niepożywny, cienki, lurowaty↓, **I.** SYPKI, kopny, • mączysty, miałki, pylisty, **J.** PRZEGUBOWY, harmonijkowy,

809 rysować — A. KREŚLIĆ, na\wylkreślić, (po)prowadzić, (po)przeciągać, od\oblrysować, obwieść, obwodzić, zarysować, obramować, okalać, • prążkować, po\podlcieniować, (po\za)kratkować, (po\za)kreskować, (po)liniować, (po)rubrykować, • rozrysować, **B.** RYTOWAĆ, (wy)ryć, (wy)rzezać, rżnąć, (po)wyskrobywać,

810 ryzykować — A. NADSTAWIĆ KARKU, nadstawiać głowy, narazić, narażać (się), wystawić się na ryzyko (zarzuty), narwać się, pakować się w tarapaty, kłaść palce między drzwi, podkładać się↓, kusić los, szukać guza, *niech stracę, raz kozie śmierć,* igrać ze śmiercią,

811 rzadko — A. CZASEM, niekiedy, incydentalnie, kiedy niekiedy, wyjątkowo, rzadko (mało) kiedy, z rzadka, nieczęsto, • nieregularnie, niesystematycznie, sporadycznie, efemerycznie, okazjonalnie, od święta, od czasu do czasu, co jakiś czas, co pewien czas, od wielkiego dzwonu (święta), **B.** OKRESOWO, okresami, periodycznie↑, • kwartalnie, co kwartał, **C.** RZADKO KTO, mało kto, **D.** RAZ, raz jeden, jednorazowo, jednokrotnie, jednostkowo,

812 rząd — A. SZEREG, kolumna, linia, szyk, ordynek, szpaler, kordon, sznur, **B.**

RZĄDEK, linijka, werset, wiersz, **C.** KOLEJ, sekwencja, następstwo, kolejność, ● łańcuch, pasmo, ciąg, kontinuum, seria, cykl, ● kolejka, ogonek,

813 rzecz — **A.** PRZEDMIOT, obiekt, eksponat, egzemplarz, rekwizyt, ● konkret, ponderabilia, **B.** OKAZ, rarytas, rzadkość, unikat, biały kruk, egzotyk, ● arcydzieło, majersztyk, kreacja, ● klejnot, skarb, perła, brylant, cacko↓, cacuszko↓, cudo↓, cudeńko↓, cymes↓, pieścidełko↓, coś pięknego↓, **C.** DROBIAZG, gadget, gadżet, zabawka, grzechotka, bibelot, maskotka, amulet, talizman, ● takie coś, byleco, cokolwiek, coś, wichajster↓, dinks↓, **D.** URZECZOWIENIE, reifikacja, ● uprzedmiotowienie, hipostaza,

814 rzeczywisty — **A.** FIZYCZNY, materialny, przyrodniczy, **B.** REALNY, prawdziwy, naturalny, autentyczny, rzetelny, ● niekłamany, autentyczny, szczery, nie udawany, uczciwy, **C.** FAKTYCZNY, istniejący, obowiązujący, panujący, ● prawomocny, ● zasadny↑, uzasadniony, umotywowany, racjonalny, **D.** ZWYCZAJNY, normalny,

815 rzemieślnik — **A.** RĘKODZIELNIK, ● stolarz, cieśla, bednarz, kołodziej, stelmach, drwal, ● dekarz, dacharz, ● kowal, ● drukarz, poligraf, ● introligator, ● garbarz, kamieniarz, ● garncarz, ● złotnik, jubiler, grawer, rytownik, ● kaletnik, rymarz, ● kapelusznik, ● krawcowa, modystka, szwaczka, ● kuśnierz, ● prządka, włókniarka, tkaczka, dziewiarka,

816 rzucić — **A.** CISNĄĆ, (u\wy)puścić, od\wylrzucać, ciskać, miotać, smyrgnąć, szurnąć, pstrykać, prasnąć, rżnąć, pieprznąć↓, ● obrzucać się, rzucać w, **B.** STRĄCIĆ, (po)strącać, ob\sltrząsnąć, postrząsać, strzepnąć, strząść↑, na\ultrząść, zrzucić, na\polzrzucać, zepchnąć, (po)spychać, zesunąć, spuścić, sypnąć, ● zwalić, pozwalać, skopać, zbić, zestrzelić, **C.** STRZELIĆ, posłać, główkować, (za)serwować, ● odrzucić, (po)odrzucać, odbić, odkopać, podbić, ● podrzucać, żonglować, kuglować, **D.** WYSTRZELIĆ, strzelać, palnąć, (wy)palić, odpalić, kropić, (po)pukać, potrzaskiwać,

S

817 samodzielnie — **A.** AUTONOMICZNIE, niezależnie, samorządnie, ● niezawiśle, ● prywatnie, cywilnie, w cywilu, ● po cywilnemu, **B.** ABSOLUTNIE, niepodzielnie, ● udzielnie↑, **C.** DOBROWOLNIE, własnowolnie, nieprzymuszenie, bez przymusu, po dobroci, ● ochotniczo, na ochotnika, **D.** SPONTANICZNIE, samorzutnie, żywiołowo, ● pamięciowo, z pamięci, **E.** POJEDYNCZO, indywidualnie, oddzielnie, z osobna, w pojedynkę, ● solo, ● sam na sam, tete a tete, oko w oko, **F.** SAMOISTNIE, odrębnie, ● bezpańsko, luzem, ● samopas, swobodnie, wolno, **G.** OSOBIŚCIE, we własnej osobie, ● bezpośrednio, naocznie, na własne oczy, ● własnoręcznie, odręcznie, ● ręcznie, manualnie, **H.** SAMOWOLNIE, wbrew, na przekór, na złość, ● mimo, pomimo, ● niezgodnie,

818 samolot — **A.** MASZYNA, odrzutowiec, myśliwiec, szturmowiec, bombowiec,

ponaddźwiękowiec, pościgowiec, **B.** AEROPLAN, latająca maszyna↑, srebrzysty ptak↑, ● dwupłat, dwupłatowiec, :*awionetka*, *szybowiec, płatowiec, jednopłat,* ● wodnopłat, wodnopłatowiec, wodnosamolot, samolot amfibia, **C.** HELIKOPTER, śmigłowiec, ● hydroplan, balon, sterowiec, zeppelin↑,

819 samolubny — **A.** EGOISTYCZNY, sobkowski, nieuczynny, nieużyty↓, ● niespołeczny, aspołeczny, ● partykularny, **B.** NIEWDZIĘCZNY, ● niegościnny, nietowarzyski, **C.** EGOCENTRYCZNY, narcystyczny↑, egotyczny↑, **D.** ROZPIESZCZONY, rozpuszczony, rozpaskudzony, rozkapryszony, rozgrymaszony, rozpróżniaczony, rozbisurmaniony, rozbestwiony↓, ● wygodnicki, wygodny, leniwy,

820 samotnie — **A.** W POJEDYNKĘ, oddzielnie, sam jeden, samopas, ● pustelniczo, samotniczo, **B.** BEZDZIETNIE, bezpotomnie,

821 **samotnik** — **A.** PUSTELNIK, eremita, anachoreta, • asceta, pokutnik, biczownik, flagelant, • abstynent, niepijący, **B.** ODLUDEK, domator, • introwertyk, mizantrop, mruk, milczek, niemowa, niemota, mumia, dzikus, **C.** INDYWIDUALISTA, outsider, autsajder, czarna owca,

822 **samotność** — **A.** ODOSOBNIENIE, odseparowanie, odizolowanie, wyizolowanie, izolacja, izolacjonizm, odłączenie, • alienacja, wyobcowanie, wyłączenie (się), **B.** ZAMKNIĘCIE (się), introwersja, introwertyzm, • hermetyczność, szczelność, hermetyzm, uszczelnienie, impregnacja, **C.** GETTO, • więzienie, miejsce odosobnienia, • izolatka, kwarantanna, • samotnia, pustelnia, • bojkot, ostracyzm, bojkotowanie, wykluczenie, **D.** OSAMOTNIENIE, porzucenie, opuszczenie, odumarcie↑, owdowienie, osierocenie, sieroctwo, wdowieństwo,

823 **samotny** — **A.** OSAMOTNIONY, opuszczony, sierocy, • niczyj, bezpański, bezdomny, **B.** PUSTELNICZY, samotniczy, odosobniony, **C.** BEZDZIETNY, bezpotomny, jedyny, sam, sam jeden,

824 **sanitarny** — **A.** HYDRAULICZNY, wodny, • kanalizacyjny, ściekowy, kanałowy, **B.** HIGIENICZNY, • jałowy, sterylny, aseptyczny, antyseptyczny,

825 **schlebiać** — **A.** PRZYPODOBAĆ SIĘ, pochlebić, przypochlebić (się), (pod)kadzić, prawić dusery, komplementować, wychwalać, panegiryzować, **B.** NADSKAKIWAĆ, łasić się, przymilać się, lizusować, podlizywać się, emablować, patrzeć jak w obraz, wynosić pod niebiosa, **C.** PEŁZAĆ, fagasować, padać plackiem, płaszczyć się, poniżać się, czapkować, upokarzać się,

826 **schronienie** — **A.** SCHRON, piwnica, bunkier, katakumby, podziemia, **B.** AZYL, oaza, cichy port, przystań, • sierociniec, dom dziecka, • przedszkole, ochronka↑, dzieciniec, żłobek, • dom opieki społecznej, dom starców, dom spokojnej starości, dom rencisty, • przytułek, przytulisko, • schronisko, hospicjum, • izba wytrzeźwień, żłobek↓, **C.**

UKRYCIE, skrytka, schowek, kryjówka, schowanko↓, melina↓, meta↓,

827 **seks** — **A.** EROTYKA, erotyzm, erotyczność, miłość fizyczna, pożycie (małżeńskie), współżycie seksualne, sfera intymna, sprawy łóżkowe, łóżko↓, **B.** POŻĄDANIE, pożądliwość, pociąg, popęd (płciowy), zmysły, libido, chuć↓, instynkt, biologia, • seksapil, zmysłowość, cielesność, jurność, • podniecenie, pobudzenie, erekcja, wzwód, • ejakulacja, wytrysk, • orgazm, szczytowanie, klimaks, **C.** STOSUNEK PŁCIOWY, akt, zbliżenie, spółkowanie, coitus↑, numerek↓, sztos↓, • kopulacja, krycie, parzenie się, • pierdolenie↓, jebanie↓, ruchanie↓, rżnięcie↓, dymanie↓, dmuchanie↓, gżenie się↑, • tarło, ruja, • masturbacja, samogwałt, onanizm, ipsacja, • gwałt, zgwałcenie, zniewolenie↑, • defloracja, rozdziewiczenie, rozprawiczenie,

828 **sen** — **A.** SPANIE, drzemka, chrapanie, objęcia Morfeusza, • półsen, półjawa, **B.** MARA, przywidzenie, urojenie, imaginacja, omamienie, iluzja, • miraż, złudzenie, złuda, ułuda, mamidło, fantasmagoria, chimera, • zwid, zwidy, halucynacja, omam, fatamorgana, **C.** ZJAWA, duch, strach, widmo, fantom, upiór, widziadło, potępieniec, dusza nieczysta, • zmora, koszmar, trauma, **D.** HIPNOZA, letarg, koma, • narkoza, uśpienie, • znieczulenie, anestezja, • hibernacja, zamrożenie,

829 **siedzenie** — **A.** FOTEL, bujak, berżera↑, • krzesło, krzesełko, karło↑, • tron, siedzisko, • miejsce, dostawka, **B.** STOŁEK, zydel, stołeczek, taboret, puf, • ławka, ława, leżak, • klęcznik, • siodło, kulbaka, • siodełko,

830 **silnie** — **A.** MOCNO, krzepko↑, tęgo↑, zdrowo↓, potężnie↓, pewnie, fest↓, • solidnie, masywnie, • dosadnie, dobitnie, • miażdżąco, druzgocąco, • porządnie↓, ile wlezie, • głęboko, boleśnie, dotkliwie, • do żywa↑, do żywego, do głębi, • śmiertelnie, • drastycznie, niepohamowanie, nieprzeparcie↑, przemożnie, nieumiarkowanie, • trwale, nierozerwalnie, organicznie, nierozdzielnie, nierozłącznie, dozgonnie, **B.** KURCZOWO, konwulsyjnie, • rozpaczliwie, desperacko, • obsesyjnie, chorobliwie, panicznie,

C. INTENSYWNIE, usilnie, gorąco, ● namiętnie, ogniście, płomiennie, nieprzytomnie, szaleńczo, zapamiętale, fanatycznie, gorliwie, ● zajadle, wściekle, zaciekle, zagorzale, zażarcie, ● ekstatycznie, euforycznie, histerycznie, ● entuzjastycznie, z entuzjazmem, frenetycznie↑, owacyjnie, z zapałem, z zachwytem, z uniesieniem, żarliwie, ● na całego↓, na całość↓, na full↓, na cały gaz↓, na potęgę↓, ● do upadłego, na zabój↑, **D.** BURZLIWIE, niespokojnie, gwałtownie, żywiołowo, ● huraganowo, **E.** DRAMATYCZNIE, wstrząsająco, tragicznie, szokująco,

831 silny — **A.** MOCNY, atletyczny, muskularny, umięśniony, ● krzepki↑, żylasty↓, mocarny↑, niedźwiedzi, herkulesowy↑, ● barczysty, zwalisty, kwadratowy↓, ● stalowy, żelazny, ● masywny, solidny, ● siarczysty, tęgi, ● stężony, esencjonalny, ● uderzeniowy, koński↓, **B.** ZBROJNY, uzbrojony, orężny↑, pancerny, ● bojowy, wojenny, bitewny, partyzancki, leśny↓, ● wojskowy, militarny, ● frontowy, liniowy, ● zaczepny, szturmowy, uderzeniowy, **C.** MOCARSTWOWY, hegemonistyczny, wielkomocarstwowy, imperialny, ● wpływowy, możny↑, (prze)potężny, **D.** INTENSYWNY, gwałtowny, rzęsisty, obfity, ulewny, tropikalny, ● porywisty, ● natężony, nasilony, ● huraganowy, zmasowany, dywanowy (nalot), ● wytężony, wzmożony, energiczny, ● forsowny, morderczy, **E.** PRZEMOŻNY, nieprzeparty↑, nieokiełznany, nieprzemożony, nieprzezwyciężony, niezwalczony, ● niepohamowany, gwałtowny, żywiołowy, **F.** EKSPRESYJNY, ekspresywny↑, sugestywny, ● gorący, ognisty, namiętny, nieprzytomny↓, wściekły↓, ● ekstatyczny, euforyczny, ● entuzjastyczny, radosny, frenetyczny, owacyjny, ● histeryczny,

832 siła — **A.** MOC, potęga, władza, wszechmoc, wszechpotęga, **B.** WIELKOŚĆ, kolosalność, gigantyczność, epokowość, **C.** ENERGIA, możność, potencja, ● siła ciążenia, ciążenie, przyciąganie, grawitacja, **D.** WYTRZYMAŁOŚĆ, odporność, niepodatność, wytrwałość, konsekwencja, trwałość, ● oporność, **E.** NATĘŻENIE, nasilenie, ● intensywność, esencjonalność, kondensacja, ● ostrość, jaskrawość, drastyczność, ● tęgość↑,

833 skarga — **A.** LAMENT, biadanie, biado-

lenie, jeremiada↑, ● narzekanie, gderanie, gderanina, łajanie, utyskiwanie, zrzędzenie, gderliwość, zrzędliwość, ● pomstowanie, przeklinanie, wymyślanie, złorzeczenie, bluzganie↓, wyklinanie, **B.** ZAŻALENIE, potępienie, napiętnowanie, krytykowanie, krytyczność, ● donos, doniesienie, denuncjacja, **C.** OSKARŻENIE, kontroskarżenie, zarzut, inkryminacja, poszlaka, pomówienie, wmawianie, obwinienie, rekryminacja, ● paszkwil, krytykanctwo, krzykactwo, **D.** ZAPRZECZENIE, sprostowanie, dementi,

834 skąpiec — **A.** SKNERA, chciwiec, dusigrosz, harpagon, centuś, liczykrupa, kutwa, skąpiradło, skąpigrosz↑, ● groszorób, chomik, ciułacz, **B.** CHYTRUS, materialista, koniunkturalista, pragmatyk, ● egoista, samolub, sobek, nieużytek↓, żyła↓, niewdzięcznik,

835 sklep — **A.** DOM HANDLOWY, samoobsługowy, sam, hala, pawilon, supermarket, dom towarowy, spółdzielnia, ● dom mody, salon, butik, komis, ● centrala (rybna), składnica (harcerska), skład (apteczny), ● apteka, chemiczny, drogeria, perfumeria, ● kwiaciarnia, ogrodniczy, ● konfekcyjny, tekstylny, odzieżowy, pasmanteria, galanteria, ● papierniczy, ● księgarnia, dom książki, ● meblowy, ● spożywczy, delikatesy, ● piekarnia, cukiernia, ciastkarnia, ● mięsny, jatka, wędliniarski, garmażeria, garmaż↓, ● warzywniczy, warzywniak↓, ● nabiałowy, serowarski, **B.** STOISKO, stragan, kram, kramik, buda↓, szczęki↓, **C.** PUNKT SKUPU, skup, ● hurtownia, magazyn, **D.** PLAC TARGOWY, targowisko, rynek, zieleniak, bazar, ● targ, giełda, kiermasz, wenta↑, ● jarmark, odpust,

836 skoligacić — **A.** PRZYSPOSOBIĆ, adoptować, usynowić, (s)koligacić się, spokrewnić się, spowinowacić się, przy\wlżenić się, **B.** POŚLUBIĆ, pobrać się, brać za żonę, dostać męża, iść za, brać ślub, pójść do ołtarza, stanąć na ślubnym kobiercu, (o\po)żenić się, założyć dom, ochajtnąć się↓, zaobrączkować się↓, dzielić łoże, ● swatać, (s)kojarzyć, (o\po)żenić, złączyć węzłem małżeńskim, zawiązać swiat↑, **C.** ZBLIŻAĆ, złączyć, bratać, integrować, ● hybrydyzować, (s)krzyżować,

837 **skomplikowany** — A. ZŁOŻONY, wieloraki, wieloaspektowy, wielowymiarowy, wielowątkowy, wielopłaszczyznowy, wielotorowy, • składany, segmentowy, członowy, wieloczłonowy, wieloczęściowy, B. KOMÓRKOWY, celularny↑, • molekularny, cząsteczkowy, • rozdrobniony, rozkawałkowany, • rozgałęziony,

838 **skutecznie** — A. EFEKTYWNIE, ekonomicznie, wydajnie, produktywnie, • racjonalnie, • pożytecznie, z pożytkiem, B. SPRAWNIE, zaradnie, C. OWOCNIE, • z powodzeniem, udanie, D. WYGODNIE, • praktycznie, funkcjonalnie, • poręcznie,

839 **skuteczny** — A. EFEKTYWNY, ekonomiczny, wydajny, produktywny, • urodzajny, żyzny, płodny, plenny↑, rodny↑, • życiodajny, żywotny, • owocny, B. TREŚCIWY, kaloryczny, wysokokaloryczny, pełnowartościowy, pożywny, posilny, odżywczy, regeneracyjny, • tłusty, okraszony, C. POJEMNY, uniwersalny, • rozciągliwy, nośny, D. WYGODNY, praktyczny, • stosowany, używany, użyteczny, funkcjonalny, ustawny, • poręczny, E. DROŻNY, przejezdny, • żeglowny, spławny,

840 **słabo** — A. ZNOŚNIE↓, możliwie, nieźle, całkiem całkiem, jak cię mogę↓, • umiarkowanie, niespecjalnie, miernie, przeciętnie, średnio, średnio na jeża↓, byle jak, tak sobie, w miarę, jako tako, od biedy, B. KIEPSKO↓, marnie, mizernie, podle↑, licho↑, nędznie↓, opłakanie, krucho↓, kulawo↓, ledwie ledwie, • niepozornie, niepokaźnie, nieokazale, skromnie, • wątle, chuchrowato, chucherkowato, chuderlawo, rachitycznie, anemicznie, C. LEKKO, nieznacznie, nieco, z lekka↑, • zwiewnie↑, powiewnie, • delikatnie, subtelnie, aluzyjnie, • porozumiewawczo, znacząco, • ledwie, ledwie co, ledwo, ledwo co, nikło, • niegroźnie, nieszkodliwie,

841 **słaby** — A. WĄTŁY, mizerny, wymizerowany, zmizerowany, anemiczny, cherlacki, cherlawy, chucherkowaty, chuchrowaty, chuderlawy, rachityczny, mimozowaty, • niewytrzymały, męczliwy, miękki, mięczakowaty↓, • nieodporny, chorowity, słabowity, podatny, wrażliwy, • astmatyczny, dychawiczny↑, • osłabiony, wycieńczony,

• omdlały, omdlewający, B. BEZWŁADNY, drętwy, bez czucia, odrętwiały, zdrętwiały, sztywny, zesztywniały, kołkowaty↓, skołowaciały↓, ścierpnięty, niewładny, drewniany↓, • sparaliżowany, C. BEZSILNY, bezradny, • chwiejny, labilny↑, niekonsekwentny, D. STRACHLIWY, bojaźliwy, bojący↑, lękliwy, trwożliwy, trwożny↑, • tchórzliwy, pierzchliwy↑, małoduszny↑, kapitulancki, • wstydliwy, nieśmiały, E. NIETRWAŁY, miękki, • broszurowy, zeszytowy, F. NIKŁY, skąpy, blady, mdły, przyćmiony, przymglony, zamglony, • lekki, zwiewny, eteryczny, leciutki, powiewny, pajęczy, mgielny↑, • lotny, gazowy, G. NIEWYDOLNY, • niewładny↑, nie w prawie↑, bez możliwości, H. USTĘPUJĄCY, cofający się, • recesywny↑, • przegrany↓, załatwiony↓, gotowy↓, gotów↓, skończony↓, ugotowany↓, udupiony↓,

842 **słowo** — A. WYRAZ, glosa, hapaks legomenon↑, • hasło, podhasło, B. ZAPOŻYCZENIE, pożyczka, derywat, cytacja, kalka, replika, C. HYBRYDA, • makaronizm, barbaryzm, :*germanizm, rusycyzm, romanizm, grecyzm*, D. KOLOKWIALIZM, dialektyzm, archaizm, neologizm, • imię własne, imię pospolite, toponim, hydronim, • eufemizm, zdrobnienie, spieszczenie, • wulgaryzm, zgrubienie, • synonim, jednoznacznik, bliskoznacznik, • antonim, • homonim, homofon,

843 **słuchać** — A. USŁYSZEĆ, (do\po)słyszeć, ułowić uchem, • nasłuchiwać, nadstawiać ucha, strzyc uszami, przysłuchiwać się, wsłuchać się, nie uronić, posłuchać, przysłuchać się, • wytężać słuch, niedosłyszeć, • złapać stację, B. DAĆ SIĘ SŁYSZEĆ, obić się o uszy, dźwięczeć w czym,

844 **służalczość** — A. NADSKAKIWANIE, uniżoność, czołobitność, fagasostwo, niewolniczość, • serwilizm, lokajstwo, karierowiczostwo, nadgorliwość, • wazeliniarstwo, płaszczenie się, podkładanie się, • przekupność, sprzedajność, prostytuowanie się, kurwienie się↓, B. LIZUSOSTWO, przypochlebianie, pochlebstwo, schlebianie, kadzenie, komplementowanie, panegiryzm, • poklask, C. OPORTUNIZM, konformizm, ugodowość, kompromisowość, kapitulanctwo, • prawowierność, lojalizm, prawomyślność, wiernopoddaństwo,

845 **służbista** — **A.** BIUROKRATA, legalista, lojalista, formalista, gorliwiec, nadgorliwiec, **B.** PEDANT, porządnicki, czyścioch, purysta, • perfekcjonista, piła↓, • pracuś↓, tytan pracy, **C.** ORTODOKSA, prawowierny, purytanin, dogmatyk, doktryner, katon, • tradycjonalista, konserwatysta, człowiek starej daty, klasyk,

846 **służyć** — **A.** USŁUGIWAĆ, posługiwać, • sprzedawać się, wysługiwać się, posłużyć za, **B.** SKAZAĆ SIĘ NA, pójść na służbę, poświęcić (się), złożyć na ołtarzu↑, zmusić się, oddać się, *wybrano za mnie*,

847 **słynąć** — **A.** WYKAZYWAĆ SIĘ, legitymować się, (po)chlubić się, pochwalić się, szczycić się, poszczycić się, nie powstydzić się, wybić się, • odznaczać się, wyróżniać się, położyć zasługi, liczyć się, coś znaczyć, urosnąć w czyich oczach, **B.** WSŁAWIĆ SIĘ, opromienić się sławą, okryć się chwałą, chodzić w glorii, • upamiętnić się, unieśmiertelnić się, uwiecznić się, rozsławić się, zostawić po sobie ślad, przejść do historii,

848 **smarować** — **A.** ROZPROWADZIĆ, nasmarować, oliwić, oleić, brylantynować, mazać, rozmazać (się), (po)rozmazywać, rozsmarować (się), namaścić (się), natrzeć (się), nacierać (się), rozetrzeć, rozcierać, nakładać, (na)pastować, oblepić (się), osmarować (się),

849 **smutno** — **A.** NIEWESOŁO, przykro, • przygnębiająco, przygniatająco, • ponuro, spode łba↓, chmurnie, **B.** ŻAŁOŚNIE, żałośliwie↑, boleściwie↑, boleśnie, frasobliwie↑, płaczliwie, **C.** NOSTALGICZNIE, melancholijnie, tęsknie↑, z tęsknotą, smętnie,

850 **smutny** — **A.** NIEPOGODNY, zachmurzony, chmurny↑, pochmurny, nachmurzony, zasępiony, • nieswój, przygnębiony, przybity, zgaszony, przygaszony, znękany, • niedostępny, skryty, introwertyczny, zamknięty w sobie, • niepocieszony, nieukojony, nieutulony, nieszczęśliwy, załamany, złamany, zrozpaczony, zdesperowany, • zmartwiony, zasmucony, zafrasowany, frasobliwy, markotny, skwaszony, strapiony, struty↓, zgnębiony, stroskany, zatroskany, smętny, • apatyczny, osowiały, otępiały, • zapłakany, spłakany, • zbolały, udręczony, **B.** NIESZCZĘŚ-

LIWY, tragiczny, czarny, • ponury, posępny, • mroczny, przykry, grobowy, pogrzebowy, cmentarny, • hiobowy, • przygnębiający, przygniatający, niewesoły, boleściwy, żałośliwy, cierpiętniczy, werterowski↑, • nieszczęsny, żałosny, pożałowania godny, budzący litość, śmieszny, • żałobny, elegijny, melancholiczny↑, melancholijny, • pokutny, pokutniczy, **C.** ROZGORYCZONY, zniechęcony, zgorzkniały, rozżalony, przegrany↓, połamany↓,

851 **spać** — **A.** ROZESPAĆ SIĘ, rozsypiać się, walczyć z sennością, *oczy się kleją, sen morzy*, pospać się, • zdrzemnąć się, przysnąć, (po)drzemać, przedrzemać się, uciąć sobie drzemkę, • kimać, chrapnąć sobie, pochrapywać, **B.** KŁAŚĆ SIĘ, położyć się, pójść do łóżka, u\zalsypiać, po\ulsnąć, pozasypiać, uderzyć w kimono↓, **C.** USYPIAĆ, uśpić, (u)lulać, (u)kołysać, kłaść, (po)układać, pousypiać, **D.** WYSPAĆ SIĘ, wysypiać się, odespać się, do\odlsypiać, do\polspać, • sypiać,

852 **spadek** — **A.** OBNIŻKA, obniżenie (się), dumping↑, dewaloryzacja, dewaluacja, inflacja, hiperinflacja, **B.** REDUKCJA, uszczuplenie, deflacja, cięcia, • zmniejszanie (się), chudnięcie, karłowacenie, zniżanie się, degresja, **C.** RECESJA, dekoniunktura, zła koniunktura, stagnacja, zastój, kryzys gospodarczy • bessa↑, dyzażio↑, • drenaż, drenowanie, opróżnianie, **D.** REGRES, cofanie się, cofnięcie się, równanie w dół, • uwstecznienie, prymitywizacja, wulgaryzacja, • pogarszanie (się), staczanie się, upadek, ubożenie, pauperyzacja, • degradacja, deprecjacja, umniejszenie, deklasacja,

853 **spalać** — **A.** TLIĆ SIĘ, (roz)żarzyć się, tleć się, ćmić, pełgać, • kopcić, dymić (się), osmalić, **B.** PODPALIĆ, wzniecić, rozniecić, rozpalić (się), (po)rozpalać, nabuzować, • stanąć w płomieniach, (za)płonąć, • rozdmuchać, podsycić, • spalić, puścić z dymem, **C.** PALIĆ SIĘ, pałać, gorzeć, buzować, **D.** SPŁONĄĆ, spalić się, zwęglić się, pójść z dymem, (po)dopalać się,

854 **specjalnie** — **A.** SZCZEGÓLNIE, wyjątkowo, • typowo, wybitnie, • dziwnie, osobliwie, charakterystycznie, **B.** UMYŚLNIE, rozmyślnie, z rozmysłem, celowo, świado-

mie, naumyślnie, z premedytacją, programowo, ● nie przypadkiem, nieprzypadkowo, nie bez przyczyny, nie bez powodu, nie bez kozery↑, **C.** UROCZYŚCIE, podniośle, odświętnie, ceremonialnie, ● wyjściowo, elegancko, galowo, wizytowo, wieczorowo, koktajlowo, świątecznie, niedzielnie, szykownie, ● wykwintnie, wytwornie, nobliwie, dystyngowanie, ● okazale, reprezentacyjnie, ● ekskluzywnie, luksusowo, komfortowo, zbytkownie,

855 **spinka** — **A.** ZAPINKA, klamra, wsuwka, ● igła, szpilka, agrafka, **B.** ZAPIĘCIE, haftka, zatrzask, guzik, ● suwak, zamek (błyskawiczny), ekler, ● wiązanie, zawiązanie, sznurowadło, sznurówka, supeł, ● wiązania, kandahary, **C.** ZAMEK, kłódka, skobel, zaszczepka, rygiel, zasuwa, wrzeciądz↑, ● łącznik, karabinek, karabińczyk,

856 **spocząć** — **A.** SIADAĆ, usiąść, paść na, klapnąć, przycupnąć, ● rozsiąść się, sadowić się, usadawiać się, (u)mościć się, gnieździć się, lokować się, umieścić się, usadzić się, (po)rozsiadać się, pozasiadać, rozeprzeć się, rozpierać się, rozwalić się, porozwalać się, uwalić się, plasować się, roztasować się ● przesiąść się, przesiadać się, **B.** SADZAĆ, po\ulsadzić, (u)sadowić, powsadzać, pousadzać, (po)dosadzać, **C.** POŁOŻYĆ SIĘ, lec, legnąć, zwalić się, buchnąć, cisnąć się, machnąć się, roz\wylciągnąć się, walnąć się, gruchnąć się, polegiwać, pokładać się, (po)kłaść się, układać się, ułożyć się, ● klęczeć, ● wpółsiedzieć, ● warować,

857 **spodleć** — **A.** POGARSZAĆ SIĘ, stracić na wartości, nie liczyć się, pójść w kąt, *odpada*, opuścić się, (po)psuć się, zaniedbać się, cofnąć się w rozwoju, infantylnieć, infantylizować się, (z)manierować się, oszpecać się, brzydnąć, ● zgnuśnieć, rozleniwić się, rozpróżniaczyć się, ● pospolicieć, banalnieć, urzędniczeć, prymitywnieć, skołtunieć, barbaryzować się, zapyzieć, ● krnąbrnieć, zhardzieć, (s)chamieć, gburowacieć, (z)ordynarnieć, **B.** NIKCZEMNIEĆ, dehumanizować się, odczłowieczyć się, ● obojętnieć, skamienieć, mieć serce z kamienia, ● rozpuścić się, zaniedbać się (moralnie), (po)dziczeć, rozpaskudzić się, rozwydrzyć się, rozbestwić się, rozłajdaczyć się, ● rozpić się,

rozpijaczyć się, **C.** UPAŚĆ, brnąć w, grzęznąć w, pogrążać się, schodzić na psy, wykoleić się, stoczyć się, zeszmacić się, bydlęcieć, ześwinić się, ● degenerować (się), wynaturzyć się, wyrodnieć, skarłowacieć, ● spodlić się, upadlać się, ● gorszyć się, (z)demoralizować się, (z)deprawować się, rozchuliganić się, źle skończyć, ● puszczać się, uprawiać nierząd, prostytuować się, dawać dupy↓, kurwić się↓,

858 **spokojnie** — **A.** BEZKONFLIKTOWO, ugodowo, kompromisowo, łagodząco, ● filozoficznie, refleksyjnie, ● niezmącenie, stoicko, ● z umiarem, umiarkowanie, wstrzemięźliwie, powściągliwie, ● bez nerwów↓, bez paniki↓, **B.** NIERUCHOMO, nieporuszenie, bez ruchu, ● stojąc, na stojąco, na stojaka↓, ● bez życia, martwo, ● posągowo, **C.** CICHO, bezgłośnie, bezszelestnie, bezdźwięcznie, bezszmerowo, z cicha, ● intymnie, kameralnie, ● łagodnie, miękko,

859 **spokojny** — **A.** REFLEKSYJNY, medytacyjny, kontemplacyjny, wyciszony↓, ● beznamiętny, ● nieruchomy, nieporuszony, **B.** CICHY, senny, ● niegłośny, przyciszony, ● bezszelestny, bezgłośny, bezdźwięczny, bezszmerowy, bezszumowy, koci↓, ● bezwietrzny, zaciszny, ● ustronny, odludny, odosobniony, uboczny, zapadły↓, zabity deskami↓, **C.** ZRÓWNOWAŻONY, stateczny, ● powściągliwy, wstrzemięźliwy, opanowany, zimnokrwisty↑, cierpliwy, święty↓, ● skromny, umiarkowany, zgodny, niekonfliktowy, ustępliwy, ● dobrosąsiedzki, **D.** MILCZĄCY, niemy, ● małomówny, milkliwy, milczkowaty, nierozmowny, mało rozmowny, nieskory do rozmowy, ● oniemiały,

860 **spokój** — **A.** OPANOWANIE, autokontrola, samokontrola, ● cierpliwość, cierpliwość anielska (benedyktyńska), ● trwanie, wyczekiwanie, ● równowaga, balans, homeostaza, ● pogoda ducha, beztroska, komfort, luz (psychiczny), **B.** CISZA, cichość, milczenie, martwota, głusza, bezgłos, ● bezruch, flauta, sztil, **C.** POKÓJ, rozejm, zawieszenie broni, ● pacyfizm, antymilitaryzm, ● bezpieczeństwo, poczucie bezpieczeństwa, (jutra), obronność, ● demilitaryzacja, rozbrojenie, rozminowanie,

861 **społeczeństwo** — **A.**   CYWILIZA-

CJA, ludzkość, ludzki ród, rasa ludzka, **B.** NARÓD, narodowość, nacja, rasa, obywatelstwo, przynależność państwowa, ● ogół, ludność, populacja, zaludnienie, ● ludzie, mieszkańcy, obywatele, wszyscy, warstwa społeczna, **C.** LUD, masy, stan niższy, lud pracujący, chłopstwo, włościaństwo, ● proletariat, klasa robotnicza, robotnicy, ● plebs, biedota, warstwa najuboższa, ● pospólstwo, gmin, lumpenproletariat, ludziska, motłoch, ● hołota, chuliganeria, łobuzeria, łobuzerka, kawalerka, hałastra, ● margines społeczny, męty, szumowiny, **D.** MIESZCZAŃSTWO, stan średni, klasa średnia, ● mieszczanin, drobnomieszczanin, mieszczuch, filister, kołtun, **E.** PATRYCJAT, stan wyższy, arystokracja, magnateria, możnowładztwo, plutokracja, burżuazja, bogacze, **F.** SPOŁECZNOŚĆ, wspólnota, ekumena, komuna, grupa społeczna, ● plemię, ród, szczep, ● grupa etniczna, mniejszość narodowa,

862 sport — **A.** GIMNASTYKA, ćwiczenia gimnastyczne, aerobik, ruch, bieganie, jogging, spacery, ● trening, zaprawa, **B.** DYSCYPLINA SPORTOWA, ● judo, dżudo, karate, ● lekkoatletyka, biegi, skoki, sztafeta, ● atletyka, zapasy, boks, pięściarstwo, ● akrobatyka, akrobacja, ekwilibrystyka, ● fechtunek, szermierka, ● piłka ręczna, ręka↓, ● futbol, piłka nożna, noga↓, ● koszykówka, kosz↓, ● siatkówka, siatka↓, ● wspinaczka, taternictwo, alpinizm, himalaizm, ● jeździectwo, hippika, ● kolarstwo, ● narciarstwo, ● łyżwiarstwo, ● golf, polo, baseball, krokiet, ● tenis, ● tenis stołowy, pingpong, ● badminton, kometka, ● squash, ● żeglarstwo, ● wioślarstwo, kajakarstwo, ● łucznictwo, strzelanie,

863 sposób — **A.** METODA, system, mod, ● procedura, algorytm, tryb, taktyka, strategia, **B.** ŚRODEK, chwyt, zabieg, przepis, recepta, lekarstwo, antidotum, ● oręż, broń, ● technika, technologia, **C.** MOŻLIWOŚĆ, opcja, wybór, droga, wyjście, ● rozwiązanie, klucz, wytrych,

864 spotkać — **A.** SPOTYKAĆ, widzieć (się), widywać (się), zobaczyć się, oglądać, ● zastać, natrafić, natknąć (natykać) się, napotkać, ● naciąć się, wpaść na, nadziać się, nawinąć się na oczy, napatoczyć się, ● znaleźć, odnaleźć się, odszukać się, ● zetknąć

się, otrzeć się o, **B.** ODWIEDZIĆ, poodwiedzać, nawiedzać, przestąpić próg↑, złożyć wizytę, wpaść, wskoczyć, być z wizytą, bywać, przebywać, **C.** ZAPRASZAĆ, (za)prosić, rozrywać, polecać się, inwitować↑, ● mieć gości, gościć, przyjmować (podejmować) kogoś, mieć u siebie, przetrzymać, potrzymać, **D.** ZEJŚĆ SIĘ, (z)gromadzić się, (na)zjeżdżać się, (na)schodzić się, ściągać, zebrać (się), zbierać (się), nawalić się, poschodzić się, zlecieć się, pozlatywać się, pozłazić się, ● wiecować, **E.** SPIKNĄĆ, skontaktować, umówić,

865 spożycie — **A.** KONSUMPCJA, jedzenie, spożywanie, ● czerpanie, użytkowanie, korzystanie, ● spożytkowanie, zużytkowanie, spotrzebowanie, skonsumowanie, **B.** ZUŻYCIE, pobór, pracochłonność, czasochłonność, energochłonność,

866 sprawa — **A.** ZAGADNIENIE, problem, kwestia, pytanie, zapytanie, ● interes, prośba, **B.** SPRAWY, sprawunki, rzeczy, formalności, czynności urzędowe,

867 sprawdzać — **A.** UPEWNIAĆ SIĘ, weryfikować, skontrolować, skonfrontować, ● przeliczyć, przerachować, przeważyć, **B.** INSPEKCJONOWAĆ, (z)lustrować, hospitować, wizytować, patrolować, ● kontrolować, legitymować, zrewidować, patrzeć na ręce, ● kontrolować się, złapać się na czymś, przychwycić się, ● przeglądać się, zlustrować, popatrzeć, **C.** WYPRÓBOWAĆ, poddać próbie, wypraktykować, eksperymentować, spróbować sił, ● testować, przymierzyć, (z)mierzyć, pasować, przestrzelać, ● przesłuchać, (prze)egzaminować, (prze)pytać, odpytywać, ● degustować, (s\po)próbować, (s\po)kosztować, (po)smakować, ● zakosztować, liznąć, ● utwierdzić się, doświadczyć, przekonać się, umocnić się w, zyskać pewność,

868 sprawiedliwość — **A.** RÓWNOŚĆ, zrównanie, ujednolicanie, niwelacja, wyrównanie, rekompensata, ● prawo, praworządność, konstytucyjność, **B.** DEMOKRACJA, ludowładztwo, ● demokratyczność, pluralizm, rządy większości, ● partnerstwo, egalitaryzm,

869 sprawnie — **A.** NIEZAWODNIE, ● fachowo, umiejętnie, **B.** BIEGLE, płynnie, dobrze, potoczyście↑, • zwinnie, gibko↑, giętko, • posuwiście, **C.** ZRĘCZNIE, zgrabnie, składnie↑, udatnie↑, • dyplomatycznie, taktownie,

870 **sprawność** — **A.** ZDOLNOŚĆ, możliwości, potencjał, • zdatność, drożność, przejezdność, przelotowość, przepustowość, przepuszczalność, • operatywność, skuteczność, nośność, efektywność, • wydajność, produktywność, produkcja, produkcyjność, moc przerobowa, **B.** ZDROWIE, tężyzna, krzepa, krzepkość, • czerstwość, twardość, jędrność, ścisłość, • prężność, gibkość, sprężystość, elastyczność, giętkość, • wydolność, kondycja fizyczna, stan, forma, **C.** ŻYWOTNOŚĆ, dynamiczność, dynamika, aktywność, ruch, ruchliwość, dynamizm, żywiołowość, samorzutność, żywość, witalność, • wigor, ikra, życie, energia, moc, siła, czad↓, • impet, rozmach, werwa, zapał, duch, morale,

871 **sprawny** — **A.** ZWINNY, wygimnastykowany, wysportowany, wyćwiczony, gibki↑, giętki, sprężysty, koci, zręczny, cyrkowy, ekwilibristyczny, • iluzjonistyczny, prestidigitatorski, • zwrotny, • umiejętny, • wyrobiony, wprawiony, wprawny, biegły, rutynowany, **B.** POTOCZYSTY, płynny, składny, **C.** DZIAŁAJĄCY, dobry, czynny, nie zepsuty, pełnosprawny, funkcjonujący, wydolny, • chwytny, chwytliwy, • dysponowany, usposobiony↑, w formie↓, **D.** BYSTRY, sokoli, orli, jastrzębi, dobry, **E.** FACHOWY, kompetentny, powołany, uprawniony, władny↑, • wyznaczony, upoważniony, odpowiedni, przygotowany, kwalifikowany, wykwalifikowany, • zawodowy, profesjonalny, mistrzowski, • nieoceniony, złoty↓, brylantowy↓, bez skazy↑, • właściwy, pożądany, • wtajemniczony, wprowadzony, • zamiłowany, rozmiłowany↑, • specjalistyczny, techniczny, warsztatowy, **F.** URODZONY, zawołany, wytrawny↑, • na schwał↑, całą gębą, co się zowie↑, stuprocentowy↓, **G.** WSZECHSTRONNY, uniwersalny, wielostronny, encyklopedyczny, erudycyjny, • renesansowy, • wszystkowiedzący, wszechwiedzący↑, • wieloczynnościowy, wielofunkcyjny, **H.** WYGADANY, wyszczekany↓, pyskaty↓, mocny w gębie (języku), • rezolutny,

872 **sprawozdanie** — **A.** ZESTAWIENIE, podsumowanie, bilans, zbilansowanie, rachunkowość, księgowość, buchalteria, **B.** RAPORT, protokół, doniesienie, meldunek, relacja, opis, opisanie, przekaz, deskrypcja, charakterystyka, **C.** ANALIZA, interpretacja, reinterpretacja, skomentowanie, • wyjaśnianie, eksplikacja, odczytanie, uzasadnianie, komentowanie, egzegeza, • tłumaczenie, przekonywanie, perswadowanie, perswazja, odradzanie, **D.** PRZEDSTAWIENIE, pokazanie, ukazanie, wskazanie, wykazanie, unaocznienie, uwidocznienie, • zreferowanie, autoreferat, **E.** PRZEGLĄD, przekrój, kronika, kalejdoskop, karuzela, wir, • rzut, obraz, ogląd, • prasówka,

873 **sprowadzić** — **A.** WZYWAĆ, przyzwać, przy\zalwołać, po\welzwać, pozywać, od\wylwołać, po\zalprosić, zwołać, skrzyknąć, pościągać, pozbierać, wyklaskać, • kiwnąć palcem, skinąć na, pstryknąć, • gwizdnąć, wabić, **B.** PRZYPROWADZIĆ, ściągnąć, przygnać, przyganiać, przypędzić, wegnać, (po)wganiać, wpędzić, **C.** WPROWADZIĆ, wwieść, wwodzić, • pozaprowadzać, (od\za)prowadzać, (po)odprowadzać, **D.** PRZYNIEŚĆ, przynosić, nadarzyć, zesłać, zsyłać, nastręczyć, dostarczyć, **E.** KONWOJOWAĆ, (od)eskortować, doprowadzić, (po)rozp:owadzać, podprowadzić, • pilotować, towarzyszyć, • dostawić, odstawiać, transportować, zaholować,

874 **spryciarz** — **A.** CWANIAK, chytry lis, szczwany lis, pieczeniarz, cwaniurka↓, cwaniaczek↓, ścichapęk↓, • lawirant, dekownik, magik, **B.** ZIÓŁKO, gagatek, ptaszek, ananas, ancymonek↑, filut↑, frant↑, numer↓, lepszy numer, numerant↓, aparat↓, agregat↓, model↓, typek↓, **C.** MĄDRALA, mądraliński, mądra głowa, rutyniarz, wyga, stary wyga, rep, wyjadacz, stary wyjadacz, polityk, taktyk, strateg, chłopek roztropek,

875 **sprzeciw** — **A.** SPRZECIWIENIE SIĘ, przeciwstawienie się, oponowanie, kwestionowanie, • zakwestionowanie, odmowa, brak zgody, **B.** PROTEST, dezaprobata, kontestacja, opór, • veto, weto, kontra, kontrargument, kontrargumentacja, • demonstracja, manifestacja, okazywanie (niezadowolenia), ostentacja, kontrdemonstracja, przeciwdziałanie,

876 sprzeciwiać się — **A.** DEMENTO-WAĆ, wypierać się, wyprzeć się, zarzekać się, **B.** KWESTIONOWAĆ, podważyć, wątpić, powątpiewać, stawiać pod znakiem zapytania, podać w wątpliwość, nie dowierzać, *przypuśćmy, powiedzmy, dajmy na to, coś mi się nie zdaje, kto to wie, nie mieści się w głowie,* ● polemizować, (za)przeczyć, (za)oponować, kontrargumentować, nie zgodzić się z, odmawiać racji, ● zaskarżyć, wnosić zażalenie, odwołać się, apelować, wnieść apelację, ● odrzucić, (za)negować, obalić, zadać kłam, **C.** ODMÓWIĆ, zgłaszać sprzeciw, założyć sprzeciw, oprotestować, stawiać veto, ● odrzucić prośbę, zignorować propozycję, oddalić wniosek, *wniosek upadł,* nie zgadzać się na, utrącić, ● odesłać z kwitkiem, odprawić z niczym, pokazać figę, ● wzbraniać się, podziękować, wzdragać się, nie chcieć, wyrażać niechęć, nie mieć chęci, *mija ochota, odchodzi ochota, odbiega chęć, nie uśmiecha mi się, idź ty↓,* **D.** PROTESTOWAĆ, kontestować, znarowić się, buntować się, jeżyć się, burzyć się, mieć coś przeciw, podnosić głowę, przeciwstawiać się, stawać okoniem, stawiać się, postawić się (kantem), stawić czoło, opierać się, stawić opór, stanąć dęba, nie móc strawić, nie ścierpieć, ● powstać, zrewoltować się, strajkować, pikietować, odmawiać posłuszeństwa, wypowiedzieć posłuszeństwo,

877 sprzyjać — **A.** ŻYCZYĆ, (po)gratulować, składać gratulacje, (po)winszować, złożyć powinszowania, trzymać kciuki, pozdrawiać, wiwatować, ● pić zdrowie, przepić do, stuknąć się kieliszkami, wznosić toast, spełnić, **B.** SYMPATYZOWAĆ, opowiadać się za, być za, brać stronę, przechylić się na daną stronę, chcieć przychylić nieba, ● chwalić, dowartościowywać, ● szanować, oszczędzać, mieć wzgląd, ● uszanować, nie tknąć palcem, czuć mores, **C.** UŁATWIAĆ, otwierać perspektywy, utorować drogę, dawać pole, pomagać do, umożliwiać, usposabiać, predestynować, predysponować, być po myśli, być na rękę, *powiał inny wiatr,* **D.** MECENASOWAĆ, patronować, ojcować, patrzeć życzliwym okiem, ● rekomendować, polecać, podfirmować, ● protegować, być protektorem, osłaniać, orędować, ochraniać, ● wstawiać się, ująć się, bronić, adwokatować, interweniować, prosić za, upomnieć się, ● dekować, stać za kim, trzymać z,

E. POPIERAĆ, faworyzować, mieć specjalne względy dla, ● zrobić coś dla, wyświadczyć grzeczność, pójść na rękę, robić wyjątek, ● forować, dawać pierwszeństwo, przeprzeć, przepierać, wkręcić, (prze)forsować, przepchnąć (do następnej klasy), ciągnąć za uszy, puścić, przepuszczać, załatwić po znajomości, **F.** POBŁAŻAĆ, cackać się, (po)folgować, popuszczać, pieścić się, patyczkować się, przymykać oczy na, patrzeć przez palce, tolerować, ● rozpuścić, (po)rozpuszczać, rozpaskudzić, rozbestwiać, rozpieścić, rozwydrzyć,

878 stały — **A.** USTALONY, znormalizowany, kalibrowy, ● niezmienny, nieodmienny, sakramentalny↑, ● nieodłączny, nieodstępny, **B.** STACJONARNY, ● etatowy, ● instytucjonalny, zinstytucjonalizowany, **C.** PERMANENTNY, nałogowy, notoryczny, powtarzający się, ● ponowny, powtórny, nawrotowy, wtórny, powrotny, ● obsesyjny, natrętny, uporczywy, konsekwentny, ● kilkakrotny, parokrotny, ● wielokrotny, niejednokrotny, wielorazowy, ● seryjny, powtarzalny,

879 starać się — **A.** KRZĄTAĆ SIĘ, ruszać się, uwijać się, być w ciągłym ruchu, dwoić się i troić, frygać, kursować, ● latać jak kot z pęcherzem, walczyć z wiatrakami, **B.** POSTARAĆ SIĘ, przyłożyć się, przykładać się, zawalczyć, dokładać starań, wkładać całą duszę w, nie szczędzić wysiłków, stawać na głowie, wychodzić ze skóry, robić wszystko aby, poruszyć niebo i ziemię, dokazywać cudów, dokonywać cudów, sięgać po laury, ● usiłować, próbować, wysilać się, natężać się, **C.** ZABIEGAĆ, ubiegać się, aspirować, manewrować, kombinować, gimnastykować się, obrabiać, tentegować↓, ● patrzeć swego, ciągnąć w swoją stronę, kręcić się przy (koło), skakać koło, deptać, dreptać, latać za, uganiać się, szukać szczęścia, ● oblegać, szturmować, dopraszać się,

880 staro — **A.** ARCHAICZNIE, staroświecko, staromodnie, niemodnie, nienowocześnie, anachronicznie, ● nieświeżo,

881 stary — **A.** UŻYWANY, zniszczony, zdewastowany, podniszczony, sfatygowany, przechodzony↓, zdezelowany, wysłużony, znoszony, wytarty, wyszmelcowany, wytłamszony, zeszmacony, złachany↓, wyświechtany, wyświecony, ● wyblakły, zblakły↑, wypłowiały, spłowiały, wypsiały↓, wyszarzały, poszarzały, ● czerstwy, suchy, ● zleżały, nadpsuty, sparciały, ● nadwątlony, zetlały↑, ● pożółkły, **B.** DAWNY, niegdysiejszy↑, ongisiejszy↑, niepamiętny, miniony, były, ● niedawny, ubiegły, poprzedni, przeszły, zeszły, ● uprzedni, powyższy, ● wymieniony, wspomniany, przytoczony, rzeczony↑, **C.** ODLEGŁY, historyczny, zamierzchły, ● prehistoryczny, przedhistoryczny, pradziejowy, ● pradawny, prastary, prawieczny↑, prawiekowy↑, przedwieczny↑, ● ówczesny, owoczesny↑, **D.** TRADYCYJNY, zwyczajowy, niepisany, odwieczny, uświęcony, ● zwyczajny, typowy, ● zachowawczy, ortodoksyjny, tradycjonalistyczny, konserwatywny, niepostępowy, skostniały, zaskorupiały, zmurszały, wsteczny, reakcyjny, ● klasyczny, ● konwenansowy↑, **E.** ANACHRONICZNY, nieaktualny, zdezaktualizowany, nie na czasie, niemodny, przestarzały, przeżytkowy↑, przeżyty↑, nienowoczesny, niewspółczesny, przebrzmiały, niedzisiejszy↓, wczorajszy↓, retro↓, z innej epoki↓, ● zacofany, feudalny, ● starożytny, antyczny, archaiczny, ● przedpotopowy↓, staroświecki, staromodny, starodawny, zabytkowy, ● kopalny, ● zadawniony, zastarzały↑, zapiekły↑, **F.** LECIWY↑, sędziwy↑, wiekowy↑, zgrzybiały, zdziadziały↓, stetryczały↑, zramolały↓, spierniczały↓, strupieszały↑, ● starszawy, starawy, podstarzały, niemłody, podtatusiały↓, ● długowieczny, ● zaawansowany, podeszły, matuzalemowy↑, matuzalowy↑, **G.** ZASUSZONY, zwiędły, zwiędnięty, przywiędły, przywiędnięty, zwiotczały, pomarszczony, pobruździony, poradlony, poorany, zorany zmarszczkami, ● spróchniały, zmurszały, **H.** PRZEJRZAŁY↑, przestały↑, ● przekwitły (przekwitnięty), okwitły↑, **I.** MONARCHISTYCZNY, rojalistyczny, ● herbowy, heraldyczny, ● szlachecki,

882 starzeć się — **A.** PRZYBYŁO LAT, przeżyć jeden drugiego, pod\polstarzeć się, zestarzeć się, podtatusieć, posunąć się (w latach), (z)grzybieć, (z)ramoleć, babieć, (z)dziecinnieć, (z)niedołężnieć, (o\po)siwieć, ● (s)pierniczeć, zdziadzieć, **B.** DEZAKTUALIZOWAĆ SIĘ, wychodzić z mody, przedawniać się,

883 stracić — **A.** GUBIĆ, (za)podziać,

po\zlgubić, zawieruszyć, zaprzepaścić, zarzucić, zatracić↑, (po)siać, *ziemio rozstąp się*, **B.** UPUŚCIĆ, uronić, porozsypywać, ● porzucić, (po)zostawić, **C.** POSTRADAĆ, zostać bez, (u)tracić, ucierpieć, ponieść uszczerbek, wyjść źle na, być do tyłu↓, **D.** PRZEPRÓŻNOWAĆ, (z)mitrężyć, strawić, bałamucić, przemarudzić, przeczekać, przełazić, przebimbać, przebomblować, przebumelować, przewałęsać się, przebałaganić, *życie przecieka przez palce*, ● marynować talent, pleśnieć, kisnąć, **E.** ROZTRWANIAĆ, (s)trwonić, (prze)tracić, przetrwonić, (z)marnotrawić, (z)marnować, przefrymarczyć, puszczać, przepuścić, rujnować się, żyć ponad stan, przeszastać, przeputać↓, przefiukać↓, potracić, spłukać się, zgrać się, przegrać, ● przehulać, przełajdaczyć, przepić, przechlać↓, przejeść, przeżreć↓, ● przejeździć, **F.** ZBANKRUTOWAĆ, splajtować, zrobić klapę (plajtę), klapnąć, ogłosić upadłość, (u)paść, skończyć się,

884 straszny — **A.** PRZERAŻAJĄCY, okropny, straszliwy, przeraźliwy, potworny, upiorny↓, koszmarny↓, makabryczny, apokaliptyczny, ● potępieńczy↑, nieludzki, **B.** OKRUTNY, drakoński↑, ● hiobowy, ● skandaliczny, horrendalny, oburzający, rażący, ● piekielny, infernalny↑, ● szaleńczy, opętańczy, wariacki, obłędny,

885 straszyć — **A.** ODGRAŻAĆ SIĘ, na\polstraszyć, (po\za)grozić, wygrażać, pobrzękiwać szabelką, potrząsać pięścią, tupnąć, pokazać pazury, szczerzyć kły, prze\wylstraszyć, napędzić (nagonić) strachu, (po\s)płoszyć, ● przerazić, zatrważać, (s)trwożyć, **B.** ZAGRAŻAĆ, dybać, nastawać, czyhać, osaczać,

886 strona — **A.** KIERUNEK, zwrot, ukierunkowanie, ● lewica, prawica, **B.** DÓŁ, spód, podpinka, podbicie, podszewka, podszycie, podkład, podściółka, dolna warstwa, dno, **C.** TYŁ, rewers, ● grzbiet, kark, plecy, ● zaplecze, **D.** GÓRA, wierzch, pokrycie, lico, **E.** PRZÓD, front, czoło, ● fasada, fronton, szczyt, elewacja, awers, **F.** STRONY ŚWIATA, północ, południe, wschód, zachód, **G.** BOK, skrzydło, flanka,

887 substancja — **A.** PREPARAT, środek, odczynnik, chemikalia, chemia, **B.** MIESZA-

NINA, mieszanka, mikstura, melanż, • roztwór, płyn, ciecz, płukanka, • emulsja, zawiesina, rozczyn, • kwas, zakwas, zaczyn, • zasady, alkalia, • osad, fusy, męty, farfocle↓, fuzle↓, **C.** STOP, amalgamat, aliaż, • klej, :*guma arabska, karuk, butapren, klajster, kopal,* • spoiwo, lepiszcze, :*żywica, kit, lepik, smoła, cement,* • zlepek, collage, konglomerat, • magma, lawa, **D.** MATERIAŁ, tworzywo, surowiec, materia, • tkanka, miąższ, miękisz, miazga, • masa, ciasto, • granulat, kaszka, grysik, kasza, krupa, • proszek, puder, zasypka, • miał, popiół, proch, okruchy, • próchno, przemiał,

888 substancjalny — **A.** METALOWY, • z brązu, brązowy↑, • ze spiżu, spiżowy, • stalowy, ze stali, • żelazny, z żelaza, **B.** DREWNIANY, z desek, **C.** SYNTETYCZNY, • chemiczny, sztuczny, • plastikowy (plastykowy), z tworzywa, **D.** ŚNIEGOWY, ze śniegu,

889 suchy — **A.** BEZDESZCZOWY, **B.** ZESCHNIĘTY, zeschły, czerstwy, • spierzchnięty, spękany, wyschnięty, wyschły↑, spiekły↑, zapiekły, zaschnięty, zaschły↑, zaskorupiały, zeskorupiały, **C.** NIEOKRASZONY, postny,

890 sukces — **A.** KARIERA, awans, awansowanie, • zakwalifikowanie się, przejście do, • promocja, nominacja, powołanie, mianowanie, desygnacja, desygnowanie, nadanie, dopuszczenie, • nobilitacja, uszlachcenie, • intronizacja, koronacja, **B.** POWODZENIE, zasługa, • prosperity, prosperita, rozwój, rozkwit, koniunktura, dobra passa, tłuste lata, boom, hossa, • popularność, furora, • przebój, hit↓, szlagier, • wzięcie, popyt, wziętość, zapotrzebowanie, • pokupność, chodliwość, kasowość, poczytność, **C.** REKORD, wyczyn, osiągnięcie, dokonanie, dobry wynik, osiąg↓, **D.** ZWYCIĘSTWO, triumf, tryumf, • pokonanie, przezwyciężenie, pobicie, rozgromienie, zwyciężenie, położenie na łopatki↓, • mistrzostwo, wygrana, nagroda, medal, laury, pierwszeństwo, palma pierwszeństwa, • zdobycz, połów, łup, trofeum,

891 suszyć — **A.** ODWADNIAĆ, odwodnić, • osuszać, meliorować, • odsączyć, (od\prze)cedzić, odlać, odlewać, odpompo-

wać, • wyżąć, odcisnąć, • odparowywać, o\przelwiać, podsuszać, po\przelsuszyć, do\wylsuszać, sezonować, **B.** SUSZYĆ SIĘ, • odciec, poodciekać, odsączyć się, • odparować, (pod\prze)suszyć się, (prze\przy)schnąć, obe\podelschnąć, ob\podlsychać, przysychać, po\wylschnąć, do\wylschnąć, dosychać, • czerstwieć, zeschnąć się, zsychać się, u\wylsuszyć się,

892 swobodnie — **A.** POUFALE, familiarnie↑, luźno↓, • bez ograniczeń, nieograniczenie, • jakkolwiek, dowolnie, według uznania, **B.** NIEOBOWIĄZUJĄCO, niezobowiązująco, niewiążąco, • fakultatywnie, • sportowo, **C.** BEZCEREMONIALNIE, luzacko↓, • hulaszczo↑, łajdacko, • bez żenady, bez oporów, • relaksowo, na luzie, **D.** ROZMOWNIE, gadatliwie, **E.** USTNIE, na gębę↓, • telefonicznie,

893 swojski — **A.** BLISKI, znany, nieobcy, • ludzki, człowieczy↑, człeczy↑, • humanistyczny, kulturowy, cywilizacyjny, **B.** ZNAJOMY, • rodzinny, familijny↑, • powinowaty, spowinowacony, skoligacony, • przyrodni, przyszywany↓, • przysposobiony, adoptowany, • zadomowiony, zasiedziały, • ciepły, rodzinny, • domowy, własnej roboty, **C.** LUDOWY, folklorystyczny, regionalny, • rustykalny↑, • gminny, gromadzki, chłopski, wiejski, wieśniaczy↑, włościański↑, chamski↓, wsiowy↓, • kmiecy↑, **D.** SŁOWIAŃSKI, polski, lechicki↑, **E.** ZIEMSKI, doczesny, • lądowy, kontynentalny, • naziemny,

894 sygnalizować — **A.** DAĆ ZNAK, pomachać, kiwnąć, • psykać, sykać, gwizdnąć, cmokać, • trąbić, klaksonować, jechać na sygnale, • bić, wybijać godzinę, • pada hasło, oflagować, **B.** DOBIJAĆ SIĘ, (po\za)pukać, (za)kołatać, (za)łomotać, bić, walić, (po\za)stukać, (po\za)bębnić, tarabanić, **C.** ZDRADZAĆ OBJAWY, jęczeć, pojękiwać, (za)stękać, postękiwać, rzężeć, (za)rzęzić, posykiwać, (po)kwękać, (s\wy)krzywić się, szczękać (dzwonić) zębami, westchnąć, wzdychać, • kruczeć, **D.** SZCZEKAĆ, ob\polszczekiwać, o\nalszczekać, ujadać, rozszczekać się, • wyć, skowyczeć, zaskowytać, skamlać, skomlić, **E.** WYDAĆ GŁOS, :*beczeć, bąkać, bekać, bełkotać, brzęczeć, bulgotać, chrapać, chrumkać, chrząkać, cierkać, ciurkać, cykać,* *(po\za)ćwierkać, gdakać, gęgać, gruchać, gulgotać, gwizdać, hukać, klapać, kląskać, klekotać, krakać, krektać (krechtać), krukać, kukać, kumkać, rechotać, kwakać, kwiczeć, kwilić, kwokać, miauczeć, pomiaukiwać, muczeć, piać, pikać, piszczeć, porykiwać, ryczeć, rżeć, skrzeczeć, stękać, szczebiotać, świstać, tokować, warczeć,* **F.** UPRA-WIAĆ MAGIĘ, (o)kadzić, przeżegnać (się), (po)błogosławić, konsekrować, poświęcić, ● koszerować, ● święcić, odprawiać, celebrować, czcić,

895 szacunek — **A.** POWAŻANIE, respekt, atencja, estyma, mir, konsyderacja↑, rewerencja, uszanowanie, pokłon, ● znaczenie, prestiż, autorytet, posłuch, ● honory, względy, godności, dostojeństwa, zaszczyty, **B.** HOŁD, cześć, czczenie, nabożeństwo, pietyzm, kult, ● namaszczenie, hieratyczność, ● pomnikowość, sztandarowość, **C.** UZNANIE, akceptacja, pochwała, komplement, panegiryk, ● sława, rozgłos, hałas, poruszenie, ● chwała, gloria, chluba, duma, ozdoba, świetność, nimb, aureola, splendor, ● zaszczyt, honor, **D.** UWIELBIENIE, adoracja, ● gloryfikacja, idealizacja, wysławianie, wychwalanie, apologia, oda, pean, hymn pochwalny, dytyramb, ● ubóstwianie, ubóstwienie, deifikacja, apoteoza, ● kanonizacja, beatyfikacja, **E.** ZACHWYT, podziw, admiracja, oczarowanie, fascynacja, olśnienie, achy i ochy, ● owacja, brawa, aplauz, poklask, oklaski, klaskanie, klaskanina, klaka↓, wiwaty, **F.** POSZANOWANIE, nienaruszanie, przestrzeganie,

896 szczególny — **A.** CHARAKTERYSTYCZNY, specjalny, specyficzny, swoisty, jednostkowy, indywidualny, osobniczy, odrębny, niecodzienny, rozpoznawalny, ● znamienny, przysłowiowy, symptomatyczny, ● firmowy, ● imienny, na nazwisko, **B.** KOBIECY, żeński, babski↓, damski, niewieści↑, ● feministyczny, ● dziewczyński↓, **C.** TRIKOWY, trickowy, specjalny, **D.** GWAROWY, dialektalny, dialektyczny, ● slangowy↓, żargonowy, ● korporacyjny, klasowy, grupowy, branżowy, ● pracowniczy, załogowy, ● personalny, kadrowy, ● robotniczy, proletariacki, robociarski↓, ● chłopski, wiejski, ● cygański, cyganeryjny, artystyczny, ● młodzieżowy, studencki, akademicki, żakowski↑, ● więzienny, więźniarski, kazamatowy↑,

897 szczegół — **A.** DETAL, drobiazg, niuans, punkt, moment, czynnik, ● epizod, ● kropla w morzu, ● szczegóły, kosmetyka, **B.** DROBNOSTKA, błahostka, formalność, ● głupstwo, ● bagatela, fraszka, igraszka, faramuszka, ● kaszka z mlekiem, bułka z masłem, dziecinada, pestka↓, betka↓, ● zawracanie głowy, wielkie halo, hocki-klocki, przelewki, **C.** MARGINES, nawias, klamra, ● blotka, nic ważnego, ● marginalia, peryferyczność, peryferyjność, dygresyjność, drugoplanowość, drugorzędność, epizodyczność, **D.** USZCZEGÓŁOWIENIE, konkretyzacja, uściślenie,

898 szczepienie — **A.** ZASTRZYK, injekcja, ● szczepionka, surowica, biopreparat, ● osłona, immunizacja, uodparnianie, **B.** OCZKOWANIE, okulizacja,

899 szczęście — **A.** FORTUNA, fart↓, ● pomyślność, przychylność, dobrodziejstwo, błogosławieństwo, ● uśmiech losu, łaska losu, szczęśliwe zrządzenie losu, czterolistna koniczynka, **B.** RAJ, kraina wiecznej szczęśliwości, arkadia, eden, eldorado, bonanza, kraina marzeń, ziemia obiecana, kraina mlekiem i miodem płynąca, ● sielanka, idylla, bukolika, pastorałka, ● ekloga, szczyt marzeń, ● szczęśliwość, błogostan, błogość, poezja, idyliczność, ● zadowolenie, satysfakcja, ukontentowanie, dosyt, spełnienie, zaspokojenie, dogodzenie↓, **C.** PRZYJEMNOŚĆ, rozkosz, rozkoszowanie się, delektowanie się, ● przyjemne, ● ludyzm, hedonizm, sybarytyzm, **D.** RADOŚĆ, wesołość, wesele↑, promienność, ● uciecha, frajda, gratka, rozrywka, **E.** ŚMIECH, chichot, chichy, chichotanie, rechot, rżenie ze śmiechu, ● uśmiech, półuśmiech, półuśmieszek, **F.** SZCZĘŚCIARZ, dziecko szczęścia, wybraniec losu, w czepku urodzony, szczęśliwiec, ● optymista.

900 szczupły — **A.** CHUDY, smukły, wysmukły, ● szczudłowaty, szczudlasty, ● patykowaty, tyczkowaty, **B.** SKROMNY, niewielki, niepokaźny, **C.** WYSUSZONY, suchy, wymizerowany, wychudzony, wychudły, zmarniały↑, **D.** WĄSKI, płaski, ● wiotki, cienki, ● kapilarny, włosowaty, włoskowaty,

901 szeroki — **A.** ROZLEGŁY, ● szerokoekranowy, panoramiczny, **B.** WSZECH-

STRONNY, wielostronny, • pluralistyczny, C. ROZGAŁĘZIONY, rozwidlony, widlasty, rosochaty↑, rozłożysty, krzewiasty,

902 szkodzić — A. ZASZKODZIĆ, nie służyć (posłużyć), osłabiać, wycieńczać, odbić się na zdrowiu, niszczyć zdrowie, wykończyć, • otępić, ogłupiać, • uroczyć, rzucać urok, czarować, urzekać, • porażać, (ze)mdlić, atakować, uszkadzać, niszczyć, • infekować, zarazić, zakazić, pozarażać, (s)truć, pozatruwać, B. UCHYBIAĆ, ubliżać (godności), oddać niedźwiedzią przysługę, źle się przysłużyć, przedstawiać w złym świetle, podrywać opinię, podkopać autorytet, *to bije we mnie*, • *wyszło mu bokiem*,

903 szkoła — A. ŁAWA SZKOLNA, buda↓, • wykształcenie, B. SZKOŁA WYŻSZA, uczelnia, wszechnica↑, campus, • wydział, fakultet, kierunek (studiów), instytut, katedra, zakład, pracownia, • akademia, konserwatorium, uniwersytet, uniwerek↓, politechnika, polibuda↓, college, kolegium, studium, szkoła pomaturalna, C. SZKOŁA ŚREDNIA, szkoła ponadpodstawowa, • szkoła ogólnokształcąca, ogólniak↓, liceum, liceum zawodowe, • gimnazjum, progimnazjum, pensja↑, • technikum (zawodowe), zasadnicza zawodowa, zawodówka↓, :*handlówka, odzieżówka, budowlanka, wieczorówka↓*, D. SZKOŁA PODSTAWOWA, podstawówka↓, zerówka, • konwikt, cheder, • półinternat, internat, świetlica,

904 sznur — A. SZNUREK, linka, lina, cuma, hol, hollina, faleń, B. POSTRONEK, powróz, powrósło, pyta, • smycz, lejce, cugle, wodze, popręg, chomąto, uprząż, jarzmo, uzda, wędzidło, kantar, C. NIĆ, dratwa, kordonek, nitka, niteczka, fastryga, • włókno, przędza, przędziwo, kądziel, • pętelka, oczko, D. PASEK, pas, podpaska, rzemień, rzemyk, • krajka, przepaska, przewiązka, szarfa, • opaska, banderola, obejma, obręcz, pierścień, felga, • bransoleta, obroża, kolczatka, • sznurówka, sznurowadło, E. TASIEMKA, wstążka, aksamitka, lamówka, galon, baretka, paseczek, • obwódka, oblamowanie, obszywka, borta, • lampas, plisa, odszycie, listwa, • taśma, gurt, pasmanteria, wieszak, • gumka, recepturka, • serpentyna, F. PRZEDŁUŻACZ, kabel, • cięciwa, struna,

905 sztuczny — A. NIENATURALNY, nieautentyczny, nieprawdziwy, • papierowy, płaski, • ceremonialny, wymuszony, wysilony, sztywny, • wystudiowany, pozowany, B. AFEKTOWANY, egzaltowany, pensjonarski, pretensjonalny, kabotyński, teatralny, manieryczny, pozerski, wymęczony↓, • napuszony, górnolotny, górny↑, kwiecisty, książkowy, bombastyczny↑, patetyczny, emfatyczny, koturnowy↑, nadęty, pompatyczny, pompierski↑, • hieratyczny↑, namaszczony, szumny, • grandilokwentny↑, deklamacyjny, deklamatorski, • sentymentalny, melodramatyczny, romansowy, ckliwy, łzawy, czułostkowy, rzewny, rzewliwy↑, słodki, przesłodzony, cukierkowy, karmelkowy, landrynkowy, • histeryczny, • hurraoptymistyczny,

906 szukać — A. PRZEPATRZYĆ, przerzucić, (po)grzebać, (po)myszkować, (po)szperać, (po)gmerać, • przebierać, wyszukiwać, przewrócić wszystko do góry nogami, • buszować, plądrować, B. POSZUKIWAĆ, rozejrzeć się za, węszyć, niuchać, tropić, wietrzyć, wywąchiwać, przeczesywać, wynajdywać, • przetrząsać, przeszukiwać, • obszukać, rewidować,

907 szybki — A. PRĘDKI, szparki, chyży↑, chybki↑, śmigły↑, śpieszny (spieszny)↑, bystry, wartki, rwący, rączy, raźny, • skoczny, ognisty, B. RYCHŁY↑, niedaleki, C. BŁYSKAWICZNY, ekspresowy, • wyścigowy, sportowy, rajdowy, D. GWAŁTOWNY, lawinowy,

908 szybko — A. PRĘDKO, szparko, chyżo↑, chybko↑, śpiesznie (spiesznie)↑, bystro, wartko, rączo, co tchu, co żywo↑, duchem↑, piorunem↑, migiem↓, • ekspresowo, ekspresem↓, • raźnie, raźno, ochoczo↑, żwawo, z życiem↓, • pędem, na łeb na szyję, na złamanie karku, w te pędy, B. MOMENTALNIE, w okamgnieniu, piorunująco, • w lot, w mig, błyskawicznie, lotem błyskawicy, • lawinowo, gwałtownie, • biegiem, galopem, cwałem, truchtem, • duszkiem, ostro, po kawalersku, C. NIECIERPLIWIE, ze zniecierpliwieniem, • niespokojnie, nerwowo, D. POŚPIESZNIE, gorączkowo, nieprzytomnie, • naprędce, pobieżnie, na chybcika↓, w przelocie↓, na odtrąbiono↑, • na odczepkę↓, na odczepnego (odczepne)↓, E. W RUCHU, • pieszo, piechotą, na piechotę, na nogach, per pedes↑, ● konno, wierzchem, na koniu, ● rowerem, na rowerze,

909 szyć — A. ŚCIBIĆ, ścibolić, ● uszyć, (po)fastrygować, ● obrębić, obrzucić, dzier-

gać, obdziergać, okalać, obrobić, (po)obrabiać, obrzeżyć, ● obszyć, oblamować, bramować, obramowywać, poobszywać, powykańczać, odszyć, ● pikować, ostebnować (ostębnować), podbić, podszyć,

Ś

910 ślub — A. PRZYSIĘGA, ślubowanie, przyrzeczenie, zapewnienie, obietnica, promesa, zobowiązanie, słowo, **B.** SWATY, zaręczyny, zrękowiny↑, **C.** ZAŚLUBINY↑, gody, ożenek, wesele, przyjęcie ślubne, ● srebrne wesele, złote wesele, ● zamążpójście, zamęście↑, ● żeniaczka,

911 śmierć — A. ZGON, zejście (śmiertelne), skon↑, ● umieranie, konanie, agonia, łoże śmiertelne, godzina śmierci, ● kostucha, biała pani, ● wieczny spoczynek, **B.** KARA ŚMIERCI, :*dekapitacja, gilotyna, rozstrzelanie, powieszenie, szubienica, stryczek, czapał↓, stosł↓, spalenie, auto da fe, krzesło elektryczne,* ● zatracenie↑, zguba, pohybel, kat, **C.** TRUCIZNA, jad, toksyna, trutka, ● arszenik, cyjanek, ● cykuta, szalej, kurara, zatruta strzała,

912 środek — A. CENTRUM, punkt centralny, oś, serce, pępek, wnętrze, ● połowa, półmetek, **B.** SEDNO, jądro, trzon, kościec, ● meritum, sens, treść, zasadnicza kwestia, istota (rzeczy), założenie, grunt, idea, myśl przewodnia, ● kwintesencja, esencja, natura rzeczy, immanencja,

913 światło — A. JASNOŚĆ, światłość, dzień, ● słońce, nasłonecznienie, insolacja, ● świt, przedświt, brzask, pobrzask, łuna, zorza, poświata, promień, smuga, pasmo, ● półświatło, półcień, cień, **B.** BŁYSK, błyśnięcie, błyskawica, piorun, wyładowanie atmosferyczne, przebłysk, ● skrzenie się, migot, migotanie, drganie, gra świateł, ● blask, odblask, połysk, glans, lśnienie, połyskliwość, odbłysk, poblask, ● refleks, odbicie, odzwierciedlenie, ● projekcja, wyświetlenie, **C.** ELEKTRYCZNOŚĆ, energia (elektryczna), prąd, kilowaty↓, ● iluminacja, oświetlenie, **D.** LAMPA, żyrandol, pająk, kinkiet, abażur, lampka nocna, jarzeniówka, neon, ● latar-

nia, lampion, ● reflektor, halogen, jupiter, latarka, ● lampa kwarcowa, kwarcówka, promiennik, ● lampa błyskowa, flesz, ● projektor, diaskop, przeglądarka, czytnik, oświetlacz, **E.** ŚWIECZNIK, kandelabr, lichtarz, menora, ● kaganek, lampka oliwna, ● lampa naftowa, karbidówka, ● świeca, świeczka, gromnica, ● knot, ● pochodnia, żagiew, łuczywo, szczapka, ● ogień, płomień,

914 świątynia — A. DOM BOŻY, dom modlitwy, przybytek pański, **B.** KOŚCIÓŁ, kolegiata, bazylika, katedra, kaplica, kapliczka, ● fara, kircha, tum, ● pagoda, ● meczet, minaret, ● synagoga, bóżnica, ● cerkiew, ● zbór, ● chram↑, **C.** KLASZTOR, zakon, konwent, monaster, opactwo, erem, klauzura, **D.** OŁTARZ, tryptyk, poliptyk, ikonostas, ● kruchta, apsyda, zakrystia, prezbiterium, krypta, chór,

915 świecić — A. BŁYSZCZEĆ, lśnić (się), zalśnić, błyskać, łyskać, przebłyskiwać, szklić się, mienić się blaskiem, odbłysnąć, odbłyskać się, po(b)łyskiwać, (roz\za)błysnąć, ● skrzyć się, (roz\za)iskrzyć się, ● migać, (po\za)mrugać, pomrugiwać, (za)migotać, rozmigotać się, drgać, drżeć, **B.** ROZGORZEĆ, jaśnieć, (za)płonąć, świetleć, (roz\za)jarzyć się, przeświecać, prześwietlać, *błysnęło,* **C.** ZAŚWIECIĆ (SIĘ), zapalić (się), włączyć, pozapalać (się), pozaświecać (się), rozświecić (się), rozjaśniać (się), rozpłomienić (się), **D.** PRZYŚWIECAĆ, iluminować, (po)oświetlać, oświecać, po\przylświecić, podświetlić, rozświetlić (się), rozjaśniać, o\rozlpromieniać, zalać (oblać) blaskiem, roztaczać blask, **E.** DNIEĆ, świtać, rozwidniać się, widnieć, ● szarzeć, przyblednąć, ● przejaśnić się, wypogadzać się, przecierać się,

916 świeżo — A. OŻYWCZO, rześko, rzeźwo↑, orzeźwiająco, odświeżająco, ● korzennie, żywicznie, **B.** PACHNĄCO, **C.** MŁODO, ● dziewczęco, ● młodzieńczo, chłopięco, po chłopięcemu, chłopczykowato,

917 **świeży** — **A.** RZEŚKI, rzeźwy↑, ożywczy, odświeżający, orzeźwiający, rzeźwiący↑, ● korzenny, żywiczny, **B.** WYPOCZĘTY, wyspany, ● trzeźwy, przytomny, ● odprężony, zrelaksowany, wyluzowany↓, rozluźniony,

T

918 **taić** — **A.** KRYĆ, s\ulkrywać, s\ulkryć, (za)kamuflować, (po)zasłaniać, (za)maskować, (za)kwefić, (po)zakrywać, (po\s)chować, pozakopywać, ● wmieść, **B.** UKRYWAĆ SIĘ, (s\u)kryć się, (s)chować się, (za)dekować się, (za)melinować się, ● przywarować, (przy)czaić się, przytaić się, ● czatować, zaczaić się, czyhać, obwarować (się), pozamykać się, siedzieć w kącie, pozaszywać się, siedzieć jak mysz pod miotłą, nie móc pokazać się na oczy, **C.** ZATAIĆ, przemilczać, pomijać milczeniem, zmilczeć, trzymać w sekrecie, utajnić, *niech to pozostanie między nami*, ● trzymać w nieświadomości, ukrywać przed, ● utajać, (za)tuszować, klajstrować, ukręcić głowę (sprawie), zacierać ślady, zamazać, rozmydlić,

919 **tajemnica** — **A.** SEKRET, niewiadoma, ● kulisy, poufność, tajność, utajnienie, sekretność, konspiracyjność, prywatność, intymność, ● ezoteryczność, ezoteryzm, ● arkana, tajniki, sekrety, ● wyznanie, wyznania, zwierzenie, zwierzenia, wynurzenia, **B.** TAJEMNICZOŚĆ, niesamowitość, demonizm, szatańskość, ● zagadkowość, enigmatyczność, niejasność, niewytłumaczalność, misterium, sfinks, ● nieznane, niewiadome, pytajnik, pytanie, imponderabilia, **C.** ZAGADKA, łamigłówka, krzyżówka, szarada, układanka, puzzle, rebus, labirynt,

920 **tak** — **A.** ZAPEWNE, niewykluczone, możliwe, kto wie, być może, a nuż↑, zależy, to zależy, zobaczymy, zobaczy się↓, ● w razie czego, ewentualnie, ● może, chyba, **B.** OWSZEM, jak najbardziej, właśnie, oczywiście, oczywista↑, naturalnie, absolutnie, bezwzględnie, bezwarunkowo, jakże by inaczej, jasne, no jasne, wiadomo, jaki problem↓, zero problemu↓, rzecz prosta↑, rozumie się↑, ma się rozumieć↑, ajuści↑, ● abso-

lutnie tak, na mur↓, mur beton↓, bankowo↓, na bank↓, jak w banku↓, **C.** ZGODA, dobrze, dobra↓, okay↓, w porządku↓, ● bardzo dobrze, doskonale, cudownie, wspaniale, fajnie↓, ● wybornie↑, wyśmienicie↑, świetnie, ● spokojnie, śmiało, z powodzeniem, **D.** AHA, rozumiem, no↓, ● racja, słusznie, pewnie, bez wątpienia, bezsprzecznie, bezspornie, ani chybi↑, **E.** NAPRAWDĘ, faktycznie, rzeczywiście, autentycznie, ● istotnie, w istocie↑, w rzeczy samej↑, ● doprawdy↑, dalibóg↑, ● zaprawdę↑, zaiste↑, ● właściwie, w gruncie rzeczy, zasadniczo, w zasadzie, praktycznie, w praktyce, w sumie, ogólnie rzecz biorąc, w ogólności↑, **F.** KONIECZNIE, niezbędnie, nieodzownie, obowiązkowo, obligatoryjnie↑, musowo↓, ● przymusowo, bezwarunkowo, niezależnie od, bez względu na, ● szczególnie, zwłaszcza, tym bardziej, w szczególności, ● głównie, przede wszystkim, **G.** JEDNAK, mimo wszystko, ostatecznie, ● wprawdzie, choć, chociaż, jakkolwiek, lubo↓, aczkolwiek↑, mimo że, ● zresztą, co prawda, prawdę mówiąc, ● bodaj↑, bodajże, ● nawet, aż, wręcz, co gorsza, ● przynajmniej, choćby, **H.** ZA, pro,

921 **talent** — **A.** ZDOLNOŚCI, uzdolnienia, predyspozycje, ● powołanie, zacięcie, żyłka, nerw, dryg, smykałka, **B.** UMIEJĘTNOŚĆ, łatwość, zdolność, sprawność,

922 **tandeta** — **A.** KICZ, kiczowatość, bezguście, beztalencie, szmira, chała↓, lipa↓, dno↓, ● oleodruk, bohomaz, landszaft, jeleń na rykowisku, jarmarczność, ramota, marnota, **B.** DZIADOSTWO, bubel, gniot↓, kancera, byle co, lichota, chłam↓, prymityw↓, **C.** MIERNOTA, drugorzędność, mierność, przeciętność, małość, nicość, grafomania, grafomaństwo, ● bylejakość, fuszerka, na-

walanka↓, partactwo, łatanina, **D.** NAŚLA-DOWNICTWO, wtórność, łatwizna, epigoń-stwo, epigonizm, naśladowanie, imitatorst-wo, imitowanie, kompilatorstwo, ● plagiat, popłuczyny↓, ● ściąganie, kopiowanie, kal-kowanie, odwzorowywanie, powielanie, ● papugowanie↓, małpowanie↓, ● wzorowa-nie się na, inspiracja, kontynuacja, kontynu-owanie,

923 **taniec** — **A.** TANY, pląsy, podrygi, pods-koki, przytupy, hołubce, ● krok posuwisty, pląs, :*charleston, chodzony, czardasz, fokst-rot, goniony, oberek, habanera, hora, kadryl, kankan, kontredans, menuet, odbijany, pol-ka, polonez, rock and roll, tango, tarantela, walc, biały walc*, **B.** BALET, taniec klasyczny, choreografia,

924 **tchórz** — **A.** PANIKARZ, histeryk, cy-kor↓, strachajło, zajęcze serce↑, ● aseku-rant, kunktator, ● człowiek małego ducha,

925 **tendencja** — **A.** MODA, trend, ● fason, krój, linia, ● dążność, skłonność, pęd, ● nurt, bieg, tok, prąd, **B.** KIERUNEK, azymut, kurs, namiar, ● orientacja, profil,

926 **teraz** — **A.** OBECNIE, w tej chwili, chwi-lowo, ● tymczasem, na razie, do czasu, ● w tym czasie, dzisiaj, dziś, aktualnie, współ-cześnie, ● właśnie, akurat, akuratnie, dopie-ro co, **B.** TYMCZASOWO, czasowo, przejś-ciowo, prowizorycznie, na razie, w tej chwili, ● nietrwale, nie na stałe, ● przelotnie, ulot-nie, ● dorywczo, nieetatowo, doraźnie, se-zonowo, ● gościnnie, ● przejazdem, w prze-jeździe↑, w drodze, po drodze, **C.** WSTĘP-NIE, przedwstępnie, na próbę, próbnie, ro-boczo, **D.** WRESZCIE, nareszcie, w końcu, w rezultacie, ● oto, ● otóż i, ● ostatecznie, ● na koniec, na ostatek, ● gotowe, zrobione,

927 **teraźniejszość** — **A.** DZISIEJ-SZOŚĆ, współczesność, aktualność, doba obecna, dziś, teraz, hic et nunc, **B.** RZE-CZYWISTOŚĆ, otoczenie, otaczający świat, ● realia, fakty, dane, aktualna sytua-cja, ● realność, jawa, ● doświadczalność, weryfikowalność, empiryczność,

928 **tkanina** — **A.** MATERIAŁ, tkanina natu-ralna, :*adamaszek, baja, bawełna, flanela, filc, wojłok, gabardyna, jersey, kaszmir, kora,*

krepa, krepdeszyn, krepon, kreton, len, płót-no, popelina, surówka, sztruks, trykot, weł-na, welwet, żorżeta, ● dzianina, podszewka, futrówka, ● kupon, resztka, **B.** MATERIA, :*jedwab, atłas, satyna, szyfon, tiul, koronka,* **C.** NON IRON, :*dederon, poliester, elana, e-lanobawełna, kremplina, elastik, stylon, lyc-ra, ortalion, wiskoza,*

929 **tkwić** — **A.** UTKWIĆ, wbić się, wkłuć się, wejść, ● utknąć, grzęznąć, (u)więznąć, u-grząść, (przy)lgnąć, przytrzasnąć się, ● u-wikłać się, zaplątać się, wpaść w sidła, ● wkopać się, buksować, **B.** ZOSTAĆ, sie-dzieć, ● wysiadywać, przesiadywać, sie-dzieć kamieniem, nie wystawiać (wyścibiać) nosa, krokiem się nie ruszyć, nie wychylić nosa, ● stać, postać, wystawać, sterczeć, ● dulczeć, kawęczeć, ● odsiedzieć, odsiady-wać, **C.** WISIEĆ, zawisnąć, uwiesić się, dyn-dać, zwieszać się, zwisać, opuścić, opusz-czać (się), obwisnąć, o\slpadać, spływać,

930 **tłuszcz** — **A.** SADŁO, słonina, łój, ● smalec, smalczyk, ● tłuszczyk, słoninka, okrasa, omasta, ● olej, oliwa, ● masło, ● margaryna, ceres,

931 **towar** — **A.** ARTYKUŁ, produkt, wyrób, wytwór, twór, fabrykat, przetwór, **B.** DOSTA-WA, ładunek, transport, zaopatrzenie, ● kontyngent, przydział, porcja,

932 **towarowy** — **A.** ZAOPATRZENIOWY, aprowizacyjny, **B.** ODZIEŻOWY, konfekcyj-ny, z konfekcją, ubraniowy, z ubraniami, ● futrzarski, kuśnierski, ● tekstylny, włókienni-czy, tkacki, **C.** OBUWNICZY, szewski, cho-lewkarski, kamaszniczy, **D.** PAPIEROSO-WY, tytoniowy, ● fajkowy, ● cygarowy,

933 **towarzysz** — **A.** KOMPAN, kamrat, komiliton, koleżka, kumpel, równiacha↓, konfrater↑, ● znajomy, kolega, ● przyjaciel, pocieszyciel, brat, ● druh, drużba, ● kum, kumoter, **B.** RODAK, pobratymiec, krajan, ziomek, **C.** PARTNER, kontrahent, koope-rant, koproducent, ● wspólnik, współwłaści-ciel, współuczestnik, współpracownik, ● ko-respondent, ● współpodróżny, towarzysz po-dróży,

934 **transport** — **A.** KOMUNIKACJA LĄ-DOWA, lokomocja, ● komunikacja (miejs-

ka), transport publiczny, środki lokomocji, :*tramwaj, trolejbus, autobus, autokar, pekaes, kolej*, ● komunikacja rzeczna, komunikacja morska, żegluga, kabotaż, spław, spływ, ● komunikacja powietrzna, **B.** PRZEWÓZ, przewożenie, przewoźnictwo, spedycja, ● przeładunek, fracht, cargo, ● dostawa, dowóz, dowożenie, doręczenie, ● import, przywóz, wwóz, ● wywóz, wywożenie, eksport, ● zwózka, usuwanie, ● ewakuacja, przewiezienie, wyprowadzenie, **C.** PRZEMYT, przemycanie, przemytnictwo, kontrabanda, szmugiel↓, przerzut, zielona granica,

935 treść — **A.** ZAWARTOŚĆ, zakres, ramy, ● dyscyplina, dziedzina, gałąź, branża, resort, pion, odcinek, ● specjalizacja, domena, niwa, pole, poletko↓, półko↓, teren, ● skład, receptura, **B.** PROBLEMATYKA, tematyka, zagadnienie, ● przedmiot, materia, sprawa, kwestia, **C.** TEMAT, wątek, pierwiastek, motyw, myśl, ● fabuła, libretto, intryga, ● tekst, brzmienie, litera (prawa), ● denotacja,

936 trudno — **A.** CIĘŻKO, nielekko, niełatwo, ● z trudem, niesporo↑, z mozołem, z wysiłkiem, ● wyczerpująco, męcząco, forsownie,

937 trudny — **A.** NIEŁATWY, nieprosty, ● złożony, skomplikowany, pokrętny, zawiły, uczony, zagmatwany, pogmatwany, zawikłany, mętny, kazuistyczny, sofistyczny, kabalistyczny, **B.** NIEZROZUMIAŁY, niepojęty, niewytłumaczalny, niewytłumaczony, kafkowski, ● nierozwiązalny, nierozstrzygalny, metafizyczny, ● niekomunikatywny, nieczytelny, niestrawny, ● idiomatyczny, **C.** NIEDOSTĘPNY, nieosiągalny, niezdobyty, nie do zdobycia, ● nieprzebyty, nie do przejścia, **D.** MĘCZĄCY, mozolny, znojny↑, żmudny, katorżniczy, cierniowy, ciernisty, najeżony trudnościami, forsowny, wyczerpujący, ciężki, maratoński,

938 trwale — **A.** WCIĄŻ, nadal, dalej, w nieskończoność, bez końca, wiecznie, **B.** PRZEWAŻNIE, głównie, w głównej mierze, przede wszystkim, ● zazwyczaj, ● zwykle, normalnie, na ogół, z reguły, ● przeciętnie, średnio, ● często, co i raz, coraz to, ● co chwila, co krok, ● nierzadko, niejednokrotnie, nieraz, częstokroć, gęsto, często gęsto, kilkakrotnie, parokrotnie, kilkakroć, kilka ra-

zy, wielokrotnie, wielekroć, po wielekroć, nie raz i nie dwa, **C.** STALE, ciągle, systematycznie, nieustannie, bez przerwy, bezustannie, nieustająco, non stop, dniami i nocami, ustawicznie, nieprzerwanie, permanentnie, niezmiennie, nieodmiennie, niepowstrzymanie, bez przestanku↑, bez ustanku, bez zatrzymania, ciurkiem, cięgiem, w kółko, **D.** ZAWSZE, zawdy↑, ● notorycznie, nałogowo, ● codziennie, ● każdorazowo, za każdym razem, ● ilekroć, ile razy, gdy tylko, kiedy tylko, ● odwiecznie, od dawna, od dawien dawna, z dawien dawna, z dziada pradziada, od dziecka, od maleńkiego, od małego, od zawsze,

939 trwały — **A.** DŁUGOTRWAŁY, dozgonny, ● nierozerwalny, nierozdzielny, nierozłączny, ● nieodwracalny, nieusuwalny, niezatarty, nieprzemijający, **B.** ODPORNY, mocny, pancerny, opancerzony, niezniszczalny, nie do zdarcia, niewyczerpany, niespożyty, ● stoicki, niezamącony, niezmącony, niezachwiany, ● ogniotrwały, ognioodporny, niepalny, ● nieścieralny, kopiowy, chemiczny, atramentowy, **C.** ZASUSZONY, ● konserwowy, z puszki, z konserwy, **D.** WIECZNY, bezczasowy↑, ponadczasowy, pozaczasowy↑, ● wiecznotrwały↑, wiekuisty↑, wieczysty↑, nieśmiertelny, wiekopomny↑, niezapomniany, pamiętny↑, ● niewygasły,

940 trwanie — **A.** WIECZNOŚĆ, wieczystość, wiekuistość, nieskończoność, ● życie pozagrobowe, zaświaty, hades, królestwo zmarłych, olimp, **B.** DŁUGOTRWAŁOŚĆ, rozwlekłość, długodystansowość, długofalowość, długoletniość, przewlekłość, ● wiecznotrwałość, dozgonność, nieprzemijalność, ● odwieczność, ponadczasowość, aktualność,

941 trybuna — **A.** PODIUM, podest, katedra, mównica, ambona, kazalnica, ● estrada, scena, **B.** BALKON, loża, chór, galeria, empora, jaskółka, ● ganek, krużganek, kolumnada, **C.** TARAS, weranda, loggia, wykusz, patio,

942 twardnieć — **A.** USTAĆ SIĘ, galaretowacieć, (z)gęstnieć, zgęścić się, jędrnieć, stwardnieć, zastygać, (s\za)krzepnąć, ściąć się, ścinać się, (s)tężeć, wiązać, (ze)sztywnieć, usztywniać się, utwardzać się, zestalić się, zeskorupieć, **B.** DREWNIEĆ, korkowacieć, kostnieć, kamienieć, krystalizować, **C.** ŚCIĄĆ, zgęszczać, utwardzać, utrwalać, usztywniać, petryfikować, zeskalać, zestalać,

943 twardy — **A.** SZTYWNY, nieelastyczny, niegiętki, betonowy, ● szczeciniasty, szczecinowaty, **B.** SKRZEPŁY, skrzepnięty, zakrzepły, zastygły, stężały, zestalony, zamarznięty, **C.** ZWARTY, zbity, ścisły, ciasny, gęsty, ● ścieśniony, skupiony, ● skondensowany, zagęszczony, zgęszczony, lity, masywny, ● skawalony, bryłowaty, skamieniały, zbrylony, **D.** NIEDOGOTOWANY, twardawy, przytwardy, półsurowy, ● łykowaty, żyłowaty, żylasty, włóknisty,

944 twarz — **A.** FIZJONOMIA, fizys↑, ● buźka, twarzyczka, ● buzia, usta, wargi, pyszczek, ryjek, ● język, ozór, jęzor↓, ● gęba↓, pysk↓, ryj↓, morda↓, facjata↓, papa↓, jadaczka↓, **B.** MORDA, kufa, pysk, dziób, paszcza, paszczęka, ● zęby, zębiska, kły, kęsy↑, szable↑, ● ząb, trzonowiec, mleczak↓, kieł, siekacz, **C.** OBLICZE, czoło, ● lico, policzki, dołeczki, ● broda, podbródek, podgardle,

945 tworzyć — **A.** PRZYGOTOWAĆ, ● opracować, sporządzić, dokonać, wykonać, uczynić, stworzyć, ● układać, kompilować, ● improwizować, rzucać na papier, ● szkicować, projektować, brać na warsztat, siadać do, ● pisać, pracować nad, rozpracować, ● wymyślić, wynaleźć, ukuć, ● formułować, ujmować, widzieć, kadrować, ● komponować, kręcić (realizować film), ● osnuć, parafrazować, wysnuć, ● opowiadać, opisać, (po)opisywać, przedstawiać, odtwarzać, ● obrazo-

wać, rysować, (na)kreślić, odmalowywać, malować, (s)fotografować, (s)karykaturować, (s)portretować, **B.** URZECZYWISTNIĆ, przeprowadzać, (z)realizować, (z)materializować, ziszczać, urealnić, uprzedmiotowić, wcielać, (s)konkretyzować, ukonkretnić, nadawać kształt, rozwiązać, ● puszczać w obieg, wprowadzić do obiegu, drukować, emitować, **C.** UTWORZYĆ, (z)budować, rozkręcić, (z)organizować, założyć, (po)zakładać, powołać do życia, (wy)kreować, otworzyć, (u)fundować, (z)montować, (po)urządzać, uruchamiać, zawiązać, sformować, konstytuować, instytucjonalizować się, **D.** MAJSTERKOWAĆ, (po)dłubać, płodzić, sprokurować, uskuteczniać, produkować, bawić się w (malarza), ● wydumać, sklecić, wypocić, spłodzić, wysmażyć,

946 twórca — **A.** AUTOR, inicjator, projektodawca, pomysłodawca, wnioskodawca, ● inspirator, animator, kreator, **B.** ARCHITEKT, budowniczy, konstruktor, inżynier, ● projektant, planista, programista, ● reżyser, inscenizator, ● realizator, ● wydawca, edytor, **C.** WYNALAZCA, ojciec, ● odkrywca, objawiciel, rewelator↑, demistyfikator, ● innowator, nowator, racjonalizator, ● reformator, postępowiec, ● pionier, prekursor, poprzednik, zwiastun, **D.** WYTWÓRCA, producent, fabrykant, chałupnik, rzemieślnik, ● homo faber,

947 tyć — **A.** GRUBNĄĆ, (po\z)grubieć, wy\zalokrąglić się, nabierać ciała, obrosnąć sadłem, (pod\u)tuczyć się, utyć, roztyć się, rozbuchać się↓, (po)tłuścieć, (s)pulchnieć, poprawić się, wyokrąglić, (s\u)paść się, odpaść się, przybrać na wadze, *przybyło parę kilo,*

U

948 uatrakcyjnić — **A.** ZDOBIĆ, przyozdabiać, upiększać, urozmaicać, ożywiać, ● przystrajać, (u)stroić, (u)dekorować, u\przylbrać, przy\ulbierać, (u)maić, ukrasić↑, uwieńczyć, ● garnirować, okrasić, ● aromatyzować, perfumować, ● wysadzać, kameryzować, karmuazować, ● ćwiekować, ● wykładać, inkrustować, intarsjować, ● orna-

mentować, kropkować, ● haftować, aplikować, cyfrować, wyszywać, wydziergać, ● deseniować, drukować, tłoczyć, giloszować, gofrować, ● puncować, grawerować, sztancować, ● wycinać, ażurować, ● ubarwić, ukwiecić, ● ozłocić, ● iluminować, (z)ilustrować, (po)malować, **B.** UPIĘKSZYĆ SIĘ, (o)zdobić się, (przy)ozdabiać się, przystroić się, (wy)elegantować się, odpicować się↓, odstrzelić się↓, odpalantować się↓, wysztafirować się, odszykować się, (wy)fiokować się, wyfioczyć się, opierścienić się, ● umalować się, karminować, (z)robić makijaż, (z)robić się na bóstwo, (u)szminkować się, uróżować się, (pod\wy)malować się, odpacykować się, pudrować się, przypudrować (się), ● uperfumować się, ● tatuować (się), **C.** OSŁADZAĆ, umilać, uprzyjemniać, ● upoetycznić, (u)poetyzować, ulirycznić, uromantycznić↑, uwznioślać, ujędrniać, uplastycznić, ● uświetniać, ● wzbogacić, uwieloznacznić,

949 ubrać — **A.** UBRAĆ SIĘ W, włożyć, wdziać, wdziewać, nałożyć, nakładać, narzucić, przywdziać, wrzucić coś na grzbiet, na\wlciągnąć, powciągać, wziąć, oblec (się), ogarnąć się, ochajtnąć się↓, **B.** CHODZIĆ W, (po)nosić, mieć na sobie, okręcić (się), okutać (się), zakutać (się), omotać (się), otulić (się), opatulać (się), opasać (się), ● wyletnić się, **C.** MUNDUROWAĆ, poubierać, odziać (się), okryć (się), przyodziać (się), przyoblec (się), ● udrapować się, postroić (się), od\ulstroić (się), przebierać (się), **D.** OBUWAĆ, obuć, wzuć, **E.** POWŁÓCZYĆ, powlec (pościel), przewlec,

950 uchwyt — **A.** TRZONEK, rączka, gryf, chwyt, trzymadło, ucho, uszko, stylisko, toporzysko, imak, imadło, **B.** RĘKOJEŚĆ, garda, jelec, głownia, głowica, ● obsadka, nasada, drzewce,

951 uciec — **A.** PIERZCHAĆ, (wy)płoszyć się, myknąć, smyknąć, hycnąć, czmychać, bryknąć, smyrgnąć, uciekać, u\zlmykać, wiać↓, nawiewać↓, zjeżdżać↓, zmiatać↓, schraniać, wziąć nogi za pas, ● odsadzić się, **B.** ZBIEC, umknąć, zemknąć, nawiać↓, zwiać↓, dać nogę↓, *w nogi*↓, drapnąć↓, dać drapaka↓, dać dyla↓, pryskać↓, prysnąć↓, ● ewakuować się, ● wymknąć się, urwać się, pourywać się, powysuwać się, ● wagarować,

952 ucieczka — **A.** ODWRÓT, zbiegnięcie, ● cofanie się, uciekanie, ● wycofanie się, odstąpienie, ● dezercja, rejterada, ● unik, uniki, uchylanie się od,

953 uciekinier — **A.** ZBIEG, dezerter, **B.**

UCHODŹCA, emigrant, wychodźca, wygnaniec, azylant, banita, ● ekspatriant, wysiedleniec,

954 uczciwie — **A.** MORALNIE, etycznie, ● lojalnie, odpowiedzialnie, ● prostolinijnie, **B.** SOLIDNIE, rzetelnie, sumiennie, akuratnie, **C.** BEZSTRONNIE, obiektywnie, bez uprzedzeń, z boku, ● neutralnie, **D.** DEMOKRATYCZNIE, sprawiedliwie, ● równo, równoprawnie, egalitarnie, **E.** SŁUSZNIE, zasłużenie, zasadnie↑, **F.** ODPŁATNIE, płatnie, za opłatą,

955 uczciwość — **A.** SZCZEROŚĆ, otwartość, jawność, bezpośredniość, prostolinijność, ● naturalność, normalność, bezpretensjonalność, spontaniczność, **B.** PRAWOŚĆ, godziwość, ● cnota, szlachetność, zacność, wierność ideałom, ● nieprzekupność, sprawiedliwość, solidność, sumienność, rzetelność, ● wierność, lojalność, prawdomówność, ● spowiedź, konfesjonał, **C.** PRZYZWOITOŚĆ, cenzuralność, obyczajność, moralność, etyka, obyczajowość, etos, **D.** WIARYGODNOŚĆ, prawdziwość, prawda, ● niezaprzeczalność, niewątpliwość, autorytatywność, ● autentyzm, autentyczność, realizm, dokumentarność, rzeczywistość,

956 uczciwy — **A.** SUMIENNY, solidny, rzetelny, słowny, odpowiedzialny, świadomy, ● lojalny, wierny, zaufany, godny zaufania, spolegliwy↑, ● prawdomówny, ● czysty, kryształowy, nieprzekupny, nieskorumpowany, **B.** NIEUPRZEDZONY, rzetelny, bezstronny, wiarygodny (wiarogodny), neutralny, obiektywny, ● trzeźwy, realistyczny, realny, chłodny, rzeczowy, wyważony, pragmatyczny, przedmiotowy, ● bezpośredni, naoczny, **C.** PRAWY, moralny, etyczny, porządny, przyzwoity, ● święty↓, niewinny, bez winy, cnotliwy, cny↑, bezgrzeszny↑, czysty, **D.** SPRAWIEDLIWY, demokratyczny, równy, egalitarny, ● fair, sportowy, rycerski, ● wyrównawczy, kompensacyjny, **E.** BEZPOŚREDNI, szczery, otwarty, prostolinijny, niezakłamany, ● niewymuszony, swobodny, nieskrępowany, luzacki↓, ● naturalny, normalny, prosty, bezpretensjonalny,

957 uczeń — **A.** WYCHOWANEK, podopieczny, protegowany, ● absolwent, ● dyplomant, magistrant, doktorant, ● elew, kadet, ● alumn, kleryk, **B.** LICEALISTA, gimnazjalista, ● abiturient, maturzysta, ● pierwszoklasista, pierwszak, ● uczniak, sztubak, pensjonarka, konwiktor↑, żak, ● student, słuchacz, wolny słuchacz, seminarzysta, kursant, ekstern, eksternista, ● piątkowicz, prymus, kujon↓, olimpijczyk, ● dwójkowicz, drugoroczny, ● samouk, autodydakta, **C.** PRAKTYKANT, czeladnik, terminator, pomocnik, asystent, ● adept, aplikant, ● kontynuator, naśladowca, zwolennik, wyznawca, czciciel, apostoł,

958 uczestniczyć — A. BRAĆ UDZIAŁ, wziąć udział, startować, wystąpić (w zawodach), chodzić (na kurs), **B.** PARTYCYPOWAĆ, współrządzić, współuczestniczyć, dzielić, ● zająć się, obciążać się, obarczać się, *biorę to na siebie, moja w tym głowa,* ● włączyć się, wmieszać się, ● wdać się, wdepnąć↓, wrobić się↓, wplątać się, wmotać się, wkopać się, maczać palce, (u)wikłać się, wmanewrować się, **C.** PRZYSTĄPIĆ, przyłączyć się, wiązać się, przystać do, dostąpić wtajemniczenia, ● chrzcić, wychrzcić (się), ochrzcić (się), przyjąć chrzest, bierzmować (się), nawrócić się, przechrzcić (się), rewokować↑, ● przyjąć obywatelstwo, naturalizować (się), ● wstąpić, stowarzyszyć się, (z)organizować się, w\zalpisać się, pozapisywać się, zgłosić się, pozgłaszać się, wkupić się, immatrykulować się, zaciągnąć się, ● konfederować się, uzyskać członkostwo, **D.** PRZYJĄĆ, konfirmować, (do)kooptować, ● wpisać, zapisać, immatrykulować, rekrutować, ● zgłosić, po\wyłsłać, oddać do, **E.** POZYSKAĆ, przeciągnąć na swoją stronę, (s)kaperować, (s)kaptować, (z)werbować, ● wciągnąć, włączyć, zaangażować, ● korumpować, przekupić, posmarować, przemówić do kieszeni, dać łapówkę, dać w łapę↓, podkupić, ● wplątać, uwikłać, wmieszać, wkopać↓, wrobić↓, wmanewrować,

959 uczestnik — A. CZŁONEK, towarzysz (partyjny), działacz, aktywista, organizator, ● związkowiec, syndykalista↑, korporant↑, **B.** DELEGAT, gość, przybyły,

960 uczony — A. ERUDYTA, encyklopedysta, ● intelektualista, człowiek nauki, człowiek wielkiego umysłu, człowiek intelektu, jajogłowy↓, inteligent, ● mędrzec, nestor, ●

mól książkowy, **B.** BADACZ, eksperymentator, ● eksplorator, poszukiwacz, :*różdżkarz*, *nurek,* ● naukowiec, pracownik nauki, ● profesor, docent, doktor habilitowany, doktor, akademik↑, ● przyczynkarz, kompilator, **C.** MYŚLICIEL, humanista, filozof, ● egzegeta, teolog, ● komentator, interpretator, glosator, ● wolnomyśliciel, antyklerykał, libertyn, ● sceptyk, empiryk, agnostyk, niedowiarek, ● kontemplator,

961 udawanie — A. SYMULACJĄ, pozorowanie, upozorowanie, sfingowanie, ● upodobnienie, **B.** GRA, granie, pozowanie na, granie komedii, naśladowanie, **C.** ZMYLENIE, zmyłka, kamuflaż,

962 uderzyć — A. TRĄCAĆ, szturchnąć, klepnąć, poklepać, trzepnąć, prasnąć, tłuc, walić, trzaskać, rypnąć, ● tryknąć, kopnąć, wierzgać, **B.** UDERZYĆ SIĘ, (po)klepać się, trącać się, potrącić się, stuknąć się, łupnąć się, walnąć się, palnąć się, gruchnąć się, grzmotnąć się, huknąć się, rąbnąć (się), **C.** ZDERZYĆ SIĘ, stuknąć się, wpaść na, na\wljechać, na\wllecieć, powpadać, ● zaczepić się, nadziać się, ● spaść, odbić (się), plaskać, klapnąć, ● potrącić, stuknąć, zderzyć, karambolować,

963 udowodnić — A. UDOWADNIAĆ, argumentować, do\wylwodzić, orzekać, ● podbudować, (u)motywować, poprzeć dowodami, sięgnąć do, powoływać się na, odwoływać się do, wytoczyć racje, szermować argumentami, wytaczać argumenty, przytaczać dowody, egzemplifikować, ● dowieść, wykazać, pokazać, okazać, dać dowód, uzasadnić, uargumentować, zbić kontrargumenty, (u)dokumentować, uprawdopodobnić, **B.** PRZEKONYWAĆ, perswadować, wyjaśniać, objaśnić, (wy)tłumaczyć, klarować, motywować, uzasadniać, eksplikować, wyłuszczyć, interpretować, naświetlać, **C.** UŚWIADOMIĆ, uzmysłowić, uprzytomnić, trafić do przekonania, dotrzeć, przemówić komu do rozumu, wpłynąć na,

964 udział — A. UCZESTNICTWO, uczestniczenie, współuczestnictwo, współudział, partycypacja, partycypowanie, **B.** CZŁONKOSTWO, przynależność, ● akces, przystąpienie, przyłączenie (się), wstąpienie, immatrykulacja, ingremiacja, ● wtajemniczenie, przyjęcie, inicjacja, • chrzest, konfirmacja,

965 ufać — **A.** POLEGAĆ, mieć nadzieję, żywić przekonanie, odbudować (mieć) zaufanie, obdarzyć zaufaniem, pokładać ufność (wiarę), • zaufać, brać za słowo, zdać się na, stawiać na, spuszczać się na↓, *pozostawiam to tobie*, **B.** WIERZYĆ, móc przysiąc, nie wątpić, przyjąć na wiarę, • uwierzyć, brać za dobrą monetę, wierzyć na słowo, dać wiarę,

966 ugościć — **A.** PRZYJĄĆ, przyjmować czymś, podejmować, podjąć, ugaszczać, (po)częstować, (u)fetować, (u)raczyć, traktować (się), • podetkać, podtykać, podać do stołu, zaprosić do stołu, pożywić, • stołować, **B.** KARMIĆ, paść, (od)żywić, podkarmić, • okarmić, opaść, opasać, tuczyć, • dożywiać, dokarmiać, **C.** DAĆ PIĆ, (na\po)poić,

967 ujarzmić — **A.** POWŚCIĄGAĆ, ograniczać, utrzymywać w ryzach, trzymać na wodzy, mitygować, poskramiać, przykracać, brać się za kogo, • ujeżdżać, (po)miarkować, (po)wstrzymać, (po)hamować, (u)temperować, okiełz(n)ać, **B.** SPĘTAĆ, uwiązać, trzymać na uwięzi, palować, palikować, **C.** OPANOWAĆ, poskromić, ukrócić, przyprowadzić do porządku, przytrzeć rogów, utrzeć nosa, przykrócić cugli, dobrać się do skóry, • przemóc, złamać, pobić, stłumić, zdusić, zdławić,

968 ujawnić — **A.** WYŁONIĆ SIĘ, odsłonić (się), odkryć (się), pokazać (się), ukazać się, (po)jawić się, odbić się w, dać odbicie, obnażyć (się), okazać się, uzewnętrznić się, • wydać się, wyjść na jaw, rypnąć się↓, wydostać się na światło dzienne, *wylazło szydło z worka, wybuchł skandal, pękła bomba*, **B.** WYZNAĆ, wynurzać się, wywnętrzać się, zwierzyć się, otworzyć serce (duszę), dopuścić do sekretu, (wy)spowiadać się, kłaść karty na stół, • przyznać się, ujawnić, poczuwać się, przyznać, przyznawać się, brać do siebie, uderzyć się w piersi, • ujawnić się, odsłonić przyłbicę, wyjść z ukrycia, *nie pozostawia wątpliwości*, mieć wypisane na czole, **C.** ZDRADZIĆ SIĘ, wygadać się z, wypaplać, chlapnąć, sypnąć się, puścić farbę, wydać się, zdemaskować się, zdekonspirować się, wsypać się, • wpaść, wkopać się, dostać się

w czyjeś ręce, iść do niewoli, **D.** WYJAWIĆ, wywlec, powywlekać, prać brudy, (po)odkrywać, (po)odsłaniać, odtajnić, • zedrzeć maskę, (z)demaskować, (z)dekonspirować, • odkłamać, odideologizować,

969 ukryty — **A.** SCHOWANY, skryty, skulony, przyczajony, • niewidzialny, • niewidoczny, ledwo widoczny, niedostrzegalny, niezauważalny, niezauważony, bezobjawowy, utajony, • nierozpoznawalny, nieprzeniknony, nieprzejrzany↑, **B.** POUFNY, niejawny, dyskretny, zastrzeżony, nieoficjalny, konfidencjonalny, dyplomatyczny, • półoficjalny, półprywatny, półurzędowy, • gabinetowy, kuluarowy, zakulisowy, • sekretny, tajny, utajniony, • zaszyfrowany, zakodowany, • zamaskowany, zakamuflowany, • ukradkowy, potajemny, • konspiracyjny, konspiratorski, podziemny↓, kapturowy, spiskowy, • masoński, wolnomularski, farmazoński↑, **C.** ZAKRYTY, zadaszony, kryty, • przykryty, otulony, opatulony, okutany, • zabandażowany, obandażowany, opatrzony,

970 ulga — **A.** ZNIŻKA, rabat, bonifikata, opust, • obniżka cen, przecena, wyprzedaż, • premia, preferencja, zwolnienie,

971 ułomny — **A.** RANNY, zraniony, draśnięty, trafiony, poraniony, poharatany, • okaleczony, kontuzjowany, zmasakrowany, **B.** NIEPEŁNOSPRAWNY, kaleki, defektywny, • upośledzony, opóźniony, zapóźniony, cofnięty, • bezręki, beznogi, • chromy, kulejący, utykający, kulawy, • niedołężny, zniedołężniały, • ślepy, ociemniały, niewidomy, • oślepły, zmatowiały, • głuchy, nie słyszący, źle słyszący, przygłuchy, • niedoskonały, omylny, • zawodny, niepewny, **C.** USZKODZONY, zniszczony, kancerowaty, **D.** WADLIWY, niesprawny, zepsuty, popsuty, nawalony↓, zdefektowany, niepełnowartościowy, wybrakowany, felerny, defektowy, • dziurawy, nieszczelny, rozeschły, rozeschnięty, przemakalny, • przepuszczalny, przepuszczający, przenikalny, przesiąkalny, przesiąkliwy, • przewiewny, **E.** ZUŻYTY, stępiony, tępy, nieostry, nienaostrzony, wyszczerbiony, • spękany, popękany, potrzaskany, • rozbity, stłuczony, potłuczony, roztrzaskany, roztłuczony,

972 umierać — **A.** KONAĆ, dogorywać, pasować się ze śmiercią, walczyć ze śmiercią, patrzeć śmierci w oczy, stać nad grobem, być jedną nogą na tamtym świecie, *długo nie pociągnie, dni policzone, duch ledwo się kołacze,* ledwo dyszeć (dychać), gasnąć↑, **B.** UMRZEĆ, (ze)mrzeć, skonać, zejść, wyzionąć ducha, odejść z tego świata (padołu), opuścić ten świat, rozstać się z życiem, przenieść się na tamten świat, przenieść się na łono Abrahama, umrzeć własną śmiercią, zawinać się↓, wyciągnąć nogi↓, wykorkować↓, kipnąć↓, odwalić kitę↓, kojfnąć↓, iść do grobu, pójść do piachu, wąchać kwiatki od spodu↓, *śmierć przecięła życie,* zamknąć oczy, zasnąć↑, ● zabraknąć, *nie ma,* ● polec, paść, (z)ginąć, zginąć śmiercią (lotnika), oddać życie za, pójść pod mur, ● dać gardło, skończyć na (szubienicy), oddać głowę pod topór, ● zabić się, ponieść śmierć, paść ofiarą, umrzeć śmiercią (tragiczną), paść trupem, padać jak muchy, ● potonąć, (u)tonąć, pójść na dno, (po\u)topić się, ● zamarznąć, pozamarzać, ● udławić się, udusić się, zaczadzieć, ● spalić się, **C.** POPEŁNIĆ SAMOBÓJSTWO, zabić się, skończyć ze sobą, odebrać sobie życie, targnąć się na życie, pozbawić się życia, *:otruć się, pchnąć się, powiesić się, obwiesić się↑, strzelić sobie w łeb, strzelać się, wieszać się,* **D.** ZMARNIEĆ, pomarznąć, pozanikać, obumrzeć, powymierać, pomrzeć, ● zdechnąć, (po)padać, (po\wy)zdychać, snąć,

973 umieścić — **A.** WPROWADZIĆ, zaprowadzić, wyposażyć w, wmontować, ● okablować, (s)telefonizować, **B.** WŁOŻYĆ, upychać, pchać, wpychać, wkładać, wetknąć, wtykać, wścibiać, utkać, poutykać, naćkać, ● wsunąć, wtłoczyć, weprzeć, ● powciągać, wnieść, wtaszczyć, pownosić, wstawić, powstawiać, wrzucić, wwalić, (u)plasować, ● wtoczyć, ● ładować, obciążać, (po\w)pakować, ulokować, ambarkować, bunkrować, ● wetrzeć, wklepać, wmasować, **C.** UMIESZCZAĆ, rozmieścić, ● stawiać, po\ulstawić, ponastawiać, (po)rozstawiać, do\przylstawiać, podostawiać, ● lokować, lokalizować, (u)sytuować, ● powystawiać, powywieszać, ● nanieść, nawić, nadmuchać, napędzić, **D.** POWIESIĆ, (po)wieszać, (po)obwieszać się, ponawieszać, przy\ulwiesić, rozpiąć, (po)rozpinać, (po)rozwieszać, przerzucić, przewiesić, rozsnuć, (po)przeciągać, ● na-

wlec, (na)nizać, ponawlekać, przeciągnąć, przewlec,

974 umocnienie — **A.** FORTYFIKACJA, obwarowanie, okop, ● okopy, zasieki, barykada, reduta, szaniec, **B.** FUNDAMENT, baza, ● podmurówka, cembrowina, ocembrowanie, oszalowanie, szalunek, ożebrowanie, oszańcowanie, podpiwniczenie,

975 unieważnić — **A.** OMIJAĆ, unikać, uchylać się, robić uniki, migać się, nie mieć głowy, **B.** ODWOŁAĆ, u\zlwolnić, odmówić (spotkanie), odprosić, odpraszać, czynić ustępstwa, rozmyślić się, ● wycofać, odszczekać, rewokować↑, ● zatrzeć złe wrażenie, **C.** ZAWIESIĆ, wypowiedzieć, wymówić, rozwiązać umowę, ● pozbawić, cofnąć, wstrzymać, ● anulować, (s\wy)kasować, uchylić, umorzyć, umarzać, ● obalić, zerwać, znieść, poznosić, ● przedawniać, przekreślić, wykreślić, skreślać, wycofać z obiegu, ● rehabilitować, rewaluować, gładzić (grzechy), ● wygasać, tracić ważność, ekspirować↑, dezaktualizować się, przedawnić się, **D.** DELEGALIZOWAĆ, (po)rozwiązywać, wstrzymać funkcjonowanie, dezawuować, dyskwalifikować, ● ubezwłasnowolnić,

976 unieważnienie — **A.** ZNIESIENIE, anulowanie, pozbawienie (ważności), derogacja, przedawnienie, dezaktualizacja, ● zerwanie (umowy), przekreślenie, ● rozwiązanie, delegalizacja, ● likwidacja, zamknięcie, zwinięcie, lokaut, ● denaturalizacja, denacjonalizacja, prywatyzacja, reprywatyzacja, ● uniewinnienie, rehabilitacja, oczyszczenie, ● uchylenie, cofnięcie, **B.** ODWOŁANIE, dymisjonowanie, dymisja, ● zwolnienie, dyspensa, indult, ● rezygnacja, wycofanie (się), kapitulacja, poddanie (się), zaprzestanie, ustąpienie, wystąpienie, odejście, ● obalenie, detronizacja, **C.** USUNIĘCIE, relegacja, eksmisja, ● wydalenie, pozbycie się, ekskrecja, ● ekstrakcja, wyciąganie, wyrywanie, wyciągnięcie, wyrwanie,

977 upaść — **A.** OPAŚĆ, (po)opadać, sypać (się), prószyć, ● osunąć się, obniżać się, osiąść, poosiadać, wklęsnąć, usuwać się, ześlizgnąć się, spływać, ● zapaść się, pozapadać się, wpaść, wwalić się, powpadać, **B.** POTKNĄĆ SIĘ, omsknąć się, obsunąć się, zsunąć się, obśliznąć się, posliz(g)nąć się, staczać się, zjechać, (po)spadać, (po\z)lecieć, spaść, pokoziołkować, ● urwać się, oberwać się, odłupać się, obłupać się, odłamać się, odpaść, ukruszyć się, połuszczyć się, posypać się, rozsypać się, **C.** RUNĄĆ, paść, (po\wy)walić się, prze\zlwalić się, (u)padać, prze\wylwrócić się, obalić się, fiknąć↓, wykopyrtnąć się↓, wyłożyć się↓, nakryć się nogami↓, powywalać się↓, powywracać się, **D.** RYMNĄĆ, gruchnąć, grzmotnąć, pacnąć, klapnąć, *rzuciło go*, **E.** LĄDOWAĆ, (po)osiadać, siadać, opuszczać się, ● sfrunąć, (po)zlatywać, ● wodować,

978 uporządkowany — **A.** PLANOWY, systematyczny, zorganizowany, metodyczny, konsekwentny, **B.** HIERARCHICZNY, alfabetyczny, ● chronologiczny, ● warstwowy,

979 upór — **A.** WYTRWAŁOŚĆ, niestrudzoność, ● nieugiętość, niezłomność, nieustępliwość, uporczywość, **B.** BEZWZGLĘDNOŚĆ, nieprzejednanie, bezkompromisowość, zaciętość, zawziętość, zatwardziałość, zaślepienie, ● zaparcie (się), oporność, **C.** UPARCIUCH, twardziel, charakterniak,

980 uratować — **A.**   WYRATOWAĆ, wy\zlbawić, (wy)reklamować, wyciągnąć, ewakuować, ● uchronić, u\zalchować, ocalić, podtrzymać, podeprzeć, wesprzeć, **B.** UNIKNĄĆ, uskoczyć, usunąć się, uchylić się, ● wymigać się, wykręcić się, wykpić się, wyłgać się, wywinąć się, ● wybrnąć, wyjść obronną ręką, wyjść cało, wybronić się, ustrzec się, spaść na cztery łapy, móc spać spokojnie, *włos ci z głowy nie spadnie*, ● ujść, salwować się, uciec, katapultować się, ● uratować się, ocaleć, uchować się, ocalić się, przeżyć, ujść z życiem, zachować się przy życiu, ● przejrzeć, odzyskać wzrok, ● przemówić, odzyskać mowę, **C.** ODRATOWAĆ, docucić się, (o)cucić, ożywić, reanimować, wskrzesić, (o)trzeźwić, odtruć, ● wzmocnić, (po)krzepić, postawić na nogi, ● ożyć, (o)przytomnieć, (wy)trzeźwieć, powrócić do przytomności, (wy)dobrzeć, dojść do siebie,

981 uroczystość — **A.** IMPREZA, obchody, uroczystości, akademia, wieczornica, wieczór (pamięci), ● rocznica, jubileusz, milenium, tysiąclecie, **B.** PRZYJĘCIE, :*chrzciny, komunia, wesele, stypa, imieniny, urodziny*, ● święta, święto, ● Boże Narodzenie, wi

gilia, choinka, gwiazdka, ● bankiet, raut, coctail, koktajl, recepcja↑, party, garden party, ● poczęstunek, podwieczorek, herbata, five o'clock, fajf, kawa, kawka, ● kolacja, wieczerza↑, ● kolacyjka, obiad, diner↑, ● wizyta, spotkanie, ● biesiada, uczta, **C.** FETA, oblewanie, parapetówka↓ poprawiny, ● libacja, hulanka, balanga↓, ● pijaństwo, pijatyka, ochlaj↓, biba↓, bibka↓, popijawa↓, zaprawa↓, ● orgia, orgietka, ● orgiazm, bachanalia,

982 uruchomić — **A.** WŁĄCZYĆ, zapalić, odpalić, puścić, wodować, ● nastawić, (po)nakręcać, **B.** WPRAWIAĆ·W RUCH, napędzać, poruszać, pędzić, zasilać, ● potoczyć, kulać, **C.** ROZEDRGAĆ SIĘ, rozbujać (się), rozhuśtać (się), rozkołysać (się), rozchodzić (się), rozegrać się, rozruszać (się),

983 urządzenie — **A.** MECHANIZM, zespół elementów, maszyna, ● machina, perpetuum mobile, ● automat, robot, półautomat, ● silnik, motor, napęd, turbina, ● gaźnik, karburator, ● generator, prądnica, dynamo, **B.** NARZĘDZIE, przyrząd, instrument, aparat, maszynka, ● aparat fotograficzny, kamera, **C.** SPRZĘT, aparatura, oprzyrządowanie, instalacja, armatura, ● park (maszynowy), :*obrabiarka, tokarka*, ● maszyny rolnicze, :*pług, glebogryzarka, kultywator, kosiarka, żniwiarka, snopowiązałka, kombajn, młockarnia*, **D.** NADAJNIK, przekaźnik, ● przetwornik, transformator, dekoder, deszyfrator, ● detektor, wykrywacz,

984 usługowy — **A.** REMONTOWY, naprawczy, ● serwisowy, ● warsztatowy, **B.** POCZTOWY, telekomunikacyjny, ● kurierski, doręczycielski,

985 uspokoić — **A.** UŚMIERZAĆ, uspokajać, uciszać, ● ulżyć, przynosić ulgę, (u)koić, (z)łagodzić, zdjąć kamień z serca, ● obłaskawiać, oswoić, rozwiać obawy, *nie ma strachu*, **B.** PRZEPRASZAĆ, usprawiedliwiać się, *proszę wybaczyć, żałuję*, (wy)tłumaczyć się, (po)kajać się, bić się w piersi, skruszyć się, sumitować się↑, ● przebłagać, przeprosić, przejednać, ułagodzić, ugłaskać, udobruchać, **C.** POBRATAĆ, (po)jednać, załagodzić spór, godzić (się), pogodzić (się), ugodzić się, wyciągnąć rękę do zgody, podać sobie ręce, (po)jednać się, dojść do zgody, uładzić się,

986 uspokoić się — A. OPANOWAĆ SIĘ, (z)mitygować się, pohamować się, wstrzymać się, opamiętać się, zapanować nad sobą, wziąć się w garść, (z)reflektować się, ułagodzić się, udobruchać się, • spoważnieć, ustatkować się, utemperować się, *bój się Boga*, powściągać się, postukać się w czoło, puknąć się w, *stuknij się*, dać spokój, B. OCHŁONĄĆ, oprzytomnieć, odetchnąć, przyjść do siebie, otrząsnąć się, otrzeźwieć, pozbierać się, odreagować (się), • przeboleć, odnaleźć się, znaleźć ukojenie, utulić się, odzyskać (odnaleźć) spokój, przyjść (wracać) do równowagi, poczuć grunt pod nogami, *kamień spadł mi z serca*, • ucichać, uciszać się, (po\u)milknąć, (przy)cichnąć, przyciszyć, ś\ulciszać się, • skończyć się, *po strachu*, • uśmierzyć się, (u)stabilizować się, C. ROZPOGODZIĆ SIĘ, odpędzić koszmary, odrzucić troski, (wy)pogodnieć, rozchmurzyć się, odtrącić ponure myśli, • ożywić się, pojaśnieć, poweseleć, rozweselić się, *wstępuje duch*, odprężyć się, rozbawić się, wyładować się, rozluźniać się,

987 ustąpić — A. USŁUCHAĆ, posłuchać (się), pójść za radą, dać posłuch, przychylić się, B. POGODZIĆ SIĘ, ustępować, rozłożyć ręce, spojrzeć prawdzie w oczy, • podporządkować się, folgować, iść na kompromis, nagiąć się, złamać się, ugiąć się, giąć (schylić) kark, (u)korzyć się, upokarzać się, C. POZOSTAWAĆ W TYLE, nie nadążać, odstawać, wlec się za kim w tyle, nie dorastać do piet, *niech się schowa, nie umywa się, to nie wytrzymuje porównania*, • przepaść, oberwać, brać baty, dostać w skórę (kość), dostać mata, leżeć↓, *noga się powinęła*, odpaść, poodpadać, • stać nad przepaścią, tracić grunt pod nogami, *ziemia usuwa się spod nóg, akcje spadają, źle z nim*, walić głową o mur, D. PRZEGRAĆ, ulec, rzucić broń, pójść w rozsypkę, poddać się, skapitulować, nie zdzierżyć, • polec, paść, *trup się ściele gęsto*, • oblać, ściąć się, nie zdać, obciąć się, poobcinać się, pościnać się, • powtarzać klasę, przezimować, kiblować↓, stracić rok,

988 usunąć — A. OCENZUROWAĆ, pokreślić, (po)skreślać, (po)wykreślać, (po)przekreślać, (wy)kropkować, wyretuszować, •

wymeldować, pozbyć się, B. WYWABIĆ, wy\zlmazywać, zlizać, C. USUWAĆ, (z)operować, amputować, (u\wy)ciąć, wyłyżeczkować, • spędzić płód, przerwać (usunąć) ciążę, skrobać, • krajać, (wy)bebeszyć, (wy)patroszyć, • wyrywać, epilować, kauteryzować, wyżegać, • kastrować, trzebić, rzezać, czyścić, kapłonić, (wy)sterylizować, • golić się, ogolić (się), (ż\wy)golić, • ob\olsmyczyć, (pod)strzyc, ostrzyc (się), podgolić, podgalać (się), • pozdzierać, powydzierać, (po)zdrapywać, (po)zeskrobywać, zestrugać, zeszlifować, złuszczyć, • zebrać, od\wylszumować, • zdmuchnąć, (po)zgarniać, • wyważyć, wybić, powybijać, wysadzić, • wyburzyć, • ścinać, karczować, rąbać, paść pod siekierą, wyciąć, powycinać, zerżnąć, zrzynać, (wy)żąć, • wytrzebić, wykorzenić, wyplenić, wyrwać, wyzbierać, • wyciskać, drylować, D. PRZERZEDZIĆ, przerwać, przerywać, prześwietlać, przetrzebić, • odchwaścić, odchwaszczać, pielić, (o\prze)pleć, plewić, opielać,

989 utrwalić — A. NAGRAĆ, (za)rejestrować, robić nagranie, • filmować, fotografować, • robić zdjęcia, pstrykać, • sportretować, uwiecznić, B. ZAPISAĆ, (za\wy)notować, • wciągnąć, wczytać, wpisać, sejwować↓, wgrać, C. SPISAĆ, zestawić, (s)katalogować, (z)ewidencjonować, (z)inwentaryzować, kadastrować, pospisywać, rejestrować (się), • księgować, kontować, • kartować, D. ZAPAMIĘTAĆ, zachować w pamięci, wryć sobie w pamięć, upamiętniać,

990 utrzymanie — A. CHLEB, zarobek, środki (do życia), praca, • wyżywienie, wikt, wikt i opierunek, • życie, byt, egzystencja,

991 uwaga — A. ZAINTERESOWANIE, skupienie, koncentracja, B. CZUJNOŚĆ, baczność, baczenie, • alarm, dzwon, dzwony, dzwonek, brzęczyk, syrena, C. OSTRZEŻENIE, przestroga, pouczenie, • nauczka, szkoła, nauka, morał, memento,

992 uważnie — A. PRZYTOMNIE, bacznie, czujnie, • badawczo, wnikliwie, dociekliwie, B. SCEPTYCZNIE, z rezerwą, powątpiewająco, z powątpiewaniem, niedowierzająco, z niedowierzaniem, • krytycznie, nieufnie, podejrzliwie, • zazdrośnie,

141

993 uważny — **A.** ZAINTERESOWANY, zaciekawiony, zaintrygowany, ciekaw, ciekawski, wścibski, wszędobylski, • rozplotkowany, plotkarski, **B.** BACZNY, przytomny, czujny, z refleksem, • badawczy, argusowy, spostrzegawczy, wszechwidzący↑, • skoncentrowany, skupiony, • wpatrzony, zapatrzony, zagapiony, • wsłuchany, zasłuchany, • zaangażowany, przejęty, **C.** NIEUFNY, sceptyczny, niewierny↑, podejrzliwy, nie dowierzający, powątpiewający, wątpiący,

994 uwolnić — **A.** PUŚCIĆ, odczepić (się), odmotać (się), odwiązać (się), poodwiązywać (się), • odcumować, odkotwiczyć, • rozwiązać, odplątać, od\roz\wikłać, wyplątać (się), pozrywać (się), • rozmotać, porozwiązywać (się), roz\odl\sznurować się, roz\odl\supłać się, roz\odl\plątać się, **B.** UWALNIAĆ, roz\wyl\puścić, powypuszczać, (po)zwalniać, darować wolność, • wyzwolić, o\wyl\wyswobodzić, odbić, wybawić, zbawić↑, usamowolnić↑, rozwiązywać ręce, dać wolną rękę, otworzyć granice, • puścić samopas, rozpętać, zostawić na łasce losu, spuścić z uwięzi, popuszczać, (po)spuszczać, (po)rozpuszczać, • odprząc, od\roz\przęgnąć, roz\wyl\prząc, powyprzęgać, **C.** OSWOBADZAĆ SIĘ, uwolnić się, wyrwać się, wyjść na wolność, oddychać pełną piersią, • autonomizować (się), odzyskać niepodległość, uzyskać suwerenność, • okupić się, opłacać się, dać okup, **D.** ODWYKAĆ, odzwyczaić (się), oduczyć (się), wyleczyć (się), wybić z głowy, uwolnić się, wyzbyć się, pozbyć się, odczarować, odczyniać, plunąć na, odpędzić, • odstawić, skończyć z, oderwać się, wziąć rozbrat,

995 uwzględniać — **A.** ZWAŻAĆ, liczyć się z, mieć wzgląd na, patrzeć na, oglądać się na, • wkalkulować, brać (wziąć) w rachubę, wliczyć, wziąć (brać) pod uwagę, mieć na uwadze (względzie), brać poprawkę, **B.** STOSOWAĆ SIĘ DO, honorować, (u)szanować, polegać na, odwoływać się do, przestrzegać, praktykować, respektować, trzymać się (wskazań), • usłuchać, wsłuchiwać się, powodować się, kierować się, rządzić się, **C.** NANIEŚĆ, ponanosić, wprowadzić, obliczać na,

996 użycie — **A.** UŻYTKOWANIE, używanie, korzystanie, skorzystanie, • wykorzystanie, eksploatacja, wydobycie, wydobywanie, wyzyskiwanie, wyzyskanie, **B.** WDROŻENIE, wcielenie, wprowadzenie, • zastosowanie, przeznaczenie,

997 użyteczność — **A.** POŻYTECZNOŚĆ, zdatność, przydatność, stosowność, dorzeczność, • celowość, ukierunkowanie, umyślność, intencjonalność, • praktyczność, pragmatyczność, utylitaryzm, praktycyzm, pragmatyzm, **B.** FUNKCJONALNOŚĆ, poręczność, wygoda, zaleta, korzyść, pożytek, dogodność, komfort, • udogodnienie, ułatwienie, umożliwienie, udostępnienie, łatwość (użycia),

998 użytkownik — **A.** ODBIORCA, adresat, abonent, prenumerator, subskrybent, czytelnik, • eksploatator, prądożerca, • interesant, petent, • posiadacz, • działkowicz, działkowiec, **B.** PODATNIK, płatnik, dłużnik, pożyczkobiorca, kredytobiorca, • wierzyciel, pożyczkodawca, kredytodawca, cedent, • cesjonariusz, • deponent, • akcjonariusz, udziałowiec, **C.** KLIENT, kupujący, nabywca, reflektant, zainteresowany, chętny, • klientela, klienci, goście, konsumenci, • konsument, spożywca, • jarosz, wegetarianin, • gość, biesiadnik, weselnik, **D.** OBYWATEL, wyborca, elektor, wyborcy, elektorat, **E.** MIESZKANIEC, domownik, gospodarz, pan domu, amfitrion↑, lokator, najemca lokalu, sublokator, dzierżawca, ajent, podnajemca, • pensjonariusz, gość hotelowy, rezydent, • tubylec, tuziemiec, tutejszy↓, autochton, krajowiec,

W

999 walczyć — **A.** PORÓŻNIĆ SIĘ, przemówić się, ściąć się, poprztykać się↓, • pogniewać się, pospierać się, (po)sprzeczać się, (po)kłócić się, (po)wadzić się, wdać się w (kłótnię), • skłócić się, (po\z)waśnić się, pozadzierać, nienawidzić (się), kochać się jak pies z kotem, mieć na pieńku z, ● awanturować się, handryczyć się, skakać sobie do oczu, rzucać się, drzeć koty, wodzić (brać) się za łby, (po)czubić się, wojować, iść na noże, pieklić się, barłożyć, warcholić, **B.** ZMAGAĆ SIĘ, borykać się, biedzić się, mieć trudności, napotykać opór, mierzyć się z przeciwnościami, spotkać się z trudnościami, miotać się, szamotać się, brać przeszkody, płynąć pod prąd, działać na własną rękę, ● prawować się, sądzić się, procesować się, ciągać się po sądach, wytoczyć sprawę, ● pokonywać, przemagać, przechylać szalę, *szala chyli się na*, przełamywać, przezwyciężać, przewalczyć, ● zwalczać, bić, tłumić, dławić, dusić, ● mocować się, siłować się, pasować się, brać się za bary, szachować się, ● potykać się, zetrzeć się, ścierać się, ● fechtować się, krzyżować szpady, pojedynkować się, ● bić się, przyjąć walkę, toczyć boje, chwycić za broń, porwać się do, przelewać krew, ● pobóść się, ● gryźć się, ciąć się, żreć się,

1000 walka — **A.** BITWA, potyczka, starcie, bój, kampania, batalia, działania, zmagania, front, piekło, ● strzały, wystrzały, ostrzeliwanie, strzelanina, kanonada, ogień, wystrzał, strzał, palba, salwa, pukanina↓, ● desant, **B.** OBRONA, defensywa, akcja obronna, ● opór, ruch oporu, ● odpór, przeciwstawienie się, przeciwdziałanie, kontrofensywa, kontratak, kontruderzenie, przeciwuderzenie, kontrnatarcie, przeciwnatarcie, **C.** ZAWODY, spartakiada, olimpiada, igrzyska (sportowe), widowisko sportowe, mistrzostwa, memoriał, maraton, rajd, regaty, wyścigi, zapasy, spotkanie, mityng, ● rozgrywka, pojedynek, dwubój, ćwierćfinał, półfinał, finał, liga, interliga, ● dogrywka, baraż, ● konkurs, kwiz, quiz, turniej, eliminacje, mecz, partia, set, gem, ● korrida, **D.** WSPÓŁZAWODNIC-TWO, rywalizacja, emulacja↑, wyścig, ● konkurencja, kontroferta, **E.** SZARPANINA, borykanie się, zmaganie się, pokonywanie trudności,

1001 wariat — **A.** IDIOTA, kretyn, debil, imbecyl, głuptak, półwariat, ● niedorozwinięty umysłowo, ograniczony, **B.** GŁUPIEC, głupi, głupek, głupol↓, półgłówek, ● dureń, przygłup↓, baran↓, tuman↓, zakuty łeb↓, zakuta pała↓, ciemna masa↓, bęcwał↓, cymbał↓, głąb↓, tępak↓, ciołek↓, kołek↓, bał-

wan↓, jełop↓, jałopa↓, młot↓, trep↓, cep↓, tłuk↓, tłumok↓, matoł↓, matołek, ● dudek↓, kiep↓, pacan↓, pajac↓, błazen↓, **C.** PSYCHOPATA, maniak, kleptoman, ● neurastenik, neurotyk, nerwicowiec, ● dziwak, odmieniec, cudak, dziwadło, dziwoląg, ● oryginał, ekscentryk, **D.** SZALENIEC, obłąkaniec, obłąkany, pomyleniec, pomylony, opętaniec, opętany, ● umysłowo chory, chory psychicznie, schizofrenik, paranoik, ● szajbus↓, szajba↓, oszołom↓, psych↓, psychiczny↓, puknięty↓, stuknięty↓, uśmiechnięty↓, czubek↓, czub↓, świr↓, świrus↓, świrnięty↓, **E.** NERWUS, narwaniec, postrzeleniec, fiksat, furiat, ● choleryk, impetyk, gwałtownik, raptus, ● kłębek nerwów, chory na nerwy, chory człowiek↓,

1002 wartość — **A.** CENA, drogocenność, kosztowność, ● stawka, kurs, parytet, przelicznik, nominał, notowanie, ● koszt, wydatek, ekspens↑, sumpt↑, **B.** ZNACZENIE, sens, wymowa, wydźwięk, ● ranga, rola, udział, zasługa, funkcja, zadanie, miejsce, ● doniosłość, ważność, ważkość, waga, siła, istotność, przełomowość, **C.** JAKOŚĆ, firma, marka, gatunek, renoma, klasa, patyna,

1003 warzywo — **A.** JARZYNA, warzywa, jarzyny, ziemiopłody, witaminy↓, rośliny okopowe, ● ziemniak, kartofel, bulwa, pyra↓, ● młode kartofelki, kartofle puree, kartofle w mundurkach, ● dynia, bania, kabaczek, cukinia, bakłażan, ● rośliny strąkowe, :*fasola, groch, fasolka, groszek (zielony), bób*, **B.** WŁOSZCZYZNA, :*pietruszka, marchew, marchewka, seler, por, cebula, czosnek, kapusta, brukselka, kalafior, brokuła, karczoch*, **C.** ZIELENINA, :*szczypior, koper, zielona pietruszka, natka, dymka, sałata*, ● nowalijki, :*rzodkiewka, ogórek, kiszeniak, pomidor, papryka*,

1004 ważniak — **A.** PYSZAŁEK, mędrek, zadufek, hrabia↓, lord↓, megaloman, samochwał, samochwała, chwalipięta, ● efekciarz, snob, fanfaron, bufon, szpaner↓, **B.** ZAROZUMIALEC, przemądrzalec, ● egocentryk, egotysta, pępek świata, narcyz,

1005 ważny — **A.** WAŻKI↑, żywotny↑, istotny, poważny, merytoryczny, treściowy, niebagatelny, niebłahy, ● kluczowy, priorytetowy, strategiczny, newralgiczny, ● główny, kardynalny, koronny, atutowy, przetargowy, • reprezentacyjny, pokazowy, flagowy, sztandarowy, czołowy, eksponowany, poczesny, • kapitalny, pierwszy, podstawowy, prymarny↑, fundamentalny, konstytutywny, zasadniczy, węzłowy, pierwszoplanowy, pierwszorzędny, • rudymentarny, elementarny, bazowy, • tytułowy, nagłówkowy, z pierwszych stron, • podkreślony, wytłuszczony, **B.** STRUKTURALNY, • konstrukcyjny, architektoniczny, nośny, • szkieletowy, kostny, kośćcowy, • składniowy, syntaktyczny, **C.** NADRZĘDNY, zwierzchni, naczelny, przełożony, centralny, generalny, odgórny, • stołeczny, metropolitalny, • kierowniczy, rozdzielczy, sterowniczy, zarządzający, • wiodący, przewodni, **D.** DONIOSŁY, znaczący, decydujący, • rozstrzygający, krytyczny, ostateczny, walny, • przełomowy, graniczny, • epokowy, historyczny, dziejowy, milowy, • rewolucyjny, zasadniczy, gruntowny, radykalny, **E.** OBOWIĄZUJĄCY, kategoryczny, definitywny, • kanoniczny, dogmatyczny, • nieodwołalny, bezapelacyjny, nieodwracalny, • nietykalny, nienaruszalny, święty, niezaprzeczony, • tabu,

1006 wątpliwość — **A.** ZASTRZEŻENIA, obiekcje, skrupuły, wątpliwości, opory↓, • niepewność, dyskusyjność, sporność, **B.** NIEUFNOŚĆ, podejrzliwość, niedowierzanie, • sceptycyzm, agnostycyzm, niewiara, • powątpiewanie, rezerwa, dystans, votum separatum, **C.** NIEZDECYDOWANIE, wahanie, rozterka, rozdarcie, walka wewnętrzna, zagubienie, hamletyzm, • chwiejność, oscylacja, oscylowanie, chwianie się, balansowanie, zmienność,

1007 wczesny — **A.** PORANNY, ranny, rychły↑, **B.** TEGOROCZNY, pierwszy, nowy, młody, świeży, • wiosenny, wiośniany↑, • najpierwszy↑, **C.** WCZEŚNIEJSZY, poprzedni, uprzedni, poprzedzający, • ubiegłoroczny, zeszłoroczny, przeszłoroczny, • zeszłowieczny, ubiegłowieczny, **D.** POCZĄTKOWY, rozpoczynający, inauguracyjny, inicjacyjny, inicjalny, inicjujący, • płodowy, prenatalny↑, • noworodkowy, niemowlęcy, dziecięcy, chłopięcy, pacholęcy↑, młodzieńczy, młody, • pierworodny, **E.** PIERWOTNY, wrodzony, przyrodzony, atawistyczny, • archetypowy, • macierzysty, źródłowy, wyjś-

ciowy, • immanentny, **F.** PRZEDWCZESNY, zbyt wczesny, • przedterminowy,

1008 wcześnie — **A.** RANO, rankiem, raniusieńko, raniuteńko, raniutko, nad ranem, skoro świt, świtem bladym↓, o świcie, o świtaniu, o brzasku, o wschodzie słońca, **B.** NAJPIERW, wpierw, pierwej↑, wprzód↑, wprzódy↑, • zanim, nim, • początkowo, z początku, zrazu, • po pierwsze, na wstępie, **C.** WCZEŚNIEJ, poprzednio, uprzednio↑, przedtem, pierwotnie, • zawczasu↑, naprzód↑, • w przeddzień, poprzedniego dnia, w dniu poprzednim, **D.** PRZEDWCZEŚNIE, zbyt wcześnie, • przedterminowo, przed terminem,

1009 wdzięczność — **A.** DZIĘKCZYNIENIE, dzięki, podzięka, podziękowanie, wyrazy wdzięczności, **B.** ZOBOWIĄZANIA, dług (wdzięczności), zaległości, obligacje, rewanż, zrewanżowanie się,

1010 wejście — **A.** DRZWI, podwoje, wrota, wierzeje, • brama, bramka, furta, furtka, • portal, portyk, • właz, klapa, **B.** WSTĘP, dostęp, przystęp, dojście, wgląd, **C.** GNIAZDKO, kontakt, gniazdo, wyjście,

1011 wejść — **A.** DOSTAĆ SIĘ, wchodzić, wstąpić, zajrzeć, przekroczyć (próg), przekraczać (granicę), • wpaść, wdepnąć, wparować↓, • wbiec, wbiegać, • wlecieć, (na\po)wlatywać, • wsiąść, (na\po)wsiadać, • wskoczyć, (na\po)wskakiwać, • wjechać, (na\po)wjeżdżać, **B.** WKROCZYĆ, wmaszerować, wtargnąć, wedrzeć się, wdzierać się, włamać się, • wemknąć się, wkraść się, wkradać się, wśliznąć się, wsunąć się, • wprosić się, (po)wkręcać się, • wcisnąć się, (na\w)tłoczyć się, *nawciskało się, powciskali się,* (w)leźć, *nalazło się,* (na\po)włazić, (na)pchać się, (na\po)wpychać się, wepchnąć (wepchać) się, wedrzeć się, (na\po)wdzierać się, weprzeć się, (na\w)pakować się↓, (w)ładować się↓, wtrynić się↓, **C.** WSUNĄĆ SIĘ, (w)gramolić się, (w)tarabanić się, wtoczyć się, wczołgać się, wpełznąć,

1012 wesoło — **A.** RADOŚNIE, pogodnie, promiennie, • optymistycznie, jowialnie, **B.** ZABAWNIE, przezabawnie, (prze)śmiesznie, (prze)komicznie, • uciesznie, pociesznie, paradnie, ● dowcipnie, anegdotycznie, humorystycznie, kpiąco, ironicznie, kpiarsko, ● autoironicznie, **C.** ŻARTOBLIWIE, żartem, z przymrużeniem oka, parodystycznie, ● półżartem, półżartobliwie, ● zgrywnie↓, psotnie, figlarnie, swawolnie, filuternie, frywolnie, ● szczebiotliwie, ● chichotliwie, chichocząc, z chichotem,

1013 wesoły — **A.** POGODNY, promienny, rozpromieniony, radosny, uśmiechnięty, roześmiany, wesół↑, ● szczebiotliwy, ● rozchichotany, chichotliwy, chichoczący, ● rozbawiony, rozbrykany, rozhasany, rozdokazywany, **B.** ZABAWNY, przezabawny, (prze)śmieszny, (prze)komiczny, draczny↓, zgrywny↓, jajeczny↓, ● rozkoszny, ucieszny, pocieszny↑, paradny↑, ● rozweselający, rozśmieszający, ● dowcipny, anegdotyczny, parodystyczny, pastiszowy, ● figlarny, psotny, filuterny, swawolny, frywolny, krotochwilny, błazeński, pajacowaty, małpiarski, burleskowy, komediancki, frantowski, żakowski, sowizdrzalski, **C.** IRONICZNY, kpiący, kpiarski, żartobliwy, humorystyczny, satyryczny, persyflażowy↑, ● autoironiczny, **D.** ZABAWOWY, karnawałowy, ● relaksowy, ● maskaradowy, kostiumowy, ● kabaretowy, buffo, ● komediowy, komiczny, farsowy, operetkowy, wodewilowy, tragikomiczny, ● hulaszczy, łajdacki, birbancki, ● burszowski, kozacki, łobuzerski, szelmowski, ● hazardowy, karciany, karciarski,

1014 wewnętrzny — **A.** ŚRODKOWY, centralny, medialny, ● endogenny, endogeniczny, wewnątrzustrojowy, ● trawienny, pokarmowy,

1015 wędrowiec — **A.** PIECHUR, turysta, autostopowicz, biwakowicz, obozowicz, wycieczkowicz, ● podróżnik, wędrownik, obieżyświat, globtroter, ● pielgrzym, pątnik, **B.** KOCZOWNIK, tułacz, nomada, kałmuk,

1016 wiązanka — **A.** BUKIET, naręcze, bukiecik, ● kompozycja, ikebana, potpourri, ● pęk, pęczek, wiązka, faszyna, wiecheć, snopek, snop, ● wieniec, wianek, **B.** KIŚĆ, gronko, grono, wiecha, kita, **C.** WIĄZKA, strumień, snop, pasmo,

1017 widnieć — **A.** WIDAĆ, majaczyć (się), przebijać (się), przedzierać się, przebłyski-

wać, prześwitywać, przeświecać, przebłysnąć, ● przeglądać, wyzierać, przezierać, wynurzyć się, pokazać się, wzejść, wschodzić, jaśnieć, świecić (się), srebrzyć się, ● czerwienieć, czerwienić się, złocić się, zielenić się, ● szarzeć, ciemnieć, ● sinieć, siwieć, ● chmurzyć się, (po)chmurnieć, zaciągać się, **B.** ROZCIĄGAĆ SIĘ, rozlegać się, roztoczyć się, ● rysować się, szczerzyć się, ● wychynąć, wychylić się, uwidocznić się, zjawić się, wyłaniać się, ● wystawać,

1018 wiedza — **A.** ERUDYCJA, uczoność, zasób wiadomości, oczytanie, szerokie horyzonty, ● mądrość, patent, sposób, ● umiejętność, kwalifikacje, przygotowanie, wykształcenie, ● znajomość, opanowanie, obeznanie, zaznajomienie, orientacja, osłuchanie, **B.** NAUKA, ● humanistyka, nauki społeczne, nauki wyzwolone, ● nauki przyrodnicze, nauki ścisłe, ● rozumienie, pojmowanie, ● teoria, doktryna, hipoteza, ● teza, twierdzenie, lemat, ● dowodzenie, przekonywanie, udowadnianie, **C.** POZNANIE, poznawalność, gnoza, ● rozpoznanie, zgłębienie, ● identyfikacja, utożsamienie, intropatia↑, ● oświecenie, olśnienie, iluminacja, eureka, objawienie, ● odkrycie, wykrycie, ujawnienie, wyjawienie, zdemaskowanie, demaskatorstwo, demistyfikacja, demitologizacja, **D.** CIEKAWOŚĆ, dociekliwość, chęć poznania, wścibstwo, ● zainteresowanie, zaciekawienie, zaintrygowanie, **E.** ŚWIADOMOŚĆ, zrozumienie, uprzytomnienie (sobie), uświadomienie, uzmysłowienie, unaocznienie,

1019 wiedzieć — **A.** UMIEĆ, obeznać się, posiąść wiedzę, od\zgadnąć, obznajomić się, ● przyswoić sobie, przejąć, recypować↑, nauczyć się, opanować, ● przerobić, przestudiować, przygotować się, ob\podlkuć się, nałykać się wiadomości, ● znać się na, orientować się, poruszać się w, rozeznać się, mieć w małym palcu, rozumieć się na, **B.** POTRAFIĆ, znać się na rzeczy, wyuczyć się, wykształcić się, powyuczać się, wyćwiczyć się, wystudiować, wprawić się, mieć fach w ręku, ● mieć we krwi, znać (język), ● mieć pewność,

1020 wiek — **A.** ROK, rocznik, ● lata, wiosny↑, ● upływ czasu, bieg lat, **B.** DZIECIŃSTWO, dziecięctwo, chłopięctwo, wiek młodzieńczy, okres dojrzewania, młode lata, szczenięce

lata, młodość, adolescencja↑, **C.** DOROS-
ŁOŚĆ, pełnoletność, dojrzałość, wiek dojrzały, wiek męski, ● pełnia sił, kwiat wieku,
najlepsze lata, wiek produkcyjny, wiek
przedemerytalny, **D.** STAROŚĆ, jesień życia, wiek emerytalny, wiek podeszły, wiek
późny, ● długowieczność, matuzalemowe
lata, ● starzenie się, przekwitanie, menopauza, klimakterium, uwiąd (starczy), zwiot-
czałość, obwisłość, zmarszczki,

1021 więzień — **A.** ARESZTANT, skazaniec,
katorżnik, zesłaniec, galernik, kajdaniarz,
polityczny, kryminalny, **B.** NIEWOLNIK,
zakładnik, ● jeniec (wojenny), kacetowiec,
internowany, ● branka,

1022 więź — **A.** PRZYWIĄZANIE, pępowina↑,
● oddanie, poświęcenie, ofiarność, wyrze-
czenie, samozaparcie, ● patriotyzm, miłość
ojczyzny, **B.** ZWIAZEK, spójnia, więzy, powiązania, powiązanie, afiliacja, ● współzależność, korelacja, ● zależność, relacja,
sprzężenie, przyczynowość, kauzalność, ●
odniesienie, stosunek, proporcja, **C.** ŁĄCZ-
NOŚĆ, kontakt, ● styczność, sąsiedztwo,
przyległość, ● łącznik, pomost, ● wspólnota,
jedność, integracja, reintegracja, ● ciągłość,
skojarzenie, kojarzenie, asocjacja, konotacja, **D.** OBCOWANIE, pożycie, kontaktowanie się, przestawanie z, komitywa, zażyłość,
poufałość, konfidencja, konfidencjonalność,
bliskość, zbliżenie, intymność, familiarność,
kameralność, ● poczucie wspólnoty, klasowość,

1023 witać — **A.** OCZEKIWAĆ, wyjść na
spotkanie, odebrać z dworca, po\przylwitać,
przyjąć z otwartymi ramionami, **B.** KŁANIAĆ
SIĘ, ukłonić się, dygnąć, ● ściskać rękę,
ściskać się za ręce, pozdrawiać (się),
(po\przy)witać się, ● oddać honory, salutować, ● pokłonić się↑, złożyć pokłon, odebrać
ukłony, ● odkłonić się, odpowiedzieć na ukłon, odsalutować, odmachać, **C.** PRZE-
SŁAĆ POZDROWIENIA, słać ukłony, kazać
się kłaniać, *uściskaj ich od nas*, ● ścielę się
do nóżek↑,

1024 władczo — **A.** AUTOKRATYCZNIE,
niedemokratycznie, despotycznie, absolutystycznie, **B.** ODGÓRNIE, centralnie, ● komisarycznie, **C.** DUMNIE, majestatycznie,

nieprzystępnie, niedostępnie, ● godnie,
z godnością, wyniośle,

1025 władczy — **A.** ZWYCIĘSKI, triumfalny,
tryumfalny, **B.** WODZOWSKI, przywódczy,
zwierzchni, ● despotyczny, dyktatorski, tyrański, autokratyczny, niedemokratyczny,
absolutystyczny, jedynowładczy, **C.** ABSO-
LUTNY, niepodzielny, samowładny, ● sobie-
pański, autorytatywny, autorytarny, nie zno-
szący sprzeciwu, pewny siebie, apodyktycz-
ny, ● nakazowy, arbitralny, woluntarystycz-
ny, ● paternalistyczny,

1026 władza — **A.** RZĄDY, panowanie, wła-
danie, ● królowanie, majestat, tron, korona,
berło, monarchia, królestwo, koregencja, ●
oligarchia, carat, kalifat, gerontokracja, hie-
rokracja, ● prezesostwo, prezesura, prezy-
dentura, premierostwo, **B.** WSZECHWŁA-
DZA, absolutyzm, despotyzm, tyrania, dyktatorstwo, dyktatura, junta, reżim, reżym, au-
tokracja, autokratyzm, samowładztwo, jedynowładztwo, kacykostwo, autarchia, centralizm, **C.** ZWIERZCHNICTWO, kierownictwo,
przewodnictwo, przewodzenie, przewodniczenie, prezydowanie, prezesowanie, ● dowodzenie, komenderowanie, dyrygowanie,
dyrygentura, kapelmistrzostwo, ● zarządzanie, administrowanie, kontrolowanie, ● kierowanie, prowadzenie, powożenie, sterowanie, pilotowanie, manewrowanie, ● ster,
rumpel, rudel↑, wiosło ● kierownica, koło
sterowe, drążek sterowy, wolant↑, batuta, **D.**
PRZYWÓDZTWO, aktyw, ● dowództwo,
generalicja, sztab, dyspozytura, komendantura, komenda, ● dyrekcja, zarząd, administra-
tracja, kwaterunek, magistrat, rada, izba, samorząd, ● rząd, gabinet, rada ministrów,
prezydium, najwyższa instancja, ● laska
marszałkowska, ● góra↓, establishment, ●
żłób↓, koryto↓,

1027 własny — **A.** SWÓJ, autorski, ● odautorski, ● rodzony, **B.** NALEŻĄCY, przypisa-
ny, przynależny, niezbywalny, ● przydziałowy, kartkowy, na kartki, **C.** WŁASNOŚCIO-
WY, hipoteczny, ● prywatny, indywidualny,
D. NABYTY, kupny, kupiony, ze sklepu, ●
dziedziczny, odziedziczony, sukcesyjny,
spadkowy, ● zawiniony, **E.** ZAKŁADOWY,
fabryczny, ● przyfabryczny,

1028 włochaty — **A.** OWŁOSIONY, uwłosiony, zarośnięty, • kudłaty, kosmaty, puszysty, mechaty↓, mszysty↑,

1029 włosy — **A.** LOKI, czupryna, siano↓, • kudły, kłaki, kołtuny, grzywa, czub, • lok, pukiel, kędzior, kosmyk, fala, wicherek↓, kogutek↓, kołtun, **B.** FRYZURA, uczesanie, głowa, :*kok, warkocz, koński ogon, kucyki, jeż, grzywka, ondulacja, trwała (ondulacja), lokówki, papiloty, fioki*, • peruka, treska, tupet, pożyczka↓, **C.** OWŁOSIENIE, porost (włosów), • szczecina, sierść, szczeć, turzyca↑, wełna, futro, futerko, runo, • pióra, upierzenie, pierze, puch, puszek, • meszek, włoski, kutner, **D.** ZAROST, broda, wąsy, wąsiska, wąs↑, • pejsy, bokobrody, faworyty, baki, baczki,

1030 woda — **A.** AKWEN, basen, brodzik, kąpielisko, pływalnia, • ujęcie, studnia, • hydrofor, bojler, • hydrant, kran, • kanalizacja, woda bieżąca, woda zimna, woda ciepła, • hydrosfera↑, **B.** ŹRÓDŁO, zdrój, krynica, gejzer, • fontanna, wodotrysk, • wodospad, kaskada, wodogrzmot, **C.** JEZIORO, rozlewisko, zalew, sztuczne jezioro, zapora, • staw, sadzawka, glinianka, gnojówka, bajoro, kałuża, • wody stojące, **D.** OCEAN, morze, • fala, grzywacz, • głębina, głębia, odmęt, topiel, **E.** RZEKA, strumień, roztoka, strumyk, potok, struga, strużka, ruczaj↑, • prąd, nurt, • dopływ, dorzecze, konfluencja, **F.** ZATOKA, laguna, buchta, łacha, liman, ingresja, kalema, fiord, • ujście, delta, widły, • mielizna, bród, płycizna, bystrze, ławica, odsypisko, • mierzeja, przesyp, **G.** KIPIEL, ukrop, war, wrzątek, • woda pitna, woda zdatna do picia, woda oligoceńska, woda źródlana, • deszczówka, woda niezdatna do picia,

1031 wojsko — **A.** ARMIA, siły zbrojne, oręż, • gwardia, legia, legion, legiony, • jazda, kawaleria, konnica, husaria, • piechota, infanteria, • artyleria, wojska zmechanizowane, • flota, marynarka, armada, flotylla, • lotnictwo, siły powietrzne, • rezerwa, rezerwiści, • partyzantka,

1032 wolność — **A.** SWOBODA, nieskrępowanie, wolnomyślicielstwo, indywidualizacja, • dowolność, dobrowolność, fakultatywność, **B.** WYZWOLENIE, oswobodzenie, uwolnienie, • usamodzielnianie się, emancypacja, równouprawnienie, uniezależnienie

(się), dekolonizacja, **C.** NIEZALEŻNOŚĆ, niezawisłość, suwerenność, samostanowienie, autonomia, • niepodległość, independentyzm, irredenta, • samodzielność, samowystarczalność, autarkia, autarkizm, **D.** DEMOKRACJA, demokratyzm, demokratyczność, wybieralność, obieralność, elekcyjność,

1033 wpływ — **A.** NAMOWA, sugestia, autosugestia, zasugerowanie, inspiracja, indukcja, • podszept, nakłanianie, namawianie, pozyskiwanie, wpływanie na, • penetracja, przenikanie, przeniknięcie, przedostawanie się, infiltracja, **B.** ODDZIAŁYWANIE, działanie na, • interakcja, interferencja, nakładanie się, influencja, emanacja, promieniowanie, • dyfuzja, wchłanianie, absorbcja, **C.** WTRĄCANIE SIĘ, mieszanie się, wścibianie nosa (w nieswoje sprawy), interwencja, interwencjonizm, ingerencja, **D.** NIESAMODZIELNOŚĆ, dyspozycyjność, pozostawanie pod wpływem, zależność od, poddaństwo, • uzależnienie, nałóg, :*alkoholizm, pijaństwo, narkomania,*

1034 wrażenie — **A.** ODCZUCIE, poczucie, świadomość, uczucie, przekonanie, • impresja, efekt, **B.** DOZNANIE, przeżycie, szok, wstrząs (psychiczny), • katharsis, oczyszczenie, odrodzenie, odnowienie, **C.** PRZECZUCIE, intuicja, wyczucie, przewidzenie, przewidywanie, antycypacja, wyprzedzenie, ekstrapolacja↑,

1035 wrażliwość — **A.** CZUŁOŚĆ, czucie, • delikatność, subtelność, nadwrażliwość, nadpobudliwość, hiperestezja↑, **B.** DRAŻLIWOŚĆ, pobudliwość, nerwowość, • przeczulenie, przewrażliwienie, uczulenie,

1036 wrócić — **A.** NAWRÓCIĆ, zawrócić, nie przepuścić, pozawracać, • wykręcać, nawracać, zawracać, • wracać się, • cofnąć, wycofać, jechać na wstecznym biegu, • odwrócić bieg, **B.** WYCOFAĆ SIĘ, odstąpić, odstępować, • uskakiwać, cofnąć się, usunąć się, zrobić krok w tył, • przepuścić, puszczać przodem, dać pierwszeństwo, **C.** ODNALEŹĆ SIĘ, pojeżdżać, (po)wracać, • reemigrować, powrócić,

1037 wspinać się — **A.** PIĄĆ SIĘ, wić się, • wejść, wchodzić, podchodzić, wstępować, leźć, włazić, wdrapywać się, drapać się, powłazić, powyłazić, ● wciągnąć się, wjechać, (wy)windować się, ● zdobyć szczyt, **B.** WZBIĆ SIĘ, ulatywać, śmignąć, wzlecieć, podlatywać, poderwać (się), podrywać (się), (wy)startować, ● wznosić się, wznieść (się), unieść (się), unosić (się), podnieść (się), podnosić (się),

1038 wspólny — A. POŁĄCZONY, zjednoczony, łączny, kumulatywny, ● koedukacyjny, ● zbieżny, koincydencyjny, ● sprzężony, zorganizowany, zrzeszony, skupiony, zespolony, ● ogólny, generalny, globalny, powszechny, ogólnodostępny, ● pandemiczny↑, ● walny, plenarny, ● narodowy, etniczny, ● ogólnoludzki, międzynarodowy, światowy, wszechświatowy, ● internacjonalny↑, ● pokoleniowy, generacyjny, ● rodowy, genealogiczny, **B.** PUBLICZNY, państwowy, ● społeczny, obywatelski, cywilny, socjalny, ● uspołeczniony, spółdzielczy, kooperatywny, ● związkowy, syndykalny, ● stowarzyszeniowy, konfederacyjny, federalny, federacyjny, **C.** ZESPOŁOWY, kolektywny, kolegialny, komisyjny, ● chóralny, wielogłosowy, polifoniczny, ● orkiestrowy, symfoniczny, ● koprodukcyjny, ● składkowy, ● grupowy, zbiorowy, ● klikowy, koteryjny, kumoterski, **D.** WZAJEMNY, obopólny, obustronny, ● dwustronny, bilateralny, ● wielostronny, multilateralny, ● aliancki, sojuszniczy, koalicyjny, sprzymierzeńczy, sprzymierzony, ● zakolegowany↓, zaprzyjaźniony, ● solidarny, ● małżeński, matrymonialny, ● grzecznościowy, towarzyski,

1039 współczuć — A. UŻALIĆ SIĘ, pożałować, oszczędzić przykrości, ● zmiłować się, (u\z)litować się, darować życie, oszczędzić↑, **B.** WCZUĆ SIĘ, uwrażliwić się, wżyć się, wejść w czyjeś położenie, postawić się w czyimś położeniu, rozumieć, odbierać na tej samej fali,

1040 współpraca — A. WSPÓŁDZIAŁANIE, kooperacja, ● koprodukcja, ● kolaboracja, współgranie, **B.** KOORDYNACJA, uzgodnienie, zharmonizowanie, ujednolicenie, zgranie, zestrojenie,

1041 wstępny — A. PRZYGOTOWAWCZY, propedeutyczny, przedwstępny, ● pomocniczy, szkicowy, na brudno, ramowy, ogólny,

B. ROBOCZY, próbny, rozruchowy, wdrożeniowy, ● kontrolny, testowy, zerowy, sygnalny, pilotowy, ● prototypowy, **C.** KWALIFIKACYJNY, kandydacki, pretendencki, ● narzeczeński, przedślubny, przedmałżeński, oblubieńczy↑, zaręczynowy, **D.** INICJUJĄCY, pierwszy, założycielski, konstytutywny, ● fundacyjny, erekcyjny, ● prapremierowy, premierowy, zeroekranowy, ● powitalny, zapoznawczy, ● precedensowy, **E.** POCZĄTKOWY, wprowadzający, odautorski, ● redakcyjny, od redakcji, od wydawcy,

1042 wstrzemięźliwość — A. SUROWOŚĆ, powściągliwość, ascetyzm, asceza, umartwianie się, **B.** ABSTYNENCJA, celibat, bezżenność, bezżeństwo, starokawalerstwo, kawalerstwo, staropanieństwo, panieństwo,

1043 wybaczyć — A. PRZEPROSIĆ SIĘ, przełamać się, ● tolerować, usprawiedliwić, ● puścić płazem, *uszło mu na sucho,* ● odpuścić, przebaczyć, rozgrzeszyć, ● ułaskawić, uniewinniać, ● amnestionować, puścić w niepamięć, (po)darować,

1044 wybierać — A. WAHAĆ SIĘ, chwiać się, ciskać się, miotać się, popadać z jednej skrajności w drugą, bić się z myślami, hamletyzować, *czy ja wiem,* ● losować, ciągnąć (rzucać) losy, ● wybrzydzać, wybredzać, przebierać (jak w ulęgałkach), mieć muchy w nosie, kręcić nosem, ● kaprysić, nudzić, marudzić, grymasić, wydziwiać, cudować, podgrymaszać, rozgrymasić się, rozkaprysić się, rozpieścić się, **B.** REFLEKTOWAĆ, obierać, upatrywać, (z)decydować się, wyszukać, wziąć, (wy)selekcjonować, podobierać (się), ● pozakreślać, (od)fajkować, odhaczyć, ptaszkować, podkreślić, (po)podkreślać, **C.** GATUNKOWAĆ, przyporządkować, (po)sortować, (po)segregować, kwalifikować, jakościować, kalibrować, klasyfikować, punktować, (po)przebierać, (wy)brakować, przesiewać, (prze)siać, pytlować, arfować, **D.** GŁOSOWAĆ, przegłosowywać, majoryzować, oddać głos, *głos pada na,* wybrać, wybierać, dokonać wyboru, *wybór pada,* obrać, obierać, balotować, dać głos na, ● dobrać, wyłonić, wykreować↑, ● mianować, desygnować, naznaczyć, obwołać, powierzyć godność, nadać (przyznać) tytuł, nominować, pasować na, intronizować, korono wać (się), ● konsekrować, wyświęcić, ● powołać, wezwać, wyznaczyć, wyczytać, ● wskazać, wytypować, ● oddelegowywać, (wy)delegować, odkomenderować, dać do, postawić (u steru),

1045 wybór — A. GŁOSOWANIE, wybory, prawybory, elekcja, reelekcja, ● referendum, plebiscyt, balotaż, **B.** DOBÓR, selekcja, odsiew, przesiew, czystka, ● przebranie, wyselekcjonowanie, wyodrębnienie, ● losowanie, ciągnienie, **C.** ELIMINACJA, wyeliminowanie, wyłączenie, wykluczenie, usunięcie, wyrugowanie, ● nokaut, powalenie, knockdown, ● dyskwalifikacja, wyrzucenie, zwolnienie, wypowiedzenie, ● dyskredytacja, skompromitowanie, zdyskwalifikowanie, zdyskredytowanie, **D.** NABÓR, rekrutacja, pobór, zaciąg, branka, konskrypcja,

1046 wybrzeże — A. NADBRZEŻE, nabrzeże, przybrzeże, brzeg, obrzeże, ● plaża, lido, faleza, klif, ● falochron, obwałowanie, wydma, diuna, ● keja, pirs, ● molo, pomost, kładka, mostek,

1047 wydalać — A. ZAŁATWIAĆ SIĘ, wypróżnić się, iść za (swoją) potrzebą, *przyparło go,* kiblować, ● popuścić, popuszczać, narobić w majtki, ● pierdzieć, smrodzić, puszczać wiatry, ● srać↓, oddawać kał, robić kupę, wysrać się↓, ● *czyści go*↓, ● oddać mocz, szczać↓, siusiać, sikać, pompować, ● odlewać się, wysikać się, wysiusiać się, odpryskać się↓, wyszczać się↓, ● posiusiać się, spompować się, zlać się, zmoczyć się, zsikać się, ● zesrać się↓, **B.** WYMIOTOWAĆ, rzygać↓, zwrócić, pojechać do Rygi, porzygać się↓, haftować,↓ ● czkać, czknąć, *odbiło mu się,*

1048 wydostać — A. WYJĄĆ, (wy)dobyć, (wy)supłać, wyłowić, (wy)ciągnąć, wyciągać, wypakować, wyłożyć, wykładać, wywlec, wystawić, (wy)rwać, powyciągać, powyjmować, powykręcać, ● wykrzesać, ● ssać, ● wycisnąć, wytłoczyć, ● wybić, wytłuc, wystukać, wypukać, ● ukopać, wykopać, powykopywać, ● powysuwać, wysypać, powytrząsać, powywlekać, rozpakować się, **B.** ODGRZEBAĆ, wygrzebać, wydobyć, ekshumować, odkopać, **C.** ZDJĄĆ, ściągnąć, obedrzeć, (po)obdzierać, obciągnąć, obierać, odrzeć, odzierać, obłupać, oskórować, skal-

pować, **D.** WYDOSTAĆ SIĘ, wypaść, powypadać, wylecieć, wysunąć się, wyśliznąć się, roz\wylsypać się, usypać się, porozsypywać się, przesypywać się, powysypywać się, wytoczyć się, wyskoczyć, ● wyciec, wylać (się), przelać się, (wy)kipieć, uciec, przepełnić się, rozlać się, wystąpić z brzegów,

1049 wydzielać — A. EMITOWAĆ, promieniować, emanować, fluoryzować, wysyłać, puszczać, wiać, wionąć, zionąć, **B.** WYDZIELAĆ SIĘ, wydobywać się, ● wylatywać, ulatywać, uciekać, ujść, uchodzić, powysychać, wywietrzeć, ● ulatniać się, (wy)parować, ewaporować, sublimować, ● sączyć się, skapywać, ● tryskać, strzykać, bić, wytryskiwać, ● bluzgać, bluz(g)nąć, chlusnąć, strzelać, rzygnąć, (wy)buchnąć, walić, ● oddzielać się, s\wyltrącać się, wykrystalizować się, ● wytopić się, wypłynąć, **C.** UZYSKIWAĆ, otrzymywać, ● wytapiać, s\wyltrącać, tłoczyć, pędzić, ● rafinować, (s)klarować, odfiltrowywać, (prze)filtrować, (od)sączyć, przesączać (się), odwodnić, (od)cedzić, dializować, (od)wirować, ● odsiać, odsiewać, przewiać, przewiewać, ● odstać się, odgazować, odparować, odpowietrzać, (prze)destylować, odgotować, ● odkwaszać, demineralizować, odmineralizować, odwapnić, ● odtłuścić, odtłuszczać,

1050 wygrywać — A. DOMINOWAĆ, celować w czymś, *nie można porównać, to przechodzi wszelkie oczekiwania,* bić (wszelkie) rekordy, ● górować, wziąć górę, być górą, wieść rej, przewyższyć, (po)przerastać, przerosnąć (przerość), powyrastać, wyrastać ponad, *przeszedł swego mistrza,* zakasować, bić na głowę, ● przeważać, przemóc, panować, mieć (uzyskać) przewagę, majoryzować, ● wyprzedzać, brać, prześcigać, zdystansować, przeskoczyć, przodować, przegonić, przeganiać, wysuwać się, wysforować się, prowadzić, uprzedzić, ubiec, deklasować, poprzedzić, ● przelicytowywać się, przyćmić, (przy)gasić, przekrzyczeć, ● poprawić wynik, pobić rekord, *rekord pada,* **B.** WYGRAĆ, sprostać, poradzić, dać radę, zwyciężyć, triumfować, uporać się, rozgromić, roznieść, rozbić, rozprawić się, zapędzić w kozi róg, dać mata, przegadać, ● pokonać, pobić, obezwładniać, (s)paraliżować, (z)mrozić, (po)razić, porażać, (s)piorunować, wytrącić broń z ręki, rozbroić, klin-

czować, zaszachować, udupić↓, (z)miaż-
dżyć, (z)nokautować, powalić, położyć na o-
bie łopatki, sprowadzić do parteru, załat-
wić↓, **C.** WYKIWAĆ, wykołować, wystrych-
nąć na dudka, przerobić↓, zrobić w konia↓,
zrobić na szaro↓, nabić w butelkę, podejść,
przechytrzyć, wywieść w pole, ● ograć, po-
ogrywać, orznąć, orżnąć, odegrać się, rozbić bank,

1051 wyjaśnienie — A. USPRAWIEDLI-
WIENIE, wytłumaczenie, przeproszenie,
przeprosiny, ● sprostowanie, emendacja, er-
rata, ● oświadczenie, oznajmienie, zezna-
nie, **B.** OBJAŚNIENIE, przypis, przypisek,
odsyłacz, odnośnik, ● komentarz, didaskalia, ● posłowie, postscriptum, dopisek, adnotacja, glosa, ● wtrącenie, dygresja, uwaga,
wtręt, **C.** ROZWIĄZANIE, rozszyfrowanie,
odszyfrowanie, odgadnięcie, (prawidłowa)
odpowiedź, wynik, :*iloczyn, iloraz, suma,
różnica,* ● wytłumaczenie, klucz,

1052 wyjątkowy — A. NIELICZNY, niespotykany, ● deficytowy, rzadki, ● nieczęsty, niecodzienny, rzadko spotykany, ● sam, jedyny,
wyłączny, ● pojedynczy, indywidualny, niepowtarzalny, unikalny, unikatowy, bezprece-
densowy, jedyny w swoim rodzaju, ● odosobniony, sporadyczny, incydentalny, jednostkowy, efemeryczny, ● jednorazowy, jednokrotny, **B.** WYBITNY, wyróżniający się,
niepospolity, niepośledni, niepowszedni,
niezwyczajny, nieprzeciętny, ponadprzeciętny, ● nie lada, nie byle jaki, bezkonkurencyj-
ny, niedosięgły↑, niedosiężny↑, ● nieporównany, niezrównany, niedościgły, niedościg-
niony, nieprześcigniony, niezastąpiony, ●
cnotliwy, sprawiedliwy, szlachetny, prawy,
prostolinijny, ● święty, kanonizowany, **C.**
NADZWYCZAJNY, bezprzykładny, nieprawdopodobny, ● rekordowy,

1053 wyjść — A. WYBIERAĆ SIĘ, wyruszać,
wypuszczać się, wyguzdrać się, wytoczyć
się, ● poderwać się, szarpnąć, od\poljechać,
(po)odjeżdżać,   pociągnąć, ● odpłynąć,
(po)odpływać, odepchnąć (się), powiosłować, pożeglować, ● odlecieć, odfrunąć, pofrunąć, poszybować, (po)odlatywać, **B.**
PÓJŚĆ, wychodzić, (po)dążyć, po\wylma-
szerować, powędrować, (wy)puścić się,
machnąć się, kopnąć się, pośpieszyć do,
pobiec, pognać, podskoczyć, ● pofatygować

się, potrudzić się, pokwapić się, ● zmierzać,
kierować się, brać kurs na, obrać drogę,
skierować kroki, udać się do, orientować się,
● ruszać, *jazda, dalej, hajda, naprzód,* **C.**
WYDOSTAĆ SIĘ, wysiąść, wykaraskać się,
● wyskoczyć, (po)wyskakiwać, ● pryskać↓,
wyrwać się, zniknąć, ● wystąpić, wylec, wy-
roić się, wylecieć, wypaść,

1054 wykonawczy — A. ODTWÓRCZY,
interpretatorski, **B.** RECYTATORSKI, deklamacyjny, ● oratorski, krasomówczy, złotous-
ty↑, retoryczny, **C.** INSTRUMENTALNY, ●
skrzypcowy, wiolinowy, ● wokalny, śpiewa-
czy, piosenkarski, ● dyrygencki, kapelmistrzowski,

1055 wynik — A. REZULTAT, efekt, owoc,
plon, produkt, uzysk, ● osiągnięcia, płody, o-
woce, plony, ● punkt, gol, bramka, strzał,
rzut, rzut rożny, korner, serw, zagrywka, ●
nierozegrana, remis, **B.** SKUTEK, konsekwencja, następstwo, implikacja,

1056 wyobcować się — A.   STRONIĆ,
wyalienować się, nie kontaktować się, stracić z oczu, nie wiedzieć o bożym świecie,
nie poznawać ludzi, oddalać się, odsunąć
się, poodsuwać się, odgrodzić się, poodgra-
dzać się, osamotnieć, usunąć się, zejść
z oczu, nie śmieć spojrzeć w oczy, **B.** UNI-
KAĆ, odwrócić się, popatrzeć krzywo, patrzeć wilkiem, spoglądać spode łba, omijać
się, omijać z daleka, uciekać, pokazać plecy,
popalić mosty, *drogi się rozchodzą, noga nie
postanie,* **C.** ODRZEC SIĘ, odstać, zostawić, odciąć się, (z)dystansować się, odżeg-
nać się, stracić serce do, znielubić, umywać
ręce, nie mieszać się, nie chcieć mieć nic
wspólnego, (z)bojkotować, ● wyrzec się,
przekląć, wyprzeć się, zaprzeć się,

1057 wypoczynek — A. ODPOCZYNEK,
odpoczywanie, spoczynek, ● odprężenie,
wytchnienie, spadek napięcia, relaksacja,
luz↓, ulga, odskocznia, ● relaks, spokój,
czas wolny, weekend, **B.** URLOP, wakacje,
ferie, wczasy, wywczasy, rekreacja, ● obóz,
obozowisko, koczowisko, camping, kemping, półkolonia, lato w mieście, kolonie, zimowisko, **C.** PRZERWA, pauza, przerywnik,
interludium, intermedium, intermezzo, ant-
rakt, ● okienko, postój, **D.** SJESTA, próżno-

wanie, plażowanie, opalanie, prażenie (się), • laba, fajrant, • ochłoda, orzeźwienie,

1058 wyposażenie — **A.** ZAOPATRZENIE, urządzenie, umeblowanie, meble, sprzęty, **B.** MEBEL, • stół, stolik, jamnik, • biurko, sekretera, sekretarzyk, • blat, konsolka, pulpit, • szafa, szafka, kredens, pomocnik, bufet, komoda, bieliźniarka, • regał, etażerka, półka, biblioteczka, gablota, serwantka↑, **C.** OPRZYRZĄDOWANIE, osprzęt, ekwipunek, rynsztunek, dodatki, akcesoria, utensylia,

1059 wyraz — **A.** EKSPRESJA, ekspresywność, wymowa, siła wyrazu, • wyrażenie, odbicie, odzwierciedlenie, • ucieleśnienie, wcielenie, inkarnacja, **B.** OZNAKA, przejaw, znak, symptom, objaw, symptomat↑, uzewnętrznienie, **C.** MIMIKA, wyraz twarzy, • mina, grymas, kontorsja,

1060 wyrazić — **A.** UZEWNĘTRZNIĆ, ob\przeljawić, • zdradzać, ujawniać, • okazywać, dawać odczuć, dać po sobie poznać, • wybuchnąć, zionąć, **B.** PRZEDSTAWIĆ, odzwierciedlić (się), odbić, oddać, odtworzyć, przelać na papier, zobrazować, zilustrować, ukazać, uobecniać, • ewokować, alegoryzować, • animizować, symbolizować, uosabiać, personifikować, uczłowieczyć, portretować, ucieleśniać, wyobrażać, upostaciować, • pokazać, dać wyraz, wysłowić, werbalizować, opiewać, zobiektywizować, przyoblec w, uchwycić, **C.** PRZEJAWIĆ SIĘ, objawić się, dać się poznać, okazać się, dojść do głosu, *przemawia przez ciebie*,

1061 wyrazistość — **A.** OBRAZOWOŚĆ, plastyczność, figuratywność, • ilustracyjność, ilustratywność, **B.** JASKRAWOŚĆ, kwiecistość, barwność, kolorowość, żywość, krzykliwość, • ostrość, kontrast, **C.** JASNOŚĆ, klarowność, przejrzystość, • poglądowość, komunikatywność, wymowność, • dostępność, przystępność, zrozumiałość, czytelność, prostota, łatwość, bezproblemowość, przyswajalność, chwytliwość, • kontrastowość, dokładność, jednoznaczność, **D.** CELNOŚĆ, zwięzłość, zwartość, lakoniczność, lapidarność, treściwość, **E.** DOBITNOŚĆ, drastyczność, • dosadność, jędrność, pikanteria, pikantność, pieprzność,

frywolność, rubaszność, sprośność, nieprzyzwoitość, skandaliczność, naganność, karygodność,

1062 wyraźny — **A.** UCHWYTNY, wyczuwalny, • widoczny, zauważalny, • dotykalny, namacalny, sprawdzalny, • widomy, jasny, oczywisty, • istny, prawdziwy, wcielony, wykapany, zwykły, skończony, wierutny, patentowany, • czytelny, klarowny, kaligraficzny, • wyrazisty, przejrzysty, dobitny, zdecydowany, uderzający, • jednoznaczny, niedwuznaczny, niewątpliwy, pewny, • krzyczący, jawny, • druzgocący, przygniatający, miażdżący, zupełny, kompletny, bezapelacyjny, **B.** WYMOWNY, sugestywny, dosadny, mocny, ekspresyjny, ekspresywny, przemawiający, plastyczny, obrazowy, malowniczy, • dźwięczny, **C.** STYLOWY, czysty, bez domieszek, • rasowy,

1063 wyrównać — **A.** PODRÓWNAĆ, (z)niwelować, (s)plantować, (z)równać, • ubić, udeptać, uklepywać, (o\przy)klepać, • kuć, (s\roz)klepać, sprasować, • maglować, wygładzić, przygładzać, • kalandrować, kulkować, • uprasować, (od\po)prasować, prze\wylprasować, **B.** RELATYWIZOWAĆ, zobiektywizować, wypośrodkować, upodabniać, asymilować, glajchszaltować, znieść różnice, wrzucać do jednego worka, jednolicić (się),

1064 wyrzucić — **A.** RELEGOWAĆ, odprawić, wykluczyć, wyłączyć, usunąć (poza nawias), pokazać drzwi, wyprosić, spławić↓, wyprowadzić, wysadzić, (po)wypychać, powywalać↓, wykopać↓, wychrzanić↓, wypieprzyć↓, • wyklaskać, wytupać, wygwizdać, • zwolnić, usunąć, odprawić, wypowiedzieć pracę, odstawić, odwołać, (z)dymisjonować, rewokować↑, urlopować, (z)redukować, posłać na zieloną trawkę, przenieść (w stan spoczynku), (z)degradować, wyokrętować, • obalić, złożyć z urzędu, odsunąć, (z)detronizować, **B.** WYSIEDLIĆ, wymeldować, wykwaterować, eksmitować, • zesłać, zsyłać, wywieźć, powywozić, • wypędzić, wyprzeć, deportować, ekstradować↑, przepędzić, ekspatriować, ekspulsować↑, wyświecić↑, wysiudać, **C.** WYZBYĆ SIĘ, (po\z)likwidować, (po\s)kasować, posprzedawać, zhandlować, • zamknąć, zwinąć interes, skończyć z, • złomować, (po\wy)rzucić, spisać na straty, cisnąć w kąt, rzucić w diabły, • pozbyć się, pożegnać się z, rozstać się, • pousuwać, powyrzucać, (wy)eliminować, mieć z głowy↓, • wyrwać z korzeniami, (wy)rugować, (wy)tępić,

1065 wysłać — **A.** SŁAĆ, przesłać, (wy)ekspediować, nadać, odprawić, ponadawać, (po)rozsyłać, podesłać, podsyłać, powysyłać, *list poszedł*, • wystosować, skierować, rozesłać, obesłać, **B.** WYDELEGOWAĆ, pchnąć, posłać, posyłać, wyprawić, • nasłać, na\podlsyłać, podesłać,

1066 wyspa — **A.** OSTRÓW, wysepka, kępa, • archipelag, atol, • półwysep, cypel, przylądek, **B.** ENKLAWA, eksklawa↑,

1067 wywyższać się — **A.** BRYLOWAĆ, mądrzyć się, popisywać się, mędrkować, wymądrzać się, udawać mądrego, rezonować, mówić jak z książki, posiąść (pozjadać) wszystkie rozumy, **B.** HARDZIEĆ, wynosić się, pysznić się, dąć się, nadymać się, (na)puszyć się, paradować, chodzić jak paw, • cenić się, szanować się, drożyć się, • przechwalać się, chełpić się, fanfaronować, • pozować, wysadzić się, • dumnieć, twardnieć, panoszyć się, szarogęsić się, sięgać za wysoko, zadzierać nosa, *uderzyło mu do głowy, przewróciło mu się w głowie, chodzi jakby kij połknął, korona mu z głowy nie spadnie,*

1068 wzór — **A.** PROTOTYP, oryginał, autentyk, archetyp, pierwowzór, pierwopis, pierworys, pierwodruk, rekonstrukcja, kopia, **B.** MODEL, krój, wykrój, forma, matryca, szablon, sztanca, tłocznik • makieta, miniatura, **C.** DESEŃ, *:jodełka, pepitka, kratka, szachownica, prążkowanie, kropki, groszki, cętki, plamki, ciapki,* • nadruk, • faktura, **D.** PRZYKŁAD, ilustracja, egzemplifikacja, próbka, symulacja,

1069 wzrost — **A.** PODWYŻKA, podwyższenie (się), powiększenie (się), pomnożenie (się), • zwyżka, skok, przyrost, przyspieszenie, akceleracja, • przybytek, dopływ, **B.** ESKALACJA, rozszerzenie, wzmaganie (się), potęgowanie (się), zwiększenie (się), • intensyfikacja, wzmocnienie, natężenie, nasilenie, wzmożenie, zdwojenie, spotęgowanie, zwielokrotnienie, • intensywność, zaognienie, zaostrzenie, • progres, progresja, posuwanie się (naprzód), rozrost, inwestycja, rozbudowa, • rozprzestrzenienie się, ekspansja, rozmnożenie (się), rozplenienie (się), **C.** DOJRZEWANIE, pokwitanie, dorastanie, wzrastanie, rozwój, wegetacja, • ontogeneza, filogeneza, • rozmnażanie (się), reprodukcja, pączkowanie, wylęganie się, • inkubacja, hodowanie,

1070 wzruszyć — **A.** OWŁADNĄĆ, wkradać się, przyjść do głowy, tknąć, uderzyć, • przebiec, przejść, • ogarnąć, ogarniać, owiać, o-wiewać, owionąć, • dojmować, dopaść, dotknąć, wziąć, złapać, ściskać za gardło, *bierze śmiech,* • napaść, wprawić w, wprowadzić w, porwać, • osaczyć, przejąć, zdjąć, dojąć, wstąpić, przeniknąć, drążyć, opanować, sągać na, • rozpierać, rozsadzać, unieść↑, przepełnić, przepajać, przesycać, wejść w krew, oiśnić, przesłaniać świat, pogrążyć, • palić, rozgorzeć, • pożerać, miotać, targać, ponosić, • włos się jeży, *włosy stają dęba,* **B.** PORUSZYĆ, zemocjonować, • rozczulić, roztkliwić, chwytać za serce (gardło), rozrzewniać, *łza się kręci,* • wstrząsnąć, zapierać dech, odjąć mowę, odebrać mowę, (z)elektryzować, **C.** WZRUSZYĆ SIĘ, roztkliwiać się, rozkrochmalić się, rozrzewnić się, oniemieć, zaniemówić, osłupieć, • pokraśnieć, (za)rumienić się, (za)czerwienić się, (s)pąsowieć, (s)płonić się, spiec raka, płonąć, pałać,

Z

1071 zabawa — **A.** PSOTY, dokazywanie, harce, hasanie, bawienie się, igranie, igraszki, *:chowany, ciuciubabka, zabawa w kotka i myszkę, berek,* **B.** GRA, partia, partyjka, *:brydż, canasta, kanasta, domino, chińczyk, człowieku nie irytuj się,*

1072 zabezpieczyć — **A.**   OSŁANIAĆ,

(u\o)chronić, zabezpieczać (się), ochraniać (się), • asekurować, ubezpieczać, uchronić (się), upilnować (się), • kulić się, skulić (się), podkulać, podtulić, podkurczyć, podwinąć, wciągnąć, • skręcić się, zwinąć się, • schować się, zasłonić (się), B. ZAPOBIEGAĆ, zażegnać, bronić, ekranować, izolować, • uziemić, rozbroić, • opatrywać, bandażować, przewiązać, • immunizować, uodpornić (się), • znieczulać, • opryskiwać, pędzlować, płukać, okładać, • nawilżać, podlewać, • hartować, • kondycjonować, • kolcować, • preparować, mumifikować, balsamować, C. UWIARYGODNIĆ, ubezpieczyć się, uwierzytelniać (się), (pod)żyrować, • zastrzec, zawarować, (za)gwarantować, • poruczyć, powierzyć opiece, polecić (się), oddać się w opiekę, uciec się pod opiekę, D. UMOCNIĆ, umacniać (się), utwierdzić, wzmocnić, • podeprzeć, popodpierać, podpierać (się), iść o lasce, uchwycić się, • ugruntować, utrwalić, • oprawić, pooprawiać, • kartonować, broszurować, podkleić, podlepić, • o-kuć, (o\za)kratować, okuwać, (po\pod)kuć, • krawędziować, opancerzyć, • zabetonować, E. DOZBRAJAĆ, (u)zbroić się, przezbroić (się), • obwarować, oszańcowywać (się), fortyfikować, zabarykadować (się), mobilizować, obwarowywać (się), podminowywać, • militaryzować się, powołać pod broń, dać broń do ręki, poobsadzać posterunki, stać pod bronią, • służyć w wojsku, pełnić służbę, odsłużyć,

1073 zabić — A. SPOWODOWAĆ ŚMIERĆ, prze\rozljechać, najechać, B. STRACIĆ, rozstrzelać, powystrzelać, • ściąć, (z)gilotynować, skrócić o głowę, • (z)linczować, zatłuc, (u)kamienować, ukrzyżować, C. UŚMIERCIĆ, zgładzić, mieć krew na rękach, (po\za)mordować, pozbawić życia, wykończyć, (z)likwidować, sprzątnąć↓, rozwalić↓, ukatrupić, masakrować, (po\za)męczyć, • dobić, podobijać, dorzynać, dorżnąć, • przetrzebić, (z)dziesiątkować, nabić, nazabijać, • wyplenić, pozabijać (się), (wy)trzebić, wytępić, powybijać, wybić co do nogi, wytracić, wykosić, D. ZADŹGAĆ, pchnąć, przebić, sztyletować, pozarzynać (się), rozsiec, rozsiekać, • zastrzelić, stuknąć, postrzelać, położyć trupem, powalić, kosić, • otruć, potruć (się), wytruć, • udusić, (po\za)dusić, • powiesić, (powy)wieszać, • utopić, potopić, E. SZLACHTOWAĆ, (u)bić,

rżnąć, zarzynać, robić świniobicie, F. POLOWAĆ, u\zalpolować, • łapać, (od\z)łowić, od\połławiać, • strzelać, ustrzelić, • kłusować,

1074 zaborczy — A. NAPASTNICZY, inwazyjny, interwencyjny, • ekspansywny, ekspansjonistyczny, imperialistyczny, imperialny, aneksjonistyczny, kolonizatorski, konkwistadorski, zdobywczy, • ciemięski, gnębicielski, okupacyjny, B. ZACHŁANNY, chciwy, łakomy, łapczywy, żądny, łasy, spragniony, pożądliwy, nienasycony, głodny, niesyty, • niezaspokojony, niewyżyty, • nienażarty, żarty↓, • gargantuiczny, • drapieżny, krwiożerczy, żarłoczny, • interesowny, wyrachowany, • skąpy, chytry, pazerny↓,

1075 zabójstwo — A. ZBRODNIA, uśmiercenie, ludobójstwo, eksterminacja, wytępienie, zagłada, hekatomba, holocaust, czystki etniczne, • mord, rzeź, masakra, • zabijanie, mordowanie, B. ZABICIE, zgładzenie, matkobójstwo, ojcobójstwo, dzieciobójstwo, synobójstwo, królobójstwo, skrytobójstwo, • samobójstwo, harakiri, seppuku, • eutanazja, C. MORDERSTWO, zabicie, zamordowanie, zastrzelenie, uduszenie, zadźganie, • usunięcie, likwidacja, ukatrupienie↓, załatwienie↓, kropnięcie↓, mokra robota↓, D. EGZEKUCJA, powieszenie, rozstrzelanie, ścięcie, ukrzyżowanie, ukamienowanie, zlinczowanie,

1076 zaburzać — A. DESTABILIZOWAĆ, zachwiać, naruszyć porządek, wytrącać z równowagi, rozchwiać, (za)kłócić, (po\z)mącić, B. PERTURBOWAĆ, rewolucjonizować, niweczyć ład, niszczyć, postawić na głowie, przewrócić do góry nogami, (z)dezorganizować, anarchizować, paraliżować, rozprząc, rozprzęgać (się), • przesterować, rozkalibrować, rozregulować (się), rozstroić (się),

1077 zachęcać — A. NATCHNĄĆ, (za)inspirować, zesłać natchnienie, nasunąć, naprowadzić, przywodzić na myśl, (po\roz)budzić, ożywić, tchnąć, poddać pomysł, zapłodnić, postawić na nogi, uskrzydlić, (z)mobilizować, (z)dopingować, stymulować, rozochocić, rozzuchwalić, umocnić w, • nawiedzać, wstąpić, opętać, przyświecać, B. POBUDZIĆ, nawoływać, apelować, ożywiać, dynamizować, aktywizować, uaktywniać, dawać impuls, dodać ostrogi, przyciągać, animować, ośmielać, podbudować, pokrzepiać, utwierdzić w, dodać ducha (zapału), dodawać odwagi (animuszu\śmiałości), *dodało mi to skrzydeł*, **C.** NAMAWIAĆ, (za)agitować, namówić, nakłaniać, nawracać, usposabiać, skusić, skłaniać, popychać, pchać do, przeć do, wyzwać, rozgrzać, rozruszać, rozpłomienić, • popularyzować, dawać ogłoszenia, (roz)propagować, (wy)lansować, (roz)reklamować, (wy)promować, • zachwalać, zalecać, • wmówić, wmawiać, wpierać, **D.** BAŁAMUCIĆ, (pod\s)kusić, (z)mamić, demagogizować, tumanić, zwodzić, manić, (z)wabić, uwieść, (przy\z)nęcić, przyciągać, złakomić, podmówić, naciągać, podprowadzić, podpuścić↓, podniecić, skaperować, *co ci szkodzi*, • stręczyć, raić, narajać, nadać↓,

1078 zachęcająco — A. ZALOTNIE, kokieteryjnie, uwodzicielsko, kusicielsko, wabiąco, kuszący, zabójczo↑, **B.** POBUDZAJĄCO, podniecająco, • inspirująco,

1079 zachowanie — A. POSTĘPOWANIE, taktyka, strategia, polityka, dyplomacja, droga postępowania, • reakcja, działanie, posunięcie, gest, pociągnięcie, • poczynania, działania, kroki, posunięcia, **B.** CZYNY, uczynki, • czyn, uczynek, akt, krok, wyczyn, postępek, • numer↓, wybryk, wyskok, wygłup, zagrywka↑, ekscles, ekstrawagancja, **C.** SPRAWOWANIE, prowadzenie się, konduita↑, • wychowanie, sposób bycia, maniery, poziom, klasa, • ogłada, obejście, obycie, okrzesanie, **D.** GRZECZNOŚĆ, kultura (osobista), kulturalność, galanteria, kurtuazja, kurtuazyjność, • polor, bon ton, savoir vivre, etykieta, konwenans, konwencja, utarty zwyczaj, konweniencja↑, forma towarzyska, kindersztuba, wyrobienie towarzyskie, układność, ugrzecznienie, • wytworność, dworskość, dworność, rycerskość, dżentelmeneria, **E.** KONWENANSE, grzeczności, formy, uprzejmości, ceremonie, ceregiele, certacje, certowanie się, cackanie się↓, certolenie się↓,

1080 zacząć — A. ZAPOCZĄTKOWAĆ, począć, jąć, uderzyć w, wszczynać, wszcząć, • inicjować, nawiązać (kontakt), zrobić pierwszy krok, • inaugurować, otworzyć, urucho-

mić, przedsięwziąć, przedsiębrać, wdrożyć, wprowadzić, **B.** ZACZYNAĆ, przystępować do, usiąść do, zasiąść do, podjąć, podejmować, brać się do dzieła, zmobilizować się, spiąć się, chwycić byka za rogi, wejść do akcji, rzucać się, zaatakować, (po)rozpoczynać, (za)brać się, (z)łapać się za, wziąć się, jąć się, objąć funkcję, • ząbkować, raczkować, stawiać pierwsze kroki, przymierzać się, • startować, rozbiegać się, brać rozbieg, rozmachnąć się, rozpędzić się, podchodzić, • intonować, • wistować, • debiutować, • odbyć dziewiczy rejs, • rozbabrać, rozdłubać, rozgrzebać, rozpaprać, rozpaskudzić, **C.** OTWIERAĆ, iść na początek, pójść na pierwszy ogień, poprzedzić,

1081 zadośćuczynić — A. WYWIĄZAĆ SIĘ, wypełnić, spełnić, dotrzymać słowa, dochować tajemnicy, dopełnić obowiązku, • zdawać egzamin, pozdawać, zdać, składać, przystępować do, • robić badania, poddać się kontroli, • zaliczyć, odpowiedzieć, sprawdzić się, **B.** ODPOWIADAĆ, ponosić odpowiedzialność za, stanąć przed sądem, ponieść konsekwencje, dostać karę, odpokutowywać, • okupić, przypłacać, opłacić, • beknąć, (wy)bulić, **C.** POWETOWAĆ, (s)kompensować, (z)rekompensować, (wy)nagrodzić, wyrównać, odbić sobie, • naprawić, odrobić skutki, • odkupić, zmazać, okupić, • uzupełniać, nad\pod\gonić, podpędzić, odrabiać zaległości, nadrobić opóźnienie, nadrabiać straty, • dostosowywać, indeksować, rewaloryzować, skorygować,

1082 zadowalać — A. ZASPOKOIĆ, nasycić (się), (u)gasić, • poprzestać, ograniczyć się, kontentować się, robić swoje, stąpać po ziemi, spocząć na laurach, mieć spokojną głowę, • obejść się, obywać się, odmawiać sobie, pogardzać, oszczędzać na czym, opędzić, pilnować swego nosa, **B.** DOGADZAĆ, nadawać się, odpowiadać, zdać się na co, kwalifikować się, konweniować, czynić zadość, stosować się, *jest jak znalazł, ujdzie, to mnie urządza*, zadowolić, dogodzić, (u)satysfakcjonować, ukontentować, chwalić sobie, • przypaść do gustu, (s)podobać się, smakować, cieszyć oko, spotkać się z przychylnością, mieć łaski, wkraść się do serca, zniewolić, • śnić się, zjawiać (jawić) się w marzeniach, ukazać się we śnie, przyśniwać się, *chciałoby się, marzy mi się,* *pachnie mu*, • uszczęśliwić, (u)cieszyć, (u)radować, napawać, rozpromienić, rozanielać,

1083 zadowolony — **A.** RADOSNY, rozradowany, kontent, rad, pokrzepiony na duchu, usatysfakcjonowany, ukontentowany, zbudowany, podbudowany, **B.** SZCZĘŚLIWY, uszczęśliwiony, uradowany, • zachwycony, rozanielony, wniebowzięty, • oczarowany, zauroczony, zafascynowany, pod wrażeniem, • beztroski, idylliczny, sielski, sielankowy, bukoliczny, pastoralny, arkadyjski, • epikurejski, hedonistyczny, • pantagrueliczny↑, **C.** SYTY, najedzony, pełny, objedzony, nażarty↓, obżarty↓, • przejedzony, przeżarty↓,

1084 zadziorny — **A.** NIEPOSŁUSZNY, niesforny, nieokrzesany, samowolny, hardy, niepokorny, niekarny, niesubordynowany, niezdyscyplinowany, krnąbrny, przekorny, oporny, zaparty, narowisty, rogaty, buńczuczny, wyzywający, zuchowaty, chwacki↑, zaczepny, czupurny, zadzierzysty↑, zawadiacki, junacki↑, • zbuntowany, zrewoltowany, • rozdokazywany, rozhukany, rozhulany, • rozwydrzony, rozzuchwalony, **B.** PORYWCZY, popędliwy, krewki, awanturniczy, niezrównoważony, nieopanowany, impulsywny, wybuchowy, choleryczny, **C.** HULTAJSKI, gałgański, łobuzowaty, łobuzerski, • szelmowski, łotrzykowski, urwisowski, • łotrowski, zbójecki, • pijacki, alkoholiczny,

1085 zajmować się — **A.** ROBIĆ, (za)interesować się, ciekawić się, zająć się, pasjonować się, garnąć się, oddawać się, pogrążyć się w, (za)tonąć w, tkwić po uszy w, *wzięło go, w głowie mu tylko*, żyć czymś, uprawiać, prowadzić interesy, wieść działalność, wdawać się w, **B.** WCIĄGNĄĆ SIĘ, (pod)ekscytować się, (roz)emocjonować się, egzaltować się, (za)angażować się, być w swoim żywiole, (roz)entuzjazmować się, rozgorączkować się, rozgrzać się, roznamiętniać się, rozognić się, rozpalić się, rozpłomienić się,

1086 zakończenie — **A.** KONIEC, finał, meta, finisz, zamknięcie, mat↑, • kropka↓, basta↓, schyłek, zmierzch, • dno, kres, ostatnie podrygi, • resztka, pozostałość, ślad, **B.** EPILOG, dokończenie, happy end, koda,

• ukończenie, finalizacja, • zaprzestanie, zaniechanie, przerwanie, **C.** KOŃCÓWKA, terminal, • czubek, koniuszek, łebek, łepek, główka, głowica, kapitel, • szpic, stożek, konus, • szpikulec, kolec, iglica, dziób, wyrostek,

1087 zależeć — **A.** DRYFOWAĆ, płynąć z prądem, zdać się na ślepy traf, *jest rzeczą przypadku*, poddać się losowi, skazać się na, być pod wpływem, **B.** PODLEGAĆ, być do dyspozycji, być poddanym, być na łasce, być w czyim ręku, siedzieć pod pantoflem, słuchać się, sugerować się, • być na rozkazy, oddać się pod rozkazy, złożyć swój los w czyjeś ręce, uzależnić się, jeść z ręki, *tańczy jak mu zagrają*, **C.** NALEŻEĆ, być własnością, wrócić do właściciela,

1088 zależny — **A.** ZWIĄZANY, oparty, uwarunkowany, uzależniony, • heteronomiczny, niesamowystarczalny, współzależny, korelacyjny, • proporcjonalny, stosunkowy, **B.** NIEORYGINALNY, naśladowczy, plagiatorski, ściągnięty↓, zerżnięty↓, • imitacyjny, imitatorski, wtórny, epigoński, pogrobowy↑, zapożyczony, • pochodny, uboczny, **C.** SUBIEKTYWNY, subiektywistyczny, podmiotowy↑, nieobiektywny, tendencyjny, niesprawiedliwy, stronniczy, parcjalny↑, **D.** PODLEGŁY, zawisły↑, • satelicki, marionetkowy, • gnębiony, skrzywdzony, poniżony, uciśniony, zniewolony, spodlony, • żonaty, **E.** NIESAMODZIELNY, konformistyczny, oportunistyczny, • przyzwoity, cenzuralny, obyczajny↑, • dworski, nadworny, • lojalistyczny, prawomyślny, • niewolniczy, poddańczy, • pańszczyźniany, poddany, • służalczy, uniżony, uległy, dyspozycyjny, • lizusowski, wazeliniarski, pochlebczy, hołdowniczy, karierowiczowski, • fagasowski, lokajski, serwilistyczny,

1089 zamknąć — **A.** ZATRZASNĄĆ, (za)ryglować, zasunąć, do\przylmknąć, do\przylmykać, • zagrodzić, zablokować, odciąć od świata, • przekręcić klucz, • założyć kłódkę, **B.** ZAWRZEĆ, stulić (się), postulać się, pozwijać się, złożyć się, • mrużyć, przymykać, przy\zlmrużyć, • szczęknąć, kłapnąć, **C.** POZAKLEJAĆ, pozapinać, klamrować, oplombować, opieczętować, **D.** ZATKAĆ, (za)kneblować, (za)czopować, •

pozapychać, pozatykać (się), ● kapslować, zakręcać, (za)korkować,

1090 zanik — **A.** UTRATA, strata, ● zniknięcie, rozpłynięcie się, zatarcie się, ● ucichnięcie, zamilknięcie, **B.** ZANIKNIĘCIE, wymarcie, wyginięcie, ● zanikanie, wymieranie, ● dematerializacja, ewaporyzacja, unicestwienie,

1091 zapach — **A.** WOŃ, opary, ● odór, smród, fetor, ● swąd, stęchlizna, spalenizna, czad, kopeć, ● smrodzenie, kopcenie, palenie, dymienie, kadzenie, **B.** AROMAT, bukiet, ● wonność, pachnidło, olejek, zapach do ciast, ● wonności, olejki eteryczne, :kadzidełko, mirra, ● kadzidło, kadzielnica, kasoleta, trybularz, **C.** PERFUMY, woda toaletowa, woda kolońska, woda po goleniu, dezodorant, środek zapachowy, ● kosmetyk, balsam, tonik, fluid, śmietanka, mleczko, krem, depilator, środek do pielęgnacji ciała,

1092 zapełniać — **A.** NAPŁYNĄĆ, najść, zapełnić się, **B.** NAPEŁNIĆ, nabrać, zaczerpnąć, ● wsączyć, wkraplać, wkroplić, wkropić, wkrapiać, ● wstrzyknąć, wtryskiwać, wszczepić, ● nalać, w\zllać, napuścić, zlać, podolewać, rozlać, ponalewać, ponapełniać, (za)tankować, **C.** NAKŁAŚĆ, nałożyć, (na)walić, (po)nakładać, (na\za)ładować, klocować, ● wsypać, nasypać, wdrobić, wkroić, wepchnąć, powpychać, napchać, ponapychać, upchać, nabić, stłaczać, (w)tłoczyć, **D.** NADZIAĆ, (na)faszerować, wypchać, naszpikować, wypełnić, ● nadąć, na\wldmuchać, rozdymać, **E.** ZAMALOWAĆ, zapisać, zająć pamięć,

1093 zapewniać — **A.** PRZEKONYWAĆ, upewniać, odpowiadać, dać sobie rękę odciąć, ręczyć głową, *głowę daję*, (za)ręczyć, (po)przysiąc, (po)przysięgać, kląć się, zaklinać się, ● poręczyć, zaświadczyć, wydać (wypisać) zaświadczenie, wystawić dyplom, dać świadectwo, **B.** ZOBOWIĄZAĆ SIĘ, (przy)obiecać, dać słowo, ● przyrzec, ślubować, (za)przysiąc, robić nadzieję, **C.** ZAWAROWAĆ, zastrzec, (za)gwarantować, opatentować, ● pozostawić, przeznaczyć, zachować, (za)rezerwować, (za)bukować, **D.** ZAMAWIAĆ, umawiać się, kontrahować, kontraktować, ● nagrać, namotać↓, ● subskrybować, (za)prenumerować, (za)abono-

wać, **E.** PRZYSŁUGIWAĆ, należeć się, być należnym, przypadać w udziale, *było mu sądzone*,

1094 zapis — **A.** NOTACJA, transkrypcja, transliteracja, ● pismo, druk, kursywa, ● alfabet, ideografia, cyrylica, głagolica, grażdanka, brajl, fraktura, ideogram, mors, abecadło, abc, ● szyfr, kod, kryptonim, ● formuła, wzór, ● nuty, partytura, zapis muzyczny, zapis nutowy, **B.** PISOWNIA, ortografia, kaligrafia, ● charakter pisma, ręka↓, ● pisanina, bazgranina, mazanina, ● bazgroły, bohomazy, gryzmoły, esy-floresy, maczek, hieroglify, kulfony, **C.** ZAPISEK, notatka, uwaga, marginalia, notka,

1095 zapominać — **A.** ZAPOMNIEĆ, nie pamiętać, pozapominać, wyjść z wprawy, **B.** ZATRZEĆ SIĘ, pozacierać się, pozamazywać się, ● wyleciało z głowy, *uleciało z pamięci*, ● przebrzmieć, pójść w niepamięć, przycichnąć, *rany przyschły*, ● wymazać z pamięci, odesłać do lamusa, **C.** PRZEŻYĆ SAMEGO SIEBIE, wyjść z użycia, przeżyć się, **D.** POGUBIĆ SIĘ, (za\po)błądzić, ● kołowacieć, kręcić się w kółko, stracić orientację,

1096 zaraz — **A.** SZYBKO, jak najszybciej, co rychlej, co prędzej, czym prędzej, ● pilnie, już, natychmiast, na gwałt, gwałtem, na wczoraj, bezzwłocznie, niezwłocznie, doraźnie, bez zwłoki, **B.** WKRÓTCE, niebawem, niedługo, niezadługo, rychło, wnet, **C.** OD RAZU, na poczekaniu, od ręki, w jednej chwili, z miejsca, z punktu↓, z mety↓, z marszu↓,

1097 zarodek — **A.** EMBRION, ● zygota, **B.** NASIONKO, cebula, cebulka, przetrwalnik, ● nasienie, sperma, plemnik, ● jajo, jajeczko, komórka jajowa, ● cysta,

1098 zaskakiwać — **A.** ZASKOCZYĆ, postawić przed faktem dokonanym, uprzedzać fakty, spaść jak grom z jasnego nieba, *kto by się spodziewał, co ci strzeliło do głowy*, **B.** PRZYŁAPAĆ, przy\zldybać, nakryć, schwytać, przychwycić, dorwać↓, przykaraulić↓, złapać za rękę, złapać na gorącym uczynku,

1099 zaskoczenie — **A.** NIESPODZIANKA, sensacja, siurpryza↑, **B.** ZDZIWIENIE, zadziwienie, zdumienie, oszołomienie, osłupienie, ogłupienie, szok, ● konsternacja, zakłopotanie, zmieszanie, konfuzja,

1100 zasłona — A. KURTYNA, kotara, portiera, draperia, ● firana, firanka, zazdrostka, zaciemnienie, zamaskowanie, ● okiennica, żaluzja, roleta, stora, markiza, ● okap, daszek, kapnik, ● bielmo↑, B. CAŁUN, kir, ● kwef, czarczaf, jaszmak, ● woal↑, woalka, welon, ● maska, charakteryzacja, C. ZBROJA, opancerzenie, pancerz, kolczuga, kirys, przyłbica, hełm, szyszak↑, kask, tarcza, egida, puklerz, karwasz, ● fartuch, ubranie ochronne, ● cerata, D. PARAWAN, ekran, ● przepierzenie, ścianka, przedział, ● przegroda, bariera, przesieka, gródź, jaz, ● przepona, diafragma, ● przesłona, przysłona, ● klosz, abażur, ● osłonka, kokon, E. OSŁONA, otulina, chochoł, snop, snopek, ● izolacja, izolator, oplot, kora, ● opona, ● błotnik, F. POKROWIEC, futerał, etui, pochwa, pochewka, kabura, kołczan, sajdak↑, ● ochraniacz, ● obudowa, G. KOŁNIERZ, :*kołnierzyk, wyłogi, stójka, koloratka, golf, fryza, kryza, kreza*, ● karczek, ● dekolt, :*wycięcie, karo, serek, łódka,*

1101 zasób — A. POTENCJAŁ, rezerwuar, źródło, skarbnica, kopalnia, znalezisko, wykopalisko, ● zasoby, złoża, pokłady, B. ZAPAS, zapasy, remanenty, rezerwa, odwód, odwody, ● akumulator, bateria,

1102 zastąpić — A. WYRĘCZYĆ, (z)luzować, zmienić, przejąć obowiązki, odebrać ster (kierownicę), ● reprezentować, sprawować mandat, być przedstawicielem, występować w imieniu, działać z ramienia, zastępować, pośredniczyć, posłować, ambasadorować, świecić oczami za, ● upełnomocnić, upoważniać, uprawniać, B. ZAMIENIĆ, podstawić, podrzucić, powymieniać, pozamieniać, ● przewijać, przezwajać, ● rozmienić, wymienić, ● odmłodzić, odświeżyć, ● substytuować, przeszczepić, ● skompensować, starczać za, ● sublimować, ● zapośredniczyć, C. TRANSPONOWAĆ, ● orkiestrować, (z)instrumentować, aranżować, ● przełożyć, dokonać przekładu, (prze)tłumaczyć, (po)przekładać, ● dubbingować, D. TRANSLITEROWAĆ, (prze)transkrybować, (prze)literować, (za)kodować, (od\za)szyfrować, ● rozwiązać skrót,

1103 zatrudnić — A. FATYGOWAĆ, trudzić, ● zlecić, dać pracę, powierzyć, ● zepchnąć, spychać, B. NAJĄĆ, wynajmować, (u\z)godzić, (z)werbować, (za)angażować, brać pracownika, wziąć, posłużyć się, ● posłać do pracy, produktywizować, ● przydzielić, rzucić, wyznaczyć, ● okrętować, obsadzić, (po)obsadzać, pozaciągać (warty), ● wprząc, pozaprzęgać, za\przylprząc, założyć, pozakładać, ● posiodłać, (o)kulbaczyć, (o)siodłać, C. PRZESUNĄĆ, przekwalifikowywać (się), przenieść (się), przeprząc, przerzucić (się), przestawiać się, zmienić profil,

1104 zatwierdzenie — A. LEGALIZACJA, uwierzytelnienie, uprawomocnienie, konwalidacja, uwiarygodnienie, nostryfikacja, zalegalizowanie, ● uznanie, usankcjonowanie, ratyfikacja, przegłosowanie, przyjęcie,

1105 zatwierdzić — A. APROBOWAĆ, (u)sankcjonować, uprawomocnić, zalegalizować, autoryzować, ● zezwolić, pozwolić, dać, dozwalać, przyzwalać, ● spełnić, wysłuchać, uwzględnić, dyspensować, przychylić się, przystać (przystawać) na, skłaniać się, ● da się zrobić, B. ATESTOWAĆ, legalizować, oktrojować, koncesjonować, homologować, ● dopuścić, umożliwić, przepuścić, odbierać, dokonać odbioru, ● akredytować, dopuszczać, przypuścić do, wizować, ● biletować, (o)clić,

1106 zawierać — A. OBEJMOWAĆ, mieścić, kryć, ukrywać, mieć pojemność (zawartość), nieść w sobie, streszczać (się), B. ZMIEŚCIĆ SIĘ, wejść, wleźć, pomieścić się, znaleźć miejsce,

1107 zawodnik — A. SPORTOWIEC, ● kadrowicz, olimpijczyk, ● ćwierćfinalista, półfinalista, finalista, ● junior, senior, ● dżudoka, karateka, ● szermierz, florecista, fechtmistrz, szpadzista, szablista, ● tenisista ● piłkarz, futbolista, napastnik, obrońca, pomocnik, skrzydłowy, bramkarz, ● łucznik, strzelec, ● koszykarz, siatkarz, ● żeglarz, regatowiec, kajakarz, wioślarz, sternik, wodniak, ● pływak, ● pięściarz, bokser, ● zapaśnik, ● ciężarowiec, ● lekkoatleta,skoczek, biegacz, sprinter, długodystansowiec, maratończyk, ● miotacz, dyskobol, ● narciarz, alpejczyk, biathlonista, zjazdowiec, ● łyżwiarz, hokeista, • saneczkarz, bobsleista, • szachista, • brydżysta, **B.** GRACZ, karciarz, pokerzysta, hazardzista, ryzykant, • uczestnik, konkursowicz,

1108 zawodzić — **A.** SZWANKOWAĆ, niedomagać, utykać, kuleć, *to pozostawia wiele do życzenia, to nie wytrzymuje krytyki*, cierpieć na brak, • potrzebować, dopominać się, *to wymaga naprawy, to domaga się*, **B.** POPSUC SIĘ, zepsuć się, zawieść, uszkodzić się, ulec uszkodzeniu, nawalić↓, odmówić posłuszeństwa, puścić, wysiąść, • poszły bezpieczniki, *szlag trafił x*, • przeciekać, cieknąć, przepuszczać, • stanąć, stać, **C.** ZMARNOWAĆ, zepsuć, położyć, (na\s)knocić, (s)partaczyć, (s)paprać, (s)partolić↓, (s)fuszerować, odstawić fuszerkę, (s)paskudzić, (s)patałaszyć, schrzanić, spieprzyć,

1109 zbiór — **A.** ZBIERANINA, menażeria, mozaika, paleta, wachlarz, spektrum, • rozmaitość, wielość, wielorakość, różnorodność, heterogeniczność, dwojakość, niejednolitość, niejednorodność, wielobarwność, niejednostajność, przekładaniec, • różności, miscellanea, silva rerum, • cicer cum caule, groch z kapustą, **B.** KOLEKCJA, bateria, • archiwum, faktografia, dokumentacja, kartoteka, • biblioteka, księgozbiór, • płytoteka, fonoteka, filmoteka, • muzeum, galeria, gliptoteka, pinakoteka, panoptikum, gabinet osobliwości, **C.** ZESTAW, garnitur, komplet, przybornik, instrumentarium, przybory, apteczka, **D.** SKUPISKO, zbiorowisko, nagromadzenie, zbieranie się, gromadzenie się, napływ, **E.** PAKIET, portfel, koszyk, • paczka, talia, plik, stos, pęk, pęczek, zwitek, zwój, • baza danych, bank danych,

1110 zbliżać się — **A.** ZAPOWIADAĆ SIĘ, szykować się, kroić się, przygotowywać się, święcić się, być w drodze, *los gotuje, coś wisi w powietrzu*, • zanosić się na, wzbierać, *zbiera się na*, wisieć na włosku, *idzie ku*, zagrażać, pachnieć (zdradą), czaić się, czyhać, *to grozi (zerwaniem), gotów (zerwać)*, **B.** STAĆ NA PROGU, stanąć w obliczu, *czeka mnie, grozi mi, wybiła godzina prawdy*, **C.** NASTAWAĆ, zapadać, mieć się ku, *dochodzi pierwsza, wybiła pierwsza*, **D.** PRZYBLIZAĆ SIĘ, nadejść, nadchodzić, ciągnąć, nadciągać, napływać, • podejść, przy\zlbliżyć się, (po)przysuwać się, pod-

chodzić, nad\podlbiec, • podkraść się, podsuwać się, podczołgać się, podpełznąć, podleźć, podłazić, • nadjechać, nadjeżdżać, nad\podlpłynąć, • nadlatywać, • podtoczyć się, do\przylturlać się, • dopadać, do\przylpaść,   do\przylskakiwać, do\przylskoczyć,

1111 zboczeniec — **A.** DEWIANT, :*ekshibicjonista, fetyszysta, pedofil, sodomita, nekrofil*, • transwestyta, biseks, • obojnak, hermafrodyta, **B.** HOMOSEKSUALISTA, pederasta, gej, pedał↓, pedzio↓, ciota↓, • lesbijka, lesba↓,

1112 zdarzenie — **A.** WYDARZENIE, epizod, casus, • zajście, incydent, wypadek, • przygoda, przeżycie, przejście, historia, fakt, • precedens, ewenement, • sensacja, scena, heca, afera↓, szopka↓, komedia, cyrk, kino, jaja↓, zbyty↓, brewerie, **B.** PRZYPADEK, zbieg okoliczności, traf, fuks, koincydencja↑, • przypadkowość, przygodność, incydentalność,

1113 zdawać się — **A.** WYDAWAĆ SIĘ, mieć wrażenie, odnosić (odnieść) wrażenie, **B.** WYGLĄDAĆ NA, prezentować się, wydać się, zdać się, stwarzać pozór, sprawiać wrażenie, *patrzy mu dobrze z oczu*, • jawić się, okazać się, • cechować się, charakteryzować się, mieć to do siebie że, • grzeszyć, śmierdzieć, trącić, • brzmieć tak a tak, znaczyć, **C.** ZWIDYWAĆ SIĘ, majaczyć się, przywidzieć się, przyśnić się, uroić się, • roić sobie, ubzdurało (ubrdało) mu się,

1114 zdecydowanie — **A.** KATEGORYCZNIE, stanowczo, bezwzględnie, po męsku, • definitywnie, ostatecznie, nieodwołalnie, **B.** TWARDO, niezłomnie, nieustępliwie, nieugięcie, nieustraszenie, niewzruszenie, niezachwianie, • przebojowo, przebojem, • arbitralnie, autorytatywnie, apodyktycznie, • bezkompromisowo, pryncypialnie, nieprzejednanie, nieubłaganie, bez litości, bezlitośnie, bezpardonowo, bez pardonu, • brutalnie, • bez znieczulenia, na żywca↓, **C.** OKRUTNIE, potwornie, barbarzyńsko, nieludzko, niehumanitarnie, • krwiożerczo, drapieżnie, • krwawo,

1115 zdenerwowany — **A.** WZRUSZONY, • przejęty, poruszony, wstrząśnięty, • rozemocjonowany, zemocjonowany, rozgorączkowany, podekscytowany, podniecony, **B.** SPIĘTY↓, napięty, • sfrustrowany, niespokojny, zaniepokojony, podminowany, • rozdygotany, roztrzęsiony, **C.** ZIRYTOWANY, poirytowany, podirytowany, podenerwowany, podrażniony, rozdrażniony, rozeźlony, rozzłoszczony, rozgniewany, zagniewany, zniecierpliwiony, • oburzony, zbulwersowany↑, zgorszony, **D.** WZBURZONY, zły, gniewny, gniewliwy, rozjątrzony, rozsierdzony, rozjuszony, zajeżony↓, zabulgotany↓, rozsrożony↑, nabuzowany↓, wkurzony↓, wkurwiony↓, rozwścieczony, wściekły, cięty, • zacietrzewiony, zaperzony,

1116 zdobny — **A.** OZDOBIONY, ubrany, przybrany, przystrojony, garnirowany, • ukwiecony, kwiecisty, kwietny, **B.** OZDOBNY, dekoracyjny, dekoratywny, • wzorzysty, deseniowy, kwiaciasty, kwiecisty, w kwiaty, • kraciasty, w kratę, w kratkę, • żyłkowany, żeberkowany, **C.** UBRANY, odziany, wystrojony, wygalowany, wyelegantowany↓, wyfiokowany↓, odpicowany↓, strojny↑, wysztafirowany, odpieprzony↓, odstawiony, odstrojony, • upierścieniony, • umalowany, wymalowany, wypacykowany↓, **D.** LALUSIOWATY, gogusiowaty, paniczykowaty, bubkowaty, • wychuchany, wycackany, wypieszczony, wymuskany, • dandysowaty, fircykowaty, playboyowaty,

1117 zdobyć — **A.** WYSTARAĆ SIĘ, wyrobić, podłapać↓, • wychodzić, wydreptać, wyjednać, u\wylbłagać, u\wylprosić, wymolestować, • wymodlić, wyżebrać, • wydębić, s\wylkombinować, wycyganić, wymamić, • wytrzasnąć, znaleźć, wynaleźć, wydobyć spod ziemi, **B.** UZYSKAĆ, wskórać, dobić się, dochrapać się, dojść do czegoś, dochodzić do, osiągnąć, przyszło lekko (ciężko), • wypracować, zapracować, dopracować się, dorobić się, dosłużyć się, wysłużyć, • dostać się do, dorwać się, dobrać się, załapać się↓, • awansować, dostać promocję, rozwinąć skrzydła, • dostąpić, doczekać (się), zasłużyć, **C.** ZAROBIĆ, utargować, • dorabiać, dorobić, • chałturzyć • dokradać, użebrać, • odkuć się, podreperować się, wyjść na swoje, stanąć na nogi, dorobić się, podorabiać się, • wzbogacić się, obłowić się, zrobić fortunę, zbić majątek, nachapać się↓, ob-

rosnąć w majątek, • opływać w, siedzieć (spać) na forsie, pławić się w, kąpać się w,

1118 zdrada — **A.** NIELOJALNOŚĆ, nieprawomyślność, nieuczciwość, oszustwo, • niewierność, wiarołomstwo, cudzołóstwo, cudzołożenie, • heterodoksja, nieprawowierność, **B.** ODSZCZEPIEŃSTWO, odstępstwo, zaprzaństwo, apostazja, herezja, kacerstwo, bezbożność, • obrazoburstwo, ikonoklazm, **C.** SZPIEGOSTWO, wywiad, kontrwywiad, • donosicielstwo, kapownictwo, sypanie↑, denuncjacja, • kolaboracja, współpraca (z obcym wywiadem),

1119 zebranie — **A.** POSIEDZENIE, narada, konsylium, kolegium, plenum, • konferencja, kongres, sympozjum, zjazd, • obrady, sesja, nasiadówka↓, konwokacja, zwołanie, • konklawe, sobór, koncylium, synod, konwentykiel↑, • seans, seans spirytystyczny, **B.** ZGROMADZENIE, demonstracja, manifestacja, wiec, masówka, zlot, spęd↓, • zbiórka, apel, odprawa, operatywka↓, • spotkanie, mityng, jamboree,

1120 zegar — **A.** ZEGAREK, budzik, klepsydra, • czasomierz, chronometr, chronoskop, • tarcza (zegara), cyferblat, • licznik, • busola, kompas,

1121 zgięcie — **A.** ZAGIĘCIE, załamek, załom, podgięcie, • fałd, fałda, kontrafałda, zmarszczka, zakładka, godet, klin, **B.** PRZEGUB, staw, kardan↑, • złącze, przęsło, kotew, kotwa, • zawias, • kolanko, kształtka,

1122 zgłupieć — **A.** GŁUPIEĆ, bałwanieć, (z)baranieć, (z)durnieć, (o)tumanieć, głąbieć, skretynieć, (s)tępieć, **B.** OGŁUPIEĆ, być niespełna rozumu, *z byka spadłeś*, upaść na głowę, nie mieć piątej klepki, mieć nie po kolei w głowie, mieć hysia, skołowacieć, **C.** OSZALEĆ, (z)wariować, zidiocieć, *poszaleli*, wpaść w szał, powściekać się, stracić rozum, pogłupieć, *odebrało mu rozum, odbiło mu↓, padło na mózg, pomieszało się w głowie*, dostać pomieszania zmysłów, dostać manii (fioła), dostać kota (bzika\kręćka), postradać zmysły, popaść w obłęd, (z)bzikować, (s)fiksować, ocipieć↓, świrować, **D.** BREDZIĆ, majaczyć, mówić od rzeczy, gadać bez sensu↓, gadać głupoty↓, pleść bez ładu i składu, mieć urojenia (halucynacje),

1123 zgoda — **A.** PRZYZWOLENIE, wiedza, placet, ● dostęp, wgląd, ● aprobata, uznanie, akceptacja, absolutorium, afirmacja, potwierdzenie, ● zgodzenie się na, przystanie na, **B.** POZWOLENIE, zezwolenie, atest, homologacja, patent, koncesja, licencja, autoryzacja, debit, imprimatur, ● uprawnienia, kompetencje, **C.** UPOWAŻNIENIE, pełnomocnictwo, plenipotencja, carte blanche, wolna ręka, gestia, ● prokura↑, mandat, miejsce (w parlamencie), ● przelew, przelanie (praw), zrzeczenie się, odstąpienie, cesja, scedowanie,

1124 zgodność — **A.** HARMONIA, konsonans, harmonijność, zgranie, ● jednoczesność, synchroniczność, synchronizacja, playback, postsynchronizacja, dubbing, **B.** SYMETRIA, symetryczność, geometryczność, osiowość, proporcjonalność, ● odpowiedniość, kongruencja, przystawanie, ● równoważność, ekwiwalencja, wymienność, współmierność, **C.** PODOBIEŃSTWO, analogiczność, wspólność, wspólne cechy, ● analogia, paralela, ● paralelizm, równoległość, zbieżność, konwergencja, ● pokrewność, bliskość,

1125 zgodzić się — **A.** TOLEROWAĆ, szanować, ● pogodzić się, cierpieć, znosić, wytrzymywać, **B.** GODZIĆ SIĘ, zgadzać się, solidaryzować się, akceptować, wyrazić zgodę, ● uznać, przyjąć, przyjąć do wiadomości, podpisać się (obiema rękami), podzielić (sąd), przyznać (rację), potwierdzać, potakiwać, przytaknąć, przytwierdzić, przyświadczyć↑, ● pochwalać, przyklasnąć,

1126 ziarno — **A.** NASIONA, ● ziarnko, ziarenko, granulka, ● jądro, pestka, ● siemię, **B.** ZBOŻE, :*pszenica, żyto, jęczmień, owies, proso, sorgo, ryż, kukurydza, gryka*,

1127 ziemia — **A.** GLEBA, grunt, pożywka, podłoże, :*czarnoziem, glina, ił, piasek, piach, próchnica, humus*, **B.** POLE, niwa, łan, zagon, kartoflisko, ● rżysko, ściernisko, ● nieużytki, odłóg, ugór, póługór, halizna, ● chwasty, zielsko, kąkol, ● użytki, uprawa, **C.** ROLA, gospodarstwo (rolne), gospodarka, kołchoz, kibuc, pegeer, ● plantacja, farma, ferma,

rancho, ranczo, hacjenda, fazenda, ● hektary, morgi, **D.** LĄD, kontynent, ● glob, nasza planeta, kraina ziemska, ● kula ziemska, półkula, hemisfera, globus, ● świat, życie, padół ziemski,

1128 ziębnąć — **A.** OSTYGAĆ, (wy\prze)stygnąć, (o\prze)studzić się, (o)chłodnąć, tracić ciepło (temperaturę), (po)chłodnieć, ochłodzić się, (z)lodowacieć, wyziębnąć, wyziębiać się, oziębić się, wymrażać się, **B.** CHŁODZIĆ, o\słchładzać, wachlować, (o\wy)ziębić, przestudzić, dostudzać, ● mrozić, po\przelmrozić, zamrażać, ścinać mrozem, powarzyć, (o\s)chłodzić, przejmować chłodem, ostudzić (się), **C.** ZMARZNĄĆ, (s)kostnieć, (prze\za)marznąć, prze\zlziębnąć, uświerknąć, cierpieć chłód, ● (po)cierpnąć, ścierpnąć, (po\z)grabieć, (z\o)drętwieć,

1129 zimny — **A.** CHŁODNY, wychłodzony, ● zacieniony, ocieniony, cienisty, bezsłoneczny, ● nieprzytulny, nieprzyjemny, ● rybi, **B.** MROŹNY, luty↑, srogi, surowy, ● polarny, północny, podbiegunowy, ● przejmujący, mroźny, lodowaty, **C.** ZMARZNIĘTY, zziębnięty, przemarznięty, ● zdrętwiały, zesztywniały, sztywny, skostniały, zgrabiały, zlodowaciały,

1130 zjednoczenie — **A.** ZESPOLENIE, scalenie, zintegrowanie, połączenie, fuzja, zespalanie, integrowanie, unifikacja, ● powiązanie, związanie, kombinacja, zestawienie, kompilacja, kontaminacja, zmieszanie, **B.** KONSOLIDACJA, umocnienie, ugruntowanie, utrwalenie, ● komasacja, skomasowanie, zgromadzenie, gromadzenie, ● koncentracja, skupienie, ześrodkowanie, zcentralizowanie, centralizacja, **C.** UNIA, jedność, solidarność, kolektywizm, kolektywność, ● intgralność, wyłączność, niepodzielność, ● związek, mariaż, ● ekumenizm, **D.** ZŁĄCZENIE, spojenie, ● fuga, spoina, sklejka↓, ● szew, fastryga, **E.** UPAŃSTWOWIENIE, uspołecznienie, ● kolektywizacja, uspółdzielczenie, ● nacjonalizacja, socjalizacja, unarodowienie,

1131 zło — **A.** NIEGODZIWOŚĆ, nikczemność, podłość, podłostka, ● łajdactwo, gałgaństwo, hultajstwo, bezeceństwo, draństwo, świństwo, łotrostwo, **B.** NIEPRAWOŚĆ, występek, grzech, **C.** OKRUCIEŃSTWO, bestialstwo, krwiożerczość, drapieżność, • rozbestwienie, zezwierzęcenie, zdziczenie, barbarzyństwo, wandalizm, • kanibalizm, ludożerstwo, antropofagia, • sadyzm, tortury, znęcanie się, pastwienie się, katowanie, • skatowanie, zakatowanie, zadręczenie, zagłodzenie (na śmierć), • katownia, kaźń, bezwzględność, bezduszność, okrutność, • brutalizm, brutalność,

1132 złość — **A.** GNIEW, wzburzenie, rozdrażnienie, zdenerwowanie, irytacja, • wściekłość, szał, furia, pasja, amok, rankor↑, **B.** AGRESJA, napastliwość, ofensywność, zaczepność, kłótliwość, awanturnictwo, pieniactwo, swarliwość, dokuczliwość, • złośliwość, jadowitość, zjadliwość, zgryźliwość, uszczypliwość, kąśliwość, ciętość, cierpkość, kostyczność, jędzowatość, **C.** NIENAWIŚĆ, jad, wrogość, zawziętość, antagonizm, zwalczanie się, zaciekłość, zażartość, zajadłość, zapalczywość, • zacietrzewienie, zaperzenie, zapamiętanie, zapamiętałość,

1133 zły — **A.** NEGATYWNY, ujemny, pejoratywny, minusowy, • odmowny, przeczący, • czarny, • pechowy, niefortunny, nieszczęsny, • choleryczny, diabelny, pieroński↓, pieprzony↓, kurewski↓, pierdolony↓, sakramencki↓, pioruński↓, przeklęty↓, parszywy↓, zatracony↑, **B.** SROGI, surowy, groźny, marsowy, jowiszowy, nasrożony, złowrogi, piorunujący↑, • bazyliszkowy, bazyliszkowaty, • diabelski, diabli, diaboliczny, szatański, czartowski, piekielny, nieczysty, z piekła rodem, **C.** WADLIWY, nieprawidłowy, • niegospodarny, rozrzutny, nieoszczędny, marnotrawny, • rabunkowy, wyniszczający, • nieopłacalny, nierentowny, • nietrafny, niewłaściwy, • błędny, niepoprawny, łamany, kaleki, kulawy, koślawy, • niesmaczny, niejadalny, niezjadliwy↓, niestrawny, **D.** PODRZĘDNY, gorszy, drugorzędny, trzeciorzędny, • pomniejszy, pośledni, drugoplanowy, epizodyczny, marginalny, marginesowy, • podły, nieszlachetny, • roboczy, drelichowy, • najgorszy, ostatni, • zdemoralizowany, zepsuty, zdegenerowany, zdeprawowany, znieprawiony↑, wykolejony, zmarnowany, **E.** NIEODPOWIEDNI, nie nadający się, niezdatny, • nieadekwatny, inadekwatny, niedobrany, nieprzystawalny, nieprzystający, niekompatybilny, • niewskazany, nie zalecany, nieprzepisowy, nienależyty, nie na miejscu, • niepo-

wołany, niepożądany, • wyklęty, ekskomunikowany, potępiony, • winny, winien,

1134 zmęczony — **A.** WYCZERPANY, znużony, wymęczony↓, przemęczony, zmachany↓, półżywy↓, wykończony↓, wpółżywy, nieżywy, zdechły↓, spracowany, przepracowany, zmordowany, umęczony, umordowany, styrany↓, utrudzony↑, sterany↓, padnięty↓, skatowany↓, wypluty↓, skotłowany↓, skonany↓, wypompowany↓, oklapnięty↓, klapnięty↓, zmarnowany↓, • zdrożony↑, **B.** ZADYSZANY, zdyszany, zasapany, bez tchu, **C.** SENNY, śpiący, • niewyspany, zaspany, rozespany, **D.** WYNISZCZONY, zniszczony, zużyty, przeżyty↑,

1135 zmęczyć się — **A.** PRZEPRACOWYWAĆ SIĘ, fatygować się, męczyć się, mordować się, mozolić się, trudzić się, znoić się, pocić się, wysilać się, pracować w pocie czoła, podpierać się nosem, gonić resztkami (ostatkiem) sił, **B.** ZMACHAĆ SIĘ, na\slpracować się, s\ultrudzić się, uznoić się, wyczerpać siły, omdlewać, ustawać, sforsować się, z\ulmordować się, sfatygować się, umęczyć się, urobić się, u\zaltyrać się, uszarpać się, opaść z sił, nie czuć kości, słaniać się, • padać z nóg, uchodzić się, zleźć się, złazić się, zlatać się, uchodzić sobie nogi do kolan, uganiać się, ledwie trzymać się na nogach, walić się z nóg, urobić sobie ręce po łokcie, *ręce odpadają*, • nadwerężyć się, podźwignąć się, przedźwigać się, odchorować, czuć w kościach,

1136 zmiana — **A.** ROZWÓJ, ewolucja, rozwijanie się, przeobrażanie się, • proces, przebieg, akcja, tok, bieg, nurt, ciąg, upływ, **B.** PRZEMIANA, metamorfoza, przeistoczenie, przeobrażenie, transpozycja, • reinkarnacja, wędrówka dusz, metempsychoza, • odmiana, mutacja, • zamiana, wymiana, permutacja, konwersja, **C.** PRZEKSZTAŁCENIE, przebudowa, reforma, restrukturyzacja, reorganizacja, reorientacja, • przegrupowanie, przewarstwienie, • przewartościowanie, **D.** PRZEJŚCIE, przechodzenie, zwrot, zakręt, przeskok, moment zwrotny, kamień milowy, • przełom, wyłom, przesilenie, kryzys, • szczyt, kulminacja, • przesiadka, **E.** PRZERÓBKA, modyfikacja, parafraza, aranżacja, przetworzenie, trawestacja, wariacja, adaptacja, **F.** MODULACJA, dostrojenie, dostosowanie, przypasowanie, dopasowanie, strojenie,

1137 zmieniać — **A.** PRZEMIANOWAĆ, przerejestrować, przekwalifikować, • przewartościować, konwertować, rewaloryzować, rewidować, przeszacować, rewaluować, **B.** ZROBIĆ OD NOWA, odmienić sobie, • przemalować, odmalować, przefarbować, • przemeblować, poprzestawiać, przegrupować (się), • przepakować, przełożyć, • prześcielać (przesłać), • przewentylować, (prze\wy)wietrzyć, **C.** PRZEROBIĆ, (po)przerabiać, • wymieniać, obracać na, zamieniać, • przestroić, modulować, tonować, przestrajać, modyfikować (się), zmodyfikować, przeinterpretować, • nicować, przenicować, przeszyć, popruć, przestębnować, przefasonować, **D.** PRZEKSZTAŁCAĆ, przeobrażać, przebudować, przeorać, przekuć, rewolucjonizować, przemodelować, przeorientować, • obrócić w, zmienić w, przemienić, przeistoczyć, • przepracować, przetworzyć, przeprojektować, przełączyć, komutować, przekonstruować, przekomponować, przetransponować, przeredagować, przeformułować, sparafrazować, przestylizować, inwertować, adaptować, • ekranizować, sfilmować, przenieść na, • inscenizować, teatralizować, kameralizować, **E.** ODMIENIĆ, odmłodzić, postarzać, oszpecać, pogrubiać, wyszczuplać,

1138 zmieniać się — **A.** EWOLUOWAĆ, przejść ewolucję, przerodzić się, przeradzać się, przepoczwarczyć się, przepoczwarzyć się, przejść w, • przeistaczać się, przedzierzgnąć się, przeobrazić się, zamienić się w, przemienić się, obrócić się w, robić się, stać się, zostać, ulec zmianie, **B.** PRZEKSZTAŁCIĆ SIĘ, przybierać inny kształt, przybrać jakiś wygląd, przyjąć pewien obrót, • poprzebierać się, ucharakteryzować się, **C.** ODMIENIĆ SIĘ, ożywać, (od)młodnieć, odmłodzić się, odmładzać się, *ubyło mu lat*, • postarzeć się, zestarzeć się, • wyładnieć, (wy)pięknieć, (wy)przystojnieć, (wy)zgrabnieć, (wy)subtelnieć, (wy)szlachetnieć, • odżyć, odnowić się, odrodzić się, zregenerować się, zjędrnieć, odrosnąć, odróść, poodrastać, odtworzyć się, • pokryć się, powlec się, okryć się, **D.** DOJRZEWAĆ, garować, gliwieć, leżakować, macerować się, • odlegiwać się, dochodzić, (s)kruszeć, uleżeć się,

• spopielać się, **E.** ZATRACIĆ, zrzucać, linieć, (o\wy)łysieć,

1139 zmienność — **A.** NIESTAŁOŚĆ, odwracalność, • wymienność, alternacja, zamienność, **B.** NIETRWAŁOŚĆ, tymczasowość, chwilowość, doraźność, dorywczość, przypadkowość, • przelotność, krótkotrwałość, krótkość, przemijalność, krótkowieczność, doczesność, **C.** ULOTNOŚĆ, znikomość, efemeryczność, impresyjność, • meteor, kometa, spadająca gwiazda, • efemeryda, bańka mydlana, dymek z papierosa, domek z kart, zamki na lodzie, **D.** NIERÓWNOWAGA, brak równowagi, labilność, • destabilizacja, chwiejność, chybotliwość, rozchwianie, rozchybotanie, • płynność, fluktuacja, rotacja, pulsacja, pulsowanie, • kapryśność, wzloty i upadki, • wahadło, huśtawka,

1140 zmienny — **A.** NIESTAŁY, nierówny, kapryśny, chimeryczny, grymaśny, wybredny, fumiasty, humorzasty, • chwiejny, niepewny, • koniunkturalny, nieregularny, nierytmiczny, • okresowy, periodyczny↑, • niesystematyczny, akcyjny, kampanijny, • rotacyjny, **B.** ROZKOŁYSANY, rozchybotany, rozchwiany, • rozedrgany, wibrujący, • drżący, rozlatany, trzęsący się, **C.** WZRASTAJĄCY, postępujący, • progresywny (progresyjny), postępujący, • rosnący, zwyżkujący, zwyżkowy, podwyższający się, • zwiększający się, narastający, • zwielokrotniony, **D.** MALEJĄCY, spadkowy, opadający, **E.** GIĘTKI, elastyczny, kurczliwy, kurczący się, ściągający się, • jędrny, sprężysty, • ciastowaty, gumowaty, • gąbczasty, gąbkowaty, • plastyczny, miękki, • formowalny, kowalny, kujny↑,

1141 zmierzch — **A.** ZMROK, wieczór, • mrok, mroczność, pomroka, półmrok, szarość, szarówka, szara godzina, półzmierzch, półcień, cień, **B.** NOC, ciemno, ciemność, czerń, • zaćmienie, **C.** ZACHÓD, jesień, schyłek, upadek, koniec,

1142 zmniejszać — **A.** POMNIEJSZAĆ, (z)miniaturyzować, zwinąć, pozwijać, (po)składać, złożyć, • sprężyć, ścisnąć, ścieśnić, • ob\slkurczyć, ściągnąć, odchudzać, • (s)komprymować, skondensować, streszczać, **B.** UMNIEJSZAĆ, nadwątlić, uszczuplić, oberwać, dekompletować, przerzedzić, **C.** LIMITOWAĆ, ograniczać, (z)minimalizować, (z)redukować, miarkować, obciąć, poobcinać, okroić, okrajać, obniżyć, obostrzyć, **D.** SKRACAĆ, skrócić, popodcinać, przyrżnąć, przyrzynać, upiłować, poprzycinać, kurtyzować, o\zelstrzyc, ● wciąć, wdać, zwęzić, pozwężać,

1143 zmniejszać się — **A.** POMNIEJSZYĆ SIĘ, (z)maleć, (s)karleć, karłowacieć, drobnieć, (po\s)kurczyć się, obkurczyć się, ścieśnić się, **B.** SKRACAĆ SIĘ, redukować się, pościągać się, zbiec się, przewęzić się, ● stęchnąć, (s)klęsnąć, spłycić się, (ś)cienieć, ● odchudzić się, schudnąć, (ze)szczupleć, smukleć, zadbać o linię, stracić na wadze, **C.** OBNIŻAĆ SIĘ, opadać, opaść, spaść, (po)spadać, ograniczać się do, ● zniżkować, (po)tanieć, ● słabnąć, zelżeć, przygasnąć, przyblednąć, przytłumić się, ścichać,

1144 zmysł — **A.** WĘCH, powonienie, narząd węchu, nozdrza, niuch↓, ● nos, nosek, nochal, nosisko, kartofel↓, kulfon↓, **B.** DOTYK, czucie, ● wyczucie, wrażliwość, **C.** WZROK, oczy, narząd wzroku, oko, limo↓, ● spojrzenie, wejrzenie, ● oczęta, ślepia, patrzały↓, gały↓, trzeszcze↑, ● powieki, ● brwi, rzęsy, **D.** SŁUCH, ucho, narząd słuchu, ● uszy, słuchy↑, **E.** SMAK, podniebienie, apetyt, ● przyprawa, przyprawy, zioła, korzenie, sos, zaprawa, keczup, ketchup, majonez, musztarda, dresing, ● kwasowatość, kwaśność, kwasowość, kwasota, kwas, ocet, ● gorycz, piołun, goryczka, gorzkawość, goryczkowatość, gorzkość, ● słodycz, słodkość, ulepek,

1145 znaczyć — **A.** OZNACZAĆ, mieć jakieś znaczenie, posiadać pewną wymowę, konotować, ● symbolizować, wyobrażać, ● znamionować, cechować, charakteryzować, wyróżniać, **B.** POLEGAĆ, sprowadzać się do, zasadzać się, tłumaczyć się, wynikać, *chodzi o to, rzecz jest w tym, przyczyna tkwi w*, **C.** ŚWIADCZYĆ, dowodzić, przemawiać za (przeciw), uzmysłowić, unaoczniać, ilustrować, *ten przykład uczy że*, ● zapowiadać, rokować, zwiastować, wskazywać, sygnalizować, **D.** PRZECZYĆ, stać w sprzeczności z, nie potwierdzać, sprzeciwiać się, wykluczać się, wyłączać się,

1146 znak — **A.** ŚLAD, blizna, szrama, ● piętno, znamię, stygmat, ● pieprzyk, plama, myszka↓, ogień↓, ● odcisk, odgniecenie, trop, ● koleina, kilwater, tor, droga, ● maźnięcie, cień, **B.** LITERA, ● kapitaliki, wersaliki, wielkie litery, litery drukowane, ● kursywa, pochyły druk, ● hieroglif, piktogram, ideogram, ● monogram, inicjały, **C.** INTERPUNKCJA, znaki przestankowe, :*przecinek, kropka, punkcik, akcent, średnik, dwukropek, pytajnik, znak zapytania, wykrzyknik, cudzysłów, kreska, kreseczka, myślnik, dywiz, łącznik, apostrof*, ● krzyżyk, haczyk, ptaszek, fajeczka, **D.** HASŁO, sygnał, klakson, syrena, tusz, hejnał, pobudka, ● transparent, napis, slogan, **E.** OZNACZENIE, symbol, odnośnik, numer, numeracja, sygnatura, paginacja, odsyłacz, ● wyznacznik, kwantyfikator, kwalifikator, **F.** MARKA, znak fabryczny, znak firmowy, logo, ● próba, kontramarka, ● metka, karteczka, etykieta, ● nalepka, naklejka, kalkomania, ● ekslibris, **G.** ZNACZEK, plakietka, identyfikator, kotylion, ● odznaka, **H.** OZNAKA, atrybut, insygnium, insygnia, regalia ● totem, ● emblemat, dystynkcje, opaska, godło, herb, rodło↑, ● stempel, pieczęć, gmerk↑, marka↑, ● sztandar, flaga, chorągiew, proporzec, proporczyk, bandera, ● krzyż, krucyfiks, ● swastyka, hakenkreuz, **I.** OZNAKOWANIE, znak (drogowy), drogowskaz, ● szyld, wywieszka, tabliczka, ● kierunkowskaz, strzałka, ● semafor, ● światła, sygnalizacja świetlna,

1147 znaleźć — **A.** ODNALEŹĆ, odnajdować, (po)znajdować, (po)odnajdywać, (po)wynajdywać, powyszukiwać, odgrzebać, dogrzebać się, dokopać się, dowiercić się, wykryć, ● wyszukać, wyszperać, ● wymacać, wyszpiegować, wytropić, wyśledzić, wywąchać, wywęszyć, wyniuchać, wykryć, wyłowić, ● spotykać, trafiać, **B.** DOPATRYWAĆ SIĘ, upatrywać, dosłuchiwać się, doszukać się,

1148 znany — **A.** WIADOMY, określony, konkretny, odnośny, ● dotyczący, odnoszący się, stosujący się, ● nazwany, zdefiniowany, kwalifikowany, oznaczony, nacechowany, naznaczony, ● dany, podany, znamionowy, nominalny, ● wymierny, mierzalny, ● przekładalny, przetłumaczalny, **B.** POZNANY, odkryty, ● opublikowany, wydany, ● ujawniony, zdekonspirowany, spalony, ● przereklamowany, przechwalony↑, **C.** TYPOWY, charakterystyczny, reprezentatywny, kliniczny, okazowy, znamienny, popularny, ● częsty, nierzadki, częstawy, ● nagminny, pospolity, rozpowszechniony, powszechny, masowy, **D.** SŁYNNY, głośny, wybitny, (prze)sławny, ● okrzyczany, osławiony, sławetny, ● renomowany, wzięty, ceniony, uznany, rozchwytywany, ● lubiany, uwielbiany, ● (prze)świetny↑, znakomity, **E.** NIENOWY, spowszedniały, opatrzony, osłuchany, ● nieoryginalny, ● stereotypowy, oklepany, ograny, wyświechtany, wytarty, tuzinkowy, krążący, kursujący, obiegowy, ● standardowy, szablonowy, sztampowy, ● uznany, przyjęty, konwencjonalny, klasyczny, ● elementarny, podręcznikowy, szkolny, **F.** UCZĘSZCZANY, ruchliwy, rojny, ● przelotowy, ● popularny, ulubiony,

1149 zniechęcać — **A.** RAZIĆ, drażnić, odpychać, odrzucać, (z)mierzić, wzbudzać niesmak, budzić wstręt (odrazę), wywoływać obrzydzenie, kłuć w zęby, *przewracają się flaki↓*, *to mnie nie wzrusza*, ● demobilizować, odejmować chęć, rozleniwić, **B.** ODCIĄGAĆ, zrażać, odstraszyć, odstręczać, ostudzić zapędy, usposobić niechętnie, nastroić nieprzychylnie, podcinać skrzydła, demonizować, ● zohydzać, obrzydzić, zbrzydzić, nastawić wrogo, **C.** PODBURZYĆ, (na\pod)buntować, (pod)judzić, napuścić, podbechtać, poduszczać↑, (po)szczuć, podszczuwać, podżegać, instygować, wichrzyć,

1150 znieruchomieć — **A.** STANĄĆ, zatrzymać się, wyhamować, zaparkować, **B.** PRZYSTANĄĆ, zająć pozycję, przyjąć postawę, ustawić się, usytuować się, ● rozkraczyć się, (u)klęknąć, **C.** UNIERUCHOMIĆ, wyłączyć, zgasić, ● przyszpilić, przygwoździć (przygważdżać), przykuć, osadzić, zakleszczyć (się), ● parkować, cumować, przycumowywać, kotwiczyć, rzucać kotwicę, ● przypasać się, przywiązać się, ● stabilizować, ustalić, utrwalać, **D.** USTALIĆ SIĘ, (u)stabilizować się, utrwalać się, ● skostnieć, skonwencjonalizować się, **E.** ZAMIERAĆ, zamrzeć, zmartwieć, zastygnąć, ● posztywnieć, (z\o)drętwieć, *złapał kurcz*,

1151 zniknąć — **A.** UBYWAĆ, rozchodzić się, topnieć, niknąć, ginąć, ● rzednąć, rozrzedzać się, przerzedzać się, ubożeć, ● za-

nikać, obumrzeć, obumierać, ● rozmyć się, rozmydlić się, rozpłynąć się, stracić ostrość, **B.** DEMATERIALIZOWAĆ SIĘ, przepadać, (po)znikać, zginąć, zniknąć z oczu, tracić się, tonąć w, topić się, niknąć, przepaść jak kamień w wodę, rozpłynąć się, rozmywać się, roztapiać się, urywać się, ● sprać się, zmyć się, **C.** PIERZCHAĆ, pryskać, rozproszyć się, uciec gdzie pieprz rośnie, **D.** ZGUBIĆ SIĘ, zginąć, zapodziać się, zawieruszyć się, przepaść bez śladu,

1152 zniszczenie — **A.** ROZKŁAD, gnicie, zgnilizna, ● rozpad, dezintegracja, dekompozycja, hydroliza, ● niszczenie, erozja, korozja, korodowanie, **B.** ROZBIÓRKA, demontaż, rozmontowanie, destrukcja, destrukcyjność, ● likwidacja, kasacja, kasata↑, rujnacja, demolka↓ ● deterioracja, zrujnowanie, ● dewastacja, spustoszenie, wandalizm, wyniszczenie, **C.** ZUŻYCIE, wyeksploatowanie, wyczerpanie, **D.** RUINA, cmentarzysko, ● zgliszcza, pogorzelisko, popielisko, rumowisko, gruzowisko, ruiny, gruzy, zniszczenia,

1153 znużyć — **A.** SPOWSZEDNIEĆ, (s)pospolicieć, znudzić się komu, (z)obojętnieć komu, ● ograć się, opatrzyć się, osłuchać się, **B.** NUŻYĆ, przejeść się, (z)nudzić się, sprzykrzyć się, naprzykrzyć się, zbrzydnąć, obrzydnąć, obmierznąć, uprzykrzyć się, **C.** UTRUDZIĆ, wyczerpać, sforsować, wymęczyć, zmorzyć, zanudzić,

1154 zobojętnieć — **A.** STRACIĆ CHĘĆ, *odchodzi ochota*, *odechciewa się*, odwidzieć się, ● oziębnąć, sprzykrzyć sobie, ochłodnąć w uczuciach, ostygnąć, *precz mi z oczu*, odkochać się, znienawidzić, ● źle życzyć, nie móc patrzeć, nienawidzić (się), nie cierpieć, nie znosić, ● brzydzić się, nie trawić, **B.** NUŻYĆ SIĘ, nudzić się, poziewać, przesycić się, **C.** MIEĆ DOŚĆ, mieć po dziurki w nosie, *mam tego potąd↓*, *tego już za wiele↓*,

1155 zrozumienie — **A.** WYROZUMIAŁOŚĆ, pobłażanie, pobłażliwość, tolerancja, ● liberalizm, protekcjonizm, ● złagodzenie, liberalizacja, **B.** WCZUCIE SIĘ, empatia,

1156 zubożyć — **A.** PRZECHWYCIĆ, ubiec, sprzątnąć sprzed nosa, ● pozbawiać, odjąć, zabierać, odbierać, wstrzymać, ● opodatkować, dać mandat, wymierzyć grzywnę, ● rekwirować, zabezpieczyć, sekwestrować, opieczętować, oplombować, poaresztować, obłożyć aresztem, kłaść areszt, ● zlicytować, (po\s)konfiskować, ● rujnować, ubożyć, obskubać, puścić z torbami, B. WYWŁASZCZAĆ, rugować, ● wyzuć, wydziedziczyć, (z)nacjonalizować, upaństwawiać, uspołeczniać, (s)kolektywizować, rozkułaczyć↑, sekularyzować, ● komasować, scalić, ● zająć, zagarnąć, (za)anektować, zawłaszczyć, C. WYŁUDZIĆ, wykorzystać, nabrać, okpić, naciąć, ponacinać, ponabierać, (po)naciągać, szwindlować, ● odrwić, (o\wy)kantować, (o)szachrować, oszwabić, oszkapić, (o)cyganić, popełnić oszustwo, D. PRZYWŁASZCZYĆ, (s\u)kraść, wziąć, sprzeniewierzyć, sięgać po cudze, (z)defraudować, zrobić manko, oszukiwać na (wadze), ● okraść, podebrać, podbierać, podkradać, pod\zalkosić↓, (u)skubnąć↓, podwędzić↓, buchnąć↓, gwizdnąć↓, ściągnąć, dmuchnąć↓, podwanić↓, smyknąć↓, rąbnąć↓, ● pookradać, (po)wykradać, na\polkraść, obłupić ze skóry, obedrzeć ze wszystkiego, ● obrobić↓, (z)łupić, (s)plądrować, (wy)szabrować, ● zabrać, odebrać, (o\za)grabić, (ob\z)rabować, kaperować, wydrzeć, ● odrzeć z, odzierać z, ogołacać (ogałacać), obrać do gołej skóry, obdzierać, ● przylgnęło do rąk, mieć długie palce, *klei mu się do rąk,*

1157 zupełnie — A. CAŁKIEM, całkowicie, w pełni, w zupełności, święcie, kompletnie, dokumentnie, totalnie↓, do cna, bez wyjątku, bezwyjątkowo, w czambuł, z kretesem, ze szczętem, do szczętu, doszczętnie, do czysta, na dobre, do końca, do reszty, wniwecz, ● od początku do końca, od a do z, od deski do deski, do dna, do gruntu, do ostatka, ● bez reszty, na skroś, na wskroś, dogłębnie, gruntownie, ● na oścież, na rościerz (na rozcież), na ścieżaj↑, na przestrzał, ● skroś, wskroś, poprzez, na wylot, ● do pełna, B. BEZPOWROTNIE, na zawsze, na amen, na stałe, definitywnie, nieodwracalnie, nieodwołalnie, ● generalnie, radykalnie, C. BIEGUNOWO, krańcowo, skrajnie, przeciwstawnie, diametralnie, D. WCALE, w ogóle, nic, ani trochę, ani ani, nic a nic, ani na lekarstwo, ● nigdy, przenigdy, nigdy przenigdy, ● ani, ● ani be ani me, ● nijak, E. ZGOŁA↑, absolutnie, F.

BLIŹNIACZO, do złudzenia, jota w jotę, kubek w kubek,

1158 zupełny — A. CAŁY, wszystek↑, nieuszkodzony, nienaruszony, nietknięty, B. CAŁKOWITY, pełny, ● skończony, kompletny, ● dokumentny↑, totalny↓, ● nieograniczony, nieskrępowany, ● absolutny, bezwarunkowy, bezwzględny, stuprocentowy, ścisły, bezwyjątkowy, ● jednolity, nierozdzielny, niepodzielny, ● monolityczny, monolitowy, ● pełnoprawny, całą gębą↓, C. PEŁNY, wypełniony, zapełniony, pełen, czubaty, czubiasty, kopia(s)ty, ● przesiąknięty, przesycony, przepojony, nasiąknięty, nasiąkły, przesączony, ● nafaszerowany↓, naszpikowany↓, naćkany, ● faszerowany, nadziewany, ● kompletny, całodzienny, ● zamieszkany, zaludniony, ludny, rojny, ● zatłoczony, tłoczny, przepełniony, załadowany↓, zapchany, zakitowany↓, nabity↓, D. GOTOWY, gotów, ● przyszykowany, przygotowany, uszykowany, przeprowadzony, zrobiony, dokonany, ● ukończony, dokończony, wykończony, wykonany, zakończony, zamknięty,

1159 zużyć — A. ZUŻYWAĆ, pochłaniać, pożerać, zjadać, spalać, ● zużytkować, skonsumować, wykorzystać, ● wypalić, wykopcić, ● wymalować, wypaprać, wypisać, wysmarować, ● skarmić, spasać (spaść), ● wystrzelać, ● sfatygować, dodzierać, donaszać, do\zeldrzeć, znosić, wyświecić, ponaddzierać, ponadrywać, zaczytać, (s)tępić, B. ZUŻYĆ SIĘ, pod\zlniszczyć się, ● stłuc się, po\sltrzaskać się, porozbijać się, rozłupać się, potłuc się, wytłuc się, ● rozsypywać się, rozpaść się, rozklekotać się, rozlecieć się, rozwalić się, ● powyłamywać się, ● powycierać się, wyświechtać się, podrzeć się, powydzierać się, (ze)drzeć się, poszarpać się, porozdzierać się, pozdzierać się, poprzerywać się, postrzępić się, powystrzępiać się, ● stępić się, (przy\po)tępić się, tępieć, ● zetrzeć się, ścierać się, złuszczyć się, ● powypalać się, przepalić się, wyczerpać się, rozładować się,

1160 zwierzę — A. BESTIA, zwierz, bydlę, ● gadzina, jaszczur, dinozaur, smok, ● ssak, kręgowiec, drapieżnik, gad, płaz, B. BYDŁO, krowa, jałówka, wół, cielę, ● świnia, locha, maciora, prosiak, prosię, wieprz, wieprzrek, dzik, kaban, knur, kiernoz,

1161 zwiększyć — A. DODAĆ, (do\pod)rzucić, przyrzucić (się), do\przyłożyć, dokładać, przysporzyć, przysparzać, przyczynić, wzbogacać, • naddać, nadłożyć, nadkładać, doważać, B. UZUPEŁNIĆ, zasilić, pododawać, dopełnić, doładować, dowalić, dopakować, dosłać, dosyłać, donieść, • dosypać, pod\przylsypać, • przylać, do\przyllewać, dolać, • dokroić, dorżnąć, dotrzeć, • dosadzać rośliny, • dorobić, podorabiać, dopiec, • dokupić, dokupować, • dodrukować, wznowić, C. POWIĘKSZAĆ, rozbudować, do\nadlbudować, • dołączyć, włączyć, dobrać, • przyłączyć, wcielać, inkorporować, • skomponować, skonstruować, skombinować, • dopisać, dorysować, wstawić, interpolować, • rozdąć, rozepchać, rozpychać, pogrubić, • podłużyć, rozciągnąć, prze\wyldłużyć, roz\polszerzyć, • doczepić, podpiąć, podpinać, • rozwijać, (na\roz)mnożyć, pomnażać, u\zlwielokrotnić, • zdwoić, podwoić, dublować, • potroić, D. WZMAGAĆ, wzmocnić, wzmóc, nasilić, intensyfikować, uintensywniać, aktywować, podsycać, eskalować, natężyć, potęgować, przyspieszać, • spiętrzyć, pogłębić, • podnieść, podwyższyć, podbić, • pogłośnić, dać głośniej, podkręcić gałkę,

1162 zwiększyć się — A. POWIĘKSZAĆ SIĘ, podnieść się, podwyższyć się, • grubieć, (na\s)pęcznieć, rozpęcznieć, puchnąć, rozdąć się, wzdąć się, • rozepchać się, rozpychać się, rozkurczyć się, prze\wyldłużyć się, rozciągnąć się, poszerzyć się, rozszerzyć się, B. PRZYBYWAĆ, (na\roz)mnożyć się, podwajać się, potrajać się, • wzrosnąć, (na\u)rosnąć, przyrosnąć, rozróść się, rozbudować się, C. WZMAGAĆ SIĘ, ożywić się, wzmóc się, nasilić się, narastać, przybierać, wezbrać, wzbierać, (pod)skoczyć, pójść w górę, • wzmocnić się, rozwijać się, intensywnie, intensyfikować się, natężyć się, spotężnieć, (s)potęgować się, (s)tężeć, wzbogacić się, pogłębić się, • kulminować, osiągać, dosięgać, przekroczyć, przekraczać,

1163 zwłoka — A. OPÓŹNIENIE, poślizg,

spóźnienie, • przeciąganie, hamowanie, przeczekiwanie, granie na zwłokę, B. ODROCZENIE, moratorium, przesunięcie, przedłużenie, prolongata, zawieszenie, wstrzymanie, zastopowanie, • karencja, okres karencyjny, oczekiwanie,

1164 zwolennik — A. SPRZYMIERZENIEC, sojusznik, aliant, • stronnik, wyznawca, adherent, poplecznik, • zaufany, swój człowiek, • zausznik, powiernik, totumfacki↑, faktotum↑, B. MIŁOŚNIK, przyjaciel, obrońca, protektor, patriota, :*anglofil, filosemita, frankofil, germanofil, grekofil, słowianofil, panslawista, rusofil*, C. WIELBICIEL, admirator, • esteta, pięknoduch, • hobbista, zbieracz, kolekcjoner, • bibliofil, biblioman, • filatelista, • meloman, fonoamator, • teatroman, • kinoman, • brydżysta, • przyrodnik, ekolog, zielony, miłośnik przyrody, miłośnik natury, • naturysta, nudysta, nagus↓, golas↓, D. AMATOR, kibic, fan, • entuzjasta, pożeracz, pies na, • zapaleniec, zagorzalec, pasjonat, maniak, fanatyk, opętaniec, obsesjonista, niewolnik, • nałogowiec, :*palacz, palący, kawiarz*,

1165 zwój — A. ZWITEK, rulon, rolka, trąbka, • motek, kłębek, kłębuszek, szpulka, czółenko, • szpula, rola, bela, buchta, B. PĘTLA, lasso, • supeł, supełek, węzeł, kluczka, • splot, kłąb, kołtun,

1166 zwycięzca — A. TRIUMFATOR, tryumfator, • zdobywca, pogromca, B. LAUREAT, finalista, medalista, mistrz, • przodownik, lider,

1167 zwyczajnie — A. NATURALNIE, prosto, po prostu, normalnie, bezpretensjonalnie, • niewyszukanie, niewymuszenie, swobodnie, • niewymyślnie, nieuczenie, B. TRADYCYJNIE, konwencjonalnie, zwyczajowo, • po dawnemu, po staremu, jak za dawnych lat, jak zwykle, jak dotąd, jak dotychczas, jak zawsze, C. BANALNIE, trywialnie, płasko, prostacko, niesmacznie, • szablonowo, stereotypowo, sztampowo, • prozaicznie, pospolicie, niepoetycznie,

Ź

1168 źle — **A.** NIETRAFNIE, nie tak jak trzeba, niedobrze, nieprawidłowo, błędnie, mylnie, opacznie, fałszywie, niewłaściwie, niepoprawnie, • nieczysto, fałszywie, dysonansowo, • ochrypłe, chrapliwie, chrypliwie, gardłowo, • rechotliwie, • chropawo, zgrzytliwie, **B.** NIEKORZYSTNIE, niepomyślnie, ujemnie, negatywnie, niedobrze, • pechowo, feralnie, niefortunnie, niefartownie↓, nieszczęśliwie, ze złym skutkiem, zgubnie, • czarno, pesymistycznie, fatalnie, złowróżbnie, złowieszczo, złowrogo, ponuro, fatalistycznie, **C.** NIEFACHOWO, nieprofesjonalnie, po amatorsku, amatorsko, hobbistycznie, chałupniczo, nieumiejętnie, niewprawnie, niezręcznie, nieudolnie, niezdarnie, • niesolidnie, tandetnie, partacko, po partacku, byle jak, nie najlepiej, na łapu capu, na

kolanie, licho, marnie, kiczowato, • płytko, powierzchownie, kosmetycznie, miałko↑, • zewnętrznie, **D.** NIEODPOWIEDNIO, • niedostatecznie, niewystarczająco, niezadowalająco, • niegrzecznie, nieładnie, niewłaściwie, niestosownie, nieelegancko, niekulturalnie, nienależycie, niedelikatnie, nietaktownie, niezręcznie, niedyplomatycznie, niedyskretnie, **E.** NIEDOPUSZCZALNIE, nie w porządku, • nieprzepisowo, nieprawnie, nieformalnie, nie fair, nieczysto, • skandalicznie, okropnie, horrendalnie, strasznie, karygodnie, nagannie, rażąco, oburzająco, **F.** SZKODLIWIE, niezdrowo, • brudno, niehigienicznie, **G.** NIEWYGODNIE, nieporęcznie, • ciasno, wąsko, przyciasno, • nieprzytulnie, • chłodnawo, zimnawo,

Ż

1169 żal — **A.** URAZA, rozżalenie, pretensje, zadra, cierń, anse, ansy, animozja, **B.** ŻAŁOŚĆ, przykrość, boleść, cierpienie, ból, • wyrzuty sumienia, skrucha, • żałoba, kir, krepa, • żałobność, elegijność, **C.** SMUTEK, melancholia, melancholijność, zaduma, liryzm, rzewność, uczuciowość, • tęsknota, utęsknienie, tęsknica↑, nostalgia, • przygnębienie, splin, chandra, depresja, **D.** LAMENT, rozpacz, płacz, łzy, łkanie, szloch, szlochanie, zawodzenie, spazmy, kwilenie, chlipanie, ryk↓, bek↓, **E.** LITOŚĆ, zmiłowanie, • współczucie, ubolewanie, kondolencje, • politowanie, miłosierdzie, sumienie, serce,

1170 żarłok — **A.** ŁAKOMCZUCH, łasuch, pasibrzuch, głodomór, obżartus, **B.** GRUBAS, pulpet, pyza, tłuścioch, brzuchacz, baryła, beka↓, wieprz↓, spaślak↓, spurchlak↓,

1171 żart — **A.** DOWCIP, humor, • figiel, psota, psikus, kawał, wic, gag, greps↓, jajo↓, dowcipas↓, szpas↓, zbytki↑, krotochwila↑, • półżart, prima aprilis, **B.** FRASZKA, zgry-

wy↓, kuplecik, kuplet, • limeryk, kalambur, gra słów, • facecja, dykteryjka, • humoreska, burleska, scherzo, capriccio, • scenka, skecz,

1172 żądanie — **A.** WYMAGANIE, roszczenie, pretensja, domaganie się, postulowanie, upominanie się, **B.** POSTULAT, dezyderat, sugestia, propozycja, życzenie, **C.** WNIOSEK, konkluzja, morał, pointa, puenta, • wytyczna, wytyczne, dyrektywa, wskazówka, instrukcja, pouczenie, zalecenie, rekomendacja, wskazanie,

1173 żeby — **A.** AŻEBY, aby, by, • byle, byle tylko, • oby, **B.** CHOĆBY, gdyby, gdyby nawet, gdyby nie,

1174 żłobić — **A.** DZIABAĆ, ciąć, ciachać, ciapać, • rowkować, boniować, bigować, bruzdkować, bruzdować, kanelować, żłobkować, gwintować, • wyżłobić, wyryć, narżnąć, narzynać, naciąć, powyrzynać, • karbować, (wy)szczerbić, felcować, • powycinać, diamentować, cyzelować, **B.** POBRUŹDZIĆ, poorać, prze\rozlorać, poprzecinać, przerzynać, przerżnąć, • rozjeździć, po\wyldeptać, potratować, porozjeżdżać, (po\roz)ryć, **C.** KOPAĆ, (roz)grzebać, (po)rozkopywać, przegarnąć, rozmieść, rozgrabić, • zryć, (wy)dłubać, (wy)drążyć, fedrować, • roztoczyć, wiercić, odwiercać, głębić, • pogłębiać, bagrować,

1175 życiowy — **A.** POKARMOWY, • żywieniowy, dietetyczny, • spożywczy, odżywczy, • kucharski, kulinarny, • przyprawowy, ziołowy, korzenny, • laurowy, bobkowy, wawrzynowy↑, **B.** SOCJALNY, bytowy, mieszkaniowy, lokalowy, **C.** MATERIALNY, majątkowy, **D.** PRAKTYCZNY, zdrowy, zdroworozsądkowy, pragmatyczny,

1176 życzenia — **A.** POWINSZOWANIA, gratulacje, • karta, dyplom, laurka, • pozdrowienia, wyrazy pamięci, serdeczności, ucałowania, uściski, ukłony, wyrazy szacunku,

1177 życzliwy — **A.** PRZYCHYLNY, przyjazny, • zachęcający, sprzyjający, pomyślny, • zniewalający, kusicielski, kokieteryjny, uwo-

dzicielski, kuszący, zalotny, nęcący, wabiący, • pobudzający, podniecający, • zabójczy↓, **B.** DODATNI, plusowy, korzystny, optymistyczny, • pozytywny, pochlebny, pochwalny, panegiryczny↑, twierdzący, potakujący, potwierdzający, przytakujący, aprobujący, **C.** UCZYNNY, usłużny, skory do pomocy, pomocny, • ofiarny, dobroczynny, bezinteresowny, altruistyczny, charytatywny, filantropijny, miłościwy, • społeczny, honorowy, **D.** SZLACHETNY, (prze)zacny↑, zbożny↑, • miłosierny, litościwy, samarytański, • wspaniałomyślny, wielkoduszny, **E.** GOŚCINNY, otwarty, • towarzyski, kontaktowy↓, ekstrawertyczny (ekstrawersyjny), • wylewny, kordialny,

1178 żywy — **A.** ORGANICZNY, ożywiony, żywotny, • genetyczny, dziedziczny, **B.** ZWIERZĘCY, pierwotny, atawistyczny, biologiczny, zoologiczny, • bydlęcy, **C.** ROŚLINNY, • ziemniaczany, kartoflany, • jarzynowy, warzywny, • leszczynowy, laskowy,

Indeks

a – ż

A

a, 201d
a kysz, 418f
a la, 800h
a nuż↑, 920a
a priori, 753b
a także, 799a
a tergo, 201d
abażur, 913d *(lampa)*
abażur, 1100d *(osłona)*
abc, 282b *(podręcznik)*
abc, 1094a *(notacja)*
abecadło, 631b *(podstawa)*
abecadło, 1094a *(notacja)*
aberracja, 456c
   (nieprawidłowość)
aberracja, 493c
   (zboczenie)
abiturient, 957b
ablucje, 94d
abnegacja, 443a
abnegat, 46b *(niechluj)*
abnegat, 199a *(ignorant)*
abolicja, 714a
abominacja, 424b
abonament, 128b *(bilet)*
abonament, 555b *(składka)*
abonent, 998a
abonować, 1093d
aborcja, 295b
abort, 295b
abrakadabra, 335a
absces, 273a
absencja, 35d
absolucja, 714a
absolut, 382a
absolutnie, 592c
ABSOLUTNIE, 817b
absolutnie, 920b *(owszem)*
absolutnie, 1157e *(zgoła)*
absolutnie nie, 418c
absolutnie tak, 920b
ABSOLUTNY, 1025c
absolutny, 1158b
absolutorium, 1123a
absolutystycznie, 1024a
absolutystyczny, 1025b
absolutyzm, 1026b
absolutyzować, 727a
absolwent, 957a
absorbcja, 1033b
absorbować, 265a
abstrahować, 651a
abstrakcja, 382a
abstrakcyjnie, 473a
abstrakcyjny, 474c
abstrakt, 148b
ABSTYNENCJA, 1042b

abstynent, 821a
absurd, 174d
absurdalnie, 173b
absurdalność, 174d
absurdalny, 172a
absynt, 2c
absztyfikant↑, 347f
aby, 1173a
achy i ochy, 895e
aczkolwiek↑, 920g
adamaszek, 928a
adaptacja, 757a
   (przystosowanie się)
adaptacja, 1136e *(przeróbka)*
adapter, 161b
adaptować, 195b *(korelować)*
adaptować, 1137d
   (przekształcać)
addenda, 120a
ADEKWATNIE, 523a
adept, 957c
adherent, 1164a
adidasy, 506c
adiunkt, 410a
adiustacja, 255a
adiustować, 659d
adiutant, 505a
adiutantować, 648b
administracja, 1026a
administracyjny, 534a
administrator, 236a
administrować, 234b
administrowanie, 1026c
admiracja, 895e
admirał, 40a
admirator, 1164c
admirować, 315c
admonicja↑, 225a
adnotacja, 1051b
adnotować, 204d
adolescencja↑, 1020b
adonis, 347g
adopcja, 757c
adoptować, 836a
adoptowany, 893b
adoracja, 895d
adorator, 347f
ADRES, 355d
adresat, 998a
ADRESOWAĆ, 629d
adsorbować, 265a
adwersarz, 375b
adwokat, 40d *(obrońca)*
ADWOKAT, 699a *(prawnik)*
adwokatować, 877d
adwokatura, 187e
aerobik, 862a
aerodynamiczny, 544a
aeronauta, 235b
AEROPLAN, 818b
aerozolować, 500c

afekt, 363a
afektacja, 91a *(tkliwość)*
afektacja, 767c *(nadętość)*
afektowanie, 439a
AFEKTOWANY, 905b
afera↓, 1112a *(heca)*
AFERA, 575d *(oszustwo)*
AFERZYSTA, 574b
afiliacja, 1022b
afiliować, 326d
afirmacja, 1123a
afisz, 202c
afiszować, 702d
afiszowanie się, 767a
aforystyczny, 274b
aforyzm, 677b
afront, 436a
afrykańczyk, 89a
agar, 412a
agencja, 207a
agencyjny, 203a
agenda, 207a
agent, 210b *(szpieg)*
agent, 719d *(pełnomocnik)*
agentura, 207b
agenturalny, 715b
AGITACJA, 707a
agitka, 202c
agitować, 1077c
aglomeracja, 576b
aglomerować, 326d
agnostycyzm, 1006b
agnostyk, 960c
agonalny, 259a
agonia, 911a
agora, 607c
agrafka, 855a
agrarny, 178e
agraryzm, 179c
agregat↓, 874b *(gagatek)*
agregat, 61c *(zbiór)*
agresja, 7b *(napaść)*
agresja, 424d *(niechęć)*
AGRESJA, 1132b *(złość)*
agresor, 451c
agrest, 579b
agresywnie, 184d
agresywny, 1
agronom, 782a
AHA, 920d
ajencja, 150a
ajent, 998e
ajuści↑, 418b *(wykluczone)*
ajuści↑, 920b *(owszem)*
akademia, 903b
   (szkoła wyższa)
akademia, 981a *(impreza)*
AKADEMICKI, 411a
   (uczelniany)
akademicki, 447c *(bezcelowy)*
akademicki, 896d *(studencki)*

aranżować, 749a *(urządzać)*
aranżować, 1102c
   (transponować)
arbiter, 365d *(autorytet)*
arbiter, 719b *(rzecznik)*
arbitralnie, 1114b
arbitralność, 251b
   (apodyktyczność)
arbitralność, 456a *(dowolność)*
arbitralny, 1025c
arbitraż, 128d
arbitrażować, 103a
arbitrażowy, 319b
arboretum, 539a
arbuz, 579c
ARCHAICZNIE, 880a
archaiczność, 254c
archaiczny, 881e
archaizm, 254c *(przeżytek)*
archaizm, 842d *(słowo)*
archaizować, 405b
archetyp, 1068a
archetypowy, 1007e
archipelag, 1066a
ARCHITEKT, 946b
architekt wnętrz, 4a
architektoniczny, 1005b
architektonika, 55a
architektura, 55a
archiwalia, 128f
archiwalny, 687b
archiwariusz, 606b
archiwista, 606b
archiwizować, 183d
archiwum, 1109b
arcybanalny, 447d
arcybiskup, 224c
arcybogaty, 38a
arcyciekawy, 77a
arcydelikatny, 106d
arcydzieło, 813b
arcykapłan, 224c
arcyleń, 304a
arcyłgarz, 574a
arcyłotr, 330a
arcymistrz, 365b
areał, 733a
areligijny↑, 477c
arena, 607d
arenda, 150a
arendować↑, 193d
arenga, 623e
areopag↑, 187e
areszt, 225b *(kara)*
areszt, 469b *(więzienie)*
ARESZTANT, 1021a
ARESZTOWAĆ, 470b
aresztowanie, 469d
aresztowany, 729a
arfować, 1044c
argot, 221b

argument, 748b
argumentacja, 631b
   (uzasadnienie)
argumentacja, 748b
   (motywacja)
argumentować, 963a
argusowy, 993b
aria, 379c
ariergarda, 255c
arkada, 281b
arkadia, 899b
arkadyjski, 1083b
arkana, 919a
arkusik, 484c
arkusz, 3c *(kwestionariusz)*
arkusz, 484c *(papier)*
arlekin, 288a
arlekinada, 174c
armada, 1031a
armata, 45c
armatni, 170b
armator, 717a
armatura, 983c
armia, 517a *(oddział)*
ARMIA, 1031a *(wojsko)*
arogancja, 436d
AROGANCKI, 471b
AROGANCKO, 464a
arogant, 330c
AROMAT, 1091b
aromatyczny, 364e
aromatyzować, 948a
arras, 625b
arsenał, 334a
arszenik, 911c
arteria, 136b
artykulacja, 221c
artykuł, 88e *(podpunkt)*
artykuł, 696b *(tekst)*
artykuł, 701c *(prawo)*
ARTYKUŁ, 931a *(wyrób)*
ARTYKUŁOWAĆ, 376a
   (wymawiać)
artykułować, 376c
   (wyrazić opinię)
artykuły spożywcze, 219a
artyleria, 1031a
artysta, 4 *(twórca)*
artysta, 365c *(profesjonalista)*
artysta cyrkowy, 4e
artysta dramatyczny, 4b
ARTYSTA ESTRADOWY, 4c
artysta operowy, 4c
artystycznie, 5 *(obrazowo)*
artystycznie, 317c *(ładnie)*
artystyczny, 6 *(mistrzowski)*
artystyczny, 896d
   (cyganeryjny)
artyzm, 602a
aryjczyk, 89a
arystokracja, 861e

ARYSTOKRATA, 36b
arystokratyczny, 139a
arytmetycznie, 123e
arytmetyczny, 343b
arytmetyka, 768b
arytmia, 456a
arytmiczność, 456a
arytmiczny, 458b
arywista, 36c
as, 365b
as wywiadu, 210b
ascendent, 742a
asceta, 821a
ascetycznie, 28a *(skromnie)*
ascetycznie, 692a
   (gospodarnie)
ascetyczny, 29b *(skromny)*
ascetyczny, 498a *(surowy)*
ascetyzm, 1042a
asceza, 1042a
asekuracja, 509a
asekuracyjny, 503b
asekurancki, 568b
asekurancko, 566b
asekuranctwo, 567c
asekurant, 924a
asekurować, 1072a
asekurowanie, 509a
asekurujący, 503b
ASENIZOWAĆ, 96d
aseptyczny, 824b
asesor, 699b
asfalt, 136c
asfaltować, 56c *(utwardzić)*
asfaltować, 751e *(pokryć)*
asocjacja, 1022c
asocjacyjnie, 753b
asocjacyjny, 754e
asocjować, 383b
asocjować się, 131c
asortyment, 709b *(podaż)*
asortyment, 779a *(gatunek)*
asortymentowo, 806a
aspekt, 748c
aspiracja, 221d
aspiracje, 67e
aspirant, 223a
aspirować, 879c
aspiryna, 298a
aspołeczność, 497b
aspołeczny, 819a
astmatyczny, 841a
astrolog, 85c
astrologia, 335c
astronauta, 235b
astronautyka, 421b
astronomiczny, 142e
astygmatyk, 72b
asumpt, 748a
asygnata, 768c
ASYGNOWAĆ, 98e

autotematyczność, 17d
autotematyczny, 562a
autotematyzm, 17d
autoterapia, 295c
autowy, 122a
autsajder, 821c
autystyczny, 564a
awal, 593a
awalista, 593a
awangarda, 187e *(czołówka)*
awangarda, 255c *(patrol)*
awangardowość, 658a
awans, 890a
awansować, 1117b
awansowanie, 890a
awantaż, 739b
awantura, 250b
awanturnictwo, 1132b
awanturniczo, 464e
awanturniczy, 77a
   (interesujący)
awanturniczy, 420d
   (ryzykowny)
awanturniczy, 1084b
   (porywczy)
awanturnik, 330c
awanturować się, 999a
awaria, 35b *(błąd)*
awaria, 734d *(przeszkoda)*
AWARYJNY, 654c
awers, 886e
awersja, 424b
awiator↑, 235b
awionetka, 818b
awizacja, 713d
awizo, 309a *(zawiadomienie)*
awizo, 713d *(wezwanie)*
awizować, 204a
azali↑, 418a
azjata, 89a
AZYL, 826b
azylant, 953b
azymut, 925b
aż, 920g
aż nadto, 726d
AŻEBY, 1173a
ażur, 105b
ażurować, 948a
AŻUROWY, 741a

B

BABA, 242b *(kobieta)*
baba, 244a *(kochanka)*
baba, 599 *(ciasto)*
baba, 719e *(handlarka)*
baba-jaga, 85c
babcia, 781e
BABECZKA, 242g *(kobieta)*
babeczka, 599 *(ciasto)*

babiarz↓, 347h
babie lato, 86b
babieć, 882a
babina, 242a
babiniec, 650e
babka, 242a *(kobieta)*
babka, 599b *(wypiek)*
babka, 781e *(rodzina)*
babrać się, 48b *(ubrudzić się)*
babrać się, 557c *(guzdrać się)*
babranina, 690c
babski↓, 896b
babskie gadanie, 174b
babsko, 242b
babsztyl, 242b
babunia, 781e
babyfon↑, 325a
baca, 551c
BACH, 25a
bachanalia, 200e *(zabawa)*
bachanalia, 981c *(orgiazm)*
bachiczny↑, 454c
BACHOR, 146a
bacować, 234b
bacówka, 57d
baczenie, 991b
baczki, 1029d
bacznie, 992a
baczność, 991b
BACZNY, 993b
BACZYĆ, 92a
bać się, 8
bać się pracy, 303b
BADACZ, 960b
badać, 9
badania, 10b
badanie, 10
badany, 72a
badawczo, 992a
BADAWCZY, 687a
   (doświadczalny)
badawczy, 993b *(baczny)*
badminton, 862b
badyl, 237c
badylarz↓, 36c
bagatela, 897b
bagatelizować, 651a
BAGATELIZOWANIE, 300a
bagatelny↑, 447d
bagaż, 11 *(walizka)*
bagaż, 82b *(ciężar)*
bagaż osobisty, 11a
bagaż podręczny, 11a
bagażownia, 334a
bagażowy, 695b
bagietka, 599a
bagnet, 486a
bagnisty, 371c
bagno↓, 793c *(upadek)*
BAGNO, 328c *(trzęsawisko)*
bagrować, 1174c

baja, 928a
bajać, 376e *(gadać)*
bajanie, 791a
bajarz, 375d
bajcować, 573b
bajda, 202a
bajdurzenie, 174b *(głupstwa)*
bajdurzenie, 791a
   (gadatliwość)
bajdurzyć, 376e
bajeczka, 556b
bajeczka, 575a *(kłamstwo)*
bajecznie, 12b
bajeczność, 387c
bajeczny, 142e
bajer↓, 575a
bajeranctwo↓, 575b
bajerant, 494b
bajerować, 573b
bajka, 556b *(opowieść)*
bajka, 575a *(kłamstwo)*
bajka, 725a *(przypowieść)*
bajkopisarz, 606a
bajkowo, 12b
bajkowość, 455a
bajkowy, 480c
bajoński, 142e
bajoro, 1030c
bajroniczny↑, 465d
bajtlować, 376e
bajzel↓, 443a
bak, 639a
bakalie, 219e
bakałarz↑, 410a
bakcyle, 135b
bakelit, 610a
bakfisz↑, 242e
baki, 1029d
bakłażan, 1003a
bakszysz, 101d
BAKTERIE, 135b
bal, 134a *(belka)*
bal, 200e *(zabawa)*
balanga↓, 200e *(zabawa)*
balanga↓, 981c *(feta)*
balans, 860a
BALANSOWAĆ, 137d
   (chwiać się)
balansować, 294a *(kluczyć)*
balansowanie, 1006c
balast, 82b *(brzemię)*
balast, 734b *(zawada)*
balastować, 158b
baldachim, 642d
balerina, 4f
baleron, 359f
BALET, 923b
baletki, 506b
baletmistrz, 4f
baletnica, 4f
baletowy, 290b

181

BIERNIE, 496b
bierność, 17b *(marazm)*
BIERNOŚĆ, 497d *(uległość)*
bierny, 189b *(uległy)*
BIERNY, 498a *(apatyczny)*
bierwiono, 134a
bierz go, 397a
bierze mróz, 403a
bierze śmiech, 1070a
bierzmować, 958c
bies, 111a
biesiada, 981b
biesiadnik, 998c
biesiadować, 15e
bieżący, 33c
bieżeć↑, 595b
bieżnia, 607d
bieżnik, 642a
bieżnikować, 400b
bifurkacja, 634d
big band, 379d
big beat, 379a
bigamia, 575c
bigamista, 347h *(kobieciarz)*
bigamista↑, 574c *(naciągacz)*
bigbitowy↑, 6d
bigos↓, 704b
bigot, 494c
bigoteria, 575b
bigoteryjny↑, 773c
bigotka, 494c
bigować, 1174a
bijać, 26c
bijak, 367a
bijatyka, 291a
bikini, 531f
bikiniarz↑, 347g
bila, 49a
bilans, 768d *(konto)*
bilans, 872a *(zestawienie)*
bilateralny, 1038d
bilecik, 309a
BILET, 128b *(karta wstępu)*
BILET, 309a *(liścik)*
bilet, 600c *(banknot)*
bilet loteryjny, 128b
bileter, 255b
biletować, 1105b
bilingwizm, 221b
bilon, 600c
bimbać, 303b *(bumelować)*
bimbać, 402a *(ignorować)*
bimber, 2b
binarny, 343b
binokle↑, 316b
biodra, 75b
biodro, 262c
biodynamiczny, 267e
bioenergoterapeuta, 299b
bioenergoterapia, 295c
biograf, 606b

biografia, 214b
biogram, 214b
bioklimat, 636a
biologia, 827b
BIOLOGICZNIE, 408a
biologiczny, 1178b
biopreparat, 898a
biopsja, 295b
biorca, 72a
biorę to na siebie, 958b
biosfera, 755b
bipolarność, 634c
birbancki, 1013d
birbant, 197b
biret, 84a
bis, 413c
biseks, 1111a
biseksualny, 205b
biskup, 224c
biskup rzymski, 224d
biskwit, 599b
biskwitować, 500e
bisować, 257b
bistro, 216a
bisurman, 330b
bisurmanić, 15c
biszkopt, 599b
bitewny, 831b
bitka, 291a
bitnet, 325a
bitnie, 163b
bitność, 528a
bitny, 529a
bitumować, 751e
bitwa, 291a *(bijatyka)*
BITWA, 1000a *(batalia)*
biuletyn, 696a
biuralista, 695c
biurko, 1058b
BIURO, 202e
  (punkt informacyjny)
biuro, 207a *(urząd)*
biurokracja, 254b *(formalizm)*
biurokracja, 695c *(urzędnicy)*
BIUROKRATA, 845a
biurokratycznie, 496a
biurokratyczny, 534b
biurokratyzm, 254b
biurowiec, 57a
biurowy, 534a
biust, 75b
biustonosz, 531e
biwak, 630b
biwakować, 354b
biwakowicz, 1015a
bizantyjski, 38c *(obfity)*
bizantyjski, 313c *(wschodni)*
biznes, 718a
biznesmen, 717b
biżuteria, **31**
blacha, 598a

blacharz, 695b
bladawy, 73a
blado, 28b
bladolicy, 73a
bladość, 70b *(niedyspozycja)*
bladość, 437b *(ogólnikowość)*
blady, 73a *(niedysponowany)*
blady, 841f *(nikły)*
bladź↓, 244b
blaga, 575a
blagier, 574a
blagierski, 495b
blagierstwo, 575a
blagować, 573b
BLAKNĄĆ, 32b
blamaż, 448c
blamować się, 248c
blankiet, 3c
blanszować, 756d
blask, 913b
blaski i cienie, 748b
blaszanka, 639a
blat, 1058b
blednąć, **32**
blednieć, 32b
blef, 575f
blefować, 573b
blejtram, 105c
blenda, 153d
blezer, 531c
blichować, 500e
blichtr, 668b
blikująco↓, 800g
blikujący↓, 803b
blin, 599c
bliscy, 781c
bliski, **33** *(niedaleki)*
BLISKI, 893a *(znany)*
bliski sercu, 347f
blisko, **34**
bliskość, 1022d *(obcowanie)*
bliskość, 1124c
  (podobieństwo)
bliskoznacznik, 842d
bliskoznaczny, 627c
blizna, 502d *(skaleczenie)*
blizna, 1146a *(ślad)*
bliznowacieć, 297c
bliźni, 89a
BLIŹNIACZO, 1157f
bliźniaczość, 802a
bliźniaczy, 627b
bliźniak, 413c
bliźniaki, 781f
bliźnięta, 781f
BLIŻEJ, 34c
bloczek, 484a
BLOK, 49a *(kawał)*
blok, 57a *(dom)*
blok, 484b *(zeszyt)*
blokada, 7b *(napaść)*

brąz, 245c
brązować, 727a
    (wyolbrzymiać)
brązować, 751e (pokryć)
brązowić, 727a
brązowniczy↑, 19a
brązowy↑, 888a (z brązu)
BRĄZOWY, 14h
    (koloru brązowego)
brązowy medal, 394a
brednie, 174b
bredzenie, 174b
bredzić, 376e (bajać)
BREDZIĆ, 1122d
    (mówić od rzeczy)
breja, 587a
brejowaty, 305c
brek↑, 638d
breloczek, 31b
bretnal, 190a
brewerie, 1112a
brewiarz, 282d
brnąć, 215a
brnąć w, 857c
broczyć, 256b (odnieść rany)
broczyć, 615a (cieknąć)
broda, 944c (podbródek)
broda, 1029d (zarost)
brodacz, 347g
brodawka, 273a
brodzić, 215a
brodzik, 1030a
broić, 15d
broiler, 359e
broker, 719e
brokuła, 1003b
bronić, 44 (osłaniać)
bronić, 683b (zakazywać)
bronić, 877d (mecenasować)
bronić, 1072b (zażegnać)
bronić dostępu, 44d
bronić się, 44a (walczyć)
bronić się, 126a (zaliczyć)
broń, 45
broń, 863b (środek)
broń atomowa, 45a
BROŃ BIAŁA, 45d
broń biologiczna, 45a
broń chemiczna, 45a
broń jądrowa, 45a
broń konwencjonalna, 45a
broń nuklearna, 45a
BROŃ PALNA, 45c
broń strategiczna, 45a
broń taktyczna, 45a
brosza, 31b
broszka, 31b
broszura, 282a
broszurować, 1072d
broszurowy, 841e
browar, 718c

browning, 45c
bród, 1030f
brud, 429b
brudas, 46
brudno, 1168f
brudnopis, 484b
brudny, 22a (podejrzany)
brudny, 47 (ubrudzony)
brudny, 454a (sprośny)
BRUDY, 429b
brudzić, 48
brudzić się, 48b
bruk, 136c
brukować, 56c
brukowiec↓, 696a (gazeta)
brukowiec, 222b (kamień)
brukowy, 322c
brukselka, 1003b
brulion, 484b
brunatnieć, 13c
brunatny, 14h
brunecik, 347g
brunet, 347g
brunetka, 242g
brusznica, 579b
brutal, 330c
brutalizm, 1131c
brutalizować, 657a
brutalnie, 1114b
brutalność, 1131c
brutalny, 24c
bruzda, 153c (wąwóz)
bruzda, 308a (rysa)
bruzdkować, 1174a
bruzdować, 1174a
bruździć, 247c
brużdżenie, 734a
brwi, 1144c
bryczesy, 531f
bryczka↓, 638a (samochód)
bryczka, 638d (powóz)
brydż, 1071b
brydżysta, 1164c (hobbista)
brydżysta, 1107a (sportowiec)
bryg, 331b
brygada, 187b (załoga)
brygada, 517a (pododdział)
brygada, 187d (grupa)
brygada
    antyterrorystyczna, 644a
brygadzista, 236a
brygantyna, 331b
bryk, 282b
bryka↓, 638a (samochód)
bryka, 638d (powóz)
brykać, 15c
brykiet, 582b
brykietować, 546a
bryknąć, 951a
brylant, 813b
brylantowy↓, 871e

brylantyna, 587b
brylantynować, 848a
BRYLOWAĆ, 1067a
bryła, 49
bryłka, 49a
bryłowaty, 943c
bryndza, 385a
brystol, 484c
brytan, 601b
brytfanna, 386f
bryza, 441d
bryzgać, 369a (nawilżać)
bryzgać, 615a (cieknąć)
bryzgnąć, 369a
bryznąć, 369a
bryzol, 359b
brzask, 86d (dzień)
brzask, 913a (jasność)
brzdąc, 146a
brzdąkać, 50b (dźwięczeć)
brzdąkać, 181a (muzykować)
brzdąknięcie, 191e
brzdęk, 25a (bęc)
BRZDĘK, 191e (brzdęknięcie)
brzdęknięcie, 191e
BRZEG, 182a (granica)
brzeg, 1046a (wybrzeże)
brzegowy, 259a
BRZEMIENNA, 83a
brzemienność↑, 401a
BRZEMIĘ, 82b
brzeszczot, 486a
brzezina, 292a
brzeżek, 105c
brzęczący, 170a
brzęczeć, 50b (dźwięczeć)
brzęczeć, 894e (wydać głos)
brzęczeć za uszami, 127b
brzęczyk, 991b
brzęk, 191e
brzękliwy, 170a
brzęknąć, 50b (zadźwięczeć)
brzęknąć, 71d (obrzmieć)
brzęknięcie, 191e
brzmieć, 50
brzmieć tak a tak, 1113b
BRZMIENIE, 156a (dźwięk)
brzmienie, 935c (motyw)
brzmieniowo, 123e
brzmieniowy, 51
brzoskwinia, 579d
brzoskwiniowy, 357a
brzuch, 75b
brzuchacz, 1170b
brzuchaty, 186a (otyły)
brzuchaty, 544c (wypukły)
brzucho↑, 75b
brzuchomówca, 85a
brzuchomówstwo, 335a
brzuszysko, 75b
brzydactwo, 54b

brzydal, 674a
brzydki, **52** *(nieładny)*
brzydki, 454a *(sprośny)*
brzydkie kaczątko, 242g
brzydko, **53** *(nieładnie)*
brzydko, 453a *(sprośnie)*
brzydko, 464a *(arogancko)*
brzydnąć, 857a
brzydota, **54**
brzydula, 242g
brzydzić się, 1154a
brzytwa, 486d
bubek, 347g
bubel, 922b
bubkowaty, 1116d
bublowaty, 339e
bucefał, 258a
buch, 25a
buchalter, 230b
buchalteria, 872a
buchnąć↓, 1156d *(ukraść)*
buchnąć, 26a *(uderzyć)*
buchnąć, 856c *(położyć się)*
buchnąć, 1049b
   (wydzielać się)
buchnięcie↓, 272a
buchta, 1030f *(zatoka)*
buchta, 1165a *(zwój)*
buczeć, 50b *(dźwięczeć)*
buczeć, 613b *(zapłakać)*
buczyna, 292a
buda↓, 835b *(stoisko)*
buda↓, 903a *(szkoła)*
buda, 57d *(rudera)*
budda, 41a
buddysta, 772d
buddyzm, 772c
budka, 57d *(rudera)*
budka, 325a *(komunikacja)*
budka telefoniczna, 650c
budowa, **55**
budować, **56** *(wznosić)*
budować, 945c *(utworzyć)*
budowanie, 55c
BUDOWLA, 57b
budowlanka, 903c
budownictwo, 55a *(struktura)*
budownictwo, 179b
   (wytwórczość)
budowniczy, 946b
budrysówka, 531b
buduar, 650b
buduarowy↑, 562a
budująco, 523f
budujący, 698c
budulec, 88a
budynek, **57**
budynki, 57c
budyń, 219d
budzący litość, 850b
budzący obrzydzenie, 52b

budzić, **58** *(ze snu)*
budzić, 680a *(spowodować)*
budzić, 1077a *(natchnąć)*
budzić się, 58b *(ocknąć się)*
budzić się, 403a *(wyniknąć)*
budzić się, 682a *(powstawać)*
budzić wstręt, 1149a
budzik, 1120a
budżet, 600a
bufet, 216a *(stołówka)*
bufet, 614a *(gładź)*
bufet, 1058b *(kontuar)*
bufetowa, 505b
buffo, 1013d
bufiasty, 38b
bufon, 1004a
bufonada, 767c
bufor, 509b
buforowy, 654a
bujać, 15a *(huśtać)*
bujać, 137d *(balansować)*
bujać, 573b *(oszukać)*
bujak, 829a
bujda, 575a
bujnąć, 15a
bujnie, 37c
bujność, 387c
bujny, 38b
bukiecik, 1016a
BUKIET, 1016a *(naręcze)*
bukiet, 1091b *(aromat)*
bukinista, 719e
bukłak, 59a
bukmacher, 719e
bukolicznie, 361a
bukoliczny, 1083b
bukolika, 899b
bukować, 243d *(pożądać)*
bukować, 1093c *(zamówić)*
buksować, 929a
bulaj, 541a
buldog, 601b
buldożer, 638e
bulgot, 191f
bulgotać, 756e *(gotować się)*
bulgotać, 894e *(wydać głos)*
bulgotanie, 191f
bulić, 1081b
bulion, 219d
bulwa↓, 70e *(guz)*
bulwa, 579a *(strąk)*
bulwa, 1003a *(jarzyna)*
bulwar, 136c
bulwarowy, 322c
bulwersować, 108b
bulwiasty, 544c
buła, 49a
bułanek, 258a
bułat, 45d
bułeczka, 599a

bułka, 599a
bułka z masłem, 897b
bum, 25a
bumelanctwo, 17a
bumelant, 304a
BUMELOWAĆ, 303b
bumerang, 413a
buncol, 385a
bungalow, 57d
bunkier, 826a
bunkrować, 973b
bunt, 776b
buntować, 1149c
buntować się, 876d
buntowanie, 211c
buntowniczo, 464c
buntowniczość, 445a
BUNTOWNICZY, 715c
buntownik, 40b
buńczucznie, 184d
buńczuczność, 445a
buńczuczny, 1084a
bura, 225a
buraczki, 219d
burak↓, 330c
burczeć, 175b
burda, 250b
burdel↓, 443a *(bałagan)*
burdel↓, 355c *(dom publiczny)*
burka, 531b
burkliwie, 464a
burkliwość, 436c
burkliwy, 750b
burleska, 1171b
burleskowy, 1013b
burmistrz, 236a
burmistrzować, 234b
burnus, 531b
burość, 668e
bursa, 355c
burszowski, 1013d
bursztyn, 31b
bursztynowy, 14c
burta, 537a
bury, 47b *(pobrudzony)*
bury, 217e *(szary)*
BURZA, 441c
burzeć, 32b
BURZLIWIE, 830d
burzliwość, 427b
burzliwy, 164b
burzowy, 78a
burzyciel, 451b
burzycielski, 420b
   (niszczycielski)
burzycielski, 715c
   (buntowniczy)
burzyć, 483c
burzyć się, 351a *(wzburzyć)*
burzyć się, 876d *(protestować)*
burżuazja, 861e

BURŻUAZYJNY, 353a
burżuj, 36a
burżujski, 353a
busola, 1120a
business, 718a
busz, 765a
buszować, 15c *(bawić się)*
buszować, 906a *(przepatrzyć)*
buta, 436c *(bezczelność)*
buta, 767b *(zarozumiałość)*
butan, 582a
butapren, 887c
butelczyna↓, 2b
butelka, 59 *(flaszka)*
butelka, 547a *(pojemnik)*
butelkować, 546a
butelkowy, 14f
butik, 835a
butikowy, 318e
butla, 59c
butnie, 464c
butny, 471b
butwieć, 762b
BUTY, 506a
buzdygan, 237e
buzia, 944a
buziak, 91b
buzować, 853c
buźka, 91b *(całus)*
buźka, 944a *(twarz)*
by, 1173a
byczek, 674c
byczo↓, 119b
byczy↓, 118c
byczyć się, 303a
być, 60
być cały czas na nogach, 92a
być chciwym na, 65b
BYĆ CICHO, 360a
być czujnym, 92a
być do dyspozycji, 1087b
być do tyłu↓, 883c
być gościem w domu, 777a
być górą, 1050a
być jedną nogą na tamtym
    świecie, 972a
być kamieniem u szyi, 127b
być kulą u nogi, 247b
być może, 697a
    (prawdopodobnie)
być może, 920a *(zobaczymy)*
być na czas, 126b
być na diecie, 297b
być na dobrej drodze, 678a
być na garnuszku, 265c
być na łasce, 1087b
być na rencie, 71a
być na rękę, 877c
być na rozkazy, 1087b
być na ty, 489a
być na wakacjach, 520d

być należnym, 1093e
być nie w sosie, 175a
być niespełna rozumu, 1122b
być oczkiem w głowie, 208b
być panem
    we własnym domu, 234c
być po myśli, 877c
być pod ręką, 145c
być pod wpływem, 1087a
być poddanym, 1087b
być podobnym, 405e
być położonym, 306c
być protektorem, 877d
być prowodyrem, 234c
być przedstawicielem, 1102a
być przy forsie↓, 348b
być przykutym do łóżka, 71c
być rentownym, 145d
być solą w oku, 108b
być u steru, 234c
być w błędzie, 381b
być w ciągłym ruchu, 879a
być w ciąży, 780b
być w czyim ręku, 1087b
być w czyimś duchu, 405e
być w drodze, 1110a
być w kontakcie, 661b
być w kropce, 81b
być w latach, 783a
być w nastroju, 90d
być w obiegu, 145b
być w posiadaniu, 348b
być w robocie, 265a
być w sile wieku, 783b
być w siódmym niebie, 315a
być w stanie, 374a
być w swoim żywiole, 1085b
być w tym samym wieku, 405e
być własnością, 1087c
być właścicielem, 348b
BYĆ WYPOSAŻONYM, 348d
być z urodzenia
    tym a tym, 619a
być z wizytą, 864b
być za, 877b
być za pan brat z, 489a
być zdania, 368a
BYĆ ZMUSZONYM, 378a
być zobowiązanym, 378a
być żądnym, 65b
bydlak↓, 330a
bydlę↓, 330a *(łajdak)*
bydlę, 1160a *(zwierzę)*
bydlęcie, 857c
bydlęcy, 1178b
bydło, 538c *(stado)*
BYDŁO, 1160b *(krowy)*
byk↓, 35a
bykowiec, 237f
byle, 1173a
byle co, 922a

byle gdzie, 100a
byle jak, 840a *(znośnie)*
byle jak, 1168c *(niefachowo)*
byle jaki, 339e
byle tylko, 1173a
byleco, 813c
bylejakość, 922c
było mu sądzone, 1093e
było płaczu, 613c
były, 881b
BYNAJMNIEJ, 418b
bystro, 345a *(pomysłowo)*
bystro, 908a *(prędko)*
bystrość, 703a *(szybkość)*
bystrość, 795c *(inteligencja)*
bystry, 344a *(rozumny)*
BYSTRY, 871d *(sokoli)*
bystry, 907a *(prędki)*
bystrze, 1030f
byt, 89d *(stworzenie)*
byt, 214b *(życie)*
byt, 990a *(utrzymanie)*
bytność, 744b
bytować, 60a
bytowy, 1175b
bywać, 60b *(przebywać)*
bywać, 864b *(odwiedzić)*
bywać w kręgach, 489b
bywać w świecie, 686g
bywalec, 365c
bywały, 344c
bzdura, 174d
bzdurnie, 173b
bzdurność, 174d
bzdurny, 172a *(niedorzeczny)*
bzdurny, 447d *(nieistotny)*
bzdury, 174b
bzdurzyć, 376e
BZIK, 493b
bzikować, 1122c
bzikowaty, 205e
bzyczeć, 50b
bzyczenie, 191b
bzyk, 191b
bzykać, 50b
bzyknięcie, 191b

C

CABAS, 62a
cackać się, 877f
cackanie się↓, 1079e
cacko, 813b
cacuszko, 813b
cacy↓, 318a
cadyk, 224b
cafe, 216b
cafeteria, 216b
calówka, 350c
calvados, 2c

całą gębą↓, 1158b
  (stuprocentowy)
całą gębą, 871f *(na schwał)*
całe mnóstwo, 141a
CAŁKIEM, 1157a
całkiem całkiem, 118a
  (znośny)
całkiem całkiem, 840a
  (znośnie)
całkować, 545e
całkowicie, 1157a
całkowitość, 61a
CAŁKOWITY, 1158b
CAŁO, 21b
całodzienny, 1158c
całokształt, 61a
całopalenie, 504b
całościowo, 684c
całościowość, 61b *(jedność)*
całościowość, 124b
  (drobiazgowość)
całościowy, 411c
całość, 61
całować, 132d
całuj psa w nos, 786d
CAŁUN, 1100b
całus, 91b
CAŁY, 1158a
cały i zdrowy, 698b
camping, 1057b
campus, 903b
canasta, 1071b
canto, 379c
cap↓, 347i *(lubieżnik)*
cap, 62 *(cabas)*
capnąć, 43b *(sięgać)*
capnąć, 470b *(aresztować)*
capriccio, 379b *(kompozycja)*
capriccio, 1171b *(fraszka)*
capstrzyk, 200a *(pokaz)*
capstrzyk, 379a *(melodia)*
car, 236d
carat, 1026a
cargo, 934b
carstwo, 585b
carte blanche, 1123c
caryca, 236d
casus, 1112a
CĄŻKI, 486e
cd, 161g
cd player, 161b
ceber, 639b
cebrzyk, 639b
cebula, 1003b *(włoszczyzna)*
cebula, 1097b *(nasionko)*
cebulka, 1097b
cebulowa, 219d
cech, 559b
cecha, 63
cechować, 629c *(oznakować)*

cechować, 1145a
  (charakteryzować)
cechować się, 1113b
cedent, 998b
cedować, 98b
ceduła, 310b
cedzak, 386g
cedzić, 376f *(jąkać się)*
cedzić, 597b *(popijać)*
cedzić, 891a *(odwadniać)*
cedzić, 1049c *(uzyskiwać)*
cedzidło, 386g
cegielnia, 718c
cegiełka, 653d
ceglasty, 14d
CEGŁA, 222c *(budowlana)*
cegła, 282e *(księga)*
cekaem, 45c
cekiny, 105b
cel, 67e
cela, 469b *(więzienie)*
cela, 650c *(komora)*
celebra, 504a
celebracyjny, 542a
celebrans, 224a
celebrować, 727a
  (wyolbrzymiać)
celebrować, 894f
  (uprawiać magię)
celibat, 1042b
cello, 206a
celnie, 523b
celnik, 255b
CELNOŚĆ, 1061d
celny, 118c *(udany)*
celny, 698a *(trafny)*
celofan, 547b
celować, 749d
celować w czymś, 1050a
celowanie w, 739b
celownik, 316a
celowo, 854b
celowość, 795b *(mądrość)*
celowość, 997a
  (pożyteczność)
celowy, 594b *(umyślny)*
celowy, 673a *(wskazany)*
celująco, 119c
celujący, 698c
celularny↑, 837b
celuloid, 610a
cembrować, 56d
cembrowina, 974b
cement, 887c
cementować, 326a
cementować się, 327b
CENA, 1002a
cenić, 269c
cenić się, 269b *(liczyć za)*
cenić się, 1067b *(hardzieć)*
ceniony, 1148d

CENNIK, 310b
cenny, 270a
cenobita, 224e
cenotaf, 185b
cent, 600c
centaur, 674b
centrala, 207a *(instytut)*
centrala, 576a *(centrum)*
centralizacja, 1130b
centralizm, 1026b
CENTRALIZOWAĆ, 183f
centralka, 576a
centralne, 598b
centralnie, 1024b
centralny, 1005c *(nadrzędny)*
centralny, 1014a *(środkowy)*
centrolewicowy, 645b
centroprawicowiec, 646b
centroprawicowy, 645b
centrować, 749c
centrowiec, 646b
CENTROWY, 645b
centrum, 88f *(okręg)*
centrum, 349b *(miejscowość)*
CENTRUM, 576a *(centrala)*
CENTRUM, 912a *(środek)*
centryfuga, 443d
centryfugować, 147c
centuria, 517a
centurion, 236c
centuś, 834a
centymetr, 350c
centymetrówka, 350c
cenzor, 255b
cenzura, 255a *(kontrola)*
cenzura, 507c *(klasyfikacja)*
cenzuralnie, 523c
cenzuralność, 955c
cenzuralny, 1088e
cenzurka, 507c
cenzus, 507c
cep↓, 1001b
cepelia, 652b
cera, 679a
ceramika, 386a
cerata, 1100c
cerber, 551b
ceregiele, 1079e
ceregielić się, 669c
ceremonia, 504a
ceremonia powitania, 744c
ceremonialnie, 854c
ceremonialność, 767d
ceremonialny, 542a
  (uroczysty)
ceremonialny, 905a
  (nienaturalny)
ceremoniał, 504a
ceremonie, 1079e
CEREMONIOWAĆ SIĘ, 669c
ceres, 930a

chirurgiczny, 346c
chlać↓, 526c
chlamida, 531d
chlap, 25a
chlapa, 441a
chlapać, 48a *(pobrudzić)*
chlapać, 581a *(mżyć)*
chlapać, 597b *(chłeptać)*
chlapać ozorem, 376e
chlapać się, 96a *(przemyć)*
chlapać się, 616a *(pławić się)*
chlapać się↓, 244f
   (mieć wytrysk)
chlapanina, 441a
chlapawica, 441a
chlapnąć↓, 526d *(golnąć)*
chlapnąć, 376e *(gadać)*
chlapnąć, 968c *(zdradzić się)*
chlapnąć się, 48b
chlasnąć, 26a *(uderzyć)*
chlasnąć, 147a *(uciąć)*
chlast, 191e
chlastać, 137b
chlaśnięcie, 191e
chleb, 219c *(posiłek)*
CHLEB, 599a *(bochenek)*
CHLEB, 990a *(zarobek)*
chlebak, 11a *(waliza)*
chlebak, 639c *(plecak)*
chlebodawca, 116a
chlew↓, 443a
chlip, 191c
chlipać, 613b
chlipanie, 191c *(hałas)*
chlipanie, 1169d *(lament)*
chlipnąć, 613b
chlipnięcie, 191c
chlorofil, 245b
chlorować, 96e
chluba, 895c
chlubić się, 847a
chlubnie, 523f
chlubny↑, 673c
chlup, 25a
chlupnąć, 369a
chlupnięcie, 191f
chlupot, 191f
chlupotać, 137b
chlupotanie, 191f
chlusnąć, 26a *(uderzyć)*
chlusnąć, 526d *(popijać)*
chlusnąć, 581a *(mżyć)*
chlusnąć, 1049b
   (wydzielać się)
CHLUST, 191f
chluśnięcie, 191f
chłam↓, 922a
chłapać, 220e
chłapanie, 191c
chłapnąć, 220e
chłeptać, 597b

chłeptanie, 191c
chłodnawo, 1168g
chłodnąć, 1128a
chłodnia, 441b
chłodnieć, 1128a
chłodnik, 219d
chłodno, 464d *(wyniośle)*
chłodno, 496a *(bezdusznie)*
CHŁODNY, 498b *(nieczuły)*
chłodny, 956b *(rzeczowy)*
CHŁODNY, 1129a
   (wychłodzony)
chłodzenie, 441b
chłodziarka, 441b
chłodzić, 520b
CHŁODZIĆ, 1128b
chłodzić, 1128b
chłonąć, 265a *(używać)*
chłonąć, 269a *(pochłaniać)*
chłonność, 789b
chłonny, 344a
chłop, 347e *(mężczyzna)*
CHŁOP, 782a *(rolnik)*
chłop pańszczyźniany, 633a
chłopaciara↓, 146a
chłopaczysko, 347e
CHŁOPAK, 347e
chłopek roztropek, 874c
chłopczyca, 146a
chłopczykowato, 916c
chłopczykowaty, 366b
chłopi, 782a
chłopiec, 347e
chłopiec do bicia, 532a
chłopiec na posyłki, 505a
chłopiec okrętowy, 505a
chłopieć, 30b
chłopięco, 916c
chłopięctwo, 1020b
chłopięcy, 366b *(niedojrzały)*
chłopięcy, 1007d
   (młodzieńczy)
chłopski, 712a *(zwyczajny)*
chłopski, 893c *(ludowy)*
chłopski, 896d *(gwarowy)*
chłopstwo, 861c
chłoptyś, 431c
chłosnąć, 26a
chłosta, 225b *(wyrok)*
chłosta, 291b *(uderzenie)*
chłostać, 26c
CHŁÓD, 441b *(ochłodzenie)*
chłód, 497c *(oschłość)*
chmara, 538b
chmielić, 756c
chmura, 143b
chmurnie, 473e *(ciemno)*
chmurnie, 849a *(niewesoło)*
chmurnieć, 340c *(markotnieć)*
chmurnieć, 1017a
   (chmurzyć się)

chmurno, 473e
chmurność, 475b
chmurny↑, 850a
chmurzyć czoło, 340c
chmurzyć się, 175a
   (dąsać się)
chmurzyć się, 1017a
   (chmurnieć)
chmyz, 146a
chochla, 329c
chochlik, 35a *(błąd)*
CHOCHLIK, 111b *(diablik)*
chochoł, 1100e
chociaż, 920g
choć, 467c *(minimum)*
choć, 920g *(jednak)*
choćby, 920g *(przynajmniej)*
CHOĆBY, 1173b *(gdyby)*
chodaki, 506b
chodliwość, 890b
chodliwy, 671a
chodnik, 136c *(ulica)*
chodnik, 625b *(dywan)*
chody↓, 641b *(koligacje)*
chody↓, 653c
   (wstawiennictwo)
chodząca encyklopedia, 365d
chodzenie, 807d
chodzi jak struty, 340b
chodzi jakby kij połknął, 1067b
chodzi mi po głowie, 584d
chodzi o to, 1145b
chodzić, 137d *(balansować)*
chodzić, 145b *(zadziałać)*
CHODZIĆ, 215b *(włóczyć się)*
chodzić, 326b
   (kursować na trasie)
chodzić, 722c
   (rozprzestrzeniać się)
chodzić, 958a *(brać udział)*
chodzić jak paw, 1067b
chodzić koło, 550c
chodzić na palcach, 550c
chodzić na przeszpiegi, 736b
chodzić na rzęsach, 15d
chodzić po głowie, 657a
chodzić po prośbie, 30b
CHODZIĆ W, 949b
chodzić w glorii, 847b
chodzić w parze z, 131c
chodzić
   własnymi ścieżkami, 284c
chodzić z, 243c
chodzić z kąta w kąt, 303a
chodzić za, 127a
chodzony, 923a
choina, 292a
choinka, 981b
choinkowy, 542b
chojniak, 292a
chojractwo, 300d

chojrak↓, 39b
cholera, 70h
cholernie↓, 12c
cholerny, 1133a
cholerycznie↑, 12c
choleryczny, 1084b
choleryk, 1001e
cholewka, 506a
cholewkarski, 932c
chomąto, 904b
chomik, 834a
chomikarski, 693b
chomikować, 571a
chorał, 379b
chorągiew, 517a *(pododdział)*
chorągiew, 1146h *(oznaka)*
chorągiewka na dachu, 618a
chorąży, 40a
choreograf, 4f
choreografia, 923b
choroba, 70
choroba alkoholowa, 603a
chorobliwie, 726c *(nazbyt)*
chorobliwie, 830b *(obsesyjnie)*
CHOROBLIWY, 73c
　(gorączkowy)
CHOROBLIWY, 388c *(nadmierny)*
chorobotwórczy, 109c
chorować, 71
chorować na, 65b
chorowitość, 70b
chorowity, 841a
choróbsko, 70h
chory, 72 *(człowiek)*
chory, 73 *(niezdrów)*
chory człowiek↓, 1001e
chory na nerwy, 1001e
chory psychicznie, 1001d
chory z urojenia, 72a
chorzeć, 71c
chować, 550b *(wychowywać)*
chować, 705b *(wyhodować)*
chować, 918a *(kryć)*
chować głowę w piasek, 8a
chować pod, 728b
chować się, 918b
chowany, 1071a
CHÓD, 807d
chór, 379c *(wokalistyka)*
chór, 914d *(ołtarz)*
chór, 941b *(balkon)*
chóralnie, 770b
chóralny, 1038c
chórek↓, 379a
chórem, 770b
chórzysta, 4c
chów, 179c
chrabąszcz, 778a
chram, 914b
chrapać, 231a *(kasłać)*
chrapać, 894e *(wydać głos)*

chrapanie, 191c *(jęk)*
chrapanie, 828a *(spanie)*
chrapka, 67e
chrapliwie, 1168a
chrapliwy, 750d
chrapnąć, 851a
chrestomatia↑, 282c
chrobot, 191d
chrobotać, 50b
chrobotanie, 191d
chrobotliwy, 750d
chrobry↑, 529a
chromać, 256b
chromolić↓, 657a
chromy, 72b *(kaleka)*
chromy, 971b *(kulawy)*
chronicznie, 114a
chroniczny, 76b
chronić, 1072a
chronić się, 44a *(osłaniać)*
chronić się, 728b
　(pozakrywać)
chronologia, 664d
chronologicznie, 609b
chronologiczność, 664d
chronologiczny, 978b
chronologizować, 665d
chronometr, 1120a
chronoskop, 1120a
chropawo, 1168a
chropawy, 458e
chropowacieć, 104c
chropowacizna, 180b
chropowato, 457c
chropowatość, 180b
chropowaty, 458e
chrumkać, 894e
chrupać, 220a
chrupiący, 106d
chrupki, 106d *(lekki)*
chrupki, 599b *(wypiek)*
chrupot, 191d
chrupotać, 50b
chrupotanie, 191d
chrust, 134a *(drewno)*
chrust, 599b *(wypiek)*
chruścik, 599b
chryja↓, 250b
chrypa, 156b
chrypieć, 376f
chrypka, 156b
chrypliwie, 1168a
chrypliwy, 750d
chrypnąć, 71c
chrystianizować, 159b
chryzmat, 63a
chrzanić, 376e
chrząkać, 231a *(kasłać)*
chrząkać, 894e *(wydać głos)*
chrząkanie, 191c
chrząknąć, 231a

chrząknięcie, 191c
chrząstka, 271a
chrząstnąć, 50b
chrząszcz, 778a
chrzcić, 958c
chrzciny, 981b
chrzest, 964b
chrześcijanin, 772d
chrześcijaństwo, 772c
chrzęst, 191d
chrzęstnąć, 50b
chrzęścić, 50b
chuch, 515a
CHUCHAĆ, 511d *(nagrzewać)*
chuchać, 550c *(hołubić)*
chucherko, 27d
chucherkowato, 840b
chucherkowaty, 841a
chuchnięcie, 515a
chuchro, 27d
chuchrowato, 840b
chuchrowaty, 841a
chucpa, 436c
chucpiarstwo, 436c
chuć↓, 827b
chude lata, 448e
chuderlak, 27d
chuderlawo, 840b
chuderlawość, 70b
chuderlawy, 841a
chudeusz, 27d
chudnąć, 30d
chudnięcie, 852b
chudo, 28a
chudoba↑, 448d
chudopachołek↑, 27c
chudy, 339a *(biedny)*
chudy, 808h *(wodnisty)*
CHUDY, 900a *(smukły)*
chudziak, 27d
chudzielec, 27d
chudzina, 27d
chuj↓, 75e *(genitalia)*
chuj↓, 347a *(facet)*
chuligan, 330b
chuliganeria, 861c
chuliganić, 397a
chuligański, 22c
chuligaństwo, 730b
CHUSTA, 84b
chutliwy, 454c
chutor, 349b
chwacki↑, 1084a
chwacko↑, 163a
chwackość, 528a
chwalca, 618a
chwalebnie↑, 523f
chwalebny↑, 673c
chwalić, 877b
chwalić sobie, 1082b
chwalipięta, 1004a

cudownie, 119b *(wspaniale)*
cudownie, 317c *(kunsztownie)*
cudownie, 920c *(zgoda)*
cudowność, 602a
cudowny, 118c *(udany)*
cudowny, 318a *(niebrzydki)*
cudowny, 480c *(magiczny)*
cudzołożenie, 1118a
CUDZOŁOŻNICA, 244c
CUDZOŁOŻNIK, 347i
cudzołożyć, 243d
cudzołóstwo, 793a
    (rozpasanie)
cudzołóstwo, 1118a
    (nielojalność)
cudzoziemiec, 746a
cudzoziemski, 490b
cudzoziemsko, 201b
CUDZY, 490a
cudzysłów, 1146c
cug↓, 441d *(przeciąg)*
cug↑, 638d *(powóz)*
cugle, 904b
cukierek, 219e
cukierkowość, 91a
cukierkowy, 905b
cukiernia, 216b *(kawiarnia)*
cukiernia, 835a
    (dom handlowy)
cukiernica, 386c
cukinia, 1003a
cukrownia, 718c
cukrzyć, 756c
cukrzyk, 72a
cuma, 904a
cumować, 1150c
curriculum vitae, 214b
cwał, 807d
cwałem, 908b
cwałować, 595a
cwaniacki↓, 466c
cwaniactwo, 575d
cwaniaczek↓, 874a
CWANIAK, 874a
cwaniura, 874a
cwaniurka, 874a
cwany, 344c
cwikier, 316b
cybernetyczny, 343a
cyborg, 674a
cybuch, 740c
cyc↓, 75b
cycaty, 142g
cyce↓, 75b
cycek↓, 75b
cycki↓, 75b
cyferblat, 1120a
cyfra, 789d
cyfrować, 629a *(parafować)*
cyfrować, 948a *(zdobić)*
cyfrowy, 203d *(znakowy)*

cyfrowy, 343a *(elektronowy)*
cygan↓, 574a
cyganeria, 187e
cyganeryjny, 896d
cyganić, 1156c
cyganka, 85c
cygański, 808c *(wędrowny)*
cygański, 896d *(gwarowy)*
cygaństwo, 575c
cygaretka, 586a
cygarnica, 639d
cygarniczka, 740c
cygaro, 586a
cygarowy, 932d
cyjanek, 911c
cykać, 50b *(dźwięczeć)*
cykać, 102c *(reglamentować)*
cykać, 894e *(wydać głos)*
cykać się↓, 8a
cykada, 778a
cykanie, 191e
cykata, 219e
cykl, 86a *(okres)*
cykl, 276b *(menstruacja)*
cykl, 812c *(seria)*
cyklicznie, 609a
CYKLICZNOŚĆ, 413b
cykliczny, 76a
cyklina, 486d
cykliniarka, 486d
cyklista, 235a
cyklon, 441d
cyklop, 674c
cyklopowy, 142c
cyknąć, 102c
cykor↓, 924a
cykuta, 911c
cylinder, 49b *(wielościan)*
cylinder, 59b *(flakonik)*
cylinder, 84a *(nakrycie głowy)*
cylindryczny, 544b
cymbał↓, 1001b
cymbały, 206c
cymelia, 282a
cymes, 813b
cynaderki, 359c
cynfolia, 547b
cyngiel, 720a
cyngle↓, 316b
cynicznie, 464b
cyniczność, 475b
cyniczny, 1b
cynik, 737a
cynizm, 475b *(malkontenctwo)*
cynizm, 575g *(fałsz)*
cynkować, 751e
cynober, 245c
cynowad, 751e
cypel, 1066a
cyrk, 200b
cyrk, 1112a *(heca)*

cyrklować, 749d
cyrkonia, 31b
CYRKOWIEC, 4e
cyrkowy, 871a
cyrkulacja, 807g
cyrograf, 128e
cyrulik↑, 299b
cyrylica, 1094a
cysta, 1097b
cysterna, 622b *(wagon)*
cysterna, 639a *(zbiornik)*
cytacja, 842b
cytadela, 57b
cytat, 88e *(fragment)*
cytat, 677b *(przysłowie)*
cytata, 88e
cytować, 264c
cytra, 206a
CYTRUS, 579c
cytryna, 579c
cywil, 347g
CYWILIZACJA, 289a
    (dziedzictwo)
CYWILIZACJA, 861a *(ludzkość)*
cywilizacyjny, 893a
cywilizator, 410b
cywilizować, 159b
cywilizować się, 284c
cywilnie, 817a
cywilny, 477c *(bezpartyjny)*
cywilny, 562a *(własny)*
cywilny, 1038b *(publiczny)*
cyzelować, 126a *(wykonać)*
cyzelować, 1174a *(dziabać)*
cyzelowanie, 690c
czacha↓, 171a
czad↓, 870c *(żywotność)*
czad, 1091a *(woń)*
czador, 531d
czaić się, 918b *(ukrywać się)*
czaić się, 1110a
    (zapowiadać się)
czajnik, 386f
czako, 84a
czamara, 531d
czapa↓, 911b
czapka, 84
czapkować, 825c
czaprak, 642a
czar, 602b
czara, 386b
czarczaf, 1100b
czardasz, 923a
czarka, 386b
czarna lista, 310c
czarna magia, 704e
czarna owca, 330b *(łobuz)*
czarna owca, 821c
    (indywidualista)
czarna śmierć, 70h
czarno, 1168b

czarnoksięski, 480c
czarnoksięstwo, 335b
czarnoksiężnik, 85b
czarnorynkowy, 22b
CZARNOWIDZ, 590a
czarnowidztwo, 475b
czarnoziem, 1127a
czarnuch↓, 89a
czarny, 47b *(ubrudzony)*
CZARNY, 78b *(kruczoczarny)*
czarny, 89a *(czarnoskóry)*
czarny, 166c *(złowieszczy)*
czarny, 850b *(tragiczny)*
czarny, 1133a *(negatywny)*
czarny rynek, 192c
czarodziej, 85
czarodziejka, 85c
czarodziejski, 480c
czarodziejsko, 317c
czarować, 208b *(zachwycić)*
czarować, 902a *(zaszkodzić)*
czarownica, 85c
czarownie, 317c
CZAROWNIK, 85b
czarowny, 318a
czart, 111a
czarter, 150b
czarterować, 193d
czartowski, 1133b
czarująco, 317c
czarujący, 364a
czaruś, 347g
CZARY, 335b *(czarnoksięstwo)*
czary, 563a *(dziwy)*
czas, 86
czas wolny, 1057a
CZASEM, 811a
czasochłonność, 865b
czasochłonny, 113b
czasokres, 86a
czasomierz, 1120a
czasopismo, 696a
czasoprzestrzeń, 421b
czasowo, 926b
czasowy, 74a
czasy, 86a
czasy antyczne, 735c
czasza, 386b *(kubek)*
czasza, 421c *(sklepienie)*
czaszka, 171a
czatować, 918b
czatowanie, 10d
czaty, 10d *(obserwacja)*
czaty, 255c *(patrol)*
CZĄSTECZKA, 88b
cząsteczkowy, 837b
CZĄSTKA, 88d
cząstkowo, 473b
cząstkowy, 440b
czciciel, 957c
czcić, 894f

czcigodnie, 675c
czcigodny, 673e
czczenie, 895b
czczość, 417c
czczy↑, 447c
czek, 768c
czeka mnie, 1110b
czekać, 87 *(oczekiwać)*
czekać, 557b *(namyślać się)*
czekan, 45d *(broń biała)*
czekan, 237e *(laska)*
CZEKANIE, 427d
czekolada, 219e *(przysmak)*
czekolada, 399b *(napój)*
czekoladka, 219e
czekowy, 178c
czeladnik, 957c
czeladź, 505a
czelność, 436c
czelny↑, 471b
czeluść, 153c *(wąwóz)*
czeluść, 417a *(niebyt)*
CZEMU, 112a
czepek, 84a
czepiać się, 624b *(posądzić)*
czepiać się, 648c
    (chwytać się)
czepialski↓, 693d
czepiec, 84a
CZEPLIWY, 305b
czepny, 305b
czereda, 538d
czerep, 171a *(czaszka)*
czerep, 679f *(skorupa)*
czereśnia, 579d
czernić, 13b
czernidło, 587b
czernieć, 13c
czerń, 245c *(kolor)*
czerń, 1141b *(noc)*
czerpaczka, 329b
czerpać, 265a
czerpać wiadomości, 686b
czerpak, 329c
czerpanie, 865a
czerparka, 329b
czerstwieć, 762a
    (przejrzewać)
czerstwieć, 891b *(suszyć się)*
czerstwo, 317a
czerstwość, 870b
czerstwy, 318d *(zdrowy)*
czerstwy, 881a *(stary)*
czerstwy, 889b *(zeschnięty)*
czerwcowe, 504b
czerwienić, 13b *(zabarwić)*
czerwienić się, 1017a *(widać)*
czerwienić się, 1070c
    (pokraśnieć)
czerwienieć, 13c
    (zabarwić się)

czerwienieć, 1017a *(widać)*
CZERWIEŃ, 245c *(kolor)*
czerwień, 245d *(w kartach)*
czerwonoskóry, 89a
czerwony↓, 645c *(lewicowy)*
czerwony↓, 646c *(lewicowiec)*
CZERWONY, 14d
    (koloru czerwonego)
czerwony kur, 535b
czesać, 286b
czesne, 555a
cześć, 895b
częstawy, 1148c
często, 938b
często gęsto, 938b
częstochowski, 339b
częstokół, 537a
częstokroć, 938b
częstość, 413a
częstotliwość, 161c *(odbiornik)*
częstotliwość, 413a *(nawrót)*
częstować, 98c *(rozdać)*
częstować, 397b *(uderzać)*
częstować, 966a *(przyjąć)*
częsty, 1148c
częściowo, 473b
CZĘŚCIOWY, 440b
część, 88
czkać, 1047b
czkanie, 191c
czkawka, 191c
czknąć, 1047b
czknięcie, 191c
człapać, 215a
CZŁEK↑, 89a
człeczy↑, 893a
człon, 88a
członek, 75e *(penis)*
CZŁONEK, 959a *(uczestnik)*
członek rządu, 695c
CZŁONKOSTWO, 964b
członkować, 147a
członować, 147a
członowy, 837a
człowieczeństwo, 117c
człowieczy↑, 893a
człowiek, 89
człowiek intelektu, 960a
CZŁOWIEK INTERESU, 717b
człowiek nauki, 960a
człowiek pracy, 695a
człowiek starej daty, 845c
człowiek wielkiego
    umysłu, 960a
człowieku nie irytuj się, 1071b
czmychać, 951a
czochrać się, 104e *(stargać)*
czochrać się, 132b *(głaskać)*
czołg, 638e
czołgać się, 215a
czołgista, 40a

darować, 98b *(obdarować)*
darować, 1043a
   (przeprosić się)
darować sobie, 777a
darować wolność, 994b
darować życie, 1039a
DAROWANIE, 714a
DAROWIZNA, 101b
dary boże↑, 219a
dary natury, 579e
daszek, 1100a
data, 86a
datek, 101d *(ofiara)*
datek, 555b *(składka)*
datować, 545b
   (szacować wiek)
datować, 629d *(adresować)*
datować się od, 619b
datownik, 628a
dawać, 98a
dawać dochód, 145d
dawać dupy↓, 857c
dawać impuls, 1077b
dawać komu
   tyle a tyle lat, 545c
dawać odczuć, 1060a
dawać ogłoszenia, 1077c
dawać pierwszeństwo, 877e
dawać pole, 877c
dawać sobie radę, 678b
dawać tyle a tyle, 612b
dawać ukojenie, 320a
dawca, 116b
dawka, 88c
dawkować, 102
dawne czasy, 735c
dawne dzieje, 735a
dawniej, 233a
DAWNO, 233a
DAWNY, 881b
dąb, 245c
dąbrowa, 292a
dąć, 137e
dąć się, 1067b
DĄSAĆ SIĘ, 175a
dąsalski, 590b
dąsy, 475c
dążenia, 67e
dążenie, 67e
dążność, 925a
dążyć, 65e *(usiłować)*
dążyć, 1053b *(pójść)*
DBAĆ, 550c
dbałość, 549b
dbały, 552a
dbanie, 549b
de facto, 592d
dealer, 719e
debata, 790a
debatować, 788c
debel, 789d

debet, 600e
debetować, 612d
debil, 1001a
debilizm, 174e *(głupota)*
debilizm, 493a *(obłąkanie)*
debilnie, 173c
debilny, 447d
debilowaty, 172b
debit, 1123b
debiut, 200d *(występy)*
debiut, 623c *(zaczątek)*
debiutancki, 433a
debiutant, 4b *(aktor)*
debiutant, 199b *(amator)*
debiutować, 1080b
decentralizacja, 634d
decentralizować, 659a
DECH, 515a
decydent, 236a
decydować, 103
   (postanawiać)
decydować, 680c *(zaważyć)*
DECYDOWAĆ SIĘ, 682c
   (ważyć się)
decydować się, 1044b
   (reflektować)
decydująco, 12a
decydujący, 1005d
decydujący głos, 82a
decymalny, 343b
decyzja, 128d *(uchwała)*
dederon, 928c
dedukcja, 384a
dedukować, 383b
dedykacja, 101d *(dar)*
dedykacja, 628a *(nazwisko)*
defekt, 35b
defektowy, 971d
defektywny, 971b
defensywa, 1000b
defensywnie, 566b
defensywność, 567c
DEFENSYWNY, 503b
defetysta, 590a
defetystyczny, 416b
defetyzm, 475b
deficyt, 35d *(brak)*
deficyt, 279c *(strata)*
deficytowość, 279c
DEFICYTOWY, 447h
   (niedochodowy)
deficytowy, 1052a *(rzadki)*
defiguracja, 456b
defilada, 200a
defilować, 702d
definicja, 414a
definiować, 545a
DEFINIOWANIE, 414b
definitywnie, 1114a
   (kategorycznie)

definitywnie, 1157b
   (bezpowrotnie)
definitywny, 1005e
deflacja, 852b
defloracja, 827c
deformacja, 456b
deformować, 104
deformować się, 104a
defraudacja, 272a
defraudant, 574d
defraudować, 1156d
degeneracja, 493c
degenerat, 451d
degenerować, 857c
deglomeracja, 634d
deglomerować, 659a
degradacja, 852d
degradować, 269c
   (deprecjonować)
degradować, 1064a
   (relegować)
degrengolada, 793c
degresja, 852b
degustacja, 10b
degustator, 365c
degustować, 867c
dehumanizacja, 793c
dehumanizować, 107a
dehumanizować się, 857b
deifikacja, 895d
deiktyczny↑, 635a
déjà vu(e), 583b
dek, 614b
deka, 642a
dekada, 86c
dekadencja, 793c
dekadencki, 259b
dekadent, 590a
dekadentyzm, 793c
dekalog, 701c *(norma)*
dekalog, 772a *(katechizm)*
dekanat, 88f
dekapitacja, 911b
dekapitalizować się, 482a
dekapować, 500e
dekarz, 815a
dekiel, 642b
deklamacja, 724b
deklamacyjny, 905b
   (afektowany)
deklamacyjny, 1054b
   (recytatorski)
deklamator, 4b *(aktor)*
deklamator, 574a *(kłamca)*
deklamatorski, 905b
deklamować, 702c
deklaracja, 713b
   (oświadczenie)
deklaracja, 3b *(blankiet)*
deklaratywnie, 449d
deklaratywność, 174a

deklaratywny, 450b
deklarować, 204a
  (zawiadamiać)
deklarować, 708b
  (wyrazić gotowość)
deklasacja, 852d
deklasować, 30b *(zbiednieć)*
deklasować, 1050a
  (dominować)
dekoder, 161c *(odbiornik)*
dekoder, 983d *(przetwornik)*
dekodować, 97b
dekolonizacja, 1032b
dekolt, 1100g
dekoltować się, 702b
dekompletować, 1142b
DEKOMPONOWAĆ, 147c
dekompozycja, 1152a
dekoncentrować, 659a
dekoncentracja, 300d
  (lekkomyślność)
dekoncentracja, 634d
  (rozszczepienie)
dekoniunktura, 852c
dekonspirować, 968c
dekonspirujący, 1b
dekoracja, 105
dekoracyjnie, 317b
dekoracyjność, 105d
dekoracyjny, 6c *(plastyczny)*
dekoracyjny, 1116b *(ozdobny)*
dekorator, 4a
dekoratorstwo, 105d
dekoratywny, 1116b
dekorować, 948a
dekować, 877d
dekować się, 918b
dekownik, 874a
dekret, 701b
dekretacja, 128d
dekretować, 103b
  (postanowić)
dekretować, 204d *(omówić)*
delegacja, 187b *(grupa)*
delegacja, 630a *(podróż)*
delegalizacja, 976a
DELEGALIZOWAĆ, 975d
delegat, 719a
  (przedstawiciel)
DELEGAT, 959b *(uczestnik)*
delegatura, 207b
delegować, 1044c
DELEKTOWAĆ SIĘ, 315b
delektowanie się, 899c
delficki, 480b
delfin, 146c
delia, 531d
deliberacja, 384b
deliberować, 788c
deliberowanie, 384b
delicje, 219e

delikatesy, 219e *(przysmak)*
delikatesy, 835a
  (dom handlowy)
delikatnie, 188c *(uprzejmie)*
delikatnie, 840c *(lekko)*
DELIKATNIEĆ, 358a
delikatniś, 347g
delikatność, 117a *(dobro)*
delikatność, 302a *(zwiewność)*
delikatność, 1035a *(czułość)*
delikatny, 106 *(subtelny)*
delikatny, 189a *(taktowny)*
delikt, 730a
delikwent, 729a
delimitacja, 634e
DELIMITOWAĆ, 536c
delirium, 493a *(obłąkanie)*
delirium, 603a *(alkoholizm)*
deliryczny, 73c
delta, 1030f
demagog, 212b
demagogia, 668c
demagogicznie, 449d
demagogiczny, 495a
demagogizować, 1077d
demarkacja, 634e
demarkacyjny, 203e
demaskator, 210d
demaskatorski, 452c
demaskatorstwo, 1018c
demaskować, 968d
demaskujący, 1b
dematerializacja, 1090b
dematerializować, 483a
DEMATERIALIZOWAĆ SIĘ, 1151b
demencja, 174e
dementi, 833d
DEMENTOWAĆ, 876a
demilitaryzacja, 860c
demilitaryzować, 320a
demineralizować, 1049c
demistyfikacja, 1018c
demistyfikator, 946c
demistyfikatorski, 452c
demistyfikować, 686f
demitologizacja, 1018c
demitologizować, 248a
demiurg, 41a
demobil, 429a
demobilizacja, 17b
demobilizować, 260d
  (likwidować)
demobilizować, 1149a *(razić)*
demobilizująco, 110b
demobilizujący, 109a
DEMOKRACJA, 868b
  (ludowładztwo)
DEMOKRACJA, 1032d
  (wybieralność)
demokrata, 646a
DEMOKRATYCZNIE, 954d

demokratyczność, 868b
  (ludowładztwo)
demokratyczność, 1032d
  (wybieralność)
demokratyczny, 956d
DEMOKRATYZACJA, 658f
demokratyzm, 1032d
demokratyzować, 659a
demolka↓, 1152b
demolować, 483c
demon, 111a
demonicznie, 155c
demoniczny, 480c
demonizm, 919b
demonizować, 1149b
demonstracja, 875b *(protest)*
demonstracja, 1119b
  (zgromadzenie)
demonstracyjnie, 577a
demonstracyjny, 218a
demonstrant, 40c
demonstrator, 410a
demonstrować, 702d
demontaż, 1152b
demontować, 147c
demoralizacja, 793b
demoralizator, 347i
demoralizować, 107
demoralizować się, 857c
demoralizująco, 110b
demoralizujący, 109b
denacjonalizacja, 976a
denacjonalizować, 98d
denat, 422a
denaturalizacja, 976a
dendrarium, 539a
denerwować, 108
denerwować się, 175a
denerwujący, 750c
DENERWUJĄCO, 213a
denka↓, 316b
denko, 642b
denny, 339e
denotacja, 935c
dentysta, 299a
dentystyczny, 346a
denuncjacja, 833b *(zażalenie)*
denuncjacja, 1118c
  (donosicielstwo)
denuncjator, 210d
denuncjatorski, 495c
denuncjować, 736c
departament, 207a
depenalizacja, 714a
depesza, 309a
depeszować, 792a
depilacja, 549b
depilator, 1091c
deponent, 998b
deponować, 571b
deportacja, 225b

deportować, 1064b
depozyt, 334a *(skład)*
depozyt, 600b *(kapitał)*
deprawacja, 793b
deprawator, 347i
deprawować, 107b
deprawować się, 857c
deprawowanie, 793b
deprawująco, 110b
deprawujący, 109b
deprecjacja, 852d
deprecjonować, 269c
depresja, 17b *(obojętność)*
depresja, 153b *(dół)*
depresja, 1169c *(smutek)*
deprymować, 591a
deprymująco, 184b
deprymujący, 1b
deptać, 48a *(pobrudzić)*
deptać, 215b *(chodzić)*
deptać, 243d *(pożądać)*
deptać, 402a *(ignorować)*
deptać, 657c *(uwłaczać)*
deptać, 879c *(zabiegać)*
deptać po piętach, 252b
deptak, 136c
deputacja, 187b
deputat, 600d
deputowani, 588a
deputowany, 719a
deratyzacja, 94c
deratyzować, 96e
derka, 642a
derma, 610a
dermatolog, 299a
derogacja, 976a
derwisz, 224e
derywat, 842b
desakralizacja, 436e
desant, 1000a
desantować, 397c
desantowiec, 331d
descendent, 781c
deseniować, 948a
deseniowy, 1116b
DESEN, 1068c
deser, 219d
designer↑, 4a
DESKA, 134c
deski, 625a
deskrypcja, 872b
DESKRYPCYJNY↑, 554a
deskryptywny↑, 554a
despekt, 436a
desperacja, 448b
desperacki, 166e
desperacko, 830b
desperat, 590a
desperować, 81e
despota, 236d
despotycznie, 1024a

despotyczny, 1025b
despotyzm, 1026b
dessous, 531e
destabilizacja, 1139d
DESTABILIZOWAĆ, 1076a
destabilizująco, 110b
destrukcja, 1152b
DESTRUKCYJNIE, 110b
destrukcyjność, 1152b
destrukcyjny, 109
destruktor, 451b
destruktywnie, 110
DESTRUKTYWNY, 109a
destylacja, 94c
destylować, 705a *(wytwarzać)*
destylować, 1049c
  (odparować)
desu, 531e
desygnacja, 890a
desygnować, 1044d
desygnowanie, 414b
  (nazywanie)
desygnowanie, 890a
  (nominacja)
deszcz, 441a
deszczowiec, 531b
DESZCZOWO, 370b
deszczowy, 238a
deszczówka, 1030g
deszczułka, 134c
deszyfrator, 983d
deszyfrować, 97b
detal, 88a *(element)*
detal, 192a *(handel)*
DETAL, 897a *(drobiazg)*
detalicznie↓, 123a
detalista, 719e
detekcja, 10e
detektor, 983d
detektyw, 210b *(szpieg)*
detektyw, 644a *(policjant)*
detergent, 298c
deterioracja, 1152b
determinacja, 251b
  (nieuchronność)
determinować, 545a
detoksykacja, 94c
detonacja, 448b
detonować, 591a *(stropić)*
detonować, 596d *(wybuchnąć)*
detronizacja, 976b
detronizować, 1064a
deus ex machina, 563a
dewaloryzacja, 852a
dewaluacja, 852a
dewaluować, 269c
dewastacja, 1152b
dewastować, 483c
dewiacja, 456c
DEWIANT, 1111a
dewiza, 677b

dewizowy, 178c
dewizy, 600a
dewocja, 575b *(obłuda)*
dewocja, 772b *(religijność)*
dewocjonalia, 31a
dewocyjny↑, 773c
dewot, 494c
dewotka, 494c
dezabil, 531e
dezaktualizacja, 976a
DEZAKTUALIZOWAĆ SIĘ, 882b
  (wychodzić z mody)
dezaktualizować się, 975c
  (tracić ważność)
dezaktywizacja, 17b
dezaprobata, 875b
DEZAPROBOWAĆ, 167a
dezatomizować, 320a
dezawuować, 975d
dezel↓, 638a
dezercja, 952a
dezerter, 953a
dezerterować, 777d
DEZINFORMOWAĆ, 573a
dezintegracja, 1152a
dezintegrować, 147c
dezodorant, 298c
  (odświeżacz)
dezodorant, 1091c *(perfumy)*
dezodoryzator, 298c
dezodoryzować, 96d
dezorganizacja, 443d
dezorganizować, 1076b
dezorientacja, 443d
  (zamieszanie)
dezorientacja, 575c
  (nabieranie)
dezorientowanie, 575c
dezyderat, 1172b
dezynfekcja, 94c
dezynfekować, 96e
dezynsekcja, 94c
dezynwoltura, 300c
dębieć, 154b *(oniemieć)*
dębieć, 762a *(przestać się)*
dębina, 292a
DĘTKA, 639e
diabelnie↓, 12c
diabelny, 1133a
diabelski, 1133b
diabelskie nasienie, 330b
diabelsko↓, 12c
diabelstwo, 575g
diabeł, 111
diabeł wcielony, 330b
diabetyk, 72a
diablę, 330b
diabli, 1133b
diabli biorą, 175c
diabli przynieśli, 736a
diablica, 242b

diablik, 111b
diablo↓, 12c
diablotka, 599b
diabolicznie, 155c
diaboliczność, 575g
diaboliczny↑, 480c (magiczny)
diaboliczny, 1133b (srogi)
diadem, 31b
diafragma, 1100d
DIAGNOSTYCZNY, 687e
diagnostyka, 10c
diagnoza, 507b
diagnozować, 686e
diagram, 608c
diak, 4c (psalmista)
diak, 224b (pastor)
diakon, 224c
diakrytyczny, 203e
DIALEKT, 221b
dialektalny, 896d
dialektyczny, 896d
dialektyka, 804b
dialektyzm, 842d
dializować, 1049c
dialog, 379c (wokalistyka)
dialog, 790a (rozmowa)
dialogować, 788a
dialogowany, 203c
dialogowy, 203c
diament, 31b
diamentować, 1174a
diametralnie, 1157c
diametralny, 715d
diapozytyw, 263a
diariusz, 735b
diaskop, 913d
diaspora, 491b
diatryba, 724b
dictum, 677a
didaskalia, 1051b
diecezja, 88f
diesel, 638a
dieslowski, 249c
dieta, 219b
DIETETYCZNIE, 266c
dietetyczny, 267e
    (lekkostrawny)
dietetyczny, 1175a
    (pokarmowy)
dietetyka, 219b
diety, 600d
differentia specifica, 804a
digitalny↑, 343a
diner↑, 981b (przyjęcie)
diner, 219c (posiłek)
dingo, 601b
dinks↓, 813c
dinozaur, 742a (praprzodek)
dinozaur, 1160a (bestia)
dintojra, 775b
dionizyjski, 454c

diorama, 501a
discjockey, 375c
disco, 379a
diuk, 236d
diuna, 1046a
diva, 4c
dla efektu, 439a (sztucznie)
dla efektu, 449d
    (nieszczerze)
dla kurażu, 115d
dla pozoru, 439a
dlaczego, 112
dlatego, 656a
dławić, 999b
dłoń, 262b
dłubać, 945d (majsterkować)
dłubać, 1174c (kopać)
dłubanina, 690c
dług, 600e (pożyczka)
dług, 1009b (zobowiązania)
długi, 113
długo, 114 (długotrwale)
długo, 123a (drobiazgowo)
długo nie pociągnie, 972a
długodystansowiec, 1107a
długodystansowość, 940b
długodystansowy, 113b
długofalowość, 940b
długofalowy, 113b
długoletni, 113b
długoletniość, 940b
DŁUGOMETRAŻOWY, 113d
długonogi, 318c
długookresowy, 113b
długopis, 605b
długoseryjny, 142e
długościomierz, 350a
długość, 733b (odległość)
długość, 789b (wielkość)
długotrwale, 114a
DŁUGOTRWAŁOŚĆ, 940b
DŁUGOTRWAŁY, 113b (długi)
DŁUGOTRWAŁY, 939a (trwały)
długowieczność, 1020d
długowieczny, 881f
dłuto, 486b
dłutować, 500a
dłużnik, 998b
dłużny, 29a
dłużyć się, 513b
dłużyzna, 17d
dmuch, 441d
dmuchać, 137e (wionąć)
dmuchać↓, 243d (seks)
dmuchać na zimne, 92a
dmuchanie↓, 827c
dmuchawa, 515a
dmuchnąć↓, 1156d
    (przywłaszczyć)
dmuchnąć, 137e (powiewać)
dni policzone, 972a

dniami i nocami, 938c
DNIEĆ, 915e
dniówka, 600d
dno, 417a (niebyt)
dno, 886b (dół)
dno, 922a (chała)
dno, 1086a (koniec)
do, 34c
do chrzanu↓, 339e
do cna, 1157a
do czasu, 926a
do czysta, 1157a
do dna, 1157a
do dupy↓, 339e
do głębi, 830a
do góry, 711b
do gruntu, 1157a
do kitu↓, 339e
do końca, 114b (do późna)
do końca, 1157a (całkiem)
do kupy↓, 770b
do licha i trochę, 141a
do luftu↓, 339e
do niczego, 339e
do niedawna, 565a
do ostatka, 114b (do późna)
do ostatka, 692b (uparcie)
do ostatka, 1157a (całkiem)
do ostatniej chwili, 114b
do pakowania, 339a
do pełna, 1157a
DO PÓŹNA, 114b
do przesady, 726b
do przyjęcia, 337d
do reszty, 1157a
do rozpuku, 169a
do rzeczy, 345b
do syta, 141c
do szczętu, 1157a
do tyłu, 201e
do upadłego, 692b (uparcie)
do upadłego, 830c
    (intensywnie)
do widzenia↓, 446d
do woli, 141c
do wybaczenia, 447d
do złudzenia, 12a
    (ludząco)
do złudzenia, 1157f
    (bliźniaczo)
do żywa↑, 830a
do żywego, 830a
doba, 86d
doba obecna, 927a
dobić, 340a (niepokoić)
dobić, 745b (przyjść)
dobić, 1073c (uśmiercić)
dobić się, 1117b
dobić targu, 193a
dobiec, 745c
dobiegać, 50a

dogadywać, 736d
(naskakiwać)
dogadzać, 550c *(dopieszczać)*
DOGADZAĆ, 1082b
(nadawać się)
dogadzać sobie, 315b
doganiać, 252b
dogasać, 261a
dogasnąć, 261c
DOGASZAĆ, 260c
dogęszczać, 756f
doglądać, 550c
doglądanie, 549a
dogładzić, 260e
dogłębnie, 123a
(drobiazgowo)
dogłębnie, 1157a *(całkiem)*
dogłębność, 124b
dogłębny, 344e
DOGMAT, 701d
DOGMATYCZNIE, 18c
DOGMATYCZNY, 19b
(doktrynerski)
dogmatyczny, 1005e
(kanoniczny)
dogmatyk, 845c
dogmatyzm, 254a
dogmatyzować, 727a
dognać, 252b
dogodnie, 523d
dogodność, 997b
dogodny, 267d
(sprzyjający)
dogodzenie↓, 899b
dogodzić, 1082b
dogonić, 252b
dogorywać, 972a
dogotować, 260f
dograć, 257b *(ponowić)*
dograć, 260f *(dokończyć)*
dogrywka, 1000c
dogryzać, 736d *(napadać)*
dogryźć, 127b *(dokuczyć)*
dogrzać, 511d
dogrzać się, 511f
dogrzebać się, 1147a
dogrzewać, 511e
dohodować się, 705b
doholować, 721d
doić, 265c *(skorzystać)*
doić, 558a *(pompować)*
doić, 597b *(popijać)*
doigrać się, 81c
doinformować, 204c
doinwestować, 648d
dojadać, 260f
dojazd, 136d
dojąć, 1070a
dojąć do żywego, 127b
dojeść, 127b *(dokuczyć)*

dojeść, 260f
(dokończyć jedzenie)
dojeżdżać, 326b
(skomunikować)
dojeżdżać, 745c *(znaleźć się)*
dojmować, 1070a
dojmujący, 750c
dojrzale, 345b
dojrzałość, 165b
(doświadczenie)
dojrzałość, 1020c *(dorosłość)*
dojrzały, 344c *(doświadczony)*
dojrzały, 344d *(racjonalny)*
dojrzały, 797b *(rozkwitły)*
dojrzeć, 550d *(popilnować)*
dojrzeć, 589e *(widzieć)*
dojrzeć, 783b *(dorosnąć)*
dojrzewać, 783b *(dorosnąć)*
DOJRZEWAĆ, 1138d
(leżakować)
DOJRZEWANIE, 1069c
dojścia↓, 641b *(koligacje)*
dojścia↓, 653c
(wstawiennictwo)
dojście, 136d *(przecznica)*
dojście, 1010b *(wstęp)*
dojść, 745c
dojść do, 126a
dojść do czegoś, 1117b
dojść do głosu, 1060c
dojść do ładu, 686f
dojść do przekonania, 368a
(utrzymywać)
dojść do przekonania, 368b
(uznać)
dojść do siebie, 980c
dojść do skutku, 403c
dojść do wniosku, 368b
dojść do zgody, 985c
dojść po nitce do kłębka, 686e
dok, 670a
dokarmiać, 966b
dokarmiać się, 220c
dokazać, 126a *(wykonać)*
dokazać, 374a *(potrafić)*
dokazać swego, 44b
dokazywać, 15c
dokazywać cudów, 879b
dokazywanie, 1071a
dokleić, 326d
dokładać, 612c *(ufundować)*
dokładać, 1161a *(dodać)*
dokładać się, 612c
dokładać starań, 879b
DOKŁADKA, 120b
dokładnie, 123
dokładność, 124 *(staranność)*
dokładność, 1061c
(jednoznaczność)
dokładny, 125 *(precyzyjny)*
dokładny, 693a *(skrupulatny)*

dokoła, 34a
dokompletować, 665c
dokomponować, 624a
dokomponować się, 195b
dokonać, 126
dokonać, 945a
dokonać odbioru, 1105c
dokonać odkrycia, 686e
dokonać przekładu, 1102c
dokonać przelewu, 612a
dokonać się, 403c
dokonać wyboru, 1044d
dokonanie, 690e *(wykonanie)*
dokonanie, 890c *(rekord)*
dokonany, 1158d
dokonywać cudów, 879b
dokonywać się, 513a
dokończenie, 1086b
dokończony, 1158d
DOKOŃCZYĆ, 260f
dokooptować, 958d
dokopać się, 1147a
dokradać, 1117c
dokręcać, 759d
dokrętka, 120b *(dokładka)*
dokrętka, 642c *(nakładka)*
dokroić, 1161b
dokształcać się, 284b
dokształcenie, 409d
dokształt↓, 409d
DOKTOR, 299a *(lekarz)*
doktor, 410a *(dydaktyk)*
doktor, 960b *(badacz)*
doktor habilitowany, 960b
doktorant, 957a
doktorski, 411a
doktoryzować się, 284b
doktryna, 1018b
doktryner, 845c
doktrynerski, 19b
doktrynersko, 18c
doktrynerstwo, 254a
dokuczać, 127
dokuczanie, 407b
DOKUCZLIWIE, 213c
dokuczliwość, 407a
(natarczywość)
dokuczliwość, 704d
(przykrość)
dokuczliwość, 1132b *(agresja)*
dokuczliwy, 750c
dokuczyć, 127b
dokument, 128
(zaświadczenie)
dokument, 133b
(dowód czegoś)
dokument programowy, 128d
DOKUMENTACJA, 128f *(akta)*
dokumentacja, 133a *(dane)*
dokumentacja, 1109b
(kolekcja)

dokumentalista, 606b
dokumentalny, 687b
dokumentarność, 955d
dokumentnie, 1157a
dokumentny↑, 1158b
dokumentować, 963a
DOKUMENTY, 128c
dokupić, 1161b
dokupować, 1161b
dokwaterować, 354d
dola, 314a *(los)*
dola↓, 88c *(udział)*
dolać, 1161b *(dodać)*
dolać, 26a *(uderzyć)*
dolary, 600a
dolatywać, 50a
dolecieć, 745c
DOLEGAĆ, 127a
dolegliwie↑, 213c
dolegliwość, 70a *(schorzenie)*
dolegliwość, 704d *(przykrość)*
dolegliwy↑, 750c
dolepiać, 326d
dolewać, 1161b
dolewać oliwy do ognia, 247a
dolewka, 120b
doleźć, 745c
doliczyć, 545e
    (kwantyfikować)
doliczyć, 612d *(rozliczyć się)*
doliczyć się, 686f
dolina, 153c
doliniarz↓, 574d
dolmen, 185b
dolna warstwa, 886b
dolny, 33d
dolutować, 326d
doładować, 1161b
dołączyć, 257b *(ponowić)*
dołączyć, 721d *(zbliżyć)*
dołączyć, 745c *(znaleźć się)*
dołączyć, 1161c *(powiększać)*
dołeczki, 944c
dołek, 153b
dołować, 183d
dołożyć, 26a *(uderzyć)*
dołożyć, 573b *(oszukać)*
dołożyć, 612c *(ufundować)*
dołożyć, 1161a *(dodać)*
dołożyć się, 612c
DOM, 57a *(gmach)*
DOM, 355b *(dach nad głową)*
dom, 781a *(domownicy)*
DOM BOŻY, 914a
dom dziecka, 826b
DOM HANDLOWY, 835a
dom książki, 835a
dom modlitwy, 914a
dom mody, 835a
dom opieki społecznej, 826b
DOM POGRZEBOWY, 637c

dom publiczny, 355c
dom rencisty, 826b
dom schadzek, 355c
dom spokojnej starości, 826b
dom starców, 826b
dom studencki, 355c
dom towarowy, 835a
dom wczasowy, 355c
dom wydawniczy, 718d
domagać się, 129
domaganie się, 1172a
domalować, 257b
domator, 821b
domawiać, 167c
domawiać się, 129a
domek jednorodzinny, 57a
domek z kart, 1139c
    (ulotność)
domeldować, 354d
domena, 733a *(obszar)*
domena, 935a
domestykacja, 757c
domiar, 555c
domicyl, 355d
domierzyć, 545d
domieszać, 351d
domieszka, 64c *(oblicze)*
domieszka, 120b *(dokładka)*
dominacja, 739a
dominanta, 63a
dominikanin, 224e
dominium, 336d *(posiadłość)*
dominium, 585a *(kraj)*
domino, 1071b
DOMINOWAĆ, 1050a
dominujący, 142h
domknąć, 1089a
domniemanie, 437d
domniemany, 373a
    (potencjalny)
domniemany, 450b *(rzekomy)*
domniemywać, 624a
domofon, 161f *(telefon)*
domofon, 325a *(komunikacja)*
domokrąstwo, 192c
domokrążca, 719e
domokrążny, 178d
domorosły↑, 433a
domostwo, 57c
DOMOWNICY, 781a
domownik, 998e
domowy, 893b
domówić, 167c *(strofować)*
domówić, 260f *(dokończyć)*
domówić się, 129a
domyć, 96b
domykać, 1089a
DOMYSŁ, 437d
domyślać się, 624a
domyśleć, 383c
domyślnik, 437c

domyślny, 344c
    (doświadczony)
domyślny, 373a *(potencjalny)*
domywać, 96b
donacja, 101b
donaszać, 1159a
donator, 116b
donica, 386d
doniczka, 386d
doniesienie, 833b *(zażalenie)*
doniesienie, 872b *(raport)*
donieść, 204b *(opowiedzieć)*
donieść, 1161b *(uzupełnić)*
doniosłość, 1002b
DONIOSŁY, 1005d
donkiszot, 198a
donkiszoteria, 395b
donna, 242f
donos, 833b
DONOSICIEL, 210d
donosicielski, 495c
donosicielstwo, 1118c
donosić, 50a *(rozlegać się)*
donosić, 204a *(zawiadamiać)*
donosić, 736c *(szkodzić)*
donośnie, 169a
donośność, 789a
donośny, 170b
donżuan, 347h
donżuaneria, 575c
donżuański, 454c
dookolny↑, 33a
dookoła, 34a
dookreślić, 545a
dopadać, 1110d
dopakować, 1161b
dopalać się, 853d
dopalić, 260f
dopasować, 195b
DOPASOWAĆ SIĘ, 760b
dopasowanie, 757a
    (przystosowanie się)
dopasowanie, 1136f
    (modulacja)
dopasowany, 337e
dopaść, 1070a *(owładnąć)*
dopaść, 1110d *(przybliżać się)*
DOPATRYWAĆ SIĘ, 1147b
dopatrzyć, 550c
dopatrzyć się, 686f
dopchać, 721b
dopchać się, 716a
dopełniający, 122b
dopełnić, 1161b
dopełnić obowiązku, 1081a
dopełnić się, 403c
dopełnienie, 120a
dopełznąć, 745c
dopędzić, 252b *(dorównywać)*
dopędzić, 745c *(znaleźć się)*
dopiąć↓, 260e *(powykańczać)*

dosłownie, 123b *(wręcz)*
dosłownie, 123b *(ściśle)*
dosłowność, 124a
DOSŁOWNY, 125c
dosłuchać, 738c
dosłuchiwać się, 1147b
dosłużyć, 738c
dosłużyć się, 1117b
dosłyszalny, 218b
dosłyszeć, 843a
dospać, 851d
dossier, 128f
dostać, 71c *(zachorować)*
dostać, 130 *(otrzymać)*
dostać, 193b *(kupić)*
dostać, 252b *(dorównywać)*
dostać, 738c *(wytrwać stojąc)*
dostać buzi↑, 132d
dostać całusa, 132d
dostać cynk↓, 686b
dostać karę, 1081b
dostać kota, 1122c
dostać lanie, 81c
dostać manii, 1122c
dostać mata, 987c
dostać męża, 836b
dostać nauczkę, 81c
dostać połączenie, 661c
dostać pomieszania
    zmysłów, 1122c
dostać posadę, 691c
dostać promocję, 1117b
dostać się, 130d *(uzyskiwać)*
dostać się, 745c *(trafić)*
DOSTAĆ SIĘ, 1011a
    (wchodzić)
dostać się do, 1117b
dostać się na języki, 81c
dostać się w czyjeś ręce, 968c
dostać w skórę, 81c
    (odcierpieć)
dostać w skórę, 987c
    (pozostawać w tyle)
dostać w spadku, 130d
dostać w swoje ręce, 280b
dostać wyrok, 81c
dostać zawrotów głowy, 71b
DOSTARCZYĆ, 98a *(doręczyć)*
dostarczyć, 873d *(nastręczyć)*
dostatecznie, 523e
dostateczny, 267a
dostatek, 336a *(bogactwo)*
dostatek, 387c *(zbytek)*
dostatek↑, 538d *(mnóstwo)*
dostatni, 38d
dostatnio, 37a
dostatniość, 336a
DOSTAWA, 931b *(ładunek)*
dostawa, 934b *(dowożenie)*
dostawać, 130a *(otrzymać)*
dostawać, 252b *(dorównywać)*

dostawca, 719e
dostawiać, 193c *(sprzedać)*
dostawiać, 973c *(umieszczać)*
dostawić, 98a *(dostarczyć)*
dostawić, 873e *(konwojować)*
dostawka, 332a *(łóżko)*
dostawka, 829a
dostąpić, 745c *(znaleźć się)*
dostąpić, 1117b *(uzyskać)*
dostąpić wtajemniczenia, 958c
dostęp, 1010b *(wstęp)*
dostęp, 1123a *(przyzwolenie)*
dostępnie, 321a
dostępność, 668d
    (powszedniość)
dostępność, 1061c *(jasność)*
dostępny, 33d *(osiągalny)*
dostępny, 267c *(tani)*
dostępny, 322a *(zrozumiały)*
dostępować, 745c
dostojeństwa, 895a
dostojeństwo, 767d
dostojnie, 675c *(godnie)*
dostojnie, 681b
    (majestatycznie)
dostojnik, 561a
dostojność, 767d
dostojny, 673e
dostosować, 195b
dostosować się, 760b
dostosowanie, 757a
    (przystosowanie się)
dostosowanie, 1136f
    (modulacja)
dostosowywać, 1081c
dostrajać, 195b *(korelować)*
dostrajać, 749c *(ustawiać)*
dostroić, 195b
dostrojenie, 757a
    (przystosowanie się)
dostrojenie, 1136f *(modulacja)*
dostrzegać, 589e
dostrzegalność, 789a
DOSTRZEGALNY, 218b
dostudzać, 1128b
dostukać się, 126a
dosunąć, 26a *(uderzyć)*
dosunąć, 721d *(zbliżyć)*
dosuszać, 891a
dosuwać, 721d
dosychać, 891b
dosyć, 523e *(pod dostatkiem)*
DOSYĆ, 726e *(basta)*
dosyłać, 1161b
dosypać, 1161b
dosypiać, 851d
dosyt, 899b
doszczelniać, 759d
doszczętnie, 1157a
doszkalać, 159a
doszlifować, 195b

doszlusować, 745c
doszło do, 513a
doszorować, 96b
dosztukować, 326c
doszukać się, 1147b
doszyć, 326c
dościgać, 252b
doścignąć, 252b
dość, 523e *(wystarczająco)*
dość, 726e *(basta)*
dość że, 423b
dośpiewać, 573b
dośrodkować, 183f
dośrubować, 759d
doświadczać, 90a
doświadczalnie, 123e
doświadczalność, 927b
doświadczalny, 687a
DOŚWIADCZENIE, 10b
    (eksperyment)
DOŚWIADCZENIE, 165b
    (wprawa)
DOŚWIADCZONY, 344c
doświadczyć, 90b *(przeżyć)*
doświadczyć, 738a *(zaznać)*
doświadczyć, 867c
    (wypróbować)
DOTACJA, 101c
dotaczać, 721d
dotarcie, 744c
dotaszczyć, 721d
DOTĄD, 114c
dotelefonować się, 126a
dotkliwie, 830a
dotkliwość, 704d
dotkliwy, 750a
dotknąć, 108b *(urazić)*
dotknąć, 132a *(tknąć)*
dotknąć, 403d *(nadarzyć się)*
dotknąć, 788b *(skomentować)*
dotknąć, 1070a *(owładnąć)*
dotknąć do żywego, 108b
dotknięcie, 91b
dotknięty, 452a
dotleniać, 520b
DOTLENIĆ SIĘ, 520b
dotlić się, 261c
dotłoczyć się, 716a
dotłuc się, 745c
dotoczyć, 721d
dotować, 648d
dotransportować, 98a
dotrawiać, 500e
dotrwać, 738f
dotrzeć, 195b *(korelować)*
dotrzeć, 745c *(znaleźć się)*
dotrzeć, 963c *(uświadomić)*
dotrzeć, 1161b *(uzupełnić)*
dotrzymać, 183d
dotrzymać słowa, 1081a
dotrzymać towarzystwa, 489c

dotrzymywać kroku, 252b
doturlać, 721d
doturlać się, 1110d
dotychczas, 114c
dotychczasowy, 33c
dotyczący, 1148a
dotyczyć, 131
dotyk, 91b *(pieszczota)*
DOTYK, 1144b *(zmysł)*
dotykać, 131a *(odnosić się do)*
dotykać, 132 *(pomacać)*
dotykalny, 1062a
dotykowy, 687e
douczać, 159a
dowalić, 26a *(uderzyć)*
dowalić, 1161b *(uzupełnić)*
dowalać się, 243b
dowartościowywać, 877b
doważać, 1161a
DOWCIP, 1171a
dowcipas, 1171a
dowcipkować, 15b
dowcipnie, 1012b
DOWCIPNIŚ, 737b
dowcipny, 1013b *(zabawny)*
dowiadywać się, 686b
dowiązać, 326c
DOWIEDZIEĆ SIĘ, 686b
dowiercić się, 1147a
dowieść, 963b
dowieźć, 98a
dowlec, 721d
dowlec się, 745c
dowodnie↑, 592b
dowodzący, 236c
DOWODZENIE, 133b
    (uzasadnienie)
dowodzenie, 631b *(podwalina)*
dowodzenie, 1018b *(nauka)*
dowodzenie, 1026c
    (kierowanie)
dowodzić, 234b *(szefować)*
dowodzić, 963a *(udowadniać)*
dowodzić, 1145c *(świadczyć)*
dowojować się, 81c
dowolnie, 892a
dowolnie wiele, 467e
dowolność, 456a
    (niesystematyczność)
dowolność, 1032a *(swoboda)*
dowolny, 232b *(jakiś)*
dowolny, 474c *(nieprecyzyjny)*
dowołać się, 126a
dowozić, 98a
dowożenie, 934b
dowód, 133 *(udowodnienie)*
dowód, 768c *(pokwitowanie)*
dowód osobisty, 128c
dowód tożsamości, 128c
dowódca, 236c
dowództwo, 1026d

dowóz, 934b
doza, 88c
DOZBRAJAĆ, 1072e
dozgonnie, 830a
dozgonność, 940b
dozgonny, 939a
doznać, 90a *(odczuwać)*
doznać, 738a *(zaznać)*
doznać obrażeń, 256b
doznać paraliżu, 256b
DOZNANIE, 1034b
doznawać zadowolenia, 315b
dozorca, 551b
dozorować, 550e
DOZOWAĆ, 102a
dozór, 549a
dozwalać, 1105a
dozwolony, 373b
doża, 236d
dożyć, 738e
dożynki, 200a
dożywiać, 966b
dożywianie, 653d
dożywocie, 225b
dożywotni, 113b
dożywotnio, 114a
DÓŁ, 153b *(wgłębienie)*
dół, 685a *(parter)*
DÓŁ, 886b *(spód)*
drab, 330b *(łobuz)*
drab, 674c *(olbrzym)*
drabina, 664d
draczny↓, 1013b
dragon, 40a
dragować, 665b
draka↓, 250b
drakoński↑, 884b
drałować, 215a
DRAMAT, 311d *(literatura)*
dramat, 448b *(nieszczęście)*
dramat muzyczny, 379b
dramatopisarski, 290a
dramatopisarstwo, 311d
dramatopisarz, 606a
dramaturg, 606a
dramaturgia, 311d
dramaturgiczny, 290a
DRAMATYCZNIE, 830e
dramatyczność, 448b
dramatyczny, 166e
dramatyzm, 448b
dramatyzować, 8b
drań, 330a
drański↓, 390c
draństwo, 1131a
drapacz chmur, 57a
drapać, 127c *(pobolewać)*
drapać, 132b *(głaskać)*
drapać się, 1037a
drapak, 134b *(drzewo)*
drapak, 380b *(myjka)*

draperia, 1100a
drapichrust, 27b
drapieżnie, 184c *(strasznie)*
drapieżnie, 1114c *(okrutnie)*
drapieżnik, 1160a
drapieżność, 66a *(łakomstwo)*
drapieżność, 1131c
    (okrucieństwo)
drapieżny, 1074b
drapnąć↓, 951b *(zbiec)*
drapnąć, 256a *(poturbować)*
drapować, 286b
drapowanie, 287a
drasnąć, 256a
draska, 134a
drastycznie, 830a
drastyczność, 251a *(przymus)*
drastyczność, 832e
    (natężenie)
drastyczność, 1061e
    (dobitność)
drastyczny, 388d
    (prowokacyjny)
drastyczny, 750a *(mocny)*
draśnięcie, 502d
draśnięty, 971a
dratwa, 904c
drażetka, 219e *(cukierek)*
drażetka, 298a *(lek)*
DRAŻLIWOŚĆ, 1035b
drażliwy, 388c
drażniąco, 213a
DRAŻNIĄCY, 750c
drażnić, 108b *(urazić)*
drażnić, 127c *(pobolewać)*
drażnić, 1149a *(razić)*
drażnić się, 788a
DRĄG, 237a
drągal, 237d *(pałka)*
drągal, 674c *(olbrzym)*
drążek, 237a
drążek sterowy, 1026c
drążyć, 1070a *(owładnąć)*
drążyć, 1174c *(kopać)*
drelich, 531d
drelichowy, 1133d
dren, 740c
drenaż, 852c
drenować, 558a
drenowanie, 852c
dreptać, 215a *(stąpać)*
dreptać, 879c *(zabiegać)*
dreptać w miejscu, 777b
dres, 531f
dresing, 1144e
dresy, 531f
dreszcze, 307c
dreszczowiec, 200c
drewniak, 57d
drewniaki, 506b

dygresyjność, 897c
dykcja, 221c
dykta, 134c
dyktafon, 161f
dyktando, 160b
dyktat, 701c
dyktator, 236d
dyktator mody, 365d
dyktatorski, 1025b
dyktatorstwo, 1026b
dyktatura, 1026b
dykteryjka, 556b *(opowiastka)*
dykteryjka, 1171b *(fraszka)*
dyktować, 97b *(odcyfrować)*
dyktować, 129c *(zalecić)*
dyktować ceny, 265c
dyl, 134a *(drwa)*
dyl, 237b *(słup)*
dylemat, 704a
dyletancki, 433a
DYLETANCTWO, 434a
DYLETANT, 199a
dyletantyzm, 434a
dyliżans, 638d
dylogia, 311c
dylować, 56d
dym, 143
dymać↓, 243d
dymanie↓, 827c
dymek↓, 586a
dymek z papierosa, 1139c
   (ulotność)
dymić, 853a
dymienie, 1091a
dymisja, 976b
dymisjonować, 1064a
dymisjonowanie, 976b
dymka, 1003c
dymnik, 541a
dymorfizm, 634c
dynamicznie, 163a
dynamiczność, 870c
DYNAMICZNY, 164a
dynamika, 870c
dynamit, 45b
dynamizm, 870c
dynamizować, 1077b
dynamo, 983a
dynamometr, 350a
dynasta, 236d
dynastia, 781b
dyndać, 333a *(kołysać)*
dyndać, 929c *(wisieć)*
dynia↓, 171a *(łeb)*
dynia, 1003a *(jarzyna)*
dyplom, 128a *(świadectwo)*
dyplom, 394b *(odznaczenie)*
dyplom, 1176a *(laurka)*
dyplomacja, 795c
   (inteligencja)

dyplomacja, 1079a
   (postępowanie)
dyplomant, 957a
dyplomata, 561a
   (znakomitość)
dyplomata, 719a
   (reprezentant)
dyplomatka, 11a
dyplomatycznie, 566a
   (z ostrożna)
dyplomatycznie, 869c
   (zręcznie)
DYPLOMATYCZNY, 568a
   (wymijający)
dyplomatyczny, 969b
   (dyskretny)
dyplomatyzować, 294a
dypsomania, 603a
dyrdać, 215a
dyrdymały, 174b
dyrekcja, 1026d
dyrektor, 236a
dyrektywa, 643b *(rozkaz)*
dyrektywa, 1172c *(wniosek)*
dyrektywność, 251b
dyrektywny, 673a
dyrygencki, 1054c
dyrygent, 4d *(muzyk)*
dyrygent, 236a *(kierownik)*
dyrygentura, 1026c
dyrygować, 234a
dyrygowanie, 1026c
dyscyplina, 237f *(bat)*
dyscyplina, 664a *(ład)*
dyscyplina, 935a *(dziedzina)*
DYSCYPLINA SPORTOWA, 862b
DYSCYPLINARNIE, 391b
dyscyplinarny, 227a
dyscyplinować, 159c
dysertacja, 148b
dysharmonia, 250c
dyshonor, 194b
dysjunkcja, 250c
DYSK, 161g *(płyta)*
dysk, 246a *(koło)*
dyskietka, 161g
dyskobol, 1107a
dyskonto, 600e
dyskontować, 612d
dyskoteka, 200e
dyskrecja, 117a *(dobro)*
dyskrecja, 389a *(ufność)*
dyskredytacja, 1045c
DYSKREDYTOWAĆ, 248b
dyskrepancja, 804a
dyskretnie, 144
dyskretny↑, 440c *(przerywany)*
dyskretny, 969b *(poufny)*
dyskryminacja, 723d
dyskryminacja rasowa, 634e
dyskryminować, 736e

dyskurs, 790a
dyskursywny, 344e
dyskusja, 790a
dyskusyjność, 1006a
dyskusyjny, 465b
dyskutant, 375a
dyskutować, 788c
dyskwalifikacja, 1045c
dyskwalifikować, 167a
   (dezaprobować)
dyskwalifikować, 975d
   (delegalizować)
dyslokacja, 312a
dysonans, 156a *(brzmienie)*
dysonans, 250c *(konflikt)*
dysonansowo, 1168a
dyspensa, 976b
dyspensować, 1105a
dyspergować, 500c
dyspersja, 634d
dysponent, 236a *(naczelnik)*
dysponent, 719d
   (pełnomocnik)
dysponować, 98c *(rozdać)*
dysponować, 348b *(posiadać)*
dysponowanie, 179a
dysponowany, 871c
dyspozycja, 363d
   (zamiłowanie)
dyspozycja, 643b *(rozkaz)*
dyspozycyjność, 1033d
dyspozycyjny, 1088e
dyspozytor, 236a
dyspozytura, 1026d
dysproporcja, 804a
dysputa, 790a
dysputować, 788c
dystans, 497c *(nieczułość)*
dystans, 733b *(odległość)*
dystans, 1006b *(nieufność)*
dystansować się, 1056c
dystorsja, 456b
dystrybucja, 634b *(rozdział)*
dystrybucja, 807g *(obrót)*
dystrybuować, 98c
dystrybutor, 719e
dystrykt, 88f
dystych, 311b
dystyngowanie, 675c *(godnie)*
dystyngowanie, 854c
   (uroczyście)
dystyngowany, 542c
dystynkcja, 767e *(okazałość)*
dystynkcje, 1146h *(oznaka)*
dystynktywny, 203e
dysydencki, 715b
dysydent, 196c *(odstępca)*
dysydent, 451a *(przeciwnik)*
dysydent, 646a *(działacz
   sceny politycznej)*
dysza, 153e

edukować, 159
edukować się, 284b
edycja, 282f
edykt, 701b
edytor, 946b
edytorski, 290c
efeb, 347e
efekciarski, 495a
efekciarsko, 449d
efekciarstwo, 668b
  (pozorność)
efekciarstwo, 767c *(nadętość)*
efekciarz, 1004a
efekt, 148a *(wytwór)*
efekt, 1034a *(odczucie)*
efekt, 1055a *(wynik)*
efektownie, 209a *(atrakcyjnie)*
efektownie, 317c
  (kunsztownie)
efektowność, 602a
efektowny, 6a *(kunsztowny)*
efektowny, 77a *(interesujący)*
EFEKTYWNIE, 838a
efektywność, 870a
EFEKTYWNY, 839a
efemerycznie, 811a
efemeryczność, 1139c
  (ulotność)
efemeryczny, 1052a
efemeryda, 1139c *(ulotność)*
egalitarnie, 954d
egalitarny, 956d
egalitaryzm, 868b
egida, 1100c
ego, 140a
EGOCENTRYCZNY, 819c
egocentryk, 1004b
egocentryzm, 66c
egoista, 834b
egoistycznie, 463a
EGOISTYCZNY, 819a
EGOIZM, 66c
egotyczny↑, 819c
egotysta, 1004b
egotyzm, 66c
egzageracja, 387d
egzagerować, 727a
egzaltacja, 91a
egzaltować się, 1085b
egzaltowany, 905b
egzamin, 160
egzamin dojrzałości, 160b
egzamin poprawkowy, 160b
egzaminacyjny, 687c
egzaminator, 410a
egzaminować, 867c
egzaminy, 160a
egzarcha, 224b
egzegeta, 960c
egzegetyczny, 687d
egzegeza, 872c

egzekucja, 690e *(ściągnięcie)*
EGZEKUCJA, 1075d
  (zabójstwo)
egzekucyjny, 259c
egzekutor, 230a
egzekutywa, 187a *(zespół)*
egzekutywa, 690e
  (wykonanie)
egzekwie, 504b
egzekwować, 129d
egzema, 273b
egzemplarz, 696a *(dziennik)*
egzemplarz, 813a *(przedmiot)*
egzemplifikacja, 1068d
egzemplifikacyjny↑, 635a
egzemplifikować, 963a
egzogamia, 781d
egzogeniczny, 99d
egzogenny, 99d
egzorcysta, 85b
egzorcyzmy, 335b
egzorta, 724c
egzoteryczny↑, 712a
EGZOTYCZNIE, 155b
egzotyczność, 563b
egzotyczny, 99b *(zamorski)*
egzotyczny, 205d *(dziwny)*
egzotyk, 813b
egzotyka, 563b
egzotyzm, 563b
EGZYSTENCJA, 214a
  (wegetacja)
egzystencja, 990a
  (utrzymanie)
egzystować, 60a
ejakulacja, 827b
ejakulować, 243f
ekierka, 350c
ekipa, 187b
EKLEKTYCZNY, 352a
ekler, 599b *(wypiek)*
ekler, 855b *(zapięcie)*
ekloga, 899b
ekoklimat, 636a
ekolog, 1164c
ekologia, 755a
ekologiczny, 267e
ekonom↑, 236a
ekonomia, 179a
  (gospodarowanie)
EKONOMIA, 570b
  (racjonalność)
ekonomicznie, 266a
  (majątkowo)
ekonomicznie, 838a
  (efektywnie)
ekonomiczność, 570b
EKONOMICZNY, 178a
  (gospodarczy)
ekonomiczny, 839a *(wydajny)*
ekonomika, 179a

ekosfera, 755b
ekran, 161c *(odbiornik)*
ekran, 1100d *(parawan)*
ekranizacja, 501d
ekranizować, 1137d
ekranować, 1072b
ekranowy, 290d
ekscelencja, 561a
ekscentrycznie, 155a
ekscentryczność, 563b
ekscentryczny, 205d
ekscentryk, 1001c
ekscentryzm, 563b
ekscerpcja, 282c
ekscerpować, 204d
ekscerpt, 88e
eksces, 1079b
ekscytacja, 427c
ekscytować, 208c
ekscytować się, 1085b
ekscytująco, 209a
ekscytujący, 77a
ekshibicjonista, 1111a
ekshibicjonizm, 493c
ekshumacja, 10c
ekshumować, 1048b
eksklamacja, 191a
eksklawa↑, 1066b
ekskluzywnie, 854c
ekskluzywność, 767d
ekskluzywny, 564a
ekskomunika, 225a
ekskomunikować, 167b
ekskomunikowany, 1133e
ekskrecja, 976c
ekskrementy, 429d
ekskursja↑, 630b
ekslibris, 1146f
eksmisja, 976c
eksmitować, 1064b
ekspandować, 722c
ekspansja, 1069b
ekspansjonista, 451c
ekspansjonistyczny, 1074a
ekspansjonizm, 66a
ekspansywność, 427b
ekspansywny, 164a
  (dynamiczny)
ekspansywny, 1074a
  (napastniczy)
ekspatriacja, 225b
ekspatriant, 953b
ekspatriować, 1064b
ekspedient, 719e
ekspedientka, 719e
ekspediować, 691d
  (wykonywać)
ekspediować, 1065a *(słać)*
ekspedite↑, 119b
ekspedycja, 187b *(załoga)*
ekspedycja, 630b *(wycieczka)*

faksymile, 282f *(reprint)*
fakt, 1112a
faktograf, 606b
faktografia, 1109b
faktor, 719d *(pełnomocnik)*
faktor; 748b *(przyczyna)*
faktotum↑, 1164a
faktura, 128c *(rachunek)*
faktura, 128c *(deseń)*
fakturować, 286a *(modelować)*
fakturować, 612d
    (rozliczyć się)
fakty, 133a *(dane)*
fakty, 735a *(dzieje)*
fakty, 927b *(rzeczywistość)*
faktycznie, 592d *(namacalnie)*
faktycznie, 920e *(naprawdę)*
FAKTYCZNY, 814c
fakultatywnie↑, 121a
    (nadobowiązkowo)
fakultatywnie, 892b
    (nieobowiązująco)
fakultatywność, 1032a
fakultatywny, 122c
fakultet, 903b
fala, 141a *(sporo)*
fala, 161c *(radio)*
fala, 538c *(tłum)*
fala, 744a *(przyjazd)*
fala, 1029a *(loki)*
fala, 1030d *(morze)*
falanga, 538c
falbana, 105b
falbaniasty, 38b
faleń, 904a
faleza, 1046a
falistość, 180b
falisty, 458e
fallus↑, 75e
falochron, 1046a
falować, 137a
falowanie, 807a
falset, 156b
falsetować, 702c
falstart, 427a
falsyfikacja, 575h
falsyfikat, 575h
falsyfikować, 573c
fałd, 1121a
fałda, 1121a
fałdować, 104c *(krzywić)*
fałdować, 286b *(układać)*
FAŁSZ, 575g *(przewrotność)*
FAŁSZERSTWO, 575h
fałszerz, 574d
fałszować, 381c *(potknąć się)*
fałszować, 573c *(sfingować)*
fałszywie, 449c *(kłamliwie)*
fałszywie, 449d *(nieszczerze)*
fałszywie, 1168a *(nietrafnie)*
fałszywiec, 494a

fałszywość, 575b
fałszywy, 52c *(niemelodyjny)*
FAŁSZYWY, 450c *(podrobiony)*
fałszywy, 461b *(błędny)*
fałszywy, 466c *(nieuczciwy)*
fałszywy, 495a *(dwulicowy)*
fałszywy krok, 35a
fama, 202a
familia, 781b
familiarnie↑, 892a
familiarność, 1022d
familiarny, 33e
familijny↑, 893b
fan, 1164d
fanaberie, 475c
fanatycznie, 18c
    (dogmatycznie)
fanatycznie, 830c
    (intensywnie)
FANATYCZNY, 19c
fanatyk, 1164d
fanatyzm, 254a
fanfara, 206b
fanfaron, 1004a
fanfaronada, 767c
fanfaronować, 1067b
fanfary, 379a
fanga↓, 291b
fant, 593a
fantasmagoria, 828b
fantasmagoryczny↑, 450d
fantasmagoryjny↑, 450d
fantasta, 198a *(romantyk)*
fantasta, 574a *(kłamca)*
fantastycznie, 12b
    (nadzwyczaj)
fantastycznie, 119b
    (wspaniale)
fantastycznie, 155b
    (dziwnie)
fantastyczność, 387c *(zbytek)*
fantastyczność, 455a
    (nieprawdopodobieństwo)
fantastyczny, 118c *(udany)*
fantastyczny, 205d *(dziwny)*
fantastyczny, 450d
    (nierzeczywisty)
fantastyka, 455a
fantazja, 379b *(kompozycja)*
fantazja, 575a *(zmyślenie)*
fantazja, 795d *(pomysłowość)*
fantazje, 475c
fantazjować, 342a
fantazjowanie, 67e *(życzenie)*
fantazjowanie, 575a
    (kłamstwo)
fantazyjnie, 155a
fantazyjny, 205d
fantom, 828c
fanza, 57d
fara, 914b

faramuszka, 897b
farba↓, 276c *(krew)*
farba, 245b *(barwnik)*
farbować, 13b *(zabarwić)*
farbować, 48a *(pobrudzić)*
farfocle↓, 887b
farma, 1127c
farmaceuta, 299b
FARMACEUTYCZNY, 346b
farmakopea, 310c
farmakoterapia, 295a
farmazoński↑, 969b
farmer, 782a
farmerki, 531f
farny, 773b
farosz↓, 224b
farsa, 228b
farsowość, 228c
farsowy, 1013d
farsz, 219d
fart↓, 899a
fartowny↓, 267f
fartuch, 531d *(sukmana)*
fartuch, 1100c *(osłona)*
faryzeizm, 575b
faryzejski↑, 495a *(dwulicowy)*
faryzejski↑, 773c *(pobożny)*
faryzeusz, 494c
faryzeuszostwo, 575b
faryzeuszowski↑, 495a
    (dwulicowy)
faryzeuszowski↑, 773c
    (pobożny)
fasada, 668b *(pozorność)*
fasada, 886e *(przód)*
fasadowość, 668b
fasadowy, 339d *(nierzetelny)*
fasadowy, 495a *(dwulicowy)*
fascynacja, 895e
fascynować, 208b
fascynująco, 12b *(nadzwyczaj)*
fascynująco, 209a
    (atrakcyjnie)
fascynujący, 77a *(ciekawy)*
fascynujący, 118b
    (atrakcyjny)
faska, 639a
fasola, 1003a
fasolka, 1003a
fasolówka, 219d
fason, 300d *(brawura)*
fason, 779a *(krój)*
fason, 925a *(moda)*
fasonować, 286a
fasować, 98e *(asygnować)*
fasować, 102a *(dozować)*
fastryga, 904c *(nić)*
fastryga, 1130d *(złączenie)*
fastrygować, 909a
faszerować, 1092d

filować, 402b *(oszukiwać)*
filować, 736b *(podglądać)*
filozof, 960c
filozofia, 704e
filozoficznie, 858a
filozoficzny, 344e
filozofować, 383b
filtr, 386g
filtracja, 94c
filtrować, 1049c
filumenistyka, 363e
filut↑, 874b
filuteria, 602b
filuternie, 1012c
filuterność, 602b
filuterny, 1013b
fin de siecle, 793c
finalista, 1107a *(sportowiec)*
finalista, 1166b *(laureat)*
finalizacja, 1086b
FINALIZOWAĆ, 260a
finalny, 259a
finał, 1000c *(zawody)*
finał, 1086a *(koniec)*
finanse, 600a
finansista, 230b
finansjera, 36a
FINANSOWAĆ, 612b
finansowo, 266a
FINANSOWY, 178c
finezja, 124a
finezyjnie, 123a
finezyjność, 124a *(precyzja)*
finezyjność, 302a *(zwiewność)*
finezyjny, 6a
fingować, 573d
finisz, 1086a
finiszować, 260a
finiszowy, 259a
finka, 486a
fioki, 1029b
fiokować się, 948b
fiolet, 245c
FIOLETOWY, 14g
fiolka, 59b
fioł, 493b
fiord, 1030f
firana, 1100a
firanka, 1100a
fircyk, 347g
fircykowaty, 1116d
FIRMA, 718b
    (przedsiębiorstwo)
firma, 1002c *(gatunek)*
firmament, 421b
firmować, 629c
firmowy, 118d *(markowy)*
firmowy, 896a *(szczególny)*
firn, 441b
fisharmonia, 206d
fiskalny, 178c

fiskus, 229a
fiszbin, 237c
fiszka, 3c *(kwestionariusz)*
fiszka, 484c *(papier)*
fitoterapia, 295c
fiuczenie, 191b
fiukać, 50b
fiut↓, 75e
five o'clock, 981b
fizjografia, 755b
fizjologiczny, 362b
FIZJONOMIA, 944a
fizjoterapia, 295c
fizycznie, 115d
    (wzmacniająco)
fizycznie, 361c *(seksualnie)*
fizycznie, 592d *(namacalnie)*
fizyczny↓, 695b *(robotnik)*
fizyczny, 362b *(seksualny)*
FIZYCZNY, 814a *(materialny)*
fizykoterapeuta, 299a
fizykoterapia, 295c
fizys, 944a
flacha↓, 59a
FLACZEĆ, 358b
flaga, 1146h
flagelant, 821a
flagować, 702d
flagowy, 1005a
flaki, 359c
flakon, 59c
FLAKONIK, 59b
flakowaty↓, 357b
flama, 244a
flamaster, 605a
flanca, 519b
flanela, 928a
flanka, 886g
flankować, 56d *(obudować)*
flankować, 397c *(otoczyć)*
flankowy, 122d
FLASZKA, 59a
flauta, 860b
flażolet, 156a *(brzmienie)*
flażolet, 206b *(flet)*
flądra, 46b
flecista, 4d
fleczer, 548b
flegma, 429d
flegmatycznie, 681b
flegmatyczność, 17a
    (lenistwo)
flegmatyczność, 432b
    (guzdralstwo)
flegmatyczny, 460c
flegmatyk, 431b
flejtuch, 46b
flejtuchowato, 444a
flejtuchowaty, 430b
flek, 506a
flesz, 913d

FLET, 206b
fletnia, 206b
flinta, 45c
flirciarz, 347h
flirt, 363c
flirtować, 243b
FLISAK, 235c
fliza, 625a
flora, 755c
florecista, 1107a
floret, 45d
flota, 1031a
flotylla, 1031a
fluid, 636a *(aura)*
fluid, 1091c *(perfumy)*
fluktuacja, 807a *(oscylacje)*
fluktuacja, 1139d
    (nierównowaga)
fluorescencja, 706a
fluoryzować, 1049a
fobia, 307b
fochy, 475c
fokstrot, 923a
folder, 202c
folgować, 320c *(liberalizować)*
folgować, 877f *(pobłażać)*
folgować, 987b *(pogodzić się)*
folgować sobie, 315b
folia, 547b *(papier)*
folia, 610a *(plastik)*
foliał, 282a
folio, 282a
foliować↑, 665a *(numerować)*
foliować, 753e *(pokryć)*
folk, 379a
folklor, 652b
folklorystyczny, 893c
folować, 500e
foluszować, 500e
folwark, 57c
fonacja, 221c
fonia, 156a
fonicznie, 123e
foniczny, 51a
fonoamator, 1164c
fonograficzny, 290e
fonoteka, 1109b
fontanna, 1030b
fora ze dwora↑, 418f
fordanser, 347h
fordanserka, 244a
foremnie, 317a
foremność, 602a
foremny, 318c *(zgrabny)*
foremny, 803c *(regularny)*
forma, 55b *(budowa)*
FORMA, 285a *(postać)*
forma, 870b *(zdrowie)*
forma, 1068b *(model)*
forma towarzyska, 1079d
formacja, 55b *(budowa)*

garbować, 500e
garbus, 72b
garda, 950b
garden party, 981b
garderoba, 531a *(ubrania)*
garderoba, 650b
 (pomieszczenie)
garderobiana, 505a
garderobiany, 505a
gardło, 171b
gardłować, 376d
gardłowo, 1168a
gardłowy↓, 392b
 (niespodziewany)
gardłowy, 750d *(chrapliwy)*
gardzić, 657a
gardziel, 153a
gardziołko, 171b
gargantuiczny↑, 454b
 (wulgarny)
gargantuiczny, 1074b
 (zachłanny)
gargulec, 674a
garkotłuk↓, 505b
garkuchnia, 216a
garmaż↓, 835a
garmażeria, 216a *(stołówka)*
garmażeria, 835a
 (dom handlowy)
garnąć, 492a
garnąć się, 243a *(lubić)*
garnąć się, 492a *(przygarnąć)*
garnąć się, 1085a *(robić)*
garncarz, 815a
GARNEK, 386f
garniec, 386e
garnirować, 948a
garnirowany, 1116a
garnitur, 531c *(ubranie)*
garnitur, 1109c *(zestaw)*
garnizon, 517a
garnuszek, 386b
garować, 1138d
garson, 505b
garsoniera, 355a
garsonka, 531c
garstka, 525b *(kawałek)*
garstka, 538d *(ludzie)*
garść, 262b *(ręka)*
garść, 350d *(pewna ilość)*
gasić, 260c *(dogaszać)*
gasić, 560c *(przytłumić)*
gasić, 1050a *(dominować)*
gasić, 1082a *(zaspokoić)*
gasnąć↑, 972a *(konać)*
gasnąć, 261a *(upływać)*
gastrolog, 299a
gastrologia, 296b
gastronomia, 219b
gastryk, 72a
gatki, 531e

GATUNEK, 779a *(odmiana)*
gatunek, 1002c *(marka)*
GATUNKOWAĆ, 1044c
gatunkowo, 806a
gatunkowy, 118d
gawęda, 556a *(opowiadanie)*
GAWĘDA, 790b *(pogawędka)*
gawędzenie, 790b
gawędziarski, 322a
gawędziarstwo, 791a
GAWĘDZIARZ, 375d
gawędzić, 788a
gawiedź, 538d
gaworzyć, 788a
gawrosz, 330b
gawroszka, 84b
gaz, 582a *(benzyna)*
gaz, 703a *(szybkość)*
gaz bojowy, 45a
gaza, 548a
gazda, 782a
gazdować, 705b
gazeciarz, 719e
gazeta, 696a
gazetka, 202c
gazetowy, 203a *(prasowy)*
gazetowy, 274b *(zwięzły)*
gazik, 548a *(opatrunek)*
gazik, 638a *(samochód)*
gazociąg, 740b
gazomierz, 350a
gazon, 328b
gazować↓, 526c *(pić)*
gazować, 595a *(gnać)*
gazować, 756c *(przyprawić)*
gazownia, 179b
gazownictwo, 179b
gazowy, 841f
gazy, 70g
gaźnik, 983a
gaża, 600d
gąbczastość, 302a
gąbczasty, 1140e
gąbka, 380a
gąbkowaty, 1140e
gąsienica, 778b
gąsior, 59c *(balon)*
gąsior, 359e *(drób)*
gąska, 242g
gąszcz, 277a *(krzew)*
gąszcz, 538a *(mnóstwo)*
gbur, 330c
gburowacieć, 857a
gburowato, 464a
gburowatość, 710a
gburowaty, 750b
gburzysko, 330c
gdakać, 376e *(gadać)*
gdakać, 894e *(wydać głos)*
gdakanie, 191b
gderacz, 590b

gderać, 175b
gderający, 1d
gderanie, 833a
gderanina, 833a
gderliwie, 464b
gderliwość, 833a
GDERLIWY, 1d
gdy, 233c *(jeśli)*
gdy, 233e *(wtedy)*
gdy tylko, 938d
gdyby, 233c *(jeśli)*
gdyby, 1173b *(choćby)*
gdyby nawet, 1173b
gdyby nie, 1173b
gdybyż, 423a
gdyż, 656a
gdzie bądź, 100a
gdzie oczy poniosą, 711c
gdzie tam, 418b
gdziekolwiek, 100a *(hen)*
gdziekolwiek bądź, 100a
gdzieniegdzie, 473b
gdzieś, 100a *(hen)*
gdzieś, 349a *(punkt)*
gdzieś tam, 100a
gdzież tam, 418b
gehenna, 42a
gej, 1111b
gejsza, 244a
gejzer, 1030b
gem, 1000c
geminacja, 413c
gemma, 31b
gencjana, 298b
genealogia, 623a *(geneza)*
genealogia, 735a *(dzieje)*
genealogiczny, 1038a
generacja, 640b
generacyjny, 1038a
generalicja, 1026d
generalissimus↑, 236c
generalizacja, 384a
generalizować, 383b
generalnie, 684c *(ogólnie)*
generalnie, 1157b *(radykalnie)*
generalny, 1005c *(nadrzędny)*
generalny, 1038a *(ogólny)*
generał, 40a
generator, 983a
generować, 65d
generowanie, 179b
genetycznie, 408a
genetyczny, 1178a
GENEZA, 623a
genialnie↓, 119b
genialność, 602c
genialny↓, 118c *(udany)*
genialny, 344a *(niegłupi)*
GENITALIA, 75e
GENIUSZ, 561b *(fenomen)*
geniusz, 602c *(doskonałość)*

genotyp, 63a
genre, 779a
gentleman, 347a
geny, 336c
geometrycznie, 800c
geometryczność, 1124b
geometryczny, 803c
geometryzować, 405b
geopolityka, 647b
geriatra, 299a
germanizacja, 723d
germanizm, 842c
germanofil, 1164b
germanofob, 451e
gerontokracja, 1026a
gest, 117c
   (wspaniałomyślność)
GEST, 807h *(skinienie)*
gest, 1079a *(posunięcie)*
gestapo, 729c
gestapowiec, 729c
gestia↑, 1123c
gestor, 719d
gestykulacja, 807h
gestykulować, 661a
geszefciarski, 178d
geszefciarz, 574b
geszeft, 575d
getry, 531e
GETTO, 822c
gęba↓, 944a
gębować, 376d
gęgać, 376e *(gadać)*
gęgać, 376f *(jąkać się)*
gęgać, 894e *(wydać głos)*
gęsia skóra, 307c
gęsiarka, 551c
gęstnieć, 942a
GĘSTNIENIE, 168b
gęsto, 684d *(obficie)*
gęsto, 726d *(za dużo)*
gęsto, 938b *(przeważnie)*
gęstościomierz, 350a
gęstość, 168
gęstwa, 277a
gęstwina, 277a
gęsty, 38b *(krzaczasty)*
GĘSTY, 305c *(zawiesisty)*
gęsty, 943c *(zwarty)*
gęś, 242e *(dziewczyna)*
gęś, 359e *(drób)*
giaur, 196b
giąć, 286b *(załamać)*
GIĄĆ, 514a *(odchylić)*
giąć kark, 987b
giąć się, 514a
gibki↑, 871a
gibko↑, 869b
gibkość, 703a *(szybkość)*
gibkość, 870b *(zdrowie)*
gicz, 262c *(noga)*

gicz, 359a *(półtusza)*
giczoł↓, 262c
giełda, 835d
giełdowy, 178c
gierki, 211a
giermek↑, 505a
gieroj↓, 39b
giez, 778a
giezło, 531c
giętki, 871a *(zwinny)*
GIĘTKI, 1140e *(elastyczny)*
giętko, 115a
   (tolerancyjnie)
giętko, 869b *(zwinnie)*
giętkość, 870b
gigant, 674c
gigantycznie, 12a
gigantyczność, 832b
gigantyczny, 142c
gigolo, 347h
gil↓, 429d
gildia, 559b
giloszować, 948a
gilotyna, 486d *(krajak)*
gilotyna, 911b *(kara śmierci)*
gilotynka, 486d
gilotynować, 1073b
gilza, 740c
GIMNASTYKA, 862a
gimnastyka korekcyjna, 658e
gimnastykować się, 520d
   (wypoczywać)
gimnastykować się, 879c
   (zabiegać)
gimnazjalista, 957b
gimnazjum, 903c
gin, 2c
ginąć, 972b *(umrzeć)*
ginąć, 1151a *(ubywać)*
ginekolog, 299a
ginekologia, 296b
gips, 548a
gipsatura, 105a
gipsować, 751e
gira↓, 262c
girlanda, 105b
girlsa, 4f
gitara, 206a
gitarzysta, 4d
giwera↓, 45c
glaca↓, 171a
gladiator, 674c
glajchszaltować, 1063b
glans, 913b
glansować, 500a
glazura, 625a *(parkiet)*
glazura, 679c *(kafelki)*
glazurować, 56d *(obudować)*
glazurować, 751e *(pokryć)*
GLEBA, 1127a
glebogryzarka, 983c

glejt↑, 128c
ględa, 590b
ględzenie, 174b
ględzić, 376e
glina↓, 644a *(policjant)*
glina, 1127a *(gleba)*
gliniak, 386e
glinianka, 1030c
gliniarz↓, 644a
gliptoteka, 1109b
glista↓, 618a *(lizus)*
glista, 778b *(robak)*
gliwieć, 1138d
glob, 1127d
globalnie, 684c
globalność, 61a
globalny, 1038a
globtroter, 1015a
globtroterski, 808c
globtroterstwo, 630c
globulka, 298a *(lek)*
globulka, 509b
   (antykoncepcja)
globus, 171a *(łeb)*
globus, 1127d *(Ziemia)*
glony, 135a *(mikroorganizmy)*
glony, 755c *(roślinność)*
gloria, 246a *(aureola)*
gloria, 895c *(uznanie)*
glorieta, 57b
gloryfikacja, 895d
gloryfikator, 618a
glosa, 842a *(wyraz)*
glosa, 1051b *(objaśnienie)*
glosariusz, 282b
glosator, 960c
glut↓, 429d
gładki↑, 318c *(zgrabny)*
gładki, 472b *(śliski)*
GŁADKI, 803a *(płaski)*
GŁADKO, 321b *(z łatwością)*
GŁADKO, 800g *(równo)*
gładkość, 302b
gładzić, 132b *(głaskać)*
gładzić, 975c *(grzechy)*
GŁADŹ, 614a
głagolica, 1094a
GŁASKAĆ, 132b
GŁAZ, 222a
głąb↓, 1001b
głąbić, 1122a
głąbowaty↓, 172b
głębia, 153c *(otchłań)*
głębia, 685b *(stopień)*
głębia, 1030d *(ocean)*
głębić, 1174c
głębina, 1030d
głęboki, 6a *(kunsztowny)*
głęboki, 99e *(peryferyjny)*
GŁĘBOKI, 344e *(uczony)*
głęboko, 345b *(rozumnie)*

godło, 1146h
godnie, 523d *(godziwie)*
GODNIE, 675c *(dostojnie)*
godnie, 1024c *(wyniośle)*
godności, 895a
godność, 414a *(miano)*
godność, 690b *(posada)*
godność, 767a *(duma)*
GODNY, 139a *(honorowy)*
godny, 673c *(wart)*
godny zaufania, 956a
gody, 910c
godzi się, 195d
godzić, 195b *(korelować)*
godzić, 985c *(pobratać)*
godzić, 1103b *(nająć)*
godzić na czyjeś życie, 397a
GODZIĆ SIĘ, 1125b
godzić w, 402b *(popełnić)*
godzić w, 749d *(nakierować)*
godzien↑, 673c
godzina, 86d *(czas)*
godzina, 409d *(lekcja)*
godzina śmierci, 911a
godzinki, 504b
godziny nadliczbowe, 690b
godziny zlecone, 690b
godziwie, 37b *(nieskąpo)*
godziwie, 523d *(należnie)*
godziwość, 955b
godziwy, 142a *(spory)*
godziwy, 522a *(właściwy)*
gofr, 599b
gofrować, 948a
gogle, 316b
gogusiowaty, 1116d
goguś, 347g
goić, 297a
goić się, 297c
goj, 196b
gojenie, 295a
gokart, 638a
gol, 1055a
golarka, 486d
golas, 1164c
golec, 27c
golem, 674a
goleń, 262c
golf, 862b
    (dyscyplina sportowa)
golf, 1100g *(kołnierz)*
golgota, 42a
goliard, 27b
goliat, 674c
golibroda, 299b
golić↓, 526c *(pić)*
golić, 988c *(usuwać)*
golić się, 988c
golizna↓, 448d *(bieda)*
golizna, 501a *(akt)*

golizna, 793b
    (nieprzyzwoitość)
golnąć, 526d
golonka, 359a
golono strzyżono, 44b
gołąbeczka, 242a
gołe ciało, 793b
gołębiego serca, 319a
gołębnik, 355a
goło, 393a
gołoledź, 441b
gołosłownie, 449d
gołosłowność, 174a
gołosłowny, 450b
gołowąs, 347e
goły, 29a *(ubogi)*
goły, 177 *(nagi)*
gomółka, 49a
gondola, 331a
gondolier, 235c
gong, 156a *(brzmienie)*
gong, 206c *(bęben)*
gonić, 129b *(napominać)*
gonić, 595b *(spieszyć się)*
gonić, 736b *(szpiegować)*
gonić resztkami sił, 1135a
gonić się, 243d
gonić w piętkę, 381b
gonić za, 65e
GONIEC, 667b
gonienie, 672a
goniony, 923a
gonitwą, 672a
gonny↑, 142b
gont, 134c *(deska)*
gont, 642d *(dach)*
goprowiec, 653b
gorąc↓, 636b
gorące↓, 219c
gorąco↓, 184b *(niepokojąco)*
GORĄCO, 79a *(upalnie)*
gorąco, 830c *(usilnie)*
gorący↓, 485d *(świeży)*
gorący, 19c *(fanatyczny)*
gorący, 73c *(chorobliwy)*
GORĄCY, 80b *(rozżarzony)*
gorący, 238a *(atmosferyczny)*
gorący, 831f *(ekspresyjny)*
GORĄCZKA, 70d
gorączkować, 71a
gorączkować się, 87c
gorączkowo, 908d
gorączkowość, 427a
gorączkowy, 20a *(chaotyczny)*
gorączkowy, 73c *(chorobliwy)*
gordyjski węzeł, 704e
gore, 482d
gorejący↑, 80b
gorgony, 481b
gorliwie, 68a *(skwapliwie)*
gorliwie, 830c *(intensywnie)*

gorliwiec, 845a
gorliwość, 124c
gorliwy, 19c *(fanatyczny)*
gorliwy, 693a *(robotny)*
gors, 75b
gorset, 531e
gorsząco, 110b
GORSZĄCY, 109b
gorszy, 1133d
gorszyciel, 347i
GORSZYĆ, 107b
gorszyć się, 175a *(dąsać się)*
gorszyć się, 857c *(upaść)*
gorycz, 475b
    (zgorzknienie)
gorycz, 1144e *(smak)*
goryczka, 1144e
goryczkowatość, 1144e
goryl↓, 255b *(kontroler)*
goryl, 644b *(obstawa)*
gorzała↓, 2b
gorzałka, 2b
gorzeć, 853c
gorzelnia, 718c
gorzka pigułka, 704d
gorzkawość, 1144e
gorzkawy, 750e
gorzki, 1b
gorzkie żale, 504b
gorzknąć, 340c *(markotnieć)*
gorzknąć, 762b *(zepsuć się)*
gorzknieć, 762b
gorzkość, 1144e
gospoda, 216a
gospodarczo, 266a
gospodarczy, **178**
gospodarka, **179**
    (wytwórczość)
gospodarka, 1127c
    (gospodarstwo rolne)
gospodarnie, 692a
GOSPODARNOŚĆ, 570a
gospodarny, 693b
gospodarować, 234c
    (panować)
gospodarować, 705b
    (wyhodować)
GOSPODAROWANIE, 179a
gospodarski, 693b
gospodarstwo, 57c
    (zabudowania)
gospodarstwo, 1127c *(rola)*
gospodarz, 782a *(chłop)*
gospodarz, 998e
    (mieszkaniec)
gospodarz domu, 551b
gospodarzyć, 705b
gospodyni, 242c *(żona)*
gospodyni, 505a *(służba)*
gosposia, 505a
gościć, 60b *(przebywać)*

gościć, 864c *(zapraszać)*
goście, 998c
gościec, 70g
gościna, 744b
gościniec, 101a *(podarunek)*
gościniec, 136c *(droga)*
gościnnie, 361b *(serdecznie)*
gościnnie, 926b *(tymczasowo)*
gościnność, 117c
gościnny, 74c *(wyjazdowy)*
GOŚCINNY, 1177e *(życzliwy)*
gościówa↓, 242a
gość, 347a *(jegomość)*
GOŚĆ, 746c *(letnik)*
gość, 959b *(uczestnik)*
gość, 998c *(klient)*
gość hotelowy, 998e
gotować, 756b
gotować się, 137c *(trząść się)*
gotować się, 663a *(ruszać się)*
gotować się, 749e
   (przygotowywać się)
GOTOWAĆ SIĘ, 756e *(wrzeć)*
gotowalnia↑, 650b
gotowe, 926d
gotowość, 67d
   (zdecydowanie)
gotowość, 653b *(alert)*
gotowy↓, 841h *(załatwiony)*
gotowy, 69a *(skory)*
GOTOWY, 1158d *(wykonany)*
gotowy na wszystko, 166e
gotów, 1110a
gotów, 69a *(skory)*
gotów↓, 841h *(załatwiony)*
gotów, 1158d *(gotowy)*
gotówka, 600a
gotówkowy, 178c
góra, 180 *(wzniesienie)*
góra, 538b *(stos)*
góra, 685a *(piętro)*
GÓRA, 886d *(wierzch)*
góra, 1026d *(zwierzchnicy)*
góra mięsa, 75b
góral, 551c
góralszczyzna, 652b
górka, 685a
górnictwo, 179b
górniczy, 178b
górnie↑, 439a
górnik, 695b
górnolotnie, 439a
górnolotność, 767c
górnolotny, 905b
górność, 404b
górny↑, 905b *(afektowany)*
górny, 142i *(największy)*
górować, 1050a
GÓROWANIE, 739a
górski, 238b
góry, 180a

górzystość, 180b
górzysty, 458e
gówniany↓, 339e
gówniara↓, 146a
gówniarski↓, 433b
gówniarz↓, 146a
gówno↓, 429d
gra, 148e *(interpretacja)*
GRA, 961b *(udawanie)*
GRA, 1071b *(partyjka)*
gra miłosna, 91b
gra słów, 1171b
gra świateł, 913b
graba↓, 262b
grabić, 665b *(uprzątnąć)*
grabić, 1156d *(przywłaszczyć)*
grabie, 329a
grabieć, 1128c *(zmarznąć)*
grabież, 272a
grabieżca, 574d
grabieżczy↑, 22c
graca, 329a
graciarnia, 334b
gracja, 602b
gracko, 163a
gracować, 500b
GRACZ, 1107b
gracz polityczny, 646a
GRAĆ, 15f *(w karty)*
grać, 145b *(radio)*
grać, 181 *(muzykować)*
grać na nerwach, 108a
grać na zwłokę, 557d
grać o, 65a
grad, 441c *(burza)*
grad, 538b *(stos)*
gradacja, 664d
gradobicie, 441c
graf, 36b *(arystokrata)*
graf, 608c *(szkic)*
graffiti, 148e
graficznie, 5b
grafik, 4a *(twórca)*
grafik, 608c *(szkic)*
grafika, 148e
grafion, 605b
grafit, 605a
grafitować, 751e
grafolog, 365c
grafoman, 199c
grafomania, 922c
grafomański, 339b
grafomaństwo, 922c
graham, 599a
grają film, 702b
grajdołek, 349b
grajek, 4d
gramatura, 82a
gramatycznie, 523b
gramatyczność, 602c
gramatyczny, 698a

gramatyka, 282b
gramofon, 161b
gramolić się, 1011c
gramota↑, 128d
granat, 45b *(amunicja)*
granat, 245c *(czerwień)*
granat, 579c *(cytrus)*
granatnik, 45c
granatowieć, 13c
granatowy, 14e
grand, 36b
grand prix, 394a
granda↓, 575c *(nabieranie)*
granda, 187d *(kompania)*
granda, 250b *(skandal)*
grandilokwentny↑, 905b
grandziarz, 330b
graniastosłup, 49b
granica, 182
GRANICZNY, 203e
   (odgraniczający)
graniczny, 1005d
   (przełomowy)
graniczyć, 405e
granie, 379a *(melodia)*
granie, 961b *(gra)*
granie komedii, 961b
granie na zwłokę, 1163a
granit, 222b
granulat, 887d
granulka, 1126a
granulować, 546a
grań, 182a
grasować, 145b *(zadziałać)*
grasować, 722c
   (rozprzestrzeniać się)
grat, 429a
grat↓, 638a *(pojazd)*
gratis, 266b *(tanio)*
gratis, 268b *(zysk)*
gratisowo, 266b
gratisowy, 267c
gratka, 268b *(zysk)*
gratka, 899d *(radość)*
gratulacje, 1176a
gratulacyjny, 542b
gratulować, 877a
graty, 11b
gratyfikacja, 394c
grawer, 815a
grawerować, 948a
grawerunek, 628b
grawitacja, 82a *(waga)*
grawitacja, 832c *(energia)*
grawitować, 65a
grawiura, 263c
grażdanka, 1094a
grąd, 328a
grdyka, 171b
grecyzm, 842c
grejpfrut, 579c

grekofil, 1164b
gremialnie, 770b
gremialny, 142e
gremium, 187c
grenadier, 40a
greps↓, 1071a
gręplować, 96c
grobla, 734b
grobowiec, 185b
grobowo, 473e
grobowy, 850b
groby, 185b
groch, 1003a
groch z kapustą, 443b *(zamęt)*
groch z kapustą, 1109a
   (zbieranina)
grochówka, 219d
grodzić, 536c
grodzisko, 57b
grog, 2d
grom, 191d *(huk)*
grom, 441c *(burza)*
gromada, 187d *(grupa)*
gromada, 538b *(mrowie)*
gromadnie, 770b
gromadny, 142e
gromadzenie, 363e
   (zbierania)
gromadzenie, 1130b
   (konsolidacja)
gromadzenie się, 1109d
gromadzić, 183
GROMADZIĆ SIĘ, 183b
   (nawarstwiać się)
gromadzić się, 864d
   (zejść się)
gromadzki, 313e
   (samorządowy)
gromadzki, 893c *(ludowy)*
gromić, 167c
GROMKI, 170b
GROMKO, 169a
gromnica, 913e
gromowy, 170b
gronko, 1016b
grono, 187c *(zbiorowość)*
grono, 410a *(profesorskie)*
grono, 1016b *(kiść)*
gronostaj, 531b
gros, 739a
grosiwo, 600c
grosz, 600c
groszek, 1003a
groszki, 1068c
groszorób, 834a
groszoróbstwo, 66b
groszowy, 339b
grot, 486a
grota, 153d
groteska, 228a
groteskowo, 155a

groteskowość, 228c
groteskowy, 172a
   (niedorzeczny)
groteskowy, 205d *(dziwny)*
groza, 54c *(koszmar)*
groza, 307a *(strach)*
groza, 419a *(zagrożenie)*
grozi mi, 1110b
grozić, 885a
groźba, 419a *(zagrożenie)*
groźba, 723e *(przymus)*
groźnie, 184
groźny, 420a *(szkodliwy)*
groźny, 1133b *(srogi)*
grożenie, 419a
grób, 185
gród, 57b *(budowla)*
gród, 349b *(miejscowość)*
gródź, 1100d
gruba ryba, 561a
GRUBAS, 1170b
gruberować, 500b
GRUBIANIN, 330c
grubiański, 471b
grubiańsko, 53b
grubiańskość, 436d
grubiaństwo, 436d
grubieć, 947a *(grubnąć)*
grubieć, 1162a
   (powiększać się)
GRUBNĄĆ, 947a
grubo, 12a
grubo ciosany, 479a
gruboskórnie, 53b
gruboskórność, 497c
gruboskórny, 471b
grubość, 387b
gruby↑, 454b *(wulgarny)*
gruby, 80c *(ocieplany)*
gruby, 142g *(okazały)*
gruby, 186 *(brzuchaty)*
gruchać, 243b *(poderwać)*
gruchać, 894e *(wydać głos)*
gruchanie, 91b *(pieszczota)*
gruchanie, 191b *(ryk)*
gruchnąć, 26a *(uderzyć)*
gruchnąć, 50b *(dźwięczeć)*
gruchnąć, 977d *(rymnąć)*
gruchnąć się, 856c
   (położyć się)
gruchnąć się, 962b
   (uderzyć się)
gruchnęła wieść, 792c
gruchot↓, 638a *(samochód)*
gruchot, 191d *(huk)*
gruchotać, 50b *(dźwięczeć)*
gruchotać, 256a *(poturbować)*
gruchotać, 483e *(kruszyć)*
gruchotanie, 191d
gruczoł, 75a
gruda, 49a

grudka, 49a
grudkowatość, 180b
grunt, 631c *(ostoja)*
grunt, 912b *(sedno)*
grunt, 1127a *(gleba)*
gruntować, 13a *(malować)*
gruntować, 126d *(dosięgnąć)*
gruntownie, 123a
   (drobiazgowo)
gruntownie, 1157a *(całkiem)*
gruntowność, 124b
gruntowny, 125b
   (drobiazgowy)
gruntowny, 1005d
   (zasadniczy)
grupa, 187 *(zespół)*
grupa, 379d *(kameralistyka)*
grupa, 538d *(ludzie)*
grupa etniczna, 861f
grupa nacisku, 559a
grupa społeczna, 861f
grupą, 770b
grupka, 538d
grupować, 665c
grupować się, 665c
grupowo, 770b
grupowy, 236c *(wódz)*
grupowy, 896d *(gwarowy)*
grupowy, 1038c *(zespołowy)*
grupy, 187c
gruszka, 579d
gruz, 429a
gruzeł, 49a
gruzełkowatość, 180b
GRUZŁOWACIEĆ, 327c
gruzowisko, 1152d
gruzy, 1152d
gruźliczy, 73c
gryf, 674b *(bestia)*
gryf, 950a *(trzonek)*
gryka, 1126b
grymas, 1059c
grymasić, 1044a
grymasy, 475c
grymaszenie, 475b
grymaśnica, 242b
grymaśnie, 473c
grymaśnik, 590b
grymaśny, 1140a
grypa, 70g
gryps, 202a
grypsować, 661d
   (korespondować)
grypsować, 376f *(mówić)*
grys, 222b
grysik, 887d
grywać, 181a *(muzykować)*
grywać, 702c *(występować)*
gryz, 525b
GRYZĄCY, 750e
gryzipiórek↓, 695c *(urzędnik)*

hodowla, 179c
hodowlany, 178e
hogan, 57d
hojnie, 37b
hojność, 117c
HOJNY, 38c
hokeista, 1107a
hokuspokus, 335a
hol , 904a
hola↑, 418d
holding, 718b
holendrować, 294a
holistyczny, 411c
hollina, 904a
holocaust, 1075a
holować, 721e
holownik, 331d
HOŁD, 895b
hołdować, 470c
   (uzależniać)
hołdować, 669b
   (sprawować się)
hołdowniczy, 189a *(lokajski)*
hołdowniczy, 1088e
   (niesamodzielny)
hołdownik, 633a
hołota, 538d *(motłoch)*
hołota, 861c *(łobuzeria)*
hołubce, 807b *(posunięcie)*
hołubce, 923a *(tany)*
hołubić, 550c
hołysz, 27c
homage↑, 200b
homeopata, 299b
homeopatia, 295c
homeostaza, 860a
homerycki↑, 554b
homeryczny, 170b
homilia, 724c
homo faber, 946d
homo sapiens, 89b
homofon, 842d
homogamia, 802b
homogenat, 587a
homogeniczność, 802b
homogeniczny, 627b
homogenizować, 500c
homologacja, 664c
   (unormowanie)
homologacja, 1123b
   (pozwolenie)
homologować, 1105b
homonim, 842d
HOMOSEKSUALISTA, 1111b
homoseksualizm, 493c
homoseksualny, 205c
homunkulus, 674a
honor, 767a *(duma)*
honor, 895c *(uznanie)*
honorarium, 600d
honorować, 612b *(finansować)*

honorować, 995b
   (stosować się do)
honorowo, 115b
   (bezinteresownie)
honorowo, 533b
   (konwencjonalnie)
honorowy, 139a *(godny)*
honorowy, 534c *(formalny)*
honorowy, 673e
   (szanowany)
honorowy, 1177c *(uczynny)*
honory, 895a
hoplita, 40a
hora, 923a
horda, 538c
horrendalnie↑, 12a *(wysoce)*
horrendalnie, 1168e
   (niedopuszczalnie)
horrendalny↑, 142c *(ogromny)*
horrendalny, 884b *(okrutny)*
horrendum, 54c
horror, 54c *(koszmar)*
horror, 200c *(film)*
horyzont, 182b
horyzontalnie, 800e
horyzontalny, 803a
hospicjum, 826b
hospitacja, 255a
hospitalizacja, 295a
hospitalizować, 297a
hospitować, 867b
hossa, 890b
hostessa, 505c
hostia, 504b
hot dog, 359f
HOTEL, 355c
hożo, 317a *(korzystnie)*
hoży↑, 318b *(atrakcyjny)*
hoży, 318d *(zdrowy)*
hrabia↓, 1004a *(pyszałek)*
hrabia, 36b *(arystokrata)*
hrabina, 242a
hrabstwo, 585b
hreczkosiej, 782b
huczeć, 50b
hucznie, 169b
huczny, 170c
hufce↑, 517a
hufiec, 517a
hufnal, 190a
HUK, 191d *(hałas)*
huk, 538a *(mnóstwo)*
hukać, 661a
   (komunikować się)
hukać, 894e *(wydać głos)*
huknąć, 26a *(uderzyć)*
huknąć, 50b *(dźwięczeć)*
huknąć, 167c *(strofować)*
huknąć, 278b *(zawołać)*
huknąć się, 962b
huknięcie, 191d

hulać, 15e *(zabawić się)*
hulać, 722c
   (rozprzestrzeniać się)
hulaj dusza, 15e
hulajdusza, 197a
hulaka, 197
hulanka, 981c
hulaszczo↑, 892c
hulaszczy, 1013d
hultaj, 330b
HULTAJSKI, 1084c
hultajstwo, 1131a
humanista, 960c
humanistycznie, 115a
humanistyczny, 319a
   (ludzki)
humanistyczny, 893a
   (kulturowy)
humanistyka, 1018b
humanitarnie, 115a
humanitarność, 117c
humanitarny, 319a
humanitaryzm, 117c
humanizacja, 658f
humanizować, 159b
humor, 404a *(atmosfera)*
humor, 1171a *(dowcip)*
humoreska, 1171b
humory, 475c
humorysta, 737a
humorystycznie, 1012b
humorystyczny, 1013c
humorzasty, 1140a
humus, 1127a
huncwot, 330b
huragan, 441d
huraganowo, 830d
huraganowy, 831d
hurgot, 191d
hurgotanie, 191d
hurkot, 191d
hurkotać, 50a
hurkotanie, 191d
hurma, 538b
hurmem↓, 770b
hurraoptymistyczny, 905b
hurraoptymizm, 395b
hurt, 192a
hurtem, 770a
hurtownia, 835c
hurtownik, 719e
hurtowo, 770a
hurtowy, 142e
hurysa, 242a
husaria, 1031a
husarz, 40a
huśtać, 15a *(zając)*
huśtać, 137d *(balansować)*
huśtawka, 1139d
huta, 718c
hutnictwo, 179b

iluzyjność, 455b
iluzyjny, 450d
ił, 1127a
imać się, 691a
imadło, 488a *(cęgi)*
imadło, 950a *(trzonek)*
imaginacja, 795d
 (pomysłowość)
imaginacja, 828b *(mara)*
imaginacyjny↑, 450d
imaginatywny↑, 450d
IMAGINOWAĆ, 342b
imak, 950a
imam, 224e
imbecyl, 1001a
imbecylizm, 174e
imbecylny, 172b
imbecylowaty, 172b
imbryczek, 386f
imbryk, 386f
imieniny, 981b
imiennie, 123d
imiennik, 413c
imienny, 896a
imię, 414a *(miano)*
imię, 553c *(reputacja)*
imię, 628a *(nazwisko)*
imię pospolite, 842d
imię własne, 842d
imigracja, 744a
imigrant, 746b
imigrować, 354a
imitacja, 575h
imitacyjny, 1088b
IMITATOR, 406b
imitatorski, 1088b
imitatorstwo, 922d
imitować, 405b
imitowanie, 922d
imitowany, 450c
immanencja, 912b
immanentnie, 592c
immanentny, 1007e
immatrykulacja, 964b
immatrykulować, 958d
immatrykulować się, 958c
immobilia, 336d
immobilizm, 17c
immoralizm, 793a
immunitet, 509a
 (zabezpieczenie)
immunitet, 701b *(akt prawny)*
immunizacja, 898a
immunizować, 1072b
immunolog, 299a
impas, 17c *(zastój)*
impas, 704b *(kłopot)*
impasować, 573b
impasowy, 420c
impedimenta↑, 734c
imperator, 236d

imperatorski, 38c
imperatyw, 701c
imperatywność, 251b
imperialista, 451c
imperialistyczny, 1074a
imperializm, 723c
imperialny, 831c
 (mocarstwowy)
imperialny, 1074a
 (napastniczy)
IMPERIUM, 585b
impersonalny↑, 465a
IMPERTYNENCJA, 436d
impertynencki↑, 471b
impertynencko, 464a
impertynent, 330c
impet, 870c
impetyk, 1001e
implantacja, 295b
implikacja, 1055b
implikować, 545a
IMPLODOWAĆ, 596e
implozja, 448b
imponderabilia, 919b
imponować, 208b
imponująco, 12b
imponujący, 139b *(wyniosły)*
imponujący, 142c *(ogromny)*
import, 192b *(kupno)*
import, 934b *(przewóz)*
importer, 717a
importować, 193b
impostacja, 647a
impotencja, 432c
 (niezaradność)
impotencja, 448e *(jałowość)*
impotent, 431c
impregnacja, 822b
impregnować, 500e
impregnowany, 478c
impresario, 719d
impresja, 1034a
impresjonista, 4a
impresyjność, 1139c
 (ulotność)
impresyjny, 754e
impreza, **200** *(przedstawienie)*
IMPREZA, 981a *(obchody)*
imprimatur, 1123b
impromptu, 379b
improwizacja, 200b
 (widowisko)
improwizacja, 434b
 (prowizorka)
improwizacja, 575a
 (kłamstwo)
improwizować, 945a
improwizowany, 74a
impuls, 748a
impulsywnie, 176a
 (z gniewem)

impulsywnie, 753e
 (odruchowo)
impulsywność, 427b
impulsywny, 416a *(pobudliwy)*
impulsywny, 754b
 (machinalny)
impulsywny, 1084b *(porywczy)*
imputacja, 655a
imputować, 624b
in vivo↑, 408a
inaczej, **201**
inaczej niż, 201d
inaczej zaśpiewać, 358a
inadekwatny, 1133e
inaktywacja, 17b
inaktywować, 320a
inauguracja, 623c
inauguracyjny, 1007d
inaugurować, 1080a
inbred, 781d
incest, 781d
INCOGNITO, 144e
incompatibilia, 250c
incydent, 1112a
incydentalnie, 753a
 (przypadkiem)
incydentalnie, 811a *(czasem)*
incydentalność, 1112b
incydentalny↑, 754a
 (przygodny)
incydentalny, 122b
 (marginalny)
incydentalny, 1052a
 (nieliczny)
indagacja, 10e
indagować, 686a
indagowanie, 10e
indeks, 310c *(spis treści)*
indeks, 789d *(numer)*
indeksacja, 394c
indeksować, 1081c
indemnizacja↑, 394c
independentyzm, 1032c
indianin, 89a
indoktrynacja, 707a
indoktrynować, 159b
indolencja, 432a
indolentny↑, 466a
 (niekompetentny)
indolentny↑, 498a *(bierny)*
indor, 359e
indos, 628a
indosament, 628a
indosować, 98c
indukcja, 384a *(wnioskowanie)*
indukcja, 1033a *(wpływ)*
indukcjonizm, 384a
indult, 976b
industrializacja, 658c
industrializować, 659b
industrialny, 178b

jadowicie, 464b
jadowitość, 1132b
jadowity, 1b *(złośliwy)*
jadowity, 452a *(niechętny)*
jagnić się, 780c
jagnię, 359d
JAGODA, 579b
jagodobranie, 611a
jagodzianka, 599b
Jahwe, 41a
jaja↓, 75e *(genitalia)*
jaja↓, 1112a *(heca)*
jajarz↓, 737b
jajca↓, 75e
jajeczko, 1097b
jajeczkowanie, 276b
jajecznica, 385c
jajeczny↓, 1013b
JAJKO, 385c
jajko na miękko, 385c
jajko na twardo, 385c
jajko sadzone, 385c
jajo, 1097b *(zarodek)*
jajo, 1171a *(dowcip)*
jajogłowy↓, 960a
jajowaty, 544a
jak cię mogę↓, 118a *(niezły)*
jak cię mogę↓, 840a
    (znośnie)
jak dotąd, 114c *(dotąd)*
jak dotąd, 1167b *(tradycyjnie)*
jak dotychczas, 1167b
jak gdyby, 800h
jak grom
    z jasnego nieba, 391a
jak idzie, 513a
jak krew z nosa, 681a
jak mówią, 697a
jak mucha w smole, 681b
jak na lekarstwo, 467a
jak na razie, 114c
jak najbardziej, 920b
jak najszybciej, 1096a
jak należy, 523a
jak niepyszny↑, 731b
jak po maśle, 321b
jak powiadają, 697a
jak przez mgłę, 473e
jak ręką odjął, 297c
jak się należy, 523d
jak słychać, 697a
jak ta lala↓, 119b
jak tylko, 233b
jak w banku↓, 920b
jak z płatka, 321b
jak za dawnych lat, 1167b
jak zawsze, 1167b
jak zmyty↓, 731b
jak zwykle, 1167b
jakby, 800h
jaki problem↓, 920b

jaki taki, 118a
jakikolwiek, 232b
JAKIŚ, 232b
jakkolwiek, 892a *(dowolnie)*
jakkolwiek, 920g *(jednak)*
jako tako, 840a
jako że, 656a
jakoby, 697a
jakoś, 201d
jakościować, 1044c
jakościowo, 12a
jakościowy, 203e
JAKOŚĆ, 1002c
jakość życia, 289a
jakże by inaczej, 920b
jałmużna, 101d
jałmużnik, 27a *(nędzarz)*
jałmużnik, 116b *(filantrop)*
jałopa↓, 1001b
jałowcówka, 2c
jałowieć, 30d
jałowość, 417c *(marność)*
jałowość, 448e *(nieurodzaj)*
JAŁOWY, 341b *(niepłodny)*
jałowy, 447c *(bezcelowy)*
jałowy, 824b *(higieniczny)*
jałówka, 1160b
jama, 153d *(dziura)*
jama, 355a *(jaskinia)*
jamboree, 1119b
jamnik, 601b *(pies rasowy)*
jamnik, 1058b *(mebel)*
janczar, 40a
janczary, 206c
jantar, 31b
japonki, 506b
jar, 153c
jareccy↓, 781e
jarecka↓, 242d
jarecki↓, 347d
jarl, 40a
jarmarczność, 922a
jarmarczny, 339b
jarmark, 835d
jarmułka, 84a
jarosz, 998c
jarski, 205c
jary↑, 164b
jarzeniówka, 913d
jarzębiak, 2c
jarzmo, 469c *(niewola)*
jarzmo, 904b *(postronek)*
jarzyć się, 915b
JARZYNA, 1003a
jarzynka, 219d
jarzynowa, 219b
jarzynowy, 1178c
jarzyny, 1003a
jaselka, 200b
jasiek, 332c
jaskinia, 153d *(dziupla)*

jaskinia, 355a *(nora)*
jaskiniowiec, 89b *(ludzie)*
jaskiniowiec, 330c *(grubianin)*
jaskiniowy, 172c
jaskółka, 202a *(wiadomość)*
jaskółka, 941b *(balkon)*
jaskrawić się, 805c
jaskrawieć, 13c
jaskrawo, 213b
jaskrawość, 832e
JASKRAWOŚĆ, 1061b
jaskrawy, 217c *(świecący)*
jaskrawy, 388d *(rażący)*
jasne, 2d *(drink)*
jasne, 920b *(owszem)*
jasno, 86d *(dzień)*
jasno, 123d *(wprost)*
jasność, 86d *(świt)*
JASNOŚĆ, 913a *(światłość)*
JASNOŚĆ, 1061c *(klarowność)*
jasnowidz, 85c
jasnowidzący, 480b
jasnowidzenie, 335d
JASNOWŁOSY, 217d
jasny, 217 *(widny)*
jasny, 322a *(zrozumiały)*
jasny, 1062a *(uchwytny)*
jastrzębi, 458a *(krzywy)*
jastrzębi, 871d *(bystry)*
JASYR, 469a
jaszcz, 638a
jaszczur, 1160a
jaszczurczy↑, 390c
jaszmak, 1100b
jaśnieć, 32b *(blaknąć)*
jaśnieć, 915b *(rozgorzeć)*
jaśnieć, 1017a *(widać)*
jaśniejący, 217c
jaśniepański↑, 139c
jaśniepańskość, 475c
jatka, 291a *(rzeź)*
jatka, 835a *(rzeźnia)*
jatki, 291a
jawa, 927b
jawić się, 968a *(wyłonić się)*
jawić się, 1113b *(wyglądać na)*
JAWNIE, 577a
jawnogrzesznica, 244c
jawnogrzesznik↑, 347i
jawność, 955a
jawny, 218 *(publiczny)*
jawny, 1062a *(krzyczący)*
jaz, 1100d
jazda, 1053b *(ruszać)*
jazda, 630a *(podróż)*
jazda, 807d *(ruch)*
jazda, 1031a *(armia)*
jazgot, 191a
jazgotliwie, 169b
jazgotliwy, 170a *(hałaśliwy)*
jazgotliwy, 750d *(zgrzytliwy)*

jazz, 379a
jazz band, 379d
jazzman, 4d
jazzować, 181a
jaźń, 140b
jąć, 1080a
jąć się, 691a *(trudnić się)*
jąć się, 1080b *(zaczynać)*
jądra, 75e
jądro, 912b *(sedno)*
jądro, 1126a *(nasiona)*
jądrowy, 162b
jąkać, 376f
JĄKAĆ SIĘ, 376f
jąkała, 375d
jąkanina, 174b *(głupstwa)*
jąkanina, 221c *(wymowa)*
jątrzący↑, 750c *(drażniący)*
jątrzący, 715c *(buntowniczy)*
jątrzenie, 211c
jątrzyć, 108b
jątrzyć się, 71d *(obrzmieć)*
jątrzyć się, 247a *(gmatwać)*
jebać↓, 243b
jebanie↓, 827c
jebnięty↓, 205e
jechać, 722b
jechać do wód↑, 520d
jechać na sygnale, 894a
jechać na tym samym
   wózku, 405e
jechać na urlop, 520d
jechać na wstecznym
   biegu, 1036a
jeden, 232b
jeden po drugim, 609b
jedlina, 292a
jednać, 489a *(spotkać)*
jednać, 985c *(pobratać)*
jednać się, 985c
jednak, 201f *(lecz)*
JEDNAK, 920g
   (mimo wszystko)
jednaki↑, 627b
jednako↑, 800a
JEDNAKOWO, 800a
JEDNAKOWOŚĆ, 802a
jednakowoż↑, 201f
JEDNAKOWY, 627b
jednakże, 201f
jednia, 61b
jednoaktówka, 311d
JEDNOBARWNY, 14i
jednobrzmiący, 627c
JEDNOCZĄCY, 324a
jednoczesność, 1124a
jednoczesny, 801b
jednocześnie, 770b *(wspólnie)*
JEDNOCZEŚNIE, 799a *(i)*
JEDNOCZEŚNIE, 800b *(naraz)*
jednoczyć, 195b

jednoczyć się, 327b
jednogłośnie, 770b
jednogłośny, 627c
jednokierunkowość, 668c
jednokierunkowy, 172c
jednokolorowy, 14i
jednokondygnacyjny, 337b
jednokrotnie, 811d
jednokrotny, 1052a
jednolicić, 1063b
jednolicie, 770b *(wspólnie)*
jednolicie, 800a *(jednakowo)*
JEDNOLITOŚĆ, 802b
jednolity, 627b *(jednakowy)*
jednolity, 1158b *(pełny)*
jednomyślnie, 770b
jednomyślność, 660a
jednomyślny, 627c
jednopłat, 818b
jednorazowo, 811d
jednorazowość, 563c
jednorazowy, 1052a
jednorodność, 802b
jednorodny, 627b
jednostajnie, 800d
jednostajność, 17d
jednostajny, 627d
   (monotonny)
jednostajny, 803e *(rytmiczny)*
jednostka, 89c *(osoba)*
jednostka, 207a *(instytut)*
jednostka, 789d *(numer)*
jednostkowo, 811d
jednostkowość, 64b
jednostkowy, 896a
   (charakterystyczny)
jednostkowy, 1052a *(nieliczny)*
jednostronnie, 463d
jednostronność, 668c
jednostronny, 172c *(ciasny)*
JEDNOSTRONNY, 562d
   (unilateralny)
JEDNOŚĆ, 61b *(całość)*
jedność, 660a
   (konsensus)
jedność, 1022c *(więź)*
jedność, 1130c *(unia)*
jednoślad, 638c
jednośladowy, 249d
jednoznacznie, 123d
jednoznacznik, 842d
jednoznaczność, 1061c
jednoznaczny, 627c
   (równoznaczny)
jednoznaczny, 1062a
   (uchwytny)
jednożeństwo, 781d
jedwab, 928b
jedwabistość, 302a
jedwabisty, 357a
jedwabiście, 800g

jedynak, 146d
jedynie, 467d
jedynobóstwo, 772c
jedynowładca, 236d
jedynowładczy, 1025b
jedynowładztwo, 1026b
jedyny, 673d *(ulubiony)*
jedyny, 823c *(bezdzietny)*
jedyny, 1052a *(nieliczny)*
jedyny w swoim
   rodzaju, 1052a
jedzenie, 219 *(żywność)*
jedzenie, 865a *(konsumpcja)*
jedzie od niego, 580b
jeep, 638a
jegier, 40a
jego świątobliwość, 224d
JEGOMOŚĆ, 347a
Jehowa, 41a
jej wysokość, 236d
jejmość, 242a
jelec, 950b
jelenina, 359d
jeleń↓, 198a
jeleń na rykowisku, 922a
jelita, 75a *(organizm)*
jelita, 359c *(podroby)*
jelito grube, 75d
jełczeć, 762b
jełop↓, 1001b
jeniec, 1021b
jeniectwo, 469a
jeremiada↑, 833a
jersey, 928a
jesień, 86b *(pora)*
jesień, 1141c *(zachód)*
jesień życia, 1020d
jesionka, 531b
jest ile dusza zapragnie, 60e
jest jak znalazł, 1082b
jest rzeczą przypadku, 1087a
jestem wdzięczny, 151a
jestestwo, 140a
jeszcze, 121b
jeszcze czego↓, 418b
jeść, 220
jeść oczami, 589c
jeść z ręki, 1087b
jeść za dwóch, 220a
JEŚLI, 233c
jeśli idzie o, 688a
jeśliby, 233c
jezdnia, 136c
jezdny↑, 771e
JEZIORO, 1030c
jezuicki↑, 495b
jezuita, 224e
Jezus Chrystus, 41a
jeździć, 132a *(wodzić)*
jeździć, 234a *(sterować)*
jeździć, 663a *(wiercić się)*

K

kampania, 1000a *(bitwa)*
kampanijny, 1140a
kampanila, 57b
kamrat, 933a
kamuflaż, 961c
kamuflować, 918a
kamuflujący, 503b
kanalia, 330a
kanalik, 740c
kanalizacja, 740b *(rura)*
kanalizacja, 1030a *(woda)*
kanalizacyjny, 824a
kanalizować, 558a
kanał, 136a *(trasa)*
kanał, 153a *(rów)*
kanał, 740a *(kabel)*
kanałowy, 824a
kanapa, 332a
kanapka, 219c
kanapowy, 357a
kanar↓, 255b
kanarkowy, 14c
kanasta, 1071b
kancelaria, 207a
kancelaryjny, 534a
kancelista, 695c
kancera, 922b
kancerogenny, 109c
kancerować, 483f
kancerowaty, 971c
kanciapa↓, 334b
kanciarstwo, 575c
kanciarz, 574b
kanciastość, 180b
    (nierówność)
kanciastość, 710a *(nieobycie)*
kanciasty, 712b
kancjonał, 282d
kanclerz, 236c
kancona, 311b *(poezja)*
kancona, 379c *(wokalistyka)*
kandahary, 855b
kandelabr, 913e
kandydacki, 1041c
kandydat, 223
kandydat na męża, 347f
kandydatura, 709a
kandydować, 252a
kandyzować, 756f
kanefora, 105a
kanele, 105a
kanelować, 1174a
kanelura, 105a
kanibal, 674b
kanibalistyczny, 22c
kanibalizm, 1131c
kanibalski, 22c
kanikularny, 238a
kanikuła, 86b *(pora)*
kanikuła, 636b *(ciepło)*

kanikułowy, 238a
    (atmosferyczny)
kanikułowy, 487b *(ogórkowy)*
kanion, 153c
kanister, 639a
kankan, 923a
kanoe, 331a
kanon, 701c
kanonada, 1000a
kanoniczny, 1005e
kanonier, 40a
kanonierka, 331d
kanonik, 224c
kanonizacja, 895d
kanonizowany, 1052b
kanopa, 185a
kant↓, 575d *(afera)*
kant, 182a *(brzeg)*
kantar, 904b
kantata, 379b
kanton, 88f
kantor, 4c *(artysta estradowy)*
kantor, 229a *(kasa)*
kantorek, 334b
kantować, 286b *(układać)*
kantować, 1156c *(wyłudzić)*
kantówka, 134c
kantyczka, 282d
kantyk, 379c
kantylena, 379c
kantyna, 216a
kantyniarz, 505b
kańczug, 237f
kapa, 642a
kapać, 581a *(mżyć)*
kapać, 615a *(cieknąć)*
kapanie, 191f
kapanina, 441a
kapcan↓, 431a
KAPCIE, 506b
kapeczka, 525a
kapela↓, 379d
    (zespół młodzieżowy)
kapela, 379d
    (zespół muzyczny)
kapelan, 224c
kapelmistrz, 4d *(muzyk)*
kapelmistrz, 236a *(naczelnik)*
kapelmistrzostwo, 1026c
kapelmistrzować, 234a
kapelmistrzowski, 1054c
kapelusz, 84a
kapelusznik, 815a
kapeńka, 525a
kaper, 574d
kaperować, 958e *(pozyskać)*
kaperować, 1156d
    (przywłaszczyć)
kaperowanie, 707b
kaperownictwo, 707b
kaperski↑, 22c

kapilara, 740c
kapilarny, 900d
kapiszon, 45b
kapiszonowiec, 45c
kapiszonówka, 45c
kapitalik, 600b
kapitaliki, 1146b
kapitalista, 36a
kapitalista, 717b
kapitalistyczny, 645d
kapitalizm, 279b
kapitalizować, 571b
kapitalnie, 12a *(wysoce)*
kapitalnie, 119b *(wspaniale)*
kapitalny↓, 318a *(niebrzydki)*
kapitalny, 118c *(udany)*
kapitalny, 1005a *(ważki)*
KAPITAŁ, 600b
kapitałochłonność, 279c
kapitałochłonny, 447h
kapitałowy, 178c
kapitan, 40a *(żołnierz)*
kapitan, 235b *(pilot)*
kapitan, 236c *(wódz)*
kapitanować, 234a
kapitel, 1086c
kapitulacja, 976b
kapitulancki, 841d
kapitulanctwo, 844c
kapitulant, 618b
kapitulować, 777d
kapituła, 224f
kapka, 525a
kaplica, 914b
kapliczka, 914b
kapłan, 85b *(szaman)*
kapłan, 224 *(duchowny)*
kapłanka, 85c
kapłanka domowego
    ogniska, 242c
kapłański, 773a
kapłon, 359e *(kogut)*
kapłon, 431c *(impotent)*
kapłonić, 988c
kapnąć, 98b *(obdarować)*
kapnąć, 102c
    (reglamentować)
kapnik, 1100a
kapo, 551b
kapota, 531b
kapotaż, 448b
kapotować, 663a
kapować↓, 796a *(pojmować)*
kapować↓, 736b *(donosić)*
kapownictwo, 1118c
kapral, 40a
kapralski, 454b
kaprawić, 71d
kaprys, 67e
kaprysić, 1044a
kaprysy, 475c

kapryszenie, 475b
kapryśnica, 242b
kapryśnie, 473c
kapryśnik, 304b
kapryśność, 475c *(pretensje)*
kapryśność, 767a *(duma)*
kapryśność, 1139d
   (zmienność)
kapryśny, 1140a
kapsel, 642c
kapsiplast, 548a
kapslować, 1089d
kapsułka, 298a
kapsułkować, 546a
kaptować, 958e
kaptowanie, 707b
kaptur, 84a
kapturowy, 969b
kapusta, 1003b
kapuś↓, 210d
kapuśniaczek, 441a
kapuśniak, 219d
kaput↓, 446d
kapuza, 84a
kara, 225 *(nagana)*
kara, 448a *(niepomyślność)*
kara, 555d *(mandat)*
kara boska, 704d
kara pozbawienia
   wolności, 225b
KARA ŚMIERCI, 911b
karabela, 45d
karabin, 45c
karabinek, 45c *(broń)*
karabinek, 855c *(zapięcie)*
karabinier, 644a
karabińczyk, 855c
karaczan, 778b
karać, 226
karafka, 59a
karaim, 196b
karaita, 196b
karakon, 778b
karakuły, 531b
karalność, 730b
karalny, 22c
karaluch, 778b
karambol, 448b
karambolować, 962c
karate, 862b
karateka, 1107a
karawan, 638a
karawana, 621a
karawaning, 630c
karawanseraj↑, 216a
karawela, 331b
karazja, 531d
karb, 153f
karbidówka, 913e
karbonariusz, 40b
karbować, 286b *(układać)*

karbować, 1174a *(dziabać)*
karbowany, 458e
karburator, 983a
karby, 664a
karcąco, 464e
karcer, 469b
karciany, 1013d
karciarski, 1013d
karciarz, 1107b
karcić, 167c *(strofować)*
karcić, 226a *(pokarać)*
karcza, 134b
karczek, 1100g
karczemny↑, 454b
karczma, 216a
karczmarz, 505b
karczoch, 1003b
karczować, 988c
karczowanie, 94c
karczowisko, 328a
kardacz, 380b
kardan↑, 1121b
kardiolog, 299a
kardiologia, 296b
kardynalnie, 12a
kardynalny, 1005a
kardynał, 224c
karencja, 1163b
karesy, 91b
kareta, 638d
karetka↓, 296d
   (pierwsza pomoc)
karetka, 638a *(samochód)*
karetka reanimacyjna, 296d
kariatyda, 631a
karier, 807d
kariera, 690b *(posada)*
KARIERA, 890a *(awans)*
karierowicz, 618b
karierowiczostwo, 844a
karierowiczowski, 1088e
kark, 171b *(szyja)*
kark, 886c *(tył)*
karkołomnie, 163a
karkołomność, 419b
karkołomny, 420d
karkówka, 359d
karleć, 1143a
karli, 337b
karło↑, 829a
karłowacenie, 852b
karłowacieć, 1143a
karłowatość, 54a
karłowaty, 337b
karma, 219a
karmazyn, 245c
karmelek, 219e
karmelizować, 500e
karmelkowy, 905b
karmiciel, 116a
KARMIĆ, 966b

KARMIDŁO, 216c
karmin, 245c
karminować, 948b
karminowy, 14d
karmnik, 216c
karmuazować, 948a
karnacja, 679a
karnawał, 200e
karnawałowy, 1013d
karnet, 128b
karnie, 188a *(posłusznie)*
karnie, 391b *(dyscyplinarnie)*
karnisz, 237a
karność, 664a
karny, 189b *(posłuszny)*
karny, 227 *(penitencjarny)*
karo, 245d *(karta)*
karo, 1100g *(kołnierz)*
karoca, 638d
karoseria, 642b
karpa, 134b
kart, 638a
karta, 3c *(kwestionariusz)*
karta, 310b *(jadłospis)*
karta, 1176a *(życzenia)*
karta dziejów, 735a
karta gwarancyjna, 128e
karta historii, 735a
karta katalogowa, 3c
karta wstępu, 128b
kartacz, 45b
karteczka, 484c *(papier)*
karteczka, 1146f *(metka)*
kartel, 718b
karteluszek, 525b
kartka, 128a *(świadectwo)*
kartka, 309a *(bilet)*
kartka, 484c *(papier)*
kartkować, 686c
kartkowy, 1027b
kartkówka, 160b
kartofel↓, 1144a *(nochal)*
kartofel, 1003a *(jarzyna)*
kartoflane, 239a
kartoflanka, 219d
kartoflany↓, 544c *(wypukły)*
kartoflany, 458a *(krzywy)*
kartoflany, 1178c *(roślinny)*
kartofle puree, 1003a
kartofle w mundurkach, 1003a
kartoflisko, 1127b
kartomancja, 335c
karton, 484c *(brystol)*
KARTON, 547a *(opakowanie)*
kartonik, 547a
kartonować, 1072d
kartoteka, 128f
   (dokumentacja)
kartoteka, 1109b *(kolekcja)*
kartować, 989c
kartusz, 45b *(amunicja)*

kartusz, 105c *(oprawa)*
karuk, 887c
karuzela, 872e
karwasz, 1100c
kary, 258a
karygodnie, 1168e
karygodność, 1061e
karygodny, 390a
karykatura, 54a
   (niewydarzoność)
karykatura, 228
   (krzywe zwierciadło)
karykaturalnie, 155a
karykaturalność, 228c
karykaturalny, 205d
karykaturować, 405d
   (małpować)
karykaturować, 945a
   (narysować)
karykaturzysta, 737a
karypel↓, 674d
karzeł, 111b *(skrzat)*
KARZEŁ, 674d *(liliput)*
karzełek, 111b
karzełkowaty, 337b
kasa, 229 *(bank)*
kasa, 600a *(budżet)*
kasa chorych, 296c
kasa państwowa, 229a
kasacja, 1152b
kasacyjny, 122a *(pomocniczy)*
kasacyjny, 259c *(likwidacyjny)*
kasak, 531c
kasandra, 85c *(wróżbita)*
kasandra, 590a *(czarnowidz)*
kasandryczny, 166c
kasata↑, 1152b
kaseciak↓, 161b
kaseta, 161g
kasetka, 229a *(skarbonka)*
kasetka, 639d *(pudełko)*
kaseton, 105a
kasetowiec↓, 161b
kasetowy, 290e
kasjer, 230
kask, 1100c
kaskada, 1030b
kaskader, 4e
KASŁAĆ, 231a
kasoleta, 1091b
kasować, 975c *(zawiesić)*
kasować, 1064c *(wyzbyć się)*
kasowość, 890b
kasowy, 267c
kasta, 187e
kastaniety, 206c
kastet, 45d
kastowy, 564a
kastrat, 431c
kastrować, 988c
kasyno, 216b

kasza, 887d
kaszanka, 359c
kaszel, 191c
kaszerować, 751e
kaszetować, 195b
kaszka, 887d
kaszka z mlekiem, 897b
kaszkiet, 84a
kaszleć, 231
kaszlnięcie, 191c
kaszmir, 928a
kasztan, 245c *(kolor)*
kasztan, 258a *(wierzchowiec)*
kasztanek, 258a
kasztanowy, 14h
kasztel, 57b
kasztelan↑, 236a
kat, 451d *(prześladowca)*
kat, 911b *(kara śmierci)*
katafalk, 185a
kataklizm, 448b
katakumby, 185b *(mogiła)*
katakumby, 826a *(schron)*
katalepsja, 70f
katalizator, 703b
katalizator ujemny, 734b
katalog, 310a
katalogować, 989c
katana↓, 531b
katanka↓, 531b
katapulta, 45c
katapultować się, 980b
katarakta, 70f
katastrofa, 448b
katastrofalnie, 12d
katastrofalny, 166d
katastroficzność, 419b
katastroficzny, 166c
katastrofista, 590a
katastrofizm, 475b
katatonia, 493a
katecheta, 224c *(ksiądz)*
katecheta, 410a *(dydaktyk)*
katechetyka, 772a
katecheza, 772a
katechizacja, 772a
katechizm, 282d *(modlitewnik)*
katechizm, 631b *(podwalina)*
katechizm, 772a *(wyznanie)*
katechumen, 196d
katedra, 903b *(szkoła wyższa)*
katedra, 914b *(kościół)*
katedra, 941a *(podium)*
kategoria, 382a *(idea)*
kategoria, 779a *(gatunek)*
KATEGORYCZNIE, 1114a
kategoryczność, 251b
kategoryczny, 24a
   (zdecydowany)
kategoryczny, 1005e
   (obowiązujący)

kategoryzacja, 664b
kategoryzować, 665d
kateter, 740c
katharsis, 1034b
katiusza, 45c
katolicyzm, 772c
katolik, 772d
katon, 845c
katoński↑, 24b
katorga, 225b *(wyrok)*
katorga, 690f *(wysiłek)*
katorżniczy, 937d
katorżnik, 1021a
katowanie, 1131c
katownia, 1131c
katulać się, 663a
katusze, 42a
kaucja, 555e
kauteryzować, 988c
kauzalność, 1022b
kauzalny↑, 594b
kauzyperda, 699a
kawa, 219c *(posiłek)*
kawa, 399b *(picie)*
kawa, 981b *(przyjęcie)*
kawa z mlekiem, 245c
kawalarz, 737b
kawalątek, 525b
kawaler, 347f
kawaleria, 1031a
kawalerka, 355a *(apartament)*
kawalerka, 861c
   (towarzystwo)
kawalerski, 477b
kawalerstwo, 1042b
kawaleryjski, 771e
kawalerzysta, 40a
kawalkada, 621a
kawał, 49a *(blok)*
kawał, 141a *(sporo)*
kawał, 1171a *(dowcip)*
kawał chłopa, 674c
kawał drania, 330a
kawałeczek, 525b
kawałek↓, 379b *(kompozycja)*
kawałek, 429c *(odpady)*
KAWAŁEK, 525b *(odrobina)*
kawałkami, 473b
KAWAŁKOWAĆ, 147a
kawęczeć, 929b
KAWIARNIA, 216b
kawiarz, 1164d
kawka, 219c *(posiłek)*
kawka, 981b *(przyjęcie)*
kazać, 129c
kazać się kłaniać, 1023c
kazać się pocałować
   gdzieś, 657c
kazalnica, 941a
kazamatowy↑, 896d
kazamaty, 469b

kazanie, 225a *(nagana)*
kazanie, 724c *(homilia)*
kazić, 104a
kazirodca, 347i
kazirodczy, 22c
kazirodztwo, 781d
kaznodzieja, 224a
kaznodziejski, 552c
kaznodziejstwo, 409c
kazuistyczny, 937a
kazuistyka, 668c
kaźń, 1131c *(katownia)*
kaźń, 225b *(kara)*
każdego dnia, 609a
każdego roku, 609a
każdorazowo, 938d
każdy, 232
kącik, 355a
kądziel, 904c
kąkol, 1127b
kąpać, 96a
kąpać się, 96a *(przemyć)*
kąpać się, 616a *(pławić się)*
kąpać się w, 1117c
KĄPIEL, 94e
kąpielisko, 1030a
kąpieliskowy, 771a
kąpielowicz, 746c
kąpielówki, 531f
kąsać, 256a
kąsek, 525b
kąśliwie, 464b
kąśliwość, 1132b
kąśliwy, 1b
kąt, 182a *(brzeg)*
kąt, 349b *(miejscowość)*
kątomierz, 350c
kciuk, 262b
kecz, 331b
keczup, 1144e
kefir, 385b
keja, 1046a
keks, 599b
KELNER, 505b
kelnerka, 505b
kem, 180c
kemping, 1057b
kempingować, 354b
kempingowy, 712d
kenzan, 59c
kepi, 84a
ket, 331b
ketchup, 1144e
keyboard, 206d
kędzierzawić, 286b
kędzierzawy, 458a
kędzior, 1029a
kępa, 277a *(krzew)*
kępa, 1066a *(ostrów)*
kęs, 525b
kęsy↑, 944b

kibel↓, 323b
kibic, 764b *(widz)*
kibic, 1164d *(amator)*
kibicować, 589c
kibić, 75b
kibitka, 638d
kiblować, 81c *(odcierpieć)*
kiblować, 987d
   (powtarzać klasę)
kiblować, 1047a
   (załatwiać się)
kibuc, 1127c
kibucnik, 782b
kicać, 663a
kichać, 231b
kichać na, 402a
kichanie, 191c
kichnięcie, 191c
kicia↓, 242g
kicnięcie, 807b
KICZ, 922a
kiczowato, 1168c
kiczowatość, 922a
kiczowaty, 339b
kić↓, 469b
kićkać, 104e
kidnaper, 451d
kidnaperstwo, 469d
kidnaping, 469d
kiecka, 531d
kiedy, 233c *(jeśli)*
kiedy, 233e *(wtedy)*
kiedy niekiedy, 811a
kiedy tylko, 938d
kiedykolwiek, 233a
kiedyś, 233 *(dawno)*
kiedyś, 735c *(przeszłość)*
kielich, 386b
kieliszeczek, 2a
kieliszek, 2a
   (napój wyskokowy)
kieliszek, 386b *(kubek)*
kieł, 944b
kiełbasa, 359f
kiełbasić się, 247a
kiełbaska, 359f
kiełek, 519b
kiełkować, 780e
kiełzno, 469c
kiep↓, 1001b
kiepski, 339a
KIEPSKO↓, 840b
kier, 245d
kierat, 690f
kierdel, 538c
kiereja, 531d
kiermasz, 835d
kiernoz, 1160b
kierować, 234
kierować, 234a *(sterować)*
kierować, 648a *(pomóc)*

kierować się, 995b
   (stosować się do)
kierować się, 1053b *(pójść)*
kierować wzrok, 589d
kierowanie, 1026c
kierowanie się, 748b
kierowca, 235
kierownica, 1026c
kierownictwo, 1026c
kierowniczy, 1005c
kierownik, 236
kierpce, 506a
KIERUNEK, 886a *(strona)*
kierunek, 903b *(studiów)*
KIERUNEK, 925b *(kurs)*
kierunkowość, 795b
kierunkowskaz, 1146i
kierz, 277a
kiesa, 229b
kieszeń↓, 600a
kieszonkowiec, 574d
kieszonkowy, 337a
kij, 237
kijaszek, 237c
kijek, 237c
kiks, 35d
kiksować, 381c
kikut, 262a
kilim, 625b
kilimiarstwo, 148e
kilka, 467b
kilka razy, 938b
kilkadziesiąt, 467b
kilkakroć, 938b
kilkakrotnie, 938b
kilkakrotny, 878c
kilkanaście, 467b
kilkaset, 467b
kilo, 547a
kilof, 329a
kilogram, 547a
kilogramy, 538b
kilometrowy, 113c
kilowaty↓, 913c
kilwater, 1146a
kimać, 851a
kimation, 105a
kimono, 531d
kindersztuba, 1079d
kindżał, 486a
kinematograf, 200c
kinematografia, 501d
kinematograficzny, 290d
king kong, 674a
kinkiet, 913d
kino, 200c *(projekcja)*
kino, 501d *(kinematografia)*
kino, 1112a *(heca)*
kinobus, 200c
kinoman, 1164c
kinowóz, 200c

kinowy, 113d
(długometrażowy)
KINOWY, 290d (filmowy)
kiosk, 57d
kioskarz, 719e
kipa, 84a
kiper, 365c
kiperstwo, 10b
kipiący, 80b
kipieć, 175c (unieść się)
kipieć, 513a (dziać się)
kipieć, 756e (gotować się)
kipieć, 1048d (wydostać się)
KIPIEL, 1030g
kipisz↓, 255a
kipnąć↓, 972b
kir, 1100b (całun)
kir, 1169b (żałość)
kirasjer, 40a
kircha, 914b
kirkut, 185b
kirsz, 2c
kirys, 1100c
kisić, 756f
kisiel, 219d
kisnąć, 762b (zepsuć się)
kisnąć, 883d (przepróżnować)
kiszeniak, 1003c
kiszki, 359c
kiszonka, 219a
kiszony, 750e
KIŚĆ, 1016b
kit↓, 575a (kłamstwo)
kit, 887c (substancja)
kita, 75d (ogon)
kita, 1016b (kiść)
kitara, 206a
kitel, 531d
kitować, 511c
kitwasić się, 747c
kiwać, 333a
kiwnąć, 894a
kiwnąć palcem, 873a
klacz↓, 242a (niewiasta)
klacz, 258a (koń)
klaczka↓, 242a
klajster, 887c
klajstrować, 326d (spajać)
klajstrować, 918c (zataić)
klaka↓, 895e
klakier, 618a
klakson, 1146d
klaksonować, 894a
klamoty, 11b
klamra, 855a (zapinka)
klamra, 897c (margines)
klamrować, 1089c
klan, 187d (grupa)
klan, 781b (ród)
klang, 156a
klangor, 156a

klanowość, 653c
klanowy, 564a
klap, 25a
klapa↓, 448c (klęska)
klapa, 642b (przykrywa)
klapa, 1010a (drzwi)
klapać, 50b (dźwięczeć)
klapać, 894e (wydać głos)
klapka, 105b (ozdoba)
klapka, 642b (przykrywa)
klapki, 506b
klapnąć, 856a (siadać)
klapnąć, 883f (zbankrutować)
klapnąć, 962c (zderzyć się)
klapnąć, 977d (rymnąć)
klapnięcie, 191e
klapnięty↓, 1134a
klaps, 291b
klarnet, 206b
klarować, 749e
(przygotowywać się)
klarować, 963b (przekonywać)
klarować, 1049c (uzyskiwać)
klarować się, 796c
klarownie, 123c
klarowność, 1061c
klarowny, 1062a
klasa, 165b (poziom)
klasa, 187b (uczniowie)
klasa, 650e (sala)
klasa, 779a (gatunek)
klasa, 1002c (jakość)
klasa, 1079c (sprawowanie)
klasa robotnicza, 861c
klasa średnia, 861d
klaser, 484b
klask, 191e
klaskać, 50b (dźwięczeć)
klaskać, 315c (podziwiać)
klaskanie, 895e
klaskanina, 895e
klasowość, 1022d
klasowy, 118d
(wysokiej klasy)
klasowy, 896d (gwarowy)
klasówka, 160b
klasycyzm, 254c
klasycyzować, 405b
klasycznie, 317a
klasyczność, 254c
(tradycjonalizm)
klasyczność, 668d
(powszedniość)
klasyczny, 698c (modelowy)
klasyczny, 881d (tradycyjny)
klasyczny, 1148e (nienowy)
klasyfikacja, 507c (miejsce)
klasyfikacja, 634a (podział)
klasyfikacja, 664d
(lista rankingowa)

klasyfikować, 508a
(wartościować)
klasyfikować, 665d
(zaszeregować)
klasyfikować, 1044c
(gatunkować)
klasyk, 365d (autorytet)
klasyk, 845c (ortodoksa)
klasyka, 254c (tradycjonalizm)
klasyka, 379a (muzyka)
KLASZTOR, 914c
klasztorny, 773b
klaśnięcie, 191e
klatka, 263a (zdjęcie)
klatka, 547a (skrzynka)
klatka, 650c (komora)
klatka piersiowa, 75b
klatka schodowa, 685a
klaun, 288a
klauzula, 251c
klauzura, 914c
klawesyn, 206d
klawiatura, 206d
klawikord, 206d
klawisz, 255b (strażnik)
klawisz, 720b (przełącznik)
kląć, 376e
kląć na czym świat stoi, 376e
kląć się, 1093a
kląć w żywy kamień, 376e
kląskać, 894e
kląskanie, 191b
klątwa, 225a
klecha↓, 224c
klechda, 556b
klechdowy, 450a
klecić, 56b
klei mu się do rąk, 1156d
kleić, 326d
kleić się, 327d
KLEIK, 587a
kleistość, 168a
kleisty, 305a
klej, 887c
KLEJĄCY, 305a
KLEJNOT, 31b (biżuteria)
klejnot, 813b (unikat)
KLEJNOTY, 31a
klejowaty, 305a
klekoczący, 170a
klekot, 191d
klekotać, 50b (dźwięczeć)
klekotać, 376e (gadać)
klekotać, 894e (wydać głos)
klekotanie, 191d
klekotliwy, 170a
kleks, 429b
klementynka, 579c
klepać, 702c (występować)
klepać, 1063a (podrównać)
klepać, 1063a (kuć)

kłucie, 42b
kłuć, 256a
kłuć w oczy, 108c
kłuć w zęby, 1149a
KŁUJĄCY, 569c
kłus, 807d
kłusować, 595a *(gnać)*
kłusować, 1073f *(polować)*
kłusownictwo, 272c
kłusownik, 574d
kły, 944b
kłykieć, 271a
kmiecieć, 30b
kmiecy↑, 893c
kmieć, 782b
kmiot↓, 330c
kmiotek, 782b
knajpa, 216a
knajpiarz, 505b
knajpka, 216a
knajpować, 15e
knebel, 469c
kneblować, 1089d
knedle, 239a
kniaź, 236d
knieja, 292a
knocić, 1108c
knockdown↑, 1045c
knot↓, 146a *(malec)*
knot, 913e *(lampka)*
knowania, 211a
knucie, 211a
knuć, 241
knur, 1160b
knut, 237f
knykieć, 271a
knypek, 674d
knypel, 367a
koalicja, 559a
koalicyjny, 1038d
kobiałka, 639c
KOBIECIARZ, 347h
kobiecina, 242a
kobieco, 317a
kobiecość, 602b
kobiecy, 318b *(ładny)*
KOBIECY, 896b *(żeński)*
kobierzec, 625b
kobieta, 242 *(niewiasta)*
kobieta, 244a *(kochanka)*
kobieta
  lekkich obyczajów, 244b
kobieta zamężna, 242c
kobold, 111b
kobylasty↓, 479a
kobyła↓, 242a *(niewiasta)*
kobyła, 258a *(koń)*
kobyła↓, 282e *(lektura)*
kobyła, 674c *(olbrzym)*
kobza, 206b
koc, 642a

kochać, 243
kochać się, 243d
kochać się
  jak pies z kotem, 999a
kochać się w, 315c
kochający, 364b
  (sympatyczny)
kochający, 673d *(ulubiony)*
kochanek, 347f *(narzeczony)*
kochanek, 347h *(kobieciarz)*
kochanica, 244a
KOCHANIE, 363a
kochanka, 244
kochany, 673d ⸴
kochaś, 347g
kocher, 598a
kochliwość, 91a
kochliwy, 763c
koci↓, 859b *(cichy)*
koci, 357a *(puszysty)*
koci, 871a *(zwinny)*
kocia łapa, 781d
kocia muzyka, 191a
kociak↓, 242g
kocić się, 780c
kocie łby↓, 136c
kociokwik, 191a
kocioł, 7b *(oblężenie)*
kocioł, 153c *(wąwóz)*
kocioł, 206c *(bęben)*
kocioł, 386f *(garnek)*
kocioł, 598b *(grzejnik)*
kociołek, 386f
kociuba, 237d
kocmołuch, 46a
koczkodan, 46a
koczować, 354b
koczowisko, 1057b
koczownictwo, 630c
koczowniczy, 808c
KOCZOWNIK, 1015b
kod, 1094a
koda, 1086b
kodeks, 282a *(księga)*
kodeks, 701c *(norma)*
kodować, 1102d
kodycyl, 701b
kodyfikacja, 664b
kodyfikacyjny, 666a
kodyfikować, 195e
koedukacja, 409a
koedukacyjny, 1038d
koedycja, 282f
koegzystencja, 214a
koegzystować, 489b
kofeina, 752a
koga, 331b
kogel-mogel, 219d
kognacja↑, 641a
kognitywny↑, 687f
kogut, 359e

kogutek↓, 1029a
koherencja, 61b
koherentność, 61b
koherentny, 627b
kohorta, 517a *(pododdział)*
kohorta, 538c *(tłum)*
KOIĆ, 320a *(uśmierzać)*
koić, 985a *(przynosić ulgę)*
koincydencja↑, 1112b
  (przypadek)
koincydencja, 314b *(los)*
koincydencyjny, 1038a
koine, 221b
koja, 332b
kojarzenie, 1022c
kojarzyć, 383b *(rozumować)*
kojarzyć, 545b *(ustalać)*
kojarzyć↓, 796a *(rozumieć)*
kojarzyć, 836b *(swatać)*
KOJARZYĆ SIĘ, 131c
kojarzyć sobie, 624a
kojąco, 115c
kojący↑, 654a
kojec, 650c *(komora)*
kojfnąć↓, 972a
kok, 1029b
koka↓, 752a
kokaina, 752a
kokainizować się, 526b
kokarda, 105b
kokieteria, 602b
kokieteryjnie, 1078a
kokieteryjność, 602b
kokieteryjny, 1177a
kokietka, 242g
kokietować, 129a
kokilka, 386b
kokon, 1100d
kokosić się, 663a
kokosowy↓, 267c
kokosy, 600b
kokoszka, 359e
kokota, 244b
kokpit, 650c
koks, 582b
koksować, 500e
koksownia, 718c
koktajl, 2d *(drink)*
koktajl, 981b *(przyjęcie)*
koktajlbar, 216b
koktajlowo, 854c
koktajlowy, 542c
kolaboracja, 1040a
  (współdziałanie)
kolaboracja, 1118c
  (szpiegostwo)
kolaboracjonista, 196c
kolaborancki, 495c
kolaborant, 196c
kolaborować, 489b
kolacja, 219c *(posiłek)*

kołpak, 84a
kołtun, 861d *(filister)*
kołtun, 1165b *(kłąb)*
kołtuneria, 710c
kołtuniasty, 649b
kołtunić, 104e
kołtunowaty, 649b
kołtuny, 1029a
kołtuński, 353a
kołtuństwo, 710c
kołysać, 15a *(zabawić)*
kołysać, 137d *(balansować)*
KOŁYSAĆ, 333a *(machać)*
kołysać, 851c *(usypiać)*
kołysanka, 379c
kołyska, 332a
kołyszący, 808d
koma, 70c *(śpiączka)*
koma, 828d *(hipnoza)*
komando, 517a
komandor, 40a
komandos, 40a
komar, 778a
komasacja, 538e *(tłok)*
komasacja, 1130b
    (konsolidacja)
komasować, 1156b
kombajn, 983c
kombajnista, 235a
KOMBATANT, 40a
kombi, 638a
kombinacja, 1130a
kombinacje, 211a
kombinat, 718c
kombinator, 574b
kombinatorski, 466c
kombinatorstwo, 575d
kombinerki, 488a
kombinezon, 531d
kombinować, 193c *(sprzedać)*
kombinować, 241a *(chytrzyć)*
kombinować, 383c *(obmyślać)*
kombinować, 879c *(zabiegać)*
komedia, 228b *(drwina)*
komedia, 250b *(sprzeczka)*
komedia, 1112a *(heca)*
komediancki, 495a
    (dwulicowy)
komediancki, 1013b
    (zabawny)
komedianctwo, 575b
komediant, 4b *(aktor)*
komediant, 494b *(pozer)*
komediowy, 1013c
komenda, 643b *(rozkaz)*
komenda, 644b
    (siły porządkowe)
komenda, 1026d
    (przywództwo)
komendant, 236c
komendantura, 1026d

komenderować, 234b
komenderowanie, 1026c
komentarz, 1051b
komentator, 149a *(reporter)*
komentator, 960c *(myśliciel)*
komentować, 521a
komentowanie, 872c
komeraże↑, 211a
KOMERCJA, 192a
komercjalizm, 66b
komercjalizować, 659b
komercjalny, 178d *(handlowy)*
komercjalny, 339b *(pośledni)*
komercyjny, 178d *(handlowy)*
komercyjny, 339b *(pośledni)*
kometa, 1139c *(ulotność)*
kometka, 862b
komfort, 860a *(spokój)*
komfort, 997b *(wygoda)*
komfortowo, 854c
komfortowy, 270a
komicznie, 1012b
komiczność, 228c
komiczny, 1013b *(zabawny)*
komiczny, 1013d *(farsowy)*
komik, 4b *(aktor)*
komik, 737b *(dowcipniś)*
komika, 228c
komiks, 282e
komiksowy, 339b
komiliton, 933a
komin, 153c *(wąwóz)*
komin, 541a *(otwór)*
komin, 598b *(grzejnik)*
kominek, 598b
kominiarka, 84a
kominiarz, 46a
komis, 192b *(kupno)*
komis, 835a *(dom handlowy)*
komisant, 719e
komisariat, 644b
komisarycznie, 1024b
komisaryczny, 396b
komisarz, 236a
komisja, 187a *(zespół)*
komisja, 719b *(rzecznik)*
komisjoner, 719e
komisowy, 318e
komisyjnie, 770b
komisyjny, 1038c
komitet, 187a
komitywa, 1022d
komiwojażer, 719e
komiwojażerski, 178d
komiwojażerstwo, 192c
komizm, 228c
komnata, 650b
komoda, 1058b
komodor↑, 40a
KOMORA, 650c
komorne, 555a

komornik, 230a
komórka, 207a *(oddział)*
komórka, 334b *(zaplecze)*
komórka, 650c *(komora)*
komórka jajowa, 1097b
komórkowy, 766b *(porowaty)*
KOMÓRKOWY, 837b
    (celularny)
kompakt, 161g
KOMPAN, 933a
KOMPANIA, 187d *(ferajna)*
kompania, 517a *(oddział)*
komparacja, 662a
komparatystyczny↑, 411d
komparatywny↑, 411d
kompas, 1120a
kompendialny, 411c
kompendium, 282b
kompensacja, 394c
kompensacyjny, 956d
kompensata, 394c
kompensować, 1081c
kompetencja, 165a
kompetencje, 499a
    (obowiązek)
kompetencje, 1123b
    (pozwolenie)
kompetentnie, 523b
kompetentność, 165a
kompetentny, 594a *(niezbity)*
kompetentny, 871e *(fachowy)*
kompilacja, 1130a
kompilacyjny, 352a
kompilator, 960b
kompilatorstwo, 922d
kompilować, 945a
kompleks, 61a
kompleksja, 55a
kompleksowo, 684c
kompleksowość, 61b
kompleksowy, 411c
komplemenciarski, 364b
komplemenciarz, 618a
komplemencista, 618a
komplement, 895c
komplementarność, 120a
komplementarny, 122b
komplementować, 825a
komplementowanie, 844b
komplementy, 91b
komplet, 61a *(wszystko)*
komplet, 531e *(bielizna)*
komplet, 1109c *(zestaw)*
kompletnie, 1157a
kompletność, 61a
kompletny, 1062a *(uchwytny)*
kompletny, 1158b *(całkowity)*
kompletny, 1158c *(pełny)*
kompletować, 183e
komplety, 409d
komplikacja, 704e

konfliktowość, 704e
konfliktowy, 1a
konfluencja, 1030e
konformacja, 55a
konformista, 618b
konformistyczny, 1088e
konformizm, 844c
konfrater↑, 933a
konfraternia, 187d *(kompania)*
konfraternia, 559a
   (stowarzyszenie)
konfrontacja, 662a
konfrontacja zbrojna, 7b
konfrontacyjny, 1a
konfrontatywny↑, 411d
konfrontować, 508c
konfundować, 591a
konfuzja, 1099b
kongenialność, 602c
kongenialny, 698c
konglomeracja, 61c
konglomerat, 61c *(zbiór)*
konglomerat, 887c *(stop)*
kongregacja, 559a
kongres, 559a
   (stowarzyszenie)
kongres, 1119a *(zjazd)*
kongresman, 719a
kongruencja, 1124b
kongruentny, 627c
koniak, 2c
KONIEC, 182b *(kraniec)*
koniec, 726e *(dosyć)*
KONIEC, 1086a *(finał)*
koniec, 1141c *(schyłek)*
koniec świata, 443c
KONIECZNIE, 920f
konieczność, 251
konieczny, 594b
   (przyczynowy)
KONIECZNY, 673a *(niezbędny)*
koniektura↑, 437d
konik, 363e
KONIK SZACHOWY, 258b
konina, 359d
koniokrad, 574d
koniokradztwo, 272c
koniuch, 551c
koniugacja, 779a
koniunktura, 647b *(sytuacja)*
koniunktura, 890b
   (powodzenie)
koniunkturalista, 834b
koniunkturalizm, 66b
koniunkturalny, 1140a
koniuszek, 1086c
koniuszy↑, 236a
konklawe, 1119a
konkludować, 376d
konkluzja, 382c *(myśli)*
konkluzja, 1172c *(wniosek)*

konkordancja, 310c
konkordat, 128e
konkret, 813a
konkretnie, 123d
konkretność, 497a
konkretny, 1148a
konkretyzacja, 897d
konkretyzować, 545b *(ustalać)*
konkretyzować, 945b
   (urzeczywistnić)
konkretyzować się, 682b
konkubina, 244a
konkubinat, 781d
konkurencja, 451a
   (przeciwnik)
konkurencja, 1000d
   (współzawodnictwo)
konkurencyjny, 458c
konkurent, 223a *(chętny)*
konkurent, 347f *(narzeczony)*
konkurent, 451a *(przeciwnik)*
konkurować, 243c
konkurować, 252
konkurs, 448c *(upadek)*
konkurs, 1000c *(zawody)*
konkursowicz, 1107b
konkursowy, 259c
konkury, 363c
konkwista, 723c
konkwistador, 451c
konkwistadorski, 1074a
konnica, 1031a
konno, 908e
KONNY, 771e
konopny, 217d
konosament, 128e
konotacja, 1022c
konotować, 1145a
konował↓, 299b
konsekracja, 504b
konsekrować, 894f
   (uprawiać magię)
konsekrować, 1044d
   (głosować)
konsekutywność, 664d
konsekutywny↑, 689a
konsekwencja, 795b
   (mądrość)
konsekwencja, 832d
   (wytrzymałość)
konsekwencja, 1055b *(skutek)*
konsekwencje, 225b
konsekwentnie, 692b
konsekwentność, 795b
konsekwentny, 344d
   (racjonalny)
konsekwentny, 693c
   (cierpliwy)
konsekwentny, 761b *(wierny)*
konsekwentny, 878c
   (permanentny)

konsekwentny, 978a
   (planowy)
konsens, 660a
konsensowy↑, 700d
konsensus, 660a
konserwa↓, 559c *(partia)*
konserwa↓, 646c *(lewicowiec)*
konserwa, 547a *(puszka)*
konserwacja, 253
konserwacyjny, 503d
konserwant, 298c
konserwator, 551a
konserwatorium, 903b
konserwatorski, 503d
konserwatorstwo, 658e
konserwatysta, 646b
   (prawicowiec)
konserwatysta, 845c
   (ortodoksa)
konserwatyści, 559c
konserwatywnie, 425e
konserwatywność, 254a
konserwatywny, 645d
   (prawicowy)
konserwatywny, 881d
   (tradycyjny)
konserwatyzm, 254
KONSERWOWAĆ, 400b
konserwowy, 939c
konserwująco, 510a
konserwujący, 503d
konsjerż, 551b
konskrypcja, 1045d
konsola, 631a
konsolacja↑, 146f
KONSOLIDACJA, 1130b
konsolidacyjny, 324a
konsolidować, 195b
konsolidować się, 783d
konsolidujący, 324a
konsolka, 1058b
konsonans, 1124a
konsorcjum, 718b
konspekt, 608c
konspiracja, 211b *(spisek)*
konspiracja, 559a
   (stowarzyszenie)
konspiracyjnie, 144b
konspiracyjność, 919a
konspiracyjny, 969b
konspirator, 210c
konspiratorski, 969b
konspiratorstwo, 211b
konspirować, 241c
konstabl↑, 644a
konstanta, 789d
konstatacja, 553b
konstatować, 376c
konstelacja, 55a
konsternacja, 1099b
konsternować, 591a

konstrukcja, 55a
konstrukcyjnie, 12a
konstrukcyjny, 1005b
konstruktor, 946b
konstruktywnie, 345a
konstruktywny, 344e
konstruować, 56a *(wznosić)*
konstruować, 705a
    (wytwarzać)
konstruowanie, 55c
konstytuanta, 588b
konstytucja, 55a *(struktura)*
konstytucja, 701b *(akt prawny)*
konstytucyjność, 868a
konstytuować, 945c
konstytuować się, 682b
konstytutywny, 1005a *(ważki)*
konstytutywny, 1041d
    (inicjujący)
konsul, 719a
konsulat, 207b
konsultacja, 653a
konsultacyjny, 122a
konsultant, 365c
konsultatywny, 122a
konsultować, 769a *(doradzać)*
konsultować, 788c
    (obradować)
konsultować się, 686b
konsumenci, 998c
konsument, 998c
konsumować, 220b *(zjeść)*
konsumować, 265a *(używać)*
KONSUMPCJA, 865a
konsumpcyjnie, 463a
KONSUMPCYJNY, 353b
    (materialistyczny)
konsumpcyjny, 522c *(zdatny)*
konsumpcyjny, 673b
    (użytkowy)
konsyderacja↑, 895a
konsygnacja, 192b
konsygnacyjny, 74c
konsygnatariusz, 719e
konsygnować, 193c
konsyliarz↑, 299b
konsylium, 1119a
KONSYSTENCJA, 168a
konsystorz, 224f
konszachtować, 241c
konszachty, 211a
kontakt, 1010c *(gniazdko)*
kontakt, 1022c *(łączność)*
kontaktować, 327a
    (skomunikować)
kontaktować↓, 796a
    (uświadomić sobie)
kontaktować się, 489b
kontaktowanie się, 1022d
kontaktowy↓, 1177e
kontakty↓, 316b

kontaminacja, 1130a
kontaminować, 326e
kontekst, 647b
kontemplacja, 384b
kontemplacyjny, 859a
kontemplator, 960c
kontemplować, 383a
kontenans↑, 528a
KONTENER, 639c
kontenerowiec, 331c
kontent, 1083a
kontentować się, 1082a
konterfekt, 501a
kontestacja, 875b
kontestacyjny, 715b
KONTESTATOR, 40c
kontestować, 876d
kontinuum, 812c
KONTO, 768d
kontorsja, 1059c
kontorsjonistyka, 335a
kontować, 989c
kontra, 418h *(przeciw)*
kontra, 875b *(protest)*
kontrabanda, 934c
kontrabandowy, 178d
kontrabandzista, 574d
kontrabas, 206a
kontradmirał, 40a
kontradykcja, 250c
kontrafałda, 1121a
kontragitacja, 707a
kontrahent, 933c
kontrahować, 1093d
kontrakcja, 524b
kontrakt, 128e
kontraktować, 1093d
kontraktowy, 74c
    (krótkotrwały)
kontraktowy, 594d *(ustalony)*
kontralt, 4c
kontramarka, 1146f
kontrapunkcista, 4d
kontrapunkt, 379b
kontrapunktować, 405b
kontrargument, 875b
kontrargumentacja, 875b
kontrargumentować, 876b
kontrast, 250c *(niezgodność)*
kontrast, 1061b *(ostrość)*
KONTRASTOWAĆ, 805c
kontrastowo, 201d
kontrastowość, 1061c
kontrastowy, 205a
kontrasygnować, 629a
kontratak, 1000b
KONTRATAKOWAĆ, 44e
kontratenor, 4c
kontrdemonstracja, 875b
kontredans, 923a
kontrfagot, 206b

kontrkandydat, 451a
kontrnatarcie, 1000b
kontrofensywa, 1000b
kontroferta, 709a
    (oferta)
kontroferta, 1000d
    (współzawodnictwo)
kontrola, 160a *(egzamin)*
kontrola, 255 *(inspekcja)*
KONTROLER, 255b
kontrolka, 484a
kontrolnie, 510b
kontrolny, 687c
    (sprawdzający)
kontrolny, 1041b *(roboczy)*
kontrolować, 867b
kontrolować się, 867b
kontrolować sytuację, 234d
kontrolowanie, 549a *(nadzór)*
kontrolowanie, 1026c
    (zwierzchnictwo)
kontrolujący, 687c
kontroskarżenie, 833c
kontrować, 44e
kontrowersja, 250a
kontrowersyjnie, 473d
kontrowersyjność, 250c
kontrowersyjny, 465b
kontrpartner, 451a
kontrpropaganda, 707a
kontrpropozycja, 709a
kontrrewolucja, 776a
kontrrewolucjonista, 40b
kontrrewolucyjny, 715d
kontrtorpedowiec, 331d
kontruderzenie, 1000b
kontrwywiad, 1118c
kontrwywiadowca, 210b
kontrybucja, 555c
kontuar, 614a
kontur, 285c
konturować, 264a
konturówka, 605c
kontusz, 531d
KONTUZJA, 502e
kontuzjować, 256
kontuzjowany, 971a
kontynent, 1127d
kontynentalny, 313a
    (europejski)
kontynentalny, 893e *(ziemski)*
kontyngent, 931b
kontynuacja, 922d
kontynuator, 957c
kontynuować, 257
    (przedłużać trwanie)
kontynuować, 376d
    (snuć wątek)
kontynuowanie, 922d
kontysta↑, 230b
konurbacja, 576b

korelować, 383b
(kojarzyć fakty)
korepetycje, 409d
korepetytor, 410a
korepetytorstwo, 409d
KORESPONDENCJA, 309b *(list)*
korespondencja, 696b
(reportaż)
korespondencyjnie, 123c
korespondencyjny, 203c
korespondent, 149a *(reporter)*
korespondent, 933c *(partner)*
korespondować, 195a
(współbrzmieć)
KORESPONDOWAĆ, 661d
(pisać listy)
korki↓, 409d *(korepetycje)*
korki, 509c *(bezpieczniki)*
korkowacenie, 168b
korkowacieć, 942b
korkować, 1089d
korkowiec, 45c
korner, 1055a
kornet, 84a *(nakrycie głowy)*
kornet, 206b *(instrument)*
kornik, 778b
korodować, 482c
korodowanie, 1152a
korona, 31b *(klejnot)*
korona, 421c *(sklepienie)*
korona, 1026a *(rządy)*
korona mu z głowy
nie spadnie, 1067b
koronacja, 890a
koronka, 105b *(ozdoba)*
koronka, 548b *(plomba)*
koronka, 928b *(materia)*
koronkowo, 123a
koronkowy, 125c *(misterny)*
koronkowy, 741a *(ażurowy)*
koronny, 1005a
koronować, 1044d
korowód, 621a
korozja, 1152a
korporacja, 718b
korporacyjny, 896d
korporant↑, 959a
korpulencja, 387b
korpulentny, 186a
korpus, 75b *(tułów)*
korpus, 187b *(grupa)*
korpus, 517a *(oddział)*
korral, 328a
korrida, 1000c
korsarski↑, 22c
korsarstwo↑, 272a
korsarz, 574d
korso, 136c
kort, 607d
korumpować, 958e
korund, 31b

korupcja, 575e
korupcyjny, 22a
korweta, 331b
korybant↑, 197b
koryfeusz, 561b
korygować, 659d
korytarz, 136e *(ścieżka)*
korytarz, 153b *(dół)*
korytarz, 650d *(przedpokój)*
korytarzowiec, 57a
korytko, 639b
koryto↓, 1026d *(władza)*
koryto, 153a *(rów)*
koryto, 216c *(karmidło)*
koryto, 639b *(wiadro)*
korzec, 639b
korzenić się, 783c
korzenie, 623a *(geneza)*
korzenie, 1144e *(przyprawa)*
korzenioplastyka, 148e
korzennie, 916a
korzenny, 917c *(rześki)*
korzenny, 1175a *(pokarmowy)*
korzeń, 631a
korzonki↓, 70g
korzyć się, 987b
korzystać, 265
korzystanie, 865a *(czerpanie)*
korzystanie, 996a
(użytkowanie)
KORZYSTNIE, 119c *(dobrze)*
korzystnie, 266 *(niedrogo)*
KORZYSTNIE, 317a *(ładnie)*
korzystnie wyglądający, 318b
korzystny, 267
(zadowalający)
korzystny, 1177b *(dodatni)*
korzyść, 268 *(pożytek)*
korzyść, 997b *(zaleta)*
kosa↓, 486a *(nóż)*
KOSA, 486c *(rolnicza)*
koser, 486c
kosiarka, 486c *(kosa)*
kosiarka, 983c *(sprzęt)*
kosiarz, 782b
kosić, 265c *(skorzystać)*
kosić, 1073d *(zadźgać)*
kosmacić, 286b
kosmaty↓, 454a *(sprośny)*
kosmaty, 1028a *(owłosiony)*
kosmek, 519b
kosmetyczka, 11a
kosmetycznie, 1168c
kosmetyczny, 267d
(korektywny)
kosmetyczny, 339d *(pozorny)*
kosmetyk, 1091c
kosmetyka, 549b *(pielęgnacja)*
kosmetyka, 897a *(detal)*
kosmicznie↓, 12a
kosmiczny, 142c

kosmita, 674a
kosmodrom, 670a
kosmogonia, 421b
kosmonauta, 235b
kosmonautyka, 421b
kosmopolita, 746a
kosmopolityzm, 497b
kosmos, 421b
kosmyk, 1029a
koso↑, 464e
kosodrzewina, 277a
kosooki, 205c
kosówka, 277a
kosteczka, 271a
kostium, 531c *(ubranie)*
kostium, 531f *(opalacz)*
kostiumer, 505a
kostiumowość, 105d
kostiumowy, 6b *(fabularny)*
kostiumowy, 1013d
(zabawowy)
kostka, 547a
kostnica, 637c
kostnieć, 942b *(drewnieć)*
kostnieć, 1128c *(zmarznąć)*
kostnienie, 168b
kostny, 1005b
kostropato, 457c
kostropaty, 458e
kostucha, 911a
kostur, 237e
kostycznie↑, 464b
kostyczność, 1132b
kostyczny↑, 1b
kosy↑, 458d
kosz↓, 862b
(dyscyplina sportowa)
kosz, 524a *(odmowa)*
kosz, 639c *(kontener)*
kosz na śmieci, 429a
koszałki-opałki, 174b
koszara, 328a
koszarniak↓, 225b
koszarować, 354d
koszarowy, 454b
koszary, 57b *(budowla)*
koszary, 355c *(hotel)*
koszarzyć, 183e
koszerny↑, 522b
koszerować, 894f
KOSZMAR, 54c *(brzydota)*
koszmar, 828c *(mara)*
koszmarnieć, 12c
(niesamowicie)
koszmarnie, 184c *(strasznie)*
koszmarny↓, 884a
(przerażający)
koszmarny, 52b *(okropny)*
koszmarny, 142a *(spory)*
koszt, 555a *(należność)*
koszt, 1002a *(cena)*

kwatermistrz, 236a
KWATEROWAĆ, 354d
kwaterunek, 1026d
kwef, 1100b
kwefić, 918a
kwerenda, 10a
kwerendować, 9c
kweres, 443d
kwesta, 101d *(ofiara)*
kwesta, 555b *(składka)*
kwestia, 88e *(fragment)*
kwestia, 704a *(problem)*
kwestia, 866a *(pytanie)*
kwestia, 935b *(sprawa)*
KWESTIONARIUSZ, 3c
KWESTIONOWAĆ, 876b
kwestionowanie, 875a
kwestor, 230b
kwestować, 183a
kwestura, 229a
kwękać, 81d *(żałować)*
kwękać, 894c
    (zdradzać objawy)
kwiaciarka, 719e
kwiaciarnia, 835a
kwiaciasty, 1116b
kwiat, 187e *(towarzystwo)*
kwiat, 755c *(roślinność)*
kwiat wieku, 1020c
kwiatek↓, 704b
kwiczeć, 894e
kwiczenie, 191b
kwiczoł, 359e
kwiecić się, 783b
kwiecie, 755c
kwiecistość, 1061b
kwiecisty, 38b *(obfity)*
kwiecisty, 905b *(afektowany)*
kwiecisty, 1116a *(ozdobiony)*
kwiecisty, 1116b *(ozdobny)*
kwieciście, 317b *(pięknie)*
kwieciście, 439a *(sztucznie)*
kwietnik, 539a
kwietny, 1116a
kwietystyczny↑, 498a
kwietyzm, 497d
kwik, 191b
kwikanie, 191b
kwiknięcie, 191b
kwilenie, 191b *(odgłos)*
kwilenie, 1169d *(płacz)*
kwilić, 81e *(rozpaczać)*
kwilić, 613b *(zapłakać)*
kwilić, 894e *(wydać głos)*
kwintesencja, 912b
kwintet, 379d
kwit, 768c
kwita, 726e
kwitariusz, 484a
kwitek, 768c
kwitnąco, 317a

kwitnący, 318d
kwitnąć, 783b
kwitować, 629b *(poświadczyć)*
kwitować, 669a *(skwitować)*
kwiz, 1000c
kwoka↓, 242d *(matka)*
kwoka, 359e *(kura)*
kwokać, 894e
kworum, 187c
kwota, 600a *(fundusze)*
kwota, 789c *(ilość)*
kwotowy, 343b
kysz, 418f

L

laba, 1057d
labilnie↑, 473d
labilność, 1139d
labilny↑, 841c
labirynt, 136d *(droga)*
labirynt, 443b *(zamęt)*
labirynt, 919c *(zagadka)*
labiryntowy, 458a
laborant, 695a
laboratorium, 694a
laboratoryjnie, 123e
laboratoryjny, 687a
laczki, 506b
lać, 581a
lać łzy, 613b
lać się, 26d *(pobić się)*
lać się, 615a *(cieknąć)*
lać wodę, 376e
lada, 614a
lada jaki, 339e
ladaco, 330b
ladacznica, 244b
lafirynda, 244c
laga↓, 237e
laguna, 1030f
laicki, 433a *(dyletancki)*
laicki, 477c *(bezpartyjny)*
laicyzować, 159b
laik, 199b
lakier, 679c
lakierować, 13a *(malować)*
lakierować, 573a
    (dezinformować)
lakonicznie, 275a
lakoniczność, 1061d
lakoniczny, 274b
lala, 242g
laleczka, 242g
lalka, 242g *(babeczka)*
lalka, 288a *(marionetka)*
lalkowy, 290b
LALUSIOWATY, 1116d
laluś, 347g
lama, 224b

LAMENT, 833a *(skarga)*
LAMENT, 1169d *(rozpacz)*
lamentować, 81e
lamówka, 904e
LAMPA, 913d
lampa błyskowa, 913d
lampa kwarcowa, 913d
lampa naftowa, 913e
lampas, 904e
lampion, 913d
lampka nocna, 913d
lampka oliwna, 913e
lamus, 334b
lanca, 45d
lancet, 486a
lancetowaty, 113a
landara, 674c
lando↑, 638d
landrynkowy, 905b
landszaft, 501a *(wizerunek)*
landszaft, 922a *(kicz)*
lanie, 291
lansady, 807b
lansować, 1077c
LAPIDARNIE, 275a
lapidarność, 1061d
lapidarny, 274b
lapsus, 35a
larum, 191a *(krzyk)*
larum, 307a *(alarm)*
larwa↓, 242b *(jędza)*
larwa, 778b *(gąsienica)*
las, 141a *(dużo)*
las, 292 *(bór)*
las tropikalny, 292a
laseczka, 237c
lasek, 292a
laska↓, 242e *(dziewczyna)*
LASKA, 237e *(kostur)*
laska marszałkowska, 1026d
laskowy, 1178c
lasso, 1165b
lasy, 755b
lata, 86a *(termin)*
lata, 1020a *(rok)*
latać, 137d *(balansować)*
latać, 234a *(sterować)*
latać, 293
latać, 595b *(spieszyć się)*
latać, 722b *(podróżować)*
latać jak kot
    z pęcherzem, 879a
latać z wywieszonym
    językiem, 595b
latać za, 879c
latająca maszyna↑, 818b
LATAMI, 114a
latanie, 630a
latanina, 443d

lesbijstwo, 493c
leser↓, 304a
leserować, 303b
leszczynowy, 1178c
leśnictwo, 179c
leśniczówka, 57d
leśniczy, 551b
leśny↓, 831b
letarg, 828d
LETNI, 80a (ciepły)
letni, 339c (nieumiejętny)
letni, 487b (bezbarwny)
letnik, 746c
letnisko, 349b
letniskowy, 771a
lewacki, 24a
lewak, 40c (kontestator)
lewak, 646c (lewicowiec)
lewar, 157a
lewiatan, 674b
lewica, 559c (partia)
lewica, 886a (kierunek)
LEWICOWIEC, 646c
LEWICOWY, 645c
lewita, 224b
lewitacja, 807e
lewitować, 626c
lewy↓, 22a
leźć, 1011b (wkroczyć)
leźć, 1037a (piąć się)
leżak, 829b
LEŻAKOWAĆ, 520c
leżakować, 1138d
leżanka, 332a
leże, 153d (dziupla)
leże, 332b (legowisko)
leżeć↓, 987c
    (pozostawać w tyle)
leżeć, 71a (cherlać)
leżeć, 195d (pasować)
leżeć, 306
leżeć, 520c (leżakować)
leżeć, 557a (spóźnić się)
leżeć do góry brzuchem, 303a
leżeć w szpitalu, 297b
lędźwie, 262c
lęg, 401b (powicie)
lęg, 640a (potomstwo)
lęgnąć, 780c
lęgowisko, 576b
lęk, 307
lękać się, 8b
lękliwie, 473d (nieśmiało)
lękliwie, 473f (tchórzliwie)
lękliwość, 307b (obawa)
lękliwość, 567c (tchórzliwość)
lękliwy, 152a (nieufny)
lękliwy, 841d (strachliwy)
lgnąć, 243a (lubić)
lgnąć, 327d (przywierać)
lgnąć, 929a (utkwić)

libacja, 981c
liberalizacja, 1155a
liberalizm, 1155a
LIBERALIZOWAĆ, 320c
liberalnie, 115a
liberalny, 319a
liberał, 646b
liberałowie, 559c
liberia, 531c
libertyn, 960c
libertyński, 454c
libido, 827b
libretto, 148c (utwór)
libretto, 935c (fabuła)
LICEALISTA, 957b
licencja, 128a (świadectwo)
licencja, 1123b (pozwolenie)
licencjonowany, 700d
licentia poetica, 456d
liceum, 903c
liceum zawodowe, 903c
lichawy, 339a
licho↑, 840b (kiepsko)
licho, 111a (szatan)
licho, 448d (bieda)
licho, 1168c (niefachowo)
licho nie śpi, 92a
licho przyniosło, 736a
licho wie↓, 496d
lichota, 922b
lichtarz, 913e
LICHWA, 272b
lichwiarski, 178c
lichwiarz, 574c
lichy↑, 339a
lico, 886d (góra)
lico, 944c (oblicze)
licować, 195d
licytacja, 192c
licytacyjny, 178d (handlowy)
licytacyjny, 259c (likwidacyjny)
licytować, 193c
liczba, 187c (zbiorowość)
liczba, 789d (numer)
liczbowo, 123e
LICZBOWY, 343b
liczebnie, 123e
liczebność, 789c
LICZEBNY, 142e
liczenie, 768a
licznie, 37c (tłumnie)
licznie, 684d (obficie)
licznik, 350a (czujnik)
licznik, 1120a (zegarek)
licznik bije, 545c
liczny, 142e
liczyć, 545c (indykować)
liczyć, 545e (kwantyfikować)
liczyć, 508a
    (znokautowanego)
liczyć na, 87b

liczyć się, 847a
liczyć się z, 995a
liczyć sobie, 545c
liczyć sobie ileś wiosen↑, 545c
LICZYĆ ZA, 269b
liczykrupa, 834a
lider, 236b (przywódca)
lider, 1166b (zwycięzca)
lido, 1046a
liga, 559a (stowarzyszenie)
liga, 1000c (zawody)
lignina, 548a
likier, 2c
likwidacja, 976a (zniesienie)
likwidacja, 1075c
    (morderstwo)
likwidacja, 1152b (rozbiórka)
LIKWIDACYJNY, 259c
LIKWIDOWAĆ, 260d
likwidować, 612b (finansować)
likwidować, 1064c
    (wyzbyć się)
likwidować, 1073c (uśmiercić)
likwor, 2c
lila, 14g
liliowy, 14g
lilipuci, 337b
liliput, 674d
liman, 1030f
limeryk, 1171b
LIMIT, 182c
limitacja, 734a
LIMITOWAĆ, 1142c
limitowany, 337d
limo↓, 1144c
limon, 579c
limuzyna, 638a
lina, 904a
lincz, 723a
linczować, 1073b
linearny, 803c
lingua franca, 221b
lingwistyczny, 411e
linia, 136a (trasa)
linia, 285c (profil)
linia, 308 (prosta)
linia, 350c (miarka)
linia, 812a (szereg)
linia, 925a (moda)
linia demarkacyjna, 182b
linia horyzontu, 182b
linia komunikacyjna, 136b
linia podziału, 182b
LINIA ŻYCIA, 314a
liniał, 350c
linieć, 1138e
linijka, 88e (fragment)
linijka, 308a (prosta)
linijka, 350c (miarka)
linijka, 812b (rządek)
liniować, 809a

lubić pociągnąć, 526c
lubić się, 243a
lubić się napić, 526c
lubić sobie łyknąć, 526c
lubić wypić, 526c
lubieżnie, 453b
lubieżnik, 347i
lubieżność, 793a
lubieżny, 454c
lubo↑, 920g
lubość, 363a
lubować się, 315
lubowanie się, 363a
luby↑, 673d *(ulubiony)*
luby, 347f *(narzeczony)*
lucyfer, 111a
lucyper, 111a
LUD, 861c
lud pracujący, 861c
ludek, 288a
ludnie↑, 726d
ludno↑, 726d
ludność, 861b
ludny, 1158c
ludobójca, 729c
ludobójstwo, 1075a
ludojad, 674b
ludowładztwo, 868b
ludowość, 652b
LUDOWY, 893c
ludożerca, 674b
ludożerczy, 22c
ludożerstwo, 1131c
ludyzm, 899c
LUDZIE, 89b *(człowiek)*
ludzie, 187b *(grupa)*
LUDZIE, 538d
ludzie, 764a *(publiczność)*
ludzie, 861b *(naród)*
ludzik, 288a
ludziska, 538d *(ludzie)*
ludziska, 861c *(lud)*
LUDZKI, 319a *(humanitarny)*
ludzki, 893a *(człowieczy)*
ludzki ród, 89b *(ludzie)*
ludzki ród, 861a *(cywilizacja)*
ludzkość, 117c
   (wspaniałomyślność)
ludzkość, 861a *(cywilizacja)*
LUFCIK, 541a
luft, 541a
luka, 35d *(brak)*
luka, 153e *(otwór)*
luka, 733b *(odległość)*
lukier, 679d
lukratywny, 267c
lukrować, 727a
luksus, 387c
luksusowo, 854c
luksusowy, 270a
lukullusowy, 38b

lulać, 851c
lumbago, 70g
luminarz, 561b
luminescencja, 706a
lump↓, 330a *(łajdak)*
lump, 429a *(śmieć)*
lumpenproletariat, 861c
lumpować, 15e
lumpowski, 22c
luna↑, 283a
lunapark, 539b
lunatycznie, 681b
lunatyczny, 572a
lunatyk, 431b
lunatyzm, 432b
lunąć, 26a *(uderzyć)*
lunąć, 581a *(mżyć)*
luneta, 316
lupa, 316a
lupanar, 355c
lura, 399b
lurowaty↓, 808h
lusterko, 316a
lustracja, 255a
lustrator, 255b
lustro, 316a
lustrować, 589a *(popatrzeć)*
lustrować, 867b
   (inspekcjonować)
lustrzany, 205a *(odbity)*
lustrzany, 803b
   (wypolerowany)
luteranizm, 772c
lutnia, 206a
lutować, 326d *(spajać)*
lutować, 400c *(łatać)*
luty↑, 1129b
luz↓, 1057a *(odpoczynek)*
luz, 733a *(przestrzeń)*
luz, 860a *(opanowanie)*
luzacki↓, 956e
luzacko↓, 892c
luzak↓, 347g
luzem, 817f
luzować, 320c *(liberalizować)*
luzować, 1102a *(wyręczyć)*
luźno↓, 892a *(poufale)*
luźno, 121c *(mimochodem)*
luźny, 142f *(obszerny)*
luźny, 474c *(nieprecyzyjny)*
luźny, 754a *(przygodny)*
lycra, 928c
lżyć, 736d

Ł

łabędzi, 113a
łach, 531a
łacha, 1030f
łachman, 429a *(śmieć)*

łachman, 531a *(ubrania)*
łachmaniarz, 27a
łachmany, 531a
łachmyta, 27a
łachudra↓, 330a
łachy, 531a
łaciaty, 14b
ład, 94a *(czystość)*
ŁAD, 664a *(porządek)*
ładnie, 317
ładny, 318
ładować, 571b *(inwestować)*
ładować, 973b *(włożyć)*
ładować, 1092c *(nakłaść)*
ładować się, 1011b
ładowny, 142f
ładunek, 45b *(amunicja)*
ładunek, 82b *(brzemię)*
ładunek, 931b *(dostawa)*
łagodnie, 115a *(życzliwie)*
łagodnie, 858c *(cicho)*
łagodnieć, 358a
łagodność, 117a
łagodny, 319 *(liberalny)*
łagodny, 435b *(uleczalny)*
łagodny, 474d *(stopniowy)*
ŁAGODZĄCO, 115c
łagodząco, 858a
ŁAGODZĄCY, 319c *(hamujący)*
łagodzący, 654a *(kojący)*
łagodzić, 320
łagodzić, 985a
łajać, 167c *(strofować)*
łajać, 736d *(naskakiwać)*
łajanie, 225a *(nagana)*
łajanie, 833a *(lament)*
łajba↓, 331a
łajdacki, 471b *(arogancki)*
łajdacki, 1013d *(hulaszczy)*
łajdacko, 892c
łajdactwo, 1131a
łajdaczka, 244c
łajdaczyć się, 15e
ŁAJDAK, 330a
łajno, 412a *(nawóz)*
łajno, 429d *(odchody)*
łajza↓, 330a *(łajdak)*
łajza, 27a *(nędzarz)*
ŁAKNĄĆ, 65b
łaknienie, 67b
ŁAKOMCZUCH, 1170a
łakomić się, 65b
ŁAKOMIE, 68c
ŁAKOMSTWO, 66a
łakomy, 671d *(chciany)*
łakomy, 1074b *(zachłanny)*
łamać, 104d *(obtrącić)*
łamać, 402a *(ignorować)*
łamać, 483e *(kruszyć)*
łamać, 483e *(kruszyć)*

manifest, 713b *(apel)*
manifestacja, 875b *(protest)*
manifestacja, 1119b
 (zgromadzenie)
manifestacyjnie, 577a
manifestacyjny, 218a
manifestant, 40c
manifestować, 702d
manipulacja, 211a
 (machinacje)
manipulacja, 575c
 (nabieranie)
manipulacja, 690d *(czynność)*
manipulować, 234a *(sterować)*
manipulować, 234d *(trząść)*
manipulować, 241a *(chytrzyć)*
manipulowanie, 211a
 (machinacje)
manipulowanie, 575c
 (nabieranie)
mankament, 35b
manko, 35d
manowce, 136d
mansarda, 685a
manto, 291b
mantyka, 590b
manualnie, 817g
manualny, 562c
manuskrypt, 282a
mapa, 608c
MARA, 828b
maran, 196d
maraton, 1000c
maratoński, 937d
marazm, 17b *(zastój)*
marazm, 497d *(bierność)*
marchew, 1003b
marchewka, 1003b
marchia, 585b
margać↓, 175b
margaryna, 930a
marginalia, 897c *(margines)*
marginalia, 1094c *(zapisek)*
marginalny, 122b
 (uzupełniający)
marginalny, 1133d
 (podrzędny)
margines, 182a *(brzeg)*
margines, 289c *(podkultura)*
MARGINES, 897c *(nawias)*
margines społeczny, 861c
marginesowy, 122b
 (uzupełniający)
marginesowy, 1133d
 (podrzędny)
margnąć, 521a
margrabia, 36b
mariaż, 781d *(małżeństwo)*
mariaż, 1130c *(unia)*
marihuana, 752a
MARIONETKA, 288a *(lalka)*

marionetka, 431c *(pionek)*
marionetkowy, 1088d
marka↑, 1146h *(oznaka)*
marka, 1002c *(jakość)*
MARKA, 1146f *(znak)*
marketing, 608a
markierant, 304a
markiza, 1100a
MARKOTNIEĆ, 340c
markotny, 850a
markować, 573d
markowy, 118d
marksista, 646c
marmolada, 219e
marmur, 222b
marmurowy, 73a
marnie, 840b *(kiepsko)*
marnie, 1168c *(niefachowo)*
MARNIEĆ, 30d
MARNOŚĆ, 417c
marnota, 668a *(przeciętność)*
marnota, 922a *(kicz)*
marnotrawca, 197b
marnotrawić, 265d *(zażywać)*
marnotrawić, 883e
 (roztrwaniać)
marnotrawienie, 338a
marnotrawny, 1133c
marnotrawstwo, 338
marnować, 483a *(zepsuć)*
marnować, 883e *(roztrwaniać)*
marnować się, 482a
marnowanie, 338a
marny, 339
marsowy, 1133b
marsz, 807d
marszałek, 236c
marszczenie, 287a
marszczyć, 286b
marszczyć się, 104c
marszruta, 136a
martwa litera, 417c
martwić, 340
martwić się, 340b
martwo, 858b
martwota, 17c *(zastój)*
martwota, 860b *(cisza)*
martwy, 341 *(nieżywy)*
martwy, 447f *(papierowy)*
martyrologia, 42a
maruda, 431b *(guzdrała)*
maruda, 590b *(malkontent)*
maruder, 431b
maruderstwo, 432b
marudnie, 681b
marudny↓, 1d
marudzenie, 407b
 (nudziarstwo)
marudzenie, 475b
 (malkontenctwo)
marudzić, 81d *(żałować)*

marudzić, 376e *(gadać)*
marudzić, 557c *(mitrężyć)*
marudzić, 1044a *(wahać się)*
mary, 332b
marynarka, 531c *(ubranie)*
marynarka, 1031a *(armia)*
marynarski↓, 808d
marynarz, 40a
marynować, 756f
marynować talent, 883d
marynowany, 750e
marząco, 361a
marzący, 364c
marzenia, 67e
marzenie, 67e *(życzenie)*
marzenie, 365a *(wzór)*
marznąć, 1128c
marzy mi się, 1082b
marzyciel, 198a
marzycielski, 364c
marzycielsko, 361a
marzyć, 342
marża, 555e
masa, 49a *(blok)*
masa, 219d *(potrawa)*
masa, 538a *(mnóstwo)*
masa, 538c *(tłum)*
masa, 679d *(polewa)*
masa, 887d *(materiał)*
masa plastyczna, 610a
masakra, 1075a
masakrować, 26c *(męczyć)*
masakrować, 1073c
 (uśmiercić)
masami, 684b
masę, 141a
maska, 642b *(przykrywa)*
maska, 767c
 (nienaturalność)
maska, 1100b *(zasłona)*
maskarada, 200e
maskaradowy, 1013d
maskotka, 813c
maskować, 573d *(symulować)*
maskować, 918a *(kryć)*
maskować się, 573e
maskujący, 503b
masło, 930a
masmedia, 202f
masochizm, 42a
masoneria, 559a
masoński, 969b
MASOWAĆ, 132c
masowo, 684a
masowy, 142e *(liczebny)*
masowy, 1148c *(typowy)*
masówka, 1119b
mastodont, 742a
masturbacja, 827c
masturbować, 243e
masy, 861c

mediumiczny, 480b
medycyna, 296a
medycyna naturalna, 295c
medycyna
   niekonwencjonalna, 295c
medyczny, 346
MEDYK, 299b
medykament, 298a
medytacja, 384b
medytacyjny, 859a
medytować, 383a
mefisto, 111a
mefistofeles, 111a
mefistofeliczny↑, 480c
megafon, 156d
megaloman, 1004a
megalomania, 767a
megalomański, 139c
megiera, 242b
melancholia, 17b
   (zniechęcenie)
melancholia, 1169c *(smutek)*
melancholiczny↑, 850b
melancholijnie, 849c
melancholijność, 1169c
melancholijny, 364c
   (nastrojowy)
melancholijny, 850b
   (nieszczęśliwy)
melancholik, 590a
melanż, 887b
meldować, 204b
meldować się, 204b
   (opowiedzieć)
meldować się, 745d *(zawitać)*
meldunek, 872b
melina↓, 826c
melinować, 183d
melinować się, 918b
melioracja, 658d
meliorować, 891a
melodia, 156a *(brzmienie)*
MELODIA, 379a *(muzyka)*
melodramatycznie, 439b
melodramatyczny, 905b
melodyjny, 6a
meloman, 1164c
melon, 579c
melonik, 84a
memento, 991c
memorandum, 309b
memoriał, 309b
   (korespondencja)
memoriał, 1000c *(zawody)*
men↓, 347g
menadżer, 717b
menażer, 719d
menażeria, 1109a
menażka, 386c
menda, 27a
menedżer, 236a

menel↓, 330a
menopauza, 1020d
menora, 913e
MENSTRUACJA, 276b
mentalność, 64a
mentalny↑, 763b *(umysłowy)*
mentalny, 99c *(zdalny)*
mentor, 410a *(dydaktyk)*
mentor, 590b *(malkontent)*
MENTORSKI, 552c
menu, 310b
menuet, 923a
menzurka, 59b
MERDAĆ, 333d
mereżka, 105b
meritum, 912b
merkantylnie, 463a
merkantylny, 353b
merytorycznie, 345c
merytoryczny, 1005a
mesel↑, 486b
mesjasz, 41a
meszek, 1029c
meta↓, 826c *(ukrycie)*
meta, 1086a *(koniec)*
metafizyczny, 937b
METAFORA, 725a
metaforycznie, 5a
metaforyczny, 203d
metalicznie, 213a
metaliczny, 750d
METALOWY, 888a
metamorfoza, 1136b
metempsychoza, 1136b
meteor, 1139c *(ulotność)*
meteor, 1139c *(kometa)*
meteorologiczny, 238a
metka, 1146f
metkować, 415b
METODA, 863a
metodycznie, 609a
metodyczny, 978a
metonimia, 725b
metr, 350c
metraż, 789b
metresa, 244a
metropolia, 349b
metropolita, 224c
metropolitalny, 1005c
metrum, 350b
metryka, 128a
metys, 89a
mewka↓, 244b
mezalians, 781d
mezzosopran, 4c
męczarnia, 42a *(cierpienie)*
męczarnia, 690f *(wysiłek)*
męcząco, 213c *(dokuczliwie)*
męcząco, 426a *(nużąco)*
męczący, 487a *(nużący)*
męczący, 750c *(drażniący)*

MĘCZĄCY, 937d *(żmudny)*
MĘCZENNIK, 532a
męczeństwo, 42a
męczliwy, 841a
MĘCZYĆ, 26c
męczyć, 280b *(ciemiężyć)*
męczyć, 691e *(odmachnąć)*
męczyć, 788c *(obradować)*
męczyć, 1073c *(uśmiercić)*
MĘCZYĆ SIĘ, 81a *(cierpieć)*
męczyć się, 1135a
   (zmęczyć się)
męczydusza, 590b
męderały↑, 75e
mędrek, 1004a
mędrkować, 1067a
mędrzec, 960a
męka, 42a
męka pańska, 42a
męki tantala↑, 67a
męski, 318b
MĘSTWO, 528a
mętlik, 443b
mętnie, 473d
mętnieć, 32a
mętny, 22a *(podejrzany)*
mętny, 474a *(zbełtany)*
mętny, 937a *(zawiły)*
męty, 861c *(łobuzeria)*
męty, 887b *(fusy)*
mężatka, 242c
mężczyzna, 347
MĘŻNIE, 163b
mężnieć, 783b
mężny, 529a
mężulek, 347c
mężuś, 347c
mgielny↑, 841f
mglisto, 473e
mglistość, 437b
mglisty, 474a
mgliście, 473e
mgła, 143a *(opar)*
mgławica, 143a
mgławicowy↑, 474b
mgnienie, 86e
miał, 887d
miałki↑, 339c *(naskórkowy)*
miałki, 808i *(sypki)*
miałko↑, 1168c
MIANO, 414a
mianować, 1044d
mianować się, 415d
mianowanie, 890a
MIANOWANY, 396b
mianowicie, 656c
miara, 182c *(limit)*
miara, 350b *(wskaźnik)*
MIARKA, 350c
miarkować, 102a *(dozować)*
miarkować, 320a *(koić)*

277

nacechowany, 1148a
nachalnie↓, 692c
NACHALNOŚĆ, 407b
nachalny↓, 1c
nachapać się↓, 1117c
nachmurzony, 850a
nachmurzyć się, 175a
  (dąsać się)
nachmurzyć się, 340c
  (markotnieć)
nachodzić, 397a (zaczepiać)
nachodzić, 736a (nagabywać)
nachylić, 514a
nachylony, 458d
naciąć, 749b (szykować)
naciąć, 1156c (wyłudzić)
naciąć, 1174a (dziabać)
naciąć się, 381d (oszukać się)
naciąć się, 864a (spotykać)
NACIĄGACZ, 574c
NACIĄGAĆ, 398a (napinać)
naciągać, 573a
  (dezinformować)
naciągać, 1077d (bałamucić)
naciągać, 1156c (wyłudzić)
naciąganie, 668c
naciągany, 450d
naciągnąć, 949a (ubrać)
naciek, 502c
nacierać, 132c (masować)
nacierać, 397b (uderzać)
nacierać, 848a (rozprowadzić)
nacieszyć się, 315a
nacięcie, 153f
nacisk, 221d (akcent)
nacisk, 723e (przymus)
naciskać, 129b (napominać)
naciskać, 747a (przyłożyć)
nacisnąć, 397b
nacja, 861b
nacjonalista, 451e
NACJONALISTYCZNY, 19d
nacjonalizacja, 1130e
nacjonalizm, 424c
nacjonalizować, 1156b
NACZELNIK, 236a
naczelny, 1005c
NACZYNIA, 386a
naczynie, 386
naćkać, 973b
naćkany, 1158c
naćpanie się↓, 527a
NAĆPANY↓, 572c
nad podziw↑, 12b
nad ranem, 1008a
nad wyraz↑, 12b
nadać, 98d (przewłaszczyć)
nadać, 1065a (wysłać)
nadać, 1077d (naraić)
nadać imię, 415a
nadać się, 145c

nadać tytuł, 1044d
NADAJNIK, 983d
nadal, 938a
nadanie, 101b (darowizna)
nadanie, 701b (akt prawny)
nadanie, 890a (mianowanie)
nadany, 396b
nadaremnie, 446b
nadaremny↑, 447b
nadarzyć, 873d
NADARZYĆ SIĘ, 403d
nadawać, 792a (publikować)
nadawać, 376e (gadać)
nadawać kształt, 286a
  (modelować)
nadawać kształt, 945b
  (urzeczywistnić)
nadawać na, 736c (skarżyć)
nadawać się, 1082b
nadawanie, 706a
nadąć, 1092d
nadąsać się, 175a
nadąsany, 476a
nadążać, 126b (zdążyć)
nadążać, 252b (dorównywać)
nadążać, 796a (pojmować)
nadbiec, 1110d
nadbitka, 263b
NADBRZEŻE, 1046a
nadbrzeżny, 33a
nadbudowa↑, 382b
nadbudować, 1161c
nadbudówka, 57a
nadchodzić, 1110d
nadciągać, 1110d
nadczuły, 388c
naddać, 1161a
naddatek, 387a
naddruk, 263b
nade wszystko, 12f
nadejście, 744a
nadejść, 403b (nastać)
nadejść, 1110d
  (przybliżać się)
nadepnąć, 747a
nadepnąć na odcisk, 108b
nader↑, 12b
naderwać, 560d
naderwać się, 256b
  (odnieść rany)
naderwać się, 596a
  (obrywać się)
nadesłać, 98a
NADĘTOŚĆ, 767c
nadęty↓, 139c (niedostępny)
nadęty, 476a (nierad)
nadęty, 905b (afektowany)
nadfiolet, 706a
nadfioletowy, 14e
nadfiołkowy, 14e
nadgniły, 73d

nadgodziny, 690b
nadgonić, 1081c
nadgorliwiec, 845a
nadgorliwość, 844a
nadgorliwy, 388c
nadgraniczny, 33a
nadgryzać, 43d
nadjechać, 1110d
nadjechanie, 744a
nadjeżdżać, 1110d
nadkładać, 1161a
nadlatywać, 1110d
nadliczbowy, 122c
nadliczbówki↓, 690b
nadludzki, 142c
nadłożyć, 1161a
nadmiar, 387
nadmiarowy, 447a
nadmienić, 376d
nadmiernie, 726b
nadmierny, 388
nadmuchać, 973c
  (umieszczać)
nadmuchać, 1092d (nadziać)
nadobność, 602b
nadobny↑, 318a
NADOBOWIĄZKOWO, 121a
nadobowiązkowy, 122c
nadopiekuńczość, 567c
nadplanowy, 122c
nadpłata, 387a
nadpłynąć, 1110d
nadpobudliwość, 1035a
nadpobudliwy, 416b
nadpodaż, 387a
nadprodukcja, 387a
nadprogramowo, 121a
NADPROGRAMOWY, 122c
NADPRZYRODZONY, 480a
nadpsuty, 881a
nadpsuty, 73d
nadrabiać miną, 573e
nadrabiać straty, 1081c
nadrobić, 756a
nadrobić opóźnienie, 1081c
nadruk, 628b (napis)
nadruk, 1068c (deseń)
NADRZĘDNY, 1005c
NADSKAKIWAĆ, 825b
NADSKAKIWANIE, 844a
nadskakująco, 361b
nadskakujący, 364b
nadspodziewanie↑, 12b
nadspodziewany, 392b
nadstawiać, 749d
nadstawiać głowy, 810a
nadstawiać ucha, 843a
nadstawić, 749d
NADSTAWIĆ KARKU, 810a
nadsyłać, 98a
NADSZARPNĄĆ, 560a

nieosiągalny, 937c
nieosobowy, 465a
NIEOSTRO, 473e *(niewyraźnie)*
NIEOSTRO, 800f *(tępo)*
nieostrożnie, 18b
nieostrożność, 300d
nieostrożny, 301b
nieostry, 474a *(niewyrazisty)*
nieostry, 971e *(stępiony)*
nieoswojony, 152a
nieoszacowany↑, 673d
nieoszczędnie, 173a
nieoszczędność, 338a
nieoszczędny, 1133c
NIEOŚWIECONY, 172c
NIEOŻYWIONY, 341c
niepakowny, 337e
niepalny, 939b
niepamięć, 527a
niepamiętny, 881b
nieparlamentarnie, 464a
nieparlamentarny, 454a
niepedagogiczny, 109b
niepełnoletni, 366a
niepełnoprawny, 440b
niepełnosprawność, 70f
niepełnosprawny, 72b *(kaleki)*
NIEPEŁNOSPRAWNY, 971b
    (kaleka)
niepełność, 35c
niepełnowartościowy, 971d
niepełny, 440
niepewnie, 473d
niepewność, 1006a
niepewny, 22a *(podejrzany)*
niepewny, 420d *(ryzykowny)*
niepewny, 460d
    (niezdecydowany)
niepewny, 465b *(sporny)*
niepewny, 466a
    (niekompetentny)
niepewny, 731b
    (zawstydzony)
niepewny, 971b *(zawodny)*
niepewny, 1140a *(niestały)*
niepięknie, 53a
niepiękny, 52a
niepijący, 821a
niepisany, 881d
niepiśmienny, 172c
    (nieoświecony)
niepiśmienny, 199a *(dyletant)*
nieplanowany, 754a
nieplanowy, 754a
niepłatny, 267c
niepłochliwy, 529a
niepłodny, 341b
niepłonny, 594c
niepobłażliwie, 464e
niepochlebnie, 464d
niepochlebny, 166b

niepociągająco, 53a
niepociągający, 52a
niepocieszony, 850a
niepoczesny, 339a
niepoczytalność, 493a
niepoczytalny, 205e
niepoczytny, 442b
niepodatność, 832d
niepodatny, 139d
niepodległościowy, 798b
niepodległość, 1032c
niepodległy, 477b
niepodobieństwo, 455c
niepodobna, 418c
niepodobny, 205a
niepodporządkowanie się,445a
niepodważalnie, 592b
niepodważalność, 593c
niepodważalny, 594a
niepodzielnie, 817b
niepodzielność, 1130c
niepodzielny, 1025c
    (absolutny)
niepodzielny, 1158b
    (całkowity)
niepoetycznie, 1167c
niepoetyczny, 712a
niepogoda, 441
NIEPOGODNY, 850a
niepohamowanie, 830a
niepohamowany, 152b
    (nieokiełznany)
niepohamowany, 831e
    (przemożny)
niepojemny, 337e
niepojętność, 174e
niepojętny, 172b
niepojęty, 465d *(tajemniczy)*
niepojęty, 937b
    (niezrozumiały)
niepokalaność, 468a
niepokalany, 95c
niepokaźnie, 840b
niepokaźny, 337a *(nieduży)*
niepokaźny, 900b *(skromny)*
niepokoić, 127a *(dolegać)*
NIEPOKOIĆ, 340a *(smucić)*
niepokoić się, 8b *(obawiać się)*
niepokoić się, 340b
    (kłopotać się)
niepokojąco, 209a
    (intrygująco)
NIEPOKOJĄCO, 184b
    (zastraszająco)
niepokojący, 77a
    (podniecający)
NIEPOKOJĄCY, 166a
    (alarmistyczny)
niepokoje, 776c
niepokonany, 529b
niepokornie, 464c

niepokorny, 1084a
niepokój, 307b
niepokupny, 442b
niepomiernie↑, 12f
niepomierny, 142d
niepomyślnie, 1168b
NIEPOMYŚLNOŚĆ, 448a
NIEPOMYŚLNY, 166b
nieponętnie, 53a
nieponętny, 52a
niepopłatność, 279c
niepopłatny, 447h
niepoprawnie, 1168a
niepoprawność, 35b
niepoprawny, 693c
    (niezmordowany)
niepoprawny, 1133c *(błędny)*
niepopularność, 424a
niepopularny, 442
nieporadnie, 681b
nieporadność, 432c
nieporadny, 479b
nieporęcznie, 1168g
nieporęczność, 734c
nieporęczny, 447g
    (niepraktyczny)
nieporęczny, 472b
    (niepożądany)
nieporozumienia, 250a *(spór)*
nieporozumienie, 35a
    (pomyłka)
nieporównanie, 12e
nieporównany, 1052b
nieporównywalnie, 12e
nieporównywalny, 388b
nieporuszenie, 858b
nieporuszony, 139d
    (niewzruszony)
nieporuszony, 859a
    (nieruchomy)
nieporządek, 443
nieporządnie, 444
NIEPORZĄDNY, 430a
nieposkromiony, 152b
    (nieokiełznany)
nieposkromiony, 164b
    (witalny)
nieposłuszeństwo, 445
nieposłusznie, 464c
NIEPOSŁUSZNY, 1084a
niepospolicie↑, 12e
niepospolitość, 563c
niepospolity, 1052b
niepostępowy, 881d
niepostrzeżenie, 144c
nieposzanowanie, 300a
nieposzlakowanie, 523f
nieposzlakowany, 95c
    (nietknięty)
nieposzlakowany, 698c
    (modelowy)

niepośledni, 1052b
niepośpieszny, 460c
niepotrzebnie, 446
niepotrzebny, 447
niepowabny, 52a
niepoważnie, 18a
niepoważny, 466b
niepowetowany, 750a
niepowierzchowny, 344e
niepowodzenie, 448
niepowołany, 1133e
niepowstrzymanie, 938c
niepowstrzymany, 76b
niepowszedni, 1052b
niepowszedniość, 563c
niepowściągliwość, 793a
niepowtarzalność, 563c
niepowtarzalny, 1052a
niepoznawalny, 465d
niepozornie, 840b
niepozorny, 339a *(niedobry)*
niepozorny, 487b *(bezbarwny)*
NIEPOŻĄDANY, 472b
(nieproszony)
niepożądany, 1133e
(niepowołany)
niepożywny, 808h
NIEPRAKTYCZNY, 447g
nieprawda, 575a
NIEPRAWDOPODOBIEŃSTWO,
455a
nieprawdopodobnie, 12b
nieprawdopodobny, 438a
(niewykonalny)
nieprawdopodobny, 1052c
(nadzwyczajny)
nieprawdziwie, 449
nieprawdziwy, 450
(rzekomy)
nieprawdziwy, 905a
(nienaturalny)
nieprawidłowo, 1168a
nieprawidłowość, 35c
(niesprawność)
NIEPRAWIDŁOWOŚĆ, 456c
(nieregularność)
nieprawidłowy, 1133c
nieprawnie, 184a
(krzywdząco)
nieprawnie, 1168e
(niedopuszczalnie)
nieprawny, 22b
nieprawomocny, 447e
nieprawomyślnie, 463a
nieprawomyślność, 1118a
nieprawomyślny, 715b
NIEPRAWOŚĆ, 1131b
nieprawowierność, 1118a
nieprawowierny, 773f
nieprawowity↑, 22b
nieprawy↑, 22b *(nielegalny)*

nieprawy↑, 390b
(niestosowny)
NIEPRECYZYJNIE, 473c
nieprecyzyjność, 437a
NIEPRECYZYJNY, 474c
nieprędki, 460c *(powolny)*
NIEPRĘDKI, 689c *(nierychły)*
nieprędko, 688b
nieproduktywnie, 446b
nieproduktywność, 338a
nieproduktywny, 447c
nieprofesjonalista, 199b
nieprofesjonalnie, 1168c
nieprofesjonalny, 433a
nieproporcjonalnie, 726a
nieproporcjonalność, 388b
(niewspółmierny)
nieproporcjonalny, 458c
(niejednakowy)
nieprosty, 458a *(krzywy)*
nieprosty, 937a *(niełatwy)*
nieproszony, 472b
NIEPROSZONY GOŚĆ, 210a
nieprzebłagany↑, 24b
nieprzebrany, 142e
nieprzebyty, 937c
nieprzeciętnie, 12e
nieprzeciętność, 563c
nieprzeciętny, 1052b
nieprzejednanie, 979b
(bezwzględność)
nieprzejednanie, 1114b
(twardo)
nieprzejednany, 24b
nieprzejezdny, 428a
nieprzejrzany↑, 969a
(niezgłębiony)
nieprzejrzany, 142d *(rozległy)*
nieprzejrzysty, 474a
nieprzejrzyście, 473a
nieprzekładalny, 465d
nieprzekonująco, 473d
nieprzekonujący, 461b
nieprzekonywająco, 473d
nieprzekonywający, 461b
nieprzekraczalny, 259a
nieprzekupność, 955b
nieprzekupny, 956a
nieprzeliczony, 142e
nieprzemakalny, 478c
nieprzemijający, 939a
nieprzemijalność, 940b
nieprzemożony, 831e
nieprzemyślany, 301b
nieprzenikliwy, 478c
nieprzenikniony, 465d
(tajemniczy)
nieprzenikniony, 969a
(schowany)
nieprzeparcie↑, 830a
nieprzeparty↑, 831e

nieprzepisowo, 1168e
nieprzepisowy, 22b
(nielegalny)
nieprzepisowy, 1133e
(nieodpowiedni)
nieprzepuszczający, 478c
nieprzepuszczalny, 478c
nieprzerwanie, 938c
nieprzerwany, 76b
(bezustanny)
nieprzerwany, 478b
(bezawaryjny)
nieprzesiąkalny, 478c
nieprzestrzeganie, 723a
nieprześcigniony, 1052b
nieprzetłumaczalny, 465d
nieprzewidywalny, 466b
nieprzewidzianie, 391a
nieprzewidziany, 392b
nieprzezorny, 301a
nieprzezroczysty, 474a
nieprzezwyciężony, 831e
NIEPRZYCHYLNIE, 425d
(wrogo)
nieprzychylnie, 464d
(niepochlebnie)
nieprzychylność, 424a
nieprzychylny, 452a *(wrogi)*
NIEPRZYCHYLNY, 715a
(niełaskawy)
nieprzydatność, 16b
(daremność)
nieprzydatność, 417c
(marność)
nieprzydatny, 447a
nieprzyjaciel, 451
nieprzyjacielski, 715a
nieprzyjazny, 166b
(niepochlebny)
nieprzyjazny, 452
(niechętny)
nieprzyjazny, 715a
(niełaskawy)
nieprzyjaźnie, 464d
NIEPRZYJEMNIE, 53b
(niemiło)
nieprzyjemnie, 464d
(wyniośle)
nieprzyjemnie, 473f
(nieswojo)
nieprzyjemność, 704d
nieprzyjemny, 472c *(obcy)*
NIEPRZYJEMNY, 750b
(przykry)
nieprzyjemny, 1129a
(nieprzytulny)
nieprzymuszenie, 817c
nieprzymuszony, 477f
nieprzypadkowo, 854b
NIEPRZYPADKOWY, 594b
nieprzystający, 1133e

niewyrozumiały, 24b
niewysłowiony, 465d
niewysoki, 337b
niewysoko, 34b
niewyspany, 1134c
niewystarczająco, 1168d
NIEWYSTARCZAJĄCY, 337e
(skromny)
niewystarczający, 339c
(niedostateczny)
niewystarczalność, 35c
niewystawny, 712a
niewyszukanie, 1167a
niewyszukany, 712a
niewytłumaczalność, 919b
niewytłumaczalny, 937b
niewytłumaczony, 937b
niewytrzymały, 841a
niewyżyty, 1074b
niewzruszenie, 1114b
niewzruszoność, 593d
NIEWZRUSZONY, 139d
(nieczuły)
niewzruszony, 594a *(pewny)*
NIEZAANGAŻOWANIE, 497b
NIEZAANGAŻOWANY, 498c
niezabawny, 487a
niezachwianie, 1114b
niezachwiany, 529c
(nieugięty)
niezachwiany, 939b *(odporny)*
niezadługo, 1096b
niezadowalająco, 1168d
niezadowalający, 339c
niezadowolenie, 475
niezadowolony, 476
niezajęty, 766b
niezajmująco, 426a
niezajmujący, 487a
niezakłamany, 956e
niezależnie, 817a
niezależnie od, 920f
NIEZALEŻNOŚĆ, 1032c
niezależny, 477
niezamącony, 939b
niezamężna, 242c
NIEZAMOŻNIE, 28a
niezamożność, 448d
niezamożny, 29a
niezapobiegliwość, 432c
niezapobiegliwy, 433b
niezapomniany, 673d
(ulubiony)
niezapomniany, 939d
(wieczny)
niezaprzeczalnie, 592b
niezaprzeczalność, 955d
niezaprzeczalny, 594a
niezaprzeczenie, 592b
niezaprzeczony↑, 594a
(niezbity)

niezaprzeczony, 1005e
(obowiązujący)
NIEZARADNOŚĆ, 432c
niezaradny, 433b
niezasadny, 461a
niezasłużenie, 184a
niezasłużony, 461c
niezaspokojony, 1074b
niezastąpiony, 673a
(konieczny)
niezastąpiony, 1052b
(wybitny)
niezaszczytny, 390a
niezatarty, 939a
niezauważalnie, 144d
niezauważalny, 337c
(nieznaczny)
niezauważalny, 969a
(schowany)
NIEZAUWAŻENIE, 144c
niezauważony, 969a
niezawisłość, 1032c
niezawisły, 477a
niezawiśle, 817a
NIEZAWODNIE, 21a
(bezpiecznie)
niezawodnie, 592b *(niezbicie)*
NIEZAWODNIE, 869a *(fachowo)*
NIEZAWODNOŚĆ, 593b
niezawodny, 478
(bezpieczny)
niezawodny, 594a *(rzetelny)*
niezbadany, 465d
niezbędnie, 920f
niezbędność, 251a
niezbędny, 673a
NIEZBICIE, 592b
NIEZBITY, 594a
niezborność, 174d
niezborny, 440f
niezbyt↓, 339a *(niedobry)*
niezbyt, 467b *(trochę)*
niezbyt dobry, 339a
niezbywalność, 593c
niezbywalny, 1027b
NIEZDARA, 431a
niezdarnie, 681b
(majestatycznie)
niezdarnie, 1168c
(niefachowo)
NIEZDARNOŚĆ, 432a
niezdarny, 440f *(nieudany)*
niezdarny, 479b *(niezręczny)*
niezdatność, 16b
niezdatny, 1133e
niezdecydowanie, 473d
(niepewnie)
NIEZDECYDOWANIE, 1006c
(wahanie)
NIEZDECYDOWANY, 460d
(chwiejny)

niezdecydowany, 465b
(nieokreślony)
niezdobyty, 937c
niezdolność do, 432c
niezdolny, 172b
niezdrowo↓, 446a
(bez potrzeby)
niezdrowo, 1168f *(szkodliwie)*
niezdrowy, 73a
(niedysponowany)
niezdrowy, 109c *(szkodliwy)*
niezdrowy, 388c *(chorobliwy)*
niezdrów, 73a
niezdyscyplinowanie, 445a
niezdyscyplinowany, 1084a
niezepsuty, 871c
niezgłębiony, 465d
niezgoda, 250a
niezgodnie, 176b *(kłótliwie)*
niezgodnie, 817h
(samowolnie)
NIEZGODNOŚĆ, 250c *(konflikt)*
niezgodność, 804a *(różnica)*
niezgodny, 1a *(napastliwy)*
niezgodny, 458c
(niejednakowy)
niezgorszy, 118a
niezgorzej, 119a
niezgrabnie, 53a *(nieładnie)*
niezgrabnie, 681b
(nieporadnie)
niezgrabność, 54a
niezgrabny, 440f *(nieudolny)*
niezgrabny, 479
(niekształtny)
niezgulstwo, 432a
niezguła, 431a
niezgułowaty, 479b
nieziemski↓, 118c *(udany)*
nieziemski, 480a
(nadprzyrodzony)
nieziemsko, 12b
nieziszczalność, 455c
nieziszczalny, 172a
niezjadliwy↓, 1133c
niezliczoność, 538a
niezliczony, 142e
niezłomnie, 1114b
niezłomność, 593d
(zdecydowanie)
niezłomność, 979a
(wytrwałość)
niezłomny, 529c
niezłośliwy, 435b
niezłożony, 322b
NIEZŁY, 118a *(taki sobie)*
niezły, 318a *(niebrzydki)*
niezmącenie, 858a
niezmącony, 939b
niezmiennie, 938c
niezmiennik, 789d

niezmienność, 17d *(nuda)*
niezmienność, 593c *(stałość)*
niezmienny, 459c *(zastygły)*
niezmienny, 803e *(rytmiczny)*
niezmienny, 878a *(ustalony)*
niezmiernie, 12f
niezmierny, 142d
niezmierzony, 142d
niezmordowanie, 692b
niezmordowany, 693c
nieznacznie, 840c
NIEZNACZNY, 337c
nieznajomość, 434a
nieznajomy, 490a *(przygodny)*
NIEZNAJOMY, 746a *(przybysz)*
nieznana kraina↑, 491a
nieznane, 758a *(jutro)*
nieznane, 919b *(tajemniczość)*
NIEZNANY, 465a
niezniszczalny, 939b
nieznośnie, 213c
nieznośny, 1c *(natarczywy)*
nieznośny, 471b *(arogancki)*
nieznośny, 750c *(drażniący)*
nieznużenie, 692b
nieznużony, 693c
niezobowiązująco, 892b
niezorganizowany, 20b
niezpobłażliwy, 24b
niezręcznie, 681b
  (nieporadnie)
niezręcznie, 1168c
  (niefachowo)
niezręcznie, 1168d
  (nieodpowiednio)
niezręczność, 436b
niezręczny, 390b
  (niestosowny)
NIEZRĘCZNY, 479b
  (nieporadny)
NIEZROZUMIALE, 473a
NIEZROZUMIAŁOŚĆ, 437a
niezrozumiały, 465d
  (tajemniczy)
niezrozumiały, 474b
  (nieczytelny)
NIEZROZUMIAŁY, 937b
  (trudny)
niezrozumienie, 424c
niezrównanie↑, 12e
niezrównany, 1052b
niezrównoważony, 1084b
NIEZUPEŁNIE, 473b
  (częściowo)
niezupełnie, 543b
  (nie w pełni)
NIEZUPEŁNY, 440a
niezwalczony, 831e
niezwłocznie, 1096a
niezwłoczny, 392b
niezwyciężony, 529b

niezwyczajnie, 155b
niezwyczajny↑, 433c
  (nieprzywykły)
niezwyczajny, 1052b *(wybitny)*
niezwykle, 12b *(nadzwyczaj)*
niezwykle, 155b *(egzotycznie)*
niezwykłość, 387c
niezwykły, 480
niezyskowność, 279c
nieźle, 12c *(bardzo)*
nieźle, 119a *(nie najgorzej)*
nieźle, 840a *(znośnie)*
nieżonaty, 347c *(wolny)*
nieżonaty, 477b
  (stanu wolnego)
nieżyciowość, 455a
nieżyciowy, 433b *(niezaradny)*
NIEŻYCIOWY, 447f *(papierowy)*
nieżyczliwie, 464d
NIEŻYCZLIWOŚĆ, 424a
nieżyczliwy, 452a
nieżyjący, 341a
nieżyt, 70g
NIEŻYWY, 341a *(martwy)*
nieżywy, 1134a *(zmęczony)*
nigdy, 1157d
nigdy przenigdy, 1157d
nihilista, 199a
nihilistyczny, 715c
nijak, 1157d
nijaki, 339c *(nieumiejętny)*
nijaki, 447c *(bezcelowy)*
nijaki, 487b *(bezbarwny)*
nijako, 28b
nijakość, 437b
nikczemnie, 632b
NIKCZEMNIEĆ, 857b
nikczemnik, 330a
nikczemność, 194a
  (haniebność)
nikczemność, 1131a
  (niegodziwość)
nikczemny, 390c
nikło, 840c
nikły, 337c *(mały)*
NIKŁY, 841f *(słaby)*
niknąć, 30d *(marnieć)*
niknąć, 1151a *(ubywać)*
niknąć, 1151b
  (dematerializować się)
niknąć w oczach, 71a
nikt, 417b *(nic)*
nikt, 438b *(nieobecny)*
nim, 1008b
nimb, 246a *(okrąg)*
nimb, 895c *(uznanie)*
nimfa, 481
niniejszy, 33b
nioska, 359e
NISKI, 337b *(niewysoki)*
niski, 390b *(nieszlachetny)*

niskiego lotu, 322c
NISKO, 34b
nisko notować, 167a
nisko płatny, 447h
niskogatunkowy, 339a
nisza, 153d
niszcząco, 110b
niszczący, 420b
niszczeć, 482
niszczenie, 338a
  (niegospodarność)
niszczenie, 1152a *(rozkład)*
niszczyciel, 451b *(wróg)*
niszczyciel, 778b *(pasożyt)*
NISZCZYCIELSKI, 420b
niszczyć, 265d
niszczyć, 483
niszczyć, 483a *(zepsuć)*
niszczyć, 902a *(zaszkodzić)*
niszczyć, 1076b *(perturbować)*
niszczyć zdrowie, 902a
nit, 190b
niteczka, 904c
nitka, 136b *(magistrala)*
nitka, 904c *(nić)*
nitki, 239b
nitować, 326c
niuans, 897a
niuch↓, 1144a
niuchać, 9b *(zbadać)*
niuchać, 906b *(poszukiwać)*
niwa, 935a *(dziedzina)*
niwa, 1127b *(pole)*
niweczyć, 483a
niweczyć ład, 1076b
niweczyć plany, 683a
niweczyć spokój, 127a
niwelacja, 868a
niwelować, 1063a
niwelowanie, 287a
nizać, 973d
nizina, 614a
niziołek, 674d
niziutki, 337b
niźli, 201c
niż, 201c *(w porównaniu)*
niż, 704b *(kłopot)*
niżej, 34b
niżeli, 201c
niższy, 33d *(dolny)*
niższy, 337d *(mniejszy)*
no↓, 920d
no jasne, 920b
no to cześć↓, 446d
nobilitacja, 890a
nobilitować, 151c
nobliwie, 675c *(godnie)*
nobliwie, 854c *(uroczyście)*
nobliwy, 542c
noc, 86d *(czas)*
NOC, 1141b *(zmierzch)*

nocą, 688c
nochal, 1144a
nocleg, 355b
nocną porą↑, 688c
nocnik, 323b
nocny, 689d
nocować, 738b
noga↓, 199a *(dyletant)*
noga↓, 862b
  (dyscyplina sportowa)
NOGA, 262c *(kończyna)*
noga, 431a *(niedołęga)*
noga nie postanie, 1056b
noga się powinęła, 987c
  (przegrywać)
noga się powinęła, 381c
  (potknąć się)
noga za nogą, 681a
nogi się plączą, 215a
nokaut, 1045c
nokautować, 1050b
nomada, 1015b
nomadyczny↑, 808c
nomenklatura, 414a
  (terminologia)
nomenklatura, 653c
  (nepotyzm)
nominacja, 890a
nominalnie, 533b
nominalny, 534c *(formalny)*
nominalny, 1148a *(wiadomy)*
nominał, 1002a
nominować, 1044d
NON IRON, 928c
non stop, 938c
nonkonformistyczny, 715b
  (opozycyjny)
nonkonformistyczny, 715c
  (buntowniczy)
nonsens, 16a *(bezcelowość)*
NONSENS, 174d *(głupstwo)*
nonsensownie, 173b
nonsensowność, 16a
  (niecelowość)
nonsensowność, 174d
  (nonsens)
nonsensowny, 172a
  (niedorzeczny)
nonsensowny, 447c
  (bezcelowy)
NONSZALANCJA, 300c
nonszalancki, 452d
nonszalancko, 425c
nora, 153d *(jama)*
nora, 355a *(mieszkanie)*
nordycki, 313a
nordyczny, 313a
norki, 531b
norma, 350b *(miernik)*
norma, 668d *(zwyczajność)*
NORMA, 701c

norma moralna, 701c
normalizacja, 664c
normalizować, 665a
normalnie, 938b *(przeważnie)*
normalnie, 1167a *(naturalnie)*
normalność, 668d
  (powszedniość)
normalność, 955a *(szczerość)*
NORMALNY, 698b *(zdrowy)*
normalny, 814d *(zwyczajny)*
normalny, 956e *(naturalny)*
normatyw, 350b
normatywny, 594e
normować, 102c
NORMOWAĆ, 195e
normy, 701c
normy prawne, 701a
normy zachowania, 289a
nos, 1144a
nosek, 1144a
nosi go, 215b
nosiciel, 72a
NOSIĆ, 158a
nosić, 348a *(trzymać)*
nosić, 949b *(chodzić w)*
nosić imię, 415c
nosić na rękach, 550c
nosić się z czym
  jak kura z jajem, 65d
nosić się z myślą, 65d
nosić się z zamiarem, 65d
nosić w pamięci, 584a
nosisko, 1144a
nostalgia, 1169c
NOSTALGICZNIE, 849c
nostalgiczny, 364c
nostryfikacja, 1104a
nosze, 332b
nośnik, 202f
nośność, 870a
nośny, 113e *(dalekonośny)*
nośny, 839c *(pojemny)*
nośny, 1005b *(konstrukcyjny)*
nota, 309b *(korespondencja)*
nota, 507c *(ocena)*
nota, 713b *(apel)*
notable, 187e
NOTACJA, 1094a
notarialnie, 533a
notarialny, 534a
notariusz, 699b
notatka, 202a *(wiadomość)*
notatka, 1094c *(zapisek)*
notatki, 128f
notatnik, 484
NOTES, 484a
notesik, 484a
notka, 202a *(wiadomość)*
notka, 1094c *(zapisek)*
notorycznie, 938d
notoryczny, 878c

notować, 589e *(widzieć)*
notować, 604a *(napisać)*
notować, 989b *(zapisać)*
notować w pamięci, 584a
notowanie, 1002a
notyfikacja, 202b
novum, 658b
nowalijki, 1003c
nowator, 946c
NOWATORSKI, 485b
nowatorstwo, 563c *(wyjątek)*
nowatorstwo, 658a
  (polepszanie)
nowe, 658b
nowela, 120a *(uzupełnienie)*
nowela, 311c *(proza)*
nowela, 556a *(opowiadanie)*
nowelista, 606a
nowelizować, 659b
nowicjusz, 199b
nowicjuszostwo, 434a
nowicjuszowski, 433a
nowina, 202a
nowinka, 202a
nowinkarz, 375d
NOWIUTKI, 485a
nowobogacki, 36c
NOWOCZESNY, 485c
nowocześnie, 201a
nowofalowy, 485d
nowofunlandczyk, 601b
nowomodnie, 201a
nowomodny, 485d
NOWORODEK, 146a
noworodkowy, 1007d
nowość, 202a *(wiadomość)*
nowość, 658b *(ulepszenie)*
nowość, 752b *(atrakcja)*
NOWOTWÓR, 70e
nowożeniec, 347c
nowożytny, 33c
nowy, 485
nowy, 1007b *(młody)*
Nowy Testament, 282d
nozdrza, 1144a
nożownik, 729b
nożyce, 486e
nożyczki, 486e
NOŻYK, 486a
nożyna, 262c
nów, 283a
nózia↓, 262c
nóż, 486
nóżka, 262c *(noga)*
nóżka, 631d *(podstawka)*
nucić, 702c
NUDA, 17d
nudnawo, 426a
nudnawy, 487a
nudnie, 426a

obejść się, 1082a *(zaspokoić)*
obejść się smakiem, 784c
obelga, 436d
obelisk, 237b *(słup)*
obelisk, 652a *(posąg)*
obelżywie, 464a
OBELŻYWOŚĆ, 436e
obelżywy, 390d
oberek, 923a
oberwać, 81c *(odcierpieć)*
oberwać, 987c
 (pozostawać w tyle)
oberwać, 1142b *(umniejszać)*
oberwać się, 596a
 (zrywać się)
oberwać się, 977b
 (potknąć się)
oberwanie chmury, 441c
oberwaniec, 27a
oberwany, 29a
oberża, 216a
oberżnąć, 147b
oberżysta, 505b
obeschnąć, 891b
obesłać, 1065a
OBETKAĆ, 400d
obetrzeć, 96b
OBEZNAĆ SIĘ, 686c
obeznać się, 1019a
obeznanie, 1018a
obeznany, 344c
obezwładniający, 77a
OBEZWŁADNIĆ, 470a
obezwładnienie, 723b
obezwładniać, 1050b
obeżreć się, 220c
OBFICIE, 37c *(bujnie)*
OBFICIE, 684d *(tłumnie)*
obfitość, 387c
obfitować, 60e
OBFITY, 38b *(bujny)*
obfity, 831d *(rzęsisty)*
obgadać, 103c *(ustalić)*
obgadywać, 736c *(szkodzić)*
obgadywać, 788c *(obradować)*
obgryzać, 220a
obgryźć, 220a
obiad, 219c *(posiłek)*
obiad, 981b *(przyjęcie)*
obibok, 304a
obicie, 642a
obić, 26b *(pobić)*
obić, 104d *(obtrącić)*
obić, 500a *(obrobić)*
obić się o uszy, 843b
obiec, 722a
obiecać, 1093b
obiecanki-cacanki, 575a
obiecująco, 119c
obiecujący, 267f
obiecywać złote góry, 573a

obieg, 807g
obiegać, 722a
obiegowy, 1148e
obiekcje, 1006a
obiekt, 57b *(budowla)*
obiekt, 813a *(przedmiot)*
obiektyw, 316a
obiektywizm, 497a
obiektywnie, 954c
obiektywność, 497a
obiektywny, 477a
 (samodzielny)
obiektywny, 956b
 (nieuprzedzony)
obierać, 756a *(oporządzać)*
obierać, 1044b *(reflektować)*
obierać, 1044d *(głosować)*
obierać, 1048c *(zdjąć)*
obierać się, 71d
obieralność, 1032d
obieralny, 671c
obierki, 429c
obierzyny, 429c
obietnica, 910a
obieżyświat, 1015a
obijać, 751e
obijać się, 303b
objadać, 265c
objadać się, 220a
objadanie się, 66a
objaśniający, 635a
 (pokazowy)
objaśniający, 687d
 (wyjaśniający)
objaśnić, 963b
objaśnienie, 628b *(opis)*
OBJAŚNIENIE, 1051b
 (wyjaśnienie)
objaw, 1059b
objawić, 1060a
objawić się, 1060c
objawienie, 382a *(idea)*
objawienie, 527b *(widzenie)*
objawienie, 563a *(zjawisko)*
objawienie, 1018c *(poznanie)*
objawowo, 510d
objazd, 136d *(przecznica)*
objazd, 630b *(wycieczka)*
objazdowy, 472a *(kłopotliwy)*
objazdowy, 808c *(mobilny)*
objąć, 43a *(zawładnąć)*
objąć, 130d *(uzyskiwać)*
objąć, 492a *(przygarnąć)*
objąć, 722c
 (rozprzestrzeniać się)
objąć, 796a *(pojmować)*
objąć funkcję, 1080b
objąć się, 492a
objąć spojrzeniem, 589b
objechać, 167c *(strofować)*
objechać, 651d *(omijać)*

objechać, 722b *(podróżować)*
objedzony, 1083c
objeść się, 220c
objeżdżać, 294a *(kluczyć)*
objeżdżać, 651d *(omijać)*
objęcia, 91b
objęcia Morfeusza, 828a
objęcie, 623c
objętość, 789b
objuczyć, 158b
obkleić, 751e
obkładać, 751a
obkuć, 500a
obkuć się, 1019a
obkupić się, 193b
obkurczyć, 1142a
obkurczyć się, 1143a
obkuty↓, 344c
obkuwać, 284b
oblać, 15c *(bawić się)*
oblać, 369a *(nawilżać)*
oblać, 722c
 (rozprzestrzeniać się)
oblać, 987d *(przegrać)*
oblamować, 909a
oblamowanie, 105c *(oprawa)*
oblamowanie, 904e *(tasiemka)*
oblatany↓, 344c
oblatywacz, 235b
oblec, 397c *(otoczyć)*
oblec, 949a *(ubrać się w)*
oblecieć, 722b
oblegać, 397c *(otoczyć)*
oblegać, 879c *(zabiegać)*
oblepiać, 751e *(pokryć)*
oblepić, 848a *(osmarować)*
oblepić się, 327d
obleśnie, 453b
obleśny, 454c
oblewać, 167a
 (dezaprobować)
oblewać, 722c
 (rozprzestrzeniać się)
oblewać, 751c *(zalewać)*
oblewanie, 981c
oblężenie, 7b *(napaść)*
oblężenie, 575f *(podstęp)*
obliczać, 545e
 (kwantyfikować)
obliczać, 571a *(odkładać)*
obliczać na, 995c
obliczać się, 612d
obliczanie, 768a
OBLICZE, 64c *(wygląd)*
OBLICZE, 944c *(twarz)*
obliczeniowy, 343a
obligacje, 600b *(kapitał)*
obligacje, 1009b
 (zobowiązania)
obligatoryjnie↑, 920f
obligatoryjny, 673a

obrażać, 108b
obrażać się, 175a
obrażająco, 464a
obrażenie, 502
obrażony, 452a
obrąb, 105c
obrączka, 31b
obręb, 182a *(brzeg)*
obręb, 789a *(zasięg)*
obrębek, 105c *(oprawa)*
obrębek, 182a *(brzeg)*
obrębić, 909a
obręcz, 904d
obrobić↓, 1156d
OBROBIĆ, 500a
obrobić, 736c *(szkodzić)*
obrobić, 909a *(ścibić)*
obrobić się, 126b
obrodzić, 60e
obrok, 219a
obrona, 509b *(ochrona)*
OBRONA, 1000b *(walka)*
obronić projekt, 126a
obronność, 860c
obronny, 503
OBROŃCA, 40d *(apologeta)*
obrońca, 551a *(patron)*
obrońca, 699a *(adwokat)*
obrońca, 1107a *(sportowiec)*
obrońca, 1164b *(miłośnik)*
obrończy, 654b
obrosnąć, 728a *(zasłaniać)*
obrosnąć, 783c *(wegetować)*
obrosnąć sadłem, 947a
obrosnąć w majątek, 1117c
obrotność, 795c
obrotny, 164c
OBROTOWY, 808e
obroża, 904d
obróbka, 287a
obrócić, 749d
obrócić na, 98b
obrócić się, 663a
obrócić się w, 1138a
obrócić w, 1137d
obrócić w perzynę, 483c
obrót, 192a *(handel)*
OBRÓT, 807g *(ruch)*
obrugać, 167c
obrus, 642a
obryć↓, 284b
obrys, 285c
obrysować, 809a
obryty↓, 344c
obryw, 153c
obrywać się, 596a
obryzgać, 48a *(pobrudzić)*
obryzgać, 369a *(nawilżać)*
OBRZĄDEK, 504a
obrządzać, 705b
obrzezaniec, 196b

obrzeża, 182b
obrzeże, 182b *(koniec)*
obrzeże, 1046a *(nadbrzeże)*
obrzeżenie, 105c
obrzeżyć, 536a *(otoczyć)*
obrzeżyć, 909a *(ścibić)*
obrzęd, 504
obrzędowość, 504a
(obrządek)
obrzędowość, 652b
(pamiątka)
obrzędowy, 773d
obrzędy, 289b
OBRZĘK, 502b
obrzękać, 71d
obrzękły, 73b
obrzęknąć, 71d
obrzęknięty, 73b
obrzmiałość, 502b
obrzmiały, 73b
OBRZMIEĆ, 71d
obrzmienie, 502b
obrzucać, 751a
obrzucać się, 816a
obrzucać wyzwiskami, 736d
obrzucić, 751a *(przyrzucić)*
obrzucić, 909a *(ścibić)*
obrzucić błotem, 657c
(uwłaczać)
obrzucić błotem, 736c
(szkodzić)
obrzucić wzrokiem, 589b
obrzydlistwo, 54b
obrzydliwie, 12c *(bardzo)*
obrzydliwie, 53c *(okropnie)*
obrzydliwiec, 46b
obrzydliwość, 54b
obrzydliwy, 52b *(okropny)*
obrzydliwy, 390c *(niegodziwy)*
obrzydliwy, 454a *(sprośny)*
obrzydły, 52b
obrzydnąć, 1153b
obrzydzenie, 424b
obrzydzić, 1149b
obrzyn↓, 45c
obrzynać, 147b
obrzynek↓, 45c *(broń palna)*
obrzynek, 429c *(odpady)*
obsada, 148e *(wykonanie)*
obsada, 187b *(załoga)*
obsadka, 950b
obsadzać, 1103b
obsadzić, 759c *(nadziać)*
obsadzić, 780a *(rozmnażać)*
obsadzić, 1103b *(nająć)*
obscenicznie, 453b
obsceniczny, 454a
OBSERWACJA, 10d
obserwacja, 553b
obserwacyjny, 687a
obserwator, 149a *(reporter)*

obserwator, 764b *(widz)*
obserwować, 9a *(sprawdzić)*
obserwować, 589a
(popatrzeć)
obserwowanie, 10d
obsesja, 307b *(obawa)*
obsesja, 493a *(obłąkanie)*
obsesjonista, 1164d
obsesyjnie, 830b
obsesyjność, 407a
obsesyjny, 878c
obsiepać, 483g
obsiewać, 780a
obskakiwać, 663a *(ruszać się)*
obskakiwać, 691d
(wykonywać)
obskoczyć, 691d
obskrobać, 756a
(przyrządzać)
obskrobywać, 96b *(czyścić)*
obskubać, 483g *(drzeć)*
obskubać, 1156a
(przechwycić)
obskurancki, 172c
obskurant, 199a
obskurantyzm, 710c
obskurny, 47b
obsługa, 187b *(personel)*
obsługa, 505 *(służba)*
obsługa, 653d *(pomoc)*
obsługiwać, 550c *(dbać)*
obsługiwać, 691d
(wykonywać)
obsługiwać linię, 326b
obsłużyć, 691d
obsmarowywać, 48b
(ubrudzić się)
obsmarowywać, 736c
(szkodzić)
obsmyczyć, 988c
obsobaczyć, 736d
obsrywać↓, 736c
obstalowywać, 65c
obstalunek, 643c *(zlecenie)*
obstalunek, 690c *(zajęcie)*
obstawa, 621b *(orszak)*
obstawa, 644b
(siły porządkowe)
OBSTAWAĆ, 44b
obstawać, 129d
obstawiać, 65a *(woleć)*
obstawiać, 751a *(przyrzucić)*
obstrukcja, 734b
obstrzał, 7a
obsunąć się, 977b
obsychać, 891b
obsypać, 751b
obsypać prezentami, 98b
obszar, 733a *(terytorium)*
obszar, 789a *(zasięg)*
obszarnik, 36b

obszarpać, 483g
obszarpać się, 596a
obszarpaniec, 27a
obszarpany, 29a
obszczekiwać, 736c *(szkodzić)*
obszczekiwać, 894d
 (szczekać)
obszernie, 123a
obszerność, 789b
obszerny, 125b *(szczegółowy)*
OBSZERNY, 142f *(pojemny)*
obsztorcować, 167c
obszukać, 906b
obszyć, 751e *(pokryć)*
obszyć, 909a *(ścibić)*
obszywka, 904e
obściskiwać się, 492a
obślinić się, 369c
obślizgły, 472b
obśliznąć się, 977b
obśmiać się↓, 15b
obśmiewać, 736b
obtaczać, 751e
obtańcować, 167c
obtańcowywać, 15e
obtarcie, 502d *(skaleczenie)*
obtłuc, 104d *(obtrącić)*
obtłuc, 500a *(obrobić)*
obtłuczenie, 502c
obtłukiwać się, 104d
obtoczyć, 751e
obtupać, 96c
OBTRĄCIĆ, 104d *(odłamać)*
obtrącić, 500a *(obkuć)*
obtrząsnąć, 816b
obtykać, 400d
obuć, 949d
obudowa, 1100f
OBUDOWAĆ, 56d *(obmurować)*
obudować, 751e *(przykryć)*
obudzić, 58a *(cucić)*
obudzić, 680a *(sprawić)*
obudzić się, 58b *(ocknąć się)*
obudzić się, 682b *(zaistnieć)*
obumierać, 30d *(marnieć)*
obumierać, 261a *(upływać)*
obumierać, 1151a *(ubywać)*
obumrzeć, 261c
 (skończyć się)
obumrzeć, 972d *(zmarnieć)*
obumrzeć, 1151a *(ubywać)*
obupłciowy, 205b
oburzająco, 1168e
oburzający, 884b
oburzenie, 424d
oburzony, 1115c
oburzyć, 108b
oburzyć się, 175c
obustronnie, 770c
obustronny, 1038b
OBUWAĆ, 949d

obuwie, 506
OBUWNICZY, 932c
obwałować, 536a
obwałowanie, 1046a
obwarować, 918b
 (ukrywać się)
obwarować, 1072e
 (dozbrajać)
obwarowanie, 251c *(wymóg)*
obwarowanie, 593a
 (gwarancja)
obwarowanie, 974a
 (fortyfikacja)
obwarowywać, 1072e
obwarzyć, 756d
obwąchiwać, 9b
obwiązać, 751d *(otulić)*
obwiązać, 759b *(naszyć)*
obwiesić się↑, 972c
obwieszać się, 973d
obwieszczać, 792a
obwieszczenie, 202b
obwieś, 330a
obwieścić, 204a
 (zawiadamiać)
obwieścić, 792a *(publikować)*
obwieścić, 56d *(obudować)*
obwieść, 536a *(otoczyć)*
obwieść, 809a *(kreślić)*
obwieźć, 721a
obwinąć, 751d
obwinić, 624c
obwinienie, 833c
obwiniony, 729a
obwisłość, 1020d
obwisły, 142f *(obszerny)*
obwisły, 357b *(wiotki)*
obwisnąć, 514a *(giąć)*
obwisnąć, 929c *(wisieć)*
obwodnica, 136b
obwodowy, 313e
obwodzić, 56d *(obudować)*
obwodzić, 536a *(otoczyć)*
obwodzić, 809a *(kreślić)*
obwoluta, 105c
obwołać, 415e *(przewać)*
obwołać, 1044d *(głosować)*
OBWOŁYWAĆ SIĘ, 415d
obwozić, 721a
obwoźny, 178d
obwód, 88f *(okręg)*
obwód, 182a *(brzeg)*
obwódka, 105c *(oprawa)*
obwódka, 182a *(brzeg)*
obwódka, 246a *(okrąg)*
obwódka, 904e *(tasiemka)*
oby, 423a *(niechaj)*
oby, 1173a *(ażeby)*
obycie, 1079c
obyczaj, 413d *(nawyk)*
obyczaj, 504a *(obrządek)*

obyczaje, 289b
obyczajnie↑, 617b
obyczajność, 955c
obyczajny↑, 1088e
OBYCZAJOWOŚĆ, 289b
obyczajowość, 955c
obyczajówka, 644b
obyć się, 760a *(oswajać się)*
obyć się, 777a *(poniechać)*
obyty, 344c
obywać się, 1082a
OBYWATEL, 998d
obywatele, 861b
obywatelski, 1038b
obywatelstwo, 861b
obyż, 423a
obznajamiać, 159a
obznajomić, 159a
obznajomić się, 1019a
obżarstwo, 66a
obżartus, 1170a
obżarty↓, 1083c
obżerać się, 220a
obżeranie się, 66a
ocaleć, 980b
ocalenie, 653b
ocalić, 980a
ocalić się, 980b
ocean, 141a *(sporo)*
ocean, 538b *(stos)*
OCEAN, 1030d *(akwen)*
oceaniczny, 238b
ocechować, 629c
ocembrować, 56d *(obudować)*
ocembrować, 536a *(otoczyć)*
ocembrowanie, 974b
ocena, 507 *(oszacowanie)*
ocena, 553a *(opinia)*
oceniać, 508
oceniać niepochlebnie, 167a
OCENZUROWAĆ, 988a
ocet, 1144e
ochajtnąć↓, 96c
ochajtnąć się↓, 836b
 (ożenić się)
ochajtnąć się↓, 949a
 (ogarnąć się)
ochlać się↓, 597a
ochlaj↓, 981c
ochlapać, 13a *(malować)*
ochlapać, 369a *(nawilżać)*
ochlapuś↓, 197c
ochładzać, 520b *(dotlenić się)*
ochładzać, 1128b *(chłodzić)*
ochłap, 429c
ochłoda, 1057d
ochłodnąć, 1128a
ochłodnąć w uczuciach, 1154a
ochłodzenie, 441b
ochłodzić, 1128b
ochłodzić się, 1128a

odjechać, 1053a
odjeżdżać, 1053a
odkarmić się, 220c
odkasływanie, 191c
odkaszlnąć, 231a
ODKAZIĆ, 96e
odkażać, 96e
odkażanie, 94c
ODKĄD, 233b
odkleić, 147b *(oddzielić)*
odkleić, 578a *(rozwierać)*
odkleić się, 482b
odklejać, 147b
odklepać, 702c
odkładać, 183a *(akumulować)*
odkładać, 240a *(położyć)*
ODKŁADAĆ, 571a *(ciułać)*
odkładać na później, 557d
odkładać się, 183b
odkładać słuchawkę, 661c
odkłamać, 968d
odkłonić się, 1023b
odkochać się, 1154a
odkomenderować, 1044d
odkopać, 816c *(strzelić)*
odkopać, 1048b *(odgrzebać)*
odkorkować, 578b
odkotwiczyć, 994a
odkrajać, 147b *(oddzielić)*
odkrawać, 147b *(oddzielić)*
odkreślić, 536c
odkręcić, 147b *(oddzielić)*
odkręcić, 286b *(układać)*
odkręcić się, 482b
odkroić, 147b *(oddzielić)*
odkruszyć, 500a
odkrycie, 658b *(ulepszenie)*
odkrycie, 1018c *(poznanie)*
ODKRYĆ, 686e *(podpatrzyć)*
odkryć, 796b *(zrozumieć)*
odkryć, 968a *(wyłonić się)*
odkryty, 218b *(widoczny)*
odkryty, 766c *(otwarty)*
odkryty, 1148b *(poznany)*
odkrywać, 968d
odkrywca, 946c
odkrywczość, 658a
odkrywczy, 485b *(nowatorski)*
odkrywczy, 687a *(badawczy)*
odkrzyknąć, 521a *(reagować)*
odkrzyknąć, 521b *(odpisać)*
odkształcać, 104a
odkształcenie, 456b
odkształcić się, 104a
odksztuszać, 231a
odkuć, 147b
odkuć się, 1117c
odkup, 192b
odkupiciel, 41a
odkupić, 43f *(odbierać)*
odkupić, 98f *(zwracać)*

odkupić, 193b *(kupić)*
odkupić, 1081c *(powetować)*
odkupywać, 43f
odkurzacz, 380b
odkurzać się, 96c
odkurzanie, 94d
odkurzyć, 96c
odkuwać, 147b
odkwaszać, 1049c
odlać, 558a *(pompować)*
odlać, 891a *(odwadniać)*
odlatywać, 1053a
odlecieć, 482b *(zniszczeć)*
odlecieć, 1053a *(wybierać się)*
odlegiwać się, 1138d
ODLEGŁOŚĆ, 733b
odległy, 99a *(daleki)*
ODLEGŁY, 881c *(zamierzchły)*
odlepić, 147b
odlewać, 558a *(pompować)*
odlewać, 705a *(wytwarzać)*
odlewać, 891a *(odwadniać)*
odlewać się, 1047a
odleźć, 482b
odleżeć, 71a
odleżeć się, 557a
odleżyna, 502c
odliczać, 102a *(dozować)*
odliczać, 665a *(uładzić)*
odliczyć, 612d *(potrącić)*
odlot, 630d
odlotowo↓, 119b
odlotowy↓, 118c
ODLUDEK, 821b
odludny, 859b
odludzie, 765a
odłam, 559c
odłamać, 104d
odłamać się, 977b
odłamek, 525b
odłamowy, 440b
odławiać, 1073f
odłazić, 482b
odłączenie, 822a
odłączyć, 786d
odłączyć się, 518b
odłowić, 1073f
odłożyć, 183a *(akumulować)*
odłożyć, 557d
odłóg, 1127b
odłupać, 500a
odłupać się, 977b
odmachać, 1023b
odmachiwać się, 44d
ODMACHNĄĆ, 691e
odmachnąć się, 44d
odmagnesować, 400a
odmakać, 147b *(oddzielić)*
odmakać, 511b *(odmarznąć)*
odmalować, 13a *(malować)*

odmalować, 400b
    (konserwować)
odmalować, 1137b
    (zrobić od nowa)
odmalowywać, 945a
odmarsz, 630d
ODMARZNĄĆ, 511b
odmaszerować, 518b
odmaszerowanie, 630d
odmawiać, 702c
odmawiać
    posłuszeństwa, 876d
odmawiać racji, 876b
odmawiać sobie, 1082a
odmawiać wartości, 167a
odmawiać zdolności, 167a
odmeldować się, 518b
odmęt, 1030d
odmiana, 779a *(gatunek)*
odmiana, 1136b *(przemiana)*
odmianka, 779a
odmiatać, 96c
ODMIENIĆ, 1137e
ODMIENIĆ SIĘ, 1138c
odmienić sobie, 1137b
odmieniec, 1001c
ODMIENNIE, 201b
odmienność, 64b *(odrębność)*
ODMIENNOŚĆ, 804a *(różnica)*
ODMIENNY, 205a
odmierzać ciosy, 26c
odmierzyć, 102a *(dozować)*
odmierzyć, 545d *(obmierzać)*
odmieść, 96c
odmięknąć, 358b
odmineralizować, 1049c
odminować, 320a
odmitologizować, 248a
odmładzać się, 1138c
odmłodnieć, 1138c
odmłodzić, 1102b *(zamienić)*
odmłodzić, 1137e *(odmienić)*
odmłodzić się, 1138c
odmoczyć, 96b *(odczyścić)*
odmoczyć, 147b *(oddzielić)*
odmoknąć, 147b *(oddzielić)*
odmotać, 796b *(zrozumieć)*
odmotać, 994a *(puścić)*
odmowa, 524a *(replika)*
odmowa, 875a
    (sprzeciwienie się)
odmownie, 425d
odmowny, 1133a
odmówić, 975b *(odwołać)*
ODMÓWIĆ, 876c
    (zgłaszać sprzeciw)
odmówić od, 683b
odmówić
    posłuszeństwa, 1108b
odmówić ręki, 786c
odmówić sobie, 777a

ofiarować, 98b *(obdarować)*
ofiarować, 98e *(asygnować)*
ofiarować, 708b
   (wyrazić gotowość)
ofiarować miłość, 243a
ofiarować przyjaźń, 489a
ofiarowanie, 101d
oficer, 40a
oficjalnie, 533
oficjalny, 534
oficyna, 57a *(dom)*
oficyna, 718d *(wydawnictwo)*
oflag, 469a
oflagować, 894a
ofrankować, 612b
ofukiwać, 167c
ofuknąć, 167c
ofutrować, 400d *(obtykać)*
ofutrować, 751e *(olicować)*
ogacić, 511c
OGAŁACAĆ, 558b
oganiać, 44d
ogar, 601b
ogarek, 429c
ogarnąć, 665b *(uprzątnąć)*
ogarnąć, 796a *(pojmować)*
ogarnąć, 1070a *(owładnąć)*
ogarnąć ramieniem, 492a
ogarnąć się, 949a
ogarnąć wzrokiem, 589b
ogarniać, 722c
   (rozprzestrzeniać się)
ogarniać, 1070a *(owładnąć)*
ogieniek, 535a
ogień↓, 1146a *(znamię)*
ogień, 363b *(namiętność)*
ogień, 535
ogień, 913e *(oświetlenie)*
ogień, 1000a *(strzały)*
ogier, 258a
ogląd, 553a *(obraz)*
ogląd, 872e *(przegląd)*
oglądać, 9b *(zbadać)*
oglądać, 589c *(przyjrzeć się)*
oglądać, 864a *(spotykać)*
oglądać się, 589c
oglądać się na, 995a
oglądać się za, 65b
oględnie, 566a
oględność, 117a *(takt)*
oględność, 567b *(rozwaga)*
oględny, 568a
OGLĘDZINY, 10c *(obdukcja)*
oględziny, 255a *(kontrola)*
ogłada, 1079c
ogłaszać, 204a
ogłaszać się, 415d
   (obwoływać się)
ogłaszać się, 708b
   (wyrazić gotowość)
ogłaszać wszem wobec, 792c

ogłosić, 792b
ogłosić upadłość, 883f
OGŁOSZENIE, 202c
ogłuchnąć, 256b
ogłupiać, 902a
ogłupiająco, 449b
ogłupiający, 339e
ogłupiały, 572a
ogłupianie, 575c
OGŁUPIEĆ, 1122b
ogłupienie, 1099b
OGŁUSZAĆ, 526a
ogłuszająco, 169a
ogłuszający, 170b
ogłuszyć, 127d *(porazić)*
ogłuszyć, 256a *(poturbować)*
ognić się, 71d
ognik, 535a
ognioodporny, 939b
ogniotrwały, 939b
ogniowy, 503e
OGNISKO, 535b *(ogień)*
ognisko, 576c *(ośrodek)*
ognisko domowe, 781a
ogniskować się, 183f
ognisty, 80b *(gorący)*
ognisty, 831f *(ekspresyjny)*
ognisty, 907a *(prędki)*
ogniście, 830c
ogniwo, 88a
ogolić, 988c
ogołacać, 1156d
ogołocić, 558b
ogon↓, 75e *(genitalia)*
ogon, 75d *(odbyt)*
ogon, 182b *(koniec)*
ogonek, 812c
ogorzałość, 679a
ogorzały, 318d
ogorzeć, 520d
ogólniak↓, 903c
ogólnie, 473c *(nieściśle)*
OGÓLNIE, 684c *(generalnie)*
ogólnie rzecz biorąc, 920e
ogólnik, 174a
ogólnikowo, 473c
OGÓLNIKOWOŚĆ, 437b
ogólnikowy, 465b
ogólnodostępny, 1038a
ogólnoludzki, 1038a
ogólność, 668d
ogólny, 465b *(sporny)*
ogólny, 1038a *(połączony)*
ogólny, 1041a
   (przygotowawczy)
ogół, 61a *(wszystko)*
ogół, 861b *(naród)*
ogółem, 770a
ogórek, 1003c
ogórkowa, 219d
ogórkowy, 487b

ograbić, 665b *(uprzątnąć)*
ograbić, 1156d
   (przywłaszczyć)
ograć, 1050c
ograć się, 1153a
ogradzać, 536a
ograniczać, 536 *(opasać)*
ograniczać, 967a
   (powściągać)
ograniczać, 1142c *(limitować)*
ograniczać się, 571a
ograniczać się do, 1143c
ograniczenie, 174e *(głupota)*
OGRANICZENIE, 734a
   (przeszkoda)
ograniczoność, 174e *(głupota)*
ograniczoność, 668c
   (płycizna)
ograniczony, 172b *(niemądry)*
OGRANICZONY, 337d
   (limitowany)
ograniczony, 353a *(kołtuński)*
ograniczony, 1001a *(idiota)*
OGRANICZYĆ DO, 536b
ograniczyć się, 1082a
ograny, 1148e
ogrodniczy, 835a
ogrodzenie, 537
ogrodzić, 536a
ogrodzony, 564c
ogrom, 538
ogromniasty↓, 142c
ogromnie, 12a
ogromnieć, 783d
OGROMNY, 142c
ogród, 539
ogród zoologiczny, 539b
ogródek jordanowski, 539b
ogryzać, 220a
ogryzek, 429c
ogrzać, 511d
OGRZAĆ SIĘ, 511f
ogrzewać, 511d
ogrzewanie, 598b
oheblować, 500a
OHYDA, 54b
ohydnie, 53c
ohydny, 52b
ohydztwo, 54b
OJCIEC, 347d *(rodzic)*
ojciec, 946c *(autor)*
ojciec duchowny, 224a
ojciec duchowny, 236b
ojciec i matka, 781e
Ojciec Święty, 224d
ojcobójca, 729c
ojcobójstwo, 1075b
ojcostwo, 781e
ojcować, 550c *(dbać)*
ojcować, 877d
   (mecenasować)

ojcowie, 742b
ojcowizna, 336d
ojcowski, 552a
ojczulek, 347d
ojczym, 347d
ojczysty, 313d
ojczyzna, 540
okablować, 973a
okadzić, 728a *(zasłaniać)*
okadzić, 894f
   (uprawiać magię)
okalać, 536a *(otoczyć)*
okalać, 809a *(kreślić)*
okalać, 909a *(ścibić)*
okaleczenie, 54a *(szpetota)*
okaleczenie, 502d
   (skaleczenie)
okaleczony, 971a
okaleczyć, 256a
okaleczyć się, 256b
okamgnienie, 86e
okantować, 1156c
okap, 1100a
okapać, 48a
okarmić, 966b
okay↓, 920c
okaz, 365a *(wzór)*
OKAZ, 813b *(rzecz)*
okazać, 702d *(pokazać)*
okazać, 963a *(udowadniać)*
okazać pomoc, 648a
okazać się, 968a *(wyłonić się)*
okazać się, 1060c
   (przejawić się)
okazać się, 1113b
   (wyglądać na)
okazać się człowiekiem, 284a
okazać się prawdą, 195a
okazale, 854c
okazałość, 387c *(bogactwo)*
OKAZAŁOŚĆ, 767e *(gala)*
OKAZAŁY, 142g *(duży)*
okazały, 542c
   (reprezentacyjny)
okazja, 268b *(korzyść)*
OKAZJA, 372b *(możliwość)*
okazja, 748b *(powód)*
okazją, 753a
okazjonalnie, 753a
   (przypadkowo)
okazjonalnie, 811a *(czasem)*
OKAZJONALNY, 542b
   (okolicznościowy)
okazjonalny, 754a
   (przypadkowy)
okazowy, 1148c
okazyjnie, 753a
okazyjny, 267c *(tani)*
okazyjny, 754a *(przygodny)*
okazywać, 702d *(pokazać)*

okazywać, 1060a
   (uzewnętrznić)
okazywać podejrzliwość, 624b
okazywanie, 875b
okcydentalny, 797a
okiełzać, 967a
okiełznać, 967a
okienko, 229a *(stanowisko)*
okienko, 1057c *(przerwa)*
okienko informacyjne, 202e
okiennica, 1100a
oklapnąć, 30d *(marnieć)*
oklapnąć, 560e *(osłabnąć)*
oklapnąć, 722e *(schodzić)*
oklapnięty↓, 1134a
   (wyczerpany)
oklapnięty↓, 357b *(wiotki)*
oklaski, 895e
oklaskiwać, 315c
okleić, 751e
okleina, 679e
oklepać, 1063a *(podrównać)*
oklepany, 1148e
okład, 548a
okładać, 26b *(pobić)*
okładać, 1072b *(zapobiegać)*
okładać się, 26d
okładka, 105c
OKŁADZINA, 679e
okłamywać, 573b
okłamywać się, 87b
okno, 541
okno wystawowe, 541b
oko↓, 807h *(gest)*
oko, 576c *(epicentrum)*
oko, 1144c *(wzrok)*
oko ci zbieleje, 154b
oko w oko, 817e
oko za oko, 775b
okocić się, 780c
okolica, 88f *(okręg)*
okolica, 349b *(miejscowość)*
okolica, 733a *(terytorium)*
okoliczności, 647b *(sytuacja)*
okoliczności, 748b *(powód)*
okolicznościowy, 542
okoliczny, 33a
okolić, 536a
okolony↑, 564c
około↑, 34a *(obok)*
około, 543 *(mniej więcej)*
okop, 974a
okopać, 751b
okopcić się, 48b
okopy, 974a
okowy, 469c
okólnik, 309b
   (korespondencja)
okólnik, 328a *(pastwisko)*
okólny, 472a
okpić, 1156c

okpić się, 381d
okraczyć, 492a
okradanie, 272b
okrajać, 500a *(obrobić)*
okrajać, 1142c *(limitować)*
okrasa, 105b *(ozdoba)*
okrasa, 930a *(sadło)*
okrasić, 756c *(przyprawić)*
okrasić, 948a *(zdobić)*
okraszenie, 105b
okraszony, 839b
okraść, 1156d
okratować, 1072d
okratowanie, 537a
okrawać, 147b *(oddzielić)*
okrawać, 500a *(obrobić)*
okrawek, 429c
OKRĄG, 246a
okrąglak, 57b
okrągłość, 387b
okrągły, 544
okrążać, 722a *(przenosić się)*
okrążać, 722c
   (rozprzestrzeniać się)
okrążający, 472a
okrążenie, 7b *(napaść)*
okrążenie, 136a *(trasa)*
okrążenie, 575f *(podstęp)*
okrążyć, 294a *(kluczyć)*
okrążyć, 397c *(otoczyć)*
okrążyć, 536a *(otoczyć)*
okres, 86a *(termin)*
okres, 276b *(menstruacja)*
okres dojrzewania, 1020b
okres karencyjny, 1163b
okresami, 811b
OKRESOWO, 811b
okresowość, 413b
okresowy, 1140a
określać, 545
określać dawkę, 102b
określać położenie, 545b
określenie, 414a
określić słowem, 415a
określony, 594d *(ustalony)*
określony, 1148a *(wiadomy)*
okręcić, 546a *(zapakować)*
okręcić, 751d *(otulić)*
okręcić, 949b *(chodzić w)*
OKRĘG, 88f
okręgowy, 313e
OKRĘT, 331d
okręt liniowy, 331d
okręt wojenny, 331d
okrętować, 354d *(kwaterować)*
okrętować, 1103b *(nająć)*
okrężny, 472a
okroić, 500a *(obrobić)*
okroić, 756a *(oporządzać)*
okroić, 1142c *(limitować)*
okroić się, 130d

okrojony, 274b
okropieństwo, 54c
OKROPNIE, 53c *(brzydko)*
okropnie, 184c *(strasznie)*
okropnie, 1168e
  (niedopuszczalnie)
okropność, 54c
OKROPNY, 52b *(brzydki)*
okropny, 884a *(straszny)*
OKRUCH, 525a
okruchy, 887d
OKRUCIEŃSTWO, 1131c
okruszek, 525a
okruszyna, 525a
okruszynka, 525a
okrutnie↑, 12a *(bardzo)*
OKRUTNIE, 1114c *(bezlitośnie)*
okrutnik, 451d
okrutność, 1131c
okrutny↑, 142a *(spory)*
okrutny, 24c *(bezlitosny)*
OKRUTNY, 884b *(straszny)*
okrwawić, 48a
okrycie, 531b *(płaszcz)*
okrycie, 642a *(poszycie)*
okryć, 949c
okryć się, 1138c
okryć się chwałą, 847b
okryć się hańbą, 248c
okryć żałobą, 340a
okrywa, 642b
okrzepnąć, 783d
okrzesać, 500a
okrzesanie, 1079c
okrzyczany, 1148d
okrzyczeć, 415e
okrzyk, 191a
okrzyknąć, 415e
oksydacja, 679f
oksydować, 500e
oksymoron, 725b
oktawa, 86c
oktet, 379d
oktrojować, 1105b
okucie, 105a
okuć, 470a *(obezwładnić)*
okuć, 1072d *(umocnić)*
okular, 316a
OKULARY, 316b
okulawić, 256b
okulawieć, 256b
okulawienie, 502e
okulbaczyć, 1103b
okuleć, 256b
okulista, 299a
okulistyka, 296b
okulizacja, 898b
okulizować, 780a
okultysta, 85a
okultystyczny, 480b
OKULTYZM, 335c

OKUP, 555e
okupacja, 723c
okupacyjny, 1074a
okupant, 451c
okupić, 1081b *(odpowiadać)*
okupić, 1081c *(powetować)*
okupić się, 994c
okupienie winy, 225c
OKUPOWAĆ, 348c
okupować, 470c
okupowanie, 723c
okurzyć, 48b
okutać, 751d *(otulić)*
okutać, 949b *(chodzić w)*
okutany, 969c
okuwać, 1072d
okwitły↑, 881h
OLBRZYM, 674c
olbrzymi, 142c
olbrzymieć, 783d
oleić, 848a
olej, 587b *(smar)*
olej, 930a *(sadło)*
olej napędowy, 582a
olejek, 1091b
olejki eteryczne, 1091b
oleodruk, 263c *(kopia)*
oleodruk, 922a *(kicz)*
olewać↓, 657a
olicować, 751e
oligarcha, 236d
oligarchia, 1026a
olimp, 940a
olimpiada, 1000c
olimpijczyk, 957b *(licealista)*
olimpijczyk, 1107a
  (sportowiec)
olimpijski, 139b *(wyniosły)*
olimpijski, 771b *(sportowy)*
olinować, 536a
oliwa↓, 197c *(pijak)*
oliwa, 930a *(sadło)*
oliwić, 848a
oliwkowy, 78c
olszynka, 292a
olśnić, 127d *(porazić)*
olśnić, 208b *(zachwycić)*
olśnić, 1070a *(owładnąć)*
olśnienie, 382a *(idea)*
olśnienie, 895e *(zachwyt)*
olśnienie, 1018c *(poznanie)*
olśniewająco, 12a
olśniewający, 118b
ołgać, 573b
ołowiany, 78a *(ciemny)*
ołowiany, 142j *(ciężki)*
ołów, 82b
ołówek, 605a
ołówek automatyczny, 605a
OŁTARZ, 914d
ołysieć, 1138e

omacać, 132a
omackiem, 753b
omal↑, 543b
omam, 828b
omamić, 573a
omamienie, 828b
omasta, 930a
omaścić, 756c
omawiać, 788c
omdlałość, 70c
omdlały, 841a
omdleć, 71b
omdlenie, 70c
OMDLEWAĆ, 71b
omdlewać, 1135b
omdlewający, 841a
omen, 335d
omglić, 728a
omieść, 96c
omijać, 294a *(kluczyć)*
omijać, 402a *(ignorować)*
OMIJAĆ, 651d *(objechać)*
OMIJAĆ, 975a *(unikać)*
omijać się, 1056b
omijać z daleka, 1056b
omijany, 442b
ominąć, 294a *(kluczyć)*
ominąć, 402a *(ignorować)*
ominąć, 651c *(zagapić się)*
omnibus, 365d
omotać, 546a *(zapakować)*
omotać, 736e *(terroryzować)*
omotać, 751d *(otulić)*
omotać, 949b *(chodzić w)*
omowny, 554c
OMÓWIĆ, 204d *(streścić)*
omówić, 788b *(skomentować)*
omówienie, 148b
omroczyć, 560c
omsknąć się, 977b
omszeć, 728a
omyć, 96a
omylić, 573a
omylić się, 381c
omylny, 971b
omyłka, 35a
OMYŁKOWO, 753c
omyłkowy, 461b
onanizm, 827c
onanizować, 243e
ondulacja, 1029b
ondulować, 286b
onegdaj↑, 565a
ongi↑, 233a
ongisiejszy↑, 881b
ongiś↑, 233a
oniemiały, 859d
ONIEMIEĆ, 154b *(zdumieć się)*
oniemieć, 1070c
  (wzruszyć się)
onieśmielać, 591a

oświata, 409b *(kształcenie)*
oświatowiec, 116b
oświatowy, 552b
oświecać, 915d
oświecenie, 1018c
oświecić, 204a
oświecony↑, 344b
oświetlacz, 913d
oświetlać, 915d
oświetlenie, 913c
otaczać, 306c
   (rozpościerać się)
otaczać, 536a *(otoczyć)*
otaczać się, 489b
otaczać troską, 550c
otaczający, 33a
otaczający świat, 927b
otaksować, 269c
otaksować spojrzeniem, 589c
otaksowanie, 507b
otamować, 536a
otchłanny↑, 142f
otchłań, 153c *(przepaść)*
otchłań, 417a *(niebyt)*
otępiałość, 17a *(lenistwo)*
otępiałość, 17b *(obojętność)*
otępiały, 498a *(bierny)*
otępiały, 850a *(apatyczny)*
otępić, 902a
otępieć, 560e
otępienie, 17a *(lenistwo)*
otępienie, 17b *(obojętność)*
otępienie, 174e *(głupota)*
otłuścić, 48a
oto, 926d
otoczenie, 7b *(napaść)*
otoczenie, 187c *(zbiorowość)*
otoczenie, 733a *(terytorium)*
otoczenie, 927b
   (rzeczywistość)
otoczka, 105c
otoczony, 564c
OTOCZYĆ, 397c *(osaczyć)*
OTOCZYĆ, 536a *(okolić)*
otoczyć, 722c *(spowić)*
otoczyć ramieniem, 492a
otoczyć się, 489b
otok, 105c *(oprawa)*
otok, 246a *(okrąg)*
otomana, 332a
otóż, 656c
otóż i, 926d
otrąbić, 521b
otręby, 429c
otruć, 1073d
otruć się, 972c
OTRZASKAĆ SIĘ, 686g
otrzaskać się, 760a
otrzaskany↓, 344c
otrząsać, 96c
otrząsnąć, 96c

otrząsnąć się, 8c
   (wzdrygnąć się)
otrząsnąć się, 986b *(ochłonąć)*
otrząść, 96c
otrzeć, 96b
otrzeć się, 132a *(tknąć)*
otrzeć się, 284c *(rozwijać się)*
otrzeć się o, 864a
otrzepać, 96c
otrzeźwić, 58a *(cucić)*
otrzeźwić, 980c *(odratować)*
otrzeźwić się, 58b
otrzeźwieć, 58b *(ocknąć się)*
otrzeźwieć, 986b *(ochłonąć)*
otrzęsiny, 200e
OTRZYMAĆ, 130a *(dostać)*
otrzymanie, 512a
otrzymywać, 1049c
   (uzyskiwać)
OTUCHA, 389b
otulać, 751d
otulić, 511c
OTULIĆ, 751d *(przykryć)*
otulić, 949b *(opatulać)*
otulina, 1100e
otulony, 969c
otumaniać, 526a
otumaniający, 339e
otumaniały, 572a
otumanianie, 575c
otumanić, 573a
otumanieć, 1122a
otupać, 96c
otwarcie, 577
otwarcie, 623c *(początek)*
otwarta przestrzeń, 755a
otwartość, 955a
OTWARTY, 766c *(odkryty)*
otwarty, 956e *(bezpośredni)*
otwarty, 1177e *(gościnny)*
OTWIERAĆ, 1080c
otwierać perspektywy, 877c
otwierać się, 578a
otworzyć, 578 *(odemknąć)*
otworzyć, 945c *(utworzyć)*
otworzyć, 1080a
   (zapoczątkować)
otworzyć granice, 994b
otworzyć komu oczy na, 204a
otworzyć oczy, 58b
otworzyć serce, 968b
OTWÓR, 153e
otyłość, 387b
OTYŁY, 186a
otynkować, 56d
outsider, 821c
owacja, 895e
owacyjnie, 830c
owacyjny, 831f
OWAD, 778a
owal, 285d *(figura)*

owal, 308b *(krzywa)*
owalny, 544a
owce, 538c
owczarz, 551c
owczy, 754b
owczy pęd, 538c
owdowieć, 518c
owdowienie, 822d
owiać, 728a *(zasłaniać)*
owiać, 891a *(odwadniać)*
owiać, 1070a *(owładnąć)*
owiązać, 546a *(zapakować)*
owiązać, 751d *(otulić)*
owies, 1126b
owiewać, 728a *(zasłaniać)*
owiewać, 1070a *(owładnąć)*
owijać, 546a *(zapakować)*
owijać, 751d *(otulić)*
owinąć, 546a *(zapakować)*
owinąć, 751d *(otulić)*
owinąć wokół palca, 736e
owioną, 1070a
owładnąć, 43a
OWŁADNĄĆ, 1070a
OWŁOSIENIE, 1029c
OWŁOSIONY, 1028a
owoc, 579
owoc, 1055a *(wynik)*
OWOCE, 579e *(witaminy)*
owoce, 1055a *(plony)*
owoce południowe, 579c
OWOCNIE, 838c
owocny, 267f *(pomyślny)*
owocny, 839a *(efektywny)*
owocowa, 219d
owocować, 780e
owoczesny↑, 881c
owrzodzenie, 273a
owsiki, 778b
OWSZEM, 920b
owulacja, 276b
ozdabiać się, 948b
OZDOBA, 105b *(dekoracja)*
ozdoba, 895c *(chluba)*
ozdobić się, 948b
ozdobienie, 105b
OZDOBIONY, 1116a
ozdobnie, 317b
ozdobnik, 105a
ozdobność, 105d
ozdobny, 38b *(strojny)*
OZDOBNY, 1116b
   (dekoracyjny)
ozdóbka, 105b
ozdrowić, 297c
ozdrowienie, 295a
oziębić, 1128b
oziębić się, 1128a
oziębienie, 441b
oziębie, 464d *(wyniośle)*
oziębie, 496a *(bezdusznie)*

palec boży, 335d
palec u nogi, 262b
palec wskazujący, 262b
palenica, 328a
palenie, 42b *(bolesność)*
palenie, 1091a *(woń)*
palenisko, 598b
paleta, 614b *(platforma)*
paleta, 1109a *(zbieranina)*
palić, 127c *(pobolewać)*
palić, 511e *(prażyć)*
PALIĆ, 526f *(papierosy)*
palić, 756d *(podgrzewać)*
palić, 816d *(wystrzelić)*
palić, 1070a *(owładnąć)*
PALIĆ SIĘ, 853c
palić się do, 65b
palik, 237b
palikować, 967b
palisada, 537a
paliwo, 582
palma↓, 174e
palma pierwszeństwa, 890d
palmeta, 105a
palmiarnia, 539a
palnąć, 26a *(uderzyć)*
palnąć, 50b *(dźwięczeć)*
palnąć, 376e *(gadać)*
palnąć, 816d *(wystrzelić)*
palnąć się, 962b
palnik, 598a
palny, 74b
palować, 56d *(obudować)*
palować, 967b *(spętać)*
palto, 531b
paltocik, 531b
paltot, 531b
paluch, 262b
paluszek, 599a
pała↓, 171a *(łeb)*
pała, 237d *(pałka)*
pałac, 57b
pałacyk, 57b
PAŁAC, 90c *(dyszeć)*
pałać, 853c *(palić się)*
pałać, 1070c *(wzruszyć się)*
pałasz, 45d
pałaszować, 220a
pałąk, 237c
pałąkowato, 457c
pałąkowatość, 281a
pałąkowaty, 458a
pałeczka, 237c
pałeczki, 135b
pałętać się, 215b
PAŁKA, 237d
pamflecista, 737a
pamflet, 228a
pamfletowy, 452c
pamiątka, 101a *(podarunek)*
pamiątka, 583a *(pamiętanie)*

PAMIĄTKA, 652b *(zabytek)*
pamiątkowy, 270a
pamięciowo, 817d
pamięciowy, 477a
  (samodzielny)
pamięciowy, 763b *(umysłowy)*
pamięć, 334a *(magazyn)*
pamięć, 553c *(reputacja)*
pamięć, 583 *(pamiętanie)*
pamiętać, 175a *(gniewać się)*
pamiętać, 584
  (przypominać sobie)
pamiętać o, 550c
PAMIĘTANIE, 583a
pamiętasz, 584d
pamiętliwość, 775b
pamiętliwy, 452a
pamiętnik, 484b *(zeszyt)*
pamiętnik, 735b *(historia)*
pamiętnikarski, 687b
pamiętnikarz, 606b
pamiętnikowy, 687b
pamiętny↑, 939d
pampa, 328d
pampas, 328d
pan↓, 410a *(dydaktyk)*
pan, 36b *(arystokrata)*
PAN, 41a *(bóg)*
pan, 236d *(władca)*
pan, 347a *(jegomość)*
pan, 481c *(faun)*
pan domu, 998e
pan młody, 347f
pan stworzenia↑, 89a
pan władza↓, 644a
PANACEUM, 298c
panama, 84a
pancerfaust, 45b
pancernik, 331d *(okręt)*
pancerny, 831b *(zbrojny)*
pancerny, 939b *(odporny)*
pancerz, 1100c
pandemia, 70h
pandemiczny↑, 1038a
pandemonium, 443c
panegiryczny↑, 1177b
panegiryk, 895c
panegirysta, 618a
panegiryzm, 844b
panegiryzować, 825a
panel, 790a
pani, 242a
pani domu, 242c
pani serca, 242f
panicz↑, 347e
panicznie, 830b
paniczny, 388c
paniczyk↑, 347e
paniczykowaty, 1116c
panieneczka, 242e
panienka↓, 244b *(kurtyzana)*

panienka, 242e *(dziewczyna)*
panieński, 366b
panieństwo, 468a *(cnotliwość)*
panieństwo, 1042b
  (abstynencja)
PANIER, 679d
panierka, 679d
panierować, 756d
panika, 307a *(strach)*
panika, 443d *(zamieszanie)*
panikarski, 416c
panikarstwo, 307b
PANIKARZ, 924a
panikować, 8b
paniusia, 242a
panna, 242e
panna młoda, 242f
pannica, 242e
pannisko, 242e
panoptikum, 1109b
panorama, 501a
panoramiczny, 901a
panoszyć się, 145b
  (zadziałać)
panoszyć się, 1067b
  (hardzieć)
PANOWAĆ, 234c *(nadzorować)*
panować, 1050a *(górować)*
panowanie, 739a *(górowanie)*
panowanie, 1026a *(rządy)*
panslawista, 1164b
pantagrueliczny↑, 1083b
pantalony, 531f
panterka, 531b
pantofele, 506a
pantoflarski↑, 189b
pantoflarz, 431c
pantomima, 200b
pantomimista, 4e
panujący, 236d *(władca)*
panujący, 814c *(faktyczny)*
panzootia, 70h
pańcia↓, 242a
pański, 139a *(godny)*
pański, 480a *(boski)*
państwo, 585
państwo, 781d *(rodzina)*
państwowy, 1038a
pańszczyzna, 690f
pańszczyźniany, 1088e
papa↓, 944a *(fizjonomia)*
papa, 347d *(ojciec)*
papacha, 84a
papaja, 579c
papcio, 347d
papeteria, 484c
papier, 128c
PAPIER, 484c *(notatnik)*
PAPIER, 547b *(opakowanie)*
papier listowy, 484c
papierek, 547b

parterowy, 337b
partia, 88e *(fragment)*
partia, 499a *(działka)*
PARTIA, 559c *(organizacja)*
partia, 1000c *(zawody)*
partia, 1071b *(gra)*
PARTNER, 933c
PARTNEROWAĆ, 489c
partnerski, 364b
partnerstwo, 868b
partolić↓, 1108c
party, 981b
partycypacja, 964a
partycypować, 612c
 (w kosztach)
PARTYCYPOWAĆ, 958b
 (w rządach)
partycypowanie, 964a
partyjka, 1071b
partyjniak↓, 618b
 (oportunista)
partyjniak, 646c *(lewicowiec)*
partyjny, 645a *(ideologiczny)*
partyjny, 646c *(lewicowiec)*
partykularny, 99e *(peryferyjny)*
partykularny, 819a
 (egoistyczny)
partykularyzm, 66c
partykularz, 710c
partytura, 1094a
partyzancki↓, 433a
 (początkujący)
partyzancki, 831b *(zbrojny)*
partyzant, 40a
partyzantka, 434b
partyzantka, 1031a *(wojsko)*
parweniusz, 36c
parweniuszostwo, 710c
parweniuszowski, 712a
parytet, 1002a
parzący, 750e
parzenie się, 827c
parzyć, 127c *(pobolewać)*
parzyć, 511e *(prażyć)*
parzyć, 756a *(oporządzać)*
parzyć, 756d *(podgrzewać)*
parzyć się, 243d *(pożądać)*
parzyć się, 511f *(grzać się)*
pas, 75b *(tułów)*
pas, 136b *(magistrala)*
pas, 308a *(prosta)*
pas, 733a *(terytorium)*
pas, 904d *(pasek)*
pas był w robocie, 26c
pas graniczny, 182b
pasać, 220e
pasat, 441d
pasaż, 136c *(ulica)*
pasażer, 746d
pasażer na gapę, 574d
paseczek, 308a *(prosta)*

paseczek, 904e *(tasiemka)*
PASEK, 904d
paser, 574c
paserstwo, 272b
pasiak, 531d
pasiasty, 14b
pasibrzuch, 1170a
pasierb, 781f
pasierbica, 781f
pasja, 42a *(droga krzeżowa)*
pasja, 67c *(ochota)*
pasja, 363b *(namiętność)*
pasja, 1132a *(gniew)*
pasjans, 335c
pasjonat, 1164d
pasjonować, 208c
pasjonować się, 1085a
pasjonująco, 209a
pasjonujący, 77a
paskarski↓, 388a
 (wygórowany)
paskarski, 178c
 (lichwiarski)
paskarstwo, 272b
paskarz, 574c
paskowany, 14b
paskowy, 203d
paskudnie↑, 464a
 (ordynarnie)
paskudnie, 12c *(bardzo)*
paskudny, 52a
paskudzić, 48a *(pobrudzić)*
paskudzić, 1108c
 (zmarnować)
paskudzić się, 48b
 (ubrudzić się)
paskudzić się, 71d *(obrzmieć)*
paskudztwo, 54b
pasmanteria, 835a
 (dom handlowy)
pasmanteria, 904e *(tasiemka)*
pasmo, 136a *(trasa)*
pasmo, 180a *(góra)*
pasmo, 812c *(ciąg)*
pasmo, 913a *(smuga)*
pasmo, 1016c *(wiązka)*
pasować, 56b *(składać)*
PASOWAĆ, 195d *(przylegać)*
pasować, 777c *(zaniechać)*
pasować, 867c *(wypróbować)*
pasować na, 1044d
pasować się, 999b
pasować się ze śmiercią, 972a
pasożyt, 304a *(próżniak)*
pasożyt, 451b *(wróg)*
PASOŻYT, 778b *(robak)*
pasożytnictwo, 17a
pasożytniczy, 22c
pasożytować, 265c
pasożytowanie, 17a
pasożyty, 778b

passepartout, 105c
passus, 88e
pasta, 298C *(lek)*
PASTA, 587b *(papka)*
pasta do butów, 587b
pastelowy, 106c
pasterski, 808c
pasteryzacja, 94c
 (czyszczenie)
pasteryzacja, 253a
 (zachowanie)
pasteryzować, 96e
pasteryzowanie, 94c
pasterz, 224a *(kapłan)*
PASTERZ, 551c *(opiekun)*
pastisz, 228a
pastiszowy, 1013b
PASTOR, 224b
pastoralny, 1083b
pastorał, 237e
pastorałka, 379c *(wokalistyka)*
pastorałka, 899b *(sielanka)*
pastować, 848a
pastuch, 551c
pastwić się, 26c *(męczyć)*
pastwić się, 280b *(ciemiężyć)*
pastwienie się, 1131c
PASTWISKO, 328a
pastylka, 219e *(przysmak)*
pastylka, 298a *(lek)*
pasy, 136e
pasywa, 600e
pasywizm, 17b
pasywnie, 496b
pasywność, 17b *(obojętność)*
pasywność, 497d *(bierność)*
pasywny, 189b *(posłuszny)*
pasywny, 498a *(bierny)*
pasza, 219a *(żywność)*
pasza, 236d *(władca)*
paszcza, 944b
paszczęka, 944b
paszkwil, 228a *(parodia)*
paszkwil, 833c *(oskarżenie)*
paszkwilancki, 390d
paszkwilant, 737a
paszkwilowy, 390d
paszport, 128c
pasztecik, 599b
pasztet↓, 704b *(kłopot)*
pasztet, 359f *(wędlina)*
pasztetowa, 359f
paść, 705b *(wyhodować)*
paść, 883f *(zbankrutować)*
paść, 966b *(karmić)*
paść, 972b *(umrzeć)*
paść, 977c *(runąć)*
paść, 987d *(przegrać)*
paść na, 856a
paść oczy, 315b
paść ofiarą, 482a *(podupaść)*

paść ofiarą, 972b *(umrzeć)*
paść pod siekierą, 988c
paść się, 947a
paść trupem, 972b
pat, 704b
patafian↓, 431c
patałach, 431b
patałaszyć, 1108c
patelnia, 386f
patent, 658b *(ulepszenie)*
patent, 1018a *(sposób)*
patent, 1123b *(pozwolenie)*
patentowany, 1062a
patera, 386c
paternalistyczny, 1025c
paternoster↑, 157b
patetycznie, 439a
patetyczność, 404b
patetyczny, 905b
patio, 941c
patka, 105b
patolog, 299a
patologia, 70a *(schorzenie)*
patologia, 296b *(lecznica)*
patologia społeczna, 289c
patologicznie, 726c
patologiczny, 388c
patos, 404b *(powaga)*
patos, 767d *(wyniosłość)*
patowy, 166e
patriarcha, 224c *(ksiądz)*
patriarcha, 347d *(ojciec)*
patriarchalnie, 675c
patriarchalny, 676a
patriota, 1164b
patriotyczny, 645a
patriotyzm, 1022a
PATROL, 255c
patrolować, 867b
patrolowanie, 10d
patrolowiec, 331d
PATRON, 551a
patronat, 549a
patronować, 877d
patroszyć, 756a *(oporządzać)*
patroszyć, 988c *(usuwać)*
PATRYCJAT, 861e
patrycjusz, 36b
patrzałki↓, 316b
patrzały↓, 1144c
patrzeć, 87b *(czekać)*
patrzeć, 589 *(spojrzeć)*
patrzeć jak na, 669d
patrzeć jak sroka w gnat, 589c
patrzeć jak w obraz, 825b
patrzeć na, 995a
patrzeć na ręce, 867b
patrzeć przez palce, 877f
patrzeć swego, 879c
patrzeć śmierci w oczy, 972a
patrzeć wilkiem, 1056b

patrzeć z góry, 657a
patrzeć złym okiem, 167a
patrzeć
    życzliwym okiem, 877d
patrzy mu dobrze
    z oczu, 1113b
patyczkować się, 877f
PATYK, 237c
patykowaty, 900a
patyna, 679f *(warstwa)*
patyna, 1002c *(jakość)*
patynować, 13a
patynować się, 32b
pauperyzacja, 852d
pauperyzować się, 30b
pauza, 1057c
paw↓, 429d
pawilon, 57b *(budowla)*
pawilon, 835a *(dom handlowy)*
pawlacz, 334b
pazernie, 68c
pazerność, 66b
pazerny↓, 1074b
paznokieć, 262b
pazur, 262b
pączek, 623b
pączkować, 780e
pączkowanie, 1069c
pąs, 245c *(czerwień)*
pąs, 462a *(wstydliwość)*
pąsowieć, 1070c
pąsowy↑, 731b *(zawstydzony)*
pąsowy, 14d *(czerwony)*
pątniczy↑, 808c
pątnik, 772d *(pielgrzym)*
pątnik, 1015a *(piechur)*
pc, 161e
pchać, 129d *(zmuszać)*
pchać, 571b *(inwestować)*
pchać, 973b *(włożyć)*
pchać do, 1077c
pchać się, 1011b
pchnąć, 1065b *(wydelegować)*
pchnąć, 1073d *(zadźgać)*
pchnąć się, 972c
pchnąć sprawę, 691b
pchnięcie, 291b
pcw, 610a *(winyl)*
pcw, 625b *(podłoga)*
pean, 895d
pecet↓, 161e
pech, 448a
pechowiec, 27d
pechowo, 1168b
pechowy, 166d *(zgubny)*
pechowy, 1133a
    (niefortunny)
pedagog, 410a
pedagogicznie, 119e
pedagogiczny, 552b
pedagogika, 409c

pedagogizować, 159b
pedalstwo↓, 493c
pedał↓, 1111b
pedałować, 215a *(stąpać)*
pedałować, 722b
    (podróżować)
pedałówka↓, 11a
PEDANT, 845b
pedanteria, 124b
    (drobiazgowość)
pedanteria, 254b *(formalizm)*
pedantycznie, 123a
pedantyczność, 124b
    (drobiazgowość)
pedantyczność, 254b
    (formalizm)
pedantyczny, 125b *(dokładny)*
PEDANTYCZNY, 693d
    (małostkowy)
pedantyzm, 254b
pedel↑, 551b
pederasta, 1111b
pederastia, 493c
pederastka↓, 11a
pediatra, 299a
pediatria, 296b
pedofil, 1111a
pedofilia, 493c
pedzio↓, 1111b
peem, 45c
pegeer, 1127c
pejcz, 237f
pejoratywny, 1133a
pejsy, 1029d
pejzaż, 501a
pejzażysta, 4a
pekaes, 934a
peklować, 756f
pekuniarny↑, 178c
pelengować, 545b
peleryna, 531b
pelerynka, 531b
pelisa, 531b
pełen, 1158c
pełen inwencji, 164c
pełen wdzięku, 364a
pełgać, 853a
pełnia, 61a *(wszystko)*
pełnia, 283a *(księżyc)*
pełnia, 538a *(mnóstwo)*
pełnia, 602c *(doskonałość)*
pełnia sił, 1020c
pełniący obowiązki, 719c
pełnić, 691d
pełnić dozór, 550e
pełnić służbę, 1072e
pełno, 726d
pełnoletni, 797b
pełnoletność, 1020c
pełnometrażowy, 113d
pełnomocnictwo, 1123c

PEŁNOMOCNIK, 719d
pełnomocny, 700d
pełnoprawny, 1158b
pełnosprawny, 871c
pełność, 387b *(nadwaga)*
pełność, 538a *(mnóstwo)*
pełność, 602c *(doskonałość)*
pełnowartościowy, 839b
pełnoziarnisty, 599a
pełny, 142g *(okazały)*
pełny, 1083c *(syty)*
pełny, 1158b *(kompletny)*
PEŁNY, 1158c *(zapełniony)*
pełzać, 215a *(stąpać)*
pełzać, 722c
　　(rozprzestrzeniać się)
PEŁZAĆ, 825c *(schlebiać)*
pełznąć, 32b
pendant, 802c
penetracja, 10a *(dociekanie)*
penetracja, 1033a
　　(przenikanie)
penetrować, 9c *(studiować)*
penetrować, 716b
　　(przenikać)
penis, 75e
PENITENCJARNY, 227a
peniuar, 531d
pensja↑, 355c *(hotel)*
pensja↑, 903c *(szkoła
　　średnia)*
pensja, 600d *(płaca)*
pensjonariusz, 746c *(gość)*
pensjonariusz, 998e
　　(mieszkaniec)
pensjonarka, 242e
　　(dziewczyna)
pensjonarka, 957b *(licealista)*
pensjonarski, 905b
pensjonat, 355c
pensum, 499a
pepegi, 506c
pepesza, 45c
pepitka, 1068c
per pedes↑, 908e
PERCEPCJA, 512b
PERCEPCYJNY↑, 687f
PERCYPOWAĆ, 686d
perć, 136e
peregrynacja, 630b
perfekcja, 602c
perfekcjonista, 845b
perfekcjonizm, 254b
perfekcyjnie, 119b
perfekcyjny, 698c
perfekt↓, 119b
perfidia, 575g
perfidnie, 632b
perfidny, 466c
performance↑, 200b
perforować, 500a

perfumeria, 835a
perfumować, 948a
PERFUMY, 1091c
pergamin, 484c
pergola, 57b
period, 86a *(okres)*
period↑, 276b *(miesiączka)*
periodycznie↑, 811b
periodyczność, 413b
periodyczny↑, 1140a
periodyk, 696a
periodyzacja, 634a
periodyzować, 665d
perkaty, 458a
perkotać, 50b *(dźwięczeć)*
perkotać, 756e *(gotować się)*
perkusista, 4d
perkusja, 206c
perliczka, 359e
perlić się, 351a
perlisty, 170b *(gromki)*
perlisty, 808h *(płynny)*
perliście, 169a
perła, 813b
perły, 31b
permanentnie, 938c
PERMANENTNY, 878c
permisywnie↑, 115a
permisywy↑, 319a
permutacja, 1136b
peron, 670a
perora, 724b
perorować, 376d
perpektywicznie, 688a
perpetuum mobile, 983a
persona, 561a
persona non grata, 210a
personalia, 202d
personalnie, 123d
personalny, 562a *(własny)*
personalny, 695c *(urzędnik)*
personalny, 896d *(gwarowy)*
personel, 187b
personifikacja, 725a
personifikować, 1060b
perspektywa, 372a
　　(ewentualność)
perspektywa, 501a *(widok)*
perspektywa, 748c *(wzgląd)*
perspektywa, 758a
　　(przyszłość)
perspektywiczny, 798a
perswadować, 963b
perswadowanie, 872c
perswazja, 872c
persyflażowy↑, 1013c
persyflaż, 228a
perszeron, 258a
pertraktacje, 790c
pertraktować, 788d
perturbacje, 704c

PERTURBOWAĆ, 1076b
peruka, 1029b
perwersja, 493c
perwersyjność, 493c
perwersyjny, 205e
peryferia, 88f
peryferie, 349b
peryferyczność, 897c
peryferyczny, 99e
peryferyjność, 897c
PERYFERYJNY, 99e
peryfrastyczny↑, 554c
PERYFRAZA, 725b
peryfrazować, 204d
perypetie, 704c
peryskop, 316a
perystaltyczny, 76b
pestka↓, 897b *(drobnostka)*
pestka, 1126a *(nasiona)*
pestkówka, 2c
PESTYCYDY, 412b
pesymista, 590
pesymistycznie, 1168b
pesymistyczny, 166c
pesymizm, 475b
peszące, 184b
peszyć, 591
pet, 586a
petent, 998a
petryfikacja, 253a
petryfikować, 942c
PETYCJA, 713a
pewien, 232b *(jakiś)*
pewien, 594a *(pewny)*
PEWNA ILOŚĆ, 350d
pewnie, 21a *(niezawodnie)*
pewnie, 592 *(niezbicie)*
PEWNIE, 697a *(zapewne)*
pewnie, 830a *(mocno)*
pewnie, 920d *(aha)*
pewnik, 701d
pewno, 697a
pewność, 165c *(biegłość)*
pewność, 553a *(zdanie)*
pewność, 593
pewność siebie, 767b
pewny, 478a *(bezpieczny)*
pewny, 594
pewny, 1062a *(niewątpliwy)*
pewny siebie, 1025c
pezetpeerowiec, 646c
pęcherz, 502d
pęczek, 1016a *(wiązka)*
pęczek, 1109e *(pakiet)*
pęcznieć, 1162a
pęd, 441d *(wichura)*
pęd, 519b *(odnóżka)*
pęd, 807e *(poryw)*
pęd, 925a *(moda)*
pędem, 908a
pędrak, 146a

pędzić, 129b *(napominać)*
pędzić, 183e *(zorganizować)*
pędzić, 595 *(gnać)*
pędzić, 982b
  (wprawiać w ruch)
pędzić, 1049c *(uzyskiwać)*
pędzić na łeb na szyję, 595b
pędzić żywot, 60a
pędziwiatr, 197a
pędzlować, 1072b
pęk, 1016a *(bukiet)*
pęk, 1109e *(pakiet)*
pękać, 596
pękać w szwach, 727c
pękać z, 175c
pękać ze śmiechu, 15b
PĘKATY, 186b *(nabrzmiały)*
pękaty, 544c *(wypukły)*
pękła bomba, 968a
pękło, 526d
pękło tyle a tyle, 612c
PĘKNĄĆ, 596b *(złamać się)*
pęknąć, 596d *(wybuchnąć)*
pęknięcie, 153f
pępek, 912a
pępek świata, 1004b
pępowina↑, 1022a
pęseta, 488a
PĘTA, 469c
pętać, 470a
pętać się, 215b
pętak, 146a *(pędrak)*
pętak, 431c *(popychadło)*
pętelka, 904c
PĘTLA, 1165b
pi razy drzwi↓, 543a
pi razy oko↓, 543a
piach, 1127a
piać, 315c *(podziwiać)*
piać, 376f *(chrypieć)*
piać, 894e *(wydać głos)*
pianino, 206d
pianista, 4d
pianka, 219d
piarg, 180c
piasek, 1127a
piaski, 765a
piastować, 550c *(dbać)*
piastować, 691d *(wykonywać)*
piastunka, 242d
piąć się, 783c *(rosnąć)*
PIĄĆ SIĘ, 1037a *(wspinać się)*
piątkowicz, 957b
piccolo, 206b
pichcić, 756b
PICIE, 399b
pickup, 638b
picować↓, 573b
picuś↓, 347g
picuś-glancuś↓, 347g
piczka↓, 75e

pić, 127c *(uwierać)*
PIĆ, 526c *(wódkę)*
pić, 597 *(wypić)*
pić do, 167c
pić piwo, 81c
pić zdrowie, 877a
pidgin, 221b
piec, 127c *(pobolewać)*
piec, 511e *(prażyć)*
piec, 598 *(grzejnik)*
piec, 756b *(przyrządzić)*
piec, 756d *(podgrzewać)*
piec się, 511f *(grzać się)*
piec się, 756d *(podgrzewać)*
piechota, 1031a
piechotą, 908e
piechur, 40a *(żołnierz)*
PIECHUR, 1015a *(wędrowiec)*
piecuch, 304b
PIECYK, 598a
PIECZA, 549b
pieczara, 153d
pieczątka, 628a
pieczeniarz, 304a *(próżniak)*
pieczeniarz, 874a *(cwaniak)*
pieczenie, 42b
pieczeń, 359a
pieczęć, 628a *(nazwisko)*
pieczęć, 1146h *(oznaka)*
pieczętować, 629b
pieczołowicie, 510c
pieczołowitość, 549b
pieczołowity, 552a
pieczyste, 359a
pieczywo, 599
piedestał, 631a
piegowaty, 14b
piekarnia, 835a
piekarnik, 598a
piekący, 750e
piekielnica, 242b
piekielnie↓, 184c
piekielny, 884b *(okrutny)*
piekielny, 1133b *(srogi)*
pieklić się, 999a
pieklić się o, 129e
piekło, 42a *(cierpienie)*
piekło, 250b *(sprzeczka)*
piekło, 1000a *(walka)*
pielenie, 94c
pielesze domowe, 781a
pielęgnacja, 549b
pielęgnacyjny, 267d
pielęgniarka, 551d
PIELĘGNIARZ, 551d
pielęgnować, 257a
  (przedłużać trwanie)
pielęgnować, 550c *(dbać)*
pielęgnowanie, 549b
pielgrzym, 772d *(pątnik)*
pielgrzym, 1015a *(piechur)*

pielgrzymi, 808c
pielgrzymka, 630b
pielgrzymować, 686g
pielić, 988d
pieniacki↑, 1a
pieniactwo, 1132b
pieniacz, 330c
pieniący się, 766b
PIENIĄDZ, 600c
pieniądze, 101c *(ofiara)*
pieniądze, 600
pieniądze idą, 612c
pieniądze wpłynęły, 130a
pieniążek, 600c
pienić się, 175c *(unieść się)*
pienić się, 351a *(wzburzyć)*
pienie↑, 379c
pieniek, 134b
pieniężnie, 266a
pieniężny, 178c
pienisty, 766b
pień, 134b
pieprznąć, 26a *(uderzyć)*
pieprznąć, 816a *(cisnąć)*
pieprzność, 1061e
pieprzny↓, 454b
pieprzony↓, 1133a
pieprzówka, 2c
pieprzyć↓, 243d *(pożądać)*
pieprzyć, 376e *(gadać)*
pieprzyć, 756c *(przyprawić)*
pieprzyk, 1146a
pierdel↓, 469b
pierdnięcie↓, 191c
pierdolenie↓, 827c
pierdolić↓, 243d *(pożądać)*
pierdolić↓, 657a *(lekceważyć)*
pierdolić↓, 376e *(gadać)*
pierdolnięty↓, 205e
pierdolony↓, 1133a
pierdoła↓, 431a *(niezdara)*
pierdoła, 347b *(starzec)*
pierdoły↓, 174b
pierdzenie↓, 191c
pierdzieć, 1047a
pierdziel↓, 347b
piernat, 332c
pierniczeć, 882a
pierniczyć, 376e
piernik, 347b
pieroński↓, 1133a
pierońsko↓, 12c
pierożek, 239a
pieróg, 84a *(nakrycie głowy)*
pieróg, 239a *(kluska)*
pierrot, 288a
piersi, 75b
piersiasty, 142g
piersiówka, 59a
pierś, 75b *(tułów)*
pierś, 359a *(półtusza)*

pierścień, 31b *(klejnot)*
pierścień, 246a *(okrąg)*
pierścień, 904d *(pasek)*
pierścionek, 31b
pierwej↑, 1008b
pierwiastek, 88b *(atom)*
pierwiastek, 935c *(temat)*
pierwiastkować, 545e
pierwociny, 623b
pierwodruk, 1068a
pierwopis, 1068a
pierworodny, 1007d
pierworys, 1068a
pierwotniaki, 135a
pierwotnie, 1008c
pierwotność, 755a
pierwotny, 152c *(dziki)*
PIERWOTNY, 1007e
    (wrodzony)
pierwotny, 1178b *(zwierzęcy)*
pierwowzór, 1068a
pierwsza kobieta, 742b
PIERWSZA POMOC, 296d
pierwszak, 957b
pierwsze danie, 219d
pierwsze miejsce, 394a
pierwsze słyszę, 686b
pierwszeństwo, 739b *(prymat)*
pierwszeństwo, 890d
    (zwycięstwo)
pierwszoklasista, 957b
pierwszoplanowość, 739b
pierwszoplanowy, 1005a
pierwszorzędnie↓, 119b
pierwszorzędny↓, 118c
    (udany)
pierwszorzędny, 1005a
    (ważki)
pierwszy, 1005a *(ważki)*
pierwszy, 1007b *(nowy)*
pierwszy, 1041d *(inicjujący)*
PIERZCHAĆ, 951a *(uciec)*
PIERZCHAĆ, 1151c *(znikać)*
pierzchliwie↑, 473f
pierzchliwość, 307b
pierzchliwy↑, 841d
pierzchnąć, 71d
pierze, 1029c
pierzyna, 332c
pies, 601
pies cię trącał↓, 657a
pies na, 1164d
PIES RASOWY, 601b
pies z nim tańcował↓, 657a
pieski↑, 339a
pieszczenie, 91b
pieszczoch, 146d
pieszczoszek, 146d
PIESZCZOTA, 91b
pieszczotliwie, 361b
    (zdrobniale)

pieszczotliwie, 361c *(czule)*
pieszczotliwość, 91a
pieszczotliwy, 364b
pieszczoty, 91b
pieszo, 908e
pieszy, 746d *(przechodzień)*
pieszy, 771a *(wędrowny)*
pieścić, 132b
pieścić się, 303b *(bumelować)*
pieścić się, 376f *(jąkać się)*
pieścić się, 877f *(pobłażać)*
pieścidełko, 813b
pieśniarka, 4c
pieśniarz, 4c
pieśń, 88e *(fragment)*
pieśń, 311b *(poezja)*
pieśń, 379c *(wokalistyka)*
pietruszka, 1003b
pietystyczny↑, 552a
pietyzm, 895b
piewca, 606a *(literat)*
piewca, 618a *(lizus)*
pięciokąt, 285d
pięciolecie, 86c
pięcioraczki, 781f
piędź, 49a
piękna pogoda, 636b
PIĘKNIE, 317b
pięknieć, 1138c
pię"kniś, 347g
piękno, 602
pięknoduch, 1164c
piękność, 242a *(niewiasta)*
piękność, 602a *(uroda)*
piękny, 318a
pięściarstwo, 862b
pięściarz, 1107a
pięść, 262b
pięta, 262c
pięta Achillesa, 35c
piętka, 88c
piętno, 63a *(własność)*
piętno, 1146a *(ślad)*
piętnować, 167b
PIĘTRO, 685a
piętrowo, 609c
piętrzyć, 183d
piętrzyć przeszkody, 247c
piętrzyć się, 783d
pigmej, 674d
pigmejczyk, 674d
pigment, 245b
piguła, 49a
pigułka, 298a
pijacki, 1084c
pijaczyna, 197c
pijać, 597a
PIJAK, 197c
pijalny↑, 522c
pijanica, 197c
pijany, 197c *(pijak)*

PIJANY, 572b *(upity)*
pijaństwo, 603
pijaństwo, 981c *(feta)*
pijaństwo, 1033d *(nałóg)*
pijatyka, 981c
pijawka, 574c
pijus, 197c
pik↑, 180a *(wzgórze)*
pik, 245d *(trefl)*
pika, 45d
pikać, 894e
pikanie, 191e
pikanteria, 1061e
pikantność, 1061e
pikantny, 454a *(sprośny)*
pikantny, 750e *(ostry)*
pikieta, 255c
pikietować, 550e *(strzec)*
pikietować, 876d
    (protestować)
piknąć, 256a
pięknięcie, 191e
piknik, 630b
pikować, 293a *(podfrunąć)*
pikować, 780a *(rozmnażać)*
pikować, 909a *(ścibić)*
piktogram, 1146b
pilaster, 631a
pilić, 129b
pilnie, 692a *(skrzętnie)*
pilnie, 1096a *(szybko)*
pilność, 124c
pilnować, 550d
pilnować się, 92a
pilnować swego nosa, 1082a
pilnowanie, 549a
pilny, 392b *(terminowy)*
pilny, 693a *(robotny)*
pilot, 235b *(lotnik)*
pilot, 505c *(opiekun)*
pilot, 720b *(przełącznik)*
pilotka, 84a
pilotować, 234a *(sterować)*
pilotować, 873e *(konwojować)*
pilotowanie, 549a *(nadzór)*
pilotowanie, 1026c
    (zwierzchnictwo)
pilotowy, 1041b
piła↓, 845b *(służbista)*
piła, 486d *(krajak)*
piłka nożna, 862b
piłka ręczna, 862b
piłkarz, 1107a
piłować, 147a *(kawałkować)*
piłować, 147b *(oddzielić)*
piłować, 265c *(skorzystać)*
piłować, 500a *(obrobić)*
piłować, 691e *(odmachnąć)*
pinakiel, 105a
pinakoteka, 1109b
pinceta, 488a

płatnik, 998b
płatność, 600e
płatny, 270a *(odpłatny)*
PŁATNY, 396a *(najemny)*
płatowiec, 818b
pławić się, 96a *(przemyć)*
pławić się, 265d *(zażywać)*
PŁAWIĆ SIĘ, 616a *(pływać)*
pławić się w, 1117c
pławik, 642c
płaz, 618a *(lizus)*
płaz, 1160a *(zwierzę)*
płazem, 21b
płciowo, 361c
płciowy, 362b
płeć, 679a
płeć piękna, 242a
płochliwie, 473f
płochliwość, 307b
płochliwy, 152a
płochość, 300d
płochy↑, 301a
płodność, 611b
płodny, 839a
płodowy, 1007d
płodozmian, 179c
płody, 1055a
płody ziemi, 611c
płodzić, 780b *(począć)*
płodzić, 945d *(majsterkować)*
płomienisty, 80b
płomiennie, 830c
płomienny, 19c *(fanatyczny)*
płomienny, 77a *(porywający)*
płomień, 363b *(namiętność)*
PŁOMIEŃ, 535a *(ogień)*
płomień, 913e *(pochodnia)*
płomyk, 535a
płonąć, 853b *(podpalić)*
płonąć, 915b *(rozgorzeć)*
płonąć, 1070c *(wzruszyć się)*
płonić się, 1070c
płonność, 16b
płonny, 461a
płoszyć, 44f *(rozgonić)*
płoszyć, 885a *(odgrażać się)*
płoszyć się, 8c *(wzdrygnąć się)*
płoszyć się, 951a *(pierzchać)*
PŁOT, 537a
płotka, 431c
płowieć, 32b
płowy, 217d
płoza, 134c
płozić się, 783c
płótno, 501b *(malowidło)*
płótno, 928a *(materiał)*
płuca, 75a
płucka, 359c
pług, 983c
płukać, 96a *(przemyć)*
płukać, 1072b *(zapobiegać)*

płukanka, 887b
PŁYCIZNA, 668c
(niegruntowność)
płycizna, 1030f *(mielizna)*
płyn, 887b
płyn do, 298c
płynąć, 50a *(rozlegać się)*
płynąć, 261a *(upływać)*
płynąć, 615 *(cieknąć)*
płynąć, 616a *(pławić się)*
płynąć, 616b *(żeglować)*
płynąć pod prąd, 999b
płynąć z, 619b
płynąć z prądem, 1087a
płynnie, 869b
płynność, 221a *(mowa)*
płynność, 302b *(łatwość)*
płynność, 1139d
(nierównowaga)
płynny, 465b
(nieokreślony)
płynny, 474d *(stopniowy)*
PŁYNNY, 808h *(ciekły)*
płynny, 871b *(potoczysty)*
płyta, 185b *(mogiła)*
płyta, 614a *(gładź)*
płyta chodnikowa, 222c
płyta długogrająca, 161g
płyta gramofonowa, 161g
płyta kompaktowa, 161g
płytka, 625a *(parkiet)*
płytka, 631d *(podstawka)*
płytki, 339c *(nieumiejętny)*
płytki, 625a *(parkiet)*
płytko, 1168c
płytkość, 668c
płytoteka, 1109b
płytowy, 290e
pływać, 616 *(kąpać się)*
pływać, 722b *(podróżować)*
pływak, 642c *(korek)*
pływak, 1107a *(sportowiec)*
pływalnia, 1030a
pniak, 134b
po amatorsku, 1168c
po angielsku↑, 144c
po bożemu↓, 523c
po bratersku, 361b
po byku↓, 12c
po chamsku↓, 464a
po chłopięcemu, 916c
po cholerę↓, 112a
po chrześcijańsku, 115a
po cichu, 144c
po co, 112a
po cywilnemu, 817a
po części, 473b
po dawnemu, 1167b
po dobremu↓, 115a
po dobroci↓, 115a *(życzliwie)*

po dobroci, 817c
(dobrowolnie)
po drodze, 926b
po drugie, 688a
po herbacie↓, 446d
po jaką cholerę↓, 112a
po jakie licho↓, 112a
po kawalersku, 908b
po kawałku, 473b *(częściowo)*
po kawałku, 609b *(kolejno)*
po kawałku, 681c *(stopniowo)*
po kiego↓, 112a
po kiego diabła↓, 112a
po kolei, 609b
po koleżeńsku, 361b
po królewsku, 37a
po kryjomu, 144c
po kumotersku, 463d
po ludzku↓, 523c *(porządnie)*
po ludzku, 115a *(życzliwie)*
po łebkach↓, 496c
po macoszemu↓, 457b
po matczynemu, 361b
po męsku, 1114a
po mistrzowsku, 317c
po nazwisku, 123d
po nowemu, 201a
po ojcowsku, 361b
po omacku, 753b
po pańsku, 37a
po partacku, 1168c
po pierwsze, 1008b
po podnóże, 631a
po prostu, 1167a
po przyjacielsku, 361b
po równo, 800a
po rycersku, 188c
po sąsiedzku, 34a
po spartańsku, 28a
po staremu, 1167b
po strachu, 986b
po trochę, 681c
po trochu, 681c
po troszeczku, 681c
po troszku, 681c
PO TRZEŹWEMU, 592e
po tyle samo, 800a
po wielekroć, 938b
po wtóre↑, 688a
po znajomości, 463d
poadresować, 629d
poaresztować, 1156a
pobawić, 15a
pobeczeć, 613b
pobeczeć się, 613b
pobębnić, 894b
pobicie, 890d
POBIĆ, 26b *(zbić)*
pobić, 240b *(włożyć)*
pobić, 967c *(opanować)*
pobić, 1050b *(wygrać)*

podbudować, 1077b
(pobudzić)
podbudowany, 1083a
podbudowywać, 1077b
(pobudzić)
podbudówka, 57a
podbuntować, 1149c
podburzanie, 211c
PODBURZYĆ, 1149c
podchmielić sobie, 526d
podchmielony, 572b
podchody, 575f
podchodzić, 1037a (piąć się)
podchodzić, 1080b (zaczynać)
podchodzić, 1110d
(przybliżać się)
podchować, 550b
podchwycić, 43b (sięgać)
podchwycić, 376d
(przemawiać)
podchwytliwie, 632a
podchwytliwy, 466c
podciąć, 26a (uderzyć)
podciąć, 483f (skaleczyć)
podciąć, 683c (przeciwdziałać)
podciągać, 626b (zakasać)
podciągnąć, 56a (wznosić)
podciągnąć, 659c (ulepszać)
podciągnąć pod, 665d
podcienie, 281b
podcieniować, 809a
podcierać, 96b
podcięty↓, 572b
podcinać, 560d
podcinać skrzydła, 1149b
podcyfrować, 629a
podczas, 233e
podczernić, 13b
podczerwień, 706a
podczołgać się, 1110d
podczytywać, 97a
poddać działaniu, 680c
poddać leczeniu, 297a
poddać myśl, 708c
poddać pomysł, 1077a
poddać próbie, 867c
poddać się, 777c (zaniechać)
poddać się, 987d (przegrać)
poddać się kontroli, 1081a
poddać się leczeniu, 297b
poddać się losowi, 1087a
poddanie, 976b
PODDANY, 633a (lennik)
poddany, 1088e (podległy)
poddańczy, 1088e
poddaństwo, 1033d
poddasze, 685a
poddusić, 756d
podebrać, 1156d
podejmować, 966a (przyjąć)

podejmować, 1080b
(zaczynać)
podejmować się, 749e
podejrzanie, 473d
PODEJRZANY, 22a
(nieuczciwy)
podejrzany, 729a (sprawca)
podejrzeć, 736b
podejrzenie, 437d (domysł)
podejrzenie, 655a
(oszczerstwo)
podejrzenie pada, 624b
podejrzewać, 624
podejrzewać się, 624b
podejrzliwie, 992b
podejrzliwość, 1006b
podejrzliwy, 993c
podejście, 136d (dojście)
podejście, 382b (pogląd)
podejście, 575f (podstęp)
podejść, 369b (zamakać)
podejść, 669d (traktować)
podejść, 1050c (wykiwać)
podejść, 1110d
(przybliżać się)
podekscytować się, 1085b
podekscytowanie, 427c
podekscytowany, 1115a
podenerwować, 108b
podenerwować się, 175a
podenerwowanie, 427b
(porywczość)
podenerwowanie, 475a
(rozczarowanie)
podenerwowany, 1115c
podepchnąć, 721b
podeprzeć, 648c (chwytać się)
podeprzeć, 980a (wyratować)
podeprzeć, 1072d (umocnić)
podeptać, 48a (pobrudzić)
podeptać, 402a (ignorować)
podeptać, 657c (uwłaczać)
podeptać, 1174b (pobruździć)
PODERWAĆ, 243b (flirtować)
poderwać, 560a
(nadszarpnąć)
poderwać, 1037b (wzbić się)
poderwać się, 1053a
poderżnąć, 560d
podeschnąć, 891b
podesłać, 240b
podesłać, 1065a (słać)
podesłać, 1065b
(wydelegować)
podest, 685a (piętro)
podest, 941a (podium)
podeszły, 881f
podeszwa, 262c (noga)
podeszwa, 506a (buty)
podetkać, 966a
podetrzeć, 96b

podeżreć, 220c (jeść)
podeżreć, 483b (stoczyć)
podeżreć, 483f (poprzegryzać)
podfałszować, 573b
podfirmować, 877d
PODFRUNĄĆ, 293a
podfruwajka, 242e
podgadywać, 736d
podgalać, 988c
podgardlana, 359c
podgardle, 944c
podgarnąć, 626a
podgatunek, 779a
podgazować↓, 526c
podgiąć, 104b
podgięcie, 1121a
podglądać, 736b
podgłówek, 332c
podgnić, 762b
podgniły, 73d
podgoić, 297a
podgolić, 988c
podgonić, 1081c
podgotować, 756d
podgórze, 180a
podgrymaszać, 1044a
podgrywać, 181a
podgryzać, 241b (intrygować)
podgryźć, 560d (osłabić)
podgrzać, 756d
podgrzewacz, 598a
PODGRZEWAĆ, 756d
podgumować, 751e
podhasło, 842a
podhodować, 705b
podholować, 721b
podirytować, 108b
podirytowany, 1115c
PODIUM, 941a
podiwanić↓, 1156d
podjadać, 265c
podjazd, 136d
podjąć, 43c (zabrać)
PODJĄĆ, 43e (zainkasować)
podjąć, 376d (przemawiać)
podjąć, 691c (robić)
podjąć, 966a (przyjąć)
podjąć, 1080b (zaczynać)
podjąć na nowo, 257b
podjąć się, 749e
podjechać, 745b
podjeść, 220c
podjęcie, 413a
(wznowienie)
podjęcie, 744b (wizyta)
podjudzacz, 212a
podjudzanie, 211c
podjudzić, 1149c
podkadzić, 825a
podkarmić, 966b
podkasać, 626b

podokazywać, 15c
podokuczać, 127b
podolewać, 1092b
podołać, 374a
podołać w terminie, 126b
podomka, 531d
podopalać się, 853d
podopieczny, 957a
podorabiać, 1161b
podorabiać się, 1117c
podorać, 500b
podorastać, 783b
podosadzać, 856b
podostawać, 130a
podostawiać, 973c
podowiadywać się, 686b
podówczas↑, 233e
podpadać, 108c
podpadać pod, 60d
podpalić, 483c *(rujnować)*
podpalić, 756d *(podgrzewać)*
PODPALIĆ, 853b *(wzniecić)*
PODPAŁKA, 582b
podparcie, 631c
podpaska, 548a *(bandaż)*
podpaska, 904d *(pasek)*
podpaść, 108c
podpatrywać, 736b
podpatrywanie, 10d
PODPATRZYĆ, 405c
   (przepisać)
podpatrzyć, 686e *(odkryć)*
podpatrzyć, 736b
   (szpiegować)
podpełznąć, 1110d
podpędzić, 1081c
podpiąć, 626b *(zadrzeć)*
podpiąć, 1161c *(powiększać)*
podpić, 526d
podpiec się, 756d
podpiekać, 756d
podpierać, 648c *(chwytać się)*
podpierać, 1072d *(umocnić)*
podpierać się nosem, 1135a
podpiłować, 500a *(obrobić)*
podpiłować, 560d *(zmiękczyć)*
podpinać, 1161c
podpinka, 332c *(spanie)*
podpinka, 886b *(ubranie)*
podpis, 628
podpisać, 629
podpisać kontrakt, 103c
podpisać się, 1125b
podpity, 197c *(pijak)*
podpity, 572b *(pijany)*
podpiwek, 399a
podpiwniczenie, 631a
   (fundament)
podpiwniczenie, 974b
   (fundament)
podpiwniczyć, 56d

podpłynąć, 1110d
podpora, 631c *(ostoja)*
podpora, 653a *(oparcie)*
podporucznik, 40a
podporządkować, 470c
podporządkować się, 987b
podporządkowanie się, 664a
podpowiadacz, 505d
podpowiedzieć, 648b
   (usłużyć)
podpowiedzieć, 708c
   (wnioskować)
podpórka, 631d
podprawić, 756c
podprowadzić, 873e
   (konwojować)
podprowadzić, 1077d
   (bałamucić)
podpuchnąć, 71d ·
podpuchnięty, 73b
podpułkownik, 40a
podpunkt, 88e
podpuszczanie, 575g
podpuścić, 1077d
podpytywać, 686a
podrapać, 132b
PODRASTAĆ, 783a
podratować, 648d
podrażać, 269c
podrażnić, 108b
podrażnienie, 70g
podrażniony, 1115c
podregion, 88f
podregulować, 749c
podreperować, 400a
podreperować się, 297b
   (leczyć się)
podreperować się, 1117c
   (zarobić)
podreptać, 215a
podretuszować, 659c
PODRĘCZNIK, 282b
podręcznikowy, 411c
   (kształcący)
podręcznikowy, 1148e
   (nienowy)
podręczny, 712d
podręczyć się, 340b
podrobić, 500c *(rozdrabniać)*
podrobić, 573c *(sfingować)*
podrobić, 573d *(symulować)*
podrobiony, 450c
PODROBY, 359c
podroczyć się, 788a
podrodzina, 779a
podrosnąć, 783a
podrostek, 146a
podrozdział, 88e
podrożeć, 269a
podrożyć, 269c
podróbka, 575h

podróbki, 359c
podróść, 783a
PODRÓWNAĆ, 1063a
PODRÓŻOWANIE, 630c
podróż, 630
podróżniczy, 808c
podróżnik, 1015a
podróżny, 712d *(podręczny)*
PODRÓŻNY, 746d *(pasażer)*
PODRÓŻOWAĆ, 722b
podrumienić, 756d
podruzgotać, 256a
   (poturbować)
podruzgotać, 483e *(kruszyć)*
podrwiwać, 657b
podrygi, 923a
podrygiwać, 15e
podryw↓, 363c
podrywacz, 347h
podrywać, 243b *(poderwać)*
podrywać, 1037b *(wzbić się)*
podrywać opinię, 902b
podrzeć, 483g
podrzeć się, 482b *(zniszczeć)*
podrzeć się, 1159b *(zużyć się)*
podrzemać, 851a
podrzędność, 668a
PODRZĘDNY, 1133d
podrzucać, 240b *(włożyć)*
podrzucać, 816c *(strzelić)*
podrzucić, 240b *(włożyć)*
podrzucić, 721e *(odsunąć)*
podrzucić, 1102b *(zamienić)*
podrzucić, 1161a *(dodać)*
podrzutek, 146e
podrzynać, 560d
podsadzić, 158a *(nosić)*
podsadzić, 240b *(włożyć)*
podsądny, 729a
podsekretarz, 695c
podsiać, 780a
podsiniaczyć oko, 256a
podskakiwać, 397a
   (zaczepiać)
podskakiwać, 663a
   (ruszać się)
podskoczyć, 397a *(zaczepiać)*
podskoczyć, 663a *(ruszać się)*
podskoczyć, 1053b *(pójść)*
podskoczyć, 1162c
   (wzmagać się)
podskok, 807b
podskoki, 923a
podskubać, 756a
podsłuch, 10e
podsłuchiwać, 736b
podsłuchiwanie, 10e
podsmażyć, 756d
podstarzały, 881f
podstarzeć się, 882a
podstawa, 623c *(zaczątek)*

podzwonne, 583a
podzwrotnikowy, 313b
podźgać, 256a
podźwięk, 156c
podźwigać, 626a
podźwignąć się, 256b
   (odnieść rany)
podźwignąć się, 1135b
   (zmachać się)
podżartowywać, 657b
podżegacz, 212a
podżegać, 1149c
podżegający, 715c
podżeganie, 211c
podżyrować, 1072c
podżyrowanie, 593a
poecina, 199c
poemat, 311b
poeta, 606a
poetycki, 290a *(wierszowy)*
poetycki, 364c *(nastrojowy)*
poetycko, 361a
poetycznie↑, 361a
poetyczność, 404a
poetyczny↑, 364c
poetyka, 64c
poetyzować, 948c
POEZJA, 311b
   (literatura)
poezja, 899b *(szczęście)*
pofalować się, 104c
pofalowany, 458e
pofałdować się, 104c
pofałdowany, 458e
pofantazjować, 342a
pofarbować, 13b
pofastrygować, 909a
pofatygować się, 1053b
pofiglować, 15c
pofikać, 15c
pofilozofować, 383b
poflirtować, 243b
pofolgować, 320c
   (liberalizować)
pofolgować, 877f *(pobłażać)*
poformować, 665c
pofrunąć, 1053a
pofruwać, 293a
pofryzować, 286b
POGADAĆ, 788a
pogadanka, 556a
   (opowiadanie)
pogadanka, 724c *(wykład)*
pogaduszka, 790b
pogaduszki, 790b
pogadywać, 788a
pogalopować, 595a
poganiać, 129b
poganin, 196a
pogański, 773f
pogaństwo, 722c

pogapić się, 589c
pogarbić się, 104c *(krzywić)*
pogarbić się, 514a *(giąć)*
pogarda, 300a
   (bagatelizowanie)
pogarda, 424b *(odraza)*
pogardliwie, 425c
   (lekceważąco)
pogardliwie, 464d *(wyniośle)*
pogardliwy, 452d
pogardzać, 657a *(lekceważyć)*
pogardzać, 1082a *(zaspokoić)*
pogardzanie, 300a
POGARSZAĆ SIĘ, 857a
pogarszanie, 852d
pogasić, 260c
pogasnąć, 261c
pogawędka, 790b
pogawędzić, 788a
pogderać, 175b
pogiąć, 104b
POGLĄD, 382b *(myśl)*
pogląd, 553a *(opinia)*
poglądowo, 5a
poglądowość, 1061c
poglądowy, 635
poglądy, 382b
pogładzić, 132a *(tknąć)*
pogładzić, 132b *(głaskać)*
pogłaskać, 132b
pogłębiać, 1174c *(bagrować)*
POGŁĘBIARKA, 329b
pogłębić, 659c *(ulepszać)*
pogłębić, 1161d *(wzmagać)*
pogłębić się, 1162c
pogłos, 156c
pogłoska, 202a
pogłośnić, 1161d
pogłowić się, 383c
pogłówne, 555c
pogłuchnąć, 651b
pogłupieć, 1122c
pogmatwać, 247a
pogmatwać się, 104e
pogmatwanie, 704e
pogmatwany, 937a
pogmerać, 906a
pognać, 595a *(gnać)*
pognać, 1053b *(pójść)*
pognębić, 280b
pognieść się, 104a
pogniewać się, 999a
pogniewany, 452e
pogoda, 636
pogoda ducha, 389b *(otucha)*
pogoda ducha, 860a
   (opanowanie)
POGODNIE, 79b *(słonecznie)*
pogodnie, 1012a *(wesoło)*
pogodnieć, 986c
pogodny, 80a *(słoneczny)*

POGODNY, 1013a *(radosny)*
pogodowy, 238a
pogodzić, 985c
POGODZIĆ SIĘ, 987b *(ustąpić)*
pogodzić się, 1125a *(znosić)*
pogonić, 129b *(napominać)*
pogonić, 736e *(terroryzować)*
POGOŃ, 672a
pogoń za, 67a
POGORSZYĆ, 483b
pogorzelec, 532b
pogorzelisko, 1152d
pogotowie, 296d
   (pierwsza pomoc)
pogotowie, 653b *(gotowość)*
pogórze, 180a
pograbić, 665b
pograbieć, 1128c
pograć, 15c *(bawić się)*
pograć, 181a *(muzykować)*
pogranicze, 182b
pograniczny, 33a
pogratulować, 877a
pogrążać, 369a
pogrążać się, 857c
pogrążać się
   w bezczynności, 303a
pogrążyć, 657c *(uwłaczać)*
pogrążyć, 1070a *(owładnąć)*
pogrążyć się w, 1085a
pogrążyć w smutku, 340a
pogrobowiec, 146e *(bachor)*
pogrobowiec, 406a *(epigon)*
pogrobowy↑, 1088b
pogrodzić, 536c
pogrom, 723a
pogromca, 451b
   (poskramiacz)
pogromca, 1166a *(triumfator)*
pogrozić, 885a
pogróżka, 419a
pogrubiać, 1137e
pogrubić, 1161c
pogrubieć, 947a
pogruchotać, 256a
   (poturbować)
pogruchotać, 483e *(kruszyć)*
pogrupować, 665d
pogrupować się, 665c
pogrywać, 181a
pogryzać, 220a
pogryzmolić, 48a
pogryźć, 147a *(kawałkować)*
pogryźć, 256a *(poturbować)*
POGRZAĆ SIĘ, 511f
pogrzeb, 637
pogrzebacz, 237d
pogrzebać, 620a
   (złożyć do grobu)
pogrzebać, 906a *(przepatrzyć)*
pogrzebowy, 850b

pokornie, 496b *(biernie)*
pokornieć, 358a
pokorny, 189a
pokosić, 265c
pokosztować, 867c
pokoślawić, 104c
pokoślawieć, 104c
pokotem, 800c
pokoziołkować, 977b
POKÓJ, 650b *(pomieszczenie)*
POKÓJ, 860c *(spokój)*
pokój stołowy, 650b
pokpić, 651b
pokpiwać, 657b
pokraczny, 479a
pokraka, 674a
pokraść, 1156d
pokraśnieć, 1070c
pokratkować, 809a
pokreskować, 809a
pokreślić, 988a
pokrewieństwo, 641
pokrewność, 1124c
pokrewny, 627a
pokręcić, 104c *(krzywić)*
pokręcić, 247a *(gmatwać)*
pokręcić się, 215b
pokrętło, 720a
pokrętnie, 473a
pokrętność, 437b
pokrętny, 937a
pokroić, 500c
pokropić, 369a *(nawilżać)*
pokropić, 581a *(mżyć)*
POKROWIEC, 1100f
pokrój, 64c
pokrótce, 275a
pokruszyć się, 596b
pokrwawić, 48a *(pobrudzić)*
pokrwawić, 48b *(ubrudzić się)*
pokrycie, 593a *(gwarancja)*
pokrycie, 642
pokrycie, 886d *(lico)*
pokryć, 13a *(malować)*
pokryć, 243d *(pożądać)*
pokryć, 612b *(finansować)*
pokryć, 728b *(pozakrywać)*
POKRYĆ, 751e *(okleić)*
pokryć się, 1138c
pokrywa, 642b
pokrywać, 306a *(zalegać)*
pokrywać się, 195a
pokrywający się, 627c
pokrywka, 642b
pokrzepiać, 320b *(pocieszać)*
pokrzepiać, 1077b *(pobudzić)*
pokrzepiać się, 220c
pokrzepiająco, 115d
pokrzepiający, 654a
pokrzepić, 980c
pokrzepienie, 389b

pokrzepiony na duchu, 1083a
pokrzyczeć, 167c
pokrzykiwać, 736d
pokrzykiwanie, 191a
pokrzywdzić, 280a
pokrzywdzony, 532a
pokrzywić się, 104c
pokrzywka, 273b
pokrzyżować, 683c
pokrzyżować się, 247a
pokształcić, 550b
pokuć, 1072d
pokumać się, 489a
pokupność, 890b
POKUPNY, 671a
pokurcz, 674a
pokurczyć się, 1143a
pokusa, 752a
pokusić się, 530a
pokuśtykać, 215a
POKUTA, 225c
pokutniczy, 850b
pokutnik, 821a
pokutny, 850b
pokutować, 81c *(odcierpieć)*
pokutować, 738f *(utrwalić się)*
pokwapić się, 65e *(usiłować)*
pokwapić się, 1053b *(pójść)*
pokwasić, 756f
pokwaśnieć, 762b
pokwękać, 894c
pokwilić, 613b
pokwitać, 783b
pokwitanie, 1069c
pokwitować, 629b
   (poświadczyć)
pokwitować, 669a *(skwitować)*
pokwitowanie, 128a
   (dokument)
POKWITOWANIE, 768c
   (rachunek)
polać się, 615a
polakierować, 13a
polakować, 629b
polakożerca, 451e
polana, 328a
polano, 134a
polarny, 1129b
polaryzacja, 634c
polaryzować, 805a
polaryzować się, 805b
polatać, 15c
polatywać, 293a
pole, 349a *(miejsce)*
pole, 647c *(tło)*
pole, 733a *(terytorium)*
pole, 935a *(zawartość)*
POLE, 1127b *(ziemia)*
polec, 972b *(umrzeć)*
polec, 987d *(przegrać)*
polecać, 877d

polecać się, 864c
polecenie, 643
polecić, 129c *(zalecić)*
polecić, 1072c *(uwiarygodnić)*
polecieć, 595a *(gnać)*
polecieć, 615a *(cieknąć)*
polecieć, 977b *(potknąć się)*
polecony, 309a
POLEGAĆ, 965a *(zaufać)*
POLEGAĆ, 1145b *(wynikać)*
polegać na, 995b
polegiwać, 520c *(leżakować)*
polegiwać, 856c *(położyć się)*
poległy, 341a *(nieżywy)*
poległy, 422a *(trup)*
polemicznie, 425d
polemiczny, 452c
polemika, 250a *(spór)*
polemika, 790a *(konwersacja)*
polemista, 375b
polemizować, 876b
polemizujący, 452c
polepa, 625a
polepić, 326d
polepić się, 327d
polepszać, 659c
POLEPSZANIE, 658a
polepszyło się, 297c
poletko↓, 935a *(zawartość)*
poletko, 499a *(działka)*
POLEWA, 679c
polewać, 369a
poleżeć, 71a *(cherlać)*
poleżeć, 520c *(leżakować)*
polędwica, 359f
poliandria, 781d
polibuda↓, 903b
policealny, 122b
polichromia, 501b
polichromiczny↑, 14a
polichromować, 13a
polichromowany↑, 14a
policja, 644
policja kryminalna, 644b
POLICJANT, 644a
policzalny, 337d
policzek, 291b *(uderzenie)*
policzek, 436a
   (nieuprzejmość)
policzki, 944c
policzkować, 26a
policzyć kości, 26b
policzyć się, 612d
poliester, 610a *(plastik)*
poliester, 928c *(non iron)*
polifoniczny, 1038c
poligamia, 781d
poliginia, 781d
poliglota, 365d
poligon, 733a
poligraf, 815a

pomieścić się, 1106b
pomieścić w głowie, 796a
POMIĘDZY, 356a
POMIJAĆ, 651a
pomijać milczeniem, 918c
pomijając, 418g
pomilknąć, 986b
pomimo, 817h
pomimo to, 201f
pominąć, 557d *(zwlekać)*
pominąć, 651 *(przeoczyć)*
pomiot, 640a
pomizernieć, 30d
pomknąć, 595a
pomnażać, 1161c
pomnieć, 584a
pomniejszać, 167a *(ganić)*
POMNIEJSZAĆ, 1142a
(zmniejszać)
pomniejszy, 1133d
POMNIEJSZYĆ SIĘ, 1143a
pomnik, 185b *(grób)*
pomnik, 652
pomnikowość, 895b
pomnikowy↑, 139b
pomnożenie, 1069a
pomnożyć, 545e
pomnożyć się, 783d
pomny, 344b
pomoc, 653
pomoc domowa, 505a
pomoc kuchenna, 505b
POMOCNICZY, 122a
(dodatkowy)
pomocniczy, 1041a
(szkicowy)
pomocnik, 695a *(zatrudniony)*
pomocnik, 957c *(praktykant)*
pomocnik, 1058b *(mebel)*
pomocnik, 1107a *(sportowiec)*
pomocny, 654 *(ratunkowy)*
pomocny, 1177c *(uczynny)*
pomoczyć, 96a
pomodlić się, 129a
pomordować, 1073c
pomost, 136f *(wiadukt)*
pomost, 614b *(platforma)*
pomost, 1022c *(łącznik)*
pomost, 1046a *(nadbrzeże)*
pomotać, 104e
pomóc, 145c *(poskutkować)*
POMÓC, 648a *(dopomóc)*
pomór, 70h
pomówić, 624b *(posądzić)*
pomówić, 788a *(pogadać)*
pomówienie, 655
(insynuacja)
pomówienie, 833c
(oskarżenie)
pompa, 767c
pompatycznie, 439a

pompatyczność, 767c
pompatyczny, 905b
pompierski↑, 905b
pompon, 105b
POMPOWAĆ, 558a *(drenować)*
pompować, 1047a *(sikać)*
pomroka, 1141a
pomrozić, 1128b
pomruczeć, 376f
pomrugać, 661a
(komunikować się)
pomrugać, 915a *(błyszczeć)*
pomrugiwać, 661a
(komunikować się)
pomrugiwać, 915a *(błyszczeć)*
pomruk, 156c
pomrukiwać, 376f
pomrzeć, 972d
pomstować, 736d
pomstowanie, 833a
pomścić, 377a
pomurować, 56b
pomurukiwanie, 156c
pomyje, 429b
pomykać, 595a
pomyleniec, 1001d
POMYLIĆ, 381a
pomylić się, 381c
pomylony, 205e *(nienormalny)*
pomylony, 1001d *(szaleniec)*
POMYŁKA, 35a
pomyłkowo, 753c
pomyłkowy, 461b
pomysł, 67d *(plan)*
pomysł, 382a *(idea)*
pomysł, 608a *(zamiar)*
pomysłodawca, 946a
POMYSŁOWO, 345a
POMYSŁOWOŚĆ, 795d
pomysłowy, 164c *(zaradny)*
pomysłowy, 344a *(bystry)*
pomysły, 795d
pomyszkować, 906a
POMYŚLEĆ, 383a
pomyślnie, 119c
pomyślność, 899a
POMYŚLNY, 267f *(szczęśliwy)*
pomyślny, 1177a
(zachęcający)
pomyślunek↓, 795a
pomywacz, 505b
ponabierać, 1156c
ponabijać się, 657b
ponaciągać, 1156c
ponacinać, 1156c
ponacinać się, 381d
ponad, 100c *(wysoko)*
ponad, 121b *(rezerwowo)*
ponad wszelką
wątpliwość, 592b
ponad wszystko, 12f

ponadawać, 1065a
ponadczasowość, 940b
ponadczasowy, 939d
ponaddzierać, 1159a
ponaddźwiękowiec, 818a
ponadgniwać, 762b
ponadgryzać, 43d
ponadklasowość, 668d
ponadłamywać, 483e
ponadobowiązkowo, 121a
ponadobowiązkowy, 122c
ponadplanowo, 121a
ponadplanowy, 122c
ponadprzeciętnie, 12e
ponadprzeciętny, 1052b
ponadrywać, 1159a
ponadtłukiwać, 483e
ponadto, 121b
PONADTO, 799b
ponadżerać, 560d
ponaginać, 514a
ponaglać, 129b
ponaglająco, 692c
ponaglający, 1c
ponaglenie, 713d
ponaklejać, 759a
ponakładać, 1092c
ponakręcać, 982a
ponakrywać, 728b
ponalepiać, 759a
ponalewać, 1092b
ponanosić, 995c
ponapełniać, 1092b
ponapoczynać, 43d
ponaprawiać, 400a
ponapychać, 1092c
ponapychać się, 220c
ponarzekać, 175b
ponarzucać, 751a
ponastawiać, 749c *(ustawiać)*
ponastawiać, 973c *(umieścić)*
ponasuwać, 751a
ponaszywać, 759b
ponawiać, 257b
ponawiercać, 500a
ponawieszać, 973d
ponawlekać, 973d
ponaznaczać, 629c
poncho, 531b
poncz, 2d
ponderabilia, 813a
ponętnie, 317a
ponętność, 752b
ponętny, 318b
poniańczyć, 550c
poniechać, 260a *(urwać)*
PONIECHAĆ, 777a
(rezygnować)
poniechać wysiłków, 777b
poniekąd, 800h
ponieść, 98a *(dostarczyć)*

popaprany↓, 205e
poparcie, 653c
POPARZENIE, 502c
poparzyć się, 256b
popas, 219c
popasać, 60b (przebywać)
popasać, 220e (żreć)
popaść, 738a
popaść w, 90c
popaść w obłęd, 1122c
popaść w przygnębienie, 340c
popaść w tarapaty, 81b
popaść w zakłopotanie, 591b
popatrywać, 589b
POPATRZEĆ, 589a (spojrzeć)
popatrzeć, 867b (zlustrować)
popatrzeć krzywo, 1056b
popchnąć, 721b
popchnąć robotę, 691b
popelina, 928a
popełniać omyłkę, 381c
POPEŁNIĆ, 402b
popełnić oszustwo, 1156c
popełnić plagiat, 405c
POPEŁNIĆ
    SAMOBÓJSTWO, 972c
popęd, 827b
popędliwie, 176a
popędliwość, 427b
popędliwy, 1084b
popędowy, 362b
popędzać, 129b
popędzić, 595a
popękać, 596b
popękany, 971e
popić, 597a
popić się, 526e
popiec, 756d
popielatość, 245c
popielaty, 73a (blady)
popielaty, 217e (szary)
popielisko, 1152d
popielniczka, 429a
popielnik, 598b
popieprzony↓, 205e
popieprzyć, 756c
popierać, 648a (wspierać)
POPIERAĆ, 877e (forować)
popierdolony↓, 205e
popiersie, 652a
POPIJAĆ, 526d (upijać się)
POPIJAĆ, 597b (żłopać)
popijawa↓, 981c
POPILNOWAĆ, 550d
popiół, 245c (kolor)
popiół, 887d (materiał)
popis, 200d
popisać, 661d
popiskiwać, 50b
popiskiwanie, 156c
popisowo, 317c

popisowy, 118c
popisywać się, 1067a
poplamić się, 48b
poplamiony, 47b
poplątać się, 104e (stargać)
poplątać się, 247a (gmatwać)
poplecznictwo, 653c
poplecznik, 1164a
popleśnieć, 762b
poplotkować, 788a
popluć, 369a
popluskać się, 96a
POPŁACAĆ, 145d
popłacić, 612b
popłacić robotników, 612b
popłakać się, 613b
popłakiwać, 613b
popłatny, 267c
popłoch, 307a
popłoszyć, 885a
popłuczyny↓, 922d
    (naśladownictwo)
popłuczyny, 429b (brudy)
popłukać, 96a
popłynąć, 50a (rozlegać się)
popłynąć, 615a (cieknąć)
popływać, 616a
popodcinać, 1142d
popodginać, 104b
popodgryzać, 560d
popodkreślać, 1044b
popodnosić, 626a
popodpierać, 1072d
popodrabiać, 573c
popoić, 966c
popołudnie, 86d
POPOŁUDNIOWY, 689d
popołudniówka, 696a
popowstawać, 626c
popożyczać, 130b
POPRACOWAĆ, 691b
poprać, 96b
poprasować, 1063a
poprawa, 658
poprawczak, 469a
poprawczy, 227a
poprawiać, 659
poprawiający, 267d
poprawić, 257b (ponowić)
poprawić, 376d (przemawiać)
poprawić się, 659d
    (redagować)
poprawić się, 947a (grubnąć)
poprawić wynik, 1050a
poprawienie, 658e
poprawiny, 981c
poprawka↓, 160b (egzamin)
poprawka, 658b (ulepszenie)
poprawkowy, 122a
poprawnie, 523b
poprawnościowy, 594e

poprawność, 602c
poprawny, 698a
popręg, 904b
poprosić, 129a (prosić)
poprosić, 873a (wzywać)
poprosić o rękę, 243c
poprowadzić, 234b (szefować)
poprowadzić, 809a (kreślić)
popróbować, 867c
popróbować się, 252a
popróchnieć, 762b
popruć, 1137c
popryskać, 369a
poprzebierać, 1044c
poprzebierać się, 1138b
poprzebijać, 483f (skaleczyć)
poprzebijać, 578c
    (wybić otwór)
poprzechodzić, 716a
poprzeciągać, 159b
    (popularyzować)
poprzeciągać, 809a (kreślić)
poprzeciągać, 973d (powiesić)
poprzecierać się, 482b
poprzecinać, 147a
    (kawałkować)
poprzecinać, 1174b
    (pobruździć)
poprzeczka, 134c
poprzecznie, 649a
poprzeczny, 649a
poprzeć dowodami, 963a
poprzedni, 881b (dawny)
poprzedni, 1007c (uprzedni)
poprzedniego dnia, 1008c
poprzednik, 946c
poprzednio, 233a (dawno)
poprzednio, 1008c (wcześniej)
poprzedzający, 1007c
poprzedzić, 1050a
    (dominować)
poprzedzić, 1080c (otwierać)
poprzedzielać, 536c
poprzeginać, 514a
poprzeglądać, 686c
poprzegradzać, 536c
poprzegryzać, 483f
poprzekładać, 240b (włożyć)
poprzekładać, 721a
    (przenieść)
poprzekładać, 1102c
    (transponować)
poprzekłuwać, 483f
poprzekrawać, 147a
poprzekreślać, 988a
poprzekręcać, 104c
poprzekręcać fakty, 573b
poprzenosić, 518b (odchodzić)
poprzenosić, 721a (przenieść)
poprzerabiać, 1137c
poprzerastać, 1050a

porozdzielać, 98c *(rozdać)*
porozdzielać, 786d
(oderwać się)
porozdzierać się, 1159b
porozganiać, 44f
porozglądać się, 589b
porozgłaszać, 792c
porozgraniczać, 536c
porozjeżdżać, 1174b
porozjeżdżać się, 786e
porozklejać, 792a
porozklejać się, 482b
porozkładać, 240a
porozkładać się, 354b
porozkopywać, 1174c
porozkręcać, 286b
porozkręcać się, 147b
porozlatywać się, 482b
(zniszczeć)
porozlatywać się, 786e
(rozpierzchnąć się)
porozlepiać, 792a
porozlewać, 102b
porozlewać się, 615a
porozłazić się, 482b
(zniszczeć)
porozłazić się, 786e
(rozpierzchnąć się)
porozmawiać, 788a
porozmazywać, 848a
porozmieszczać, 240a
(położyć)
porozmieszczać, 354d
(kwaterować)
poroznosić, 98a *(dostarczyć)*
poroznosić, 721c
(porozrzucać)
porozpadać się, 482b
porozpalać, 853b
porozpędzać, 44f
porozpinać, 785a
(rozchełstać)
porozpinać, 973d
(powiesić)
porozpinany, 430b
porozpisywać, 98c
porozplatać, 104c
porozpoczynać, 1080b
porozpowiadać, 792c
porozpożyczać, 98b
porozpraszać, 44f *(rozgonić)*
porozpraszać, 721c
(porozrzucać)
porozpraszać się, 786e
porozprowadzać, 98c
(rozdać)
porozprowadzać, 873e
(konwojować)
porozpruwać się, 482b
porozpuszczać, 877f
(pobłażać)

porozpuszczać, 994b
(uwalniać)
porozrastać się, 783a
(podrastać)
porozrastać się, 783c
(wegetować)
porozrywać, 483g
porozrywać się, 482b
porozrywany, 458f
porozrzucać, 240a *(kłaść)*
POROZRZUCAĆ, 721c
(roznieść)
porozrzynać, 147a
porozsadzać, 483e *(kruszyć)*
porozsadzać, 786b
(separować)
porozsiadać się, 856a
porozstawiać, 973c
porozstawiać po kątach, 657a
porozsuwać, 721b
porozsychać się, 104c
porozsyłać, 1065a
porozsypywać, 102b
(przydzielać)
porozsypywać, 240a *(położyć)*
porozsypywać, 883b *(upuścić)*
porozsypywać się, 1048d
poroztrząsać, 240a
porozumieć się, 661b
porozumienie, 128e *(układ)*
porozumienie, 559a
(stowarzyszenie)
porozumienie, 660
porozumiewać się, 661
porozumiewawczo, 840c
porozumiewawczy, 106a
porozwalać, 483c
porozwalać się, 856a
porozwiązywać, 975d
(delegalizować)
porozwiązywać, 994a
(puścić)
porozwieszać, 973d
porozwijać, 286b
porozwijać się, 783a
porozwlekać, 240a
porozwłóczyć, 240a
porozwozić, 98a
poród, 401b
poróść, 783c
porównanie, 662
porównanie, 725a
(hiperbola)
PORÓWNAWCZY, 411d
PORÓWNYWAĆ, 508c
porównywalnie, 800h
porównywalny, 627a
porównywanie, 10c
PORÓŻNIĆ SIĘ, 999a
poróżniony↑, 452e
poróżowieć, 13c

port, 670a
port lotniczy, 670a
portal, 1010a
portasy↓, 531f
porter, 2d
porterówka, 2c
portfel, 229b *(sakiewka)*
portfel, 1109e *(pakiet)*
portier, 551b
portiera, 1100a
portiernia, 650d
portki↓, 531f
portmonetka, 229b
porto, 2d *(drink)*
porto, 555a *(należność)*
portowe, 555a
portrecista, 4a
portret, 501a
portretować, 945a
(przygotować)
portretować, 1060b
(przedstawić)
portwajn, 2d
portyk, 1010a
porubrykować, 809a
PORUCZENIE, 643a
porucznik, 40a
poruczyć, 1072c
porujnować, 483c
PORUSZAĆ, 663b *(obracać)*
poruszać, 982b *(napędzać)*
poruszać się, 663
poruszać się w, 1019a
poruszanie się, 807d
poruszenie, 427c
(podniecenie)
poruszenie, 443d
(zamieszanie)
poruszenie, 807b *(ruch)*
poruszenie, 895c *(uznanie)*
poruszony, 1115a
poruszyć, 132a *(tknąć)*
poruszyć, 788b
(skomentować)
poruszyć, 1070b *(rozczulić)*
poruszyć niebo i ziemię, 879b
poruszyć się, 663a
porwać, 43b *(sięgać)*
porwać, 470b *(aresztować)*
porwać, 483g *(drzeć)*
porwać, 514b *(skręcić)*
porwać, 1070a *(owładnąć)*
porwać się, 132a *(tknąć)*
porwać się, 397a *(zaczepiać)*
porwać się, 596a *(zrywać się)*
porwać się, 626c *(wstać)*
porwać się, 749e
(przygotowywać się)
porwać się do, 999b
porwanie, 469d
porwany, 458f

poryczeć się, 613b
poryć, 1174b
porykiwać, 894e
porypany↓, 205e
porysować się, 482b
poryw, 67c *(ochota)*
poryw, 363b *(namiętność)*
poryw, 807e *(lot)*
porywacz, 451d
porywać, 208c
porywać się, 530a *(śmieć)*
porywać się, 749e
   (przygotowywać się)
porywająco, 209a
porywający, 77a *(płomienny)*
porywający, 118b
   (oszałamiający)
porywczo, 176a
PORYWCZOŚĆ, 427b
PORYWCZY, 1084b
porywisty, 831d
PORZĄDEK, 94a *(czystość)*
porządek, 608b *(plan)*
porządek, 664
porządek dzienny, 310c
porządek obrad, 310c
porządki, 94d
porządkować, 665
porządkowanie, 664b
porządkowy, 551b *(strażnik)*
porządkowy, 644a *(policjant)*
porządkowy, 666c
   (organizacyjny)
porządkowy, 689a *(kolejny)*
porządkujący, 666
porządnicki, 845b
porządnie↓, 830a *(mocno)*
porządnie, 93a *(schludnie)*
PORZĄDNIE, 523c
   (przyzwoicie)
porządnieć, 284c
porządny, 95b *(schludny)*
porządny, 522a *(godziwy)*
porządny, 956c *(prawy)*
porządzić się, 145b
porzeczka, 579b
porzekadło, 677b
porznąć się, 256a
porzucać, 786c
porzucenie, 822d
porzucić, 260a *(finalizować)*
porzucić, 786c *(odtrącić)*
porzucić, 883b *(upuścić)*
porzucić, 1064c *(wyzbyć się)*
porzygać się, 1047b
porżnąć, 256a *(poturbować)*
porżnąć↓, 483f *(skaleczyć)*
POSADA, 690b
posadzić, 470b *(aresztować)*
posadzić, 780a *(rozmnażać)*
posadzić, 856b *(sadzać)*

posadzka, 625a
posadzkarz, 695b
posag, 336c
posapywać, 516a
posądzenie, 655a
POSĄDZIĆ, 624b
POSĄG, 652a
posągowo, 858b
posągowość, 767c
posągowy, 139b
poschnąć, 891b
poschodzić się, 864d
posegregować, 665d
   (zaszeregować)
posegregować, 1044c
   (gatunkować)
posegregowanie, 664b
poselstwo, 207b
   (przedstawicielstwo)
poselstwo, 667b *(goniec)*
poseł, 667b *(goniec)*
poseł, 719a *(reprezentant)*
posesja, 607b
posępnieć, 340c
posępność, 475b
posępny, 166c *(złowieszczy)*
posępny, 850b *(smutny)*
posiać, 780a *(rozmnażać)*
posiać, 883a *(gubić)*
posiadacz, 998a
POSIADAĆ, 348b
posiadać
   pewną wymowę, 1145a
posiadanie, 336b
POSIADŁOŚĆ, 336d *(majątek)*
POSIADŁOŚĆ, 607b *(posesja)*
posiadywać, 520c
posiąść↑, 243d
posiąść wiedzę, 1019a
posiąść
   wszystkie rozumy, 1067a
POSIEDZENIE, 1119a
posiedzieć, 81c *(odcierpieć)*
posiedzieć, 354a
   (zatrzymać się)
posiedzieć nad, 691b
posiedzieć przy, 550d
posiekać, 500c
posilić się, 220c
posilnie, 37c
posilny, 839b
POSIŁEK, 219c
posiłki, 653b
posiłkować, 648b
posiłkować się, 265a
posiłkowy, 122a
posiniaczyć, 256a
posinieć, 13c
posiodłać, 1103b
posiusiać, 48a
posiusiać się, 1047a

posiwieć, 882a
poskakać, 15c
poskarżyć się, 81e
   (rozpaczać)
poskarżyć się, 624b
   (posądzić)
poskąpić, 571d
posklejać, 326d
poskładać, 240a *(położyć)*
poskładać, 1142a
   (pomniejszać)
poskramiacz, 451b
poskramiać, 967a
poskreślać, 988a
poskręcać, 104c *(krzywić)*
poskręcać, 326c *(skupiać)*
poskrobać, 756a
poskromiciel, 451b
poskromić, 760c *(obłaskawić)*
poskromić, 967c *(opanować)*
poskromienie, 723b
poskromiony, 319a
poskubać się, 43b
poskubywać, 220e
poskupywać, 183a
poskutkować, 145c
posłać, 816c *(strzelić)*
posłać, 958d *(przyjąć)*
posłać, 1065b *(wydelegować)*
posłać do pracy, 1103b
posłać do szkoły, 550b
posłać na dno, 483h
posłać na śmierć, 226a
posłać
   na zieloną trawkę, 1064a
posłać pocałunek, 132d
posłać za kratki, 470b
posłanie, 332c *(spanie)*
posłanie, 713b *(apel)*
posłaniec, 667
posłannictwo, 499b
posłodzić, 756c
posłować, 1102a
posłowie, 588a *(sejm)*
posłowie, 1051b *(objaśnienie)*
posłuch, 664a *(ład)*
posłuch, 895a *(poważanie)*
posłuchać, 843a *(usłyszeć)*
posłuchać, 987a *(usłuchać)*
posłuchanie, 744b
posługa, 653d
posługacz, 505a
posługaczka, 505a
posługiwać, 648b *(usłużyć)*
posługiwać, 846a *(usługiwać)*
posługiwać się, 265a
posłuszeństwo, 462b
   (skromność)
posłuszeństwo, 664a *(ład)*
POSŁUSZNIE, 188a *(grzecznie)*
posłusznie, 496b *(biernie)*

postrzępić się, 1159b
POSTRZĘPIONY, 458f
postscriptum, 1051b
postsynchronizacja, 1124a
postukać, 894b
postukać się w czoło, 986a
postulać się, 1089b
POSTULAT, 1172b
postulatywny↑, 1c
postulować, 708c
postulowanie, 1172a
postument, 631a
postura, 285b
posucha, 35d
posunąć, 721b *(przemieścić)*
posunąć, 721e *(odsunąć)*
posunąć się, 518a *(odstąpić)*
posunąć się, 722d *(odsunąć się)*
posunąć się, 882a *(przybyło lat)*
posunąć się do przodu, 691b
posunąć się za daleko, 727b
posunięcia, 1079a
POSUNIĘCIE, 807b *(ruch)*
posunięcie, 1079a *(zachowanie)*
posuszyć, 891a
posuwać↓, 595a
posuwać do, 727b
posuwać się do, 530b
posuwanie się, 1069b
posuwisty, 474d
posuwiście, 869b
posykiwać, 894c
posyłać, 1065b
posypać się, 513a *(dziać się)*
posypać się, 977b *(potknąć się)*
posypywać, 751b
poszachrować, 247a
poszaleć, 15d *(zbytkować)*
poszaleć, 15e *(zabawić się)*
poszaleli, 1122c *(oszaleć)*
POSZANOWANIE, 895f
poszarpać się, 1159b
poszarzały, 881a
poszarzeć, 32b
poszatkować, 500c
poszczególny, 232a
poszczekiwać, 894d
poszczerbić się, 482b
poszczęścić się, 678a
poszczuć, 1149c
poszczycić się, 847a
poszczypać, 256a
poszczypywać, 220e *(żreć)*
poszczypywać, 243b *(poderwać)*
poszept, 156c
poszeptać, 788a
poszeptywać, 736c
poszeregować, 665d
poszerzyć, 1161c
poszerzyć się, 1162a
poszewka, 332c
poszkodować, 280a
poszkodowany, 29a *(stratny)*
POSZKODOWANY, 532b *(ofiara)*
poszlaka, 833c
poszło mu w pięty, 81c
poszło pod młotek, 193c
poszło tak a tak, 513a
poszły bezpieczniki, 1108b
poszorować, 96b
poszperać, 906a
posztukować, 326c
poszturchać, 26b
poszturchiwać, 26a *(uderzyć)*
poszturchiwać, 280b *(ciemiężyć)*
posztywnieć, 1150e
poszufladkować, 665d
poszukiwacz, 960b
poszukiwać, 736b *(śledzić)*
POSZUKIWAĆ, 906b *(szukać)*
poszukiwania, 672b
poszukiwanie, 10a *(dociekanie)*
poszukiwanie, 672b *(obława)*
poszukiwany, **671**
poszukiwany, 729a *(sprawca)*
POSZUKIWAWCZY, 687b
poszum, 156c
poszumieć, 15e
poszwa, 332c
poszwargotać, 788a
poszwendać się, 215b
poszybować, 1053a
POSZYCIE, 642a *(pokrycie)*
poszycie, 642a *(leśne)*
poszyć, 751e
pościągać, 43c *(zdjąć)*
pościągać, 183e *(zorganizować)*
pościągać, 405c *(podpatrzyć)*
pościągać, 721f *(obniżać)*
pościągać, 873a *(wzywać)*
pościągać się, 1143b
pościć, 30c
pościekać, 615a
pościel, 332c
pościerać, 96b
pościerać się, 482c
pościg, **672**
pościgowiec, 818a
pościnać, 167a
pościnać się, 987d
pośladek, 75d
pośladki, 75d
POŚLEDNI, 339b *(pospolity)*
pośledni, 1133d *(podrzędny)*
poślepnąć, 256b *(odnieść rany)*
poślepnąć, 651b *(opuścić)*
ślęczeć, 691b
poślinić, 369a
poślizg, 1163a
poślizgać się, 15c
poślizgnąć się, 977b
pośliznąć się, 977b
POŚLUBIĆ, 836b
pośmiać się, 15b
pośmiewisko, 228c
pośniedzieć, 13c
pośpiech, 427a *(zniecierpliwienie)*
pośpiech, 703a *(szybkość)*
pośpieszać, 595b
POŚPIESZNIE, 908d
pośpieszny, 20a *(gorączkowy)*
pośpieszny, 622a *(kolej)*
pośpieszyć do, 1053b
pośpieszyć na pomoc, 648a
pośredni, 99c *(zdalny)*
pośredni, 267b *(wypośrodkowany)*
pośredni, 352a *(eklektyczny)*
POŚREDNICTWO, 719f
pośredniczenie, 719f *(pośrednictwo)*
pośredniczenie, 790c *(rozmowy)*
pośredniczyć, 193a *(kramarzyć)*
pośredniczyć, 1102a *(wyręczyć)*
POŚREDNIK, 719e
pośrednio, 144d
pośród, 356a
poświadczenie, 128a
POŚWIADCZYĆ, 629b
poświata, 913a
poświecić, 915d
poświęcenie, 101d *(ofiara)*
poświęcenie, 504b *(liturgia)*
poświęcenie, 1022a *(przywiązanie)*
poświęcić, 98b *(obdarować)*
poświęcić, 846b *(skazać się na)*
poświęcić, 894f *(uprawiać magię)*
poświęcony, 522b
poświst, 156c
poświstywać, 50b
poświstywanie, 156c
pot, 690f
potajemnie, 144b
potajemny, 969b
potakiwać, 1125b

poufałość, 300c
  (nonszalancja)
poufałość, 436c *(bezczelność)*
poufałość, 1022d *(obcowanie)*
poufały, 33e
poufnie, 144a
poufność, 919a
POUFNY, 969b
poukładać, 56b *(składać)*
poukładać, 665a *(uładzić)*
poukładać, 851c *(usypiać)*
poukręcać, 147b
poumieszczać, 354d
pouprzątać, 665b
poupychać, 240b
pourazowy, 689a
pourywać się, 951b
pourządzać, 665a *(uładzić)*
pourządzać, 945c *(utworzyć)*
pousadzać, 856b
poustawiać, 665a
POUSTAWIAĆ SIĘ, 665c
pousuwać, 1064c
pousuwać wady, 400a
pousypiać, 851c
poutykać, 511c *(ocieplić)*
poutykać, 973b *(włożyć)*
pouzupełniać, 665c
powab, 602b
powabny↑, 318a
powachlować, 520b
powadzić się, 999a
POWAGA, 404b *(nastrój)*
powaga, 767d *(patos)*
powalać, 48a *(pobrudzić)*
powalać, 48b *(ubrudzić się)*
powalany, 47b
powalenie, 1045c
powalić, 240d
  (rzucić na ziemię)
powalić, 1050b *(wygrać)*
powalić, 1073d *(zadźgać)*
powalić się, 977c
powała, 421c
powałęsać się, 215b
powariować, 15d
powarzyć, 1128b
powaśnić się, 999a
POWAŻANIE, 895a
poważnie, 12a *(bardzo)*
poważnie, 675 *(serio)*
poważnieć, 783b
poważny, 420c *(trudny)*
poważny, 676 *(uroczysty)*
poważny, 1005a *(istotny)*
poważyć, 545d
poważyć się, 530a
powąchać, 9b
powątpiewać, 876b
powątpiewająco, 992b
powątpiewający, 993c

powątpiewanie, 1006b
powbijać, 759c
powchodzić, 716b
powciągać, 949a *(ubrać się w)*
powciągać, 973b *(włożyć)*
powciągać, 626a
powcinać, 759c
powciskali się, 1011b
powdzierać się, 1011b
poweselić, 986c
POWETOWAĆ, 1081c
powędrować, 1053b
powganiać, 873b
powiać, 137e
powiadać, 376a
powiadomić, 204a
powiał inny wiatr, 877c
powiastka, 556b
powiat, 88f
powiatowy, 313e
powiązać, 326d *(spajać)*
powiązać, 470a *(obezwładnić)*
powiązania, 641b *(koligacje)*
powiązania, 1022b *(związek)*
powiązanie, 1130a
  (zespolenie)
POWICIE, 401b *(narodziny)*
powicie, 623a *(początek)*
powić, 780c
powidła, 219e
powiedzenie, 677
POWIEDZIEĆ, 376c
powiedzieć bez osłonek, 167c
powiedzieć wiersz, 702c
powiedzmy, 876b
powiedzonko, 677b
powieki, 1144c
powielacz, 161d
POWIELAĆ, 264a
powielanie, 922d
powiernik, 1164c
powierzchnia, 614a *(gładź)*
powierzchnia, 733a
  (terytorium)
powierzchnia, 789b *(wielkość)*
powierzchniowy, 99d
powierzchownie, 496c
  (nieważnie)
powierzchownie, 1168c
  (niefachowo)
powierzchowność, 285a
  (forma)
powierzchowność, 668b
  (pozorność)
powierzchowny, 339c
  (nieumiejętny)
powierzchowny, 498d
  (nieważny)
powierzyć, 1103a
powierzyć godność, 1044d
powierzyć opiece, 1072c

POWIESIĆ, 973d *(umieścić)*
powiesić, 1073d *(zabić)*
powiesić się, 972c
powieszać, 973d
powieszenie, 911b
  (kara śmierci)
powieszenie, 1075d
  (egzekucja)
powieścidło, 311c
powieściopisarski, 290a
powieściopisarstwo, 311c
powieściopisarz, 606a
powieściowy, 290a
powieść, 132a *(tknąć)*
powieść, 311c *(proza)*
powieść się, 678
powietrze, 515a *(dech)*
powietrze, 636a *(aura)*
powietrze, 755b *(biosfera)*
powietrzny, 249a
powiew, 441d
POWIEWAĆ, 137e *(wiać)*
powiewać, 333b *(machać)*
powiewnie, 840c
powiewność, 302a
powiewny, 841f
powieźć, 721e
powiększać, 702e
POWIĘKSZAĆ, 1161c
POWIĘKSZAĆ SIĘ, 1162a
powiększenie, 263a *(zdjęcie)*
powiększenie, 1069a *(wzrost)*
powiększony, 73b
powijaki, 623b
powikłać, 104e *(stargać)*
powikłać, 247a *(gmatwać)*
powikłanie, 70a *(schorzenie)*
powikłanie, 704e
  (problematyczność)
POWINIEN, 378b
powinna, 378b
powinno, 378b
POWINNOŚĆ, 499b
powinowactwo, 641a
powinowaty, 781c *(krewni)*
powinowaty, 893b
  (skoligacony)
powinszować, 877a
POWINSZOWANIA, 1176a
powiosłować, 1053a
powitać, 1023a
powitać się, 1023b
powitalny, 1041d
powitanie, 744c
powjeżdżać, 1011a
powklejać, 759a
powkładać, 240b
powkopywać, 240b
powkręcać, 759d
powkręcać się, 1011b
powlatywać, 1011a

powlec, 13a *(malować)*
powlec, 721b *(przemieścić)*
powlec, 949e *(pościel)*
powlec się, 215a *(stąpać)*
powlec się, 1138c
　(odmienić się)
powlekać, 13a *(malować)*
powlekać, 751e *(pokryć)*
powłazić, 1011b *(wkroczyć)*
powłazić, 1037a *(piąć się)*
powłoczka, 332c
powłoka, 332c *(pościel)*
powłoka, 679
powłóczyć, 721b *(przemieścić)*
powłóczyć, 949e *(pościel)*
powłóczyć nogami, 215a
powłóczysty, 106a
powłóczyście, 114e
pownosić, 973b
powodować, 234a *(sterować)*
powodować, 680 *(sprawić)*
powodować się, 995b
powodować zatroskanie, 340a
POWODZENIE, 890b
powodzi mi się, 678c
powodzianin, 532b
powoli, 681
powolnie, 681a
powolność, 17a *(lenistwo)*
powolność, 432b
　(guzdralstwo)
powolny↑, 189b *(posłuszny)*
POWOLNY, 460c *(nieszybki)*
powolutku, 418d
powołać, 1044d
powołać do życia, 945c
powołać pod broń, 1072e
powołanie, 128d *(uchwała)*
powołanie, 623c *(zaczątek)*
powołanie, 890a *(kariera)*
powołanie, 921a *(zdolności)*
powołany, 671b *(wybrany)*
powołany, 871e *(uprawniony)*
powoływać się, 265a
powoływać się na, 963a
powonienie, 1144a
powozić, 234a
powozownia, 670b
powożenie, 1026c
powód, 532b *(ofiara)*
POWÓD, 748b *(przyczyna)*
powódź, 441c *(żywioł)*
powódź, 448b *(potop)*
powódź, 538b *(mnóstwo)*
POWÓZ, 638d
powpadać, 962c *(zderzyć się)*
powpadać, 977a *(opaść)*
powpinać, 759b
powprawiać, 759d
powprawiać się, 284b
powprowadzać, 103b

powprowadzać się, 354a
powpychać, 240b *(włożyć)*
powpychać, 1092c *(nakłaść)*
powpychać się, 1011b
powracać, 1036c
powrotny, 128b *(bilet)*
powrotny, 878c *(powtórny)*
powrócić, 376d *(przemawiać)*
powrócić, 1036c
　(odnaleźć się)
powrócić
　do przytomności, 980c
powrósło, 904b
POWRÓT, 413a *(nawrót)*
POWRÓT, 744c *(przybycie)*
powróz, 904b
powróżyć, 769b
powrzucać, 240b
powsadzać, 240b *(włożyć)*
powsadzać, 856b *(sadzać)*
powschodzić, 783c
powsiadać, 1011a
powsinoga, 27b
powskakiwać, 1011a
powstać, 626c *(wstać)*
powstać, 682 *(zaistnieć)*
powstać, 876d *(protestować)*
powstaje wrażenie, 624a
powstanie, 623b *(początek)*
POWSTANIE, 776a *(walka)*
POWSTANIEC, 40b
powstawać, 626c *(wstać)*
POWSTAWAĆ, 682a
powstawanie, 623b
powstawiać, 973b
powstrzymać, 683
powstrzymać, 967a
powstrzymujący, 319c
powszechnie, 684
powszechność, 668d
powszechny, 1038a *(ogólny)*
powszechny, 1148c *(masowy)*
powszedni, 712a
POWSZEDNIOŚĆ, 668d
POWŚCIĄGAĆ, 967a
powściągać się, 986a
powściągająco, 110a
powściągający, 319c
powściągliwie, 566a
　(z ostrożna)
powściągliwie, 858a
　(bezkonfliktowo)
powściągliwość, 567b
　(rozwaga)
powściągliwość, 1042a
　(surowość)
powściągliwy, 568a
　(dyplomatyczny)
powściągliwy, 859c
　(zrównoważony)
powściekać się, 1122c

powtarzać, 264c
　(powtórzyć za)
powtarzać, 284b *(uczyć się)*
powtarzać, 376d *(przemawiać)*
powtarzać klasę, 987d
powtarzający się, 878c
powtarzalność, 413a
powtarzalny, 878c
powtórka, 160a *(sprawdzian)*
powtórka, 263d *(duplikat)*
POWTÓRKA, 413c *(nawrót)*
powtórnie, 121b
powtórny, 878c
powtórzenie, 160a
powtórzyć, 204a
　(zawiadamiać)
powtórzyć, 257b *(ponowić)*
powtórzyć, 284b *(uczyć się)*
POWTÓRZYĆ ZA, 264c
powybijać, 578c *(wybić otwór)*
powybijać, 751e *(pokryć)*
powybijać, 988c *(usuwać)*
powybijać, 1073c *(uśmiercić)*
powychodzić, 518b
powyciągać, 1048a
powyciągać się, 104c
powycierać, 96b
powycierać się, 1159b
powycinać, 988c *(usuwać)*
powycinać, 1174a *(dziabać)*
powydawać, 98c *(rozdać)*
powydawać, 103b
　(postanowić)
powydzierać, 988c
powydzierać się, 1159b
powyganiać, 736e
powyginać, 104b
powygniatać, 104b
powyjadać, 220b *(zjeść)*
powyjadać, 558c *(zabrać)*
powyjmować, 1048a
POWYKAŃCZAĆ, 260e
powykańczać, 909a
powyklejać, 751e
powykopywać, 1048a
powykradać, 1156d
powykreślać, 988a
powykręcać, 1048a
powykrzywiać, 104c
powylewać, 722c
powyliczać, 545b
powyłamywać się, 1159b
powyłazić, 1037a
powymiatać, 96c
powymieniać, 545b *(ustalać)*
powymieniać, 1102b
　(zamienić)
powymierać, 972d
powynajdywać, 1147a
powynosić, 558c
powynosić się, 518b

355

pozbyć się, 1064c
  (wyzbyć się)
pozdawać, 1081a
pozdejmować, 721f
pozdobywać się, 126a
pozdrapywać, 988c
pozdrawiać, 877a *(życzyć)*
pozdrawiać, 1023b
  (kłaniać się)
pozdrowienia, 1176a
pozdrowienie, 744c
pozdychać, 972d
pozdzierać, 988c
pozdzierać się, 1159b
POZER, 494b
pozerski, 905b
pozerstwo, 575b
pozeskrobywać, 988c
pozestawiać, 721f
pozeszywać, 400c
pozew, 713d
pozganiać, 183e
  (zorganizować)
pozganiać, 736e
  (terroryzować)
pozgarniać, 183a
  (akumulować)
pozgarniać, 988c *(usuwać)*
pozginać, 104b
pozgłaszać, 204b
pozgłaszać się, 745d *(zawitać)*
pozgłaszać się, 958c
  (przystąpić)
pozielenieć, 13c *(zabarwić się)*
pozielenieć, 783c
  (wegetować)
poziewać, 1154b
poziom, 685
poziom, 1079c *(maniery)*
poziomka, 579b
poziomo, 800e
poziomować, 749c
poziomy, 803a
pozjadać, 220b
pozjeżdżać, 722e *(schodzić)*
pozjeżdżać, 1036c
  (odnaleźć się)
pozjeżdżać się, 745c
pozlatywać, 977e
pozlatywać się, 864d
pozlepiać, 400c
pozlepiać się, 327c
pozlewać, 326e *(dodawać)*
pozlewać, 558a *(pompować)*
pozlewać się, 369a
pozłacać, 13a
pozłazić, 482b *(zniszczeć)*
pozłazić, 722e *(schodzić)*
pozłazić się, 864d
pozłocić, 13a
pozłocisty↑, 14c

pozłota, 105a
pozmiatać, 220b
pozmywać, 483b
poznaczyć, 629c
poznać, 489a *(spotkać)*
poznać, 589e *(widzieć)*
poznać, 624a *(przypuszczać)*
poznać, 686g *(otrzaskać się)*
poznać, 702a *(zapowiedzieć)*
poznać, 738a *(zaznać)*
poznać się na, 508b
  (znajdować)
poznać się na, 686f
  (połapać się)
poznajcie się, 702a
poznajdować, 1147a
poznakować, 629c
POZNANIE, 1018c
POZNANY, 1148b
poznawać, 686
poznawalność, 1018c
poznawalny, 687a
poznawczy, 687
poznikać, 1151b
poznosić, 43c *(zdjąć)*
poznosić, 183a *(akumulować)*
poznosić, 721f *(obniżać)*
poznosić, 975c *(zawiesić)*
pozornie, 449a
pozorność, 455b
  (nierealność)
POZORNOŚĆ, 668b *(fikcja)*
pozorny, 339d *(fasadowy)*
pozorny, 450c *(fałszywy)*
pozorować, 573d
pozorowanie, 961a
pozorowany, 450c
pozostać, 738e
pozostać w pamięci, 738f
pozostaje, 378b
pozostali, 774a
pozostałości, 774b
pozostałość, 774a *(inni)*
pozostałość, 1086a *(koniec)*
pozostały, 205a
pozostawać, 60a *(istnieć)*
pozostawać, 738e *(ostać się)*
pozostawać przy, 44b
POZOSTAWAĆ W TYLE, 987c
pozostawanie
  pod wpływem, 1033d
pozostawiam to tobie, 965a
pozostawić, 518c *(osierocić)*
pozostawić, 883b *(upuścić)*
pozostawić, 1093c
  (zawarować)
pozowąć, 573e
  (udawać kogoś)
pozować, 1067b *(hardzieć)*
pozowanie, 575b
pozowanie na, 961b

pozowany, 905a
pozór, 668b *(pozorność)*
pozór, 748b *(powód)*
pozrażać się, 777b
pozrażać sobie, 108c
pozrywać, 483g *(drzeć)*
pozrywać, 994a *(puścić)*
pozrywać się, 482b
pozrzucać, 183d
  (magazynować)
pozrzucać, 816b *(strącić)*
pozsiadać, 722e
pozwać, 873a
pozwalać, 816b
pozwalniać, 994b
pozwanie, 713d
pozwany, 729a
pozwężać, 1142d
pozwiązywać, 326c *(skupiać)*
pozwiązywać, 470a
  (obezwładnić)
pozwijać, 260d *(likwidować)*
pozwijać, 326c *(skupiać)*
pozwijać, 1142a
  (pomniejszać)
pozwijać się, 104c *(krzywić)*
pozwijać się, 1089b *(zawrzeć)*
pozwolenie, 128a *(dokument)*
POZWOLENIE, 1123b *(zgoda)*
pozwolić, 1105a
pozwolić sobie, 315b
  (dogadzać sobie)
pozwolić sobie, 530a
  (mieć odwagę)
pozwozić, 183a
pozycja, 285b *(sylwetka)*
pozycja, 349a *(punkt)*
pozycja, 507c *(miejsce)*
pozycja, 647a *(usytuowanie)*
pozycja, 690b *(posada)*
pozyskać, 130d *(uzyskiwać)*
pozyskać, 489a *(spotkać)*
POZYSKAĆ, 958e *(werbować)*
pozyskiwać, 265c
  (wykorzystać)
pozyskiwanie, 707b *(reklama)*
pozyskiwanie, 1033a
  (namowa)
pozytyw, 63b *(zaleta)*
pozytyw, 263a *(zdjęcie)*
pozytywnie, 119c
pozytywny, 1177b
pozywać, 873a
pożałować, 81c *(odcierpieć)*
pożałować, 571d *(chytrzeć)*
pożałować, 1039a *(użalić się)*
pożałowania godny, 850b
pożar, 535b
pożarniczy, 503e
POŻARNY, 503e
pożądać, 65b *(pragnąć)*

procentować, 145d
procentowość, 789c
procenty, 600b
proces, 250a *(spór)*
proces, 1136a *(rozwój)*
procesja, 621a
procesować się, 999b
procesowy, 700a
procesualny, 700a
proch, 45b *(amunicja)*
proch, 887d *(materiał)*
prochowiec, 531b
prochownia, 334a
prochy↓, 298a *(lek)*
prochy, 422b *(zwłoki)*
prodiż, 598a
producent, 946d
produkcja, 148e *(sztuka)*
produkcja, 179b
   (wytwórczość)
produkcja, 870a *(zdolność)*
produkcyjność, 870a
PRODUKCYJNY, 178b
produkować, 705
produkować, 945d
produkować się, 376d
   (przemawiać)
produkować się, 702c
   (występować)
produkt, 148a *(wytwór)*
produkt, 931a *(artykuł)*
produkt, 1055a *(wynik)*
produkty rolne, 611c
produkty spożywcze, 219a
produktywizacja, 658c
produktywizować, 1103b
produktywnie, 838a
produktywność, 870a
produktywny, 839a
prodziekan, 719c
profan, 199b
profanacja, 436e
profanator, 196a
profanować, 657c
profesja, 690a
profesjonalista, 365c
PROFESJONALIZM, 165a
profesjonalizować się, 284b
profesjonalnie, 523b
PROFESJONALNY, 118d
   (wysokiej klasy)
profesjonalny, 771b
   (zawodowy)
profesjonalny, 871e *(fachowy)*
profesor, 410a *(dydaktyk)*
profesor, 960b *(badacz)*
profesura, 187e *(towarzystwo)*
profesura, 410a *(dydaktyk)*
profeta, 85c
profetyczny↑, 480b
profetyzm, 335d

PROFIL, 285c *(kształt)*
profil, 925b *(tendencja)*
profilaktycznie, 510b
PROFILAKTYCZNY, 503c
profilaktyka, 509b
profilować, 286a
profilowanie, 287a
profit, 268b
profitować, 145d *(popłacać)*
profitować, 265c *(skorzystać)*
profos↑, 551b
progenitura↑, 146f
progimnazjum, 903c
prognosta, 85c
prognostyczny, 373a
prognostyk, 335d
prognostyka, 335d
prognoza, 768a
prognozować, 769b
prognozowanie, 335d
progowy, 259a
program, 310c *(lista)*
PROGRAM, 608b *(plan)*
program, 696b *(audycja)*
program informacyjny, 696b
programista, 946b
programować, 65d *(planować)*
programować, 545a *(uściślać)*
programowanie, 608a
programowo, 854b
programowy, 594b
progres, 1069b
progresja, 1069b
progresywność, 658a
progresywny, 1140c
prohibicja, 701b
prohibicjonizm, 509a
prohibicyjny↑, 319c
projekcja, 200c *(film)*
projekcja, 913b *(naświetlenie)*
projekt, 67d *(zamiar)*
projekt, 608a *(plan)*
projekt, 709a *(oferta)*
projektant, 4a *(twórca)*
projektant, 946b *(architekt)*
projektodawca, 946a
projektor, 913d
projektować, 65d *(zamierzać)*
projektować, 945a
   (przygotować)
projektowanie, 608a
proklamacja, 713b
proklamować, 204a
proklamować się, 415d
prokreacja, 401b
prokreacyjny, 362b
prokura, 1123c
prokurator, 699b
prokuratura, 701a
prokurent, 719d
prokurować, 749a

prolegomena, 623e
proletariacki, 896d
proletariat, 861c
proletariusz↑, 695b
proletaryzować się, 30b
prolog, 623e
prolongata, 1163b
prolongować, 557d *(zwlekać)*
prolongować, 629b
   (poświadczyć)
prom, 331c
promenada, 136c
promesa, 910a
prometejski, 485b
prometeuszowy, 485b
promienieć, 315a
promieniomierz, 350a
promieniotwórczość, 706b
promieniotwórczy, 109c
promieniować, 680c
   (oddziaływać)
promieniować, 1049a
   (emitować)
promieniowanie, 706
promieniowanie, 1033b
   (wpływ)
promiennie, 1012a
promiennik, 913d
promienność, 899d
promienny, 217c *(świecący)*
promienny, 1013a *(pogodny)*
promień, 789a *(zasięg)*
promień, 913a *(jasność)*
promil, 88d
prominent, 561a
prominentny↑, 673e
promocja, 707b *(reklama)*
promocja, 890a *(kariera)*
promocyjny, 267c *(zniżkowy)*
promocyjny, 322d *(reklamowy)*
promotor, 551a
promować, 1077c
promulgacja, 202b
pronominacja, 725b
propaganda, 707
propagandowo, 449d
propagandowy, 495a
propagator, 410b
propagować, 204a *(głosić)*
propagować, 1077c
   (namawiać)
propagowanie, 409b
   (kształcenie)
propagowanie, 707b *(reklama)*
propan, 582a
propedeutyczny, 1041a
propedeutyka, 623e
proponować, 708
proporcja, 1022b
proporcjonalnie, 317a
   (korzystnie)

próba, 10b *(doświadczenie)*
próba, 160a *(sprawdzian)*
próba, 1146f *(marka)*
próbka, 499c *(zadanie)*
próbka, 1068d *(przykład)*
próbnie, 926c
próbny, 1041b
próbować, 867c *(wypróbować)*
próbować, 879b *(postarać się)*
próbować
 różnych zawodów, 691c
próchnica, 70g *(stan zapalny)*
próchnica, 1127a *(gleba)*
próchnieć, 482c *(erodować)*
próchnieć, 762b *(zepsuć się)*
próchno, 347b *(starzec)*
próchno, 887d *(materiał)*
PRÓCZ, 418g
prócz tego, 121b
próg, 182c *(limit)*
próg, 734b *(zawada)*
prószyć, 751b *(przysypywać)*
prószyć, 977a *(opaść)*
próżnia, 417a *(niebyt)*
próżnia, 765a *(pustkowie)*
próżniactwo, 17a
próżniaczy, 22c
próżniaczyć się, 303a
PRÓŻNIAK, 304a
próżniomierz, 350a
próżno, 446b
próżność, 16b *(daremność)*
próżność, 767a *(duma)*
PRÓŻNOWAĆ, 303a
próżnowanie, 1057d
próżny↑, 139c
 (zarozumiały)
próżny↑, 447b *(daremny)*
PRÓŻNY, 766b *(pusty)*
próżny trud, 338b
pruć, 595a
pruderia, 468a
pruderyjnie, 449d
pruderyjność, 468a
pruderyjny, 495a
prukanie, 191c
pruknięcie, 191c
prukwa↓, 242b
prusak, 778b
prużyć, 756d
prychać, 231a *(parskać)*
prychnąć, 521a *(odburknąć)*
prycza, 332a
pryk, 347b
prym, 739b
prymarny↑, 1005a
prymas, 224c
PRYMAT, 739b
prymityw↓, 922a *(kicz)*
prymityw, 330c *(grubianin)*
prymitywizacja, 852d

prymitywizm, 710a
prymitywizować, 573a
prymitywnie, 28a
prymitywnieć, 857a
prymitywność, 710a
prymitywny, 172b *(niemądry)*
prymitywny, 322c *(trywialny)*
prymitywny, 712a *(zwyczajny)*
prymus, 957b
pryncypał↑, 236a
pryncypia, 701c
pryncypializm, 254a
pryncypialnie, 1114b
pryncypialność, 254a
pryncypialny, 676a *(surowy)*
pryncypialny, 761b *(wierny)*
pryskać↓, 951b *(zbiec)*
pryskać, 369a *(nawilżać)*
pryskać, 596b *(pęknąć)*
pryskać, 1053c *(wydostać się)*
pryskać, 1151c *(pierzchać)*
prysnąć↓, 951b *(zbiec)*
prysnąć, 369a *(nawilżać)*
pryszcz, 273a
pryszczaty, 458e
prysznic, 323a
prywaciarz, 36a
prywata, 66c
prywatka, 200e
prywatnie, 817a
prywatność, 919a
prywatny, 562a *(własny)*
prywatny, 1027c
 (własnościowy)
prywatyzacja, 976a
prywatyzować, 98d
pryzma, 180c
pryzmat, 316a
pryzmować, 183d
prządka, 815a
prząść, 705a
przeanalizować, 9a
przeanalizowanie, 384b
przebaczenie, 714
przebaczyć, 1043a
przebadanie, 10c
przebałaganić, 883d
przebąkiwać, 204a
przebić, 256a *(poturbować)*
przebić, 578c *(wybić otwór)*
przebić, 716b *(przenikać)*
przebić, 1073d *(zadźgać)*
przebić się, 716a
przebiec, 722a *(przenosić się)*
przebiec, 1070a *(owładnąć)*
przebiec myślą, 584d
przebiec oczami, 686c
przebiedować, 738c
przebieg, 1136a
przebiegać, 306c
 (rozpościerać się)

przebiegać, 513a *(dziać się)*
przebiegać, 722a
 (przenosić się)
przebiegać, 738b
 (przemieszkać)
przebiegle, 632a
przebiegłość, 575g
przebiegły, 344c
przebierać, 906a *(przepatrzyć)*
przebierać, 949c
 (mundurować)
przebierać, 1044a *(wahać się)*
przebierać, 1044c
 (gatunkować)
przebierać nogami, 215a
przebieralnia, 650b
przebieraniec, 288a
przebijać, 50a *(rozlegać się)*
przebijać, 1017a *(widać)*
przebijak, 367a
przebimbać, 883d
przebitka, 263b
przebłagać, 985b
przebłaganie, 225c
przebłysk, 86e *(chwila)*
przebłysk, 913b *(błysk)*
przebłyskiwać, 915a
 (błyszczeć)
przebłyskiwać, 1017a *(widać)*
przebłyskuje mu, 796a
przebłysnąć, 1017a
przebogaty, 38b
przebojem, 1114b
przebojowo, 1114b
przebojowość, 528a
przebojowy, 529a *(śmiały)*
przebojowy, 671a *(pokupny)*
przeboleć, 81d *(żałować)*
przeboleć, 986b *(ochłonąć)*
przebomblować, 883d
przeborować, 500a
przebój, 890b
przebóść, 256a
przebrać, 405a
przebrać miarę, 727b
przebranie, 531c *(ubranie)*
przebranie, 1045b *(dobór)*
przebranie miary, 387d
przebrnąć, 716a
przebrzmiały, 881e
przebrzmieć, 261c
 (skończyć się)
przebrzmieć, 1095b
 (zatrzeć się)
przebrzmiewać, 261a
przebrzydły, 52b
przebudowa, 1136c
przebudować, 1137d
przebudowywać, 659a
przebudzić się, 58b
przebumelować, 883d

przekaźnik, 983d
przekąsić, 220a
przekąska, 219d
przekątna, 136a *(trasa)*
przekątna, 308a *(prosta)*
przekimać, 738b
przeklasyfikować, 508a
przekląć, 1056c
przekleństwa, 225a
przekleństwo, 436d
przeklęcie, 225a
przeklęty↓, 1133a
przeklinać, 81c *(odcierpieć)*
przeklinać, 376e *(gadać)*
przeklinanie, 833a
przekład, 148d
przekładać, 1102c
przekładać nad, 65a
przekładalny, 1148a
przekładaniec, 1109a
przekładnia, 157a
przekładowy, 290a
przekłamać, 573a
  (przeinaczać)
przekłamać, 381f
  (dać błędny wynik)
przekłamanie, 35a
przekłuć, 500a
przekłusować, 595a
przekomarzać się, 788a
przekomicznie, 1012b
przekomiczny, 1013b
przekomponować, 1137d
przekonać się, 867c
przekonać się do, 358a
przekonania, 382b
przekonanie, 553a *(opinia)*
przekonanie, 1034a
  (odczucie)
przekonany, 24a
  (zdecydowany)
przekonany, 594a *(niezbity)*
przekonstruować, 1137d
przekonsultować, 788c
przekonująco, 592b
przekonujący, 594a
PRZEKONYWAĆ, 963b
  (tłumaczyć)
PRZEKONYWAĆ, 1093a
  (zapewniać)
przekonywanie, 1018b
  (nauka)
przekonywanie, 872c
  (wyjaśnianie)
przekop, 153a
przekopać, 500b *(uprawiać)*
przekopać, 578c *(wybić otwór)*
przekopać się, 716a
przekopiować, 264a
przekora, 445a *(samowola)*
przekora, 575g *(fałsz)*

przekornie, 464c
przekorność, 445a
przekorny, 1084a
przekoziołkować się, 663a
przekraczać, 402a *(łamać)*
przekraczać, 1011a
  (dostać się)
przekraczać, 1162c
  (wzmagać się)
przekraczać granice, 727b
przekradać się, 716b
przekrajać, 147a
przekraść się, 716b
przekreślać, 988a
przekreślenie, 976a
przekreślić, 975c
przekręcać fakty, 573b
przekręcić, 483e *(kruszyć)*
przekręcić, 514a *(giąć)*
przekręcić, 661c *(telefonować)*
przekręcić, 663b *(poruszać)*
przekręcić klucz, 1089a
przekręcić się, 663a
przekręcony, 461b
przekroczenie, 730a
przekroczyć, 402a *(ignorować)*
przekroczyć, 716a *(przejść)*
przekroczyć, 1011a
  (dostać się)
przekroczyć, 1162c
  (wzmagać się)
przekroić, 147a
przekrojowo, 684c
przekrojowy, 411c
przekrój, 153e *(otwór)*
przekrój, 501c *(obrazek)*
przekrój, 872e *(przegląd)*
przekrwić się, 727d
przekrwienie, 502e
przekrzyczeć, 1050a
przekrzykiwać się, 252a
przekrzywić, 514a
przekrzywić się, 104c
przekształcać, 659a
PRZEKSZTAŁCAĆ, 1137d
PRZEKSZTAŁCENIE, 1136c
PRZEKSZTAŁCIĆ SIĘ, 1138b
przekształtnik, 161c
przekuć, 1137d
przekupić, 958e
przekupień, 719e
przekupka, 719e
przekupność, 575e
  (nieuczciwość)
przekupność, 844a
  (nadskakiwanie)
przekupny, 495c
przekupstwo, 575e
przekwalifikować, 1137a
przekwalifikowywać, 1103c
przekwasić się, 762b

przekwaterować, 518b
przekwaterowanie, 807f
przekwitać, 261a
przekwitanie, 1020d
przekwitły, 881h
przekwitnąć, 261b
przelać, 98c *(rozdać)*
przelać, 612a *(wpłacić)*
przelać, 721a *(przenieść)*
przelać na papier, 1060b
przelać się, 1048d
przelanie, 1123c
przelatywać, 595a *(gnać)*
przelatywać, 722a
  (przenosić się)
przelatywać, 722c
  (rozprzestrzeniać się)
przelecieć, 261c
  (skończyć się)
przelecieć, 581a *(mżyć)*
przelecieć, 595a *(gnać)*
przelecieć, 722a
  (przenosić się)
przelecieć się, 520d
przelew, 1123c
przelewać krew, 999b
przelewać się, 615b
przelewać z pustego
  w próżne, 788c
przelewki, 897b
przelewowy, 178c
przeleźć, 716a
przeleżeć, 738e
przelękły, 731a
przelęknąć się, 8b
przelękniony↑, 731a
przelicytowywać się, 1050a
przeliczalny, 337d
przeliczenie, 768a
przelicznik, 1002a
przeliczyć, 867a
PRZELICZYĆ SIĘ, 381e
  (omylić się)
przeliczyć się, 784c
  (rozczarować się)
przeliterować, 97b
  (odcyfrować)
przeliterować, 1102d
  (transliterować)
przelot, 153e *(otwór)*
przelot, 630a *(droga)*
przelotnie, 926b
przelotność, 417d *(znikomość)*
przelotność, 1139b
  (krótkotrwałość)
przelotny, 74b
przelotowość, 870a
przelotowy, 1148f
przeludnienie, 387a
przeludniony, 388e
przeładować, 727c

367

przeładowanie, 387a
przeładowany, 388e
przeładowywać, 721a
przeładunek, 934b
przełajdaczyć, 883e
przełamać, 147a
przełamać pierwsze lody, 489a
przełamać się, 1043a
przełamywać, 999b
przełaz, 136e
przełazić, 716a *(przejść)*
przełazić, 883d
(przepróżnować)
przełącznik, 720
przełączyć, 1137d
przełęcz, 136e *(przejście)*
przełęcz, 153c *(siodło)*
przełknąć, 220a *(chapnąć)*
przełknąć, 738d *(zdzierżyć)*
PRZEŁKNĄĆ ŁZY, 613a
przełom, 1136d
przełomowość, 1002b
przełomowy, 1005d
przełożony, 236a *(naczelnik)*
przełożony, 1005c
(nadrzędny)
przełożyć, 326e *(wpleść)*
PRZEŁOŻYĆ, 351e
(przetasować)
przełożyć, 557d *(zwlekać)*
przełożyć, 721a *(przenieść)*
przełożyć, 1102c
(transponować)
przełożyć, 1137b
(zrobić od nowa)
przełupać, 147a
przełyk, 171b
przełykać ślinkę, 65b
przemagać, 999b
przemakać, 369b
przemakalny, 971d
przemalować, 1137b
przemarsz, 200a *(impreza)*
PRZEMARSZ, 621a *(pochód)*
przemarudzić, 883d
przemarznąć, 1128c
przemarznięty, 1129c
przemaszerować, 702d
przemawia do mnie, 796a
przemawia przez ciebie, 1060c
PRZEMAWIAĆ, 376d
przemawiać za, 1145c
przemawiający, 1062b
przemądrzałec, 1004b
przemądrzałość, 767b
przemądrzały, 139c
przemeblować, 1137b
przemeblowanie, 807f
przemeldować, 518b
przemęczenie, 497d
przemęczony, 1134a

przemęczyć, 727c
przemęczyć się, 738c
przemiał, 887d
PRZEMIANA, 1136b
PRZEMIANOWAĆ, 1137a
przemielać, 500c
przemienić, 1137d
przemienić się, 1138a
przemiennie↑, 609b
przemierzać, 215b *(iść)*
przemierzyć, 716a *(przebyć)*
przemieszać, 326e
przemieszczać, 721
przemieszczanie się, 807f
przemieszczenie, 807f
PRZEMIESZKAĆ, 738b
przemieszkiwać, 354b
PRZEMIEŚCIĆ, 721b
przemieścić się, 722
przemiękać, 369b
przemijać, 261a
przemijający, 74b
przemijalność, 417d
(znikomość)
przemijalność, 1139b
(nietrwałość)
przemijalny↑, 74b
przemilczać, 918c
przemilczenie, 575a
przemiły, 364a
przeminąć, 261c
przemknąć, 294a *(kluczyć)*
przemknąć, 595a *(gnać)*
przemknąć, 745d *(zawitać)*
przemknąć się, 716b
przemleć, 500c
przemnożyć, 545e
przemoc, 723
przemocą, 463c
przemoczony, 371d
przemoczyć, 369b
przemodelować, 1137d
przemoknąć, 369b
przemoknięty, 371d
przemordować się, 738c
przemowa, 724
przemożnie, 830a
PRZEMOŻNY, 831e
przemóc, 967c *(opanować)*
przemóc, 1050a *(dominować)*
przemóc się, 358a
przemówić, 376b
(odezwać się)
przemówić, 980b *(uniknąć)*
przemówić do kieszeni, 958e
przemówić komu
do rozumu, 963c
przemówić się, 999a
PRZEMÓWIENIE, 724a
przemrozić, 256b
(odnieść rany)

przemrozić, 1128b *(chłodzić)*
przemycanie, 934c
przemycić, 716b
przemycić aluzję, 167c
PRZEMYĆ, 96a
przemykać, 595a
przemykać się, 294a
przemysł, 179b
przemysł ciężki, 179b
przemysł lekki, 179b
przemysł maszynowy, 179b
przemysł wydobywczy, 179b
przemysłowiec, 717a
przemysłowo, 684b
przemysłowy, 178b
przemyślany, 344d
przemyśleć, 9a
przemyślenia, 382c
przemyśliwać, 383a
przemyśliwania, 608a
przemyśliwanie, 384b
przemyślnie↑, 345a
przemyślność, 795c
przemyślny, 164c *(sprytny)*
przemyślny, 344c
(doświadczony)
PRZEMYT, 934c
przemytnictwo, 934c
przemytniczy, 178d
przemytnik, 574d
przenicować, 1137c
PRZENIESIENIE, 807f
przenieść, 264a *(powielać)*
przenieść, 405c *(podpatrzyć)*
PRZENIEŚĆ, 721a
(przemieścić)
przenieść, 1064a *(relegować)*
przenieść, 1103c
(do innej pracy)
przenieść na, 1137d
przenieść się, 518b
(odchodzić)
przenieść się, 722c
(rozprzestrzeniać się)
przenieść się
na łono Abrahama, 972b
przenieść się
na tamten świat, 972b
przenigdy, 1157d
PRZENIKAĆ, 716b
przenikalny, 971d
przenikanie, 1033a
przenikliwie, 169a *(gromko)*
przenikliwie, 345a
(pomysłowo)
przenikliwość, 124b
(drobiazgowość)
przenikliwość, 795c
(inteligencja)
przenikliwy, 170b *(gromki)*

przenikliwy, 344c
(domyślny)
przenikliwy, 750d
(przeraźliwy)
przeniknąć, 686e *(odkryć)*
przeniknąć, 1070a *(owładnąć)*
przeniknąć się, 327a
przeniknięcie, 1033a
przenocować, 738b
przenosiciel, 72a
przenosić, 557d *(zwlekać)*
przenosić, 721a *(przenieść)*
przenosić, 792e *(przewodzić)*
PRZENOSIĆ SIĘ, 722a
przenosiny, 807f
przenoszenie, 706a *(emisja)*
przenoszenie, 807f
(przeniesienie)
przenośnia, 725
przenośnie, 5a
przenośnik, 157a
przenośny, 203d *(znakowy)*
przenośny, 712d *(praktyczny)*
przeobrazić się, 1138a
przeobrażać, 1137d
przeobrażanie się, 1136a
przeobrażenie, 1136b
przeoczenie, 35e
przeoczyć, 651b
przeogromnie, 12a
przeogromny, 142c
przeokropnie, 184c
przeokropny, 52b
przeor, 224e
przeorać, 1137d
(przekształcać)
przeorać, 1174b *(pobruździć)*
przeorać się, 716a
przeorganizować się, 659a
przeorientować, 1137d
przeorysza, 224e
przepadać, 243a *(lubić)*
przepadać, 482a *(podupaść)*
przepadać, 1151b
(dematerializować się)
przepadek, 225b
PRZEPADŁO, 446d
przepadły, 671e
przepajać, 369a *(nawilżać)*
przepajać, 1070a *(owładnąć)*
przepakować, 1137b
przepalać, 511d
przepalanka, 2c
przepalić, 483b
przepalić się, 1159b
przeparadować, 702d
przepasać, 326c *(skupiać)*
przepasać, 727d
(przedawkować)
przepaska, 904d
przepastny, 142f

przepasywać, 306c
przepaścisty↑, 142f
przepaść, 153c *(otchłań)*
przepaść, 482b *(zniszczeć)*
przepaść, 727d
(przedawkować)
przepaść, 987c
(pozostawać w tyle)
przepaść bez śladu, 1151d
przepaść
jak kamień w wodę, 1151b
PRZEPATRZYĆ, 906a
przepchać, 578b *(udrożnić)*
przepchnąć, 877e
(faworyzować)
przepchnąć się, 716a
przepełnić, 727c *(przeciążyć)*
przepełnić, 1070a *(owładnąć)*
przepełnić się, 1048d
przepełnienie, 538e
przepełniła się miara, 727b
przepełniony, 388e
(przeciążony)
przepełniony, 1158c *(pełen)*
przepełzać, 716a
przepędzać, 44d *(skontrować)*
przepędzać, 721b
(przemieścić)
przepędzić, 1064b
przepicie, 603b
przepić, 597a *(spijać)*
przepić, 883e *(roztrwaniać)*
przepić do, 877a
przepić się, 727d
przepiec, 727d
przepieprzyć, 727d
przepierać, 96b *(odczyścić)*
przepierać, 877e *(popierać)*
przepierka, 94c
przepierzenie, 1100d
przepierzyć, 536c
przepięknie, 317b
przepiękny, 318a
przepikować, 721a
przepiłować, 147a
przepiórka, 359e
przepis, 701b *(akt prawny)*
przepis, 863b *(środek)*
przepisać, 129c *(zalecić)*
przepisać, 405c *(podpatrzyć)*
przepisać na, 98b
przepisowo, 523c
PRZEPISOWY, 522b
przepisy, 701c
przepisywacz, 606b
przepisywać, 264b
przepity, 73a *(skacowany)*
przepity, 750d *(zgrzytliwy)*
przeplatać, 326e
przeplatać się, 327a
przepleć, 988d

przepleść, 326e
przepłacić, 381e
przepłaszać, 44f
przepłoszyć, 44f
przepłoszyć się, 8d
przepłukać, 96a
przepłukać gardło, 526d
przepłynąć, 616a *(pławić się)*
przepłynąć, 722b
(podróżować)
przepływ, 807g
przepływać, 615b
przepocić się, 369c
przepoczwarczyć się, 1138a
przepoczwarzyć się, 1138a
przepocić, 369a
przepojony, 1158c
przepoławiać, 147a
przepołowić, 147a
przepompować, 721a
przepona, 1100d
przepotężny, 831c
przepowiadanie, 335d
PRZEPOWIEDNIA, 335d
przepowiedzieć, 284b
(powtórzyć)
PRZEPOWIEDZIEĆ, 769b
(wróżyć)
przepracować, 1137d
przepracowany, 1134a
przepracowywać się, 727c
(przeciążyć)
PRZEPRACOWYWAĆ SIĘ 1135a
(zmęczyć)
przeprać, 96b
przeprasować, 1063a
PRZEPRASZAĆ, 985b
przepraszająco, 188a
przepraszający, 189a
przeprawa↑, 136f *(droga)*
przeprawa, 704d *(problem)*
przeprawić się, 716a
przeprojektować, 1137d
przeprosić, 985b
PRZEPROSIĆ SIĘ, 1043a
przeprosiny, 660b
(pojednanie)
przeprosiny, 1051a
(usprawiedliwienie)
przeproszenie, 660b
(pojednanie)
przeproszenie, 1051a
(usprawiedliwienie)
PRZEPROWADZAĆ, 56c
przeprowadzać, 721b
(przemieścić)
przeprowadzać, 945b
(urzeczywistnić)
przeprowadzenie, 690e
przeprowadzić
dezynsekcję, 96e

przesądzić, 796b *(zrozumieć)*
przeschnąć, 891b
przesiać, 167a
  (dezaprobować)
przesiać, 1044c *(gatunkować)*
przesiadać się, 722a
  (przenosić się)
przesiadać się, 856a *(siadać)*
przesiadka, 1136d
przesiadywać, 929b
przesiąkalny, 971d
przesiąkliwy, 971d
przesiąknąć, 369b *(zamakać)*
przesiąknąć, 580a *(wonieć)*
przesiąknąć, 686g
  (otrzaskać się)
przesiąknięty, 1158c
przesiąść się, 722a
  (przenosić się)
przesiąść się, 856a *(siadać)*
przesiedlać, 518b
przesiedlanie, 807f
przesiedlenie, 807f
przesiedleniec, 746b
przesiedleńczy, 490a
przesiedzieć, 738b
przesieka, 1100d
przesiew, 1045b
przesiewać, 1044c
przesięwzięcie, 67d
przesilać się, 261a
przesilenie, 1136d
PRZESILIĆ SIĘ, 261b
przeskakiwać, 651b *(opuścić)*
przeskakiwać, 722a
  (przenosić się)
przeskoczyć, 651b *(opuścić)*
przeskoczyć, 722a
  (przenosić się)
przeskoczyć, 1050a
  (dominować)
przeskok, 807b *(posunięcie)*
przeskok, 1136d *(przejście)*
przeskrobać, 402b
przesłać, 1065a
PRZESŁAĆ
  POZDROWIENIA, 1023c
przesładzać, 727a
przesłaniać, 728
przesłaniać świat, 1070a
przesłanie, 382c
przesłanka, 251c *(wymóg)*
przesłanka, 631b *(podwalina)*
przesławny, 1148d
przesłodzić, 727a
  (wyolbrzymiać)
przesłodzić, 727d
  (przedawkować)
przesłodzony, 905b
przesłona, 1100d
przesłuchać, 867c

przesłuchanie, 10e
  (dochodzenie)
przesłuchanie, 160a
  (egzamin)
przesłuchiwać, 9b
przesłuchiwanie, 10e
przesłyszeć się, 381a
przesmażyć, 727d
przesmyk, 136e *(ścieżka)*
przesmyk, 153a *(rów)*
przesmyknąć się, 716b
przesolić, 727d
przespacerować się, 520d
przespać, 651c *(zagapić się)*
przespać, 738b
  (przemieszkać)
przespać się, 520d
przespać się z, 243d
przestać, 738b
przestać się, 762a
przestały↑, 881h
przestankowy, 666d
przestań, 360b
przestarzałość, 254c
przestarzały, 881e
przestawać, 260a
  (finalizować)
przestawać, 489b
  (mieć do czynienia)
przestawanie z, 1022d
przestawiać, 721a
przestawiać się, 1103c
przestawić, 659a
przestawienie, 807b
PRZESTAWNY, 808f
przestąpić, 716a
przestąpić próg↑, 864b
przesterować, 1076b
przesterowany, 52c
przestębnować, 1137c
przestępca, 729
PRZESTĘPCZOŚĆ, 730b
przestępczy, 22c
przestępny, 440c
przestępować, 716a
przestępować
  z nogi na nogę, 87c
przestępowanie
  z nogi na nogę, 427d
przestępstwo, 730
przestój, 776b
przestrach, 307a
przestrajać, 1137c
przestraszony, 731
przestraszyć, 885a
przestraszyć się, 8c
przestroga, 991c
przestroić, 1137c
przestronność, 733a
  (terytorium)

przestronność, 789b
  (wielkość)
przestronny, 142f
przestrzał, 502a
przestrzec, 769c
przestrzegać, 995b
przestrzeganie, 895f
przestrzelać, 867c
przestrzelić, 483f
przestrzeliwać się, 397b
przestrzennie, 523f
przestrzenny, 732
przestrzeń, 733
przestudiować, 686c
  (obeznać się)
przestudiować, 1019a *(umieć)*
przestudzić, 1128b
przestudzić się, 1128a
przestworza, 421b
przestworze, 733a
przestwór, 733a
przestygnąć, 1128a
przestylizować, 727a
  (wyolbrzymiać)
przestylizować, 1137d
  (przekształcać)
przesunąć, 557d *(zwlekać)*
przesunąć, 721b *(przemieścić)*
PRZESUNĄĆ, 1103c
  (do innej pracy)
przesunięcie, 807f
  (przeniesienie)
przesunięcie, 1163b
  (odroczenie)
przesuszyć, 727d
  (przedawkować)
przesuszyć, 891a *(odwadniać)*
przesuszyć się, 891b
przesuwać, 721b
przesuwać się, 722a
przesuwalny, 808f
przesuwny, 808f
przesycać, 369a *(nawilżać)*
przesycać, 500e *(preparować)*
przesycać, 727d
  (przedawkować)
przesycać, 1070a *(owładnąć)*
przesycenie, 387c
przesycić się, 1154b
przesycony, 1158c
przesylabizować, 97b
przesyłka, 309a
przesympatycznie, 361a
przesympatyczny, 364b
przesyp, 1030f
przesypać, 721a
przesypywać, 326e
przesypywać się, 1048d
przesyt, 387c
przeszacować, 1137a
  (przewartościować)

przeważyć, 867a
  (upewniać się)
przewąchiwać, 624a
przewekslować, 721b
przewentylować, 1137b
przewędrować, 716a
przewęzić się, 1143b
przewężać, 536b
przewężenie, 734b
przewiać, 721b *(przemieścić)*
przewiać, 891a *(odwadniać)*
przewiać, 1049c *(uzyskiwać)*
przewiadywać się, 686b
przewiązać, 326c *(skupiać)*
przewiązać, 1072b
  (zapobiegać)
przewiązka, 904d
PRZEWIDUJĄCO, 566b
przewidujący, 568b
przewidywać, 65d
przewidywalny, 373a
przewidywania, 768a
przewidywanie, 335d
  (przepowiednia)
przewidywanie, 1034c
  (przeczucie)
przewidywany, 373a
przewidzenie, 1034c
przewidzieć, 624a
przewiedzieć się, 686b
przewiercić, 716b
przewiesić, 514a *(giąć)*
przewiesić, 973d *(powiesić)*
przewieszka, 180b
przewietrzyć, 96d
  (asenizować)
przewietrzyć, 1137b
  (zrobić od nowa)
przewietrzyć się, 520b
przewiew, 441d
przewiewać, 721b
  (przemieścić)
przewiewać, 1049c
  (uzyskiwać)
przewiewny, 971d
przewiezienie, 934b
przewieźć, 520d
  (wypoczywać)
przewieźć, 721a *(przenieść)*
przewijać, 1102b
przewijać się, 215b
przewina, 35e
przewinąć się, 60b
  (przebywać)
przewinąć się, 745d *(zawitać)*
przewinić, 402b
przewinienie, 35e *(wina)*
przewinienie, 730a
  (wykroczenie)
przewlec, 721b *(przemieścić)*
przewlec, 949e *(pościel)*

przewlec, 973d *(powiesić)*
przewlekać, 557d
przewlekać się, 513b
przewlekle, 114a
przewlekłość, 940b
przewlekły↑, 113c *(rozwlekły)*
przewlekły, 76b *(chroniczny)*
PRZEWŁASZCZYĆ, 98d
przewodni, 1005c
przewodnictwo, 1026c
przewodniczący, 236b
przewodniczenie, 1026c
przewodniczyć, 234b
przewodnik, 282b *(podręcznik)*
przewodnik, 410b *(mistrz)*
przewodnik, 505c *(opiekun)*
przewodnik, 740a *(kabel)*
przewodowy, 324b
przewody, 740b
przewodzenie, 1026c
przewodzić, 234b *(szefować)*
PRZEWODZIĆ, 792e
  (przenosić)
przewozić, 721a
przewozowy, 249b
przewoźne, 555a
przewoźnictwo, 934b
PRZEWOŹNIK, 235d
przewoźny, 808c
przewożenie, 934b
przewód, 250a
  (postępowanie)
przewód, 740
PRZEWÓZ, 934b
przewracać, 240d
przewracać oczami, 129a
przewracać się, 663a
przewracają się flaki, 1149a
przewrażliwienie, 1035b
przewrażliwiony, 388c
przewrotka, 807b
przewrotnie, 632a
przewrotność, 575g
przewrotny, 466c *(nieuczciwy)*
przewrotny, 495a *(dwulicowy)*
przewrotowy, 715c
przewrócić, 663b
przewrócić
  do góry nogami, 1076b
przewrócić kozła, 663a
przewrócić się, 977c
przewrócić wszystko
  do góry nogami, 906a
*przewróciło mu się
  w głowie,* 1067b
przewrót, 776a *(powstanie)*
przewrót, 807b *(posunięcie)*
przewyborny↑, 118c
przewyższanie, 739a
przewyższyć, 1050a
PRZEZ, 656b

*przez myśl
  mi nie przeszło,* 651b
przez niedopatrzenie, 18b
przez pomyłkę, 753c
przez skojarzenie, 753b
przez wzgląd, 656b
przezabawnie, 1012b
przezabawny, 1013b
przezacny↑, 1177d
przezbroić, 727d
  (przedawkować)
przezbroić, 1072e *(dozbrajać)*
przezierać, 1017a
przeziernik, 541a
przeziębić się, 71c
przeziębienie, 70g
przeziębiony, 73a
przeziębnąć, 1128c
przezimować, 738b
  (przemieszkać)
przezimować, 987d *(przegrać)*
przeznaczenie, 314a
  (linia życia)
przeznaczenie, 996b
  (wdrożenie)
przeznaczyć, 98b *(obdarować)*
przeznaczyć, 98e
  (asygnować)
przeznaczyć, 1093c
  (zawarować)
przezornie, 566b
PRZEZORNOŚĆ, 567a
PRZEZORNY, 568b
przezrocze, 263a
przezroczystość, 94b
przezroczysty, 741
PRZEZWAĆ, 415e
przezwajać, 1102b
przezwisko, 414a
przezwyciężać, 999b
przezwyciężenie, 890d
przezywać, 415e
przezywać się, 736d
przeżarty↓, 1083c
przeżegnać, 894f
przeżreć↓, 883e *(roztrwaniać)*
przeżreć, 483b *(pogorszyć)*
przeżuwać, 220a *(chapnąć)*
przeżuwać, 584d *(wspominać)*
przeżycie, 214a *(egzystencja)*
przeżycie, 1034b *(doznanie)*
przeżycie, 1112a *(wydarzenie)*
PRZEŻYĆ, 90b *(doświadczyć)*
przeżyć, 738a *(zaznać)*
przeżyć, 738b *(przemieszkać)*
przeżyć, 738c *(wytrwać)*
przeżyć, 980b *(uniknąć)*
przeżyć jeden drugiego, 882a
PRZEŻYĆ
  SAMEGO SIEBIE, 1095c
przeżyć się, 738f *(utrwalić się)*

373

przydatność, 997a
przydatny, 673a
przydech, 221d
przydeptać, 747a
przydługi, 487a
przydługo, 426a
przydomek, 414a
przydomowy, 33a
przydrałować, 745b
przydreptać, 745b
przydroże, 136d
przydrożny, 33a
przydusić, 129e *(żądać)*
przydusić, 747a *(przyłożyć)*
przyduszać, 747a
przyduży, 142f
przydybać, 1098b
przydymić, 13b
przydymiony, 78b
przydział, 101b *(darowizna)*
przydział, 931b *(dostawa)*
przydziałowy, 1027b
PRZYDZIELAĆ, 102b
  (dawkować)
przydzielać lokale, 354d
przydzielenie, 101b
przydzielić, 98d
  (przewłaszczyć)
przydzielić, 1103b *(nająć)*
przydźwigać, 183a
przyfabryczny, 1027e
przyfastrygować, 759b
przyfrontowy, 33a
przyfrunąć, 745b
przygadać, 243b *(flirtować)*
przygadywać, 167c
  (strofować)
przygadywać, 736d *(dogryzać)*
przygalopować, 745b
przygana, 225a
przyganiać, 167c *(strofować)*
przyganiać, 873b
  (przyprowadzić)
przygarbić, 514a
przygarbiony, 458d
PRZYGARNĄĆ, 492a
przygarnąć się, 492a
przygasić, 560c *(przytłumić)*
przygasić, 1050a *(dominować)*
przygasnąć, 261b
  (przesilić się)
przygasnąć, 1143c
  (obniżać się)
przygaszony, 850a
przygiąć się, 514a
przygięty do ziemi, 458d
przyginać, 514a
przyglądnąć się, 589c
przygładzać, 1063a
przygłuchnąć, 256b
przygłuchy, 971b

przygłup↓, 1001b
przygłupi, 172b
przygłupiasty↓, 172b
  (niemądry)
przygłupiasty, 205e
  (nienormalny)
przygłuszyć, 560c *(przytłumić)*
przygłuszyć, 728a *(zasłaniać)*
przygnać, 873b
przygnębiać, 340a
przygnębiająco, 849a
przygnębiający, 850b
przygnębienie, 17b
  (obojętność)
przygnębienie, 1169c
  (smutek)
przygnębiony, 850a
przygniatać, 158b *(obarczyć)*
przygniatać, 747a *(przyłożyć)*
przygniatająco, 849a
przygniatający, 850b
  (nieszczęśliwy)
przygniatający, 1062a
  (uchwytny)
przygnieść, 158b *(obarczyć)*
przygnieść, 747a *(przyłożyć)*
przygoda, 1112a
przygoda miłosna, 363c
przygodnie, 753a
przygodność, 1112b
przygodny, 490a *(nieznajomy)*
PRZYGODNY, 754a
  (przypadkowy)
przygodowy, 77a
przygody, 704c
przygotować, 126a *(wykonać)*
przygotować, 159a *(kształcić)*
przygotować, 769c
  (alarmować)
PRZYGOTOWAĆ, 945a
  (tworzyć)
przygotować grunt, 578d
przygotować się, 1019a
przygotowania, 690g
przygotowanie, 165a
  (profesjonalizm)
przygotowanie, 287b
  (preparowanie)
przygotowanie, 1018a
  (erudycja)
przygotowanie
  zawodowe, 690a
przygotowany, 871e *(fachowy)*
przygotowany, 1158d *(gotowy)*
PRZYGOTOWAWCZY, 1041a
przygotowywać, 159a
  (nauczać)
przygotowywać, 749
  (urządzać)
przygotowywać się, 284b
PRZYGOTOWYWAĆ SIĘ, 749e

przygotowywać się, 1110a
przygraniczny, 33a
przygruchać, 243b
przygrywać, 195c
przygrywka, 379a *(melodia)*
przygrywka, 623e *(wstęp)*
przygryzać, 167c
przygryźć, 167c *(strofować)*
przygryźć, 747a *(przyłożyć)*
przygrzać, 756d
przygrzewać, 511e *(prażyć)*
przygrzewać, 756d
  (podgrzewać)
przygwoździć, 1150c
przyhamować, 560b
przyholować, 721d
przyhołubić, 550b
przyjaciel, 347f *(narzeczony)*
przyjaciel, 933a *(kompan)*
przyjaciel, 1164b *(miłośnik)*
przyjacielski, 364b
przyjacielsko, 361b
przyjaciółka, 242a *(kobieta)*
PRZYJACIÓŁKA, 244a
  (kochanka)
PRZYJAZD, 744a
przyjazny, 1177a
przyjaźnić się, 489b
przyjaźnie, 361b
przyjaźń, 117b
przyjąć, 43e *(podjąć)*
przyjąć, 103b *(postanowić)*
przyjąć, 669a *(skwitować)*
PRZYJĄĆ, 958d *(zapisać)*
PRZYJĄĆ, 966a *(ugościć)*
przyjąć, 1125b *(zgodzić się)*
przyjąć chrzest, 958c
przyjąć do wiadomości, 1125c
przyjąć miano, 415c
przyjąć na wiarę, 965b
przyjąć obywatelstwo, 958c
przyjąć oświadczyny, 243c
przyjąć pewien obrót, 1138b
przyjąć posiłek, 220d
przyjąć postawę, 1150b
przyjąć się, 145c *(skutkować)*
przyjąć się, 783c *(wegetować)*
przyjąć się, 792d
  (roznieść się)
przyjąć walkę, 999b
przyjąć z otwartymi
  ramionami, 1023a
przyjąć założenie, 383b
przyjąć zlecenie, 691c
przyjdzie, 378b
przyjechać, 745b *(przyjść)*
przyjechać, 745c *(znaleźć się)*
przyjechanie, 744a
przyjemne, 899c
przyjemniaczek↓, 46b
PRZYJEMNIE, 361a

przytachać↓, 183a
przytaczać, 721d
przytaczać dowody, 963a
przytaić się, 918b
przytaknąć, 1125b
przytakująco, 119d
przytakujący, 1177b
przytanić, 571c
przytargać↓, 183a
przytaskać↓, 183a
przytaszczyć, 183a
(akumulować)
przytaszczyć, 721d *(zbliżyć)*
przytaszczyć się, 745b
przytelepać się, 745b
przytknąć, 132a
przytłaczać, 280b *(ciemiężyć)*
przytłaczać, 747a *(przyłożyć)*
przytłamsić, 280b
przytłoczyć, 747a
przytłuc, 747a
przytłuc się, 745b
PRZYTŁUMIĆ, 560c
przytłumić się, 1143c
przytłumiony, 474a
przytoczony, 881b
przytoczyć, 264c
(powtórzyć za)
przytoczyć, 721d *(zbliżyć)*
przytoczyć się, 745b
PRZYTOMNIE, 992a
przytomnieć, 980c
przytomność, 140b
(świadomość)
przytomność, 795c
(inteligencja)
przytomny↑, 33b *(obecny)*
przytomny, 917d *(wypoczęty)*
przytomny, 993b *(baczny)*
przytrafić się, 403d
przytroczyć, 326c
przytrzasnąć, 747a
przytrzasnąć się, 929a
przytrzeć rogów, 967c
przytrzymać, 43b
przytrzymywać, 648c
przytulić, 492a
przytulić się, 354b
(rezydować)
przytulić się, 492a
(przygarnąć)
przytulisko, 826b
przytulnie, 361a
przytulność, 404a
przytulny, 364d
przytułek, 826b
przytupy, 923a
przytupywać, 663a
przyturlać, 721d
przyturlać się, 1110d
przytwardy, 943d

przytwierdzić, 759
przytwierdzić, 1125b
przytyk, 437c
przytykać, 132a *(tknąć)*
przytykać, 195d *(pasować)*
przytykający, 33a
przytyty↓, 186a
przyuczony, 189b
przyuczyć, 159a *(kształcić)*
przyuczyć, 760c *(obłaskawić)*
przyuczyć się, 284b
przyuważyć, 589e
przywabić, 208a
przywalać się, 243b
przywalić, 26a *(uderzyć)*
przywalić, 747a *(przyłożyć)*
przywara, 63c
przywarować, 918b
przywąski, 337e
przywdziać, 949a
przywdziać maskę, 573e
przywędrować, 745a
przywiać, 721d
przywiązać, 489a
przywiązać się, 489c
(partnerować)
przywiązać się, 1150c
(unieruchomić)
przywiązanie, 117b *(sympatia)*
PRZYWIĄZANIE, 1022a *(więź)*
przywiązany, 673d
(kochający)
przywiązany, 761b *(wierny)*
przywiązywać, 326c
przywidzenie, 828b
przywidzieć się, 1113c
przywierać, 195d *(pasować)*
PRZYWIERAĆ, 327d *(lgnąć)*
przywiesić, 973d
przywieść do, 680b
przywieźć, 721d
przywiędły, 881g
przywiędnąć, 261b
przywiędnięty, 881g
przywilej, 701b
przywitać, 1023a
przywitać się, 1023b
przywitanie, 744c
przywlec, 721d
przywlec się, 745b
przywłaszczać, 129d
przywłaszczenie, 272a
przywłaszczyciel, 574d
PRZYWŁASZCZYĆ, 1156d
przywodzić do, 680b
przywodzić na myśl, 1077a
przywołać, 264c
(powtórzyć za)
przywołać, 873a *(wzywać)*
przywołać na pamięć, 584d
przywołanie, 583c

przywoływać
do porządku, 159c
przywozić, 721d
PRZYWÓDCA, 236b
przywódca duchowy, 410b
przywódczy, 1025b
PRZYWÓDZTWO, 1026d
przywóz, 934b
przywracać, 257b
przywracać ład, 665a
przywrócenie do życia, 583c
przywrócenie, 658e
(rekonstrukcja)
przywrócić, 257b
przywrócić sprawność, 400a
przywrócić zdrowie, 297a
przywrzeć, 327d
przywykać, 760a
przywykły, 761a
przywyknąć, 760a
przywyknięcie, 757a
przyzba, 537a
przyziemić, 721f
PRZYZIEMNOŚĆ, 668e
przyziemny, 322c
przyznać, 98d *(przewłaszczyć)*
przyznać, 968b *(wyznać)*
przyznać, 1125b *(godzić się)*
przyznać się, 968b
przyznanie, 101b
przyznawać się, 968b
przyzwać, 873a
przyzwalać, 1105a
przyzwalająco, 119d
przyzwoicie, 523c *(porządnie)*
przyzwoicie, 617b *(cnotliwie)*
przyzwoitka, 242d
PRZYZWOITOŚĆ, 955c
przyzwoity, 142a *(spory)*
przyzwoity, 956c *(prawy)*
przyzwoity, 1088e *(obyczajny)*
PRZYZWOLENIE, 1123a
przyzwyczaić, 760
przyzwyczajać się, 760a
przyzwyczajenie, 413d
przyzwyczajenie się, 757a
przyzwyczajony, 761
przyżeglować, 745b
przyżenić się, 836a
przyżółcić, 13b
przyżółknąć, 13c
psalm, 311b
psalmista, 4c
psalmodia, 311b
psałterz, 282d
pseudo, 414a *(miano)*
pseudo, 449a *(fikcyjnie)*
pseudonim, 414a
pseudouczony, 199a
(dyletant)
psiak, 601a

punktować, 1044c
(gatunkować)
punktualnie, 523g
punktualność, 124a
PUNKTUALNY, 125d
pupa, 75d
pupil, 146d
pupilek, 146d
pupina, 75d
pupka, 75d
pupsko, 75d
puree, 587a
purpura, 245c
purpurat, 224c
purpurowieć, 13c
purpurowy, 731b
purysta, 845d
purystyczny, 693d
purytanin, 845c
purytanizm, 254a
purytański, 773c
puryzm, 254b
pustak, 222c
pustawo, 28c
pustawy, 766b
pustelnia, 822c
pustelniczo, 820a
PUSTELNICZY, 823b
PUSTELNIK, 821a
pustka, 417a (nicość)
pustka, 765
PUSTKOWIE, 765a
PUSTO, 28c
pustosłowie, 174a
pustoszeć, 558d
pustoszyć, 483c
pustota, 300d (lekkomyślność)
pustota, 417a (niebyt)
pusty, 447c (czczy)
pusty, 766
pustynia, 765a
pustynność, 448e
pustynny, 766a
puszcza, 292a
puszczać, 783c (wegetować)
puszczać, 883e (roztrwaniać)
puszczać, 1049a (emitować)
puszczać mimo uszu, 651a
puszczać przodem, 1036b
puszczać się, 243d (pożądać)
puszczać się, 857c (upaść)
puszczać w dzierżawę, 193d
puszczać w obieg, 945b
puszczać wiatry, 1047a
puszczać wodze fantazji, 342a
puszczalska, 244c
puszczenie w niepamięć, 660b
(pojednanie)
puszczenie w niepamięć, 714b
(wybaczenie)
puszek, 1029c

puszka↓, 469b (więzienie)
puszka, 547a (karton)
puszka, 639a (zbiornik)
puszkować, 546a
puszta, 328d
puszyć się, 1067b
puszystość, 302a
puszysty↓, 186a (korpulentny)
PUSZYSTY, 357a (miękki)
puszysty, 1028a (kudłaty)
puścić, 56c (przeprowadzać)
puścić, 181a (muzykować)
puścić, 578e (udostępnić)
puścić, 596a (zrywać się)
puścić, 816a (cisnąć)
puścić, 877e (popierać)
puścić, 982a (włączyć)
PUŚCIĆ, 994a (uwolnić)
puścić, 1108b (popsuć się)
puścić farbę, 968c
puścić kantem↓, 786c
(odtrącić)
puścić kantem, 786c (odtrącić)
puścić korzenie, 760b
puścić oko, 661a
puścić płazem, 1043a
puścić samopas, 994b
puścić się, 1053b
puścić w niepamięć, 1043a
puścić w obieg, 792b
puścić w ruch, 265a
puścić w ruch pięści, 26b
puścić z dymem, 483c
(rujnować)
puścić z dymem, 853b
(podpalić)
puścić z torbami, 1156a
puścizna↑, 336c
puść mnie, 786d
putto, 146b
puzderko, 639d
puzon, 206b
puzzle, 919c
pycha↓, 219e (przysmak)
pycha↓, 522d (dobry)
pycha, 767 (duma)
pychota↓, 219e
pyk, 191e
pykać, 50b
pykanie, 191e
pyknąć, 50b
pylić się, 48b
pylisty, 808i
pył, 429b
pyłek, 525a
pypeć, 273a
pyra, 1003a
pyrkać, 50b
pyrkanie, 191f
pyrkawka↓, 638c
pyrkotać, 756e

pyrkotanie, 191f
pyrrusowe zwycięstwo, 448c
pysk↓, 944a (fizjonomia)
pysk, 944b (morda)
pyskacz, 330c
pyskaty↓, 871h
pyskować, 736d
pyskówka↓, 250b
PYSZAŁEK, 1004a
pyszałkowatość, 767b
pyszałkowaty, 139c
pyszczek, 944a
pysznić się, 1067b
pysznie↓, 119b
pyszności↓, 219e
pyszny↑, 139c (dumny)
pyszny, 118b (upojny)
pyszny, 522d (smaczny)
pyszota↓, 219e
pyta↓, 75e (genitalia)
pyta, 904b (postronek)
pytać, 686a (spytać)
pytać, 867c (wypróbować)
pytajnik, 919b (tajemniczość)
pytajnik, 1146c (interpunkcja)
pytanie, 3a (sonda)
pytanie, 704a (problem)
pytanie, 866a (sprawa)
pytanie, 919b (tajemniczość)
pytia, 85c
pytlować, 376e (gadać)
pytlować, 1044c (gatunkować)
pytyjski, 480b
pyza, 239a (klusek)
pyza, 1170b (grubas)
pyzaty, 186a

Q

quasi, 449a
qui pro quo, 35a
quiz, 1000c

R

rabat, 970a
rabata, 539a
rabatka, 539a
rabin, 224b
rabować, 1156d
rabunek, 272a (złodziejstwo)
rabunek, 723a (bezprawie)
rabunkowo, 173a
rabunkowy, 22c
(złodziejski)
rabunkowy, 1133c
(wyniszczający)
rabuś, 574d (złodziej)
rabuś, 729d (zbój)

RATUNEK, 653b
ratunkowy, 654c
ratyfikacja, 1104a
ratyfikować, 629a
rausz, 527a *(odurzenie)*
rausz, 603b *(pijaństwo)*
raut, 981b
ravioli, 239a
raz, 233a *(dawno)*
raz, 291b *(uderzenie)*
RAZ, 811d *(czasem)*
raz jeden, 811d
raz kozie śmierć, 810a
razem, 770
razić, 256a *(poturbować)*
razić, 1050b *(pokonać)*
RAZIĆ, 1149a *(drażnić)*
razowiec, 599a
razy, 291b
raźnie, 908a
raźno, 361a *(przyjemnie)*
raźno, 908a *(prędko)*
raźny, 907a
rażąco, 12b *(nadzwyczaj)*
rażąco, 213b *(wyzywająco)*
rażąco, 1168e *(karygodnie)*
rażący, 217c *(jaskrawy)*
RAŻĄCY, 388d *(nadmierny)*
rażący, 884b *(oburzający)*
rąb, 285d
rąbać, 147a *(kawałkować)*
rąbać, 167c *(strofować)*
rąbać↓, 220a *(pałaszować)*
rąbać, 988c *(usuwać)*
rąbnąć↓, 1156d
    (przywłaszczyć)
rąbnąć, 26a *(uderzyć)*
rąbnąć, 376e *(gadać)*
rąbnąć, 962b *(uderzyć się)*
rąbnąć się, 381e
rąbnięty↓, 205e
rączka, 262b *(ręka)*
rączka, 950a *(trzonek)*
rączo, 908a
rączy, 907a
rąsia↓, 262b
rdzawy, 14h
rdzennie, 467d
rdzenny, 313d
rdzeń, 631a
rdzewieć, 482c
REAGOWAĆ, 521a
    (odpowiadać)
reagować, 669a
    (zachować się)
reakcja↓, 559c *(partia)*
reakcja↓, 646c *(ekstrema)*
REAKCJA, 524b *(odpowiedź)*
reakcja, 1079a *(zachowanie)*
reakcjonista, 646b
reakcyjny, 715d *(przeciwny)*

reakcyjny, 881d
    (zachowawczy)
reaktywować, 257b
realia, 927b
realistycznie, 523b
realistyczny, 6b *(fabularny)*
realistyczny, 125c *(dosłowny)*
realistyczny, 956b
    (wyważony)
realizacja, 148e *(sztuka)*
realizacja, 690e *(wykonanie)*
realizator, 946b
realizm, 955d
realizować, 43e *(podjąć)*
realizować, 126a *(wykonać)*
realizować, 945b
    (urzeczywistnić)
realizowanie, 148e
realnie, 123e *(naukowo)*
realnie, 523b *(prawidłowo)*
realnie, 592d *(namacalnie)*
realność, 927b
realny, 373c *(możliwy)*
REALNY, 814b *(rzeczywisty)*
realny, 956b *(obiektywny)*
reanimacja, 296b
reanimować, 980c
reasumować, 257b *(ponowić)*
reasumować, 376d
    (podsumować)
rebe, 410b
rebelia, 776b
rebeliancki, 715c
rebeliant, 40b
rebelizant↑, 40b
rebus, 919c
recenzent, 149b
recenzja, 507a
recenzować, 508a
recepcja↑, 981b
recepcjonista, 551b
recepta, 863b
receptura, 935a
recepturka, 904e
RECESJA, 852c
recesywny↑, 841h
rechot, 899e
rechotać, 15b *(żartować)*
rechotać, 894e *(wydać głos)*
rechotliwie, 1168a
rechotliwy, 750d
recital, 200d
recydywa, 413a
recydywista, 729a
recykling, 570b
recypować↑, 1019a
recytacja, 724b
recytator, 4b
RECYTATORSKI, 1054b
recytatyw, 379b
recytować, 702c

reda, 670a
REDAGOWAĆ, 659d
    (formułować)
redagować, 792a *(wydawać)*
redakcja, 187b
redakcyjny, 1041e
REDAKTOR, 149b
redukcja, 658c *(minimalizacja)*
REDUKCJA, 852b *(spadek)*
redukować, 1064a *(usuwać)*
redukować, 1142c
    (zmniejszać)
redukować się, 1143b
redundantny↑, 447a
reduta, 974a
reelekcja, 1045a
reemigrować, 1036c
refektarz, 650b
referat, 207a *(instytut)*
referat, 724c *(wykład)*
referencje, 653c
referendarz, 699b
referendum, 1045a
referent, 375a *(mówca)*
referent, 695c *(urzędnik)*
referować, 204b
refinansować, 98b
refleks, 524b *(reakcja)*
refleks, 913b *(błysk)*
refleksja, 382a *(idea)*
refleksja, 384b *(rozważanie)*
refleksje, 382c
refleksyjnie, 858a
REFLEKSYJNY, 859a
reflektant, 223a *(chętny)*
reflektant, 998c *(klient)*
reflektor, 913d
REFLEKTOWAĆ, 1044b
reflektować się, 986a
reforma, 1136c
reformator, 946c
reformatorski, 485b
REFORMOWAĆ, 659a
reformy, 531e
refren, 379c
refundacja, 394c
refundować, 612d
regalia, 1146h
regalista, 646b
regał, 1058b
regatowiec, 1107a
regaty, 1000c
regeneracja, 658e
regeneracyjny, 839b
regenerować, 659b
regent, 236d
regestr, 789a
reggae, 379a
region, 88f
regionalny, 313e *(lokalny)*
regionalny, 893c *(ludowy)*

ropień, 273a
ropny, 73c
ropodajny, 38d
roponośny, 38d
rosa, 143a
rosić, 369a *(nawilżać)*
rosić, 581a *(mżyć)*
rosły, 142b
rosnący, 1140c
rosnąć, 783 *(wzrastać)*
rosnąć, 1162b
  (powiększać się)
rosnąć jak grzyby
  po deszczu, 783d
rosnąć jak na drożdżach, 513a
rosochaty↑, 901c
rosół, 219d
rostbef, 359d
roszczenie, 1172a
roszczeniowy, 1c
rościć, 129d
roślina, 755c
ROŚLINNOŚĆ, 755c
ROŚLINNY, 1178c
rośliny okopowe, 1003a
rośliny strąkowe, 1003a
rośnie gdzie go
  nie wsiali, 736a
rotacja, 807a *(ruch)*
rotacja, 1139d
  (nierównowaga)
rotacyjny, 808e *(obrotowy)*
rotacyjny, 1140a *(niestały)*
rotunda, 57b
rowek, 153c
rower, 638c
rowerem, 908e
rowerowy, 771g
rowery↓, 316b
rowerzysta, 235a
rowkować, 1174a
rozanielać, 1082b
rozanielać się, 315a
rozanielony, 1083b
rozbabrać, 1080b
rozbabrany, 440d
rozbawić się, 986c
rozbawiony, 1013a
rozbebeszyć, 483g
rozbeczeć się, 613b
rozbełtać, 351a
rozbestwiać, 877f
rozbestwić, 107a
rozbestwić się, 857b
rozbestwienie, 475c
  (rozpieszczenie)
rozbestwienie, 1131c
  (okrucieństwo)
rozbestwiony↓, 819d
rozbicie, 634a
rozbić, 147a *(kawałkować)*

rozbić, 256a *(poturbować)*
rozbić, 483e *(kruszyć)*
rozbić, 786b *(separować)*
rozbić, 1050b *(wygrać)*
rozbić bank, 1050c
rozbić namiot, 56a
rozbić się, 596b
rozbiec się, 786e
rozbieg, 623e
rozbiegać się, 1080b
rozbiegany↓, 20a
  (chaotyczny)
rozbiegany, 416c
  (nieopanowany)
rozbiera mnie, 71a
rozbierać, 147c
  (dekomponować)
rozbierać, 785b *(zdjąć)*
rozbieralnia, 650b
rozbieralny, 712d
rozbieżnie, 806b
rozbieżność, 250c
  (niezgodność)
rozbieżność, 804a
  (odmienność)
rozbieżny, 458c
  (niejednakowy)
rozbieżny, 715d *(odwrotny)*
rozbijacki, 109a
rozbijać, 104d *(obtrącić)*
rozbijać, 147a *(kawałkować)*
rozbiór, 10a *(dociekanie)*
rozbiór, 634a *(dzielenie)*
ROZBIÓRKA, 1152b
rozbisurmanić się, 15d
rozbisurmaniony, 819d
rozbity, 73a *(niedysponowany)*
rozbity, 971e *(zużyty)*
rozbłysnąć, 915a
rozboleć, 127c
rozbój, 723a
rozbój w biały dzień, 575c
rozbójnik, 574d
rozbrajać, 320a
rozbrajająco, 361b
rozbrajający, 364a
rozbrat, 634d
rozbroić, 320a *(pacyfikować)*
rozbroić, 1050b *(zwyciężyć)*
rozbrojenie, 860c
rozbrykać się, 15d
rozbrykany, 1013a
rozbryzgać się, 615a
rozbryznąć się, 596b
rozbrzmiewać, 50a
rozbuchać, 737a
rozbuchać się↓, 530b
rozbuchać się↓, 947a
rozbuchany↓, 388a
rozbudowa, 1069b
rozbudować, 1161c

rozbudować się, 1162b
rozbudzić, 58a *(cucić)*
rozbudzić, 1077a *(natchnąć)*
rozbudzić się, 58b
rozbujać, 982c
ROZCHEŁSTAĆ, 785a
rozchełstany, 430b
rozchichotać się, 15b
rozchichotany, 1013a
rozchlapać się, 581a *(mżyć)*
rozchlapać się, 615a *(cieknąć)*
rozchmurzyć się, 986c
rozchodzący się, 649a
rozchodzić, 982c
rozchodzić się, 147d
  (odgałęziać się)
rozchodzić się, 518b
  (odchodzić)
rozchodzić się, 722c
  (rozprzestrzeniać się)
rozchodzić się, 786c *(odtrącić)*
rozchodzić się, 792d
  (roznieść się)
rozchodzić się, 1151a
  (ubywać)
rozchorować się, 71c
rozchód, 555a
rozchuliganić się, 857c
rozchwiać, 1076a
rozchwiać się, 137d
rozchwianie, 1139d
rozchwiany, 1140b
rozchwytywać, 193b
rozchwytywany, 1148d
rozchybotać, 137d
rozchybotanie, 1139d
rozchybotany, 1140b
rozchylić, 578a *(rozwierać)*
rozchylić, 785a *(rozchełstać)*
rozchył, 733b
rozciąć, 147a *(kawałkować)*
rozciąć, 578a *(rozwierać)*
rozciągać się, 306c
  (ciągnąć się)
ROZCIĄGAĆ SIĘ, 1017b
  (widnieć)
rozciągliwy, 839c
rozciągnąć, 240a *(położyć)*
rozciągnąć, 398a *(napinać)*
rozciągnąć, 1161c
  (powiększać)
rozciągnąć się, 856c
  (położyć się)
rozciągnąć się, 1162a
  (powiększać się)
ROZCIEŃCZAĆ, 351c
rozcieńczony, 808h
rozcierać, 132c *(masować)*
rozcierać, 500c *(rozdrabniać)*
rozcierać, 848a
  (rozprowadzić)

rozgłos, 895c
rozgłośnia, 161c
rozgłośnie↑, 169a
rozgłośny↑, 170b
rozgnieść, 104b
rozgniewać, 108b
rozgniewać się, 175c
rozgniewany, 1115c
ROZGONIĆ, 44f
rozgorączkować się, 1085b
rozgorączkowany, 73c
    (rozpalony)
rozgorączkowany, 1115a
    (podniecony)
ROZGORYCZAĆ, 784b
rozgoryczać się, 340c
rozgoryczenie, 475a
ROZGORYCZONY, 850c
ROZGORZEĆ, 915b *(jaśnieć)*
rozgorzeć, 1070a *(owładnąć)*
rozgościć się, 760b
rozgotować, 727d
rozgrabić, 43a *(rozkraść)*
rozgrabić, 1174c *(kopać)*
rozgraniczać, 536c
    (delimitować)
rozgraniczać, 805a
    (odróżniać)
ROZGRANICZENIE, 634e
ROZGRANICZONY, 564c
rozgrodzić, 536c
rozgromić, 1050b
rozgromienie, 890d
rozgrymasić się, 1044a
rozgrymaszony, 819d
rozgrywać się, 513a
rozgrywka, 1000c
rozgryźć, 147a *(kawałkować)*
rozgryźć, 796b *(zrozumieć)*
rozgrzać, 511d *(chuchać)*
rozgrzać, 749b *(szykować)*
rozgrzać, 1077c *(namawiać)*
rozgrzać się, 511f *(grzać się)*
rozgrzać się, 1085b
    (wciągnąć się)
rozgrzebać, 1080b *(zaczynać)*
rozgrzebać, 1174c *(kopać)*
rozgrzeszenie, 714b
rozgrzeszyć, 1043a
rozgrzeszyć się, 530a
rozgrzewać, 511d
rozgwar, 191a
rozgwieżdżony, 217c
rozharatać, 256a
rozhartować, 560d
rozhasany, 1013a
rozhermetyzować, 578b
rozhisteryzować się, 8b
rozhisteryzowany, 416c
rozhukać się, 15d
rozhukany, 1084a

rozhulać się, 15d
rozhulany, 1084a
rozhuśtać, 982c
rozigrać się, 15d
rozindyczyć się, 175a
roziskrzony, 217c
roziskrzyć się, 915a
rozjarzony, 217c
rozjarzyć się, 915b
rozjaśniać, 915c
rozjaśniony, 217d
rozjazd, 136d
rozjazdy, 630a
rozjątrzony, 1115d
rozjątrzyć, 578a
rozjątrzyć się, 247a
rozjechać, 1073a
rozjechać się, 786e
rozjemca, 719b
rozjemczy, 319b
rozjeździć, 1174b
rozjuszyć, 108b
rozjuszony, 1115d
rozjuszyć się, 175c
rozkalibrować, 1076b
rozkaprysić się, 1044a
rozkapryszony, 819d
rozkasłać się, 231a
rozkaszleć się, 231a
rozkawałkowany, 837b
ROZKAZ, 643b
rozkazać, 129c
rozkazodawca, 236c
rozkazująco, 184d
rozkazujący, 24a
rozkisnąć, 511b
rozklapać, 104b
rozkleić, 147b *(oddzielić)*
rozkleić, 792a *(publikować)*
rozkleić się, 358a
rozklejać się, 482b
rozklekotać się, 1159b
rozklepać, 1063a
rozkład, 55a *(struktura)*
rozkład, 608b *(program)*
rozkład, 793c *(upadek)*
ROZKŁAD, 1152a *(niszczenie)*
rozkład moralny, 793c
rozkładać, 102b *(przydzielać)*
rozkładać, 240a *(położyć)*
rozkładać, 578a *(rozwierać)*
rozkładany, 712d
rozkładowy, 76a *(regularny)*
rozkładowy, 420a *(szkodliwy)*
rozkochać, 243b
rozkochać się, 243a
rozkochany, 364b
rozkodować, 97b
rozkojarzony↓, 794a
rozkolportować, 792a
rozkołysać, 982c

rozkołysać się, 137d
ROZKOŁYSANY, 808d
    (ruchomy)
ROZKOŁYSANY, 1140b
    (zmienny)
rozkopać się, 785b
rozkopy, 153a
rozkopywać, 1174c
rozkorzenić się, 783c
rozkosz, 527b *(upojenie)*
rozkosz, 899c *(szczęście)*
rozkosznie, 317c *(uroczo)*
rozkosznie, 361a *(przyjemnie)*
rozkoszny, 364d
    (wzruszający)
rozkoszny, 1013b *(zabawny)*
rozkoszować się, 315b
rozkoszowanie się, 899c
rozkraczać, 578a
rozkraczyć się, 1150b
rozkraść, 43a
rozkręcić, 147c
    (dekomponować)
rozkręcić, 286b *(układać)*
rozkręcić, 483g *(niszczyć))*
rozkręcić, 945c *(utworzyć)*
rozkręcić się, 513a
rozkrochmalić się, 1070c
rozkroić, 147a *(kawałkować)*
rozkroić, 578a *(rozwierać)*
rozkrok, 733b
rozkruszyć, 147a
rozkrwawić, 256a
rozkryć się, 785b
rozkrzewiać się, 783c
rozkrzewić, 159b
rozkrzyczany, 170c
rozkrzyczeć, 792c
rozkrzyczeć się, 278b
rozkrzyżować, 578a
rozkuć, 147a
rozkudłany↓, 649b
rozkułaczyć↑, 1156b
rozkupić, 193b
rozkurczyć się, 286b *(układać)*
rozkurczyć się, 1162a
    (powiększać się)
rozkwasić, 256a
rozkwaterować, 354d
rozkwiecić się, 783b
rozkwilić się, 613b
rozkwit, 890b
rozkwitać, 783b
ROZKWITŁY, 797b
rozkwitnąć, 783b
rozkwitnięty, 797b
rozlać, 721a *(przelać)*
rozlać, 1092b *(napełnić)*
rozlać się, 615a *(cieknąć)*
rozlać się, 1048d
    (wydostać się)

równinny, 803a
równo, 800
równo, 954d *(sprawiedliwie)*
RÓWNOCZESNY, 801b
równocześnie, 799a *(oraz)*
równocześnie, 800b
(jednocześnie)
równokształtność, 802b
równolegle, 800b
równolegle do, 800e
równoległa, 308a
równoległość, 1124c
równoległy, 801
równomiernie, 800d
równopostaciowość, 802b
równoprawnie, 954d
równoprawny, 627c
równorzędność, 802a
równorzędny, 627c
równość, 802
(identyczność)
RÓWNOŚĆ, 868a
(sprawiedliwość)
równouprawnienie, 1032b
równowaga, 860a
równowartość, 802a
równoważnik, 802c
równoważność, 1124b
równoważny, 627c
równoważyć, 252b
RÓWNOZNACZNY, 627c
równy↓, 364b *(sympatyczny)*
równy, 627c *(równoznaczny)*
równy, 803
równy, 956d *(sprawiedliwy)*
rózga, 237c
rózgi, 291b
róż, 245c *(czerwień)*
róż, 605c *(szminka)*
różaniec, 504b
różańcowe, 504b
różdżka, 237c
różdżkarz, 85d *(czarodziej)*
różdżkarz, 960b
(poszukiwacz)
różnica, 804
różnica, 1051c *(wynik)*
różnicować, 805a
różnicować się, 805b
różnić, 805
RÓŻNIĆ SIĘ, 805b
różnie, 806
różnobarwny, 14a
różnojęzyczny, 352c
różnokolorowy, 14a
różnokształtny, 352c
różnolity↑, 205a
różnoraki, 205a
różnorodnie, 37c
różnorodność, 1109a
różnorodny, 205a

różności, 1109a
różność, 64b
różnowierca↑, 196b
różnowierczy↑, 773f
różny, 205a
różowić się, 13c
różowieć, 13c
różowo↓, 119c
różowy, 267f
rubaszność, 1061e
rubaszny, 454b *(wulgarny)*
rubaszny, 712a *(zwyczajny)*
rubensowski, 38b
rubież, 182b
rubin, 31b
rubinowy, 14d
rubrykować, 809a
ruch, 443d *(zamieszanie)*
ruch, 559a *(stowarzyszenie)*
ruch, 807 *(skinienie)*
ruch, 862a *(gimnastyka)*
ruch, 870c *(żywotność)*
ruch oporu, 1000b
ruchać↓, 243d
ruchanie↓, 827c
ruchawka↑, 776c
RUCHLIWIE, 209c
ruchliwość, 870c
ruchliwy, 164b *(witalny)*
ruchliwy, 1148f *(uczęszczany)*
ruchomość, 336b
ruchomy, 808
ruchowo, 115d
ruchowy, 771b
ruczaj↑, 1030e
ruda, 222b *(minerał)*
ruda, 242g *(kobieta)*
rudawy, 14d
rudel↑, 1026c
RUDERA, 57d
rudowłosy, 14d
rudy, 14d *(czerwony)*
rudy, 347g *(facet)*
rudyment, 254c
(tradycjonalizm)
rudyment, 623c *(zaczątek)*
rudymentarny, 259b
(zanikowy)
rudymentarny, 1005a
(elementarny)
rudymenty, 774b
rudzieć, 13c *(zabarwić się)*
rudzieć, 32b *(blaknąć)*
rudzielec, 347g
rufowy, 99e
ruga↓, 225a
rugać, 167c
rugnąć, 167c
rugować, 1064c *(wyzbyć się)*
rugować, 1156b
(wywłaszczać)

ruina, 429a *(staroć)*
RUINA, 1152d *(zniszczenie)*
ruiny, 1152d
ruja, 276b *(menstruacja)*
ruja, 827c *(stosunek płciowy)*
rujnacja, 1152b
RUJNOWAĆ, 483c *(niszczyć)*
rujnować, 1156a *(zubożyć)*
rujnować się, 883e
ruletka, 372c
rulon, 1165a
rum, 2c
rumak, 258a
rumiany, 14h *(czerwony)*
rumiany, 318d *(zdrowy)*
rumienić, 756d
rumienić się, 591c
(wstydzić się)
rumienić się, 1070c
(wzruszyć się)
rumieniec, 462a
rumieńce, 245c
rumor, 191d
rumowisko, 1152d
rumpel, 1026c
rumsztyk, 359b
runąć, 397b *(napadać)*
RUNĄĆ, 977c *(upaść)*
runda, 86a
runo, 642a *(poszycie)*
runo, 1029c *(owłosienie)*
rupieciarnia, 334b
rupiecie, 11b
rupieć, 429a
ruptura↑, 70b
rura↓, 244b *(dziwka)*
RURA, 740b *(przewód)*
RURKA, 740c
rury, 740b
rusałka↓, 244b *(kurtyzana)*
rusałka, 481a *(boginka)*
rusofil, 1164b
rustykalny↑, 893c
rusycyzm, 842c
rusyfikacja, 723d
ruszać, 43a *(zawładnąć)*
ruszać, 1053b *(pójść)*
ruszać do natarcia, 397b
RUSZAĆ SIĘ, 663a
(poruszać się)
ruszać się, 879a *(uwijać się)*
rusznica, 45c
ruszyć, 132a *(tknąć)*
ruszyć, 145b *(zadziałać)*
ruszyć głową, 383c
ruszyć się, 663a
rutyna, 165b *(doświadczenie)*
rutyna, 413d *(nawyk)*
rutyniarz, 874c
rutynowany, 871a
rutynowy, 594e *(utarty)*

rzesza, 585b *(imperium)*
rzeszoto, 386g
rześki, 164b *(aktywny)*
RZEŚKI, 917c *(ożywczy)*
rześko, 163a *(aktywnie)*
rześko, 916a *(ożywczo)*
rzetelnie, 954b
rzetelność, 955b
rzetelny, 594a *(niezbity)*
rzetelny, 676a *(surowy)*
rzetelny, 814b *(realny)*
rzetelny, 956a *(sumienny)*
rzetelny, 956b
    (nieuprzedzony)
rzewliwie↑, 439b
rzewliwy↑, 905b
rzewnie, 361a *(lirycznie)*
rzewnie, 439b *(ckliwie)*
rzewność, 91a *(tkliwość)*
rzewność, 1169c *(smutek)*
rzewny, 364d *(wzruszający)*
rzewny, 905b *(afektowany)*
rzezać, 809b *(rytować)*
rzezać, 988c *(usuwać)*
rzezaniec↑, 431c
rzezimieszek, 574d *(złodziej)*
rzezimieszek, 729d *(zbój)*
rzeź, 291a *(bitwa)*
rzeź, 1075a *(zabójstwo)*
rzeźba, 148e *(sztuka)*
rzeźba, 652a *(posąg)*
rzeźbiarstwo, 148e
rzeźbiarz, 4a
rzeźbić, 286a
rzeźwiący↑, 917c
rzeźwić, 520b
rzeźwo↑, 916a *(ożywczo)*
rzeźwo, 163a *(aktywnie)*
rzeźwy↑, 917c *(rześki)*
rzeźwy, 164b *(witalny)*
rzęch↓, 429a
rzędem, 800c
rzępolić, 181a
rzęsisty, 831d
rzęsiście, 37c
rzęsy, 1144c
rzęzić, 894c
rzężący, 750d
rzężeć, 894c
rzodkiewka, 1003c
rzuca nim, 137c
rzucać, 56c *(kłaść)*
rzucać, 137c *(trząść się)*
rzucać groch o ścianę, 159c
rzucać klątwę, 167b
rzucać kłody pod nogi, 247c
rzucać kotwicę, 1150c
rzucać mięsem, 376e
rzucać na papier, 945a
rzucać się, 999a *(poróżnić się)*

rzucać się, 1080b
    (przystąpić do)
rzucać się w objęcia, 492a
rzucać się w oczy, 805c
rzucać urok, 902a
rzucać w, 816a
rzucić, 260a *(finalizować)*
rzucić, 376a *(artykułować)*
rzucić, 786c *(odtrącić)*
rzucić, 816 *(cisnąć)*
rzucić, 1064c *(wyzbyć się)*
rzucić, 1103b *(najać)*
rzucić, 1161a *(dodać)*
rzucić broń, 987d
rzucić kamieniem, 167b
RZUCIĆ NA ZIEMIĘ, 240d
rzucić okiem, 589b
    (spoglądać)
rzucić okiem, 686c
    (obeznać się)
rzucić podejrzenie, 624b
rzucić pomysł, 708c
rzucić się, 397a
rzucić się na szyję, 492a
rzucić w diabły, 1064c
rzuciło go, 977d
rzuciło mi się w oczy, 589e
rzut, 501c *(obrazek)*
rzut, 640a *(potomstwo)*
rzut, 872e *(przegląd)*
rzut, 1055a *(punkt)*
rzut rożny, 1055a
rzutki, 164c
rzutkość, 795c
rzutować, 264b *(kopiować)*
rzutować, 680c *(oddziaływać)*
rzygać, 1047b
rzygi↓, 429d
rzygnąć, 1049b
rżeć, 15b *(śmiać się)*
rżeć, 894e *(wydać głos)*
rżenie, 191b
rżenie ze śmiechu, 899e
rżnąć↓, 243d *(pożądać)*
rżnąć, 26a *(uderzyć)*
rżnąć, 127c *(pobolewać)*
rżnąć, 181a *(muzykować)*
rżnąć, 809b *(rytować)*
rżnąć, 816a *(cisnąć)*
rżnąć, 1073e *(szlachtować)*
rżnąć w pokera, 15f
rżnie w brzuchu, 127c
rżnięcie↓, 827c
rżysko, 1127b

S

sabotaż, 279d
sabotażysta, 451b
sabotować, 683a

sacrum↑, 41c
SAD, 539a
SADŁO, 930a
sadomasochizm, 493c
sadowić, 856b
sadowić się, 856a
sadownictwo, 179c
sadysta, 451d
sadystyczny, 24c
sadyzm, 493c *(zboczenie)*
sadyzm, 1131c *(okrucieństwo)*
SADZAĆ, 856b
sadzawka, 1030c
sadzenie, 179c
sadzić, 240b *(włożyć)*
sadzić, 595a *(gnać)*
sadzić dowcipami, 15b
sadzić się, 252a
sadzonka, 519b
safanduła, 431a
safandułowaty, 479b
safes↑, 229a
saga, 556b
sagan, 386f
sajdak↑, 1100f
sak, 575f
SAKIEWKA, 229b
sakralny, 773d
sakramencki↓, 1133a
sakramencko↓, 12c
sakrament, 504b
sakramentalny↑, 878a
saksofon, 206b
saksofonista, 4d
sakwa, 229b
sakwojaż, 11a
SALA, 650e *(pomieszczenie)*
SALA, 764a *(publiczność)*
sala operacyjna, 296b
sala pooperacyjna, 296b
sala porodowa, 296b
salami, 359f
salaterka, 386c
saldo, 768d
saldo ujemne, 600e
salon, 650b *(pokój)*
salon, 694a *(pracownia)*
salon, 835a *(dom handlowy)*
salon gry, 216b
salonowy, 542c
salowa, 551d
salut, 744c
salut armatni, 744c
salutować, 1023b
salwa, 1000a
salwować się, 980b
sałata, 1003c
sałatka, 219d
sam, 823c *(bezdzietny)*
sam, 835a *(dom handlowy)*
sam, 1052a *(nieliczny)*

sam jeden, 820a
(w pojedynkę)
sam jeden, 823c *(bezdzietny)*
sam na sam, 817e
samarytanin, 116b
samarytański, 1177d
SAMOBIEŻNY, 477e
samobójca, 422a *(zmarły)*
samobójca, 590a *(czarnowidz)*
samobójczy, 420d
samobójstwo, 1075b
samochodowy, 249a
SAMOCHÓD, 638a
SAMOCHÓD CIĘŻAROWY, 638b
samochód osobowy, 638a
samochwalstwo, 767a
samochwał, 1004a
samochwała, 1004a
samoczynnie, 753d
SAMOCZYNNY, 754c
samodzielnie, 817
samodzielność, 1032c
samodzielny, 164c *(zaradny)*
SAMODZIELNY, 477a
(niezależny)
samodzielny, 564b
(oddzielny)
samogon, 2b
samogwałt, 827c
SAMOISTNIE, 817f
samoistny, 477a
samojezdny, 477e
samokontrola, 860a
samokrytycyzm, 507a
SAMOKRYTYCZNY, 476b
samokrytyka, 507a
samolot, 818
samolot amfibia, 818b
samolotowy, 249a
samolub, 834b
samolubnie, 463a
samolubny, 819
samolubstwo, 66c
samołówka, 469c
samoobrona, 509b
samoobserwacja, 10d
samoobsługowy, 835a
samopas, 817f *(swobodnie)*
samopas, 820a *(w pojedynkę)*
samopoczucie, 404a
samorodny, 433a *(domorosły)*
samorodny, 477a *(oryginalny)*
samorząd, 1026d
samorządnie, 817a
samorządny, 477a
SAMORZĄDOWY, 313e
samorzutnie, 753d
(samoczynnie)
samorzutnie, 817d
(spontanicznie)
samorzutność, 870c

samorzutny, 477a
(samodzielny)
samorzutny, 754b
(machinalny)
samosąd, 723a
samostanowienie, 1032c
samotna, 242c
samotnia, 822c
samotniczo, 820a
samotniczy, 823b
samotnie, 820
samotnik, 821
samotność, 822
samotny, 823
samotrzask, 469c
samouczek, 282b
samouk, 957b
samowładca, 236d
samowładny, 1025c
samowładztwo, 1026b
SAMOWOLA, 445a
SAMOWOLNIE, 817h
samowolny, 22b *(nielegalny)*
samowolny, 1084a
(nieposłuszny)
samowystarczalność, 1032c
samowystarczalny, 564a
samozaparcie, 1022a
samozwańczy↑, 22b
samum, 441d
sanatorium, 296b
sandały, 506b
saneczkarz, 1107a
sanitariat, 323b
sanitariusz, 299b *(pielęgniarz)*
sanitariusz, 551d *(opiekun)*
sanitariuszka, 551d
sanitarka, 296d
sanitarny, 346e *(higieniczny)*
sanitarny, 824
sankcja, 225b
sankcje, 225b
sankcjonować, 1105a
sapać, 516a
sardonicznie↑, 464b
sardoniczny↑, 1b
SARKAĆ, 175b
sarkastycznie, 464b
sarkastyczny, 1b
sarkazm, 475b
sarkofag, 185a
saszetka, 11a
sataniczny↑, 480c
satelicki, 1088d
satelita↓, 161c *(odbiornik)*
satelita, 283a *(księżyc)*
satrapa, 236d
satyna, 928b
satyr, 481c
satyra, 228a
satyryczny, 1013c

SATYRYK, 737a
satysfakcja, 394c
(odszkodowanie)
satysfakcja, 899b
(zadowolenie)
satysfakcjonować, 1082b
sauna, 323a
sauté↓, 393a
savoir vivre, 1079d
sawanna, 328d
sączek, 386g *(sito)*
sączek, 740c *(rurka)*
sączyć, 526d *(popijać)*
sączyć, 558a
sączyć, 597b *(popijać)*
sączyć, 1049c *(uzyskiwać)*
sączyć się, 615a *(cieknąć)*
sączyć się, 716b *(przenikać)*
sączyć się, 1049b
(wydzielać się)
sąd, 553a *(zdanie)*
sąd, 701a *(prawodawstwo)*
sądny dzień, 443d
sądownictwo, 701a
sądowniczy, 700a
sądowy, 700a
sądzić, 103a *(rozpatrzyć)*
sądzić, 368a *(utrzymywać)*
sądzić, 508a *(wartościować)*
sądzić, 624a *(przypuszczać)*
sądzić się, 999b
sąsiadować, 405e
(przypominać)
sąsiadować, 489b
(mieć do czynienia)
sąsiedni, 33a
sąsiedztwo, 1022c
sążnisty↑, 113c
scalać, 326a
scalający, 324a
scalenie, 1130a
scalić, 1156b
scedować, 98b
scedowanie, 1123c
scementować się, 327c
scena, 88e *(fragment)*
scena, 250b *(sprzeczka)*
scena, 501a *(wizerunek)*
scena, 614b *(platforma)*
scena, 941a *(podium)*
scena, 1112a *(wydarzenie)*
scenariusz, 608c
scenarzysta, 606a
sceniczny, 290b
scenka, 1171b
scenograf, 4a
scenografia, 105d
scenopis, 608c
scentralizować, 265c
scentrować, 104c
scentrowany↓, 458a

sceptycyzm, 1006b
SCEPTYCZNIE, 992b
sceptyczny, 993c
sceptyk, 960c
schab, 359d
schaboszczak↓, 359b
schadzka, 744d
schamieć, 857a
scharakteryzować, 545b
scheda, 336c
schemat, 608c
schematyczny, 322c
schematyzować, 665d
scherzo, 379b *(kompozycja)*
scherzo, 1171b *(fraszka)*
schizma, 787b
schizmatyk, 196c
schizofrenia, 493a
schizofreniczny↓, 458c
schizofrenik, 1001d
schlać się↓, 526e
schlanie się, 603b
schlany↓, 572b
schlapać, 48a
schlastać, 26c *(męczyć)*
schlastać, 48a *(pobrudzić)*
schlastać, 167b *(potępiać)*
schlebiać, 825
schlebianie, 844b
SCHLUDNIE, 93a
schludność, 94a
SCHLUDNY, 95b
schładzać, 1128b
schłodzić, 1128b
schłopieć, 30b
schnąć, 30d *(marnieć)*
schnąć, 891b *(suszyć się)*
schnie w gardle, 597c
schodkowaty, 458d
schody↓, 704e *(problem)*
schody, 664d *(kolejność)*
schody ruchome, 157b
schodzić, 261c
SCHODZIĆ, 722e
schodzić na psy, 857c
schodzić się, 745a
    (przybywać)
schodzić się, 864d *(zejść się)*
schodzić z drogi, 8a
scholastyczny↑, 19b
schorowany, 73a
schorzały↑, 73a
SCHORZENIE, 70a
schować, 918a
schować się, 728b
    (pozakrywać)
schować się, 918b
    (ukrywać się)
schować się, 1072a *(osłaniać)*
schowanko↑, 826c
SCHOWANY, 969a

schowek, 334b *(zaplecze)*
schowek, 826c *(ukrycie)*
SCHRON, 826a
schronić się, 728b
schronienie, 826
schronisko, 355c *(hotel)*
schronisko, 826b *(azyl)*
schrupać, 220a *(chapnąć)*
schrupać, 220b *(zjeść)*
schrypły, 750d
schrypnąć, 71c
schrypnięty, 750d
schrzaniać, 951a
schrzanić, 1108c
schudnąć, 30d *(marnieć)*
schudnąć, 1143b *(skracać się)*
schwycić, 43b
schwycić się, 132a
schwytać, 470b *(aresztować)*
schwytać, 1098b *(przyłapać)*
schwytanie, 469d
schyłek, 793c *(upadek)*
schyłek, 1086a *(koniec)*
schyłek, 1141c *(zachód)*
schyłkowiec, 590a
SCHYŁKOWY, 259b
scjentystyczny↑, 411b
scysja, 250b
scyzoryk, 486a
sczepiać, 326c
sczepiać się, 327b
sczernieć, 13c
sczerstwieć, 762a
sczerwienieć, 13c
sczeznąć, 482c
sczyścić, 96b
sczytywać, 659d
seans, 1119a
seans filmowy, 200c
seans spirytystyczny, 1119a
secesja, 787b
SEDNO, 912b
segment, 57a *(dom)*
segment, 88a *(element)*
segmentowy, 837a
segregacja, 634a
segregacja rasowa, 634e
segregator, 484b
segregować, 666d
    (zaszeregować)
segregować, 1044c
    (gatunkować)
segregowanie, 664b
sejf, 229a
SEJM, 588a
sejmik, 588a
sejmować↓, 989b
sekator, 486e
sekciarski, 19b
sekciarstwo, 254a
sekciarz, 196c

sekcja, 207a
sekcja zwłok, 10c
SEKRET, 919a
sekretariat, 207a
sekretarka, 695c
sekretarz, 695c
sekretarzyk, 1058b
sekretera, 1058b
sekretność, 919a
sekretny, 969b
sekrety, 919a
seks, 827
seksapil, 602b *(wdzięk)*
seksapil, 827b *(pożądanie)*
seksownie↓, 317a
seksowny↓, 318b
sekstet, 379d
seksualnie, 361c
SEKSUALNY, 362b
seksuolog, 299a
sektor, 88f
sekularyzować, 159b
    (popularyzować)
sekularyzować, 1156b
    (wywłaszczać)
sekunda, 86d
sekundka, 86e
sekundować, 489c
sekutnica, 242b
sekutnik, 330c
sekwencja, 812c
sekwestracja, 225b
sekwestrować, 1156a
seledyn, 245c
seledynowy, 14f
selekcja, 1045b
selekcjonować, 1044b
selektywny↑, 564c
seler, 1003b
semafor, 1146i
semantyczny, 203d
semestr, 86c
seminarium, 409d
seminarzysta, 957b
semiotyczny, 203d
sen, 828
sen morzy, 851a
senat, 588a
senator, 719a
senior, 1107a
sennie, 425b *(leniwie)*
sennie, 681b *(majestatycznie)*
senność, 690g
senny, 460c *(powolny)*
senny, 859b *(cichy)*
SENNY, 1134c *(śpiący)*
sens, 795b *(mądrość)*
sens, 912b *(sedno)*
sens, 1002b *(znaczenie)*
sensacja, 202a *(wiadomość)*

sensacja, 1099a
  (niespodzianka)
sensacja, 1112a *(wydarzenie)*
sensacyjny↓, 392b
  (niespodziewany)
sensacyjny, 322c *(trywialny)*
sensor, 720b
sensownie, 345b *(rozumnie)*
sensownie, 523b *(prawidłowo)*
sensowność, 795b
sensowny, 344d
sentencja, 677b
sentencjonalny, 274b
sentyment, 67b
sentymentalizm, 91a
SENTYMENTALNIE, 439b
sentymentalność, 91a
sentymentalny, 763c
  (uczuciowy)
sentymentalny, 905b
  (afektowany)
SEPARACJA, 787b
separatka, 296c
separatysta, 40c
separatystyczny, 477d
separować, 536a
SEPAROWAĆ, 786b
separować się, 786d
seplenić, 376f *(jąkać się)*
seplenić, 381c *(potknąć się)*
seppuku, 1075b
septet, 379d
ser, 385a
ser szwajcarski, 385a
seraficzny, 318a *(anielski)*
seraficzny, 542a *(wzniosły)*
serce, 75a *(organizm)*
serce, 245d *(kier)*
serce, 912a *(centrum)*
serce, 1169e *(litość)*
serce pęka, 81e
serce rośnie, 315a
sercowy, 362a
serdak, 531c
serdecznie, 12a *(bardzo)*
serdecznie, 169a *(gromko)*
SERDECZNIE, 361b *(miło)*
serdeczności, 1176a
serdeczność, 91a *(tkliwość)*
serdeczność, 117b
  (życzliwość)
serdeczny, 170b *(gromki)*
serdeczny, 364b
  (sympatyczny)
serek, 385a *(nabiał)*
serek, 1100g *(kołnierz)*
seria, 812c
serial, 200c
SERIO, 675a *(poważnie)*
serio, 676a *(poważny)*
sernik, 599b

serowarski, 835a
serpentyna, 281b *(łuk)*
serpentyna, 904e *(tasiemka)*
serpentynowy, 458a
service↑, 653e
serwantka↑, 1058b
serwatka, 385b
serweta, 642a
serwetka, 642a
serwilista, 618a
serwilistyczny, 1088e
serwilizm, 844a
serwis, 386a *(naczynia)*
serwis, 653e *(usługi)*
serwis, 658e *(naprawa)*
serwis, 696b *(dziennikarstwo)*
serwisowy, 984a
serwować, 691d *(wykonywać)*
serwować, 816c *(strzelić)*
serwować doniesienia, 204a
SERYJNIE, 684b
seryjny, 142e *(liczebny)*
seryjny, 440c *(odcinkowy)*
sesja, 86a *(termin)*
sesja, 1119a *(posiedzenie)*
sesja egzaminacyjna, 160a
set, 1000c
setki, 141a
setnie↑, 12a
setnik, 236c
setny↑, 118c
sexy↓, 318b
sezon, 86b
sezonować, 891a
sezonowo, 926b
sezonowy, 74c
SĘDZIA, 699b *(prawnik)*
sędzia, 719b *(juror)*
sędziować, 103a
sędziowska, 719b
sędziwy↑, 881f
sęk, 704e
sękacz, 599b
sęp, 574c
sfabrykować, 573c
sfajczyć↓, 483c
sfalcować, 749c
sfalować się, 104c
sfalowany, 458e
sfałdować, 104c
sfałszować, 573c
sfałszowanie, 575h
sfastrygować, 326c
sfatygować, 1159a
sfatygować się, 1135b
sfatygowany, 881a
sfaulować, 397a
sfera, 49a *(kula)*
sfera, 789a *(zasięg)*
sfera intymna, 827a
sfermentować, 762b

sfery, 187c
sferyczny, 544a
sfiksować, 1122c
sfiksowany↓, 761d
sfilcować się, 327c
sfilmować, 1137d
sfinalizować, 260b
sfinansować, 612c
SFINGOWAĆ, 573c
sfingowanie, 961a
sfingowany↑, 450c
sfinks, 919b
sfinksowy↑, 465d
sflaczały↓, 357b
sflaczeć, 560e
sfora, 538c
sformalizować, 545a
sformować, 183e
  (zorganizować)
sformować, 665c
  (poustawiać się)
sformować, 945c *(utworzyć)*
sformułować, 376a
  (artykułować)
sformułować, 545a *(uściślać)*
sforsować, 1153c
sforsować się, 1135b
sfotografować, 945a
sfrunąć, 722e *(schodzić)*
sfrunąć, 977e *(lądować)*
sfrustrować się, 81b
sfrustrowany, 1115b
sfuszerować, 1108c
sherry, 2d
siać, 240a *(położyć)*
siać, 780a *(rozmnażać)*
siać, 883a *(gubić)*
siać, 1044c *(gatunkować)*
siać zamęt, 241a
siać zgorszenie, 107b
SIADAĆ, 856a
siadać, 977e
siadać do, 945a
siano↓, 1029a
sianokosy, 611a
siarczysty, 831a
siatka↓, 862b
  (dyscyplina sportowa)
siatka, 11a *(bagaż)*
siatka, 55b *(układ)*
siatka, 537a *(płot)*
siatka, 608c *(szkic)*
siatkarz, 1107a
siatkówka, 862b
SIĄKAĆ, 231b
siąpanina, 441a
siąpić, 581a
sidła, 469c *(pęta)*
sidła, 575f *(podstęp)*
sieczna, 308a
sieć, 55b *(układ)*

sieć, 575f *(podstęp)*
siedem dni, 86c
siedlisko, 355b *(dom)*
siedlisko, 576b *(centrum)*
siedzący, 459a
siedzenie, 75d *(zadek)*
siedzenie, 829
siedziba, 355b
siedzieć, 81c *(odcierpieć)*
siedzieć, 92a *(baczyć)*
siedzieć, 354a *(zatrzymać się)*
siedzieć, 929b *(zostać)*
siedzieć jak mysz
  pod miotłą, 918b
siedzieć jak na szpilkach, 87c
siedzieć kamieniem, 929b
siedzieć mocno w siodle, 234d
siedzieć na, 348b
siedzieć na forsie, 1117c
siedzieć nad, 691b
siedzieć pod pantoflem, 1087b
siedzieć w kącie, 918b
siedzieć w kiciu, 81c
siedzieć
  z założonymi rękami, 303a
siedzisko, 829a
siejba↑, 179c
siekacz, 944b
siekać, 127d *(porazić)*
siekać, 500c *(rozdrabniać)*
siekiera, 45d
siekierka, 45d
sielanka, 899b
sielankowo, 361a
sielankowy, 1083b
sielski, 1083b
sielsko, 361a
siemię, 1126a
sienny, 109c
sień, 650d
siepacz, 729b
siermiężny↑, 712a
sierociniec, 826b
sieroctwo, 822d
sierocy, 823a
sierota, 146e
sierp, 281b *(łuk)*
sierp, 486c *(kosa)*
sierść, 1029c
sierżant, 40a
siew, 179c
SIĘGAĆ, 43b *(chwytać)*
sięgać, 65e *(dążyć)*
sięgać iluś metrów, 545c
sięgać korzeniami, 619a
sięgać po cudze, 1156d
sięgać po laury, 879b
sięgać początkami, 619b
sięgać za wysoko, 1067b
sięgnąć do, 963a
sięgnąć do kieszeni, 612c

sięgnąć po laury, 126a
sikać, 615a *(cieknąć)*
sikać, 1047a *(załatwiać się)*
siki↓, 429d
silić się, 252a
silnie, 830
silnik, 983a
silnikowy, 249c
silny, 318d *(zdrowy)*
silny, 831
silny charakter, 64b
silva rerum, 1109a
siła, 832
siła, 870c *(tężyzna)*
siła, 1002b *(znaczenie)*
siła↑, 538d *(mnóstwo)*
siła ciążenia, 832c
siła nieczysta, 111a
siła robocza, 695a
siła sprawcza, 748b
siła wyrazu, 1059a
siła wyższa, 251a
siłacz, 674c
siłami natury, 408a
SIŁĄ, 463c
siłować się, 999b
siłowy↓, 1a
SIŁY PORZĄDKOWE, 644b
siły powietrzne, 1031a
siły zbrojne, 1031a
sinawy, 14g
singel, 161g
singiel↓, 347c
siniak, 502e
siniec, 502e
sinieć, 13c *(zabarwić się)*
sinieć, 1017a *(widać)*
siność, 245c
sinusoida, 308b
siny, 14g
siodełko, 829b
siodłać, 1103b
siodło, 829b *(kulbaka)*
siodło, 153c *(przełęcz)*
sioło↑, 349b
siorbać, 597b
siorbanie, 191c
siostra, 551d *(pielęgniarka)*
siostra, 781f *(rodzeństwo)*
siostra miłosierdzia, 224e
siostra zakonna, 224e
siostrunia, 781f
siostry, 781f
siostrzany, 627a
siostrzenica, 781c
siostrzeniec, 781c
siostrzyczka, 781f
siódme poty, 690f
siśki↓, 429d
sitek, 599a
SITO, 386g

sitowie, 328c
siurpryza↑, 1099a
siusiać, 1047a
siusiak↓, 75e
siuśki↓, 429d
siwak, 386e
siwawy, 217e
siwek, 258a
siwieć, 13c *(zabarwić się)*
siwieć, 882a *(przybyło lat)*
siwieć, 1017a *(widać)*
siwizna, 245c
siwowłosy, 217e
siwy, 217e
SJESTA, 1057d
skacowany, 73a
skadrować, 536b
skaj, 610a
skakać, 663a
skakać koło, 550c *(dbać)*
skakać koło, 879c *(zabiegać)*
skakać sobie do oczu, 999a
skala, 789a
skalać nazwisko, 248c
skald, 4c
SKALECZENIE, 502d
skaleczony↓, 572b
skaleczyć, 256a *(ranić)*
SKALECZYĆ, 483f *(uszkodzić)*
skaleczyć się, 256b
skalkulować, 269c
skalować, 195b *(korelować)*
skalować, 629c *(zaznaczyć)*
skalpel, 486a
skalpować, 1048c
skała, 222a *(głaz)*
skała, 631c *(ostoja)*
skamieliny, 774b
skamieniałości, 774b
skamieniały, 731a
  (wystraszony)
skamieniały, 943c *(zwarty)*
skamienieć, 857b
skamienienie, 253a
skamlać, 894d
skamleć, 129a
skamłać, 129a
skanalizować, 659b *(dom)*
skanalizować, 320a
  (znaleźć ujście)
skandal, 250b
skandalicznie, 1168e
skandaliczność, 1061e
skandaliczny, 390a
  (niedopuszczalny)
skandaliczny, 884b *(okrutny)*
skandalizować, 108a
skandować, 702c
skandynawski, 313a
skansen, 652b
skapcanieć, 560e

skrawek, 429c *(odpady)*
skrawek, 525b *(kawałek)*
skredytować, 193c
skreślać, 975c *(zawiesić)*
skreślać, 988a *(ocenzurować)*
skreślić parę słów, 661d
skretynieć, 1122a
skretynienie, 174e
skrewić, 784a
skręcać, 286b *(układać)*
skręcać, 306c
   (rozpościerać się)
skręcać, 326c *(zwijać)*
skręcać, 326c *(śrubować)*
skręcać się ze śmiechu, 15b
SKRĘCIĆ, 514b *(zjechać)*
skręcić kark, 256a
skręcić się, 104c *(krzywić)*
skręcić się, 1072a *(osłaniać)*
skrępować, 470a
   (obezwładnić)
skrępować, 683e *(złapać)*
skrępowanie, 462a
skrępowany, 731b
skręt, 281b *(łuk)*
skręt, 586a *(papieros)*
skrobać, 756a *(oporządzać)*
skrobać, 988c *(usuwać)*
skrobać się, 132b
skrobanka↓, 295b
skroić, 26b *(pobić)*
skroić, 286c *(przystrzyc)*
skroić, 500c *(rozdrabniać)*
skroić, 749b *(szykować)*
skroić, 756a *(oporządzać)*
skromnie, 28a *(niezamożnie)*
skromnie, 617b *(cnotliwie)*
skromnie, 840b *(kiepsko)*
skromnisia, 494c
SKROMNOŚĆ, 462b
SKROMNY, 29b *(oszczędny)*
skromny, 337e
   (niewystarczający)
skromny, 339a *(niedobry)*
skromny, 859c
   (zrównoważony)
SKROMNY, 900b *(niepokaźny)*
skroś, 1157a
skrócić, 1142d
skrócony, 274b
skrócić o głowę, 1073b
skrót, 136a *(trasa)*
skrót, 608c *(wyciąg)*
skrót myślowy, 382b
skrótowo, 275a
skrótowy, 274b
skrucha, 1169d
skrupiło się na mnie, 81c
skrupulatnie, 123a
skrupulatność, 124b
   (drobiazgowość)

skrupulatność, 254b
   (formalizm)
skrupulatny, 125b
   (drobiazgowy)
skrupulatny, 693a *(robotny)*
skrupuły, 1006a
skruszeć, 1138d
skruszony, 189a
skruszyć, 104d
skruszyć się, 482c *(erodować)*
skruszyć się, 985b
   (przepraszać)
skrwawić, 48a
skrycie, 144d
skryć, 728b *(pozakrywać)*
skryć, 918a *(taić)*
skryć się, 918b
skrypt, 282b
skrystalizować, 545b
skrytka, 229a *(skarbonka)*
skrytka, 826c *(ukrycie)*
skrytobójca, 729c
skrytobójczo, 632c
skrytobójczy, 495c
skrytobójstwo, 1075b
skryty, 850a *(introwertyczny)*
skryty, 969a *(schowany)*
skrytykować, 167a
skrywać, 918a
skrzat, 111b *(chochlik)*
skrzat, 146a *(dziecko)*
skrzący się, 217c
skrzeczący, 750d
skrzeczeć, 50b *(dźwięczeć)*
skrzeczeć, 894e *(wydać głos)*
skrzekliwy, 750d
skrzenie się, 913b
skrzep, 502e
SKRZEPŁY, 943b
skrzepnąć, 942a
skrzepnięty, 943b
skrzesać, 680a
SKRZĘTNIE, 692a
skrzętny, 693a *(robotny)*
skrzętny, 693b *(zaradny)*
skrzyczeć, 167c
skrzyć się, 915a
skrzydło, 886g
skrzydłowy, 1107a
skrzyknąć, 873a
skrzyneczka, 639d
skrzynia, 11a *(bagaż)*
skrzynia, 547a *(opakowanie)*
skrzynka, 547a
skrzyp, 191d
SKRZYPCE, 206a
skrzypcowy, 1054c
skrzypek, 4d
skrzypieć, 50b
skrzypienie, 191d
skrzypnięcie, 191d

skrzywdzenie, 279b
skrzywdzić, 280a
skrzywdzony, 1088d
skrzywić się, 104c *(krzywić)*
skrzywić się, 894c
   (zdradzać objawy)
skrzywienie, 456c
skrzywiony↓, 205e *(zboczony)*
skrzywiony, 458a *(krzywy)*
skrzywiony, 476ą
   (niezadowolony)
skrzyżować, 240a *(położyć)*
skrzyżować, 836c *(zbliżać)*
skrzyżowanie, 136d
skrzyżowany, 458a *(nierówny)*
SKRZYŻOWANY, 649a
   (pomieszany)
skubać, 43b *(sięgać)*
skubać, 220e *(żreć)*
skubać, 756a *(oporządzać)*
skubnąć↓, 1156d
   (ukraść)
skubnąć, 220a *(chapnąć)*
skuć, 470a
skuć mordę, 26b
skudlić, 104e
skudlony, 649b
skudłacić, 104e
skulić, 1072a
skulony, 969a
skumać się, 489a
skumulować się, 183b
skumulowanie, 538e
skup, 192b *(kupno)*
skup, 835c *(punkt skupu)*
skupiać, 183a *(akumulować)*
skupiać, 183f *(centralizować)*
SKUPIAĆ, 326c *(łączyć)*
skupiać na sobie uwagę, 208a
skupiać w ręku, 348b
skupić, 183a *(akumulować)*
skupić, 193b *(kupić)*
skupić myśli, 383a
skupić się, 383a
skupić uwagę, 92b
skupienie, 384a *(uwaga)*
skupienie, 538e *(tłok)*
SKUPIENIE, 576b *(skupisko)*
skupienie, 991a *(uwaga)*
skupienie, 1130b
   (konsolidacja)
skupiony, 943c *(zwarty)*
skupiony, 993b *(baczny)*
skupiony, 1038a *(zrzeszony)*
skupisko, 576b *(centrum)*
SKUPISKO, 1109d *(zbiór)*
skurcz, 42b
skurczyć, 1142a
skurczyć się, 1143a
skurwić↓, 107b
skurwiel↓, 330a

spacerować, 520d
spacerowy, 460c
spacery, 862a
spacja, 733b
spacyfikowanie, 723b
spaczony, 52c
spaczyć, 104c
spać, 851
spać z, 243d
spadać, 722e *(schodzić)*
spadać, 929c *(wisieć)*
spadać, 977b *(potknąć się)*
spadaj↓, 518b
spadać, 1143c *(obniżać się)*
spadająca gwiazda, 417e
(ulotność)
spadająca gwiazda, 1139c
(ulotność)
spadasz mi z nieba, 65c
spadek, 180b *(zbocze)*
SPADEK, 336c *(majątek)*
spadek, 852
spadek napięcia, 1057a
spadkobierca, 146c
spadkowy, 1027d *(nabyty)*
spadkowy, 1140d *(malejący)*
spadło mi z nieba, 130d
spadzistość, 180b
spadzisty, 458d
spaghetti, 239b
SPAJAĆ, 326d
spajający, 324a
spakować, 546a
spakować się, 183a
spalać, 853 *(podpalić)*
spalać, 1159a *(zużywać)*
spalać się, 727c
spalarnia, 598c
spalenie, 911b
spalenie zwłok, 637a
spalenizna, 535b *(ognisko)*
spalenizna, 1091a *(woń)*
spalić, 381c *(potknąć się)*
spalić, 483c *(rujnować)*
spalić, 853b *(podpalić)*
spalić się, 261c *(skończyć się)*
spalić się, 482d *(spłonąć)*
spalić się, 853d *(spłonąć)*
spalić się, 972b *(umrzeć)*
spalinowóz, 622b
spalinowy, 249c
spalony, 1148b
spałaszować, 220a
spałować, 26c
spamiętać, 584a
SPANIE, 332c *(łóżko)*
SPANIE, 828a *(sen)*
spanikować, 8d
spanikowany↓, 731a
spaprać, 1108c
sparafrazować, 1137d

sparaliżować, 256a
(poturbować)
sparaliżować, 683c
(przeciwdziałać)
sparaliżować, 1050b *(wygrać)*
sparaliżowanie, 734b
sparaliżowany, 841b
sparcieć, 762a
sparciały, 881a
sparodiować, 405d
sparować, 44d
sparszywiały, 458e
sparszywieć, 762b
spartaczyć, 1108c
spartakiada, 1000c
spartański, 29b
spartolić↓, 1108c
sparzyć, 243d *(pożądać)*
sparzyć, 256b *(odnieść rany)*
sparzyć, 756a *(oporządzać)*
sparzyć się, 784c
spasać, 1159a
spasiony↓, 186a
spaskudzić, 1108c
spasły↓, 186a
spasować, 777c
spaść, 962c *(zderzyć się)*
spaść, 977b *(potknąć się)*
spaść, 1143c *(obniżać się)*
spaść jak grom
z jasnego nieba, 1098a
spaść na, 403d *(nadarzyć się)*
spaść na, 1070a *(owładnąć)*
spaść na cztery łapy, 980b
spaść na wadze, 545c
spaść się, 947a
spaść z piedestału, 248c
spaślak↓, 1170b
spatałaszyć, 1108c
spauperyzować się, 30b
spauzować, 777d
spazmatyczny, 416c
spazmować, 81e
spazmy, 1169d
spąsowiały↑, 731b
spąsowieć, 1070c
spec↓, 365c
specjalista, 365c
specjalistyczny, 871e
specjalizacja, 690a *(zawód)*
specjalizacja, 935a *(domena)*
specjalizować, 159a
specjalizować się, 284b
specjalnie, 854
specjalność, 690b
specjalny, 896a *(swoisty)*
specjalny, 896c *(trikowy)*
specjał, 219e
specyficzny, 896a
specyfik, 298a
specyfikacja, 310b

spedycja, 934b
spedycyjny, 249b
spedytor, 235d
spektakl, 200b
spektakularny, 77a
spektrum, 1109a
spekulacja, 384b
spekulacje, 384b
spekulant, 574b
spekulatywny↑, 474c
spekulować, 193a *(kramarzyć)*
spekulować, 383b
(rozumować)
speluna, 216a
spelunka, 216a
spełniać, 691d *(sprawować)*
spełnić, 877a *(życzyć)*
spełnić, 1081a *(wywiązać się)*
spełnić, 1105a *(aprobować)*
spełnić się, 403c
spełnienie, 690e *(wykonanie)*
spełnienie, 899b *(raj)*
sperma, 1097b
speszony, 731b
speszyć się, 591b
spęczniały, 186b
spęcznieć, 1162a
spęd↓, 1119b
spędzać sen z powiek, 127a
(dolegać)
spędzać sen z powiek, 340a
(niepokoić)
spędzić, 44f *(rozgonić)*
spędzić, 183e *(zorganizować)*
spędzić, 738b *(przemieszkać)*
spędzić płód, 988c
SPĘKAĆ, 596c
spękany, 889b *(zeschnięty)*
spękany, 971e *(zużyty)*
spętać, 470a *(związać)*
SPĘTAĆ, 967b *(uwiązać)*
spiąć, 326c
spiąć się, 1080b
spichlerz, 334a
spichrz, 334a
spicie się, 603b
SPICZASTY, 569b
spić, 526e *(upić się)*
spić, 597a *(spijać)*
spiec, 727d
spiec raka, 1070c
spiekły↑, 889b
spiekota, 636b
spieniać, 351a
spienić się, 351a
spieniężać, 193c
spieniony, 371a *(spocony)*
spieprzaj↓, 518b
spieprzyć, 1108c
spierać, 96b
spierać się, 788c

spopularyzować się, 792d
sporadycznie, 811a
sporadyczny, 1052a
sporność, 1006a
SPORNY, 465b
SPORO, 141a
sport, 862
SPORTOWIEC, 1107a
sportowo, 18a *(ryzykownie)*
sportowo, 892b *(luźno)*
SPORTOWY, 771b
  (treningowy)
sportowy, 907c *(wyścigowy)*
sportowy, 956d *(fair)*
sportretować, 945a
  (przygotować)
sportretować, 989a *(nagrać)*
SPORY, 142a
sporządnieć, 284c
sporządzać, 629b
sporządzenie, 287b
sporządzić, 945a
sposępnieć, 340c
sposobem, 632a
sposobić, 749b
sposobić się, 749e
sposobność, 372b
sposób, 863
sposób, 1018a *(patent)*
sposób bycia, 1079c
sposób myślenia, 384a
spospolicieć, 1153a
spostponować, 657a
spostrzec, 589e
spostrzec się, 686f
spostrzegać, 589e
spostrzegawczość, 567a
spostrzegawczy, 993b
spostrzeżenie, 553b
spotęgować się, 1162c
spotęgowanie, 1069b
spotężnieć, 1162c
SPOTKAĆ, 489a *(poznać)*
spotkać, 864 *(widywać)*
spotkać się z odmową, 784c
spotkać się
  z przychylnością, 1082b
spotkać się
  z trudnościami, 999b
spotkało go szczęście, 403c
spotkanie, 744d *(zjazd)*
spotkanie, 981b *(przyjęcie)*
spotkanie, 1000c *(zawody)*
spotkanie, 1119b
  (zgromadzenie)
spotniały↑, 371a
spotnieć, 369c
spotrzebowanie, 865a
spotulnieć, 358a
spotwarzyć, 736c
SPOTYKAĆ, 864a *(widywać)*

spotykać, 1147a *(znaleźć)*
spoufalenie, 300c
spoufalić się, 489a
spowalniać, 557d
spowalniająco, 110a
spowalniający, 319c
spoważnieć, 783b *(dorosnąć)*
spoważnieć, 986a
  (opanować się)
spowiadać, 550b
spowiadać się, 968b
spowić, 722c
  (rozprzestrzeniać się)
spowić, 751d *(otulić)*
spowiednik, 224a
spowiedź, 955b
spowinowacić się, 836a
spowinowacony, 893b
spowodować, 680a
SPOWODOWAĆ ŚMIERĆ, 1073a
spowolnienie, 734b
spowszedniały, 1148e
SPOWSZEDNIEĆ, 1153a
spozierać, 589b
spożycie, 865
spożyć, 220b
spożytkować, 265c
spożytkowanie, 865a
spożywanie, 865a
spożywca, 998c
spożywczy, 522c *(jadalny)*
spożywczy, 835a
  (dom handlowy)
spożywczy, 1175a
  (pokarmowy)
spód, 886b
spódnica, 531d
spódniczka, 531d
spójnia, 61b *(jedność)*
spójnia, 1022b *(zwiazek)*
spójność, 61b
spójny, 627b
spółdzielczy, 1038b
spółdzielnia, 559b
  (zrzeszenie)
spółdzielnia, 835a
  (dom handlowy)
spółka, 718b
spółkować, 243d
spółkowanie, 827c
SPÓR, 250a
spóźniać się, 381f *(późnić się)*
spóźnić się, 784c
  (rozczarować się)
spóźniający się, 466b
spóźnialski, 466b
spóźnianie się, 300b
SPÓŹNIĆ SIĘ, 557a
spóźnienie, 1163a
SPÓŹNIONY, 689b
spracować się, 1135b

spracowany, 1134a
sprać, 26b
sprać się, 1151b
spragniony, 29c *(zaniedbany)*
spragniony, 1074b *(żądny)*
sprasować, 104b *(miąć)*
sprasować, 1063a
  (podrównać)
sprawa, 250a *(proces)*
sprawa, 866 *(prośba)*
sprawa, 935b *(kwestia)*
sprawa wchodzi
  na wokandę, 103a
SPRAWCA, 729a
sprawdzać, 659d *(sczytywać)*
sprawdzać, 867
  (weryfikować)
SPRAWDZAJĄCY, 687c
sprawdzalny, 1062a
sprawdzenie, 10c *(oględziny)*
sprawdzenie, 160a
  (sprawdzian)
sprawdzenie, 255a *(przegląd)*
SPRAWDZIAN, 160a *(egzamin)*
sprawdzian, 255a *(przegląd)*
sprawdzian, 350b *(wskaźnik)*
SPRAWDZIĆ, 9a *(badać)*
sprawdzić się, 403c
  (zdarzyć się)
sprawdzić się, 1081a
  (wywiązać się)
sprawdzony, 594a
sprawiać, 193b *(kupić)*
sprawiać, 680b *(rodzić)*
sprawiać, 756a *(oporządzać)*
sprawiać przykrość, 340a
sprawiać się, 145a *(robić)*
sprawiać się, 145b *(zadziałać)*
sprawiać wrażenie, 1113b
SPRAWIĆ, 680a *(powodować)*
sprawić łaźnię, 26b
sprawić manto, 26b
sprawić zawód, 784a
sprawiedliwie, 954d
sprawiedliwość, 701a *(prawo)*
sprawiedliwość, 868
  (równość)
sprawiedliwość, 955b
  (uczciwość)
sprawiedliwy, 522b *(słuszny)*
SPRAWIEDLIWY, 956d
  (demokratyczny)
sprawiedliwy, 1052b *(prawy)*
sprawka, 35e *(wina)*
sprawka, 730a *(wykroczenie)*
SPRAWNIE, 838b *(zaradnie)*
sprawnie, 869
sprawnościowo, 115d
sprawnościowy, 771b
sprawność, 165c *(biegłość)*

sprawność, 593b
  (niezawodność)
sprawność, 870 *(zdrowie)*
sprawność, 921b
  (umiejętność)
sprawny, 871
sprawować, 691d
sprawować kontrolę, 234c
sprawować mandat, 1102a
sprawować opiekę, 550d
sprawować się, 145a *(robić)*
sprawować się, 145b
  (zadziałać)
SPRAWOWAĆ SIĘ, 669b
  (postępować)
SPRAWOWANIE, 1079c
sprawozdanie, 872
sprawozdawca, 149a
  (reporter)
sprawozdawca, 375a *(mówca)*
sprawunki, 192b *(zakupy)*
sprawunki, 866b *(sprawy)*
SPRAWY, 866b
sprawy łóżkowe, 827a
sprecyzować, 545a *(uściślać)*
sprecyzować, 659d
  (redagować)
spreparować, 573c
sprezentować, 98b
sprężyć, 398a *(naciągać)*
sprężyć, 1142a *(pomniejszać)*
sprężyna, 748b
sprężynować, 500b *(uprawiać)*
sprężynować, 663a
  (ruszać się)
sprężystość, 870b
sprężysty, 164c *(czynny)*
sprężysty, 871a *(zwinny)*
sprężysty, 1140e *(giętki)*
sprinter, 1107a
sprofanować, 657c
sprofanowanie, 436e
sprokurować, 749a *(urządzać)*
sprokurować, 945d *(sklecić)*
sprolongować, 557d
sprosić, 183e
sprostać, 252b *(dorównywać)*
sprostać, 374a *(potrafić)*
sprostać, 1050b *(wygrać)*
sprostować, 659d
sprostowanie, 833d
  (zaprzeczenie)
sprostowanie, 1051a
  (wyjaśnienie)
sproszkować, 500c
sprośnie, 453b
sprośność, 1061e
SPROŚNY, 454a
sprośny, 454c
sprowadza mnie tu, 745d
sprowadzać, 680b

sprowadzać się do, 1145b
sprowadzanie, 192b
sprowadzić, 514b
sprowadzić, 873
sprowadzić do parteru, 1050b
sprowadzić na złą drogę, 107b
sprowokować, 680a
spróbować, 686d
  (percypować)
spróbować, 867c *(testować)*
spróbować się, 252a
spróbować sił, 867c
spróbuj no, 530b
spróchniały, 881g
spróchnieć, 482c
spruć, 147c
spryciarz, 874
spryskać, 369a
spryskiwać, 369a
spryt, 795c
sprytnie, 345a
sprytny, 164c *(obrotny)*
sprytny, 344c *(przebiegły)*
sprywatyzować, 98d
sprząc, 326c
sprzątać, 96c *(sprzątnąć)*
sprzątać, 665b *(uprzątnąć)*
SPRZĄTANIE, 94d
SPRZĄTNĄĆ, 96c *(czyścić)*
sprzątnąć, 220b *(zjeść)*
sprzątnąć, 1073c *(uśmiercić)*
sprzątnąć sprzed nosa, 1156a
SPRZECIW, 424d *(niechęć)*
sprzeciw, 875 *(protest)*
sprzeciwiać się, 876
sprzeciwiać się, 1145d
  (przeczyć)
sprzeciwiający się, 715d
SPRZECIWIENIE SIĘ, 875a
sprzeczać się, 999a
SPRZECZKA, 250b
sprzeczność, 250c
sprzeczność interesów, 250a
sprzeczny, 458c
SPRZEDAĆ, 193c
sprzedać, 784a
sprzedajność, 575e
  (nieuczciwość)
sprzedajność, 844a
  (służalczość)
sprzedajny↑, 495c
sprzedawać, 193a
sprzedawać się, 846a
sprzedawca, 719e
sprzedawczyk, 494a
sprzedawczyni, 719e
SPRZEDAŻ, 192c
sprzeniewierzać się, 784a
sprzeniewierzenie, 272a
sprzeniewierzyć, 1156d
sprzęgać, 326c

sprzęgać się, 327b
sprzęt↑, 611a *(żniwo)*
sprzęt, 161a *(technika)*
sprzęt, 179c *(rolnictwo)*
SPRZĘT, 983c *(urządzenie)*
sprzęty, 1058a
sprzężenie, 1022b
sprzężony, 1038a
sprzyjać, 877
sprzyjająca okoliczność, 372b
sprzyjający, 267d *(dogodny)*
sprzyjający, 1177a
  (pomyślny)
sprzykrzyć się, 1153b
sprzykrzyć sobie, 1154a
SPRZYMIERZENIEC, 1164a
sprzymierzeńczy, 1038d
sprzymierzony, 1038d
sprzymierzyć się, 195c
sprzysiąc się, 241c
sprzysiężenie, 211b *(spisek)*
sprzysiężenie, 559a
  (stowarzyszenie)
spsiały↓, 339a
spsieć, 30b
spsocić, 15d *(zbytkować)*
spsocić, 402b *(popełnić)*
spuchnąć, 71d
SPUCHNIĘTY, 73b
spudłować, 381b
spuentować, 376d
spulchniać, 500b
spulchnić, 500b
spulchnieć, 947a
spurchlak↓, 1170b
spust, 153e *(otwór)*
spust, 720a *(regulator)*
spust↓, 67b *(apetyt)*
spustoszenie, 1152b
spustoszyć, 483c *(rujnować)*
spustoszyć, 560a
  (nadszarpnąć)
spuszczać, 514a *(giąć)*
spuszczać, 721f *(obniżać)*
spuszczać, 994b *(uwalniać)*
spuszczać się na, 965a
spuścić, 193c *(sprzedać)*
spuścić, 514a *(giąć)*
spuścić, 558a *(pompować)*
spuścić, 816b *(strącić)*
spuścić kurtynę, 728a
spuścić lanie, 26b
spuścić nos na kwintę, 340c
spuścić się, 722e *(opuścić się)*
spuścić się, 243f
  (mieć wytrysk)
spuścić z tonu, 358a
spuścić z uwięzi, 994b
spuścizna, 336c
spychacz, 638e
spychać, 816b *(strącić)*

stężony, 831a
stiuk, 105a
stłaczać, 1092c
stłamsić, 683e *(złapać)*
stłamsić, 747b *(utrząsać)*
stłoczenie, 538e
stłoczyć, 183e
STŁOCZYĆ SIĘ, 747d
stłuc, 26b *(pobić)*
stłuc, 483e *(kruszyć)*
stłuc się, 1159b
stłuczenie, 502e
stłuczony, 971e
stłumić, 260c *(dogaszać)*
stłumić, 320a *(koić)*
stłumić, 560c *(przytłumić)*
stłumić, 967c *(opanować)*
stłumienie, 723b
stłumiony, 474a
stochastycznie↑, 753b
stochastyczny↑, 754
stoczyć, 126a *(wykonać)*
stoczyć, 483b *(pogorszyć)*
stoczyć, 721f *(obniżać)*
stoczyć się, 722e *(schodzić)*
stoczyć się, 857c *(upaść)*
stodoła, 57c *(zabudowania)*
stodoła, 334a *(skład)*
stoicki, 939b
stoicko, 858a
stoisko, 57d *(budka)*
STOISKO, 835b *(sklep)*
stojąc, 858b
stojący, 459a *(statyczny)*
stojący, 803d *(pionowy)*
stok, 180b
stolarz, 815a
stolec, 429d
stolica, 349b
stolik, 1058b
stołeczek, 829b
stołeczny, 1005c
stołek↓, 690b *(posada)*
STOŁEK, 829b *(krzesło)*
stołować, 966a
STOŁOWAĆ SIĘ, 220d
STOŁÓWKA, 216a
stomatolog, 299a
stomatologiczny, 346a
stonować, 320a
STONOWANY, 106c
stop, 734b *(szlaban)*
STOP, 887c *(substancja)*
stopa, 262c *(noga)*
stopa, 685b *(poziom)*
stopa życiowa, 685b
stopić, 326d *(spajać)*
stopić, 511a *(odchładzać)*
stopić się, 327a *(zlać się)*
stopić się, 511b *(odmarznąć)*
stopień, 507c *(ocena)*

STOPIEŃ, 685b *(poziom)*
stopień, 789a *(rozmiar)*
stopka, 202d
stopnie, 664d
stopnieć, 358a *(delikatnieć)*
stopnieć, 511b *(odmarznąć)*
stopniować, 102a
stopniowanie, 664d
STOPNIOWO, 681c
stopniowość, 664d
stopniowy, 460c *(ewolucyjny)*
stopniowy, 474d *(płynny)*
stopować, 683d
stora, 1100a
storpedować, 483h
    (unieszkodliwić)
storpedować, 683c
    (przeciwdziałać)
storturować, 26c
stos↓, 911b *(kara śmierci)*
stos, 180c *(nasyp)*
stos, 535b *(ognisko)*
STOS, 538b *(ogrom)*
stos, 1109e *(zbiór)*
stosować, 265a
stosować się, 1082b
stosować się do, 131a
    (dotyczyć)
STOSOWAĆ SIĘ DO, 995b
    (szanować)
stosowany, 839d
stosownie, 523a
stosownie do, 523a
stosowność, 997a
stosowny, 522a
stosujący się, 1148a
stosunek, 1022b *(związek)*
STOSUNEK PŁCIOWY, 827c
stosunki, 641b
stosunkowo, 473b
stosunkowy, 465c *(relatywny)*
stosunkowy, 1088a
    (proporcjonalny)
STOWARZYSZENIE, 559a
stowarzyszeniowy, 1038b
stowarzyszyć się, 958c
stożek, 49b *(wielościan)*
stożek, 1086c *(końcówka)*
stóg, 180c
stójka, 1100g
stójkowy↑, 644a
stół, 1058b
straceniec, 590a
straceńczy, 166e
STRACH, 307a *(lęk)*
strach, 828c *(zjawa)*
strach na wróble, 46a
strachajło, 924a
strachliwie, 473f
strachliwość, 307b *(obawa)*

strachliwość, 567c
    (tchórzostwo)
STRACHLIWY, 841d
stracić, 883
STRACIĆ, 1073b
STRACIĆ CHĘĆ, 1154a
stracić czucie, 256b
stracić głowę dla, 243a
stracić na wadze, 1143b
stracić na wartości, 857a
stracić nadzieję, 784c
stracić orientację, 1095d
stracić ostrość, 1151a
stracić panowanie
    nad sobą, 175c
stracić przytomność, 71b
stracić rok, 987d
stracić rozum, 1122c
stracić serce do, 1056c
stracić w czyichś oczach, 248c
stracić wzrok, 256b
stracić z oczu, 1056a
stracić zdrowie, 71a
stragan, 57d *(budka)*
stragan, 835b *(stoisko)*
straganiarka, 719e
straganiarski, 178d
straganiarz, 719e
strajk, 776b
strajkować, 876d
strajkujący, 40c
strapić się, 340b
strapienie, 704b
strapiony, 850a
straszliwie, 12c
straszliwy, 884a
strasznie, 12c *(bardzo)*
STRASZNIE, 184c
    (przerażająco)
strasznie, 1168e *(okropnie)*
straszny, 884
straszyć, 885
straszydło, 46a *(brudas)*
straszydło, 674a *(stwór)*
strata, 35d *(brak)*
strata, 279c *(szkoda)*
STRATA, 338b *(frycowe)*
strata, 1090a *(zanik)*
strateg, 874c
strategia, 863a *(metoda)*
strategia, 1079a
    (postępowanie)
strategiczny, 1005a
stratny, 29a
STRATOWAĆ, 483d
strawa, 219a
strawestować, 405d
strawić, 265a *(używać)*
strawić, 483b *(pogorszyć)*
strawić, 883d *(przepróżnować)*
strawny, 118a

413

straż, 255c *(patrol)*
straż, 509b *(osłona)*
straż, 621b *(orszak)*
straż, 644b *(siły porządkowe)*
straż pożarna, 653b
straż przednia, 255c
straż tylna, 255c
strażacki↓, 14d *(czerwony)*
strażacki, 503e *(pożarny)*
strażak, 653b
strażnica, 57d
strażnik, 255b *(kontroler)*
STRAŻNIK, 551b *(opiekun)*
strącać, 816b *(strącić)*
strącać, 1049c *(uzyskiwać)*
strącać się, 1049b
strącić, 483h *(unieszkodliwić)*
strącić, 612d *(rozliczyć się)*
STRĄCIĆ, 816b *(strzepnąć)*
STRĄK, 579a
strefa, 88f *(okręg)*
strefa, 733a *(terytorium)*
strefa nadgraniczna, 182b
stremować się, 591b
stresować, 108a
streszczać, 1106a
   (obejmować)
streszczać, 1142a
   (pomniejszać)
streszczenie, 148b *(praca)*
streszczenie, 608c *(szkic)*
streścić, 204d *(omówić)*
streścić, 788b *(skomentować)*
stręczyciel, 451d
stręczycielski, 22c
stręczyć, 1077d
strofa, 88e
strofka, 88e
STROFOWAĆ, 167c
strofowanie, 225a
strofująco, 464e
stroić, 749c *(ustawiać)*
stroić, 948a *(zdobić)*
stroić fochy, 175a
stroić się
   w cudze piórka, 573e
strojenie, 1136f
strojnie, 37a
strojnisia, 242g
strojniś, 347g
strojność, 105d
strojny↑, 38b *(obfity)*
strojny↑, 1116c *(ubrany)*
stromizna, 180b
stromo, 457d
stromy, 458d
strona, 484c *(pagina)*
strona, 748c *(aspekt)*
strona, 886 *(kierunek)*
strona ujemna, 35b
strona zewnętrzna, 285a

STRONIĆ, 1056a
stronić od roboty, 303b
stronnictwo, 559c
STRONNICZO, 463d
stronniczy, 1088c
stronnik, 1164a
strony rodzinne, 540a
strony świata, 886f
strop, 421c
STROPIĆ, 591a
stropić się, 591b
stropiony↑, 731b
stroskany, 850a
stroszyć, 626b
strój, 531a
strój plażowy, 531f
stróż, 255b *(kontroler)*
stróż, 551b *(strażnik)*
stróż porządku
   publicznego, 644a
stróżować, 550e
stróżowka, 57d
strucel, 599b
struchlały, 731a
struchleć, 8b
strucla, 599b
struć, 902a
strudzić się, 1135b
strug, 486d
struga, 1030e
strugać, 286a *(modelować)*
strugać, 500a *(obrobić)*
strugać, 756a *(oporządzać)*
strugać wariata, 573e
strugarka, 486d
STRUKTURA, 55a
strukturalnie, 12a
STRUKTURALNY, 1005b
strukturalizować, 545a
strumień, 538b *(stos)*
strumień, 1016c *(wiązka)*
strumień, 1030e *(rzeka)*
strumyczek, 308a
strumyk, 1030e
struna, 904e
strup, 273a
strupieszały↑, 881f
struty↓, 850a
strużka, 308a *(linia)*
strużka, 1030e *(rzeka)*
strużyny, 429c
strwonić, 883e
strwożony↑, 731a
strwożyć, 885a
strwożyć się, 8b
strych, 685a
stryczek, 911b
stryj, 781c
stryjek, 781c
stryjenka, 781c
strywializować, 573a

strzał, 1000a *(bitwa)*
strzał, 1055a *(punkt)*
strzała, 45d
strzałka, 237c *(wskaźnik)*
strzałka, 1146i *(oznakowanie)*
strzały, 1000a
strzaskać, 483e
strzaskać się, 1159b
strząsnąć, 816b
strząść↑, 816b
STRZEC, 550e
strzec jak oka w głowie, 550e
strzec się, 92a
strzecha, 642d
strzelać, 50b *(dźwięczeć)*
strzelać, 50b *(dźwięczeć)*
strzelać, 783c *(wegetować)*
strzelać, 816d *(wystrzelić)*
strzelać, 1049b *(wydzielać się)*
strzelać, 1073f *(polować)*
strzelać okiem, 589b
strzelać się, 972c
strzelanie, 862b
strzelanina, 1000a
strzelba, 45c
strzelec, 40a *(żołnierz)*
strzelec, 1107a *(sportowiec)*
strzelić, 26a *(uderzyć)*
strzelić, 376e *(gadać)*
STRZELIĆ, 816c *(piłką)*
strzelić gafę, 381b
strzelić po jednym, 526d
strzelić sobie w łeb, 972c
strzelisty↑, 542a *(uroczysty)*
strzelisty, 142b *(wysoki)*
strzepnąć, 96c *(sprzątnąć)*
strzepnąć, 816b *(strącić)*
strzepywać, 333b
strzeżenie, 549a
strzępiasty, 458f
strzępić, 483g
strzępić język, 159c
strzępić sobie język, 376e
strzyc, 988c
strzyc oczami, 589b
strzyc uszami, 843a
strzyga, 674a
strzykać, 127c *(pobolewać)*
strzykać, 1049b
   (wydzielać się)
strzyknąć przez zęby, 231c
studencki, 896d
student, 957b
studia, 10b *(badania)*
studia, 409a *(edukacja)*
studio, 694a
STUDIOWAĆ, 9c *(badać)*
studiować, 284b *(uczyć się)*
studiować, 686c *(obeznać się)*
studium, 148b *(praca)*
studium, 903b *(szkoła wyższa)*

studnia, 1030a
studzić, 560c
studzić się, 1128a
stuk, 25a
stukać, 50b *(dźwięczeć)*
stukać, 894b *(dobijać się)*
stukać się w czoło, 661a
stukanie, 191d
stuknąć, 962c *(zderzyć się)*
stuknąć, 1073d *(zadźgać)*
stuknąć się, 962b
 (uderzyć się)
stuknąć się, 962c
 (zderzyć się)
stuknąć się kieliszkami, 877a
stuknęła pięćdziesiątka, 545c
stuknięty↓, 205e
 (nienormalny)
stuknięty↓, 1001d *(szaleniec)*
stuknij się, 986a
stukot, 191d
stukotać, 50b
stukotanie, 191d
stul pysk, 360b
stulecie, 86c
stulić, 1089b
stulić uszy, 358a
stuła, 531d
stuprocentowy↓, 871f
 (całą gębą)
stuprocentowy, 1158b
 (całkowity)
stwardnieć, 942a
stwarzać, 680b
stwarzać połączenie, 326b
stwarzać pozór, 1113b
stwierdzać, 376c
stwierdzenie, 133b
 (potwierdzenie)
STWIERDZENIE, 553b *(opinia)*
stwierdzić, 686e
STWORZENIE, 89d *(istota)*
stworzenie, 690e *(zrobienie)*
stworzyć, 945a
stworzyć podstawy, 749a
stworzyć się, 682b
STWÓR, 674a
stwórca, 41a
stych, 311b
styczna, 308a
styczność, 1022c
styczny, 33a
stygmat, 1146a
stygnąć, 1128a
stykać, 326c
stykać się, 489b
styl, 64c *(maniera)*
styl, 165b *(gust)*
styl, 221a *(mowa)*
styl, 413d *(nawyk)*
stylisko, 950a

stylista, 606a
stylizować, 405b
stylizować się, 573e
stylizowany, 450c
stylon, 928c
STYLOWY, 1062c
stymulacja, 690d
stymulować, 145c *(skutkować)*
stymulować, 1077a *(natchnąć)*
stymulowanie, 690d
stypa, 981b
stypendium, 600d
styranizować, 129e
styrany↓, 1134a
subiekt, 719e
subiektywistyczny, 1088c
subiektywizm, 66c
subiektywnie, 463d
subiektywność, 64b
SUBIEKTYWNY, 1088c
subkultura, 289c
sublimacja, 404b
sublimować, 1049b
 (wydzielać się)
sublimować, 1102b *(zamienić)*
sublokator, 998e
subordynacja, 664a
subskrybent, 998a
subskrybować, 1093d
subskrypcja, 192c *(sprzedaż)*
subskrypcja, 555b *(składka)*
substancja, 887
substancjalny, 888
substytuować, 1102b
substytut, 575h
subsydiować, 648d
subsydium, 101c
subtelnie, 188c *(uprzejmie)*
subtelnie, 840c *(lekko)*
subtelnieć, 284c *(rozwijać się)*
subtelnieć, 358a *(delikatnieć)*
subtelnieć, 1138c
 (odmienić się)
subtelność, 117a
 (delikatność)
subtelność, 302a *(zwiewność)*
subtelność, 1035a
 (wrażliwość)
SUBTELNY, 106a *(delikatny)*
subtelny, 189a *(taktowny)*
subwencja, 101c
subwencjonować, 648d
sucharek, 599b
sucho, 496a
suchotniczy, 73c
suchy, 274b *(zwięzły)*
suchy, 750b *(nieprzyjemny)*
suchy, 881a *(czerstwy)*
suchy, 889
suchy, 900c *(chudy)*
sufiks, 120a

sufit, 421c
SUFLER, 505d
suflerować, 648b
suflować, 648b
sufragan, 224c
sufrażystka, 40c
sugerować, 708c
sugerować się, 1087b
sugestia, 1033a *(namowa)*
sugestia, 1172b *(postulat)*
sugestywnie, 5a *(obrazowo)*
sugestywnie, 209b *(barwnie)*
sugestywny, 594a
 (przekonujący)
sugestywny, 831f
 (ekspresyjny)
sugestywny, 1062b
 (wymowny)
suka↓, 242b *(baba)*
suka, 601a *(pies)*
sukces, 890
sukcesja, 336c
sukcesor, 146c
sukcesyjny, 1027d
sukcesywnie, 681c
sukcesywny, 460c
sukienka, 531d
SUKMANA, 531d
suknia, 531d
sukurs↑, 653b
sulfonamid, 298a
suma, 504b *(liturgia)*
suma, 600a *(fundusze)*
suma, 789c *(ilość)*
suma, 1051c *(rozwiązanie)*
sumaryczny, 274b
sumiasty, 38b
sumienie, 140b *(świadomość)*
sumienie, 1169e *(litość)*
sumiennie, 954b
sumienność, 124c
 (staranność)
sumienność, 955b *(prawość)*
SUMIENNY, 956a
sumitować się↑, 985b
sumować, 545e
sumować się, 195c
sumpt↑, 1002a
sunąć, 595a *(gnać)*
sunąć, 721b *(przemieścić)*
supeł, 855b *(zapięcie)*
supeł, 1165b *(pętla)*
supełek, 1165b
super↓, 118c *(udany)*
super↓, 119b *(wspaniale)*
super↓, 119b *(wspaniale)*
super hiper↓, 119b
superata, 387a
superego, 140a
supermarket, 835a
supernowoczesny, 485c

415

sypać przykładami, 204d
sypać się, 482b
sypanie, 1118c
sypiać, 243d *(pożądać)*
sypiać, 851d *(wyspać się)*
sypialnia, 650b
sypialny, 622b
SYPKI, 808i
sypnąć, 784a *(zawieść)*
sypnąć, 816b *(strącić)*
sypnąć się, 60e *(występować)*
sypnąć się, 381c *(potknąć się)*
sypnąć się, 968c *(zdradzić się)*
syrena, 481a *(boginka)*
syrena, 991b *(alarm)*
syrena, 1146d *(znak)*
syreny, 307a
syrop, 298b *(lek)*
syrop, 399b *(napój)*
system, 55b *(układ)*
system, 863a *(metoda)*
SYSTEMATYCZNIE, 609a
　　(regularnie)
systematycznie, 938c *(stale)*
systematyczność, 413b
systematyczny, 76a
　　(regularny)
systematyczny, 978a
　　(metodyczny)
systematyzacja, 634a
systematyzować, 665d
SYSTEMATYZUJĄCY, 666a
systemowo, 684c
systemowy, 411c
sytuacja, 372b *(możliwość)*
SYTUACJA, 647b *(położenie)*
sytuować, 973c
SYTY, 1083c
syzyfowa praca, 16b
　　(daremność)
syzyfowa praca, 338b *(strata)*
szaber, 272a
szabla, 45d
szable↑, 944b
szablista, 1107a
szablon, 382b *(stereotyp)*
szablon, 1068b *(model)*
szablonowo, 1167c
szablonowość, 668a
szablonowy, 1148c
szabrować, 1156d
szabrownik, 574d
szach, 236d
szachista, 1107a
szachować, 683e
szachować się, 999b
szachownica, 614a *(plansza)*
szachownica, 1068c *(deseń)*
szachraj, 574b
szachrajski, 495b
szachrajstwo, 575d *(afera)*

szachrować, 1156c
szacować, 545e
szacować na, 545c
szacować wiek, 545b
szacowny↑, 673e
szacunek, 507b
　　(oszacowanie)
szacunek, 895 *(respekt)*
szacunkowo, 543a
szacunkowy, 465b
szadzić, 381c
szafa, 1058b
szafir, 31b *(klejnot)*
szafir, 245c *(kolor)*
szafirowy, 14e
szafka, 1058b
szaflik, 639b
szafować, 265d
szafowanie, 338a
szafran, 245c
szajba↓, 174e *(głupota)*
szajba↓, 1001d *(szaleniec)*
szajbnięty↓, 205e
szajbus↓, 1001d
szajka, 187d
szal, 84b
szala, 82a
szala chyli się na, 999b
szalbierczy↑, 495b
szalbierz, 574c
szaleć, 15d *(zbytkować)*
szaleć, 513a *(dziać się)*
szalej, 911c
szalenie, 12b
SZALENIEC, 1001d
szaleńczo, 830c
szaleńczy, 19c *(fanatyczny)*
szaleńczy, 420d *(ryzykowny)*
szaleńczy, 884b *(okrutny)*
szaleństwo, 372c
　　(niebezpieczeństwo)
szaleństwo, 493a *(obłąkanie)*
szalet, 57d *(rudera)*
szalet, 323b *(toaleta)*
szalik, 84b
szalony, 152b *(nieokiełznany)*
szalony, 172a *(niedorzeczny)*
szalony, 420d *(ryzykowny)*
szalować, 56d
szalunek, 974b
szalupa, 331a
szał, 493a *(obłąkanie)*
szał, 1132a *(gniew)*
szałas, 57d
szaławiła, 197a
szaman, 85b *(czarownik)*
szaman, 224b *(pastor)*
szambo↓, 793c *(upadek)*
szambo, 153a *(rów)*
szamotać się, 137c
　　(trząść się)

szamotać się, 999b
　　(zmagać się)
szamotanie, 291a
szamotanina, 291a
szampan, 2d
szampański, 118b
szampon, 298c
szaniec, 974a
szanować, 265b *(oszczędzać)*
szanować, 877b
　　(sympatyzować)
szanować, 995b
　　(stosować się do)
szanować, 1125a *(tolerować)*
szanować się, 1067b
SZANOWANY, 673e
szanowny, 673e
szansa, 372c
szansonistka, 4c
szantaż, 723e
szantażować, 129e *(żądać)*
szantażować, 736e
　　(terroryzować)
szantrapa, 242b
szapoklak, 84a
szara eminencja, 212b
szara godzina, 1141a
szara myszka, 242g
szaraczek, 89a
szarada, 919c
szarak↓, 89a
szarańcza, 778b
szarawary, 531f
szarfa, 904d
szargać, 657c
szarlatan, 85a
szarlatański↑, 495b
szarmancki, 189a
szarmancko, 188c
szarogęsić się, 145b
　　(zadziałać)
szarogęsić się, 1067b
　　(hardzieć)
szarość, 245c *(kolor)*
szarość, 668e *(przyziemność)*
szarość, 1141a *(zmrok)*
szarówka, 1141a
szarpać, 43b *(sięgać)*
szarpać, 127c *(pobolewać)*
szarpać, 137c *(trząść się)*
szarpać, 147b *(oddzielić)*
szarpać, 483g *(drzeć)*
szarpać, 657c *(uwłaczać)*
szarpać nerwy, 108b
szarpanina, 291a *(bójka)*
SZARPANINA, 1000e *(walka)*
szarpnąć, 1053a
szarpnąć się, 612c
szaruga, 441a
szary↓, 339a *(marny)*
SZARY, 217e *(siwy)*

szary, 712a *(przeciętny)*
szary obywatel, 89a
szarytka, 224e
szarzeć, 13c *(zabarwić się)*
szarzeć, 32b *(blaknąć)*
szarzeć, 915e *(dnieć)*
szarzeć, 1017a *(widać)*
szarzyzna, 668e
szarża, 7a *(atak)*
szarża, 685b *(stopień)*
szarżować, 397b *(uderzać)*
szarżować, 727b
   (przeholować)
szarżowanie, 387d
szastać, 265d *(zażywać)*
szastać, 333a *(kołysać)*
szastać się, 215a
szastanie, 388a
szastnąć, 333a
szata, 531d
szata zewnętrzna, 285a
SZATAN, 111a
szatański, 480c *(upiorny)*
szatański, 1133b *(diabelski)*
szatańsko, 155c
szatańskość, 575g *(fałsz)*
szatańskość, 919b
   (tajemniczość)
szatkować, 500c
szatnia, 650b
szaty, 531a
szatyn, 347g
szatynka, 242g
szczać, 1047a
szczapa, 134a
szczapka, 913e
szczawiowa, 219d
szczątki, 422b *(zwłoki)*
szczątki, 774b *(resztki)*
szczątkowy, 259b
szczebel, 685b
szczebiot, 191b
szczebiotać, 376e *(gadać)*
szczebiotać, 894e
   (wydać głos)
szczebiotanie, 156c *(odgłos)*
szczebiotanie, 191b
   (świergotanie)
szczebiotka, 242g
szczebiotliwie, 1012c
szczebiotliwy, 1013a
szczecina, 1029c
szczeciniasty, 943a
szczecinowaty, 943a
szczeć, 1029c
szczególnie, 201a
   (priorytetowo)
SZCZEGÓLNIE, 854a
   (wyjątkowo)
szczególnie, 920f *(zwłaszcza)*
szczególność, 63a

szczególny, 896
szczegół, 897
szczegółowo, 123a
szczegółowy, 125b
szczegóły, 897a
szczekaczka↓, 156d
szczekać, 736c *(obmawiać)*
SZCZEKAĆ, 894d *(ujadać)*
szczekanie, 191b
szczelina, 153c *(wąwóz)*
szczelina, 153f
   (nieszczelność)
szczelnie, 123b
szczelność, 822b
SZCZELNY, 478c
szczeniacki↓, 433b
szczeniak↓, 146a
szczenić się, 780c
szczenięce lata, 1020b
szczenna, 83a
szczep, 861f
szczepić, 297a
   (udzielić porady)
szczepić, 780a *(rozmnażać)*
szczepienie, 898
szczepionka, 898a
szczerba, 35d
szczerbić, 1174a
szczere pole, 765a
SZCZEROŚĆ, 955a
szczery, 766c *(otwarty)*
szczery, 814b *(autentyczny)*
szczery, 956e *(bezpośredni)*
szczerze, 123d *(wprost)*
szczerze, 577a *(jawnie)*
szczerzyć kły, 885a
szczerzyć się, 1017b
szczerzyć zęby do, 129a
szczędzić, 571d
szczęk, 191d
szczękać, 50b
szczękać zębami, 894c
szczęki↓, 835b
szczęknąć, 1089b
szczęknięcie, 191d
szczęści się, 678c
SZCZĘŚCIARZ, 899f
szczęście, 899
szczęśliwe
   zrządzenie losu, 899a
szczęśliwie, 119c
szczęśliwiec, 899f
szczęśliwość, 899b
szczęśliwy, 267f
   (pomyślny)
SZCZĘŚLIWY, 1083b *(radosny)*
szczochy↓, 429d
szczodrobliwie↑, 37b
szczodrobliwość, 117c
szczodrobliwy, 38c
szczodrość, 117c

szczodry, 38c
szczodrze↑, 37b
szczoteczka, 380b
SZCZOTKA, 380b
szczotkować, 96c
szczucie, 211c
szczuć, 241b *(intrygować)*
szczuć, 1149c *(podburzyć)*
szczudlasty, 900a
szczudło, 237e
szczudłowaty, 900a
szczupleć, 30d *(marnieć)*
szczupleć, 1143b
   (skracać się)
szczupły, 900
szczutek↓, 291b
szczwany, 344c
szczwany lis, 874a
szczycić się, 847a
szczycić się
   pochodzeniem, 619a
szczyny↓, 429d
szczypać, 127c *(pobolewać)*
szczypać, 132a *(tknąć)*
szczypać, 220e *(żreć)*
szczypanie, 42b
szczypce, 488a
szczypior, 1003c
szczypta, 350d *(pewna ilość)*
szczypta, 525b *(odrobina)*
szczyt, 180a *(wzgórze)*
szczyt, 602c *(doskonałość)*
szczyt, 886e *(przód)*
szczyt, 1136d *(kulminacja)*
szczyt marzeń, 899b
szczytny↑, 673c
szczytować, 243f
szczytowanie, 827b
szczytowy, 142i *(największy)*
szczytowy, 259a *(docelowy)*
szef, 236a
szef kuchni, 505b
szef rządu, 236b
szef sztabu, 236c
SZEFOWAĆ, 234b
szejk, 36b
szelest, 156c
szeleścić, 50b
szelma↓, 242g *(babeczka)*
szelma, 330a *(łajdak)*
szelmowski, 1013d
   (zabawowy)
szelmowski, 1084c *(hultajski)*
szelmutka↓, 242g
szemrać, 50b *(dźwięczeć)*
szemrać, 175b *(sarkać)*
szemrany↓, 22a
szepnąć, 708c
szept, 156b *(głos)*
szept, 221c *(wymowa)*
szeptać, 175b

szeptem, 144a
SZEREG, 812a
szeregiem, 800c
szeregować, 665d
szeregowiec, 40a
szeregowy, 40a *(żołnierz)*
szeregowy, 712a *(zwyczajny)*
szermierka, 862b
szermierz, 1107a
szermować
    argumentami, 963a
szeroki, 142f *(luźny)*
szeroki, 901
szeroki gest, 117c
szerokie horyzonty, 1018a
szeroko, 684c
szerokoekranowy, 901a
szerokość, 789b
szerzenie, 707b
szerzyciel, 410b
szerzyć, 721c *(porozrzucać)*
szerzyć, 792b
    (upowszechniać)
szerzyć się, 792d
sześcian, 49b
sześcienny, 732a
sześciokąt, 285d
sześcioraczki, 781f
szew, 1130d
szewski, 932c
szezlong↑, 332a
szkalować, 736c
szkalująco, 464a
szkalujący, 390d
szkapa, 258a
szkarada, 54a
szkaradność, 54b
szkaradny↑, 52a *(nieładny)*
szkaradny, 390c *(niegodziwy)*
szkaradzieństwo, 54b
szkarłat, 245c
szkarłatny, 14d
szkatuła↑, 600a
szkatułka, 639d
szkic, 148b *(utwór)*
SZKIC, 608c *(plan)*
szkic literacki, 311c
szkicować, 945a
szkicownik, 484b
szkicowo, 543a
szkicowy, 1041a
SZKIELET, 271b *(kości)*
szkielet, 422b *(zwłoki)*
szkielet, 631a
szkieletowy, 1005b
szklaneczka, 2a
szklanka, 350d *(pewna ilość)*
szklanka, 386b *(naczynie)*
szklany, 459c *(zastygły)*
SZKLANY, 741b *(szklisty)*
szklarnia, 539a

szklarniowy, 178e
szklić się, 915a
szklisty, 459c *(zastygły)*
szklisty, 741b *(szklany)*
szklisty, 803b *(lśniący)*
szkliwo, 679c
szkła, 316b
szkła kontaktowe, 316b
szkło, 386a
szkło powiększające, 316a
SZKODA, 279c *(krzywda)*
szkoda, 418e *(trudno)*
SZKODLIWIE, 1168f
szkodliwość, 419a
szkodliwy, 1b *(krzywdzący)*
SZKODLIWY, 109c *(niezdrowy)*
SZKODLIWY, 420a *(groźny)*
szkodnictwo, 279d
szkodnik, 451b *(wróg)*
szkodnik, 778b *(pasożyt)*
SZKODZIĆ, 736c *(psuć krew)*
szkodzić, 902 *(nie służyć)*
szkodzić reputacji, 248b
SZKOLENIE, 409d
szkoleniowy, 771b
szkolić, 159a
szkolnictwo, 409b
szkolny, 1148e
szkolony, 522e
szkoła, 903
szkoła, 991c *(nauczka)*
szkoła ogólnokształcąca, 903c
SZKOŁA PODSTAWOWA, 903d
szkoła pomaturalna, 903b
szkoła
    ponadpodstawowa, 903c
SZKOŁA ŚREDNIA, 903c
SZKOŁA WYŻSZA, 903b
szkopuł, 704e *(problem)*
szkopuł, 734c *(przeszkoda)*
szkółka, 539a
szkółkarstwo, 179c
szkrab, 146a
szkuner, 331b
szlaban, 734b
szlaban na↓, 225a
szlachcic, 36b
szlachciura↓, 36b
szlachecki, 881i
szlachetka, 36b
szlachetnie, 115a
szlachetnieć, 284c
    (rozwijać się)
szlachetnieć, 1138c
    (odmienić się)
szlachetność, 117a *(dobro)*
szlachetność, 955b *(prawość)*
szlachetny, 95c *(rasowy)*
szlachetny, 139a *(godny)*
szlachetny, 1052b *(prawy)*
SZLACHETNY, 1177d *(zacny)*

SZLACHTOWAĆ, 1073e
szlaczek, 105a
szlafrok, 531d
szlag go trafił, 175c
szlag trafił x, 1108b
szlagier↑, 890b
szlagierowy, 671a
szlajać się, 15e
szlak, 105a *(ornament)*
szlak, 136a *(trasa)*
szlam, 328c
szlamowaty, 371c
szlauch, 740b
szlifować, 500a *(obrobić)*
szlifować, 659c *(ulepszać)*
szlify, 105b
szloch, 1169d
szlochać, 613b
szlochanie, 1169d
szlusować, 745c
szmaciarz↓, 330a
szmal↓, 600a
szmaragd, 245c
szmaragdowy, 14f
szmat, 49a *(blok)*
szmat, 141a *(sporo)*
szmata↓, 330a *(łajdak)*
szmata, 380a *(zmywak)*
szmata, 429a *(śmieci)*
szmatka, 380a *(zmywak)*
szmatka, 531a *(ubrania)*
szmatławiec↓, 696a
szmatławy↓, 322c *(trywialny)*
szmatławy, 339a *(niedobry)*
szmatławy, 430b *(zaniedbany)*
szmaty, 531a
SZMER, 191g
szmerek, 191g
SZMINKA, 605c
szminkować, 13b
szminkować się, 948b
szmira, 922a
szmirowaty, 339b
szmugiel, 934c
szmugler, 574d
szmuglerski, 178d
szmuglować, 716b
sznur, 812a *(rządek)*
sznur, 904 *(linia)*
SZNUREK, 904a
sznurować, 326c
sznurować usta, 360a
sznurowadło, 904d
sznurówka, 904d
sznycel, 359b
szofar, 206b
SZOFER, 235a
szok, 1034b *(doznanie)*
szok, 1099b *(zdziwienie)*
szokować, 154a
szokująco, 830e

świadectwo, 133b
(dowodzenie)
świadectwo, 583a
(pamiętanie)
świadectwo dojrzałości, 128a
świadek, 764b
świadek Jehowy, 772d
świadom, 344b
świadomie, 854b
ŚWIADOMOŚĆ, 140b *(dusza)*
ŚWIADOMOŚĆ, 1018e *(wiedza)*
świadomość, 1034a *(uczucie)*
świadomy, 594b
(nieprzypadkowy)
świadomy, 956a *(sumienny)*
świat, 491a *(zagranica)*
świat, 1127d *(ziemia)*
świat przestępczy, 289c
świat roślinny, 755c
ŚWIAT ZWIERZĘCY, 755d
światek, 187c
światła, 1146i
światło, 153e *(otwór)*
światło, 733b *(przekrój)*
światło, 913 *(oświetlenie)*
światłość, 913a
światły↑, 344b
światoburczy↑, 485b
światopogląd, 382b
światopoglądowy, 645a
światowiec, 365c
światowy, 344c *(bywały)*
światowy, 1038a *(wspólny)*
świąd, 42b
świątecznie, 854c
świąteczny, 542b
świątobliwie, 617a
świątobliwy↑, 773c
świątynia, 914
świderki, 239b
świdrować oczami, 589c
świdrujący, 170b
świeca, 913e
ŚWIECĄCY, 217c
świecący pustkami, 442b
świecenie, 706a
świeci pustkami, 558d
świecić, 915 *(błyszczeć)*
świecić, 1017a *(wyzierać)*
świecić nieobecnością, 777a
świecić oczami za, 1102a
świecki, 477c
świecówka↓, 605a
świeczka, 913e
ŚWIECZNIK, 913e
świergot, 191b
świergotanie, 191b
świerzbić, 127c
świetlany↑, 217c *(świecący)*
świetlany, 267f *(pomyślny)*
świetleć, 915b

świetlica, 903d
świetliczanka, 242d
świetlik, 541a
świetlisty↑, 217c
świetlny, 217c
świetnie, 119b *(wspaniale)*
świetnie, 920c *(zgoda)*
świetność, 387c *(zbytek)*
świetność, 895c *(uznanie)*
świetny↑, 1148d *(słynny)*
świetny, 118c *(udany)*
świeże powietrze, 515a
świeżo, 565a *(niedawno)*
świeżo, 916 *(ożywczo)*
świeży↓, 433a *(początkujący)*
świeży, 77b *(oryginalny)*
ŚWIEŻY, 485d *(niedawny)*
świeży, 917 *(rześki)*
świeży, 1007b *(nowy)*
święcić, 894f
święcić się, 1110a
święcie, 1157a
święta, 981b
święto, 981b
świętokradztwo, 436e
świętoszek, 494c
świętoszka, 494c
świętoszkostwo, 575b
świętoszkowatość, 575b
świętoszkowaty, 773c
ŚWIĘTOŚĆ, 41c *(bóstwo)*
świętość, 583a *(pamięć)*
świętować, 15c
święty↓, 859c *(cierpliwy)*
święty↓, 956c *(prawy)*
święty, 1005e *(obowiązujący)*
święty, 1052b *(kanonizowany)*
świnia↓, 330a *(łajdak)*
świnia, 1160b *(zwierzę)*
świniarek, 551c
świniopas, 551c
świniowaty↓, 390c
świntuch, 46b *(niechluj)*
świntuch, 347i *(rozpustnik)*
świntuszyć, 376e
świński↓, 454a
świństwo, 54b *(ohyda)*
świństwo, 1131a
(niegodziwość)
świr↓, 1001d
świrnięty↓, 1001d *(szaleniec)*
świrnięty, 205e *(nienormalny)*
świrować, 1122c *(oszaleć)*
świrować, 8b
świrowaty, 205e
świrus↓, 1001d
świsnąć, 333b
świst, 191b
świstać, 50b *(dźwięczeć)*
świstać, 894e *(wydać głos)*
świstanie, 191b

świstek↓, 128c *(dokumenty)*
świstek, 484c *(kartka)*
świszczeć, 50b
świszczypała, 197a
świt, 86d *(dzień)*
świt, 623d *(początek)*
świt, 913a *(jasność)*
świta, 621b
świta mu, 796a
świtać, 915e
świtanie, 86d
świtem bladym↓, 1008a
świtezianka, 481a

T

tabela, 310a
tabletka, 298a
tablica, 202c *(ogłoszenie)*
tablica, 614a *(gładź)*
tablica pamiątkowa, 652a
tabliczka, 1146i
taboret, 829b
tabu, 41c *(świętość)*
tabu, 1005e *(obowiązujący)*
tabun, 538c
taca, 101d
tachać↓, 158a
taczać, 721b *(przemieścić)*
taczać, 751e *(pokryć)*
taczać się, 215a
tafla, 614a
taić, 918
tajać, 358a *(delikatnieć)*
tajać, 511b *(odmarznąć)*
tajemnica, 919
tajemnica poliszynela, 202a
tajemniczo, 473d
TAJEMNICZOŚĆ, 919b
TAJEMNICZY, 465d
tajemnie↑, 473d
tajemny↑, 465d
tajfun, 441d
tajga, 292a
tajniak↓, 210b
TAJNIE, 144b
tajniki, 919a
tajność, 919a
tajny, 969b
tajny agent, 210b
tak, 920
tak czy owak, 201d
tak długo jak, 114c *(dotąd)*
tak długo jak, 114d *(dopóki)*
tak samo, 800a
tak się składa, 403c
tak się złożyło, 403c
tak sobie, 840a
taki sam, 627b
taki sobie, 118a

takie coś, 813c
taksa, 555a
taksacja, 507b
taksiarz↓, 235a
taksować, 269c
taksówka, 638a
taksówkarz, 235a
takt, 117a
taktownie, 188c *(uprzejmie)*
taktownie, 869c *(zręcznie)*
taktowny, 189a
taktyk, 874c
taktyka, 863a *(metoda)*
taktyka, 1079a *(postępowanie)*
także, 799a
talar, 600c
talarek, 88c
talent, 165c *(kunszt)*
talent, 921 *(zdolności)*
TALERZ, 386c
talerze, 206c
talerzyk, 386c
talia, 75b *(tułów)*
talia, 1109e *(pakiet)*
talizman, 813c
talmudyczny↑, 761c
talmudyzm, 254b
talon, 128a
tałatajstwo↓, 538d
TAM, 100b
tam gdzie król
piechotą chadza, 323b
tam-tam, 206c
tama, 734b
tamburin, 206c
tamować, 557d *(zwlekać)*
tamować, 683d *(wstrzymać)*
tampon, 548a
tamten, 99a
tancerka, 4f
TANCERZ, 4f
tandem, 638c *(motor)*
tandem, 789d *(numer)*
tandeta, 922
tandetnie, 1168c
tandetny, 339e
taneczny, 290b
tango, 923a
tani, 267c *(niedrogi)*
tani, 339a *(niedobry)*
taniec, 923
taniec klasyczny, 923b
tanieć, 269a *(pochłaniać)*
tanieć, 1143c *(obniżać się)*
TANIO, 266b
tankować↓, 526c *(pić)*
tankować, 1092b *(napełnić)*
tankowiec, 331c
tantiemy, 268b *(zysk)*
tantiemy, 600d *(płaca)*
TANY, 923a

tańce, 200e
tańcować, 15e
tańczy jak mu zagrają, 1087b
tańczyć, 15e *(zabawić się)*
tańczyć, 137d *(balansować)*
tańczyć koło, 550c
TAPCZAN, 332a
tapicerka, 642a
tapicerski, 357a
tapirować, 286b
taplać się, 48b
tarabanić, 894b
tarabanić się, 1011c
taran, 367a
tarantela, 923a
tarapaty, 704c
TARAS, 941c
tarasować, 683c
tarasowaty, 458d
tarasowy, 458d
tarcia, 250a
tarcica, 134c
tarcza, 1100c
targ, 192a *(handel)*
targ, 835d *(plac targowy)*
targać, 43b *(sięgać)*
targać, 158a *(nosić)*
targać, 483g *(drzeć)*
targać, 1070a *(owładnąć)*
targi, 192a
targnąć się, 397a
targnąć się na życie, 972c
targować, 193a
targować się, 193a
targowisko, 835d
targowy, 178d
tarło, 827c
tarmosić, 43b
tarować, 749c
tarpan, 258a
tartak, 718c
taryfa↓, 638a *(taksówka)*
taryfa, 310b *(cennik)*
taryfiarz↓, 235a
taryfikator, 310b
tarzać, 751e
tarzać się, 663a
tarzać się ze śmiechu, 15b
tarzan, 674c
tasak, 486c
tasiemcowy↓, 113c
tasiemiec, 778b
TASIEMKA, 904e
taskać, 158a
tasować, 351e
taszczyć, 158a
taszczyć się, 215a
taśma, 161g *(nagranie)*
taśma, 350c *(miarka)*
taśma, 904e *(tasiemka)*
taśmowo, 684b

taśmowy, 142e
tata, 347d
tatarak, 328c
taternictwo, 862b
tatuować się, 948b
tatuś, 347d
taxi↓, 638a
tąpnąć, 596e
tchawica, 171b
tchnąć, 516a *(wdychać)*
tchnąć, 580a *(wonieć)*
tchnąć, 1077a *(natchnąć)*
tchnienie, 515a
tchórz, 924
TCHÓRZLIWIE, 473f
TCHÓRZLIWOŚĆ, 567c
tchórzliwy, 841d
tchórzostwo, 567c
tchórzyć, 8d
teatr, 200b *(widowisko)*
teatr↓, 250b *(sprzeczka)*
teatralizować, 1137d
teatralnie, 439a
TEATRALNY, 290b *(sceniczny)*
teatralny, 905b *(afektowany)*
teatroman, 1164c
techniczny, 695a *(pracownik)*
techniczny, 871e
(specjalistyczny)
TECHNIKA, 161a *(elektronika)*
technika, 863b *(sposób)*
technikum, 903c
technologia, 863b
teczka, 11a *(waliza)*
teczka, 128f *(dokumentacja)*
tedy↑, 656c
tego już za wiele↓, 1154c
tego tylko brakowało, 727b
tegoroczny, 33c *(obecny)*
TEGOROCZNY, 1007b *(nowy)*
teina, 752a
tekst, 148b *(manuskrypt)*
tekst, 282a *(księga)*
tekst, 935c *(brzmienie)*
teksturować, 286b
tekstylia, 531a
tekstylny, 835a
(dom handlowy)
tekstylny, 932b *(odzieżowy)*
tektura, 484c
telefax, 325a
TELEFON, 161f
(aparat telefoniczny)
telefon, 325a *(komunikacja)*
telefon, 790a *(konwersacja)*
telefon nie odpowiada, 661c
telefonicznie, 892e
telefoniczny, 324b
telefonizować, 973a
TELEFONOWAĆ, 661c
telegraf, 325a

tortura, 42a
torturować, 26c
tortury, 1131c
tory, 136a
tost, 599b
toster, 598a
totalitarny, 19d
totalnie↓, 1157a
totalność, 61a
totalny↓, 1158b
totem, 1146h
toteż, 656a *(bo)*
toteż, 656c *(więc)*
totumfacki↑, 1164a
towar↓, 242e *(dziwka)*
towar, 931
towarowy, 178d *(handlowy)*
towarowy, 622a *(kolej)*
towarowy, 932
towarzyski, 1038d
(grzecznościowy)
towarzyski, 1177e *(gościnny)*
TOWARZYSTWO, 187e *(grupa)*
towarzystwo, 559a
(organizacja)
towarzysz, 933
towarzysz, 959a *(uczestnik)*
towarzysz podróży, 933c
towarzyszący, 122b
towarzyszyć, 195c
(współdziałać)
towarzyszyć, 489c
(partnerować)
towarzyszyć, 873e
(konwojować)
towot, 587b
tożsamość, 802a
tożsamy↑, 627b
trabant, 283a
trach, 25a
tracheotomia, 295b
tracić, 883c *(postradać)*
tracić, 883e *(roztrwaniać)*
tracić blask, 261b
tracić ciepło, 1128a
tracić ducha, 8d
tracić głowę, 175c
tracić grunt pod nogami, 987c
tracić miarę, 265d
tracić na wartości, 269a
tracić pazury, 358a
tracić połysk, 32a
tracić rachubę, 381c
tracić się, 1151b
tracić sztywność, 358b
tracić ważność, 975c
tracić wątek, 381c
tracić władzę w, 256b
tradycja, 289b
tradycja ustna, 556a
tradycjonalista, 845c

tradycjonalistycznie, 425e
tradycjonalistyczny, 881d
TRADYCJONALIZM, 254c
tradycjonalność, 254c
TRADYCYJNIE, 1167b
tradycyjność, 254c
(tradycjonalizm)
tradycyjność, 668d
(powszedniość)
TRADYCYJNY, 881d
traf, 314b *(fortuna)*
traf, 1112b *(przypadek)*
trafia mi do przekonania, 796a
trafiać, 1147a
trafiać się, 60e *(występować)*
trafiać się, 403c *(zdarzyć się)*
trafić, 483h *(unieszkodliwić)*
trafić, 745c *(znaleźć się)*
trafić do przekonania, 963c
trafić jak kulą w płot, 381b
trafić na miejsce, 745c
trafić w czuły punkt, 108b
trafić w dziesiątkę, 126a
trafić w sedno, 678a
trafiony↓, 698a *(słuszny)*
trafiony, 971a *(ranny)*
trafnie, 523b
trafny, 698a
tragarz, 695b
tragedia, 448b
tragediopisarz, 606a
tragicznie, 12d *(fatalnie)*
tragicznie, 830e
(dramatycznie)
tragiczność, 448b
tragiczny, 166d *(zgubny)*
tragiczny, 850b
(nieszczęśliwy)
tragik, 4b *(aktor)*
tragik, 606a *(literat)*
tragikomiczny, 1013d
tragizm, 448b
tragizować, 8b
trajektoria, 136a
trajkotać, 50a *(rozlegać się)*
trajkotać, 376e *(gadać)*
trajlować, 376e *(gadać)*
trajlować, 573b *(oszukać)*
trakt, 136c *(ulica)*
traktat, 128e
traktor, 638e
traktorzysta, 235a
TRAKTOWAĆ, 669d
(uważać za)
traktować, 966a *(częstować)*
traktować
jak popychadło, 657a
TRAKTOWAĆ O, 131b
traktować per nogam↓, 657a
traktować
po macoszemu, 280a

traktować przez nogę, 657a
trałowiec, 331d
trampki, 506c
tramwaj, 934a
trans, 527b
transakcja, 128e *(układ)*
transakcja, 192a *(handel)*
transatlantycki, 99b
transatlantyk, 331c
transferowalny, 808b
transferowy, 178c
transformator, 983d
transfuzja, 295b
transkontynentalny, 113e
transkrybować, 1102d
transkrypcja, 1094a
translator, 606a
translatorski↑, 290a
transliteracja, 1094a
TRANSLITEROWAĆ, 1102d
translokować, 721a
transmisja, 202f
transmitować, 792a
transoceaniczny, 99b
transparencja↑, 94b
transparent, 1146d
transplantacja, 295b
transplantować, 780a
TRANSPONOWAĆ, 1102c
transport, 931b *(towar)*
transport, 934 *(przewóz)*
transport kolejowy, 622a
transport publiczny, 934a
transporter, 157a
transportować, 98a
(dostarczyć)
transportować, 873e
(konwojować)
transportowiec, 235d
TRANSPORTOWY, 249b
transpozycja, 1136b
transwestyta, 1111a
tranzystor, 161c
tranzytowy, 74c
traperstwo, 630c
trapez, 285d
trapić, 280b *(ciemiężyć)*
trapić, 340a *(niepokoić)*
trapić się, 340b
TRASA, 136a
tratować, 256a
tratwa, 331a
trauma, 828c
traumatyczny, 689a
trawa, 328b
trawersować, 722e
trawestacja, 1136e
trawestować, 405d
trawiasty, 14f
trawić, 483b
trawienny, 1014a

trawka↓, 752a
TRAWNIK, 328b
trawy, 328d
trąba, 431a
trąbić↓, 526c *(pić)*
trąbić, 181a *(muzykować)*
trąbić, 278a *(drzeć się)*
trąbić, 597b *(popijać)*
trąbić, 792c *(rozgadać)*
trąbić, 894a *(dać znak)*
trąbka, 206b *(instrument)*
trąbka, 1165a *(zwitek)*
TRĄCAĆ, 962a
trącać się, 962b
trącić, 405e *(przypominać)*
trącić, 580a *(wonieć)*
trącić, 1113b *(wyglądać na)*
trąd, 70h
trądzik, 273b
trefić, 286b
TREFL, 245d
trefniś↑, 288a
trefny↓, 22a
trele↓, 379c
trema, 307b
tremo↑, 316a
tremować, 591a
tren, 311b *(poezja)*
tren, 182b *(ogon)*
trencz, 531b
trend, 925a
trener, 410a
trening, 862a
treningowy, 771b
trenować, 284b
trep↓, 1001b
trepanacja, 295b
trepy, 506b
treser, 451b
treska, 1029b
tresować, 760c
tresowany, 189b
tresura, 664a
treściowy, 1005a
treściwie, 37c
treściwość, 1061d
TREŚCIWY, 839b
treść, 912b *(sedno)*
treść, 935 *(fabuła)*
trębacz, 4d
trędowaty, 72a
trick, 335a *(sztuczka)*
trick, 575f *(podstęp)*
trickowy, 808g *(animowany)*
trickowy, 896c *(trikowy)*
triennale, 200a
trik, 335a *(sztuczka)*
trik, 575f *(podstęp)*
TRIKOWY, 896c
trio, 379d
triumf, 890d

triumfalnie, 464c
triumfalny, 139b *(wyniosły)*
triumfalny, 1025a *(zwycięski)*
TRIUMFATOR, 1166a
triumfować, 1050b
triumfująco, 464c
triumfujący, 139b
trivium↑, 631b
trochę, 275c *(niedługo)*
TROCHĘ, 467b *(mało)*
trociny, 429c
troczyć, 326c
trofeum, 890d
troglodyta, 330c
troi mu się w oczach, 381a
trojaczki, 781f
trolejbus, 934a
troll, 111b
tromtadracki↑, 934a
tron, 829a *(fotel)*
tron, 1026a *(rządy)*
tronować, 234c
trop, 1146a
tropić, 736b *(szpiegować)*
tropić, 906b *(poszukiwać)*
tropienie, 10d *(obserwacja)*
tropienie, 672b *(obława)*
tropik, 636b
tropikalnie, 79a
tropikalny, 80a *(letni)*
tropikalny, 313b *(południowy)*
tropikalny, 831d *(intensywny)*
troska, 549b *(piecza)*
troska, 704b *(kłopot)*
troskać się, 340b
TROSKLIWIE, 510c
troskliwość, 549b
TROSKLIWY, 552a
troszczenie się, 549b
troszczyć się, 340b
   (kłopotać się)
troszczyć się, 550c *(dbać)*
trotuar, 136c
trotyl, 45b
trójkąt, 206c *(instrument)*
trójkąt, 285d *(figura)*
trójnóg, 631d
trójwymiarowo, 523f
TRÓJWYMIAROWY, 732a
trubadur, 4c
truchełko, 27d
truchleć, 8b
truchło, 27d
trucht, 807d
truchtać, 595a
truchtem, 908b
TRUCIZNA, 911c
truć, 376e *(gadać)*
truć, 902a *(zaszkodzić)*
truć się, 340b
trud, 690f

TRUDNIĆ SIĘ, 691a
trudno, 418e *(niestety)*
trudno, 936 *(niełatwo)*
TRUDNOŚCI, 704c
trudność, 437a
   (niezrozumiałość)
trudność, 704b *(kłopot)*
TRUDNOŚĆ, 734c
   (przeszkoda)
trudny, 420c *(kryzysowy)*
trudny, 472c *(niemiły)*
trudny, 937
trudny wybór, 704a
trudzić, 1103a
trudzić się, 1135a
truizm, 174a
trujący, 420a
TRUMNA, 185a
TRUNEK, 2c
trup, 422a
trup się ściele gęsto, 987d
trupa, 187a
trupiarnia, 637c
truposz↓, 422a
trusia, 494c
trust, 718b
truteń↑, 304a
trutka, 911c
truwer, 4c
TRWAĆ, 513b
trwać przy, 44b
trwale, 830a *(nierozerwalnie)*
trwale, 938
trwała, 1029b
trwałość, 593c *(stałość)*
trwałość, 832d *(wytrzymałość)*
trwały, 76a *(stały)*
trwały, 939
trwanie, 86a *(czas)*
trwanie, 214a *(egzystencja)*
trwanie, 860a *(spokój)*
trwanie, 940
trwoga, 307a
trwonić, 265d *(zażywać)*
trwonić, 883e *(roztrwaniać)*
trwonienie, 338a
trwożliwie↑, 473f
trwożliwość, 307b *(obawa)*
trwożliwość, 567c
   (tchórzliwość)
trwożliwy, 841d
trwożnie↑, 473f
trwożny↑, 731a *(wystraszony)*
trwożny↑, 841d *(strachliwy)*
trwożyć, 885a
trwożyć się, 8b
tryb, 863a
trybularz, 1091b
trybuna, 941
trybunał, 701a
trybuny, 650e

trybut, 555c
trykać, 256a
tryknąć, 962a
trykot, 928a
tryl, 156a
trylinka, 222c
trylogia, 311c
trymestr, 86c
tryptyk, 914d
tryskać, 1049b
tryumf, 890d
tryumfalnie, 464c
tryumfalny, 139b (wyniosły)
tryumfalny, 1025a (zwycięski)
tryumfator, 1166a
tryumfująco, 464c
tryumfujący, 139b
trywializować, 573a
trywialnie, 1167c
trywialność, 668a
TRYWIALNY, 322c (łatwy)
trywialny, 447d (nieistotny)
trywialny, 454b (wulgarny)
trzask, 25a (bach)
trzask, 191d (huk)
trzaskać, 50b (dźwięczeć)
trzaskać, 483e (kruszyć)
trzaskać, 596e (implodować)
trzaskać, 705a (wytwarzać)
trzaskać, 962a (trącać)
trzasnąć, 50b (dźwięczeć)
trzasnąć, 596b (pęknąć)
trząśnięcie, 191d
trząśnięty↓, 205e
trząchać, 663b
TRZĄŚĆ, 234d (wieść prym)
trząść, 663b (poruszać)
trząść portkami, 8c
TRZĄŚĆ SIĘ, 137c
trząść się nad, 550c
trzciny, 328c
trzeba, 378b
trzebić, 988c (usuwać)
trzebić, 1073c (uśmiercić)
trzebieniec↑, 431c
trzeciorzędny, 1133d
trzeć, 132a (tknąć)
trzeć, 500c (rozdrabniać)
trzeć się, 132a (tknąć)
trzeć się, 243d (pożądać)
trzepać, 96c (sprzątnąć)
trzepać, 333d (merdać)
trzepać językiem, 376e
trzepać się, 663a
trzepanie, 94d
trzepnąć, 962a
trzepot, 191d
trzepotać, 333c
trzepotać się, 663a
trzepotanie, 191d
trzepotliwy↑, 217c

trzeszcze↑, 1144c
trzeszczeć, 50b (dźwięczeć)
trzeszczeć, 175b (sarkać)
trzeszczeć nad głową, 127b
trzewia, 75a
trzewiki, 506a
trzeźwić, 980c
trzeźwieć, 980c
trzeźwo, 523b
trzeźwy, 917d (przytomny)
trzeźwy, 956b (realistyczny)
trzęsawisko, 328c
trzęsący się, 1140b
trzęsienie się, 307c
trzęsienie ziemi, 448b
trzoda, 538c
trzon, 631a (fundament)
trzon, 912b (sedno)
TRZONEK, 950a
trzonowiec, 944b
trzos, 229b
trzódka, 538d
trzpiot, 197a
trzpiotopowaty↑, 301a
trzy po trzy↓, 174b
trzymać, 145b (zadziałać)
trzymać, 257a
  (przedłużać trwanie)
TRZYMAĆ, 348a
trzymać, 648a (pomóc)
trzymać, 705b (wyhodować)
trzymać
  język za zębami, 360a
trzymać kciuki, 877a
trzymać kurs, 234c
trzymać na muszce, 129e
trzymać na uwięzi, 967b
trzymać na wodzy, 967a
trzymać pod kluczem, 470b
trzymać rękę na pulsie, 9a
trzymać się, 44a (osłaniać)
trzymać się, 60a (istnieć)
trzymać się, 327b
  (zespalać się)
trzymać się, 354c
  (gniazdować)
trzymać się, 678b
  (prosperować)
trzymać się, 738c (wytrwać)
trzymać się, 995b
  (stosować się do)
trzymać się kupy, 195d
trzymać się razem, 195c
trzymać się za kieszeń, 612c
trzymać straż, 550e
trzymać u siebie, 354d
trzymać w napięciu, 208c
trzymać w niepewności, 557d
trzymać
  w nieświadomości, 918c
trzymać w rezerwie, 571b

trzymać w sekrecie, 918c
trzymać w szachu, 683e
trzymać z, 877d
trzymać za słowo, 129b
trzymadło, 950a
tu i ówdzie, 473b
tu stanie, 56a
tuba, 156d (nagłośnienie)
tuba, 206b (instrument)
tubalnie, 169a
tubalny, 170b
tubylczy, 313d
tubylec, 998e
tuczyć, 966b
tuczyć się, 947a
tudzież↑, 799a
tulenie się, 91b
tulić, 492a
tulić się, 492a
tułacz, 1015b
tułaczka, 630c
tułaczy↑, 808c
tułać się, 354b
TUŁÓW, 75b
tum, 914b
tuman↓, 1001b (głupiec)
TUMAN, 143b (dym)
tumanić, 573a (oszukiwać)
tumanić, 1077d (zachęcać)
tumanieć, 1122a
tumanowaty, 172b
tumor, 70e
tumult, 307a (panika)
tumult, 443d (zamieszanie)
tundra, 328d
tunel, 136e (ścieżka)
tunel, 153b (dół)
tupać, 50b (dźwięczeć)
tupać, 215a (stąpać)
tupać, 663a (ruszać się)
tupet, 436c (bezczelność)
tupet, 1029b (fryzura)
tupnąć, 50b (dźwięczeć)
tupnąć, 885a (odgrażać się)
tupot, 191d
tupotać, 215a
tupotanie, 191d
tuptać, 215a
turban, 84a
turbina, 983a
turbować, 340a
turbować się, 340b
turbulencja, 807a
turkawka↑, 242e
turkot, 191d
turkotać, 50b (dźwięczeć)
turkotać, 50b (dźwięczeć)
turkotanie, 191d
turlać się, 722a
turnia, 180a
turniej, 1000c

turysta, 746c *(gość)*
turysta, 1015a *(piechur)*
turystyczny, 712d *(praktyczny)*
turystyczny, 771a
   (wypoczynkowy)
turystyka, 630c
turzyca↑, 1029c
tusz, 245b *(barwnik)*
tusz, 323a *(umywalnia)*
tusz, 379a *(melodia)*
tusz, 1146d *(hasło)*
tusza, 387b
tuszować, 918c
tuszyć↑, 87b
tutejszy, 33b
tutejszy↓, 547b *(tubylec)*
tutka↑, 547b *(papier)*
tutka, 740c *(rurka)*
tuz, 561a
tuziemiec, 998e
tuzinkowy, 1148e
tuż, 34a
tuż tuż, 34a
tv sat, 161c
twarda waluta, 600a
twardawy, 943d
twardnieć, 942
twardnieć, 1067b *(hardzieć)*
twardnienie, 168b
TWARDO, 1114b
twardogłowy, 646c
   (lewicowiec)
twardogłowy, 693c *(cierpliwy)*
twardość, 528b *(dzielność)*
twardość, 870b *(zdrowie)*
twardy, 139d *(niewzruszony)*
twardy, 529c *(nieugięty)*
twardy, 943
twardy orzech
   do zgryzienia, 704e
twardziel↓, 979c
twarożek, 385a
twaróg, 385a
twarz, 553c *(reputacja)*
twarz, 944 *(oblicze)*
twarzowy, 318e
twarzyczka, 944a
twierdza, 57b
twierdząco, 119d
twierdzący, 1177b
twierdzenie, 1018b
twierdzić, 368b
twist↓, 547a
tworzenie, 690e
tworzyć, 60d *(stanowić)*
tworzyć, 945 *(opracować)*
tworzyć się, 682a
tworzywo, 887d
tworzywo syntetyczne, 610a
tworzywo sztuczne, 610a
twór, 89d *(stworzenie)*

twór, 148a *(wytwór)*
twór, 931a *(artykuł)*
TWÓRCA, 4a *(artysta)*
twórca, 606a *(pisarz)*
twórca, 946 *(wytwórca)*
twórczo, 345a
TWÓRCZOŚĆ, 148d
twórczość literacka, 311a
twórczość poetycka, 311b
twórczy, 344a
tyci↓, 337a
tycio↓, 467b
tyczka, 237b
tyczkowaty, 900a
tyczyć, 131a *(wiązać się z)*
tyczyć, 536c *(delimitować)*
tyć, 947
tydzień, 86c
tygodnik, 696a
tygodniówka, 600d
tyka, 237b
tyka chmielowa, 674c
tykać, 50b *(dźwięczeć)*
tykać, 132a *(tknąć)*
tykać się, 489a
tykanie, 191e
tyle odchodzi na, 98e
TYLKO, 423b *(wystarczy że)*
tylko, 467c *(bodaj)*
TYLKO, 467d *(wyłącznie)*
tylny, 99e *(peryferyjny)*
tylny, 715d *(odwrotny)*
TYŁ, 886c
tyłek↓, 75d
tym bardziej, 920f
tymczasem, 201f *(ale)*
tymczasem, 926a *(na razie)*
TYMCZASOWO, 926b
tymczasowość, 417d
   (znikomość)
tymczasowość, 1139b
   (nietrwałość)
tymczasowy, 74a
typ, 347a *(jegomość)*
typ, 779a *(gatunek)*
typek↓, 874b
typizacja, 664c
typizować, 665d
typować, 65a
typowo, 854a
typowość, 668d
typowy, 698c *(modelowy)*
typowy, 881d *(zwyczajny)*
TYPOWY, 1148c *(nagminny)*
tyrać, 691b
tyrada, 724b
tyran, 236d
tyrania, 723d
   (prześladowanie)
tyrania, 1026b
   (wszechwładza)

tyranizować, 129e
tyrański, 1025b
tysiące, 141a
tysiąclecie, 86c *(epoka)*
tysiąclecie, 981a *(jubileusz)*
tytan, 674c
tytan pracy, 845b
tytaniczny, 142c
tytłać, 48b
tytoniowy, 932d
tytoń, 586b
tytularnie, 533b
tytularny, 534c
TYTUŁ, 414c
tytuł do, 748b
tytułować, 415a
tytułować się, 415d
tytułowy, 1005a

U

u góry, 100c
uaktualniać, 659b
uaktualnić się, 257c
uaktywniać, 1077b
uaktywnić się, 145b
uaktywnienie, 690d
uargumentować, 963a
uatrakcyjnić, 948
ubabrać, 48b
ubabrany↓, 47b
ubarwić, 948a
ubaw↓, 200e
ubawić, 15a
ubawić się, 15c
ubek↓, 210b
ubezpieczać, 1072a
ubezpieczalnia, 296c
ubezpieczanie, 509a
ubezpieczenie, 509a
ubezpieczony, 594f
ubezpieczyć się, 1072c
ubezwłasnowolnić, 975d
ubezwłasnowolnienie, 469d
ubić, 500c *(rozdrabniać)*
ubić, 747b *(utrząsać)*
ubić, 1063a *(podrównać)*
ubić, 1073e *(szlachtować)*
ubić interes, 193a
ubiec, 126c *(wytrzymać)*
ubiec, 1050a *(dominować)*
ubiec, 1156a *(przechwycić)*
ubiegać się, 65c *(życzyć sobie)*
ubiegać się, 879c *(zabiegać)*
ubiegający się, 223a
ubiegłoroczny, 1007c
ubiegłowieczny, 1007c
ubiegły, 881b
ubiegnąć, 261a
ubielić, 13b *(zabarwić)*

ukrasić↑, 948a
ukraść, 1156d
ukręcić, 596a (zrywać się)
ukręcić, 705a (wytwarzać)
ukręcić głowę, 918c
ukroić, 147b
ukrop, 1030g
ukrócenie, 723b
ukrócić, 967c
ukruszyć się, 596b (pęknąć)
ukruszyć się, 977b
    (potknąć się)
UKRYCIE, 826c
ukryć, 728b (przesłaniać)
ukryć, 918a (taić)
ukryć się, 918b
ukryty, 969
ukrywać, 573d (symulować)
ukrywać, 918a (kryć)
ukrywać, 1106a (obejmować)
ukrywać przed, 918c
UKRYWAĆ SIĘ, 918b
ukrzyżować, 1073b
ukrzyżowanie, 1075d
ukształtować się, 682b
ukształtowanie, 55a
ukucnąć, 663a
ukuć, 945a
ukuć nazwę, 415a
ukulturalnić, 159b
ukulturalnić się, 284c
ukwiecić, 948a
ukwiecony, 1116a
ul↓, 469b (więzienie)
ul, 355a (gniazdo)
ulać, 43d (odjąć)
ulać, 558a (pompować)
ulać, 705a (wytwarzać)
ulać się, 615a
ulatniać się, 1049b
ulatywać, 1037b (wzbić się)
ulatywać, 1049b
    (wydzielać się)
ulec, 987d
ulec skropleniu, 615a
ulec uszkodzeniu, 1108b
ulec zaniedbaniu, 482a
ulec zmianie, 1138a
ulec zniszczeniu, 482a
uleciało z pamięci, 1095b
ULECZALNY, 435b
uleczyć, 297a
ulegać, 90c
ulegle, 496b
uległość, 462b
uległy, 189b (posłuszny)
uległy, 1088e
    (niesamodzielny)
ulepek, 1144e
ulepić, 56b (składać)
ulepić, 286a (modelować)

ULEPSZAĆ, 659c
ulepszający, 267d
ulepszanie, 658a
ULEPSZENIE, 658b
ulewa, 441c
ulewać, 43d
ulewny, 831d
uleźć, 126c
uleżeć, 738e
uleżeć się, 1138d
ulęgnąć, 780d
ulga, 389b (otucha)
ulga, 653d (pomoc)
ulga, 970 (zniżka)
ulga, 1057a (odpoczynek)
ulgowo↓, 115a
ulgowy, 267c
ULICA, 136c
uliczka, 136d
ulicznica, 244b
ulicznik, 330b
uliczny, 322c (bulwarowy)
uliczny, 454b (wulgarny)
ulirycznić, 948c
ulitować się, 1039a
ulizać, 286b
ulokować, 354d (kwaterować)
ulokować, 571b (inwestować)
ulokować, 973b (włożyć)
ulokowanie, 647a
ulotka, 202c
ulotnić się, 518b
ulotnie, 926b
ULOTNOŚĆ, 1139c
ulotny, 74b
ultimatum, 251c
ultrafiolet, 706a
ultrafioletowy, 14e
ultranowoczesny, 485c
ultrasowski, 24a
ultymatywny↑, 24a
ulubieniec, 146d
ULUBIONY, 673d (drogi)
ulubiony, 1148f (uczęszczany)
ululać, 851c
ululać się↓, 526e
ululany↓, 572b
ulżyć, 320a (koić)
ulżyć, 648b (usłużyć)
ulżyć, 985a (uśmierzać)
UŁADZIĆ, 665a
uładzić się, 985c
ułagodzić, 320a (koić)
ułagodzić, 985b (przepraszać)
ułagodzić się, 986a
ułamać, 147b (oddzielić)
ułamać, 483e (kruszyć)
ułamać się, 596a
ułamek, 88d (cząstka)
ułamek, 525b (kawałek)
ułamek sekundy, 86e

ułamkowy, 440b
ułaskawić, 1043a
ułaskawienie, 714a
UŁATWIAĆ, 877c (sprzyjać)
ułatwić, 659c (ulepszać)
ułatwienie, 658b (ulepszenie)
ułatwienie, 653d (pomoc)
ułatwienie, 997b (wygoda)
ułomność, 35c
    (niedoskonałość)
ułomność, 63c (wada)
ułomność, 70f (kalectwo)
ułomny, 72b (inwalida)
ułomny, 971
ułowić uchem, 843a
ułożenie, 55a (struktura)
ułożenie, 285b (sylwetka)
ułożony, 189b
ułożyć, 665a
ułożyć się, 856c
ułuda, 668b (pozorność)
ułuda, 828b (mara)
ułudny↑, 450d
ułupać, 183a
umacniać, 1072d
umaić, 948a
umalować się, 948b
umalowany, 1116c
umarlak↓, 422a
umarły, 341a (nieżywy)
umarły, 422a (trup)
umartwiać się, 226a
umartwianie się, 1042a
umarzać, 975c
umasowić, 159b
umasowienie, 668d
    (powszedniość)
umasowienie, 707b (reklama)
umawiać się, 788d
    (negocjować)
umawiać się, 1093d
    (zamawiać)
umazać, 48b
umeblować się, 665a
umeblowanie, 1058a
umęczenie, 42a
umęczony, 1134a
umęczyć się, 1135b
umiar, 182c (limit)
umiar, 462b (skromność)
umiarkowanie, 182c (limit)
umiarkowanie, 462b
    (skromność)
umiarkowanie, 467a (mało)
umiarkowanie, 570a
    (gospodarność)
umiarkowanie, 840a
    (znośnie)
umiarkowanie, 858a
    (powściągliwie)
umiarkowany, 859c

umieć, 374a *(sprostać)*
UMIEĆ, 1019a *(wiedzieć)*
umieć mówić, 376a
umieć się obchodzić, 265a
umieć sprzedać, 265c
umiejętnie, 523b *(prawidłowo)*
umiejętnie, 869a
 (niezawodnie)
umiejętności, 690a
umiejętność, 165c
 (fachowość)
UMIEJĘTNOŚĆ, 921b
 (zdolność)
umiejętność, 1018a *(wiedza)*
umiejętny, 871a
umiejscowić, 545b
umiejscowienie, 312a
umierać, 972
umierać ze strachu, 8b
umierający, 73a
umieranie, 911a
UMIESZCZAĆ, 973c
UMIESZCZENIE, 312a
 (lokalizacja)
umieszczenie, 647a
 (położenie)
umieścić, 354d *(kwaterować)*
umieścić, 792b
 (upowszechniać)
umieścić, 973
umieścić się, 856a
umiędzynarodowić, 578e
 (udostępnić)
umiędzynarodowić, 792b
 (upowszechniać)
umięśniony, 831a
umilać, 948c
umilać życie, 15a
umilknąć, 986b
umiłować, 243a
umiłowana, 242f
umiłowany, 347f *(narzeczony)*
umiłowany, 673d *(ulubiony)*
umizgać się, 243c
umizgi, 363c
umknąć, 951b
umknęło mojej uwadze, 651b
umniejszać, 651a
 (bagatelizować)
UMNIEJSZAĆ, 1142b
 (uszczuplić)
umniejszenie, 852d
UMOCNIĆ, 1072d
umocnić się w, 867c
umocnić w, 1077a
umocnienie, 631a *(podstawa)*
umocnienie, 974
 (fortyfikacja)
umocnienie, 1130b
 (konsolidacja)
umocniony, 503a

umocować, 759d
umoczyć, 369a
umoralniać, 159c
umoralniający, 552b
umordować się, 1135b
umordowany, 1134a
umorusać się, 48b
umorusany, 47b
umorzenie, 714a
umorzyć, 975c
umościć, 751e
umościć się, 856a
umotywować, 963a
umotywowanie, 631b
umotywowany, 814c
umowa, 128e *(traktat)*
UMOWA, 660a *(porozumienie)*
umowa stoi, 103c
umowny, 450a *(fikcyjny)*
UMOWNY, 554c *(aluzyjny)*
UMOWNY, 594e *(normatywny)*
umożliwiać, 877c
umożliwić, 1105b
umożliwienie, 997b
umówić, 103c *(ustalić)*
umówić, 864e *(spiknąć)*
umówiony, 594d
UMRZEĆ, 972b
umrzeć śmiercią, 972b
umrzeć własną śmiercią, 972b
umrzyk↓, 422a
umundurowanie, 531c
umyć, 96a
umykać, 951a
UMYSŁ, 795a
UMYSŁOWO, 138b
umysłowo chory, 1001d
umysłowość, 64a *(natura)*
umysłowość, 795a *(umysł)*
UMYSŁOWY, 763b
UMYŚLNIE, 854b
umyślność, 997a
umyślny, 594b *(zamierzony)*
umyślny↑, 667b *(goniec)*
umywać ręce, 1056c
umywalka, 323a
UMYWALNIA, 323a
unaoczniać, 1145c
unaocznienie, 872d
 (przedstawienie)
unaocznienie, 1018e
 (świadomość)
unarodowienie, 1130e
unaukowić, 159b
unia, 559a *(stowarzyszenie)*
unia, 585a *(kraj)*
UNIA, 1130c *(zjednoczenie)*
unicestwić, 483a
unicestwienie, 1090b
uniemożliwianie, 734a
uniemożliwić, 683a

uniemożliwienie, 734a
UNIERUCHOMIĆ, 1150c
unieruchomienie, 723b
 (pacyfikacja)
unieruchomienie, 734b
 (sparaliżowanie)
uniesienie, 527b
UNIESZCZĘŚLIWIAĆ, 280a
unieszczęśliwiać się, 81b
unieszczęśliwienie, 279b
unieszkodliwiać, 320a
UNIESZKODLIWIĆ, 483h
unieszkodliwienie, 723b
unieść↑, 1070a *(owładnąć)*
unieść, 43c *(zdjąć)*
unieść, 158a *(nosić)*
unieść, 514b *(skręcić)*
UNIEŚĆ, 626a *(wznosić)*
unieść, 626b *(zadrzeć)*
unieść, 1037b *(wzbić się)*
unieść brwi, 661a
UNIEŚĆ SIĘ, 175c
 (zezłościć się)
unieść się, 626c *(wstać)*
unieśmiertelnić się, 847b
unieważnić, 975
unieważnienie, 976
unieważniony, 447e
uniewinniać, 1043a
uniewinnienie, 976a
uniezależnić się, 783b
uniezależnienie, 1032b
uniezwyklić, 805a
unifikacja, 664c
 (unormowanie)
unifikacja, 1130a *(zespolenie)*
unifikować, 195b *(korelować)*
unifikować, 195e *(normować)*
uniform, 531c
uniformizować, 195b
unik, 807b *(posunięcie)*
unik, 952a *(odwrót)*
unikać, 44a *(osłaniać)*
unikać, 294a *(kluczyć)*
unikać, 975a *(omijać)*
UNIKAĆ, 1056b *(odwrócić się)*
unikalny, 1052a
UNIKANY, 442b
unikat, 563a *(zjawisko)*
unikat, 813b *(okaz)*
unikatowy, 1052a
uniki, 952a
UNIKNĄĆ, 980b
unilateralny, 562d
uniwerek↓, 903b
uniwersalność, 602c
uniwersalny, 839c *(pojemny)*
uniwersalny, 871g
 (wszechstronny)
uniwersał, 713b
uniwersytecki, 411a

URODZIĆ, 780c
URODZIĆ SIĘ, 780d
urodziny, 981b
urodziwie, 317a
urodziwy↑, 318b
urodzony, 313d *(rdzenny)*
URODZONY, 871f *(zawołany)*
uroić, 368b
uroić się, 1113c
urojenia, 493a
urojenie, 828b
urojony, 450d
urok, 602b
urokliwie↑, 317c
urokliwość, 404a
urokliwy↑, 364a
urolog, 299a
urologia, 296b
uromantycznić↑, 948c
uronić, 883b
urosnąć, 682b *(zaistnieć)*
urosnąć, 783b *(dorosnąć)*
urosnąć, 1162b *(przybywać)*
urosnąć w czyich oczach, 847a
urosnąć we własnych
    oczach, 368d
urozmaicać, 805a *(odróżniać)*
urozmaicać, 948a *(zdobić)*
urozmaicać się, 805b
urozmaicenie, 752b
urozmaicony, 205b
uróżować się, 948b
uruchamiać, 945c
uruchomić, 400a
    (nareperować)
uruchomić, 749b *(szykować)*
uruchomić, 982 *(włączyć)*
uruchomić, 1080a
    (inaugurować)
uruchomienie, 623c
urwać, 147b *(oddzielić)*
urwać, 260a *(finalizować)*
urwać, 376d *(przemawiać)*
urwać, 483e *(kruszyć)*
urwać, 612d *(rozliczyć się)*
urwać, 777d *(zaprzestać)*
urwać się, 261c *(skończyć się)*
urwać się, 596a *(zrywać się)*
urwać się, 951b *(zbiec)*
urwać się, 977b *(potknąć się)*
urwanie głowy, 443d
urwipołeć, 330b
urwis, 330b
urwisko, 153c
urwisowski, 1084c
uryna, 429d
urywać się, 1151b
urywany, 440c
urywek, 88e
urywkowo, 473b
urywkowy, 440b

urząd, 207a *(instytucja)*
urząd, 690b *(posada)*
urząd podatkowy, 229a
urządzać, 354d *(kwaterować)*
URZĄDZAĆ, 749a
    (organizować)
urządzać, 945c *(założyć)*
urządzać maskaradę, 573e
urządzać się, 354a
urządzenie, 664b
    (uporządkowanie)
urządzenie, 983 *(przyrząd)*
urządzenie, 1058a
    (wyposażenie)
urządzić↓, 280a
    (unieszczęśliwiać)
urządzić, 665a *(uładzić)*
urządzić się, 81c *(odcierpieć)*
urządzić się, 665a *(uładzić)*
urzec, 208b
urzeczowić, 573a
URZECZOWIENIE, 813d
URZECZYWISTNIĆ, 945b
urzeczywistnić się, 682b
urzeczywistnienie, 690e
urzekać, 902a
urzekająco, 317c
urzekający, 364a
urzędniczeć, 857a
urzędniczy, 534b
URZĘDNIK, 695c
urzędnik państwowy, 695c
urzędować, 60b *(przebywać)*
urzędować, 691d *(pracować)*
urzędolić, 691d
urzędowanie, 690c
URZĘDOWO, 533a
URZĘDOWY, 534a
urżnąć, 147b
urżnąć się↓, 526e
urżnięty↓, 572b
usadawiać się, 856a
usadowić, 856b
usadzić, 856b *(sadzać)*
usadzić↓, 683d *(zastopować)*
usadzić się, 856a
usamodzielniać się, 783b
usamodzielnianie się, 1032b
usamowolnić, 994b
usankcjonować, 1105a
usankcjonowanie, 1104a
usatysfakcjonować, 1082b
usatysfakcjonowany, 1083a
uschematyzować, 665d
uschły, 341a
uschnąć, 30d
uschnięty, 341a
usiać, 13a
usiąść, 856a
usiąść do, 1080b
usidlenie, 469d

usidlić, 736e
usiedzieć, 738c
usiekać, 756a
usilnie, 692b *(uparcie)*
usilnie, 830c *(intensywnie)*
usilny, 693c
USIŁOWAĆ, 65e *(chcieć)*
usiłować, 879b *(starać się)*
usiłowania, 690g
uskakiwać, 1036b
uskarżać się, 81e
uskładać, 183a *(akumulować)*
uskładać, 571a *(odkładać)*
uskoczyć, 980b
uskok, 807b
uskrobać, 756a
uskrzydlić, 1077a
uskubać, 147b *(oddzielić)*
uskubać, 183a *(akumulować)*
uskubnąć↓, 1156d
uskuteczniać, 945d
USŁUCHAĆ, 987a
    (dać posłuch)
usłuchać, 995b *(uwzględniać)*
usługa, 653d *(przysługa)*
usługa, 690c *(zajęcie)*
USŁUGI, 653e
usługiwać, 648b *(ulżyć)*
USŁUGIWAĆ, 846a *(służyć)*
usługiwanie, 653d
usługowy, 122a *(pomocniczy)*
usługowy, 984
usłużnie, 68a
usłużność, 653d
usłużny, 1177c
USŁUŻYĆ, 648b
usłyszeć, 686b
    (dowiedzieć się)
USŁYSZEĆ, 843a
    (nasłuchiwać)
usmarkać, 48b
usmarować, 48b
usmażyć, 756d
usmolić, 48b
usmolony, 47b
usnąć, 851b
uspokajać, 320a *(koić)*
uspokajać, 985a *(uśmierzać)*
uspokajająco, 115c
USPOKAJAJĄCY, 654a
uspokoić, 985
uspokoić się, 986
uspołeczniać, 1156b
uspołecznienie, 1130e
uspołeczniony, 1038b
usposabiać, 877c *(ułatwiać)*
usposabiać, 1077c
    (namawiać)
usposobić, 769c
usposobić niechętnie, 1149b

usposobienie, 64a
(charakter)
usposobienie, 404a
(atmosfera)
usposobiony↑, 871c
uspółdzielczenie, 1130e
usprawiedliwiać się, 985b
USPRAWIEDLIWIAJĄCY, 654b
usprawiedliwić, 1043a
USPRAWIEDLIWIENIE, 1051a
usprawiedliwiony, 698a
usprawnić, 659c
usprawnienie, 658b
usta, 944a
ustabilizować się, 986b
(ochłonąć)
ustabilizować się, 1150d
(ustalić się)
ustać, 261c *(skończyć się)*
ustać, 738c *(wytrwać)*
ustać, 738e *(ostać się)*
USTAĆ SIĘ, 942a
ustalać, 195e *(normować)*
USTALAĆ, 545b *(określać)*
ustalać rację, 102c
ustalenie, 128e
USTALIĆ, 103c *(decydować)*
ustalić, 686e *(odkryć)*
ustalić, 1150c *(unieruchomić)*
USTALIĆ SIĘ, 1150d
USTALONY, 594d *(uzgodniony)*
USTALONY, 878a *(niezmienny)*
ustanawiać, 545b
(konkretyzować)
ustanowić, 103b
(zadecydować)
ustanowienie, 128d
ustatkować się, 986a
ustawa, 701b
ustawa zasadnicza, 701b
ustawać, 261a *(upływać)*
ustawać, 1135b *(zmachać się)*
ustawiać, 56a *(wznosić)*
ustawiać, 665a *(uładzić)*
USTAWIAĆ, 749c *(regulować)*
ustawicznie, 938c
ustawiczny, 76b
ustawić, 56a *(wznosić)*
ustawić, 665c *(poustawiać się)*
ustawić, 749d *(nakierować)*
ustawić, 973c *(umieszczać)*
ustawić się, 783b *(dorosnąć)*
ustawić się, 1150b
(przystanąć)
ustawienie, 647a
ustawiony↓, 594g
ustawny, 839d
ustawodawca, 588b
ustawodawczy, 700b
ustawodawstwo, 701a
ustawowo, 523c

ustawowy, 522b
ustąpić, 98b *(obdarować)*
ustąpić, 261c *(skończyć się)*
ustąpić, 269c *(wyceniać)*
ustąpić, 777d *(zaprzestać)*
ustąpić, 987 *(pogodzić się)*
ustąpienie, 976b
usterka, 35b
ustęp, 88e *(fragment)*
ustęp, 323b *(toaleta)*
ustępliwość, 462b
ustępliwy, 859c
ustępować, 261a *(upływać)*
ustępować, 987b
(pogodzić się)
ustępstwo, 660a *(umowa)*
USTĘPUJĄCY, 841h
USTNIE, 892e
ustny, 74b
ustosunkować się, 669d
ustosunkowanie się do, 382b
USTOSUNKOWANY, 594g
ustroić, 948a *(zdobić)*
ustroić, 949c *(mundurować)*
ustronie, 349b *(miejscowość)*
ustronie, 765a *(pustkowie)*
ustronny, 859b
ustrój, 55b *(układ)*
ustrój, 75a *(organizm)*
ustrzec się, 44a *(osłaniać)*
ustrzec się, 980b *(uniknąć)*
ustrzelić, 147b *(oddzielić)*
ustrzelić, 1073f *(polować)*
ustylizować, 405b
usunąć, 988 *(pozbyć się)*
usunąć, 1064a *(relegować)*
usunąć brud, 96b
usunąć się, 777d *(zaprzestać)*
usunąć się, 980b *(uniknąć)*
usunąć się, 1036b
(wycofać się)
usunąć się, 1056a *(stronić)*
usunięcie, 295b *(amputacja)*
usunięcie, 658e *(naprawa)*
USUNIĘCIE, 976c
(relegowanie)
usunięcie, 1045c *(eliminacja)*
usunięcie, 1075c
(morderstwo)
usunięty, 99a
ususzyć, 756f
ususzyć się, 891b
USUWAĆ, 988c
usuwać omyłki, 659d
usuwać się, 977a
usuwanie, 934b
usychać z, 81b
usynowić, 836a
usynowienie, 757c
usypać, 43d *(odjąć)*
usypać, 56c *(przeprowadzać)*

usypać się, 1048d
usypiać, 851b *(usnąć)*
USYPIAĆ, 851c *(uśpić)*
usypiający, 487b *(nudny)*
usypiający, 654a *(nasenny)*
usypisko, 180c
usystematyzować, 665d
usytuować, 973c
usytuować się, 1150b
USYTUOWANIE, 647a
uszanować, 877b
(sympatyzować)
uszanować, 995b
(stosować się do)
uszanowanie, 895a
uszargać, 48b
uszarpać się, 1135b
uszczegółowić, 545b
USZCZEGÓŁOWIENIE, 897d
uszczelniać, 400d
uszczelnienie, 822b
uszczerbek, 279c
uszczęśliwić, 1082b
uszczęśliwiony, 1083b
uszczknąć, 43b
uszczuplenie, 852b
uszczuplić, 560a
(nadszarpnąć)
uszczuplić, 1142b
(umniejszać)
uszczypać, 220e *(żreć)*
uszczypać, 256a *(poturbować)*
uszczypliwe uwagi, 437c
uszczypliwie, 464b
uszczypliwość, 1132b
uszczypliwy, 1b
uszczypnąć, 256a
uszeregować, 665d
uszka, 239a
uszkadzać, 483a *(zepsuć)*
uszkadzać, 902a *(zaszkodzić)*
uszko, 950a
uszkodzenie, 35b
USZKODZENIE CIAŁA, 502a
uszkodzić się, 482b
(zniszczeć)
uszkodzić się, 1108b
(popsuć się)
USZKODZONY, 971c
uszlachcenie, 890a
uszlachcić, 151c
uszlachetniać, 659c
uszlachetnienie, 404b
uszło mojej uwadze, 651b
uszło mu na sucho, 1043a
uszminkować się, 13b
(zabarwić)
uszminkować się, 948b
(upiększyć się)
usztywniać, 398a *(naciągać)*
usztywniać, 942c *(ściąć)*

uwaga, 384a *(skupienie)*
uwaga, 553b *(stwierdzenie)*
uwaga, 991
uwaga, 1051b *(objaśnienie)*
uwaga, 1094c *(zapisek)*
uwalać, 48b
uwalić się, 856a
UWALNIAĆ, 994b
uwarunkowania, 647b
uwarunkowany, 465c
    (nierozstrzygnięty)
uwarunkowany, 1088a
    (zależny)
uwarunkowywać, 545a
uwarzyć↑, 756b
uważać, 92a *(baczyć)*
uważać, 368a *(utrzymywać)*
uważać a za b, 381a
uważać za, 368d *(mienić się)*
uważać za, 508b *(znajdować)*
uważać za, 669d *(traktować)*
uważnie, 992
uważny, 993
uwewnętrznienie, 757b
uwędzić, 756d
uwiadomić↑, 204a
UWIARYGODNIĆ, 1072c
uwiarygodnienie, 1104a
uwiąd, 1020d
uwiązać, 326c *(skupiać)*
uwiązać, 470a *(obezwładnić)*
uwiązać, 967b *(spętać)*
uwić, 56b
UWIDOCZNIĆ, 702e
uwidocznić się, 1017b
uwidocznienie, 872d
uwiecznić, 989a
uwiecznić się, 738f
    (utrwalić się)
uwiecznić się, 847b
    (wsławić się)
uwielbiać, 243a
uwielbiany, 1148d
UWIELBIENIE, 895d
uwielokrotnić, 1161c
uwieloznacznić, 948c
uwieńczyć, 126a *(wykonać)*
uwieńczyć, 948a *(zdobić)*
uwierać, 127c *(pobolewać)*
uwierać, 747c *(weprzeć)*
uwierający, 472b
uwierzyć, 965b
uwierzytelniać, 629b
    (poświadczyć)
uwierzytelniać, 1072c
    (uwiarygodnić)
uwierzytelnienie, 1104a
uwiesić, 973d
uwiesić się, 929c
uwieść, 1077d
uwieźć, 43a *(zawładnąć)*

uwieźć, 721a *(przenieść)*
uwiędnąć, 30d
uwięzić, 470b
uwięzienie, 469d
uwięznąć, 929a
uwijać się, 879a
uwikłać, 958e
uwikłać się, 929a *(utkwić)*
uwikłać się, 958b
    (partycypować)
uwinąć się, 126b
UWŁACZAĆ, 657c *(znieważać)*
uwłaczać, 736c *(zniesławiać)*
uwłaczająco, 464a
uwłaczający, 390d
uwłaszczyć, 98d
uwłosiony, 1028a
uwodziciel, 347h
uwodzicielski, 1177a
uwodzicielsko, 1078a
uwodzicielstwo, 575c
uwodzić, 243b
uwolnić, 975b *(odwołać)*
uwolnić, 994 *(oswobodzić)*
uwolnić się, 994c
    (oswobadzać się)
uwolnić się, 994d *(odwykać)*
uwolnienie, 714a *(darowanie)*
uwolnienie, 1032b
    (wyzwolenie)
uwozić, 43a *(zawładnąć)*
uwozić, 721a *(przenieść)*
uwrażliwić się, 1039b
uwspółcześniać, 659b
uwspółcześnienie, 658c
uwspółcześniony, 33c
uwstecznienie, 852d
uwydatnić, 769a
uwydatnienie, 221d
uwypuklić, 769a
uwypuklenie, 221d *(akcent)*
uwyraźnić, 769a
uwzględniać, 995
    (brać pod uwagę)
uwzględnić, 265c *(skorzystać)*
uwzględnić, 1105a
    (aprobować)
uwzględnić wszystkie
    za i przeciw, 103b
uwzględnienie, 10a
uwziąć się, 736e
uwznioślać, 948c
uwznioślenie, 404b
UZALEŻNIAĆ, 470c
uzależnić się, 1087b
uzależnienie, 1033d
uzależniony, 72a *(narkoman)*
uzależniony, 1088a
    (uwarunkowany)
uzasadniać, 963b
uzasadnianie, 872c

uzasadnić, 963a
uzasadnienie, 133b
    (dowodzenie)
uzasadnienie, 631b
    (podstawa)
uzasadniony, 594c *(niepłonny)*
uzasadniony, 698a *(słuszny)*
uzasadniony, 814c *(faktyczny)*
uzbierać, 183a
uzbierać się, 183b
uzbroić się, 1072e
uzbrojenie, 45a
uzbrojony, 831b
uzda, 469c *(pęta)*
uzda, 904b *(postronek)*
uzdatnić, 659c
uzdolnienia, 921a
uzdolniony, 344a
uzdrawiać, 297a
uzdrawiający, 346c
uzdrawianie, 295a
uzdrowić, 297a
uzdrowienie, 295a
uzdrowisko, 349b
uzdrowiskowy, 771a
UZEWNĘTRZNIĆ, 1060a
uzewnętrznić się, 968a
uzewnętrznienie, 1059b
uzgadniać, 103b *(postanowić)*
uzgadniać, 195b *(korelować)*
uzgodnić, 103b
uzgodnienie, 1040b
uzgodniony, 594d
uziemić, 320a *(koić)*
uziemić, 1072b *(zapobiegać)*
UZIEMIENIE, 509c
uzmysłowić, 963c
    (uświadomić)
uzmysłowić, 1145c
    (świadczyć)
uzmysłowienie, 1018e
UZNAĆ, 368b *(stwierdzić)*
uznać, 1125b *(godzić się)*
uznać za, 368d
UZNANIE, 895c *(szacunek)*
uznanie, 1104a *(legalizacja)*
uznanie, 1123a *(przyzwolenie)*
uznany, 1148d *(słynny)*
uznany, 1148e *(przyjęty)*
uznawać, 629b
uznoić się, 1135b
uzupełniać, 665c
    (poustawiać się)
uzupełniać, 1081c
    (powetować)
UZUPEŁNIAJĄCY, 122b
uzupełnianie się, 120a
UZUPEŁNIĆ, 1161b
UZUPEŁNIENIE, 120a
uzurpować, 129d
uzwyczajnić, 659d

WADLIWY, 1133c
 (nieprawidłowy)
wady i zalety, 748b
wadzić, 127b
wadzić się, 999a
wafel, 599b
WAGA, 82a *(ciężar)*
waga, 350a *(miernik)*
waga, 1002b *(znaczenie)*
wagabunda, 27b
wagant, 27b
wagarować, 951b
wagary, 17a
wagina↑, 75e
WAGON, 622b
wagonowy, 339b
wahać się, 137a *(wibrować)*
wahać się, 557b
 (nie móc się zdecydować)
WAHAĆ SIĘ, 1044a
wahadło, 1139d
wahadłowy, 76a
wahanie, 807a *(drgnienie)*
wahanie, 1006c
 (niezdecydowanie)
wahnąć się, 333a
wajdelota, 85c
wakacje, 86b *(pora)*
wakacje, 1057b *(urlop)*
wakacyjny, 771a
wakować, 558d
walać, 48a
walać się, 306a
walc, 923a
walcować, 286a *(modelować)*
walcować, 500d *(przerobić)*
WALCOWATY, 544b
walczyć, 129e *(żądać)*
walczyć, 252a *(rywalizować)*
walczyć, 999 *(zmagać się)*
walczyć o, 65e
walczyć z, 44a
walczyć z sennością, 851a
walczyć z wiatrakami, 879a
walczyć ze śmiercią, 972a
walec, 49b
walec, 638e *(pojazd)*
walecznie, 163b
waleczność, 528a
waleczny, 529a
waletować, 354b
walić, 595a *(gnać)*
walić, 894b *(dobijać się)*
walić, 962a *(trącać)*
walić, 1049b *(wydzielać się)*
walić, 1092c *(nakłaść)*
walić głową o mur, 987c
walić konia, 243e
walić prosto z mostu, 167c
walić się, 243d *(spółkować)*
walić się, 482b *(zniszczeć)*

walić się, 977c *(runąć)*
walić się z nóg, 1135b
waligóra, 674c
WALIZA, 11a
walizeczka, 11a
walizka, 11a
walizkowy, 712d
walka, 1000
walka wewnętrzna, 1006c
walki, 776c
walkman, 161b
walnąć, 26a
walnąć się, 856c *(położyć się)*
walnąć się, 962b *(uderzyć się)*
walnie, 12a
walnięty↓, 205e
walny, 1005d
 (rozstrzygający)
walny, 1038a *(plenarny)*
walor, 63b
waloryzować, 400b
waltornia, 206b
waluta, 600a
walutowy, 178c
wał↓, 347a *(jegomość)*
wał, 734b *(zawada)*
wałach, 258a *(wierzchowiec)*
wałach↓, 431c *(impotent)*
wałęsać się, 215b *(chodzić)*
wałęsać się, 303a
 (próżnować)
wałkonić się, 303b
wałkoń, 304a
wałkować, 286a *(modelować)*
wałkować, 500d *(przerobić)*
wałkować, 788c *(obradować)*
wałkować się, 557a
wałówka↓, 219a
wampir, 674a
wandal, 330b
wandalizm, 1131c
 (okrucieństwo)
wandalizm, 1152b *(rozbiórka)*
wandalski↑, 22c
wanna, 323a *(umywalnia)*
wanna, 639a *(zbiornik)*
wapniaczka↓, 242d
wapniak↓, 347d
wapniaki↓, 781e
war, 1030g
warcholić, 999a
warcholski, 715c
warcholstwo, 445a
warchoł, 212b
warczeć, 50b *(dźwięczeć)*
warczeć, 894e *(wydać głos)*
warczenie, 191b
wargi, 944a
wargi sromowe, 75e
wariacja, 779a *(gatunek)*
wariacja, 1136e *(przeróbka)*

wariacki, 19c *(fanatyczny)*
wariacki, 152b *(nieokiełznany)*
wariacki, 884b *(szaleńczy)*
wariactwo, 372c
wariant, 779a
wariantowy, 205b
wariat, 1001
wariować, 15d *(zbytkować)*
wariować, 243a *(lubić)*
wariować, 1122c *(oszaleć)*
warkliwy, 750b
warknąć, 521a
warkocz, 1029b
warkot, 191d
warkotać, 50b
warkotanie, 191d
warować, 92a *(baczyć)*
warować, 856c *(położyć się)*
warownia, 57b
WAROWNY, 503a
WARSTWA, 679f
warstwa najuboższa, 861c
warstwa społeczna, 861b
warstwami, 609c
warstwowo, 609c
warstwowy, 978b
warsztat, 165c *(kunszt)*
WARSZTAT, 694a *(pracownia)*
warsztatowy, 871e *(fachowy)*
warsztatowy, 984a
 (remontowy)
WART, 673c
warta, 255c
wartki, 118b *(interesujący)*
wartki, 907a *(prędki)*
wartko, 908a
wartkość, 703a
warto, 145d *(popłacać)*
warto, 378b *(powinien)*
WARTOŚCIOWAĆ, 508a
wartościowy, 270a
wartość, 63b *(zaleta)*
wartość, 789d *(numer)*
wartość, 1002 *(cena)*
wartowad, 550e
wartownia, 57d
wartownik, 255b
warunek, 251c
warunki, 372b *(okazja)*
warunki, 647b *(sytuacja)*
warunki, 748b *(powód)*
warunki atmosferyczne, 636a
warunki klimatyczne, 636a
warunki meteorologiczne, 636a
warunkować, 545a
warunkowy, 465c
warzącchew, 329c
warzyć, 756b
warzyć się, 762b
warzywa, 1003a
warzywniak↓, 835a

we własnej osobie, 817g
wedeta↑, 4b
wedle↑, 523a
według, 523a
według uznania, 892a
wedrzeć się, 1011b
 (wkroczyć)
wedrzeć się, 1011b
 (wkroczyć)
weekend, 1057a
wegetacja, 214a *(egzystencja)*
wegetacja, 1069c
 (dojrzewanie)
wegetarianin, 998c
wegetariański, 205c
wegetować, 30c *(biedować)*
WEGETOWAĆ, 783c *(rosnąć)*
wegnać, 873b
wehikuł, 638a
wejrzeć, 9a
wejrzenie, 1144c
wejścia↓, 641b *(protekcja)*
wejście↓, 623c *(początek)*
wejście, 1010 *(drzwi)*
wejściówka, 128b
wejść, 929a *(utkwić)*
wejść, 1011
wejść, 1037a *(piąć się)*
wejść, 1106b *(zmieścić się)*
wejść do akcji, 1080b
wejść na drogę, 669b
wejść w czyjeś
 położenie, 1039b
wejść w jakiś wiek, 545c
wejść w krew, 1070a
wejść w posiadanie, 348b
wejść w rolę, 405d
wejść w szczegóły, 9a
wejść w życie, 682c
wek↓, 547a
weksel, 600e *(pożyczka)*
weksel, 768c *(pokwitowanie)*
wekslować, 294a
welodrom, 136a
welon, 1100b
welwet, 928a
wełna, 928a *(materiał)*
wełna, 1029c *(owłosienie)*
wełnisty, 458a
wemknąć się, 1011b
wena, 382a
wendetta, 775b
wenerolog, 299a
wenta↑, 835d
wentyl, 720a
wentylacja, 515a
wentylator, 515a
wentylować, 96d *(asenizować)*
wentylować, 520b
 (dotlenić się)
wepchnąć, 1092c

wepchnąć się, 736a
 (nagabywać)
wepchnąć się, 1011b
 (wkroczyć)
WEPRZEĆ, 747c *(przycisnąć)*
weprzeć, 973b *(wtłoczyć)*
weprzeć się, 1011b
weranda, 941c
werbalistyczny, 450b
werbalizować, 1060b
werbalnie, 123c
werbalny, 74b *(słowny)*
werbalny, 450b *(gołosłowny)*
werbować, 958e *(pozyskać)*
werbować, 1103b *(nająć)*
werbunek, 707b
werdykt, 128d *(decyzja)*
werdykt, 553a *(orzeczenie)*
weredyk↑, 590b
wermiszel, 239b
wermut, 2d
werniks, 679c
werniksować, 13a
wersaliki, 1146b
werset, 88e *(fragment)*
werset, 812b *(rządek)*
wersja, 779a
wertepy, 136d
werterowski↑, 850b
wertować, 97a
wertykalnie↑, 711b
wertykalny, 803d
werwa, 870c
weryfikacja, 255a
weryfikacyjny, 687c
weryfikować, 659d
 (redagować)
weryfikować, 867a
 (upewniać się)
weryfikowalność, 927b
werystyczny, 125c
werżnąć, 759c
wesele↑, 899d *(radość)*
wesele, 910c *(zaślubiny)*
wesele, 981b *(przyjęcie)*
weselić się, 15c
weselnik, 998c
wesołe miasteczko, 539b
wesoło, 737b
wesoło, 1012
wesołość, 899d
wesoły, 1013
wesół↑, 1013a
wespół↑, 770b
wesprzeć, 648c *(chwytać się)*
wesprzeć, 648d
 (dofinansować)
wesprzeć, 980a *(wyratować)*
wessać, 265a
wessać się, 716b
westalka, 85c

westchnąć, 894c
westchnienie, 191c
westchnięcie, 191c
western, 200c
westernowy, 77a
westybul, 650d
weszło mu w krew, 760a
wet za wet, 775b
weteran, 40a
weterynarz, 299a
wetknąć, 98a *(dostarczyć)*
wetknąć, 240b *(włożyć)*
wetknąć, 973b *(włożyć)*
wetknąć kij w mrowisko, 108a
wetknąć nos w, 97a
weto, 875b
wetrzeć, 973b
wetrzeć się, 716b
wety, 219d
wewnątrzustrojowy, 1014a
wewnętrzny, 562a *(własny)*
wewnętrzny, 763a *(duchowy)*
wewnętrzny, 1014
WEZBRAĆ, 626d *(przybrać)*
wezbrać, 1162c *(wzmóc się)*
wezbrany, 73b
wezwać, 129b *(napominać)*
wezwać, 873a *(wzywać)*
wezwać, 1044d *(głosować)*
WEZWANIE, 713d
wezyr, 236c
weżreć się, 43d *(odjąć)*
weżreć się, 716b *(przenikać)*
WĘCH, 1144a
wędka, 237c
WĘDLINA, 359f
wędliniarski, 835a
wędrować, 215b *(chodzić)*
wędrować, 518b *(odchodzić)*
wędrować, 722b *(podróżować)*
wędrowiec, 1015
wędrownik, 1015a
wędrowny, 771a
 (wypoczynkowy)
wędrowny, 808c *(mobilny)*
wędrówka, 630b *(wycieczka)*
wędrówka, 807f
 (przeniesienie)
wędrówka dusz, 1136b
wędzić, 756d
wędzidło, 904b
wędzisko, 237c
węgiel, 582b *(podpałka)*
węgiel, 605a *(mazak)*
węgieł, 182a
węgierka, 579d
węglarka, 622b
węszyć, 624a *(przypuszczać)*
węszyć, 906b *(poszukiwać)*
węzeł, 1165b
węzeł komunikacyjny, 576a

445

wieczorynka, 556b
wieczór, 86d *(dzień)*
wieczór, 981a *(impreza)*
wieczór, 1141a *(zmrok)*
wieczór autorski, 724c
wieczystość, 940a
wieczysty↑, 939d
wiedza, 1018
wiedza, 1123a *(przyzwolenie)*
wiedzieć, 1019
wiedzieć co w trawie
    piszczy, 624a
wiedźma, 85c *(czarownica)*
wiedźma, 242b *(baba)*
wiedźmowaty↓, 1a
wiejski, 893c *(ludowy)*
wiejski, 896d *(gwarowy)*
wiek, 86c *(stulecie)*
wiek, 1020
wiek dojrzały, 1020c
wiek emerytalny, 1020d
wiek męski, 1020c
wiek młodzieńczy, 1020b
wiek podeszły, 1020d
wiek późny, 1020d
wiek produkcyjny, 1020c
wiek przedemerytalny, 1020c
wieko, 642b
wiekopomny↑, 939d
wiekować, 354a
wiekowy↑, 881f
wiekuistość, 940a
wiekuisty↑, 939d
wielbiciel, 347f *(adorator)*
WIELBICIEL, 1164c
    (miłośnik)
wielce↑, 12a
wiele, 141a
wielekroć, 938b
wielka niewiadoma, 758a
wielkanocny, 542b
wielki, 142c
wielki człowiek, 561b
wielkie halo, 897b
wielkie litery, 1146b
wielkoduszność, 714b
wielkoduszny, 319a *(ludzki)*
wielkoduszny, 1177d
    (szlachetny)
wielkolud, 674c
wielkomocarstwowy, 831c
wielkopański, 139a
wielkoseryjny, 142e
WIELKOŚĆ, 789b *(rozmiar)*
WIELKOŚĆ, 832b *(siła)*
wielkoświatowy, 542c
wielmoża, 36b
wieloaspektowy, 837a
wielobarwność, 1109a
wielobarwny, 14a
wieloczęściowy, 837a

wieloczłonowy, 837a
wieloczynnościowy, 871g
wielodniowy, 113b
wieloetapowy, 460c
wielofazowy, 460c
WIELOFUNKCYJNY, 352b
    (interdyscyplinarny)
wielofunkcyjny, 871g
    (wieloczynnościowy)
wielogłosowy, 1038c
wielogodzinny, 113b
wielojęzyczny, 352c
wielokolorowy, 14a
wielokrotnie, 938b
wielokrotny, 878c
wielokształtny, 352c
wieloletni, 113b
wielomęstwo, 781d
wielomówność, 791a
wielomówny, 164d
wielonarodowościowy, 352c
WIELONARODOWY, 352c
wieloosobowy, 142e
wielopłaszczyznowy, 837a
wielopostaciowy, 352c
wieloraki, 205b
    (niejednoznaczny)
wieloraki, 837a *(złożony)*
wielorakość, 1109a
wielorazowy, 878c
wielostopniowy, 460c
wielostronność, 602c
wielostronny, 871g
    (erudycyjny)
wielostronny, 901b
    (wszechstronny)
wielostronny, 1038d
    (wzajemny)
WIELOŚCIAN, 49b
wielość, 538a *(mnóstwo)*
wielość, 1109a *(zbieranina)*
wielotorowy, 801b
    (równoczesny)
wielotorowy, 837a *(złożony)*
wielotysięczny, 142e
wielowątkowy, 837a
wielowiekowy, 113b
wielowymiarowy, 837a
wieloznaczność, 437a
wieloznaczny, 205b
wielożeństwo, 781d
wieniec, 1016a
wieńczyć, 126a
wieprz↓, 347i *(cudzołożnik)*
wieprz↓, 1170b *(grubas)*
wieprz, 1160b *(bydło)*
wieprzek, 1160b
WIEPRZOWINA, 359d
wierch, 180a
wiercić, 1174c
wiercić się, 663a

wiercipięta, 197a
wierni, 772d
wiernie, 123b
wiernopoddańczy, 189a
wiernopoddaństwo, 844c
wierność, 124a *(precyzja)*
wierność, 955b *(prawość)*
wierność ideałom, 955b
wierny, 125c *(dosłowny)*
WIERNY, 761b *(przywiązany)*
wierny, 772d *(parafianin)*
wierny, 956a *(lojalny)*
wiersz, 88e *(fragment)*
wiersz, 812b *(rządek)*
wiersze, 311b
wierszokleta, 199c
wierszorób, 199c
wierszowany, 803e
wierszowy, 290a *(poetycki)*
wierszowy, 803e *(rytmiczny)*
wierutny, 1062a
wierzący, 772d *(parafianin)*
wierzący, 773c *(pobożny)*
wierzch, 886d
wierzchem, 908e
wierzchni, 99d
wierzchołek, 180a
WIERZCHOWIEC, 258a
wierzeje, 1010a
wierzenia, 335b
wierzgać, 962a
wierzyciel, 998b
wierzyć, 368b *(uznać)*
wierzyć, 368c
    (wyznawać wiarę)
WIERZYĆ, 965b *(ufać)*
wierzyć na słowo, 965b
wierzytelność, 600e
wieszać, 973d *(powiesić)*
wieszać, 1073d *(zadźgać)*
wieszać się, 327b
    (zespalać się)
wieszać się, 972c
    (popełnić samobójstwo)
wieszak, 190a
wieszak, 904e
wieszcz, 606a
wieszczek, 85c
wieszczenie, 335d
wieszczka, 85c
wieszczy↑, 480b
wieś, 349b *(miejscowość)*
wieś, 782a *(chłopstwo)*
wieś trzęsie się od plotek, 792c
wieścić, 204a
wieść, 132a *(tknąć)*
wieść, 202a *(wiadomość)*
wieść, 306c *(rozpościerać się)*
wieść działania, 1085a
wieść jakiś tryb życia, 60a
wieść prym, 234d

wrzaskliwy, 170a
wrzasnąć, 278b
wrzawa, 191a
wrzący, 80b
wrzątek, 1030g
wrzeciądz↑, 855c
wrzecionowaty, 113a
wrzeć, 90c *(pałać)*
wrzeć, 513a *(dziać się)*
wrzeć, 756e *(gotować się)*
wrzenie, 427b
wrzepić, 226a
wrzeszczeć, 278a
wrzeszczeć na, 736d
wrzosowy, 14g
wrzód, 273a
wrzucać
    do jednego worka, 1063b
wrzucić, 973b
wrzucić coś na grzbiet, 949a
wrzynać się, 747c
wsadzić, 240b *(włożyć)*
wsadzić, 470b *(aresztować)*
wsadzić, 759c *(nadziać)*
wsadzić do ciupy, 470b
wsączyć, 1092b
wsączyć się, 716b
WSCHODNI, 313c
wschodząca gwiazda, 4b
wschodzić, 403a *(wyniknąć)*
wschodzić, 783c *(wegetować)*
wschodzić, 1017a *(widać)*
wschód, 623d *(zaranie)*
wschód, 886f *(strona świata)*
wschód słońca, 86d
wsiadać, 1011a
wsiąknąć, 716b
wsiąść, 1011a
wsiowy↓, 893c
wskakiwać, 1011a
wskazać, 545b *(ustalać)*
wskazać, 1044d *(głosować)*
wskazanie, 643b *(rozkaz)*
wskazanie, 872d *(pokazanie)*
wskazanie, 1172c *(wniosek)*
wskazany, 673a
wskazówka, 237c *(strzałka)*
wskazówka, 643b *(rozkaz)*
wskazówka, 1172c *(wniosek)*
wskazywać, 368a
    (utrzymywać)
wskazywać, 545c *(indykować)*
wskazywać, 1145c
    (świadczyć)
wskaźnik, 237c *(strzałka)*
WSKAŹNIK, 350b *(miernik)*
wskoczyć, 864b *(odwiedzić)*
wskoczyć, 1011a *(dostać się)*
wskórać, 1117b
wskroś, 1157a
wskrzesić, 257b *(ponowić)*

wskrzesić, 980c *(odratować)*
wskrzeszenie, 583c
wskutek, 656b
WSŁAWIĆ SIĘ, 847b
wsłuchać się, 843a
wsłuchany, 993b
wsłuchiwać się, 995b
wsolić, 26b
wspak, 201d
WSPANIALE, 119b *(fajnie)*
wspaniale, 920c *(zgoda)*
wspaniałomyślnie, 115a
WSPANIAŁOMYŚLNOŚĆ, 117c
wspaniałomyślny, 1177d
wspaniałość, 387c
wspaniały, 118c *(świetny)*
WSPANIAŁY, 542c *(okazały)*
wsparcie, 101c *(dotacja)*
wsparcie, 653a *(pomoc)*
wspierać, 648a *(pomóc)*
wspierać się, 306b
wspieranie, 653a
wspinaczka, 862b
wspinaczkowy, 771d
wspinać się, 1037
wspinać się na palce, 126d
wspomagający, 122a
wspomaganie, 101c
WSPOMINAĆ, 584d
wspominki, 735b
wspomniany, 881b
wspomnieć, 376d
    (przemawiać)
wspomnieć, 584d
    (wspominać)
wspomnienia, 735b
WSPOMNIENIE, 583b
wspomnisz moje słowa, 769b
wspomożenie, 101c
wspomożyciel, 116a
wspomóc, 648d
wspornik, 631a
wspólne cechy, 1124c
WSPÓLNIE, 770b
wspólnik, 933c
wspólność, 1124c
wspólnota, 861f *(społeczność)*
wspólnota, 1022c *(łączność)*
wspólny, 1038
współbrzmieć, 195a
współczesność, 927a
współczesny, 33c
współcześnie, 926a
współczucie, 1169e
współczuć, 1039
współczująco, 115a
współczujący, 542b
współczynnik, 789d
WSPÓŁDZIAŁAĆ, 195c
WSPÓŁDZIAŁANIE, 1040a

współgrać, 195a
    (potwierdzać się)
współgrać, 195d *(pasować)*
współgranie, 1040a
współistnieć, 195c
współistnienie, 214a
współmiernie, 800a
współmierność, 1124b
współorganizować, 648a
współpodróżny, 933c
współpraca, 1040
współpraca, 1118c
    (szpiegostwo)
współpracować, 195c
współpracownik, 695a
    (zatrudniony)
współpracownik, 933c
    (partner)
współpracownik
    tajnej policji, 210d
współrządzić, 958b
współrzędnie, 800b
współrzędny, 627c
    (równoznaczny)
współrzędny, 801a *(paralelny)*
współśrodkowo, 770d
współtowarzyszyć, 489c
współtworzyć, 195c
współuczestnictwo, 964a
współuczestniczyć, 958b
współuczestnik, 933c
współudział, 964a
współwłaściciel, 933c
współzależność, 1022b
współzależny, 1088a
WSPÓŁZAWODNICTWO, 1000d
współzawodniczyć, 252a
współzawodnik, 451a
współżycie, 214a
współżycie seksualne, 827a
współżyć, 243d *(pożądać)*
współżyć, 489b
    (mieć do czynienia)
wstać, 58b *(ocknąć się)*
wstać, 297c *(zdrowieć)*
WSTAĆ, 626c *(powstać)*
wstać lewą nogą, 175a
wstać od, 260b
wstawać, 626c
wstawiać się, 877d
wstawić, 756b *(przyrządzić)*
wstawić, 973b *(włożyć)*
wstawić, 1161c *(powiększać)*
wstawienie, 120c
WSTAWIENNICTWO, 653c
wstawiony, 572b
wstawka, 120a
wstąpić, 48b *(ubrudzić się)*
wstąpić, 958c *(przystąpić)*
wstąpić, 1011a *(dostać się)*
wstąpić, 1070a *(owładnąć)*

wyciągać nogi, 595b
wyciągać szyję, 589d
wyciągać z gardła, 686a
wyciąganie, 976c
wyciągarka, 157b
wyciągnąć, 489c
  (partnerować)
wyciągnąć, 749d *(nakierować)*
wyciągnąć, 980a *(wyratować)*
wyciągnąć, 1048a *(wyjąć)*
wyciągnąć nogi↓, 972b
wyciągnąć rękę
  do zgody, 985c
wyciągnąć się, 104c *(krzywić)*
wyciągnąć się, 520c
  (leżakować)
wyciągnąć się, 856c
  (położyć się)
wyciągnięcie, 976c
wycie, 191b
wyciec, 722c
  (rozprzestrzeniać się)
wyciec, 1048d *(wydostać się)*
WYCIECZKA, 630b
wycieczkowicz, 1015a
wycieknąć, 615a
wyciemnić, 560c
wycieńczać, 902a
wycieńczenie, 70b
wycieńczony, 73a
  (niedysponowany)
wycieńczony, 841a *(wątły)*
wycieńczyć, 560a
wycieńczyć się, 560e
wycieraczka, 625b
wycierać, 96b
wycierać cudze kąty, 354b
wycierać sobie
  kimś gębę, 736c
wycieranie, 94d
wycięcie, 1100g
wycinać, 948a
wycinek, 88e
wycinkowo, 473b
wycinkowy, 440b
wycisk↓, 291b
wyciskać, 988c
wycisnąć, 286a *(modelować)*
wycisnąć, 1048a *(wyjąć)*
wyciszać, 320a
wyciszony↓, 859a
wyciszyć, 560c
wycofać, 43f *(odbierać)*
wycofać, 975b *(odwołać)*
wycofać, 1036a *(nawrócić)*
wycofać się, 777d
  (rezygnować)
WYCOFAĆ SIĘ, 1036b *(wrócić)*
wycofać z obiegu, 975c
wycofanie, 976b
wycofanie się, 952a

wycwanić się, 686f
wycwaniony↓, 344c
wycyganić, 1117a
wyczarterowanie, 150b
wyczekać się, 87a
wyczekany, 671d
wyczekiwać, 87b
wyczekiwanie, 427d
  (czekanie)
wyczekiwanie, 860a *(spokój)*
wyczekiwany, 671d
wyczerpać, 1153c
wyczerpać się, 1159b
wyczerpać siły, 1135b
wyczerpać temat, 788b
wyczerpanie, 70b
  (niedyspozycja)
wyczerpanie, 497d
  (zmęczenie)
wyczerpanie, 1152c *(zużycie)*
WYCZERPANY, 1134a
wyczerpująco, 123a
  (drobiazgowo)
wyczerpująco, 936a
  (męcząco)
wyczerpujący, 937d
  (męczący)
wyczerpujący, 125b
  (gruntowny)
wyczucie, 117a *(dobro)*
wyczucie, 1034c *(przeczucie)*
wyczucie, 1144b *(dotyk)*
wyczuć, 90a
wyczulenie, 795c
wyczulić, 769a
wyczulony, 106b
wyczuwać, 624a
wyczuwalny, 1062a
wyczyn, 890c *(rekord)*
wyczyn, 1079b *(postępek)*
wyczyniać, 669b
wyczyniać harce, 15d
wyczynowy, 771b
wyczyścić, 96b
wyczytać, 686b
  (dowiedzieć się)
wyczytać, 1044d *(głosować)*
wyć, 278a *(drzeć się)*
wyć, 894d *(szczekać)*
wyćwiczony, 871a
wyćwiczyć się, 1019b
wydać, 98c *(rozdać)*
wydać, 103b *(postanowić)*
wydać, 612c *(ufundować)*
wydać, 629b *(poświadczyć)*
wydać, 780e *(obradzać)*
wydać, 784a *(zawieść)*
wydać głos, 50b *(dźwięczeć)*
WYDAĆ GŁOS, 894e
wydać na świat, 780c
wydać sąd, 508a

wydać się, 968a *(wyłonić się)*
wydać się, 968c *(zdradzić się)*
wydać się, 1113b
  (wyglądać na)
wydać wyrok, 103a
wydać zaświadczenie, 1093a
wydaje się, 624a
wydajnie, 838a
wydajność, 870a
wydajny, 839a
wydalać, 1047
wydalenie, 225b *(banicja)*
wydalenie, 976c *(usunięcie)*
wydanie, 64c *(oblicze)*
wydanie, 225b *(ekstradycja)*
WYDANIE, 282f *(książka)*
wydanie, 779a *(gatunek)*
wydany, 1148b
wydarzenia, 735a
WYDARZENIE, 1112a
wydarzyć się, 403a
wydatek, 1002a
wydatki, 555a
wydatkować, 612c
wydatny, 142g
wydawać, 792a
WYDAWAĆ SIĘ, 1113a
wydawać woń, 580a
wydawca, 946b
wydawnictwo, 282f
  (publikacja)
WYDAWNICTWO, 718d
  (oficyna wydawnicza)
WYDAWNICZY, 290c
wydech, 515b
wydedukować, 383b
wydekoltować się, 702d
wydelegować, 1044d
  (odkomenderować)
WYDELEGOWAĆ, 1065b
  (posłać)
wydeptać, 1174b
wydezynfekować, 96e
wydębić, 1117a
wydęcie, 180b
wydęty, 186b
wydłubać, 1174c
wydłużony, 113a
wydłużyć, 1161c
wydłużyć krok, 595b
wydłużyć się, 1162a
wydma, 1046a
wydobrzeć, 980c
wydobycie, 996a
wydobyć, 1048a *(wyjąć)*
wydobyć, 1048b *(odgrzebać)*
wydobyć głos, 376a
wydobyć spod ziemi, 1117a
wydobyć ton, 50b
wydobywać się, 1049b
wydobywanie, 996a

wyjść, 792d *(drukiem)*
wyjść, **1053** *(wyruszać)*
wyjść cało, 980b
wyjść dobrze na, 678a
wyjść na durnia, 248c
wyjść na jaw, 968a
wyjść na ludzi, 284a
wyjść na spotkanie, 1023a
wyjść na swoje, 1117c
wyjść na wolność, 994c
wyjść obronną ręką, 980b
wyjść z propozycją, 708c
wyjść z siebie, 175c
wyjść z ukrycia, 968b
wyjść z użycia, 1095c
wyjść z wprawy, 1095a
wyjść źle na, 883c
wykałaczka, 237c
wykantować, 1156c
wykapany, 1062a
wykaraskać się, 678b
   (prosperować)
wykaraskać się, 1053c
   (wydostać się)
wykasować, 975c
WYKAZ, 310a
wykazać, 545b *(ustalać)*
wykazać, 963a *(udowadniać)*
wykazanie, 872d
wykazywać opieszałość, 557c
wykazywać
   podobieństwo, 405e
WYKAZYWAĆ SIĘ, 847a
wykąpać się, 616a
wykierować się
   na człowieka, 284a
wykipieć, 1048d
WYKIWAĆ, 1050c
wyklarować się, 682c
   (decydować się)
wyklarować się, 796c
   (wyjaśnić się)
wyklaskać, 873a *(przywołać)*
wyklaskać, 1064a *(wyrzucić)*
wyklaskać, 702c
   (wybijać takt)
wyklejać, 751e
wyklęcie, 225a
wyklęty, 1133e
wyklinanie, 833a
wykluczać się, 1145d
wykluczenie, 822c
   (samotność)
wykluczenie, 1045c
   (eliminacja)
WYKLUCZONE, 418c
wykluczony, 99a *(usunięty)*
wykluczony, 438a
   (niewykonalny)
wykluczyć, 1064a
wykluwać się, 780d

wykład, 409d *(szkolenie)*
WYKŁAD, 724c *(odczyt)*
wykładać, 159a *(kształcić)*
wykładać, 751e *(pokryć)*
wykładać, 948a *(zdobić)*
wykładać, 1048a *(wyjąć)*
wykładowca, 375a *(retor)*
wykładowca, 410a *(dydaktyk)*
wykładzina, 625b
wykłócać się, 129e
wykoleić się, 857c
wykolejony, 1133d
wykołować, 1050c
wykombinować, 193b *(kupić)*
wykombinować, 383c
   (obmyślać)
wykombinować, 1117a
   (wystarać się)
WYKONAĆ, 126a *(dokonać)*
wykonać, 702c *(występować)*
wykonać, 945a *(przygotować)*
wykonać replikę, 264d
wykonać zabieg, 297a
wykonalny, 373c
wykonanie, 148e
   (realizacja)
WYKONANIE, 690e *(robota)*
wykonany, 1158d
wykonawca, 4c
wykonawczy, **1054**
wykonawstwo, 148e
wykoncypować, 383c
WYKONYWAĆ, 691d
wykończenie, 182a
wykończony↓, 1134a
   (wyczerpany)
wykończony, 1158d *(gotowy)*
wykończyć, 260e
   (powykańczać)
wykończyć, 902a *(zaszkodzić)*
wykończyć, 1073c *(uśmiercić)*
wykończyć się, 560e
wykop, 153a
wykopać↓, 1064a *(relegować)*
wykopać, 1048a *(wyjąć)*
wykopalisko, 1101a
wykopcić, 1159a
wykopki, 179c
wykopyrtnąć się↓, 977c
wykorkować↓, 972b
wykorzenić, 988c
wykorzystać, 265c
   (skorzystać)
wykorzystać, 1156c *(wyłudzić)*
wykorzystać, 1159a *(zużywać)*
wykorzystanie, 279b *(wyzysk)*
wykorzystanie, 570b
   (oszczędność)
wykorzystanie, 996a
   (użytkowanie)
wykorzystywać, 265a

wykorzystywanie, 279b
wykosić, 1073c
wykosztować się, 612c
wykoślawiać, 104c
wykoślawienie, 456b
wykoślawiony, 52c
wykpić się, 980b
wykradać, 1156d
wykrakać, 680b
wykrawek, 429c
wykreować, 945c
   (powołać do życia)
wykreować↑, 1044d *(wyłonić)*
wykreowanie, 690e
wykres, 608c
wykreślać, 988a *(usunąć)*
wykreślić, 809a *(kreślić)*
wykreślić, 975c *(zawiesić)*
wykręcać, 1036a
wykręcać kota ogonem, 573a
wykręcić się, 980b
wykręt, 748b
wykrętnie, 449c
wykrętny, 495b
wykroczenie, 35e *(błąd)*
WYKROCZENIE, 730a
   (przestępstwo)
wykroczyć, 402b
wykropkować, 988a
wykrot, 153b
wykrój, 1068b
wykruszać się, 777d
wykrwawić się, 560e
wykrycie, 1018c
wykryć, 1147a
wykrystalizować się, 682b
   (zaistnieć)
wykrystalizować się, 1049b
   (wydzielać się)
wykrywacz, 983d
wykrywanie, 10e
wykrzesać, 1048a
wykrztusić, 376f
wykrzyknik, 1146c
wykrzywić się, 104c *(krzywić)*
wykrzywić się, 894c
   (zdradzać objawy)
wykrzywienie, 456b
wykształcenie, 409a
   (edukacja)
wykształcenie, 690a *(zawód)*
wykształcenie, 903a *(szkoła)*
wykształcenie, 1018a
   (erudycja)
wykształcić, 159a
wykształcić się, 682b
   (zaistnieć)
wykształcić się, 1019b
   (potrafić)
WYKSZTAŁCONY, 344b
wykuć, 578c *(wybić otwór)*

wyszarzały, 881a
wyszczać się↓, 1047a
wyszczególniać, 545b
wyszczekany↓, 871h
wyszczerbić, 1174a
wyszczerbiony, 971e
wyszczuplać, 1137e
wyszeptać, 376f
wyszkolenie, 165c
wyszkolić, 159a
wyszkolony, 189b
wyszlachetnieć, 284c
 (rozwijać się)
wyszlachetnieć, 1138c
 (odmienić się)
wyszlifować, 659c
wyszlifowany, 803b
wyszło, 261d
wyszło mi na dobre, 145c
wyszło mu bokiem, 902b
wyszperać, 1147a
wyszmelcowany, 881a
wyszpiegować, 1147a
wysztafirować się, 948b
wysztafirowany, 1116c
wyszukać, 1044b
 (reflektować)
wyszukać, 1147a *(odnaleźć)*
wyszukany, 542c
wyszukiwać, 906a
wyszukiwanie, 10a
wyszumieć się, 15e
wyszumować, 988c
wyszycie, 105b
wyszydzać, 657b
wyszydzanie, 228b
wyszykować, 749b
wyszykować się, 749e
wyszynk, 216a
wyszywać, 948a
wyściełać, 751e
wyściełany, 357a
wyścig, 703a *(szybkość)*
wyścig, 1000d
 (współzawodnictwo)
wyścigi, 1000c
wyścigowy, 907c
wyścigówka↓, 638a
wyściubić, 514d
wyśledzić, 1147a
wyśliznąć się, 1048d
wyśmienicie↑, 920c *(zgoda)*
wyśmienicie, 119b *(dobrze)*
wyśmienity↑, 522d *(dobry)*
wyśmienity, 118c *(udany)*
wyśmiewać, 657b *(kpić)*
wyśmiewanie, 228b
wyśpiewywać, 702c
wyśrubowany, 388a
wyświadczyć grzeczność, 877e
wyświadczyć przysługę, 648a

wyświechtać się, 1159b
wyświechtany, 881a *(zużyty)*
wyświechtany, 1148e
 (oklepany)
wyświecić, 1159a
 (sfatygować)
wyświecony, 881a
wyświetlać, 702b
wyświetlenie, 913b
wyświetlić, 796b
wyświetlić się, 796c
wyświęcić, 1044d *(księdza)*
wyświęcić↑, 1064b *(wypędzić)*
wytaczać argumenty, 963a
wytapiać, 705a *(wytwarzać)*
wytapiać, 1049c *(uzyskiwać)*
wytarty, 881a *(zużyty)*
wytarty, 1148e *(oklepany)*
wytarzać, 751e
wytchnąć, 520a
wytchnienie, 1057a
wytępić, 1064c *(wyzbyć się)*
wytępić, 1073c *(uśmiercić)*
wytępienie, 1075a
wytęskniony, 671d
wytężać, 398a
wytężać słuch, 843a
wytężony, 831d
wytknąć, 514d *(wysunąć)*
wytłamszony, 881a
wytłoczyć, 286a *(modelować)*
wytłoczyć, 1048a *(wyjąć)*
wytłuc, 483d *(stratować)*
wytłuc, 483e *(kruszyć)*
wytłuc, 1048a *(wyjąć)*
wytłuc się, 1159b
wytłumaczenie, 1051a
 (usprawiedliwienie)
wytłumaczenie, 1051c
 (rozwiązanie)
wytłumaczyć, 963b
wytłumaczyć się, 44c
 (apologizować)
wytłumaczyć się, 985b
 (przepraszać)
wytłumić, 320a
wytłuszczony, 1005a
wytoczyć, 286a *(modelować)*
wytoczyć, 500a *(obrobić)*
wytoczyć, 558a *(pompować)*
wytoczyć racje, 963a
wytoczyć się, 1048d
 (wydostać się)
wytoczyć się, 1053a
 (wybierać się)
wytoczyć sprawę, 999b
wytopić się, 1049b
wytracać, 560b
wytracić, 1073c
wytrasować, 545b
wytrawny↑, 871f *(urodzony)*

wytrawny, 344c
 (doświadczony)
wytrąbić, 558c *(zabrać)*
wytrąbić, 597b *(popijać)*
wytrącać, 1049c
wytrącać się, 1049b
wytrącać z równowagi, 1076a
wytrącić broń z ręki, 683d
 (wstrzymać)
wytrącić broń z ręki, 1050b
 (wygrać)
wytrenować, 159a
wytrenowanie, 165c
wytresować, 159a *(kształcić)*
wytresować, 760c
 (obłaskawić)
wytresowanie, 165c
wytresowany, 189b
wytropić, 1147a
wytruć, 1073d
WYTRWAĆ, 738c
wytrwale, 692b
wytrwałość, 124c *(staranność)*
wytrwałość, 832d
 (wytrzymałość)
WYTRWAŁOŚĆ, 979a *(upór)*
wytrwały, 693c
wytrybować, 756a
wytrych, 863c
wytrysk, 827b
wytryskiwać, 1049b
wytrzasnąć, 1117a
wytrząsać się, 736d
wytrząsnąć, 558c
wytrzebić, 988c *(usuwać)*
wytrzebić, 1073c *(uśmiercić)*
wytrzeć, 96b
wytrzeć nos, 231b
wytrzepać, 96c
wytrzeszczać oczy, 589a
wytrzeszczony, 544c
wytrzeźwieć, 980c
WYTRZYMAĆ, 126c *(uciągnąć)*
wytrzymać, 738d *(zdzierżyć)*
wytrzymałościowy, 771b
wytrzymałość, 528b
 (zahartowanie)
WYTRZYMAŁOŚĆ, 832d
 (wytrwałość)
WYTRZYMAŁY, 478a
wytrzymywać, 1125a
 (tolerować)
wytupać, 702c *(wybijać takt)*
wytupać, 1064a *(wygwizdać)*
wytwarzać, 680b *(wywoływać)*
WYTWARZAĆ, 705a
 (produkować)
wytwarzanie, 179b
wytwornie, 854c
wytworniś, 347g
wytworność, 767e *(okazałość)*

463

wytworność, 1079d
  (grzeczność)
wytworny, 318e *(elegancki)*
wytworny, 542c *(wspaniały)*
wytworzyć się, 682b
WYTWÓR, 148a *(dzieło)*
wytwór, 931a *(produkt)*
WYTWÓRCA, 946d
WYTWÓRCZOŚĆ, 179b
  (gospodarka)
wytwórczość, 690c *(praca)*
wytwórczy, 178b
wytwórnia, 718c
wytyczać, 536c *(delimitować)*
wytyczać, 545b *(ustalać)*
wytyczna, 1172c
wytyczne, 608b *(program)*
wytyczne, 1172c
  (dyrektywy)
wytykać, 167c *(zarzucać)*
wytypować, 708a *(zgłosić)*
wytypować, 1044d *(głosować)*
wyuczyć się, 1019b
wyuzdanie, 793a
wyuzdany, 454c
wywabiacz, 298c
WYWABIĆ, 988b
wywalczyć, 126a
wywalić się, 977c
wywalony↓, 544c
wywar, 298b
wyważony, 956b
wyważyć, 988c
wywąchać, 1147a *(wykryć)*
wywąchiwać, 906b
  (poszukiwać)
wywczasować się, 520a
wywczasy, 1057b
wywdzięczyć się, 151b
wywędrować, 518b
wywęszyć, 1147a
WYWIAD, 3b *(ankieta)*
wywiad, 790a *(konwersacja)*
wywiad, 1118c *(szpiegostwo)*
wywiadowca, 210c
wywiadowczy, 687b
wywiadywać się, 686b
wywianować, 98e
WYWIĄZAĆ SIĘ, 1081a
wywiedzieć się, 686b
wywierać nacisk, 747a
wywierać wpływ, 680c
wywieszka, 202c *(ogłoszenie)*
wywieszka, 1146i
  (oznakowanie)
wywieść na manowce, 107b
wywieść w pole, 1050c
wywieść wniosek, 368b
wywietrzeć, 1049b
wywietrznik, 541a
wywietrzyć, 96d *(asenizować)*

wywietrzyć, 1137b
  (zrobić od nowa)
wywieźć, 721a *(przenieść)*
wywieźć, 1064b *(wysiedlić)*
wywijać, 333b
wywinąć kozła, 663a
wywinąć się, 980b
wywindować, 626a
wywindować się, 1037a
wywlec, 968d *(wyjawić)*
wywlec, 1048a *(wyjąć)*
WYWŁASZCZAĆ, 1156b
wywłaszczenie, 723d
wywnętrzać się, 968b
wywnioskować, 368b
wywodzenie się, 623a
wywodzić, 963a
WYWODZIĆ SIĘ, 619a
wywojować, 126a
wywołać, 873a *(wzywać)*
wywoływać, 680b *(stwarzać)*
wywoływać
  obrzydzenie, 1149a
wywoływać wymioty, 127c
wywozić, 721a
wywożenie, 934b
wywód, 631b *(podwalina)*
wywód, 724b *(oracja)*
wywóz, 192c *(eksport)*
wywóz, 934b *(przewóz)*
wywrotka, 638b
  (samochód ciężarowy)
wywrotka, 807b *(upadek)*
wywrotny, 472b *(śliski)*
wywrotny, 808d *(niestabilny)*
wywrotowiec, 40c
wywrotowy, 715c
wywrócić się, 977c
wywrzeć presję, 747a
wywrzeć skutek, 680c
wywyższać się, 1067
wyzbierać, 988c
wyzbyć się, 994d *(odwykać)*
WYZBYĆ SIĘ, 1064c
  (likwidować)
wyzbywać się surowości, 358a
wyzdrowieć, 297c
wyzdychać, 972d
wyzgrabnieć, 1138c
wyzierać, 1017a
wyziewy, 143b
wyziębiać się, 1128a
wyziębić, 1128b
wyziębnąć, 1128a
wyzionąć ducha, 972b
wyzłośliwiać się, 167a
wyznaczać, 545b
wyznaczać miejsce, 545b
wyznaczać normę, 102c
wyznaczanie, 10e
  (dochodzenie)

wyznaczanie, 414b
  (definiowanie)
wyznacznik, 1146e
wyznaczony, 671b *(wybrany)*
wyznaczony, 871e
  (upoważniony)
wyznaczyć, 103c *(ustalić)*
wyznaczyć, 1044d *(głosować)*
wyznaczyć, 1103b *(nająć)*
WYZNAĆ, 968b
wyznania, 919a
WYZNANIE, 772a *(religia)*
wyznanie, 919a *(zwierzenie)*
WYZNANIOWY, 773d
wyznawać się, 796a
WYZNAWAĆ WIARĘ, 368c
wyznawca, 957c *(praktykant)*
wyznawca, 1164a
  (sprzymierzeniec)
wyznawca islamu, 196b
wyznawca kościoła, 772d
wyzuć, 1156b
wyzwać, 1077c
wyzwanie, 211c
wyzwisko, 436d
WYZWOLENIE, 1032b
wyzwoleńczy, 798b
wyzwoliciel, 116a
wyzwolić, 994b
wyzwolony, 477b
WYZYSK, 279b
wyzyskać, 265c
wyzyskanie, 996a
wyzyskiwacz, 451d
  (prześladowca)
wyzyskiwacz, 574c
  (naciągacz)
wyzyskiwać, 265c
wyzyskiwanie, 996a
wyzywać, 736d
WYZYWAJĄCO, 213b *(rażąco)*
wyzywająco, 464c *(butnie)*
wyzywający, 388d *(rażący)*
wyzywający, 1084a *(hardy)*
wyżąć, 891a *(odwadniać)*
wyżąć, 988c *(usuwać)*
wyżebrać, 1117a
wyżegać, 988c
wyżej, 100c
wyżeracz↑, 304a
wyżerać, 265c
wyżerka, 219a
wyżłobić, 1174a
wyżłobienie, 153f
wyżłopać, 558c *(zabrać)*
wyżłopać, 597b *(popijać)*
wyżreć, 558c
wyższa konieczność, 251a
wyższość, 739a
wyżwirować, 56c
wyżyć, 738c

wyżyłować, 727c
wyżyłować się, 612c
wyżyna, 180a
wyżywać się, 315b
wyżywić, 550a
WYŻYWIENIE, 219b
 (jedzenie)
wyżywienie, 990a
 (utrzymanie)
wzajem↑, 770c
wzajemnie, 770c
wzajemność, 117b
WZAJEMNY, 1038d
WZBIĆ SIĘ, 1037b
wzbierać, 626d *(wezbrać)*
wzbierać, 1110a
 (zapowiadać się)
wzbierać, 1162c
 (wzmagać się)
wzbijać się, 293a
wzbogacić, 1161a
 (przysporzyć)
wzbogacić, 948c
 (uwieloznacznić)
wzbogacić się, 1117c
 (zarobić)
wzbogacić się, 1162c
 (wzmagać się)
wzbraniać się, 44a *(osłaniać)*
wzbraniać się, 876c
 (odmówić)
wzbronić, 683b
wzbroniony, 22c
wzbudzać mdłości, 127c
wzbudzać niesmak, 1149a
wzbudzić, 680a
wzbudzić podziw, 208b
wzbudzić się, 403a
wzburzenie, 424d *(sprzeciw)*
wzburzenie, 427b
 (porywczość)
wzburzenie, 1132a *(gniew)*
wzburzony, 152d *(rozszalały)*
WZBURZONY, 1115d *(gniewny)*
wzburzyć, 108b *(oburzyć)*
WZBURZYĆ, 351a *(bełtać)*
wzburzyć się, 175c
wzdąć się, 1162a
wzdęty, 73b
wzdłuż, 800e
wzdłużnie, 800e
wzdragać się, 876c
WZDRYGNĄĆ SIĘ, 8c *(zadrżeć)*
wzdrygnąć się, 137c
 (trząść się)
wzdychać, 340b *(kłopotać się)*
wzdychać, 894c
 (zdradzać objawy)
wzdychać do, 243a
wzdychanie, 156c *(odgłos)*

wzdychanie, 191c
 (westchnięcie)
wzejść, 1017a
wzgarda, 300a
 (bagatelizowanie)
wzgarda, 424b *(odraza)*
wzgardliwie, 425c
wzgardliwy, 452d
wzgardzić, 167a
WZGLĄD, 748c
względem, 688a
względnie, 473b
względny, 118a *(niezły)*
względny, 465c *(warunkowy)*
względy, 117b *(życzliwość)*
względy, 653c
 (wstawiennictwo)
względy, 895a *(poważanie)*
wzgórek, 180c
WZGÓRZE, 180a
wziąć, 43a *(zawładnąć)*
wziąć, 43b *(sięgać)*
wziąć, 130b *(brać)*
wziąć, 193b *(kupić)*
wziąć, 243d *(pożądać)*
wziąć, 265a *(używać)*
wziąć, 470b *(aresztować)*
wziąć, 691c *(etat)*
wziąć, 949a *(ubrać się w)*
wziąć, 1044b *(reflektować)*
wziąć, 1070a *(owładnąć)*
wziąć, 1103b *(nająć)*
wziąć, 1156d *(przywłaszczyć)*
wziąć baty, 81c
wziąć coś na, 297b
wziąć górę, 1050a
wziąć na muszkę, 749d
WZIĄĆ NA RĘCE, 492b
wziąć na spytki, 686a
wziąć nogi za pas, 951a
wziąć
 pod swoje skrzydła, 550a
wziąć pod uwagę, 995a
wziąć rewanż, 377a
wziąć rozbrat, 994d
wziąć się, 619b *(wynikać)*
wziąć się, 1080b *(zaczynać)*
wziąć się na odwagę, 530a
wziąć się w garść, 986a
wziąć siłą, 280c
wziąć sobie na głowę, 550a
wziąć sprawy
 we własne ręce, 234c
wziąć udział, 958a
wziąć w obroty, 129d
wziąć za, 381a
wziąć za dobrą monetę, 381d
wziąć za głowę, 129d
wziewać, 516a
wziewanie, 515b
wzięcie, 512a *(przyjęcie)*

wzięcie, 890b *(powodzenie)*
wzięło go, 1085a
wziętość, 890b
wzięty, 1148d
wzlecieć, 1037b
wzlot, 67c
wzloty i upadki, 1139d
WZMACNIAJĄCO, 115d
wzmacniający, 654a
WZMAGAĆ, 1161d
WZMAGAĆ SIĘ, 1162c
wzmaganie, 1069b
wzmianka, 202a *(wiadomość)*
wzmianka, 437c *(aluzja)*
wzmiankować, 376d
wzmocnić, 980c *(odratować)*
wzmocnić, 1072d *(umocnić)*
wzmocnić, 1161d *(wzmagać)*
wzmocnić się, 220c
 (najeść się)
wzmocnić się, 1162c
 (wzmagać się)
wzmocnienie, 631c *(ostoja)*
wzmocnienie, 1069b
 (poprawa)
wzmożenie, 1069b
wzmożony, 831d
wzmóc, 1161d
wzmóc się, 1162c
wzniecić, 680a *(sprawić)*
wzniecić, 853b *(podpalić)*
wzniesienie, 55c *(montaż)*
wzniesienie, 180a *(wzgórze)*
wznieść, 56a *(wznosić)*
wznieść, 626a *(unieść)*
wznięść, 1037b *(wzbić się)*
wznieść okrzyk, 278b
wznieść się, 50a
wzniosłość, 404b *(powaga)*
wzniosłość, 767d *(wyniosłość)*
wzniosły, 542a *(uroczysty)*
wzniosły, 673c *(chlubny)*
WZNOSIĆ, 56a *(budować)*
wznosić, 626a *(unieść)*
wznosić się, 306c
 (rozpościerać się)
wznosić się, 514c *(sterczeć)*
wznosić się, 1037b *(wzbić się)*
wznosić toast, 877a
wznoszenie, 55c
wznowić, 257b *(ponowić)*
wznowić, 1161b *(uzupełnić)*
wznowić się, 257c
wznowienie, 282f *(wydanie)*
wznowienie, 413a *(powrót)*
wzorcowy, 698c
wzorować na, 405b
WZOROWAĆ SIĘ, 405a
wzorowanie się na, 922d
wzorowo, 523f
wzorowość, 602c

wzorowy, 698c
wzorzec, 365a
wzorzysty, 1116b
wzór, 263c *(kopia)*
WZÓR, 365a *(mistrz)*
wzór, 701c *(norma)*
wzór, 1068
wzór, 1094a *(zapis)*
wzrastać, 783a
WZRASTAJĄCY, 1140c
wzrastanie, 1069c
WZROK, 1144c
wzrok padł na, 589c
wzrok spoczął na, 589c
wzrokowo, 449a
wzrokowy, 687e
wzrosnąć, 626d *(wezbrać)*
wzrosnąć, 1162b *(przybywać)*
wzrost, 789b *(wysokość)*
wzrost, 1069
    (powiększenie)
WZRUSZAJĄCY, 364d
wzruszenie, 91a
WZRUSZONY, 1115a
wzruszyć, 1070
wzruszyć ramionami, 167a
WZRUSZYĆ SIĘ, 1070c
wzuć, 949d
wzwód, 827b
wzwyż, 100d
WZYWAĆ, 873a
wzywanie, 191a
wżenić się, 836a
wżerać się, 716b *(przenikać)*
wżerać się, 747c *(weprzeć)*
wżyć się, 1039b

X

xero, 161d

Z

z boku, 954c
z brawurą, 163a
z byka spadłeś, 1122b
z całego serca, 169a
z charakterem, 24a
Z CHĘCIĄ, 68b
z chichotem, 1012c
z cudzoziemska, 201b
z czasem, 681c
z czubem, 726d
z czułością, 361c
z dala, 100b
z daleka, 100b
z dawien dawna, 938d
z desek, 888b
z detalami, 123a

z dezaprobatą, 425d
z dystansem, 464d
z dziada pradziada, 938d
z entuzjazmem, 830c
z fantazją, 163a
z galanterią, 188c
Z GNIEWEM, 176a
z godnością, 1024c
z godziny na godzinę, 681c
z górą, 121b
z górki, 321b
z góry, 464d *(wyniośle)*
z góry, 684c *(z lotu ptaka)*
z góry, 753b *(apriorycznie)*
z grubsza, 543a
z hakiem↓, 121b
z ikrą↓, 164c
z ilustracjami, 14a
z impetem, 163a
z innej epoki↓, 881e
z jajem↓, 164c
z konfekcją, 932b
z konieczności, 425a
z kretesem, 1157a
z księżyca wzięty, 172a
z kurtuazją, 188c
z ledwością, 692b
z lekceważeniem, 425c
z lekka↑, 840c
z lękiem, 473f
z lotu ptaka, 684c
z lubością, 68b
z łatwością, 321b
z maestrią, 317c
z marszu↓, 1098c
z mety↓, 1098c
z miejsca, 1098c
z miłą chęcią, 68b
z miłością, 361c
z mozołem, 936a
z naganą, 464e
z nagła, 391a
z natury, 408a
z niedowierzaniem, 992b
z obrazkami, 14a
z ociąganiem, 425a
z oddaniem, 692a
z ogonem↓, 121b
z okładem↑, 121b
z opóźnieniem, 688a
z osobna, 817e
Z OSTROŻNA, 566a
z palcem w nosie↓, 321b
z pamięci, 817d
z patosem, 439a
z pewnością, 592a
z piekła rodem, 1133b
z pierwszych stron, 1005a
z początku, 1008b
z pogardą, 425c
z pominięciem, 418g

z powątpiewaniem, 992b
z powodu, 656b
z powodzeniem, 838c *(udanie)*
z powodzeniem, 920c *(śmiało)*
z powrotem121b
z pozoru, 449a
z pożytkiem, 838a
z premedytacją, 854b
z przekąsem, 464b
z przodu, 34c
z przyganą↑, 464e
z przyjemnością, 68b
z przymrużeniem oka, 1012c
z przyszłością, 373a
z punktu↓, 1098c
z puszki, 939c
z racji, 656b
z refleksem, 993b
z reguły, 938b
z rezerwą, 464d *(wyniośle)*
z rezerwą, 992b *(sceptycznie)*
z rozdrażnieniem, 176a
z rozkoszą, 68b
z rozmachem, 163a
z rozmarzeniem, 361a
z rozmysłem, 854b
z rozpędu↓, 753e
z roztargnieniem, 498c
z rzadka, 473b *(tu i ówdzie)*
z rzadka, 811a *(nieczęsto)*
z sensem, 345b
z sympatią, 119d
z tęsknotą, 849c
z trudem, 692b *(z ledwością)*
z trudem, 636a *(mozolnie)*
z tworzywa, 888c
z umiarem, 858a
z uniesieniem, 830c
z uporem, 692b
z uznaniem, 119d
z wahaniem, 473c
z winy, 656b
z wirtuozerią, 317c
z wolna, 681a
z wyjątkiem, 418g
z wyłączeniem, 418g
z wymówką, 464e
z wyrazami
    podziękowania, 542b
z wyrzutem, 425d
z wysiłkiem, 936a
z wysoka, 464d *(wyniośle)*
z wysoka, 684c *(z lotu ptaka)*
z wysokości, 684c
z wyższością, 464d
z zachwytem, 830c
z założenia, 753b
z zapałem, 830c
z zażenowaniem, 473c
z żelaza, 888a
z życiem↓, 908a

z życzeniami, 542b
ZA, 920h
za bardzo, 726b
za bezcen, 266b
za ciężki, 142j
za darmo, 266b
za długi, 487a
za dnia, 688c
ZA DUŻO, 726d
za i przeciw, 748b
za karę, 391b
za każdym razem, 938d
 (zawsze)
za młodu, 233f
za młodych lat, 233f
za nic w świecie, 418c
za opłatą, 954f
za plecami, 144b
za przyczyną, 656b
za psi grosz, 266b
za widna, 688c
za wyjątkiem, 418g
za zgodność, 629b
za żadne skarby, 418c
zaabonować, 1093d
zaabsorbowany, 99a
zaadaptować się, 760b
zaaferowany, 99a
zaagitować, 1077c
zaakcentować, 769a
zaakcentowanie, 221d
zaambarasowany, 731b
zaanektować, 1156d
zaangażować, 958e
 (pozyskać)
zaangażować, 1103b *(nająć)*
zaangażować się, 1085b
zaangażowany, 993b
zaanonsować, 204a
 (zawiadamiać)
zaanonsować, 702a
 (zapowiedzieć)
zaaplikować, 297a
zaaranżować, 749a
zaatakować, 397a *(zaczepiać)*
zaatakować, 1080b
 (zaczynać)
ZAAWANSOWANY, 797a
 (rozwinięty)
zaawansowany, 881f
 (podeszły)
zababrać, 48a
zabagnić, 777e
zabalować, 15e
zabalsamowanie, 253a
zabalsamowany↓, 572b
zabałaganić, 727b
zabandażowany, 969c
zabarłożyć, 727b
ZABARWIĆ, 13b
ZABARWIĆ SIĘ, 13c

zabarwienie, 64c *(charakter)*
zabarwienie, 156a *(brzmienie)*
zabarwienie, 245a *(barwa)*
zabarykadować, 1072e
ZABAWA, 200e *(impreza)*
zabawa, 1071 *(psoty)*
zabawa taneczna, 200e
zabawa w kotka
 i myszkę, 1071a
zabawić, 15a *(zająć)*
zabawić, 208a *(zaciekawiać)*
ZABAWIĆ SIĘ, 15e
zabawka, 813c
ZABAWNIE, 1012b
zabawność, 228c
ZABAWNY, 1013b
ZABAWOWY, 1013d
zabetonować, 1072d
zabezpieczać, 1072a
ZABEZPIECZAJĄCO, 510a
zabezpieczający, 503b
ZABEZPIECZENIE, 509a
 (ochrona)
zabezpieczenie, 593a
 (gwarancja)
zabezpieczony, 594f
zabezpieczyć, 1072
 (osłaniać)
zabezpieczyć, 1156a
 (rekwirować)
zabębnić, 894b
ZABICIE, 1075b *(zgładzenie)*
zabicie, 1075c *(morderstwo)*
zabić, 728a *(deskami)*
zabić, 1073 *(uśmiercić)*
zabić klina, 208d
zabić się, 972b *(umrzeć)*
zabić się, 972c
 (popełnić samobójstwo)
zabiedzony, 73a
ZABIEG, 295b *(operacja)*
zabieg, 863b *(sposób)*
ZABIEGAĆ, 879c
zabiegany, 693e
zabiegi, 690g
zabiegowy, 346c
zabierać, 1156a
zabijać się, 727c
zabijaka, 330b
zabijanie, 1075a
zabity, 341a *(nieżywy)*
zabity, 422a *(trup)*
zabity deskami↓, 859b
zabliźnić się, 297c
zablokować, 683e *(złapać)*
zablokować, 1089a
 (zatrzasnąć)
zablokowany, 428a
zabłądzić, 1095d
zabłąkany, 671e *(zgubiony)*
zabłąkany, 754a *(przygodny)*

zabłocić, 48a
zabłocony, 47b
zabłysnąć, 915a
zabobon, 335b
zabobonnie, 173b
zabobonny, 172d
zabobony, 335b
zaborca, 451c
zaborczość, 66a
zaborczy, 1074
zabójca, 729c
zabójczo↑, 1078a
zabójczy↓, 1177a
 (kokieteryjny)
zabójczy, 420a *(szkodliwy)*
zabójstwo, 1075
zabór, 723c
zabór mienia, 272a
zabrać, 43c *(zdjąć)*
zabrać, 43f *(odbierać)*
ZABRAĆ, 558c *(wyprzątnąć)*
zabrać, 1156d *(okraść)*
zabrać głos, 376b
zabrać się, 1080b
zabradziażyć↓, 727b
zabraknąć, 261d *(brakować)*
zabraknąć, 972b *(umrzeć)*
zabraniać, 683b
zabroniony, 22c
zabrudzić się, 48b
zabrudzony, 47b
ZABUDOWANIA, 57c
zabujany↓, 347f
zabukować, 1093c
zabulgotany↓, 1115d
zaburzać, 1076
zaburzenia, 776c
zaburzenie, 35b *(błąd)*
zaburzenie, 70a *(choroba)*
zaburzenie, 456c
 (nieprawidłowość)
zaburzony, 205e
zabytek, 652b
zabytkowy, 881e
zacerować, 400c
zachcianka, 67e
zachciewajki↓, 273b
zachciewanki, 475c
zachachmęcić↓, 247a
zachęcać, 1077
zachęcająco, 1078
zachęcający, 1177a
zachęta, 653a *(pomoc)*
zachęta, 748a *(pobudka)*
zachlany↓, 572b
zachlipać, 613b
zachłannie, 68c
zachłanność, 66b
ZACHŁANNY, 1074b
ZACHMURZENIE, 441a
zachmurzony, 850a

zakupy, 192b
zakurzyć, 526f
zakusy, 67e
zakuta pała↓, 1001b
zakutać, 949b
zakuty, 172b
zakuty łeb↓, 1001b
zakwalifikować, 665d
zakwalifikowanie się, 890a
zakwas, 887b
zakwaterowanie, 312a
   (umieszczenie)
zakwaterowanie, 355a
   (apartament)
zakwefić, 918a
zakwestionowanie, 875a
zakwilić, 613b
zakwitać, 783b
zalać, 722c
zalać blaskiem, 915d
zalać się łzami, 613b
zalanie się, 603b
zalany↓, 572b
zalatany↓, 693e
zalatywać, 405e
   (przypominać)
zalatywać, 580b (cuchnąć)
zalążek, 623c
zalążki, 623b
zalecać, 1077c
ZALECAĆ SIĘ, 243c
zalecanki, 363c
zalecany, 673a
zalecenie, 1172c
ZALECIĆ, 129c
zaledwie, 467d
ZALEGAĆ, 306a (osiąść)
zalegać, 557c (opóźniać)
zalegalizować, 1105a
zalegalizowanie, 1104a
zaległości, 1009b
zaległy, 440d
ZALETA, 63b (cecha)
zaleta, 997b (użyteczność)
zalew, 538b (mnogość)
zalew, 1030c (jezioro)
zalewać, 722c (opływać)
ZALEWAĆ, 751c (zatapiać)
zalewać robaka, 526c
zaleźć za skórę, 127b
zależeć, 1087
zależnie, 233c
zależności, 641b
zależność, 1022b
zależność od, 1033d
zależny, 1088
zależy, 920a
zalęgnąć się, 682b
zalękniony↑, 731a
zali↑, 418a
zaliczać do, 368d

zaliczenie, 160b
zaliczenie do, 507b
zaliczka, 555b
zaliczyć, 126a (wykonać)
zaliczyć, 1081a (wywiązać się)
zaliczyć do, 665d
ZALOTNIE, 1078a
zalotnik, 347f
zalotność, 602b
zalotny, 1177a
zaloty, 363c
zalśnić, 915a
zaludnienie, 861b
zaludniony, 1158c
załadować, 749b (szykować)
załadować, 1092c (nakłaść)
załadowany↓, 1158c
załagodzić spór, 985c
załamać, 286b
załamać, 340a
załamać się, 777b
załamać się pod, 596e
załamanie, 17b (zwątpienie)
załamanie, 182a (brzeg)
załamanie, 448c (klęska)
załamany, 850a
załamek, 1121a
załamywać ręce, 81e
załamywać się, 8d
załapać, 796a
załapać się↓, 1117b
załatwić↓, 1050 (pokonać)
ZAŁATWIAĆ SIĘ, 1047a
załatwianie, 719f
załatwić, 691b
załatwić po znajomości, 877e
załatwienie↓, 1075c
załatwiony↓, 841h
załącznik, 120a
załganie, 575b
załgany, 353a
załkać, 613b
ZAŁOGA, 187b
załogowy, 896d
załom, 1121a
załomotać, 894b
założenie, 251c (wymóg)
założenie, 437d (domysł)
założenie, 608b (program)
założenie, 631b (podwalina)
założenie, 912b (sedno)
założycielski, 1041d
założyć, 945c (utworzyć)
założyć, 1103b (nająć)
założyć dom, 836b
założyć kłódkę, 1089a
założyć podsłuch, 736b
założyć sprzeciw, 876c
załzawiony, 371b
ZAMACH, 7a (atak)
zamach, 807b (machnięcie)

zamach stanu, 776a
zamachnąć się, 749d
zamachowiec, 729b
ZAMAKAĆ, 369b
ZAMALOWAĆ, 1092e
zamarkować, 573d
zamartwiać się, 340b
zamarzanie, 168b
zamarznąć, 972b (umrzeć)
zamarznąć, 1128c (zmarznąć)
zamarznięty, 943b
zamarzyć o, 65b
zamaskować, 918a
zamaskowany, 969b
zamaszysty, 164b
zamaszyście, 163a
zamawiać, 65c (chcieć)
ZAMAWIAĆ, 1093d
   (kontraktować)
zamazać, 918c
zamazany↓, 106b (płaczliwy)
zamazany, 474a
   (niewyrazisty)
zamążpójście, 910c
zamczysko, 57b
zameczek, 57b
zamek, 57b (budowla)
zamek, 855b (zapięcie)
ZAMEK, 855c (rygiel)
zameldować, 204b
zameldować się, 745d
zamelinować się, 918b
zamęczać prośbami, 129a
zamęczyć, 280b (ciemiężyć)
zamęczyć, 1073c (uśmiercić)
zameście↑, 910c
ZAMĘT, 443b
zamglony, 474a (niewyrazisty)
zamglony, 841f (nikły)
zamiana, 1136b
ZAMIAR, 67d (chęć)
ZAMIAR, 608a (plan)
zamiarować↓, 65d
zamiast, 201d
zamiatanie, 94d
zamieć, 441c
zamiejscowy, 490a
zamieniać, 1137c (przerabiać)
ZAMIENIĆ, 1102b (podstawić)
zamienić się w, 1138a
ZAMIENNIE, 806c
zamienność, 1139a
zamienny, 808b
ZAMIERAĆ, 1150e
ZAMIERZAĆ, 65d
zamierzać się, 749d
zamierzchłe czasy, 735c
zamierzchły, 881c
zamierzenie, 608a
zamierzony, 594b
ZAMIESZANIE, 443d

zapasy, 862b
(dyscyplina sportowa)
zapasy, 1000c (zawody)
zapasy, 1101b (zapas)
zapaść, 70c (zasłabnięcie)
zapaść, 403b (nastać)
zapaść, 682c (decydować się)
zapaść na, 71c
zapaść się, 596e
(implodować)
zapaść się, 977a (opaść)
zapaśnik, 674c (atleta)
zapaśnik, 1107a (sportowiec)
zapatrywać się, 368a
zapatrywania, 382b
zapatrywanie, 553a
zapatrzony, 19e (zaślepiony)
zapatrzony, 993b (baczny)
zapatrzyć się, 589c
zapchany, 1158c
zapełniać, 1092
zapełnić się, 1092a
zapełniony, 1158c
zaperzać się, 175c
zaperzenie, 1132c
zaperzony, 1115d
zapewne, 697a (chyba)
ZAPEWNE, 920a (możliwe)
zapewniać, 1093
(przekonywać)
zapewnić, 98e (preliminować)
zapewnienie, 128c
(oświadczenie)
zapewnienie, 593a
(gwarancja)
zapewnienie, 910a (przysięga)
zapewniony, 373a
zapędy, 67e
zapędzić się, 727b
zapędzić w kozi róg, 1050b
zapędzony, 693e
zapiaszczyć, 48a
zapiąć na ostatni guzik, 260e
zapiekanka, 599c
zapiekły↑, 24a (zdecydowany)
zapiekły↑, 881e (zadawniony)
zapiekły, 750c (nieznośny)
zapiekły, 889b (zeschnięty)
zapieprz↓, 690f
zapieprzać↓, 691b
zapierdalać↓, 691b
zapierniczać↓, 691b
zapierać dech, 1070b
ZAPIĘCIE, 855b
zapijaczony, 572b
ZAPINKA, 855a
zapis, 101b (darowizna)
zapis, 701b (akt prawny)
zapis, 1094
zapis muzyczny, 1094a
zapis nutowy, 1094a

zapisać, 129c (zalecić)
zapisać, 204b (opowiedzieć)
zapisać, 604a (napisać)
zapisać, 958d (przyjąć)
ZAPISAĆ, 989b (utrwalić)
zapisać, 1092e (zamalować)
zapisać się, 958c
zapisać w spadku, 98b
ZAPISEK, 1094c
zapity↓, 572b
zaplanować, 65d
zaplątać się, 929a
ZAPLECZE, 334b (magazyn)
zaplecze, 593a (gwarancja)
zaplecze, 653e (usługi)
zaplecze, 886c (tył)
zapluty↓, 430b
zapłacić, 612b
zapładniający, 485b
ZAPŁAKAĆ, 613b
zapłakany, 371b (załzawiony)
zapłakany, 850a (smutny)
zapłata, 555b (pensja)
zapłata, 775a (rewanż)
zapłodnić, 780b (począć)
zapłodnić, 1077a (natchnąć)
zapłodnienie, 401a
zapłonąć, 853b (podpalić)
zapłonąć, 915b (rozgorzeć)
zapłoniony↑, 731b
ZAPOBIEC, 683b (odradzić)
ZAPOBIEGAĆ, 1072b
(zażegnać)
zapobieganie, 509b
zapobiegawczo, 510b
ZAPOBIEGAWCZY, 346e
(antykoncepcyjny)
zapobiegawczy, 503c
(profilaktyczny)
zapobiegliwie, 692a
zapobiegliwość, 567a
zapobiegliwy, 693b
zapocić, 369a
zapocony, 371b
ZAPOCZĄTKOWAĆ, 1080a
zapoczątkowanie, 623c
zapodać↓, 204a
zapodziać, 883a
zapodziać się, 1151d
zapolować, 1073f
zapominać, 1095
zapomniany, 465a
ZAPOMNIEĆ, 1095a
zapomnieć się, 727b
zapomnienie, 300d
(lekkomyślność)
zapomnienie, 527a
(zamroczenie)
zapomnienie, 714b
(wybaczenie)
zapomoga, 600d (płaca)

zapomoga, 653d (przysługa)
zapora, 734b (zawada)
zapora, 1030c (jezioro)
zapośredniczyć, 1102b
zapotniały↑, 371b
zapotrzebować, 65c
zapotrzebowanie, 643c
(zlecenie)
zapotrzebowanie, 890b
(popyt)
zapowiadać, 375c
zapowiadać, 204a
(zawiadamiać)
zapowiadać, 1145c
(świadczyć)
ZAPOWIADAĆ SIĘ, 1110a
ZAPOWIEDZIEĆ, 702a
(anonsować)
zapowiedź, 202a (wiadomość)
zapowiedź, 335d
(przepowiednia)
zapowiedź, 623d (zaranie)
zapoznać, 159a (kształcić)
zapoznać, 489a (spotkać)
zapoznać, 702a
(zapowiedzieć)
zapoznać się, 686c
(obeznać się)
zapoznać się, 686g
(otrzaskać się)
zapoznany↑, 465a
zapoznawczy, 1041d
ZAPOŻYCZENIE, 842b
zapożyczony, 1088b
zapożyczyć, 405a
zapóźniony, 689b (spóźniony)
zapóźniony, 971b
(niepełnosprawny)
zapracować, 1117b
zapracowany, 693e
zapracowywać się, 727c
zapragnąć, 65b
zapraszać, 612c (fundować)
ZAPRASZAĆ, 864c (gościć)
zaprawa↓, 981c (feta)
zaprawa, 862a (gimnastyka)
zaprawa, 1144e (smak)
zaprawdę↑, 920e
zaprawić, 756c (przyprawić)
zaprawić, 760c (obłaskawić)
zaprawiony↓, 572b
zapreliminować, 545e
zaprenumerować, 1093d
zaprezentować, 702b
zaprodukować się, 702c
zaprogramować, 545a
zaproponować, 708c
zaprosić, 864c (zapraszać)
zaprosić, 873a (wzywać)
zaprosić do stołu, 966a
zaproszenie, 309a

zaprowadzić, 103b
  (postanowić)
zaprowadzić, 873c
  (wprowadzić)
zaprowadzić, 973a
  (wprowadzić)
zaprószyć, 48a
zaprzaniec, 196c
zaprzaństwo, 1118b
zaprząc, 1103b
zaprzątać, 208c
zaprzeczenie, 250c
  (przeciwieństwo)
ZAPRZECZENIE, 833d
  (zdementowanie)
zaprzeczyć, 876b
zaprzeć się, 648c
  (chwytać się)
zaprzeć się, 1056c
  (odrzec się)
zaprzedać, 784a
zaprzepaszczenie, 338a
zaprzepaścić, 883a
ZAPRZESTAĆ, 777d
zaprzestanie, 976b
  (odwołanie)
zaprzestanie, 1086b *(koniec)*
zaprzęg, 638d
zaprzyjaźnić się, 489a
zaprzyjaźniony, 33e *(zżyty)*
zaprzyjaźniony, 1038d
  (zakolegowany)
zaprzysiąc, 1093b
zaprzysięgły↑, 24a
zapukać, 894b
zapuszczenie, 338a
zapuszczony, 430b
zapuścić, 721f *(obniżać)*
zapuścić, 777e *(zaniedbać)*
zapuścić się, 727b
zapuścić zasłonę, 728a
zapylenie, 429b
zapytać, 686a
zapytanie, 704a *(problem)*
zapytanie, 866a *(pytanie)*
zapyzieć, 857a
zapyziały↓, 430b
zarabiać na, 550a
zaradczy, 503c
zaradnie, 838b
zaradność, 795c
zaradny, 164c *(rzutki)*
ZARADNY, 693b *(gospodarny)*
ZARANIE, 623d
zaranie dziejów, 735c
zaraz, 1096
zaraz gdy, 233b
zaraz zaraz, 418d
zaraza↓, 242b *(kobieta)*
ZARAZA, 70h *(epidemia)*
zarazem, 799b

zarazić, 902a
zarazić się, 71c
zarazki, 135b
zaraźliwy, 420a
zarażanie, 70h
zarażenie, 70h
zarażony, 72a *(pacjent)*
zarażony, 73a *(zakażony)*
zareagować, 521b *(odpisać)*
zareagować, 669a
  (skwitować)
zarejestrować, 589e *(widzieć)*
zarejestrować, 989a *(nagrać)*
zarezerwować, 1093c
zarezerwowany, 373a
zaręczyć, 1093a
zaręczynowy, 1041c
zaręczyny, 910b
zarobek, 268b *(zysk)*
zarobek, 600d *(płaca)*
zarobek, 990a *(chleb)*
ZAROBIĆ, 1117c
zarobiony↓, 693e
zarobkowanie, 690c
zarodek, 623c *(początek)*
zarodek, 1097
zarosnąć, 728a
ZAROST, 1029d
zarośla, 277a
zarośnięty, 430b *(zaniedbany)*
zarośnięty, 1028a *(owłosiony)*
zarozumiale, 464c
ZAROZUMIALEC, 1004b
zarozumialstwo, 767b
ZAROZUMIAŁOŚĆ, 767b
zarozumiały, 139c
zarówno, 799b
zaróżowić się, 13c
zarumienić się, 591c
  (wstydzić się)
zarumienić się, 1070c
  (wzruszyć się)
zarumieniony, 731b
zarwany↓, 23a
zaryglować, 1089a
zarykiwać się ze śmiechu, 15b
zarys, 285c *(profil)*
zarys, 608c *(szkic)*
zarysować, 809a
zarysowanie, 308a
zaryzykować, 530a
zarząd, 1026d
zarządca, 236a *(naczelnik)*
zarządca, 719d *(pełnomocnik)*
zarządzać, 234b
zarządzający, 236a
  (naczelnik)
zarządzający, 1005c
  (nadrzędny)
zarządzanie, 179a
  (gospodarowanie)

zarządzanie, 1026c
  (zwierzchnictwo)
zarządzenie, 643b *(rozkaz)*
zarządzenie, 701b
  (akt prawny)
zarządzić, 129c
zarzekać się, 876a
zarzewie, 623c
zarzęzić, 894c
zarzucać, 167c *(strofować)*
zarzucać, 624c *(oskarżyć)*
zarzucić, 260a *(finalizować)*
zarzucić, 624c *(oskarżyć)*
zarzucić, 777d *(zaprzestać)*
zarzucić, 883a *(gubić)*
zarzut, 833c
zarzynać, 1073e
zarzynać się, 727c
zarżnąć się↓, 130b
zarżnięty↓, 683e
zasada, 631b *(podwalina)*
zasada, 701c *(norma)*
zasadnicza kwestia, 912b
zasadnicza zawodowa, 903c
zasadniczo, 12a *(wysoce)*
zasadniczo, 920e *(naprawdę)*
zasadniczy, 676a *(surowy)*
zasadniczy, 1005a *(ważki)*
zasadniczy, 1005d
  (gruntowny)
zasadnie↑, 954e
zasadny↑, 814c
zasady, 701c *(norma)*
zasady, 887b *(mieszanina)*
zasadzać się, 1145b
zasadzić, 780a
zasadzka, 575f
zasapany, 1134b
zaschły↑, 889b
zaschnięty, 889b
zaserwować, 816c
zasępienie, 475b
zasępiony, 850a
zasiać, 780a
zasiąść do, 1080b
zasiedlać, 354d
zasiedlanie, 355e
zasiedziały, 893b
zasiedzieć się, 727b
zasieki, 974a
zasiew, 179c
ZASIĘG, 789a
zasięganie języka, 10e
zasięgnąć języka, 686b
zasilać, 982b
zasilić, 648d *(dofinansować)*
zasilić, 1161b *(uzupełnić)*
zasiłek, 600d
zasinieć, 13c
zaskakiwać, 1098
zaskakująco, 391a

zatem, 656c
zatemperować, 749b
zatęchły, 750e
zatkać, 400d *(obetkać)*
ZATKAĆ, 1089d *(korkować)*
zatkany, 428a
zatłoczenie, 538e
zatłoczony, 1158c
zatłuc, 1073b
zatłuszczony, 47b
zatłuścić, 48a
ZATOKA, 1030f
zatonąć w, 1085a
zatopić, 483h *(storpedować)*
zatopić, 722c *(wyciec)*
zator, 734b
zatracenie↑, 911b
zatracić↑, 883a
ZATRACIĆ, 1138e
zatracony↑, 1133a
zatrajkotać, 683a
zatrajlować, 683a
zatrącać, 405e *(przypominać)*
zatrącać, 580a *(wonieć)*
zatroskany, 850a
zatrucie, 70g *(stan zapalny)*
zatrucie, 429b *(brudy)*
zatruć, 48c
zatrudniać się, 691c
zatrudnić, 1103
zatrudnienie, 690b
ZATRUDNIONY, 695a
zatruta strzała, 911c
zatruty, 420a
zatrważać, 885a
zatrważająco, 184b
zatrważający, 166a
zatrwożenie, 307b
zatrwożony, 731a
zatrzask, 855b
ZATRZASNĄĆ, 1089a
zatrzasnąć drzwi
  przed nosem, 786c
zatrzeć się, 482c *(erodować)*
ZATRZEĆ SIĘ, 1095b
  (ulecieć z pamięci)
zatrzeć złe wrażenie, 975b
zatrzymać, 260c *(dogaszać)*
zatrzymać, 470b *(aresztować)*
zatrzymać, 683d *(wstrzymać)*
ZATRZYMAĆ SIĘ, 354a
  (mieszkać)
zatrzymać się, 1150a *(stanąć)*
zatrzymać się
  w pół drogi, 777c
zatrzymać sobie, 43a
zatrzymanie, 469d
zatrzymany, 729a
zatuszować, 918c
zatwardzenie, 734b
zatwardziałość, 979b

zatwardziały, 693c
zatwierdzenie, 1104
zatwierdzić, 1105
zatwierdzony, 594d
zatyczka, 642c
zatyrać się, 1135b
zatyrany↓, 693e
zatytułować, 415a
zatytułowanie, 414c
zaufać, 965a
zaufanie, 389a
zaufany, 956a *(sumienny)*
zaufany, 1164a
  (sprzymierzeniec)
zaułek, 136d
zauroczony, 1083b
zausznik, 1164a
zautomatyzować, 659b
zauważalny, 218b
  (dostrzegalny)
zauważalny, 1062a
  (uchwytny)
zauważyć, 376d *(przemawiać)*
zauważyć, 589e *(widzieć)*
ZAWADA, 734b
zawadiacki, 1084a
zawadiacko, 184d
zawadiackość, 528a
zawadiaka, 39b *(śmiałek)*
zawadiaka, 330c *(awanturnik)*
zawadzać, 247b
  (przeszkadzać)
zawadzać, 683c
  (przeciwdziałać)
zawadzanie, 734a
zawalczyć, 879b
zawalidroga, 734b
zawał, 70c
zawarować, 1072c
  (uwiarygodnić)
ZAWAROWAĆ, 1093c
  (zastrzec)
zawarowanie, 593a
zawarowany↑, 373a
zawartość, 685b *(ilość)*
ZAWARTOŚĆ, 935a *(treść)*
zaważyć, 680c
zawczasu↑, 1008c
zawdy↑, 938d
zawdzięczać, 130d
zawężlić się, 247a
  (komplikować się)
zawężlić się, 104c
  (deformować)
zawiać, 137e *(powiewać)*
zawiać, 137e *(powiewać)*
zawiać, 751b *(przysypywać)*
ZAWIADAMIAĆ, 204a
zawiadomić o, 204b
zawiadomienie, 202b
  (komunikat)

zawiadomienie, 309a *(list)*
zawiadywać, 234b
zawiany↓, 572b
zawias, 1121b
zawiązać, 326c *(skupiać)*
zawiązać, 945c *(utworzyć)*
zawiązać się, 403a *(wyniknąć)*
zawiązać się, 682b *(zaistnieć)*
zawiązać spisek, 241c
zawiązać świat↑, 836b
zawiązanie, 855b
zawiązek, 623b
zawiązki, 623b
zawiedziony, 476a
zawieja, 441c *(burza)*
zawierać, 1106
zawierucha, 7b *(napaść)*
zawierucha, 441c *(burza)*
zawieruszyć, 883a
zawieruszyć się, 1151d
zawierzenie, 389a
ZAWIESIĆ, 975c
zawiesina, 298b *(maść)*
zawiesina, 887b *(mieszanina)*
zawiesistość, 168a
zawiesisty, 305c
zawieszać, 728a
zawieszenie, 1163b
zawieszenie broni, 860c
ZAWIEŚĆ, 784a *(zdradzić)*
zawieść, 1108b *(popsuć się)*
zawieść się, 784c
zawikłanie, 437a
zawikłany, 937a
zawile, 473a
zawilgły, 371b
zawilgocony, 371b
zawiłość, 437b *(niejasność)*
zawiłość, 704e *(problem)*
zawiły, 937a
zawinąć, 546a *(zapakować)*
zawinąć, 626b *(zadrzeć)*
zawinąć, 745b *(przyjść)*
zawinąć, 751d *(otulić)*
zawinąć się↓, 972b
zawiniątko, 11b
zawinięty, 274a
zawiniony, 1027d
zawinszować sobie, 65c
zawisły↑, 1088d
zawisnąć, 929c
zawisnąć oczami, 589c
zawistnik, 451a
zawistny, 452a
zawiść, 424d
ZAWITAĆ, 745d
ZAWŁADNĄĆ, 43a
zawładnięcie, 272a
  (złodziejstwo)
zawładnięcie, 723c *(podbój)*
zawłaszczenie, 723d

ziarenko, 1126a
ziarnko, 1126a
ziarno, 1126
ziąb↓, 441b
zidentyfikować, 545b
zidiocenie, 174e
zidiocieć, 1122c
zielarstwo, 295c
zielarz, 299b
ziele, 755c
zieleniak, 835d
zielenić się, 1017a
zieleniec, 539b
zielenieć, 13c
ZIELENINA, 1003c
zieleń↓, 328b *(trawnik)*
zieleń, 245c *(kolor)*
zieleńce, 328b
zielnik, 282b
zielona granica, 934c
zielona pietruszka, 1003c
zielona trawka, 755a
zielone↓, 600a
zielony↓, 433a
　　(niedoświadczony)
ZIELONY, 14f *(seledynowy)*
zielony, 1164c *(ekolog)*
zielsko, 1127b
ziemia, 336d *(posiadłość)*
ziemia, 585a *(kraj)*
ziemia, 625a *(podłoga)*
ZIEMIA, 755b *(przegroda)*
ziemia, 1127
ziemia obiecana, 899b
ziemia ojców, 540a
ziemia ojczysta, 540a
ziemia pali się pod stopami, 8d
ziemia rodzinna, 540a
ziemia usuwa się
　　spod nóg, 987c
ziemianin, 36b
ziemianka, 57d
ziemio rozstąp się, 883a
ZIEMIOPŁODY, 611c *(plon)*
ziemiopłody, 1003a *(warzywa)*
ziemistość, 245c
ziemisty, 73a
ziemniaczany, 1178c
ziemniak, 1003a
ZIEMSKI, 893e
ziewać, 516a
ziewanie, 515b
ziewnięcie, 515b
ziębić, 1128b
ziębnąć, 1128
zięć, 781c
zignorować, 651a
zignorować propozycję, 876c
zilustrować, 948a *(zdobić)*
zilustrować, 1060b
　　(przedstawić)

zima, 86b
zimna wojna, 250a
zimnawo, 1168g
zimnica↓, 441b
zimno↓, 273b *(wysypka)*
zimno, 441b *(chłód)*
zimno, 464d *(wyniośle)*
zimnokrwisty↑, 859c
zimny, 24c *(bezlitosny)*
zimny, 498b *(chłodny)*
zimny, 1129
zimny napój, 399a
zimować, 738b
zimowisko, 1057b
zimowy, 80c
zindustrializować, 659b
zinstrumentować, 1102c
zinstytucjonalizowany, 878b
zintegrować, 195b
zintegrowanie, 1130a
zinterpretować, 796b
zinwentaryzować, 989c
zioła, 1144e
zioło, 755c
ziołolecznictwo, 295c
ziołowy, 750e *(gorzkawy)*
ziołowy, 1175a *(przyprawowy)*
ziomek, 933b
zionąć, 516a *(wydychać)*
zionąć, 1049a *(emitować)*
zionąć, 1060a *(uzewnętrznić)*
zionie pustką, 558d
ziółka↓, 298b
ZIÓŁKO, 874b
zipać, 516a
zignorować, 657a
zirytować, 108b
zirytować się, 175a
ZIRYTOWANY, 1115c
ziszczać, 945b
ziścić się, 682b
zjadacz chleba, 89a
zjadać, 220b *(zjeść)*
zjadać, 1159a *(zużywać)*
zjadliwie, 464b
zjadliwość, 1132b
zjadliwy, 1b *(drwiący)*
zjadliwy↓, 522c *(jadalny)*
zjaśnieć, 13c
ZJAWA, 828c
zjawiać się
　　w marzeniach, 1082b
zjawić się, 745d *(zawitać)*
zjawić się, 1017b
　　(rozciągać się)
ZJAWISKO, 563a
zjawiskowy↑, 318a
zjazd, 180b *(zbocze)*
ZJAZD, 744d *(przybycie)*
zjazd, 1119a *(zebranie)*
zjazdowiec, 1107a

zjechać, 167b *(potępiać)*
zjechać, 514b *(skręcić)*
zjechać, 722e *(schodzić)*
zjechać, 745c *(znaleźć się)*
zjechać, 977b *(potknąć się)*
zjechanie się, 744d
zjednać sobie, 489a
zjednoczenie, 559b
　　(zrzeszenie)
zjednoczenie, 1130
zjednoczony, 1038a
zjednoczyć się, 195c
zjednywanie, 707b
zjełczeć, 762b
ZJEŚĆ, 220b
zjeść zęby na, 686g
zjeździć, 722b
zjeżdżać↓, 951a *(pierzchać)*
zjeżdżać, 514b *(skręcić)*
zjeżdżać, 722e *(schodzić)*
zjeżdżać, 745c *(znaleźć się)*
zjeżdżać się, 864d
zjeżdżaj, 518b
zjeżyć, 626b
zjędrnieć, 1138c
zlać, 326e *(dodawać)*
zlać, 369a *(nawilżać)*
zlać, 558a *(pompować)*
zlać, 1092b *(napełnić)*
zlać się, 327a
　　(uzyskiwać połączenie)
zlać się, 1047a *(załatwiać się)*
zlać się↓, 243f *(mieć wytrysk)*
zlać się potem, 369c
zlatać się, 1135b
zlatywać, 261a *(upływać)*
zlatywać, 722e *(schodzić)*
zlatywać, 977e *(lądować)*
zląc się, 8b
ZLECENIE, 643c *(polecenie)*
zlecenie, 690c *(praca)*
zlecić, 129c *(zalecić)*
zlecić, 1103a *(fatygować)*
zlecieć, 722e *(schodzić)*
zlecieć, 977b *(potknąć się)*
zlecieć się, 864d
zlecone, 690b
zlekceważyć, 651a
zlepek, 887c
zlepić się, 327c
zlewać, 326e *(dodawać)*
zlewać, 558a *(pompować)*
zlewki, 429b
zleźć się, 1135b
zleżały, 881a
zleżeć się, 762a
zlęknąć się, 8b
zlękniony↑, 731a
zlicytować, 1156a
zliczać, 545e

zlikwidować, 1064c
(wyzbyć się)
zlikwidować, 1073c
(uśmiercić)
zlinczować, 1073b
zlinczowanie, 1075d
zlitować się, 1039a
zlizać, 988b
zlodowaciały, 1129c
zlodowacieć, 1128a
zlokalizować, 536b
zlokalizowanie, 312a
zlot, 1119b
zlustrować, 589a *(popatrzeć)*
zlustrować, 867b
(inspekcjonować)
zluzować, 1102a
zła koniunktura, 852c
zła passa, 448a
zła strona, 63c
złachać, 483g
złachany, 881a
złachmanić, 483g
złagodnieć, 358a
złagodzenie, 1155a
złagodzenie kary, 714a
ZŁAGODZIĆ, 560b *(mitygować)*
złagodzić, 985a *(ulżyć)*
złajać, 167c *(strofować)*
złajać, 736d *(naskakiwać)*
złakniony, 29c
złakomić, 1077d
złakomić się, 65b
złamać, 147a *(kawałkować)*
złamać, 402a *(ignorować)*
złamać, 749c *(ustawiać)*
złamać, 967c *(opanować)*
złamać kark, 81c
złamać pieczęć, 578a
złamać się, 596b *(pęknąć)*
złamać się, 987b
(pogodzić się)
złamać szyfr, 97b
złamać życie, 280a
złamanie, 502e
złamany, 850a
złapać↓, 130b *(brać)*
złapać, 43b *(sięgać)*
złapać, 71c *(zachorować)*
złapać, 403a *(wyniknąć)*
złapać, 470b *(aresztować)*
ZŁAPAĆ, 683e *(skrępować)*
złapać, 1070a *(dojmować)*
złapać na gorącym
uczynku, 1098b
złapać oddech, 520a
złapać się, 132a *(tknąć)*
złapać się, 381d *(oszukać się)*
złapać się, 492a *(przygarnąć)*
złapać się na czymś, 867b
złapać się za, 1080b

złapać stację, 843a
złapać za rękę, 1098b
złapał kurcz, 1150e
złazić, 215b
złazić się, 745a *(przybywać)*
złazić się, 1135b
(zmachać się)
złącze, 1121b
ZŁĄCZENIE, 1130d
złączyć, 195b *(korelować)*
złączyć, 836c *(zbliżać)*
złączyć węzłem
małżeńskim, 836b
złe, 111a
złe fatum, 448a
złe i dobre strony, 748b
zło, 1131
złocić, 13a
złocić się, 1017a
złocisty, 14c
złoczyńca, 729a
ZŁODZIEJ, 574d
złodziejski, 22c
ZŁODZIEJSTWO, 272a
złoić, 26b
złom, 429a
złomować, 1064c
złomowisko, 429a
złorzeczenie, 833a
złorzeczyć, 736d
złościć, 108b
złościć się, 175c
złość, 1132
ZŁOŚLIWIE, 464b
złośliwości, 437c
złośliwość, 575g *(fałsz)*
złośliwość, 1132b *(agresja)*
ZŁOŚLIWY, 1b
złośnica, 242b
złota myśl, 677b
złota rączka↓, 365c
złota żyła, 268b
złote wesele, 910c
złotnik, 815a
złoto, 31a *(klejnoty)*
złoto, 245c *(czerwień)*
złoto, 394a *(wygrana)*
złotodajny, 38d
złotonośny, 38d
złotousty↑, 1054b
złoty↓, 871e *(fachowy)*
złoty, 14c *(żółty)*
złoty interes, 268b
złoty medal, 394a
złowić, 1073f
złowieszczo, 1168b
złowieszczość, 419b
ZŁOWIESZCZY, 166c
złowrogi, 166c *(złowieszczy)*
złowrogi, 1133b *(srogi)*
złowrogo, 464e *(surowo)*

złowrogo, 1168b
(złowieszczo)
złowróżbnie, 1168b
złowróżbny, 166c
złoża, 1101a
złoże, 679f
złożenie, 647a
złożenie do grobu, 637a
złożoność, 704e
ZŁOŻONY, 837a *(wieloraki)*
złożony, 937a *(zawiły)*
złożyć, 98f *(zwracać)*
złożyć, 183d *(magazynować)*
złożyć, 240a *(położyć)*
złożyć, 705a *(wytwarzać)*
złożyć, 1142a *(pomniejszać)*
ZŁOŻYĆ DO GROBU, 620a
złożyć na ołtarzu↑, 846b
złożyć na ręce, 98a
złożyć pocałunek, 132d
złożyć podpis, 629a
złożyć podziękowanie, 151a
złożyć pokłon, 1023b
złożyć powinszowania, 877a
złożyć raport, 204b
złożyć rezygnację, 777d
złożyć się, 1089b
złożyć skargę, 624c
złożyć swój los
w czyjeś ręce, 1087b
złożyć wizytę, 864b
złożyć z urzędu, 1064a
złożyć zamówienie, 65c
złuda, 828b
złudnie, 449a
złudność, 455b
złudny, 450d
złudzenie, 668b *(pozorność)*
złudzenie, 828b *(mara)*
złupić, 1156d
złuszczyć, 988c
złuszczyć się, 1159b
zły, 1133 *(niedobry)*
zły, 1115d *(gniewny)*
zły duch, 111a *(szatan)*
zły duch, 212a *(prowokator)*
zły los, 448d
ZMACHAĆ SIĘ, 1135b
zmachany↓, 1134a
ZMAGAĆ SIĘ, 999b
zmagania, 1000a
zmaganie się, 1000e
zmajstrować, 402b *(popełnić)*
zmajstrować, 705a
(wytwarzać)
zmaleć, 1143a
zmalować, 402b
zmaltretować, 26c
zmamić, 1077d
zmanierować się, 857a
zmanierowany, 498e

NOTATKI

NOTATKI

NOTATKI

Prośba do Użytkowników

Będziemy wdzięczni za wszelkie uwagi, jakie mogą posłużyć do ulepszenia Słownika w następnym wydaniu.

Propozycje uzupełnień zasobu znaczeń można kierować na adres Wydawcy, najlepiej z przeznaczeniem dla tego z autorów, który redaguje daną część mowy.

A. Dąbrówka (czasowniki)
E. Geller (rzeczowniki)
R. Turczyn (pozostałe)

Stała sprzedaż detaliczna — w Księgarni Wydawnictwa „ALFA"
00–542 Warszawa, ul. Mokotowska 58
telefon 29–80–21 fax 621–67–51

Sprzedaż hurtowa 01–217 Warszawa, ul. Kolejowa 19/21
Wydawnictwa „ALFA" telefon 32–32–95/6 wew. 13, 621–87–50

Adres do korespondencji 00–542 Warszawa, ul. Mokotowska 58

Klientom detalicznym po złożeniu pisemnego zamówienia wysyłamy
„Słownik synonimów" za zaliczeniem pocztowym.